ISBN 978-0-483-15463-6
PIBN 10751440

FB &c Ltd, Dalton House, 60 Windsor Avenue, London, SW19 2RR.
Company number 08720141. Registered in England and Wales.

Neues Archiv

der

Gesellschaft für ältere deutsche Geschichtskund

zur

Beförderung einer Gesammtausgabe
der Quellenschriften deutscher Geschichten des Mittelalters

Dreiunddreissigster Band.

Hannover und Leipzig.
Hahn'sche Buchhandlung.
1908.
Unveränderter Nachdruck 1985.

Neues Archiv

der

Gesellschaft für ältere deutsche Geschicht

zur

Beförderung einer Gesammtausgabe

der Quellenschriften deutscher Geschichten des Mitt

Dreiunddreissigster Band

Hannover und Leipzig.

Hahn'sche Buchhandlung.

1908.

Unveränderter Nachdruck 1985.

Unveränderter Nachdruck 1985

Herstellung: Strauss & Cramer GmbH, 6945 Hirschberg 2
Printed in Germany

Inhalt.

I.

Bericht

über die

eiunddreissigste Jahresversammlung

der Zentraldirektion

der

Monumenta Germaniae historica.

Berlin 1907.

Die Zentraldirektion der Monumenta Germaniae historica vereinigte sich in Berlin zu ihrer dreiunddreissigsten ordentlichen Plenarversammlung in den Tagen vom 29. April bis 1. Mai. Anwesend waren die Herren Prof. Bresslau aus Strassburg i. E., Geh. Justizrat Prof. Brunner und Geh. Regierungsrat Prof. Holder-Egger von hier, Staatsarchivar Archivrat Krusch aus Osnabrück, Hofrat Prof. Luschin Ritter von Ebengreuth aus Graz, Prof. von Ottenthal und Prof. Redlich aus Wien, Geheimrat Prof. Schäfer von hier, Geh. Hofrat Prof. Steinmeyer aus Erlangen, Prof. Tangl, der das Protokoll führte, Prof. Werminghoff und Prof. Zeumer von hier; den Vorsitz führte Wirkl. Geh. Oberregierungsrat Koser, dem das zuvor kommissarisch von ihm versehene Amt des Vorsitzenden nunmehr durch Kaiserliche Ernennung vom 31. Juli 1906 übertragen worden ist. Am Erscheinen verhindert war durch dringende Berufsgeschäfte Herr Geheimrat Prof. von Riezler in München. Die Versammelten wählten zum Mitgliede der Zentraldirektion Herrn Geh. Hofrat Prof. von Simson in Berlin.

Die Arbeiten nahmen in allen Abteilungen ihren geregelten Fortgang. Veröffentlicht wurden seit Erstattung des vorigen Berichtes:

In der Abteilung Scriptores:

Scriptorum qui vernacula lingua usi sunt tomi VI. pars I (enthaltend die Österreichische Chronik von den 95 Herrschaften, herausgegeben von J. Seemüller).

Scriptores rerum Germanicarum: Nithardi Historiarum libri IV. Editio tertia. Post G. H. Pertz recognovit Ernestus Müller. Accedit Angelberti Rhythmus de pugna Fontanetica.

In der Abteilung Leges:

Constitutiones et Acta publica. Tomi IV. partis prioris particulus alter. Recognovit Jacobus Schwalm.

Vom Neuen Archiv der Gesellschaft für ältere deutsche Geschichtskunde: Bd. XXXI, Heft 3 und Bd. XXXII, Heft 1 und 2.

Unter der Presse befinden sich sechs Quart- und drei Oktavbände.

Den Druck des fünften Bandes der Scriptores rerum Merovingicarum hat Herr Archivrat Krusch bis zum 10. Bogen gefördert. Für den sechsten Band wurde die Arbeit an Hildegers Vita des Bischofs Faro von Meaux, an der Passio Ragneberts von Bebrona und die höchst anziehend und originell geschriebenen alten Leidensgeschichten des Bischofs Praejectus von Clermont durch Herrn Krusch unter Heranziehung von Hss. aus Amiens, Dijon, St. Gallen, Laon und Wien zum Abschluss gebracht. An der Durchsicht der Korrekturbogen beteiligte sich Herr Privatdozent Dr. Levison in Bonn; für die von ihm übernommenen Beiträge zu dem sechsten Merowingerbande wurde er von dem Direktor der Nationalbibliothek zu Madrid, Herrn Menendez y Palayo, durch Uebersendung zweier Hss. der Historia Wambae des Julian von Toledo in dankenswertester Weise unterstützt.

Zur Vorbereitung seiner Ausgabe der noch ausstehenden Teile des Liber pontificalis hat Herr Levison im British Museum zu London die bisher von keinem Herausgeber benutzte Hs. des 12. Jh. (Harley n. 633), in Bonn die beiden Pariser Codices aus dem 9. und dem 14. Jh. verglichen, sowie dank der freundlichen Vermittelung des Herrn Jenkinson, Oberbibliothekars der Universitätsbibliothek zu Cambridge, die gleichfalls bisher unbeachtet gebliebene Cambridger Hs. des 12. Jh. Auch die der Cölner Dombibliothek (saec. IX) wurde erledigt. Weitere französische Hss., soweit sie versandt werden können, gedenkt Herr Levison in Bonn, die italienischen, zumal die alte Hs. von Lucca, auf einer für den Herbst d. J. in Aussicht genommenen Reise auszubeuten.

In der Hauptserie der Abteilung Scriptores ist der zweite Halbband des Tomus XXXII mit dem Schluss der von dem Abteilungsleiter Herrn Geheimen Regierungsrat Prof. Holder-Egger bearbeiteten Chronik des Salimbene bis auf die Vorrede zu dem ganzen Bande, die Appendices und Register fertiggestellt und wird um die Jahreswende erscheinen können. Die von Herrn Holder-Egger im vorigen Jahre unternommene Reise nach Italien galt im wesentlichen der Sammlung weiteren Materials für die italienischen Geschichtschreiber des 13. Jh. So in Verona der Durchsicht der wichtigen Annales Veronenses de Romano und kleinerer Veroneser Annalen; in Bologna, wo der Vorsteher der Kommunalbibliothek, Herr Prof.

Albano Sorbelli, die Arbeit mit Zuvorkommenheit unterstützte, der Kollation der zum ersten Male von A. Gaudenzi herausgegebenen ersten Rezension der Chronik Ryccards von San Germano und der Cronica S. Mariae de Ferraria; in Pistoia der Untersuchung einer angeblichen Hs. der Annales Pisani, die tatsächlich nur späteres Material zur Geschichte von Pisa, zum grössten Teil in italienischer Sprache, enthält. In Rom, wo der Präfekt der Biblioteca Apostolica Vaticana, Herr P. Franz Ehrle, mit allzeit gleicher Bereitwilligkeit auch diesmal allen Wünschen weit entgegenkam, und in Florenz wurden neben den Arbeiten für die staufische Periode auch andere Aufgaben, so für die Merowinger-Serie und die Epistolae erledigt. Als nächstes Ergebnis der im vorjährigen Berichte erwähnten italienischen Forschungsreise des Mitarbeiters Herrn Dr. Schmeidler, auf der ihn die Vorstände und Beamten des Staatsarchivs und der Biblioteca Governativa in Lucca, der Ambrosiana in Mailand und der Nationalbibliothek in Florenz durch ihre Unterstützung zu grösstem Danke verpflichteten, wird im N. A. XXXIII, 1 eine Untersuchung über die Gesta Florentinorum und Lucanorum als Quellen des Tolomeus von Lucca mitgeteilt werden.

Die anhaltende starke Nachfrage nach den Schulausgaben der Scriptores rerum Germanicarum legt der Zentraldirektion die Pflicht auf, dieser Serie eine immer gesteigerte Fürsorge zuzuwenden. Nachdem die dritte Auflage der Historiae des Nithard in der Bearbeitung des Herrn Dr. E. Müller, der hier eine von den früheren Herausgebern nicht beachtete merkwürdige Interpolation festzustellen in der Lage war, soeben erschienen ist, muss jetzt für die nach Anzeige der Verlagshandlung teils ganz, teils bald vergriffenen Ausgaben des Helmold, der Gesta Friderici I. von Otto von Freising und Rahewin und des Chronicon Urspergense Ersatz geschafft werden. Die Ursperger Chronik hat der Abteilungsleiter selber in Arbeit genommen. Für eine neue Auflage Helmolds hat Herr Dr. Schmeidler die Lübecker und die beiden Kopenhagener Hss. verglichen, den Spuren der verschollenen Stettiner Hs. ist er im Verein mit Herrn Prof. Walter in Stettin, dem Vorsteher der Bibliothek des Marienstift-Gymnasiums, vergeblich nachgegangen. Inzwischen sind die Arbeiten an der Weltchronik Ottos von Freising, an den Annales Austriae und an dem Cosmas Pragensis durch die Herren Dr. Hofmeister in Berlin, Prof. Uhlirz in Graz und Landesarchivar Dr. Bretholz in Brünn fortgesetzt worden. Im Druck befinden sich die Annales Marbacenses ed. Bloch, Johann von Victring ed. Schneider und Albertus de Bezanis ed. Holder-Egger. Für die von ihm übernommene Ausgabe der Monumenta Reinhardsbrunnensia hat Herr Holder-Egger dank dem Entgegenkommen der Gräflich Schönborn-Wiesentheidt'schen Bibliotheksverwaltung die einzige Pommersfelder Hs. der Reinhardsbrunner Briefsammlung hier in Berlin vergleichen können; die Arbeiten für die Neuausgabe der Annales Placentini Gibellini hat er bis auf weiteres zurückstellen müssen.

In der Serie der Deutschen Chroniken gedenkt Herr Prof. Seemüller in Wien die zweite Hälfte des sechsten Bandes mit der Vorrede und den Registern zu der Österreichischen Chronik von den 95 Herrschaften binnen Jahresfrist erscheinen zu lassen. Anschliessen wird sich die Drucklegung des von Herrn Privatdozenten Dr. Gebhardt in Erlangen übernommenen Gedichts von der Kreuzfahrt Ludwigs III. von Thüringen.

Nachdem Herr Privatdozent Dr. Heinrich Meyer in Göttingen von der Bearbeitung der älteren deutschen historischen Lieder hat zurücktreten müssen, ist diese Aufgabe auf Vorschlag des Herrn Prof. Dr. Roethe und unter dessen Aufsicht Herrn Dr. Hermann Michel in Berlin übertragen worden.

Einzelne Kollationsarbeiten wurden für die Abteilung Scriptores freundlichst ausgeführt durch die Herren Henri Lebègue und Amédée Boinet in Paris, V. Samanek in Wien und F. Schneider in Rom. Eine wesentliche Förderung erfuhren die einschlägigen Arbeiten durch die Bereitwilligkeit, mit der die österreichischen Klöster, an die wir uns wendeten, ausnahmslos ihre Hss. leihweise übersandten. Dem hochwürdigsten Abt und dem Bibliothekar des Cistercienserklosters Zwettl, Herren Stephan Rössler und P. Benedict Hammerl, sowie den Herren Stiftsarchivaren und Bibliothekaren der Klöster Admont, Heiligenkreuz, Rein und St. Paul, PP. Friedrich Fiedler, Florian Watzl, Anton Weis und Siegfried Christian sei aus diesem Anlasse hier der wärmste Dank ausgesprochen.

Für die Abteilung Leges, soweit sie der Leitung des Herrn Geheimrat Brunner unterstellt ist, blieb Herr Prof. Freiherr von Schwind in Wien mit der Vorbereitung der neuen Ausgabe der Lex Baiuwariorum beschäftigt. Herr Prof. Dr. Seckel in Berlin gedenkt im Zusammenhang der von ihm weitergeführten Forschungen zu den Quellen des Benedictus Levita im Herbst d. J. in Rom die Hss. der falschen Kapitularien zu prüfen. Bei der für die ältere Zeit jetzt vollendeten Herstellung der Texte der Placita gelang es Herrn Prof. Tangl, den echten Kern des angezweifelten Placitums Sigiberts III. (N. A. XIII, 157) mit Beihülfe des Herrn Dr. Rauch aus der stark verderbten Ueberlieferung herauszuschälen und für die Gerichtsurkunde Karls des Grossen für Fulda über die Mühlbachersche Textgestaltung des ersten Bandes der Karolinger-Diplome noch hinauszukommen.

In den von Herrn Prof. Zeumer geleiteten Serien der Abteilung Leges hat Herr Dr. Krammer die Vorbereitung der Ausgabe der Lex Salica, zum Teil in gemeinsamer Arbeit mit dem Leiter der Abteilung, soweit gefördert, dass die Konstituierung des Textes nunmehr beginnen konnte; der eingehende Editionsplan für die im Druck vorzulegenden fünf Texte und der ihnen anzuhängenden Stücke wurde der Zentraldirektion zur Kenntnis gegeben. Von dem zweiten Bande der Concilia ist der bis zum Jahre 843 führende Text jetzt auf 108 Bogen vollständig abgesetzt; nach Fertigstellung der Register wird Herr Prof. Werminghoff im Herbst d. J. den zweiten Teil dieses Bandes dem im Herbst 1904 veröffentlichten ersten Halbbande folgen lassen. Die Arbeit an den Constitutiones et Acta publica ist durch Herrn Dr. Schwalm in Hamburg so rüstig gefördert worden, dass seit dem letzten Jahresbericht nicht weniger als 70 Bogen gedruckt werden konnten. Bei der unerwartet grossen Fülle des Materials für den Römerzug Heinrichs VII. empfahl es sich, den vierten Band dieser Serie, dessen erster Teil im Vorjahre ausgegeben wurde, in zwei auch äusserlich selbstständige Hälften zu zerlegen. Es wurde also jenem bereits vorliegenden Teil eine die Regierung Heinrichs VII. bis Ende 1311 begleitende zweite Lieferung, mit Titelblatt und Inhaltsverzeichnis für beide, hinzugefügt, während der andere Halbband, gleichfalls mit eigenem Titelblatt, bis zum Ausgang dieser Regierung führen und umfangreiche Anhänge zum ganzen Bande bringen soll. Zum Abschluss kann er erst gelangen, sobald der Herausgeber auf einer im Laufe dieses Jahres auszuführenden nochmaligen Forschungsreise, die auch der Vervollständigung des für die Periode Ludwigs des Bayern gesammelten Materials zu dienen hat, noch einige Ergänzungen aus italienischen

Sammlungen beigebracht haben wird. Für die Constitutiones Karls IV. ist der Leiter der Abteilung mit seinen Mitarbeitern, Herrn Dr. Lüdicke und dem neu eingetretenen Herrn Dr. Salomon, unausgesetzt tätig gewesen. Der weitaus grösste Teil der in einem ersten Band zu vereinigenden Stücke ist bereits beisammen. Eine grosse Anzahl von Urkunden aus dem Hauptstaatsarchiv zu Dresden, das in Folge einer sehr dankenswerten Anordnung seines neuen Direktors, des Herrn Geheimrats Posse, zum ersten Male die Aufgaben der Monumenta Germaniae durch Ausleihung von Archivalien gefördert hat, und aus dem Staatsarchiv zu Coblenz, einzelne auch aus dem Reichsarchiv zu München und dem Ernestinischen Gesamtarchiv zu Weimar, konnten im hiesigen Geheimen Staatsarchiv verglichen oder abgeschrieben, zum Teil auch, dank der auch anderen Abteilungen der Monumenta zu gute gekommenen Mühewaltung des Herrn Dr. Salomon, in trefflichen Lichtbildern vervielfältigt werden. An 150 zum Teil sehr umfangreiche Stücke, die nach Auswahl der älteren und neueren Literatur in Rom zu suchen waren, sind dort von dem früheren Hülfsarbeiter des Herrn Prof. Zeumer, Herrn Dr. Kern, verglichen worden.

Einem im Vorjahre gefassten Beschlusse der Zentraldirektion entsprechend hat Herr Zeumer einen Plan für die im Anschluss an die Veröffentlichung der Constitutiones zu bewirkende Herausgabe der Staatsschriften des ausgehenden 13. und des 14. Jh. vorgelegt, nach welchem sich die Sammlung unter dem Titel Tractatus de iure imperii saeculorum XIII. et XIV. selecti auf das rein politische und unmittelbar auf die Reichsgeschichte bezügliche Material zu beschränken haben wird. Zur Bearbeitung sollen zunächst die Traktate des Marsilius von Padua (Defensor pacis; De translatione imperii; De iurisdictione imperii in causa matrimoniali) gelangen.

Auf eine im Jahre 1905 von Herrn Prof. Redlich gegebene Anregung und nach Prüfung einer auf unser Ersuchen inzwischen von Herrn Prof. Dopsch in Wien ausgearbeiteten Denkschrift hat die Zentraldirektion eine Sammlung der Hof- und Dienstrechte des 11. bis 13. Jh. (einschliesslich der niederländischen und flandrischen) in ihren Arbeitsplan aufgenommen, die innerhalb der von Herrn Prof. Zeumer geleiteten Serien der Abteilung Leges in den Fontes iuris Germanici antiqui ihren Platz finden soll.

Der Leiter der Abteilung Diplomata Karolinorum, Herr Prof. T a n g l in Berlin, hat eine Untersuchung über die verschiedenen Ueberlieferungen des sogenannten Testamentes Fulrads von St. Denis, die sich für das Verständnis einer Gruppe von Karolingerurkunden als unerlässlich ergab, im N. A. XXXII veröffentlicht und wird ihr im Archiv für Urkundenforschung die im vorigen Berichte angekündigte, jetzt für die sämtlichen Karolingerurkunden abgeschlossene Bearbeitung der tironischen Noten, deren Anwendung in den Diplomen Ludwigs des Frommen ihren Höhepunkt erreicht, folgen lassen. Bei der Bearbeitung der Originalurkunden dieses Herrschers machte sich das Bedürfnis nach Vervollständigung des früher gesammelten Facsimilevorrats geltend. Der hochwürdigste Herr B i s c h o f von C h u r gestattete die photographische Aufnahme einer im Domschatze befindlichen Urkunde Lothars I. Weiter haben die Herren Direktoren der Archive zu Colmar, Marburg, München, Münster i. W., Stuttgart und Wien zur Ergänzung der Lücken durch Uebersendung von Originalen oder (wie auch Herr Staatsarchivar Dr. K r a - t o c h w i l in Wien) photographischen Nachbildungen in bereitwilligster Weise beigetragen. Der ständige Mitarbeiter dieser Abteilung, Herr Dr. E. M ü l l e r, ist nach Abschluss seiner oben erwähnten Arbeit für die neue Nithard-Ausgabe vorzugsweise mit einer Untersuchung über die wichtige Gruppe der Fälschungen von Le Mans beschäftigt gewesen.

Im Bereiche des 11. Jh. hat die Fertigstellung des vierten Bandes der Diplomata (für Konrad II.) durch eine Erkrankung des Herrn Abteilungsleiters Prof. B r e s s l a u in Strassburg eine kleine Verzögerung erlitten, aber der Druck ist auf Bogen 40 bereits bis zum Schluss des Jahres 1036 geführt; über einen Turiner Fälscher des 11. Jh. haben im Zusammenhang der Editionsarbeit die beiden Herren Mitarbeiter der Abteilung, Dr. H e s s e l und Dr. W i b e l, im N. A. XXXII berichtet. Für Bd. V (Heinrich III.) sind, abgesehen von einer kleinen Gruppe Goslarer Urkunden, wegen deren Versendung nach Strassburg die Verhandlungen noch schweben, sämtliche Originale gesammelt und auch photographiert worden.

In der Abteilung Diplomata saec. XII. konnte dank dem Entgegenkommen sämtlicher beteiligter Archivverwaltungen die Bearbeitung der Originale durch Herrn Prof. v o n O t t e n t h a l und seinen ständigen Mitarbeiter,

Herrn Dr. Hirsch, unter Beihülfe des Herrn Dr. Samanek durchweg in Wien erfolgen. Aufgearbeitet wurden für die Staufer des 12. Jh. folgende Gruppen: Basel (aus dem Staatsarchiv zu Bern), St. Gallen und Pfäffers (Stiftsarchiv St. Gallen), Schaffhausen (Staatsarchiv daselbst), Propstei Zürich und St. Martin auf dem Zürcher Berg (Staatsarchiv Zürich), Komburg (Staatsarchiv Stuttgart), Gurk (Sammlung des Geschichtsvereins zu Klagenfurt), Stift Rein und St. Florian (aus den Stiftsarchiven), Brauweiler, St. Pantaleon, Siegburg und Stablo (Staatsarchiv Düsseldorf), Bursfeld und St. Michael in Lüneburg (Staatsarchiv Hannover), Fulda und Hersfeld (soweit im Staatsarchiv Marburg vorhanden). Für Lothar harren in Deutschland nur noch einige norddeutsche Sammlungen und das Strassburger Diplom der Erledigung; das italienische Material wird Herr Dr. Hirsch im Herbst auf einer Rundreise durchforschen. Die Bibliographie wurde zum Abschluss gebracht, der photographische Apparat unter fortdauernder freundlicher Mitwirkung des Herrn Staatsarchivars Dr. Kratochwil ansehnlich vermehrt.

Die von Herrn Dr. Perels bearbeitete Sammlung der Briefe des Papstes Nicolaus I., die den Schluss des Bandes VI der Abteilung Epistolae bilden soll, liegt nahezu druckfertig vor. Mit dem Satz wird im Laufe dieses Sommers begonnen werden können; die Anfertigung des Registers für den ganzen Band liegt gleichfalls Herrn Dr. Perels ob. Für den siebenten Band hat der neue Leiter dieser Abteilung, Herr Prof. Dr. Werminghoff, die Briefe Hadrians II., Johanns VIII. und der übrigen Päpste des 9. Jh., vor allem aber die Briefe aus dem Westfrankenreich bis 887 in Aussicht genommen, darunter die Hinkmars von Reims und seiner Zeitgenossen.

Innerhalb der Abteilung Antiquitates ist es den Bemühungen des Leiters, Herrn Geheimen Regierungsrats Prof. Holder-Egger, gelungen, für die von dem verstorbenen Prof. von Winterfeld unvollendet gelassene Herausgabe der Karolingischen Poetae Latini in Herrn Prof. Strecker, dem Nachfolger von Winterfelds auf dem Lehrstuhl für mittelalterliche lateinische Philologie an der Berliner Universität, einen Fortsetzer zu gewinnen. Für die Bearbeitung der St. Galler Sequenzen, die er als Erbschaft gleichfalls von Winterfelds übernahm, hat der Züricher Bibliothekar Herr Dr. Jakob Werner auf der Nationalbibliothek zu Paris die Sequenzen-Manuscripte deutscher Herkunft (aus Prüm und Echternach) verglichen und aus den französischen Vorlagen (von Limoges und Nevers), die zum Teil älter sind als die St. Galler Hss., die Notkerschen Texte, sowie die Texte nach Notkerschen Melodien herangezogen. Für die Ausgabe der Schriften Aldhelms von Sherborne hat Herr Prof. Ehwald die Briefe, die rhythmischen und die kleineren hexametrischen Gedichte und die beiden Bücher de virginitate durchgearbeitet. Die Vorbereitung der Nekrologien der Diözese Passau hat der Erzbischöfliche Bibliothekar Herr Dr. Fastlinger zu München, soweit sein Gesundheitszustand es gestattete, wieder aufgenommen.

Wie den vorstehend bereits genannten wissenschaftlichen Anstalten und persönlichen Gönnern erstattet die Zentraldirektion auch den hohen Reichsbehörden, dem Königlich Preussischen Historischen Institut zu Rom und den Herren Beamten der Handschriftenabteilung und des Zeitschriftenzimmers der Berliner Königlichen Bibliothek ihren wärmsten Dank für die den Monumenta Germaniae fortgesetzt gewährte wertvolle Unterstützung.

II.

Ein Salzburger Legendar mit der ältesten Passio Afrae.

Von

Bruno Krusch.

Der Bibliothekar des Praemonstratenser-Stiftes Schlägl in Oberösterreich, Herr P. Vielhaber, hat in einer verdienstlichen Abhandlung[1] über die Hs. der Wiener Hofbibliothek Lat. 420 (früher Salisburg. 39) die Aufmerksamkeit der Fachgenossen auf ein altes und wertvolles Legendar gelenkt, welches bisher wissenschaftlich noch nicht ausgebeutet war. Wenn er seine Arbeit mit dem Ausdruck der Verwunderung beginnt, dass eine solche Hs. allen Hagiographen und auch mir unbekannt geblieben sei, so darf den Hagiographen, welche wertvolle alte Hss. übersehen haben, jetzt auch der Urheber dieser Aeusserung beigesellt werden, dessen Urteile die eindringendere Beschäftigung mit dem Gegenstand bisweilen vermissen lassen. Die Schwierigkeiten, das handschriftliche Material für eine Sammlung vollständig zusammenzubringen, wie es die Heiligenleben-Sammlung der Merowinger-Abteilung ist, hatte ich im Anhange zu dem IV. Bande[2] auch mit der Sache weniger Vertrauten auseinanderzusetzen versucht, als ich das nach Zürich verschlagene alte Passionarium Sangallense nachzutragen hatte. Die Inventarisierung der zahlreichen Legenden-Sammlungen ist von den Bollandisten erfolgreich in Angriff genommen worden, und auch die neueren französischen Hss.-Kataloge nehmen auf den Gegenstand mehr Rücksicht, als das früher zu geschehen pflegte; aber so gut wir über Frankreich und Belgien Bescheid wissen, so unzureichend sind die Hilfsmittel noch für die übrigen Länder. Haben die Bollandisten einmal die hagiographische Inventarisierung in den abendländischen Bibliotheken zu Ende geführt, wird man sich einen Ueberblick über den gesamten Stoff verschaffen können, und vorsichtiger wäre es gewiss gewesen, mit der Herausgabe der Passiones vitaeque sanctorum aevi Merovingici bis zu diesem Zeitpunkte zu warten. Inzwischen scheint mir aber unsere Voreiligkeit wenigstens den einen Vorteil zu haben, dass man den Wert eines neu auftauchenden Legendars jetzt ungefähr beurteilen kann. Bei

1) P. G. Vielhaber, De codice hagiographico C. R. Bibliothecae Palat. Vindobon. Lat. 420 (olim Salisburg. 39) in Anal. Bolland. XXVI, 33—65. 2) SS. rer. Merov. IV, 763.

den in den Monumenta Germaniae veröffentlichten Vitae ist P. Vielhaber tief in die Einzelheiten des Hss.-Verhältnisses eingegangen und hat mit grosser Sicherheit den neuen Fund in das von mir benutzte Material eingereiht, während er in anderen Fällen im Allgemeinen über die textkritische Verwertung nicht gar viel zu sagen wusste. Die Auffindung eines so alten Legendars mit so vielen historisch wichtigen Stücken kann für die Textkritik natürlich nicht ohne Bedeutung sein, und Vielhaber hat nicht unterlassen, in jedem einzelnen Falle die Vorzüglichkeit der neuen Quelle hervorzuheben, und zugleich mit kühner Hand die Manuskripte neu gruppiert. Die Salzburger Hs. gehört sehr häufig zu einer Ueberlieferung, die in unserm Apparate durch Hss. des 13. Jh. vertreten ist, und das Auftauchen eines um 4 Jahrhunderte älteren Stammverwandten wird den textkritischen Wert der Klasse immer heben und ihr bisweilen einen besseren Platz in der Gesamt-Gruppierung einräumen, als man ihr bisher auf Grund der Lesarten einer späten Nachkommenschaft geben konnte. Vielhaber scheint mir aber bei seinen Aenderungen nicht mit der nötigen Vorsicht verfahren zu sein. Gibt er z. B. bei der V. Lupi Trec. meiner ersten Hs. die letzte Stelle, so steht mir doch gerade für diese Ueberlieferung ihm unbekanntes handschriftliches Material bereits aus dem 8. Jh. zur Verfügung, welches die von mir aufgestellte Reihenfolge der Hss. durchaus bestätigt. Bei der V. Aniani ist die Umstellung der einen Klasse wenigstens überflüssig und um so mehr zu entbehren, da Vielhaber in der kritischen Beurteilung der einzelnen Klassen sonst durchaus meine Wege gewandelt ist. Was er über angebliche Quellen Gregors von Tours bei den Vitae Simplicii und Romani ausführt, scheint mir noch nicht völlig ausgereift zu sein, jedenfalls auf ziemlich schwachen Füssen zu stehen. Der Schwerpunkt seiner Abhandlung liegt offenbar auf dem neuen Text der Passio Afrae. Wenn ich im Folgenden die Ausführungen Vielhabers einer Nachprüfung unterziehe und meine abweichenden Ansichten entwickele, so möchte ich doch gleich von vornherein auch seinem Verdienste gerecht werden, dass er uns eine neue handschriftliche Quelle von grossem Werte erschlossen und sie mit vollständiger Beherrschung wenigstens des diplomatischen Rüstzeugs behandelt hat.

Die erwähnte Hs. ist im 9. Jh. von mehreren Händen geschrieben und umfasst nach dem Verlust von 2 Blättern am Schlusse heute noch 178 Blätter. Der gedruckte Katalog der Wiener Hofbibliothek bezeichnet ihren Inhalt lakonisch als 'Vitae sanctorum' und gibt das 11. Jh. als

Alter an[1], wie die Salzburger Hss. sehr häufig zu niedrig eingeschätzt worden sind. In Wattenbachs Verzeichnis der Wiener Hss. (Arch. X) ist sie ganz übergangen, und auch ich hatte, wie gesagt, nicht geahnt, was sich hinter der wenig versprechenden Beschreibung verbirgt. Die Kopierung war unter die verschiedenen Abschreiber nach Lagen verteilt, wodurch sich nach Vielhabers scharfsinniger Beobachtung das plötzliche Abbrechen der V. Germani Autissiod. auf fol. 98' erklärt. Mit dem Raum ist überhaupt ziemlich sparsam umgegangen. Häufig sind Prologe, Briefe, die Doxologie am Schluss weggelassen. Die Ordnung der Sammlung ist nach zwei Gesichtspunkten erfolgt, einmal nach dem Geschlecht unter Voranstellung der Männer vor die Frauen und dann innerhalb der beiden Gruppen im Allgemeinen nach dem Kalender. In der Hs. liegt uns also eins der ältesten kalendarisch geordneten Legendare vor, und schon in dieser Hinsicht verdient sie Beachtung. Der jüngste der darin berücksichtigten Heiligen ist Audoin von Rouen, und noch mehrere andere Texte beziehen sich auf Neustrien. Dieser Umstand hat Vielhaber auf den Gedanken gebracht, dass die Hs. in St. Amand entstanden und durch Arno, den einstigen Abt dieses Klosters, nach Salzburg übergeführt sei. Neben den nordfranzösischen Beziehungen ergeben sich aber aus der inneren Beschaffenheit der Texte noch andere, nicht weniger auffallende zu zwei Legendaren der Trierer Diözese aus dem 13. Jh., und auf dieselbe Gegend könnte die V. Severini ep. Trever. führen, wie auch Arnulf von Metz auf Austrasien hinweist. Vermutlich ist die Hs. durch Vereinigung verschiedener Bestandteile zustande gekommen, und ein naher Verwandter der einen Quelle muss sich einstmals in der Trierer Diözese befunden haben. In der gemeinsamen Mutterhs. war der Text der V. Lupi Senon. durch eine grössere Umstellung in Unordnung geraten. Die Uebereinstimmung in einer solchen Aeusserlichkeit zwingt zur Annahme eines sehr nahen Zusammenhangs. Dagegen steht zu Neustrien die seltene voralkuinische V. Richarii in Beziehung, deren Text Poncelet aus der weit jüngeren Hs. von Avranches herausgegeben hatte. In diesem Falle musste natürlich die Auffindung des Salzburger Legendars für die Textkritik von

1) Von dem Grade der Unzuverlässigkeit des Wiener Hss.-Katalogs gibt auch die Beschreibung von n. 332, saec. 'XII', 'Passionale Latinum' eine Vorstellung. Die Hs. gehört nach Dr. Levison's Untersuchung vielmehr ebenfalls in das 9. Jh. und enthält u. a. die Afraakten (ähnlich A 2) und die P. Floriani (ähnlich A 1).

grösster Bedeutung sein. In der Auswahl der Texte hat man bei der Anlage der Sammlung nicht immer dieselbe glückliche Hand gezeigt. Von den verschiedenen Bearbeitungen der V. Genovefae ist die spätere Recension C aufgenommen, und statt Fortunats V. Germani Paris. steht hier ein ganz kurzer und wertloser Auszug. Die aufgenommenen Fortunat-Texte aber sind infolge des niedrigen Bildungsstandes der Abschreiber in sehr übeler Verfassung und durch arge Missverständnisse entstellt. Allerdings bin ich auch in andern, mir nachträglich bekannt gewordenen alten Fortunat-Hss. auf ein überaus barbarisches Kolorit gestossen, und es wird doch zu erwägen sein, ob der Dichter wirklich der elegante Hagiograph gewesen ist, für den man ihn bisher zu halten pflegte.

Ich gebe zunächst eine Uebersicht über den Inhalt der Hs., soweit er für die Monumenta Germaniae in Betracht kommt.

Fol. 9—14. Fortunats V. Hilarii Pictav. ohne den Widmungsbrief und ohne das Buch von den Wundern, ein überaus willkürlicher Text mit vielen Varianten und zahlreichen grammatikalischen Verstössen.

Fol. 20—22. V. Simplicii Augustidunensis, in welcher Vielhaber die Quelle Gregors, Gl. Conf. c. 75, zu erkennen glaubt. Die von ihm angeführten Parallelstellen bringen die Frage der Priorität nicht zur Entscheidung, und ich trage um so mehr Bedenken seiner Auffassung beizustimmen, da bekanntlich Gregor ein ehrlicher Mann war, der seine Quellen gewissenhaft anführt. Wenn dieser also für seine Aufzeichnungen keinen Gewährsmann nennt, wird man nicht vorschnell — 'vel ex levi comparatione' schreibt Vielhaber — ihm einen solchen unterschieben dürfen. Der Inhalt deckt sich vollständig mit der Vita, denn auch diese enthält nur die Rechtfertigung des keuschen Bischofs und seiner keuschen Gattin, nur ist alles weiter ausgeführt und die Reden ziehen sich mehr in die Länge, aber in dieser Breite scheint mir kein Vorzug der Vita zu liegen. Simplicius wurde nach Gregors Zeugnis als Nachfolger des Hegemonius nach dessen Tode zum Bischof erwählt. Die Vita berichtet über die Erhebung nach dem Texte der Salzburger Hs. Folgendes: 'Interea Simplitius meritorum splendore ac doctrine luce conspicuus, egemunius[1] fuere (lies 'fere') medius, summi sacerdotii tituli apice sublimatur'. Die

1) Die Worte: 'e. f. m.' fehlen in dem Abdruck der Bollandisten aus Cod. Bruxell. n. 206, saec. XIII, Catal. Bruxell. I, 127, zu welchem die Herausgeber schon selbst Verbesserungen aus dem Cod. Paris. n. 5278, saec. XIII, Catal. Paris. I, 476, nachgetragen haben.

Worte: 'egemunius fere medius' scheinen hier fast die Aufzählung der ausgezeichneten Eigenschaften des Heiligen mit dem Begriffe 'fast ein halber ἡγεμόνιος, Oberanführer', fortzuführen; jedenfalls hätte Gregor aus dieser Stelle unmöglich erkennen können, dass Hegemonius der vorhergehende Bischof war, dessen Episkopat er im voranstehenden Kapitel (74) behandelt, ohne freilich etwas anderes von ihm zu wissen, als dass er dem Cassian gefolgt war. Das Wunder, welches die Unschuld des Ehepaares erwiesen hatte, machte nach Gregor auf die heidnische Bevölkerung einen solchen Eindruck, dass sich innerhalb einer Woche 1000 Menschen taufen liessen, die also die Kirche durch ihre Streiter dem himmlischen Reiche gewann. Nach der Vita aber wurden an einem einzigen Tage 3000 getauft, von denen innerhalb einer Woche die Kirche 1000 durch ein seliges Ende in den Himmel sandte. Die starke Abweichung der beiden Texte an dieser Stelle verdient wohl die Gegenüberstellung:

Gregor, Gl. Conf. c. 75.	V. Simplicii.
'Hoc miraculo populus, qui erat tunc incredulus, credidit Deo, et inter septem dies amplius quam mille homines sacri innovatione lavacri sunt renati. Quos suscipiens eclesia, gaudens caelesti regno per hos milites copulavit'.	'Hoc viso miraculo, die uno trium milium hominum multitudo gremio ecclesiae genetricis excipitur ac vitalis lavacri fonte diluitur. Intra septem tamen dies mille ex his felice consummatione aecclesia misit ad celos'.

Eine besonnene Kritik pflegt in solchen Fällen den niedrigeren Zahlen den Vorzug zu geben und die Hyperbel auf die Rechnung des frommen Eifers späterer Legendenschreiber zu setzen. Auf keinen Fall kann ich mich bei dem lakonischen Urteilsspruch Vielhabers beruhigen: 'uno in loco sensum perperam intellexit' (scil. Gregorius), und mit mir dürfte vielleicht auch noch mancher andere der Ansicht sein, dass damit die Sache nicht abgetan ist. Die alte Salzburger Hs. bietet bemerkenswerte Verbesserungen zu dem veröffentlichten Texte, enthält aber auch viele sinnentstellende Fehler.

Fol. 22—26. Fortunats V. Albini, wiederum ohne den Widmungsbrief, ein willkürlicher und schlechter Text, wie auch Vielhaber nichts zu seinem Lobe beizubringen weiss.

Fol. 26—28. V. Germani Paris., nicht die Schrift Fortunats, sondern der Anal. Boll. XVII, 99 f. sorgfältig analysierte schlechte Auszug.

Fol. 28—31'. V. Medardi. Die Hs. enthält die Interpolation über den Vater des Heiligen hinter 'genere', Auct. antiq. IV, 2, p. 68, 5, indem sie 'Nactardus nomine' einschiebt, und zeigt sonst Verwandtschaft mit den Hss. München 4605 und 22241, Trier 1151 und Wien 480, hat auch mit letzterer die Klausel über die Abfassung durch Fortunat.

Fol. 40—42. V. Lupi Trec. Das Verhältnis der Salzburger Hs. zu den drei in meiner Ausgabe[1] benutzten behandelt Vielhaber in einem eigenen Exkurse. Er sucht darin nachzuweisen, dass sie an Alter wie an Güte jene übertreffe, und schliesst aus einigen wenigen Stellen, dass sie die beste Grundlage für die Textkritik biete, dann 1b und das scheusslich ('foede') interpolierte 2 folge und die von mir vorzüglich zu Grunde gelegte Hs. 1a die letzte Stelle einnehme. Uebersehen hat er leider, dass ich inzwischen auf eine noch ältere Hs. als die von ihm gefundene, einen Petersburger Codex s. VIII, gestossen war[2], und dieser bestätigt zusammen mit dem von mir später aufgefundenen Passionarium Sangallense[3] die Ueberlieferung von 1a, so dass also dieser unter den drei benutzten Hss. doch der Vorrang bleibt. Die Salzburger Hs. liest übrigens S. 123, 8 nicht, wie er behauptet: 'proclamans, nihil se doloris sensisse languorem', sondern 'languorum', so dass also zwei Genitive von 'nihil' abhängig sein würden, und bei seiner Aenderung 'languorem' hätte wiederum das eine Verb zwei Objekte. Die beiden nachträglich von mir benutzten, teilweise noch ältern Hss. lesen aber: 'pr. nihil se dolere, desisse languorem', so dass also den zwei Objekten auch zwei Verben zur Seite stehen, und in 1a sind lediglich die Worte 'nihil se' ausgelassen. Leider ist die Petersburger Hs. nicht vollständig erhalten und an einer Stelle, wo sie fehlt (121, 16), bestätigt die Salzburger meine Konjektur. Als die nächstälteste Hs. hat sie ihre Bedeutung für die Textkritik, wenn auch nicht in dem Umfange wie Vielhaber annimmt, und überragt natürlich weit ihren Verwandten 1b, eine Hs. des 13. Jh. Aber auch in dieser Vita hat sie ihre Unarten, die Vielhaber kurz berührt, und in Berücksichtigung derselben könnten vielleicht auch die Mängel von 1a in einem milderen Lichte erscheinen. In meiner neuen Ausgabe der V. Lupi, die unter den Anhängen zur Merowinger-Serie erscheinen wird, habe ich die beiden von mir nachgetragenen alten Hss. mit 1a zu einer ersten

---

1) SS. rer. Merov. III, 120 ff. 2) N. Archiv XXIV, 561. 3) SS. rer. Merov. IV, 764.

Klasse, die Salzburger mit 1b zu einer zweiten zusammengefasst. Auch für die Altersbestimmung des Biographen dürfte die Auffindung der Petersburger Majuskel-Hs. noch grössere Bedeutung haben als die der jüngeren Salzburger, aus der Vielhaber auch in dieser Hinsicht Kapital zu schlagen sucht. Seine letzte Entdeckung, dass die Streitfrage über das Verhältnis Bedas zur V. Lupi dadurch zu Gunsten der Priorität der letzteren entschieden werde, dass ihr die Worte 'tunc' und 'verbum' (bei 'praedicare') fehlen, die jener hat, lässt sich nur verstehen, wenn man das höhere oder geringere Alter an der grösseren Kürze oder Länge abmisst, — einer der Elementar-Grundsätze der Vielhaberschen Kritik, mit dem wir uns noch weiter unten zu beschäftigen haben werden.

Fol. 46—52. V. Arnulfi Mett., ein guter Text der B-Klasse, der anfangs von meiner Ausgabe nur unwesentlich abweicht, manche altertümliche Formen der Hs. A 1 bestätigt (S. 443, 13 'iterantibus' für 'itinerantibus'; S. 443, 14 'scobiis' Hs. für 'excubiis', 'scubiis A 1), sie darin bisweilen übertrifft (437, 27 'Chugus', 438, 3 'Chugo'), anderswo ihr nachsteht (443, 13 'oraturium' Hs.; 'oratorius' A 1) und 446, 9 mit 'adfuisset' just ebenda schliesst, wie das Trierer Legendar saec. XIII, dessen N. Archiv XVIII, 625, angeführte Varianten hier wiederkehren.

Fol. 52—60'. V. Filiberti, ein dem Legendar des Klosters Arnstein in der Trierer Diözese (jetzt London Harlei. n. 2801, saec. XIII. in.) verwandter Text.

Fol. 61—66'. V. Audoini. Die Hs. gehört ebenfalls zur Klasse des Arnsteiner Legendars, die durch diesen alten Vertreter mehr Bedeutung für die Textkritik gewinnt, als ihr bisher beigemessen werden konnte.

Fol. 67—71. V. Bibiani. Die Hs. ist der Klasse des Trierer Legendars (3a in meiner Ausgabe[1]) beizuzählen, steht aber dem Archetypus viel näher, als die bisher bekannten späteren Vertreter, und erhöht so den textkritischen Wert dieser Ueberlieferung. S. 94, 5 liest die Hs. 'qui suprestis' für 'qui superis iunctus' (1), was ich wegen der Anlehnung an die Ausdrucksweise des Jonas in den Text gesetzt hatte; doch im Hinblick auf die alte Schreibung 'suprestis' möchte ich mich jetzt mehr für die Lesart der dritten Klasse entscheiden. Umgekehrt bestätigt die Hs. S. 96, 8 die Lesart 'indagatione' von 1. Der in den

1) SS. rer. Merov. III, 93.

Hss. ausserordentlich stark differierende Schluss ist mit Hilfe der neuen Quelle wohl so herzustellen: 'Ubi dum multa Dei ('D.' om. c.) beneficia virtutibus declarantur, profectusque in hodiernum diem sacratissimus ('sacratissimum' c.) cultus, ut habeat fidelium devotio velut praesentem antestitem, cum venerantur sacratissimum confessorem. Explicit'. Das Verbum des Hauptsatzes 'profectusque' bietet dem Verständnis Schwierigkeiten und hat die Abschreiber zu den willkürlichen Aenderungen verleitet. Man kann es als 'profecit' oder 'provectus est' deuten, und 'que' ist, wie im Spätlatein häufig, abundierend angehängt.

Fol. 79—85. V. Lupi Senon. ist unter dem Kalendertage des Namensvetters von Lyon (Ueberschr.: 'VIII. K. Octb. Natl. sancti Lupi') eingereiht. Die Hs. gleicht wiederum dem Trierer Legendar (3a) und stammt aus demselben durch eine Umstellung in c. 4—6 leicht erkenntlichen Exemplar [1], hat aber nicht die grosse Lücke in c. 7—14. Sie bietet manche recht alte Formen (S. 181, 9 'exortavit'), ist aber andererseits durch eine nicht geringe Zahl ganz offenbarer Textverderbnisse (z. B. 179, 12 'anmulieris' für 'amnis Ligeris', 180, 8 'sincerum' für 'tubicinum') entstellt, welche den textkritischen Wert beeinträchtigen. Nach dem Druck meiner Ausgabe hatte ich bereits einen sehr guten Vertreter der 2. Hss.-Klasse aufgefunden und eine Anzahl Verbesserungen in den Nachträgen S. 777 f. mitgeteilt, und einen ähnlichen Text enthält der mir noch später bekannt gewordene Codex von Maihingen I. 2. 4°. 6, saec. XII. in. Nachdem nun auch der dritten Klasse der vorliegende Fund zu gute gekommen ist, ist eigentlich nur noch die erste zurückgeblieben. Um die Vorzüglichkeit der beiden anderen Klassen zu zeigen, hat Vielhaber vier Fehler von 1a zusammengestellt, während er doch selbst zugeben muss, dass auch die von ihm aufgefundene Hs. 'multis mendis' von ihrem Schreiber entstellt sei. Ein von ihm entworfener neuer Stammbaum gruppiert die Hss. in der von ihm beliebten Ordnung. Wenn er dort eine Korrektur der Salzburger Hs. nach der Ueberlieferung 1a annimmt, so scheint mir diese Annahme allein schon geeignet zu sein, allerhand Bedenken gegen sein System wach zu rufen; jedenfalls müsste dann 1a vorher vorhanden gewesen sein, und diese Anerkennung des höheren Alters gerade derjenigen Ueberlieferung, die ich an die Spitze

---

1) Vgl. SS. rer. Merov. IV, 178.

gestellt hatte, nehme ich dankbar an. Die Hs. schliesst S. 187, 30 mit 'triumphos', wie 3a.

Fol. 85—87'. V. Remedii. Die Hs. zeigt manche Aehnlichkeiten mit der von mir benutzten[1] alten Pariser n. 5596 (C), liest aber S. 66, 25 'decepta' und lässt ebendaselbst 'precibus' mit G und der Pariser n. 17625, s. X/XI, aus, stimmt auch bisweilen mit der aus Weissenburg stammenden Würzburger, Mp. th. f. 34, s. X.

Fol. 87'—98'. V. Germani Autissiod. beginnt unter Weglassung des Kapitelverzeichnisses, der Briefe und der Praefatio mit Kap. 1 und schliesst Kap. 27 mit 'fruerentur' am Schlusse des Quaternios N, ohne das Kapitel zu Ende zu bringen. Der Text gleicht der von Levison[2] mit A 3 bezeichneten Hs. und steht den von Narbey aus der Pariser Hs. 12598, saec. VIII, publizierten Fragmenten nahe, deren gemeinsame Quelle an einigen Stellen in unverfälschter Form zum Ausdruck kommt, z. B. c. 15 'cum sanctorum reliquias' (1. Hd.).

Fol. 99—103. V. Richarii, der alte von A. Poncelet, Anal. Bolland. XXII, 186—194, aus einer Hs. saec. XIII. veröffentlichte Text, der durch diese Hs. eine neue und ganz vortreffliche Grundlage erhält. Wenn ich im N. Archiv XXIX, 43 ff. eine Anzahl der von dem späten Abschreiber verdorbenen Stellen auf dem Wege der Konjektur zu heilen versucht hatte, so hat mir der neue Fund nur zum Teil Recht gegeben, z. B.: 192, 25 'qui preerat suos (für 'suus') sequipeda', und eine alte Ueberlieferung wird immer weiter führen als jede Konjekturalkritik, besonders bei einem so rohen Latein und einem so verwilderten Texte. Die für das Superstitionswesen interessante Stelle 186, 14 lautet in der neuen Hs.: 'ubi gentiles Pontearii inridebant ei malefacere. Adfirmabant stulti, quod essent dusi; hemaones vocitabant, qui Deum non credebant; eis reputabant, quod segetes tollebant'. Der Ausdruck 'hemaones' ist also ein zweites Schimpfwort, das vermutlich ebenfalls die menschliche Eigenschaft der irischen Fremdlinge in Frage stellen soll, und man könnte an eine Zusammensetzung mit 'hemi—' denken, etwa 'hemiaeones', halbe 'aeones' Weltgeister, wie sie der Ketzer Valentinus sich ausgedacht hatte. Dass der Autor gelehrten Absonderlichkeiten nachging, verraten schon die 'dusi'. 'Talpigo' muss 189, 3 nach dem neuen Texte: 'Super mota

---

1) Auct. antiq. IV, 2, p. XXIV. 2) N. Archiv XXIX, 105.

terra, quam factum talpigini vocant', Maulwurfshaufen bedeuten, und dass in der nächsten Zeile für 'perduxerit' vielmehr 'pertimuit' zu schreiben sei, war kaum zu erraten. Für das rätselhafte 'in contri' bietet die Hs. die glänzende Lesart 'incontra' (= e regione) und fährt dann fort: 'beati saepulcro erectus fuit. Ingressuum sua quae fuerunt sustentacula, ibi pendunt pro miracula', wo auch ich schon 'fuerunt' geschrieben hatte. Hinter Maurontus (190, 29) fügt sie den sachlich bedeutsamen Zusatz ein, dass dieser später Mönch geworden sei, und ergänzt auch manche andere Worte (z. B. 191, 9), die in der jüngeren Hs. ausgefallen waren. Vielhaber hat die hauptsächlichsten Abweichungen der Wiener Hs. (V) dem Ponceletschen Texte (A) gegenübergestellt, und nur einige wenige Berichtigungen zu beiden Kollationen sind nachzutragen.

186, 4 fügt auch A 'Christi' vor 'Richarius' ein.

186, 11 'loquere' hat auch A von 1. Hd.

187, 1 liest V 'reputabant' für 'putabant' A. Vielhaber hat durch ein Versehen die erste Lesart ganz ausgelassen und dann die zweite mit einer anderen von 187, 3 verbunden.

187, 7. 8 'ad suum domum' liest die erste Hd. A.

187, 9 'verbo Dei' auch erste Hd. A.

187, 10 'recipit' auch erste Hd. A.

188, 10 'conloquutione' V.

190, 19 'prostratur' auch erste Hd. V.

190, 32 'Crisciacense' V.

Fol. 103—105. V. Severini ep. Trev., ohne den aus der folgenden V. Venantii ausgeschriebenen Prolog, ein der Oxforder Hs., Laud. Miscell. n. 163, saec. XV, verwandter Text.

Fol. 105—107. V. Venantii = Gregor, V. Patr. XVI, hat den nur in der wichtigen, aus Molsheim stammenden Hs. 4 vorhandenen Satz S. 726, 21: 'Sed ab ipsis daemoniis saepius — perstitit', ohne doch deren Umstellungen 724, 14 ('vigilanter incessanterque'). 726, 22 zu wiederholen.

Fol. 107—110. V. Amantii beginnt ohne den Prolog: 'Beatissimus Amantius Ruthene quondam fuit urbis ortus' und schliesst in meiner Ausgabe[1] mit Kap. 8 'viventis'. Im Texte fehlen S. 55, 28 die Worte 'sed mens — fervescit ira', die der Bruxellensis n. 9289, s. XI, durch eine Interpolation ersetzt hat.

Fol. 110—115. V. Aniani. Die Hs. hat S. 112, 12 meiner Ausgabe[2] mit den Klassen 2. 3 die Interpolation

1) Auct. antiq. IV, 2, 60. 2) SS. rer. Merov. III.

aus Sulpicius Sev., V. Martini c. 10, und ersetzt mit der Klasse 2 das Kap. 10 durch eine Interpolation aus Gregor von Tours, gehört also wiederum zur Familie des Trierer Legendars, hat aber vermöge ihres Alters die barbarische Sprache treuer bewahrt als ihre mir bekannten jüngeren Verwandten und berührt sich in dieser Beziehung mit 1:

108, 27 'ad pontificalem onus' ('ad pontificale munus' 1);

109, 3 'currerit' (= 1);

besonders mit dem von mir nachträglich aufgefundenen alten Passionarium Sangallense[1] (4):

109, 6 'inpositum vixillum' erste Hd. (Acc. abs. auch 4),

geht aber

115, 14 'in spiritu'

nicht mit 2 und der ersten Hand von 4, sondern mit den entarteteren Genossen der letzteren Hs. (4a. b). Auch über die Hss.-Filiation dieser Vita hat Vielhaber seine Gedanken in einem eigenen Exkurs niedergelegt, der sich an meine Ausführungen in der Vorrede aufs engste anschliesst. Wie ich, hat er 1 für die stilistisch bessere Fassung erklärt, wie ich, für 2 und 3 eine gemeinsame Quelle angenommen. Der einzige Unterschied zwischen uns beiden ist, dass er 4 vor 2. 3 in dem von ihm entworfenen Stammbaum einreiht, was nach Auffindung des alten Sangallensis wohl möglich, aber nachdem auch die 2. Klasse in der Salzburger Hs. einen älteren Vertreter erhalten hat, keineswegs notwendig ist. Ohne diese Aenderung hätte freilich sein Stammbaum sich von dem meinigen nur dadurch unterschieden, dass er für 'Autographon' 'Archetypus', für x — Φ, für y — χ, für z — x schreibt und die neue Hs. vor 2 nachträgt.

Fol. 115—119. Fortunats V. Paterni, ein in Orthographie und Grammatik sehr barbarischer und teilweise auch sehr korrupter Text, der mit der nach der Publikation meiner Ausgabe mir bekannt gewordenen Hs. Montpellier, H 55, saec. VIII/IX (M) nahe verwandt ist; vgl. Auct. antiq. IV, 2:

S. 33, 7. 'venerabili meritis totoque'] 'm. venerabilis toto' (= M),

S. 33, 15. 'sacratis actibus'] 'seratis a.' (= M),

S. 33, 19. 'in se licet ista adituri, quam ante mihi'] 'licet inpara dicturi, quam materiei' (= M).

Um für die Nachlässigkeit des Abschreibers nur ein Beispiel anzuführen, so schrieb er:

S. 37, 23 'item Lascivius episcopus'] 'Intelaus cuius ēps'.

---

1) SS. rer. Merov. IV, 767.

Fol. 119—121'. V. Romani Blaviensis, eine ältere Rezension als die von den Bollandisten, Anal. Bolland. V, S. 178 ff., veröffentlichte. Gregor von Tours beruft sich in seinem Artikel über den Heiligen, Gl. Conf. c. 45, auf 'scripta vitae eius' für die Nachricht, dass ihn Martin von Tours begraben habe, und preist seine wundertätige Hilfe zur Rettung Schiffbrüchiger. Beide Angaben finden sich im Text der Salzburger Hs. Vielhaber entscheidet sich aber nicht dafür, dass diese Fassung Gregor vorgelegen habe, sondern gibt ihm die jüngere und erweiterte der Bollandisten als Quelle, weil sie die erwähnte Wundertätigkeit noch mehr ausführe, kann so schon diese jüngere noch ins 6. Jh. setzen und kommt dann für den kürzeren Text auf das 5. Jh. als Abfassungszeit. Mit der Begründung seiner These hat er es augenscheinlich sehr leicht genommen. Von historischer Glaubwürdigkeit kann übrigens bei beiden Quellen nach seinem eigenen Geständnis keine Rede sein.

Fol. 131—140. V. Genovefae steht an der Spitze des den Heiligen weiblichen Geschlechts gewidmeten zweiten Teils der Hs., aber nicht der älteste Text, sondern die Rezension C in einer sprachlich sehr vernachlässigten Form und mit vielen Schreibfehlern. Die Hs. liest AA. SS. Ian. I, 143, § 1 'ab eunte' für 'ab ineunte', § 42 'praecipuus' für 'principibus', 'imitatura' für 'immatura', schiebt aber allein § 22 'valde' hinter 'contemptor' ein, welches durch den A-Text gesichert ist. Dieselbe Rezension steht in der gleichaltrigen Karlsruher Hs., Augiensis XXXII, saec. IX, und durch diese beiden Hss. wird die Grenze für die Abfassung dieser Schrift erheblich weiter vorgeschoben, als ich früher[1], allerdings mit dem nicht zu übersehenden Zusatz 'fortasse', anzunehmen geneigt war.

Fol. 165'—166'. Die Passio Afrae, bei der weiter auszuholen ist.

Durch die Einleitung zu meiner Ausgabe[2] war die Kritik der Afra-Legende in ein neues Stadium getreten und der Glaube an einen historischen Kern schwer erschüttert worden. Die Bekehrungsgeschichte (Conversio) war wegen ihres märchenhaften Charakters schon längst in das Gebiet der Fabel verwiesen. Sie führt uns in die intime Häuslichkeit der Heiligen, wie sie kocht und brät, um

1) SS. rer. Merov. III, 213. 2) SS. rer. Merov. III, 41 ff.

eben angekommene Fremde gastfreundlich zu empfangen, und alle die Vorbereitungen trifft, welche sie in solcher Lage mit ihren drei Mädchen zu treffen pflegte, aber erstaunt in die Knie sinkt, als sie erfährt, dass ein Bischof bei ihr eingekehrt sei; sie zeigt uns diesen sofort in voller Tätigkeit, wie er die Bekehrung der Bewohner des verrufenen Hauses, der Afra, ihrer drei Mädchen und der Mutter Hilaria, nicht ohne Erfolg in Angriff nimmt, hernach mit dem plötzlich in Gestalt eines rabenschwarzen Mohren erscheinenden Teufel über den Besitz der Venus-Priesterinnen herumstreitet, ihn nach einer erregten Auseinandersetzung betört und mit dem an der Quelle der Julischen Alpen hausenden Drachen abspeist. Diese Gespenstergeschichte war man geneigt in die Mitte des 9., ja ins 12. oder 13. Jh. zu rücken; sie muss aber karolingisch sein, da wir eine angelsächsische Hs. aus dem 8. Jh. (A 2) besitzen. Ich hatte nun zum erstenmal die Glaubwürdigkeit und das von allen früheren Forschern angenommene hohe Alter (4. Jh.) auch der Leidensgeschichte (Passio) in Zweifel gezogen und zugleich für den guten Ruf der Märtyrerin eine Lanze gebrochen, der in ihr ebenfalls nicht unberührt geblieben ist. Wer im 6. Jh. mit dem Dichter Fortunat die Gebeine ('ossa') der heiligen Märtyrerin in Augsburg verehrte, hatte schwerlich das Bild einer Dirne vor Augen, glaubte schwerlich an den Feuertod, den ihr irdischer Leib nach der Legende erlitten haben soll, und dass ihr die Legende so übel mitgespielt hat, führte ich auf das Missverständnis einer Stelle des Mart. Hieron. zurück. Die Passio für sich betrachtet bietet in der Eigenartigkeit des vom Richter mit der Heiligen angestellten Verhörs mannigfache Angriffspunkte, doch wurden meine in dieser Hinsicht geäusserten Bedenken, so viel ich sehe, von der Verteidigung des Legendenwerks wenig beachtet. Mehr in die Augen fielen die Beziehungen zu der anrüchigen Conversio, und man beeilte sich daher, die Passio von ihr vollständig zu isolieren, erklärte sie für eine besondere Schrift und schied auch noch ein Kapitel (3) aus ihr aus, welches die dort geknüpften Fäden weiterspann. Damit fiel die Erzählung von dem Begräbnis des trotz der Verbrennung unversehrt gebliebenen Leibes der Afra und die Ausdehnung des Kriminalverfahrens auf ihre Genossinnen und ihre Mutter hinweg, während ein in den Hss. folgender Abschnitt[1] über römische Märtyrer von demselben Tage der Aufmerksamkeit der Verehrer der Heiligen

1) SS. rer. Merov. III, 51.

Fol. 119—121'. V. Romani Blaviensis, eine ältere Rezension als die von den Bollandisten, Anal. Bolland. V, S. 178 ff., veröffentlichte. Gregor von Tours beruft sich in seinem Artikel über den Heiligen, Gl. Conf. c. 45, auf 'scripta vitae eius' für die Nachricht, dass ihn Martin von Tours begraben habe, und preist seine wundertätige Hilfe zur Rettung Schiffbrüchiger. Beide Angaben finden sich im Text der Salzburger Hs. Vielhaber entscheidet sich aber nicht dafür, dass diese Fassung Gregor vorgelegen habe, sondern gibt ihm die jüngere und erweiterte der Bollandisten als Quelle, weil sie die erwähnte Wundertätigkeit noch mehr ausführe, kann so schon diese jüngere noch ins 6. Jh. setzen und kommt dann für den kürzeren Text auf das 5. Jh. als Abfassungszeit. Mit der Begründung seiner These hat er es augenscheinlich sehr leicht genommen. Von historischer Glaubwürdigkeit kann übrigens bei beiden Quellen nach seinem eigenen Geständnis keine Rede sein.

Fol. 131—140. V. Genovefae steht an der Spitze des den Heiligen weiblichen Geschlechts gewidmeten zweiten Teils der Hs., aber nicht der älteste Text, sondern die Rezension C in einer sprachlich sehr vernachlässigten Form und mit vielen Schreibfehlern. Die Hs. liest AA. SS. Ian. I, 143, § 1 'ab eunte' für 'ab ineunte', § 42 'praecipuus' für 'principibus', 'imitatura' für 'immatura', schiebt aber allein § 22 'valde' hinter 'contemptor' ein, welches durch den A-Text gesichert ist. Dieselbe Rezension steht in der gleichaltrigen Karlsruher Hs., Augiensis XXXII, saec. IX, und durch diese beiden Hss. wird die Grenze für die Abfassung dieser Schrift erheblich weiter vorgeschoben, als ich früher[1], allerdings mit dem nicht zu übersehenden Zusatz 'fortasse', anzunehmen geneigt war.

Fol. 165'—166'. Die Passio Afrae, bei der weiter auszuholen ist.

Durch die Einleitung zu meiner Ausgabe[2] war die Kritik der Afra-Legende in ein neues Stadium getreten und der Glaube an einen historischen Kern schwer erschüttert worden. Die Bekehrungsgeschichte (Conversio) war wegen ihres märchenhaften Charakters schon längst in das Gebiet der Fabel verwiesen. Sie führt uns in die intime Häuslichkeit der Heiligen, wie sie kocht und brät, um

1) SS. rer. Merov. III, 213. 2) SS. rer. Merov. III, 41 ff.

jetzt noch, ob die Passio eine Schrift des 4. oder spätestens 5. Jh., die auf historischen Vorgängen fusse, oder eine freie Erfindung des 7. oder 8. Jh. sei. Hatte man die Trennung in der Absicht vorgenommen, der Passio den Stempel ungefährer Gleichzeitigkeit aufzudrücken und ihr historische Glaubwürdigkeit zu vindizieren, so wird der neue Text eine kleine Enttäuschung bereiten. Man hat anerkannt, dass die topographische Formel 'entschieden' die Ausdrucksweise des Mart. Hieron. wiedergebe[1] und der Ansicht von der Trennung der beiden Schriftstücke in der Annahme beigestimmt, dass jene durch eine 'spätere Hinzufügung' in die Passio gelangt sei. Dieser Traum ist durch den neu aufgefundenen Text gründlich zerstört. Die verhängnisvolle Formel erscheint in ihm nicht blos einmal, sondern zweimal, und nach dem interpolierten 3. Kapitel gehört der bisher unbeachtet gebliebene Abschnitt über die römischen u. a. Märtyrer noch zum Urtext. Hier am Schlusse werden aber in der neuen Fassung die Beziehungen zu der Quelle des 7. Jh., dem Mart. Hieron., so verdächtige, dass man die Fälschung zugeben — oder die Kritik vorher einstellen muss.

Der Text der Passio Afrae des Salzburger Legendars ist am nächsten verwandt mit den beiden von mir[2] unter A 7a und A 7b angeführten Hss. von Turin, Biblioteca Nazionale, Bobbiese 49 (früher F III, 16), saec. XI, und Paris. Lat. 17002, saec. X, welche ebenfalls nur diesen Teil der Afra-Legende enthalten, endlich mit einer dritten von mir mit A 3a bezeichneten[3] Brüsseler Hs. n. 7984, saec. X, in welcher diese Form der Passio mit der Conversio verbunden ist. Diese drei Hss. sind aber im Einzelnen von der Willkür ihrer Schreiber so individuell umgestaltet, dass es einfach unmöglich war, ihre gemeinsame Grundlage herzustellen. Einige Beispiele für ihre starken Abweichungen hatte ich in meiner Ausgabe[4] zusammengestellt und im Anschluss daran diese kürzere Form für einen Auszug aus der längeren Passio erklärt, welche sich gewöhnlich in Verbindung mit der Conversio befindet. Durch die Auffindung der Wiener Hs. haben wir einen ausgezeichneten Masstab für die richtige Beurteilung dieser Textgestalt erhalten. Auch die neue Hs. ist nicht ganz frei von Schreibfehlern und sonstigen Mängeln; doch hat sich der Schreiber keine stärkeren Abänderungen des Textes

---

1) Vgl. Hornung a. a. O. 2) SS. rer. Merov. III, 45 sq. 3) Ebenda S. 44. 4) Ebenda S. 49. 50. 52.

erlaubt, und im Allgemeinen lässt sich auf Grund dieses Textes erkennen, welche der drei anderen Hss. an den abweichenden Stellen die Vorlage getreu erhalten, welche geändert hat. Es bilden aber gegenüber der Wiener Hs. (*a*) die drei anderen ihr zunächst verwandten in Turin (a), Brüssel (a*) und Paris (b) eine gemeinsame Gruppe, und es wird sich im Folgenden darum handeln, das Verhältnis dieser beiden Ueberlieferungen zu einander und dann zu der bisher bekannten längeren Fassung (*β*) zu ermitteln. Die Wiener Hs. habe ich selbst mit dem sorgfältigen Abdruck Vielhabers verglichen; aus Turin erhielt ich durch die ausserordentliche Zuvorkommenheit des Herrn Bibliothekar C. Bonassi eine sehr saubere Abschrift; von der Brüsseler Hs. stand mir eine Abschrift Arndts zur Verfügung, und die Pariser ist von C. Narbey, Supplément aux Acta Sanctorum II (1905), 365, gedruckt.

Vielleicht wird es überflüssig erscheinen, noch einmal eine Aufgabe zu stellen, die P. Vielhaber bereits in einer Form zur Lösung gebracht hat, die wenigstens an Bestimmtheit nichts zu wünschen übrig lässt. Er beweist, dass P — so nennt er a und b 'generatim', also den gemeinsamen Text beider — aus *a* und ebenso *β* aus *a* stamme, dass also *a* die Grundlage der Texte P und *β* sei, dass aber dann wieder *β* sowohl *a* als P benutzt habe, also diesmal nicht ausschliesslich aus *a* und auch nicht direkt aus P abgeleitet sei. Wäre *β* direkt aus P geflossen, so wäre nach seiner Logik die Uebereinstimmung mit *a* gegen P unerklärlich, und die Ableitung von P aus *β* erklärt er wegen der Uebereinstimmung von P mit *a* gegen *β* für unmöglich, da sonst nicht zu erklären sei, wie P dasselbe von *β* ausgelassen haben sollte wie *a*; P und *β* könnten aber nicht aus *a* als gemeinsamer Quelle hervorgegangen sein, weil ein Grund für die Verschiedenheit zwischen P und *β* gegen *a* nicht zu finden sei. So bleibt nach seiner Versicherung nur die eine Möglichkeit, die Herleitung von *β* aus *a* und P zugleich. Seiner Beweisführung ist leider eine kleine Ungenauigkeit verhängnisvoll geworden. Wenn er mit P a und b 'generatim' bezeichnen wollte, so hatte er im Augenblick vergessen, dass er leider nur den einen der beiden Texte besass, und eigentlich könnte ich hier meine Verwunderung aussprechen, dass er keinerlei Schritte getan hat, sich den viel wertvolleren anderen zu verschaffen, und doch den Eindruck zu erwecken suchte, als ob er ihn hätte. P. Vielhaber kannte einzig und allein b, d. h. den Narbey'schen Druck der Pariser Hs., und die Lesarten, die er mit P bezeichnet, sind nur die hier stehenden; die Hs. a ist in vieler Beziehung korrekter und geht oft mit *α*, wo b den Text willkürlich ändert: aber Vielhaber weiss von ihr gerade nur soviel, als ich in meiner Vorrede daraus mitgeteilt habe. Ein Beispiel wird sein Verfahren in das rechte Licht setzen. Nach Vielhaber ändert P die Lesart von *α*: 'Audio de te esse publicam meretricem' in 'audio pulcherrimam te esse meretricem' 'unpassend' um, denn dass Afra schön war, konnte der Richter nicht hören, sondern nur sehen, und sicher sei 'pulcherrimam' aus 'publicam' entstanden. Ganz sicher, denn 'Audio te esse publicam meretricem' liest auch a, und dies ist also die Lesart von P, nicht 'pulcherrimam'. So zerfällt ein erheblicher Teil seiner Beweise vor der Kritik einfach in nichts. Von den drei Grössen, mit denen er operiert, ist sein P, d. h. eigentlich b, eine ganz verdorbene spätere Ableitung, die mit *α* und *β* natürlich niemals in eine Reihe gestellt werden darf. Schon die einfache Aufwerfung der Möglichkeit einer Ableitung von *β* aus diesem P = b oder umgekehrt von letzterem aus *β* beweist die ganz mechanische Behandlung des Gegenstandes. Das richtige P, d. h. der den drei Hss. a. a*. b gemeinsame Text, stellt eine Schwesterhs. von *α* dar, die der Quelle von *β* näher stand als jenes.

Sieht man sich aber dann seine Beweisführung im Einzelnen an, wie er die verschiedenen Lesarten der Hss. gegenüberstellt und einfach an der Kürze oder Länge erkennt, ob die eine oder andere Quelle oder Ableitung sei, dann sollte man sich in längst entschwundene Zeiten zurückversetzt glauben. Eine einfache, ungezierte und ungeschminkte ('simplex, inaffectata, non fucata') Lesart gehört nach ihm der Quelle, eine schwülstige der Ableitung an. Auf diesem niedrigen Standpunkte stand die hagiographische Kritik, bevor der Schreiber dieser Zeilen an sie herantrat, der durch sorgfältige Beobachtung des Sprachgebrauchs der Autoren und ihrer Gewährsmänner dieser Wissenschaft eine festere Grundlage zu geben sich bestrebte, in der Meinung, dass einfach oder schwülstig bald von originellen, bald von abgeleiteten Autoren geschrieben sei, also beide Begriffe an sich kein Kriterium für die Beurteilung der Priorität bilden. Wie irrig die Vorstellung von dem hohen Alter der kürzeren Texte ist, zeigte sich bei der Passio Floriani, wo der längere von mir als der ursprüngliche erkannt wurde.

P. Vielhaber hat also die Beweise, die er führen wollte, nicht geführt und nicht einmal das Material für diese Aufgabe vollständig zur Hand gehabt. Wenden wir uns zunächst dem kürzeren Texte zu, so steht der älteren Ueberlieferung *a* eine jüngere Gruppe a. a*. b gegenüber, deren Zusammengehörigkeit die folgenden Stellen beweisen:

48, 3. 'quae meretrix fuerat'] *a*; 'h(a)ec enim m. f.' a. a*. b;

49, 5. 'et multa tibi conferentur pecunia'] *a*; 'et (om. a. a*) multas t. conferant (offerant a*) pec(c)unias' a. a*. b;

49, 12. 'confitenti'] *a*; 'eadem hora' add. a. b; 'eadem die hora nona' add. a*;

50, 6. 'quoniam'] *a*; 'quia' a. a*. b;

50, 12. 'animam meam sacrificiis daemonium non coinquinabo'] *a*; 'anima mea ('inmundissimis' add. a) sacrificiis ('d.' om. a. b; 'tuis' pro 'd.' a*) non coinquinabitur' ('non c. s.' b) a. a*. b;

50, 13. 'nequissimus'] *a*; om. a. a*. b;

50, 18. 'oculos suos'] *a*; 'suos' om. a. a*. b;

51, 1. 'oravit cum lacrimis'] *a*; om. a. a*. b;

51, 2. 'non iustos venisti vocare, sed peccatores'] *a*; 'non ('propter' add. a) iustos ('de caelo' add. a) descendisti ('salvare' add. b) sed ('propter' add. a) p.' ('ut' add. a; 'vocare' add. b) a. b; 'non pro iustis, sed pro peccatoribus de caelo descendere dignatus es' et add. 'vocare eos' a*.

An der ersten Stelle handelt es sich um die Ergreifung und Vorführung der Märtyrerin Afra, 'quae meretrix fuerat'. Das 'Haec enim' der jüngeren Gruppe gibt natürlich keinen Sinn, wenn man mit seinem Schullatein an die Quelle herantritt, und die Entrüstung Vielhabers macht sich in dem kräftigen Ausdruck 'ineptissime' Luft. Wer aber die Merowinger-Sprache kennt, dürfte sich grösserer Vorsicht in seinem Urteil befleissigen. 'Enim' wie 'nam' haben in diesem Latein sehr häufig adversative Bedeutung und stehen also für 'autem', wofür die Beispiele bei Gregor ausserordentlich zahlreich und unbestreitbar sind[1]. In dieser Beleuchtung erscheint die beanstandete Lesart nicht bloss nicht sehr unpassend, sondern sogar ganz passend, und einen Beweis für die Priorität von *a* liefert also die Stelle keineswegs. Weiter ersetzt dieselbe Gruppe (49, 5) die passivische Fassung durch die aktivische. Da aber auch die vorhergehenden Konjunktive

---

1) Man vergl. mein Register zum I. Merowingerbande und Bonnet, Le Latin de Grégoire de Tours p. 317.

im Passiv stehen, lässt sich in diesem Falle mit einiger Sicherheit behaupten, dass die Variante durch einen Eingriff in den ursprünglichen Text hervorgerufen ist. Umgekehrt könnte man an einer anderen Stelle (S. 50, 12) gegen die passivische Stilisierung derselben Ueberlieferung vielleicht die vorhergehenden Aktiva anrufen. Und die Ergänzung des von Jesus dem einen der Räuber am Kreuze gegebenen Versprechens durch die Zeitbestimmung 'eadem hora' (49, 12), wo die Bibel liest: 'Hodie mecum eris in paradiso', dürfte wohl auch kein Vorzug dieses Textes sein; jedenfalls weist die weitere Interpolation von a*: 'eadem die hora nona' ganz unzweideutig auf die Bibel als Quelle, wo der Herr um diese Stunde verscheidet. Die Schlechtigkeit des Richters ist in *a* am Schlusse (50, 13) ganz ähnlich hervorgehoben, wie sie es am Anfang in beiden Ueberlieferungen war (48, 4. 'iudex iniquitatis'), und das Attribut 'nequissimus' lässt sich also rechtfertigen. Auch 'suos' hinter 'oculos' (50, 18) ist augenscheinlich nicht in *a* zugesetzt, sondern in den anderen Hss. weggelassen. Eine Lücke scheint ferner an der nächsten Stelle (51, 1) vorzuliegen. Endlich fügt sich 'descendisti' für 'venisti' in der Paraphrase der bekannten Bibelstelle: 'non enim veni vocare iustos, sed peccatores' (Marc. II, 17 u. sonst) schwer in den Zusammenhang und kann eigentlich nur verstanden werden, wenn man die Interpolationen der einzelnen Schreiber heranzieht, die auf verschiedenen Wegen dem Sinne zu Hilfe gekommen sind. Der Variante mag eine Reminiscenz an eine frühere Stelle zu Grunde liegen: 'pro peccatoribus de caelo descendere et pati dignatus est' (48, 17).

Die angeführten Lesarten lieferten zum Teil bereits ein anschauliches Bild der starken Verschiedenheit der einzelnen Texte dieser Gruppe, die ich auch in meiner Vorrede hervorgehoben und mit Beispielen belegt hatte. Die Handschriften a und b enthalten jede für sich eine grosse Anzahl subjektiver Textveränderungen, und diese Interpolationen kommen für unsern Zweck augenscheinlich nicht in Betracht. Aus der Vergleichung mit *a* lässt sich aber erkennen, dass b noch gewalttätiger verfährt als a, und dieses die gemeinsame Urform sehr häufig besser erhalten hat. Wenn auch a* seine eigenen Wege gewandelt ist, so bringen doch einige auffallende Lesarten die Uebereinstimmung mit a scharf zum Ausdruck:

49, 4. 'ameris'] 'ut ('et' a*) accedentes ad te secundum consuetudinem suam' ('s.' om. a*) add. a. a*;

50, 2. 'amatorum'] 'amicorum' a. a*;
50, 14. 'professa'] 'confessa' a. a*;
50, 15. 'sacrificiis participari'] 'sacrificare' a. a*.
Es stammt also aus derselben interpolierten Vorlage wie a, hat aber gleichwohl einigemal den Urtext erhalten, wo a. b ändern:
50, 13. 'Tunc'] a* cum *a*; 'Sic' a. b;
50, 18. 'ad stipe'] *a*; 'ad stipitem' a*; 'stipiti' a. b.
Wenn a* vereinzelt bessere Lesarten enthält als a und b zusammen, so mag sich dies daraus erklären, dass nur wenige Glieder aus der langen Kette einer überaus verwahrlosten Ueberlieferung erhalten sind, und die sprachliche Ueberarbeitung nicht gleichmässig durchgeführt ist.

Hatte der Archetypus der jüngeren Gruppe seine Mängel, so standen ihm doch andererseits auch gewisse Vorzüge gegenüber der Hs. *a* zur Seite, die weiter unten zur Erörterung kommen, und denkt man sich alle singulären Varianten von a. a*. b hinweg, so bleibt ein gemeinsamer Text, der trotz einiger Interpolationen und Auslassungen *a* nahe verwandt war. Er stellt eine zweite, etwas abweichende, aber bei den Fehlern von *a* ganz unentbehrliche Hs. der kürzeren Passio dar, und an die Möglichkeit einer Herleitung dieser Mutterhs. oder gar einer Tochterhs. wie b (Vielhabers P) aus *a* kann kaum gedacht werden. Wer beweisen will, dass P aus *a* stamme, hat schon die Aufgabe falsch gestellt.

Von der Vulgat-Rezension (*β*) der Passio sind zwei Handschriftenklassen vorhanden, eine französische (A) und eine deutsche (B), die beide nicht unerhebliche stilistische Differenzen zeigen. Hatte Friedrich die letztere in den Vordergrund gerückt, so bewies ich in meiner Ausgabe[1], dass vielmehr die französische dem Texte zu Grunde zu legen sei. Durch die Auffindung der kürzeren Rezension erhalten besonders Lesarten von A Ib und A 2 eine unverhoffte Beglaubigung. Beide Rezensionen stimmen im Wortlaut vielfach mit einander überein, so dass sie zu einem einheitlichen Texte verarbeitet werden können. Im übrigen zeigt die neugefundene einfache Passio eine weit unbeholfenere stilistische Fassung, und die Abweichungen von *β* geben teilweise Zeugnis von einer logischeren Denkweise und einem etwas besser entwickelten Sprachgefühl, wenn auch sonst der Bildungsstand im ganzen noch ein recht niedriger war. Aus dem Streben nach einer bessern äusseren Form erklären sich auch manche Kürzungen in *β*, denen allerdings teilweise recht umfangreiche Erweiterungen reichlich die Wage

1) SS. rer. Merov. III, 47 ff.

halten. Der Unterschied tritt gleich am Anfang hervor. Der Urheber der einfachen Passio beginnt mit den Orts- ('Apud provintiam Ritia in civitate Agusta') und Zeitangaben ('in quo tempore'), schweift aber sogleich in einem Nebensatze zu den allgemeinen Zuständen der Christenverfolgung ab und muss nun nach der Rückkehr zur Heiligen in breiter Umständlichkeit die Topographie vollständig, die Zeitbestimmung mit 'tunc' wiederholen, während sich β durch Streichung der nichtigen Zeitangaben und bessere Fassung des Hauptsatzes auch die Wiederholung der Ortsangabe ersparte. Hernach drängt β die Vorführung vor den Richter und dessen Feststellung des Namens der Delinquentin in die Worte zusammen: 'Quae cum fuisset iudici oblata, et interrogasset iudex et agnovisset, quae esset'. In der einfachen Passio findet sich dafür Frage und Antwort in direkter Form, und auf die Frage, wie sie heisse, antwortet Afra nach α, dass sie Christin sei. Aehnliche Antworten sind von den Märtyrern in der Tat gegeben worden, aber die Richter haben dann weiter gefragt, bis sie den wahren Namen ermittelt hatten. Diese Feststellung fehlt in α, und die späteren Hss. haben dem mangelhaften Verhör in verschiedener Weise abgeholfen; auch β nimmt an, dass die Heilige ihre Namen wirklich genannt habe. Es vermeidet die eintönige Wiederholung wenig geschickter Ausdrücke:

48, 9. 'nunc usque'] 'ignorans Deum' β;
49, 4. 'nunc usque'] 'semper' β.

Wenn die böse Eigenschaft der Afra gelegentlich der Aufforderung zu opfern in dem andern Text zweimal zum Ausdruck gebracht ist am Anfang (48, 14) und Ende, zieht β die beiden Sätze: 'Audio de te esse publicam meretricem' und 'siquidem meretrix es' in den einen zusammen: 'Siquidem, ut (so A 1b) audio, meretrix es'. Unter ausdrücklicher Berufung auf die Evangelien fügt es für das Mitleid Christi das Beispiel der Sünderin Luc. 7, 38 ein, lässt aber alsdann den Herrn mit den Zöllnern und Sünderinnen nur essen und nicht auch wie der andere Autor trinken, (49, 2), obwohl nach dem Wortlaut der Bibel (Marc. 2, 16) beides zusammen gehört. Auf das sonderbare Ansinnen des Richters zu opfern, um von allen — 'omnibus' (49, 3) fehlt in β — ihren Liebhabern geliebt zu werden und viel Geld zu verdienen, lässt sich Afra in der anderen Passio nicht ein, sondern begründet sofort mit ihrem eigenen Martyrium die Hoffnung, dass sie von Gott nicht für unwert gehalten sei und auf Vergebung der Sünden wohl rechnen dürfe. Man vermisst also hier die Zurückweisung des in Aussicht gestellten Sündenlohnes, wie sie in einem echten Verhör zu finden sein müsste. Diese Lücke füllt β in nicht ungeschickter Weise mit der Versicherung der Heiligen aus, dass sie solches Geld nicht mehr annehme und das vorhandene unter die Armen verteilt habe, woran sich eine Diskussion mit dem Richter über ihre Würdigkeit schliesst. Hierbei tut dieser die in seinem Munde befremdende Aeusserung, dass eine 'meretrix' nicht Christin genannt werden könne; aber Afra baut nicht auf ihre Würdigkeit, sondern auf die göttliche Barmherzigkeit, die sie zum Christentum zugelassen habe, worauf ihr der Richter die Frage vorlegt, woher sie das wisse. Diese Frage schliesst gut an die im gemeinsamen Text folgende Hoffnungsfreudigkeit der Afra an, der oben gedacht wurde, und so lässt sich gegen die Verbindung dieses Zusatzes von β jedenfalls nichts einwenden. Die folgende Aeusserung des Richters enthält in der anderen Passio einen abermaligen Hinweis auf das Gewerbe der Heiligen: 'te enim talem scenam tantisque involutam peccatis desideras salvari?', den β wegen der Unverständlichkeit des Ausdrucks 'scena' (a) oder 'scenica' (a^*) für 'meretrix' — wohl von 'schoenicula' oder 'scenula' — umgangen haben könnte, aber eben diese Schwierigkeit spricht für die Ursprünglichkeit der Fassung, und der Verbindung von 'involuta' mit 'peccatis' begegnen wir auch oben (48, 5). Die erste Drohung des Richters steigert β nicht bis zur lebendigen Verbrennung, wie dies bei dem andern Autor (50, 3) in Uebereinstimmung mit dem folgenden Urteil (50, 15) geschieht. Die Einführung des Urteils stimmt in der kürzern Fassung (50, 13) besser mit anderen Märtyrer-Akten[1] als in der von β. Bei der Vollstreckung des Urteils spricht Afra nach der Fesselung am Pfahl in beiden Rezensionen ein Gebet, das zuerst in beiden ganz gleich beginnt, aber dann im Wortlaut erheblich abweicht. Nach der einen Quelle schickt sie die Beichte ihrer Sünden im Hinblick auf ihre ungenügende Busse voraus und schliesst positiv mit der Bitte um Gewährung der ewigen Ruhe und Vereinigung mit den Heiligen, während sie in β im Anschluss an ihre Busse negativ auf die Verschonung von der Hölle hofft, die sie durch ihre irdische Verbrennung verdienen will. Und dann nach der Anzündung des Feuers verbrennt sie lebendigen Leibes, lässt aber nach β noch

1) Vgl. Passio Irenaei: 'data sententia dixit'.

ein Dankgebet von sich hören, dass sie Christus ihr Opfer darbringen dürfe.

Die längere Rezension ist in konzinnerer Form redigiert, und der Fall ist eigentlich schwer denkbar, dass jemand diese konzinnere Form in die diffuse Stilisierung des kürzeren Textes umgesetzt haben sollte, der auch durch die schwierigere Ausdrucksweise den Eindruck höheren Alters macht. Die Darstellung findet man bald hier, bald dort breiter ausgeführt, und mit den allgemeinen Begriffen der Kürze oder Länge, der Einfachheit oder Verschrobenheit kann die Sache nicht zur Entscheidung gebracht werden. Die kürzere Rezension ist entschieden umständlicher abgefasst, während sachliche Zusätze fast nur β bietet. Stellt aber der Ueberschuss dieses Textes gegenüber dem kürzeren Interpolationen dar, so muss man doch zugestehen, dass diese in geschickter Weise in den Zusammenhang eingefügt sind.

In der Sache lässt sich nur weiterkommen, wenn man einen festen Massstab für die Beurteilung der beiden Texte an den abweichenden Stellen hat, und diesen bietet natürlich der ungeänderte, beiden gemeinsame Text. Wie ich schon bemerkte, gehen beide Rezensionen vielfach wörtlich zusammen, und man braucht also nur den abweichenden Text mit dem Sprachgebrauch in diesen Abschnitten aufmerksam zu vergleichen, um zu ermitteln, von wem die Originalfassung verändert worden ist. Eine Eigentümlichkeit des kürzern Textes ist es, bei Handlungen Gottes die Verben mit 'dignari' einzuführen, was β ängstlich vermeidet:

48, 17. 'pro peccatoribus de caelo descendere et pati dignatus est'] 'dixit se pro p. descendisse de c.' ('et pati' om.) β;

49, 7. 'quia me — pervenire dignatus est'] 'quia — permittor accedere' β;

50, 1. 'promittere dignatus est'] 'repromisit' β.

Dem konstanten Sprachgebrauch des kürzern Textes steht in β eine bunte Mannigfaltigkeit gegenüber; vergleicht man aber mit diesen Stellen eine vierte:

51, 3. 'dignatus es dicere',

und findet man diese wörtlich so in β (S. 63, 7) wieder, so beweist der gemeinsame Text mit mathematischer Gewissheit die Authentizität der kürzern Rezension. Der Richter spricht nach dieser (49, 3): 'Magis sacrifica', nach β (S. 62, 5) nur: 'Sacrifica' mit Weglassung von 'magis', aber bei Wiederholung der Aufforderung (49, 9) hat auch β (S. 62, 20) 'magis' erhalten, das sich so als Bestandteil des Urtextes erweist. Endlich ist die Zuversicht der Afra auf die göttliche Barmherzigkeit:

49, 6. 'non esse despecta a facie Dei] 'a f. Dei non esse proiectam' β

im kürzeren Text mit 'despecta' vielleicht logisch weniger passend ausgedrückt, aber auch β (S. 62, 4) gebraucht vorher das verneinte 'despexit' mit Rücksicht auf das Verhalten Christi zu den Sündern, und so wird 'proiectam' als eine Korrektur anzusehen sein.

In dem kürzeren Texte fehlt die Beziehung auf die vorausgehende Conversio: 'Afram hanc, quam notam habebat facies publica', fehlt auch mit dem zweiten Gebete der Heiligen und der Nachricht von dem Aushauchen der Lebensgeister alles, was in Kap. 3 des β-Textes von den Gefährtinnen Digna, Eumenia, Euprepia und der Mutter Hilaria erzählt ist, und zugleich die Beziehung auf die Taufe durch den Bischof Narcissus. Alle diese Gestalten und die ganze Bekehrungsgeschichte sind Erfindungen einer späteren Zeit, und zuerst ist nur die einfache Passio vorhanden gewesen.

Der Verfasser der durch die Conversio erweiterten Legende begann auch jene mit der Formel: 'Aput provinciam Retiam in civitate Augusta', die er an der Spitze der Passio gefunden hatte, und suchte durch diesen Parallelismus den Eindruck zu erwecken, als wenn beide Teile aus einem Gusse entstanden seien. Die Namen für seine Marionetten konnte er im Mart. Hieron. finden. Wenn er für den Besuch der Afra den Bischof Narcissus und den Diakon Felix wählte, so begegnet der erstere Name im Martyrolog nur an zwei Stellen und Kal. Ian.:

'In Affrica Victoris, Felicis, Narcissi',

zugleich in Verbindung mit dem andern. Und von den Mägden der Afra kommt Digna in derselben Quelle nur einmal Kal. Oct.:

'Eutropi, Dignae'

und hier mit einem andern Namen vor, der in WB 'Eopropi' verschrieben ist, und in der Verschreibung zur Entstehung der 'Euprepia' Anlass gegeben haben kann. Die Weiterbildung der Legende ist noch in das 8. Jh. zu setzen, aus welchem die in angelsächsischen Schriftzügen geschriebene Hs. A 2 stammt, und der romantische Zug, welcher durch diese Dichtung weht, erinnert einigermassen an die Phantasiegebilde eines Arbeo, dessen Sprache allerdings einen altertümlicheren Eindruck macht.

Jener Romantiker hat in der beschriebenen Weise einen Text der Leidensgeschichte umgestaltet, wie er in *a* und a. a*. b noch heute erhalten ist, und durch Vergleichung mit den beiden vorhandenen Quellen wird jetzt festzustellen sein, welcher Art die von ihm benutzte Hs. war. Die Möglichkeit, dass er eine der erhaltenen Hss. benutzte, ist wegen seines höheren Alters gleich von vornherein abzuweisen, und Uebereinstimmungen mit der einen oder anderen berechtigen nicht zu dem Schlusse, dass ihm beide vorlagen, sondern dass seine Vorlage Uebereinstimmungen mit beiden zeigte. Völlig widersinnig ist daher der Schluss Vielhabers, dass *β* aus *a* und P (= b) gleichsam aus zwei Quellen kompiliert sei, zu welchem er nach einer langen Kette irrationaler Annahmen gelangt war. Das in *β* benutzte Exemplar der kürzeren Passio war nun entschieden der zweiten Gruppe zuzuzählen. Unter den Mängeln der Legende hatte ich schon in der Vorrede zu meiner Ausgabe die fehlende Berufung auf die 'Iussa imperatorum' angeführt, deren Nichtbefolgung doch zur Verurteilung der Angeklagten geführt haben müsste, und demselben Mangel begegnet man in der Hss.-Gruppe a. a*. b des kürzeren Textes, aber nicht in *a*:

48, 7. 'Quia expedit tibi vivere, necesse est, ut praeceptis imperatorum obtempere, ut accedens sacrifices] *a*; 'Sacrifica ('diis' add. a*. *β*), quia expedit t. v. ('v.' om. b), omissis verbis: 'necesse est — sacrifices' a. a*. b. *β* (ubi add. 'quam in tormenta deficere').

Just also das was ich damals vermisste, die 'praecepta imperatorum', fügt allein *a* in den Text ein, und die Vorlage der anderen Hss. liess ebenso wie die von *β* alles das aus. Sie stellte ferner wie diese die Aufforderung zum Opfern an den Beginn des Satzes, wo sie sich im Allgemeinen bei den folgenden Aeusserungen des Richters findet, aber auch hier erweist sich die andere Stilisierung von *a*: 'accedens sacrifices' als echt, wenn man sie mit der nächsten Aeusserung des Richters: 'Accede ad Capitolium, sacrifica' vergleicht. Nur *β* verschärft dann die Worte des Richters noch durch Hinzufügung der Foltern, wie es auch später (S. 62, 28) auf diesen Umstand hinzuweisen nicht versäumt, und auch in dem gemeinsamen Texte aller drei Ueberlieferungen erscheinen (50, 11) die 'diversa tormenta', so dass also sachlich diese Zusätze nur einen ausgesprochenen Gedanken stärker zum Ausdruck bringen. Die Uebereinstimmung von *β* mit der jüngeren

Hss.-Gruppe zeigt sich in der Erweiterung von Afras Antwort durch die mit Beziehung auf Christus gebrauchten Worte: 'quem habeo ante oculos meos' (48, 11). Der folgende Text der gemeinsamen Vorlage lässt sich wegen starker Abweichungen der einzelnen Ableitungen nicht mehr erkennen. Weiter unten (50, 3) war in ihm der körperlichen Züchtigung ('catomis') gedacht, von der allein *α* keine Notiz nimmt. Den Wunsch der Afra zu sterben erweitert *β* hinter den Worten: 'si tamen merear' (50, 8) durch den Zusatz: 'ut per hanc confessionem', indem es fortfährt: 'digna efficiar requiem invenire', und der Anfang findet sich auch in a. a*. b, die den Satz aber anders fortsetzen. Wenn 'merear' mit a* als Verb zu ergänzen wäre, läge augenscheinlich in *α* eine durch ein Homoeoteleuton verursachte Lücke vor, und die Worte: 'ut per hanc confessionem' kehren im gemeinsamen Text von *α* und a. a*. b. unten 51, 8 wieder.

Ueberhaupt wird bei den Uebereinstimmungen zwischen *β* und a. a*. b natürlich auch mit der Möglichkeit zu rechnen sein, dass der Schreiber von *α* Fehler übernommen oder selbst solche begangen hat, und so glänzend wie an der ersten Stelle lässt sich an den anderen die Ueberlegenheit seines Textes nicht erweisen. In einigen Fällen hielt ich es doch für sicherer, dem auf breiterer Grundlage beruhenden Zeugnis von a. a*. b und *β* zu folgen, als dem einzelnen Schreiber *α*, dessen Mängel in anderen Teilen der Hs. sonnenklar zu erweisen sind, und so schrieb ich:

S. 49, 1. 'nec publicanos nec meretrices'] a; 'et meretrices et publicanos' *β*; nec peccatores nec m.' *α*,

mit Rücksicht auf Matth. 21, 31: 'publicanos', dann

50, 6. 'concertare'] *β* (A 1b) cum a. a*. b ('concertari'); 'contendere' *α*,

in Erinnerung an die Stelle der P. Irenaei c. 1:

'diversis agonibus concertantes christiani', ferner

50, 17. 'quae dicitur'] *β* cum a. b; 'quae vocatur' *α*,

nach Vergleichung mit der Frage des Richters: 'Quae diceris' (48, 5), und besonders

51, 11. 'subposito igne'] a. a*. b. *β*; 'subsequuto igne' *α*,

im Anschluss an die Lesart der Mehrzahl der Hss., da 'subsequuto' keinen rechten Sinn gibt, und 'supposito igne' auch die in derselben Hs. *α* vorhandene Passio Theodosiae (fol. 140'—150) bestätigt[1].

Es wird kaum erwähnt zu werden brauchen, dass die Vorlage von *β* bei ihrem hohen Alter auch gewisse Vorzüge

---

1) Vgl. Bollandiani, Catal. codd. mss. Bruxell. I, 170.

gegenüber den Hss. a. a*. b besass und nicht alle ihre gemeinsamen Fehler wiederholte. Sie wandelte nicht mit jenen das Passiv (49, 5) ins Aktiv und umgekehrt (50, 12) um, stimmte vielmehr in dem letztern Falle genau mit *α*; sie schob auch (49, 12) nicht 'eadem hora' ein, hatte mit *α* die Worte 'nequissimus' (50, 13), 'suos' (50, 18), 'oravit cum lacrimis' (51, 1), welche die anderen Hss. auslassen, und ersetzte nicht 'venisti' (51, 2) durch das sinnlose 'descendisti'. Wie sie bisweilen *α* näher stand als ihren nächsten Verwandten zeigt u. a. die Stelle:

50, 15. 'praecipimur'] *α*, 'praecipimus' *β*; 'precipio' a. b; 'praecepi' a*.

Die Annahme, dass die Vorlage von *β* aus der der Hss. a. a*. b stammen könne, ist also völlig ausgeschlossen.

Wenn ich in der Vorrede zu meiner Ausgabe verschiedene innere Merkmale der Unechtheit der Passio zusammengestellt hatte[1], so hat der neue Text *α* meiner Kritik insofern Recht gegeben, als er in der Tat einige Mängel beseitigt, auf die ich damals hinwies. Dass nur *α* das Strafverfahren auf den Ungehorsam gegen die 'Praecepta imperatorum' gründet, bemerkte ich schon. Die kürzere Passio gibt ferner dem Richter der Afra nicht das Praenomen Gaius, an welchem ich Anstoss genommen hatte, sondern lässt ihn unbenannt, was freilich für die Authentizität des Dokuments nichts ausmacht. Nur eine Hs. dieses Textes (a*) fügt konstant den Namen 'Antiochus' ein, der sich auch in der Hs. A 1b der ausführlicheren Legende einmal findet. Uebrigens benamt *β* den Richter anfangs ebenfalls nicht, und erst 48, 10 tritt hier der Name Gaius auf, wo A 1b den anderen bringt; aber auch in der Folge fehlt Gaius bisweilen in einzelnen Hss. von *β* (S. 62, 5 u. 62, 22). Das Gebahren des heidnischen Richters ist, wie ich weiter entwickelt hatte, in der längeren Legende ziemlich anstössig, denn der zum Schutze des heidnischen Kultes berufene Diener des Staates operiert mit Argumenten, die eigentlich eine moralische Anerkennung des Christentums enthalten, wie er die Aufforderung zu opfern damit begründet: 'quia aliena es a Deo christianorum', nämlich wegen der Eigenschaft als 'meretrix'. Auch Vielhaber urteilt wie ich über diese Stelle: 'quod impossibile est in ore iudicis pagani'. In *α* liest man dafür: 'quia lex christianorum aliena est a Deo vestro', und Vielhaber sieht darin eine Verbesserung des Textes, indem er unter dem 'Deus vester' den heidnischen der 'meretrices' versteht. Also Frau Venus? Jedenfalls würde aus dem Widerstreit des Christentums mit

1) SS. rer. Merov. III, 42.

diesem Gotte ganz dieselbe Tendenz sprechen, wie aus dem β-Text. Und die Lesart von a ist nicht völlig gesichert. 'Lex' steht dort auf Rasur von erster Hand, und die anderen Hss. lesen 'secundum legem'; diese lesen auch zusammen mit β 'aliena es' mit Beziehung auf Afra, auf welche das Adjektiv auch unten (51, 10) angewendet ist, und dadurch wird 'Deus vester' unzweifelhaft der Christengott, just wie β den Ausdruck verstanden hat. Vielhabers Erklärung scheint mir ebenso unmöglich zu sein, wie die christliche Denkweise auf Seiten des heidnischen Richters. Dessen Aeusserung, dass eine 'meretrix' nicht Christin genannt werden könne, steht allerdings nur in β und nicht auch in der einfachen Passio. In dieser fehlt auch die Wendung 'facies publica' und wenigstens nach der Ueberlieferung der Hs. a der Hinweis auf die körperliche Züchtigung ('catomis caesam').

Auch in der einfachen Passio stellt der heidnische Richter die Unwürdigkeit der Afra für den Christenglauben als einen Grund hin, dass sie zum Heidentum zurückzukehren habe, aber er hat noch eine positive Argumentation, die wohl verdient etwas näher in Augenschein genommen zu werden. Er sucht Afra zum Opfern zu gewinnen, damit sie von allen ihren Liebhabern geliebt werde, wie sie bisher geliebt sei, und — viel Geld dabei verdiene. Solche Aussichten soll ein römischer Richter eröffnet haben? Mehr hätte er in der Tat das Heidentum vor der gesitteten Welt nicht herabsetzen können. Die Passio gibt sich damit als die Fiktion eines ziemlich kurzsichtigen Mönchskopfes zu erkennen, als welche ich sie gleich von vornherein erkannt hatte. Vielleicht wird man fragen, welche Aussichten in echten Akten den Christen eröffnet wurden, falls sie dem kaiserlichen Edikte Folge leisteten. In den Akten der cilicischen Märtyrer Tarachus, Probus und Andronicus [1], von denen es heisst: 'nullum fere ex antiquis monumentis aut pretiosius aut sincerius haberi', befiehlt der Praeses Maximus den Angeklagten zu opfern, damit sie Ehrungen von dem Kaiser und seine eigene Freundschaft erlangen, auch von den Göttern gefördert würden. Eine Gegenüberstellung zeigt den Unterschied der beiden Quellen:

Passio Afrae.	Passio Tarachi, Probi, Andronici.
'Magis sacrifica, ut diligaris ab omnibus amatoribus	c. 4. 'magis accede, sacrifica diis pro honore princi-

1) Ruinart, Acta martyrum, Regensburg 1859, S. 454 ff.

Passio Afrae.	Passio Tarachi, Probi, Andronici.
tuis — — et multa tibi conferentur pecunia'.	pum, ut honorem consequaris'. c. 2. 'sacrifica diis, ut a principibus honoreris, et noster amicus eris'. c. 8. 'Et tu sacrifica, ut a nobis honoreris et a diis susceptus sis'.

Dem Strohmann in der Afra-Legende, seiner Berufung auf unsittliche und rein materielle Vorteile für die Rückkehr zum heidnischen Kult, seiner Lobrede auf die Moralität des Christentums steht also in den echten Akten eine von der Ueberlegenheit des Heidenthums durchaus überzeugter Richter und eine Argumentation gegenüber, die vollständig in dem Boden der realen Verhältnisse wurzelt.

Der Richter der Afra unterscheidet sich auch dadurch unvorteilhaft von anderen, dass er wenig Zeit hat und schon nach einer überaus kurzen Verhandlung sich beschwert fühlt, so 'viele' Stunden mit der Angeklagten herumzuzanken. 'Tot horis'! In der Vorrede zu meiner Ausgabe schrieb ich schon, dass der ganze Prozess kaum $^1/_4$ Stunde in Anspruch genommen haben könnte, und die neue Passio füllt kaum 2 Oktavseiten. Vielhaber verweist mich auf die Erklärung von Boschius[1], der den Ausdruck als Hyperbel für 'tam diu', 'nimis diu' fasste, aber das steht doch eben nicht da, und von einem 'zu lange' kann ebensowenig die Rede sein. Der Name des Flusses oder vielmehr der Flussinsel heisst in *a* 'Lacce', wie man ähnlich in der alten angelsächsischen Hs. (A 2) von *β* 'Lacchae' liest, und erst in den späteren Hss. erscheinen die latinisierenden Formen 'Lice' a und 'Lycie' *β*. Wenn Vielhaber auf Grund der letzteren es für möglich hält, dass auch in *a* ursprünglich 'Lyci' gestanden und der Schreiber den Namen in die Form verändert habe, welche zu seiner Zeit gebräuchlich gewesen, so erkennt er den Karolingischen Charakter des *a*-Textes wenigstens hinsichtlich der Namensform für den Lech an, und was seine Möglichkeit betrifft, so müssen die klassischeren Ausdrücke jüngerer Hss. natürlich in derselben Weise erklärt werden wie ihr besseres Latein überhaupt.

---

1) AA. SS. Aug. II, p. 59, N. f.

In dem Text α sieht Vielhaber die reinen und unverfälschten Afra-Akten in authentischer Form, doch mit einem kleinen Vorbehalt: nur von den Worten 'in quo tempore' bis 'vivam eam incenderunt' (51, 12). Er streicht also am Anfang die Formel: 'Apud provintiam Ritia in civitate Agusta' und am Schlusse die Bemerkung über die anderen Märtyrer. Die Anfangsworte nennt er 'inepte et inconcinne' gestellt, was doch in dieser Literatur eher eine Empfehlung und ein Zeichen der Altertümlichkeit sein möchte; er vermutet Interpolation aus der Stelle, wo sie zum zweiten Mal erscheinen (48, 2), und begründet seine Ansicht damit, dass man gleich anfangs einer Ortsverwechslung mit Rücksicht auf die am Schlusse erwähnten römischen Stadtheiligen habe vorbeugen wollen, über die noch zu reden sein wird. Nun sollte man meinen, dass dem angeführten Bedürfnis die gleich nochmals auftretenden völlig identischen Ausdrücke schon genügt haben würden, und uns scheint es wenig wahrscheinlich, dass jemand diese schwerfällige topographische Formel in demselben Satze nachträglich verdoppelt haben sollte. Eigentlich kam es Vielhaber wohl auch nur darauf an, auf irgend eine Weise Raum für die Einschiebung einer soliden Unterlage zu der sehr vagen Zeitbeziehung: 'in quo tempore' zu gewinnen, und er glaubt, dass die Worte 'Diocletiano et Maximiano imperatoribus' ausradiert seien, um durch die doppelte Ortsbestimmung ersetzt zu werden. Für seine Konjektur beruft er sich auf die 'acta puriora et sinceriora S. Pancratii [1], die mir trotz des Komparativs im Punkte der Reinheit und Echtheit kein sehr grosses Vertrauen zu verdienen scheinen. Für die Beurteilung dieser 'alten, guten' [2] Quelle wird vielleicht der Umstand genügen, dass hier Kaiser Diocletian in selbsteigener Person das Verhör des Pancratius abhält. Offenbar setzt der Verfasser einen Leserkreis voraus, der echte Märtyrerakten niemals zu Gesicht bekommen hatte. Der Anfang dieser vorzüglichen Quelle ist ersichtlich aus der Passio Floriani [3] und eben unserer Afra-Legende zusammengeschweisst; sie kann als eine spätere Arbeit für die Kritik der letzteren wohl nicht in Betracht kommen. Sicherer scheint es mir also zu sein, die topographische Formel dort zu belassen, wo sie in den Hss. der Passio Afrae zu finden ist, und wenn der Text dann mit 'in quo tempore' fortfährt,

---

1) Anal. Bolland. X, 53. 2) So Vielhaber in der Literar. Beilage zur Augsburger Postzeitung 1907, S. 67. 3) N. Archiv XXVIII, 386.

so lässt sich das auch so deuten, dass man der technischen Schwierigkeit einer römischen Zeitangabe nicht gewachsen war. Wie viele Legenden beginnen mit: 'In illis diebus', 'In temporibus illis', 'Eo tempore' und ähnlich? Alle Legendenschreiber fühlten das Bedürfnis, ihre Erzählungen chronologisch zu fixieren, wenn sie ihm auch nur in ganz naiver Weise genügen konnten.

Die topographische Formel: 'Apud provintiam Ritia in civitate Agusta' ist die feste Grundlage, auf welcher die Passio Afrae beruht, und wenn man sie am Anfang wegstreicht, kehrt sie doch, wie gesagt, noch einmal in ganz derselben Fassung in demselben Satze wieder, so dass an ihrer Zugehörigkeit zu dem Urtext kein Zweifel gestattet ist. Kennern des Mart. Hieronym. ist diese Formel ziemlich vertraut, und wer den an der Spitze der Passio angegebenen Tag VII. Id. Aug. nachschlägt, findet dort die folgenden Angaben:

'In provintia Retia civitate Agusta Afrae, Veneriae'.

Bei dem Vergleich der Worte der Legende mit dem Martyrolog entschlüpfte selbst Duchesne[1] die unbedachte Aeusserung: 'qui reproduisent la formule du martyrologe', und neuerdings hat, wie gesagt, sogar Th. Hornung die Beziehung 'entschieden' anerkannt. Die Entstehung des Mart. Hieronym. fällt in den Anfang des 7. Jh. Gibt also die Passio die Formel des Martyrologs wieder, so kann sie nimmermehr echt sein. An dieser Klippe zerschellt die Afra-Legende, und ich muss mich sehr wundern, dass P. Vielhaber an ihr ganz vorbeigegangen ist, obgleich ich wiederholt die Sprache auf sie gebracht und selbst sein Freund mit ihr gerechnet hatte.

Und wie das Mart. Hieron. den Ausgangspunkt der Afralegende bildet, so müssen wir am Schlusse wieder zu ihm zurückkehren. Nach den Worten 'ministri vivam eam incenderunt', wo Vielhaber den Text leider abbricht, fährt dieser fort: 'apud urbem et cum ea alios viginti septem' ('sex' m. al. corr. *a*) und führt dann 12 Genossen oder Genossinnen der Afra namentlich und 12 ungenannte an, so dass also im Ganzen nur 24 herauskommen würden. Im Mart. Hieron. finde ich nun unmittelbar vor der oben angeführten Afra-Notiz unter demselben VII. Id. Aug. die folgende Eintragung:

'Romae passio sanctorum XXV martirum',

und die angeblich zugleich mit der Afra verbrannten Mär-

1) Bulletin critique 1897, p. 308.

tyrer stehen ebendort unter dem folgenden Tage VI. Id. Aug., nämlich 5 als römische:

'Cyriaci, Largi, Crescentiani, Memmiae, Iulianae',

die übrigen aber als solche von Nicomedia:

'Agapae virginis, Euticiani, Corithonis ('Caritonis' VIII. Kl. Aug.), Diomedis, Metrodore ('Metronae' E) virginis, Philadelfia, Leonidis'.

Zweifel können nur über das Vorhandensein des Petrus entstehen, da aber die Jungfrau Metrodora zwischen Diomedes und Philadelphia ausgelassen und eine gewisse Aehnlichkeit mit Petrus nicht abzuweisen ist, wird man wohl diesen Namen aus dem sonst unberücksichtigten der Quelle erklären dürfen. Wenn Vielhaber von den Namen 'römischer Stadtheiligen' spricht, so hat er die in der Stelle behandelten Persönlichkeiten zum grossen Teil gar nicht erkannt. Die Märtyrer von Nicomedia sind aber mit den römischen so innig zu einer Gruppe verschmolzen, dass an der betrügerischen Absicht kaum ein Zweifel möglich ist, und die ganze Gesellschaft hat nach dem Legendenschreiber zusammen mit Afra den Feuertod erlitten 'apud urbem', nämlich in der am Anfang zweimal genannten und nach der Provinz bestimmten Stadt, in Augsburg. Der H. Quiriacus und 24 Genossen wurden in Augsburg tatsächlich verehrt und sind im 12. Jh. hier aufgefunden und auch später noch öfter ausgegraben worden. Der plumpe Betrug geht, wie wir jetzt sehen, schon auf den Urtypus der Passio zurück, während ich bisher nur einige spätere Hss. und Usuard für diese Kombination verantwortlich machen konnte[1].

Die Namen der stadtrömischen Märtyrer waren bekannt genug, als dass nicht mittelalterliche Abschreiber ihre wahre Heimat erkennen mussten. Die Vorlage der anderen Hss. a. a*. b hatte sie bereits zu dem selbständigen Zusatz verarbeitet: 'Eadem vero die apud urbem [Romam] alii XXV passi sunt' unter Anführung der 12 Namen im Nominativ, welche *a* als Objekte der Verbrennung in den Accusativ gesetzt hatte, und unter Beifügung von 13 Unbenannten. Es lässt sich aber noch jetzt erkennen, dass die Accusative den ursprünglichen Zustand darstellen. Zwischen 'Quirino' und 'Criscentianum' stellt *a* den 'Largion', indem es von dem Genetiv 'Largi' wohl zuerst einen Ablativ bilden wollte, und 'Largion' für 'Largus' finden wir noch in a und b, die doch alle anderen Namen in den

1) N. Archiv XIX, 16 ff.

Nominativ umgesetzt haben. Das ist meines Erachtens die glänzendste Rechtfertigung des *a*-Textes. Der Bearbeiter der Rezension *β* hat den Reinigungsprozess noch konsequenter durchgeführt, indem er die Märtyrer von Nicomedia überhaupt hinauswarf und dafür den Bericht über die römischen wesentlich erweiterte.

Den Text der kürzeren Passio hat Vielhaber ganz korrekt aus *a* abgedruckt und sich überall bemüht, die ursprüngliche Lesart zu ermitteln. Die Sprache ist von gleichzeitigen Händen durchkorrigiert, und ausserdem hat eine Hand saec. XI. mit schwärzerer Tinte Interpolationen eingefügt. Vielhaber hat sämtliche Korrekturen im Apparat sorgfältig gebucht. In meiner Ausgabe sind die späteren Korrekturen von *a* im allgemeinen nicht berücksichtigt worden. Dafür habe ich die drei anderen Hss. a. a*. b. herangezogen, ohne indessen von ihren Sonder-Varianten Notiz zu nehmen, und auch die Varianten der längeren Rezension *β* notiert, so dass mein Apparat einen Ueberblick über sämtliche drei Ueberlieferungen gibt. Da aber das ganze handschriftliche Material herangezogen ist, durfte ich es auch wagen, Fehler von *a* auszuscheiden, und die Berechtigung dieses Verfahrens glaube ich oben nachgewiesen zu haben. Eine Abschrift von *a* nach Eintragung auch der späteren Korrekturen enthält die Wiener Hs. n. 339 (Salisb. 11), saec. XIII, p. 23—24, auf deren Benutzung verzichtet werden konnte.

INCIPIT PASSIO SANCTAE AFRE[a], QUOD[b] EST VII. ID. AG.

Apud provintiam Ritia[c] in civitate Agusta, in[d] quo tempore, cum[e] christianis[f] esset[g] gloriosa[h] persequutio et omnes christiani[i] conprehensi et variis suppliciis afflicti[k] conpellerentur[l] sacrificare atque contradicentibus et resi-

a) *m. aequali superscr. a.* b) *ita a*; quod est *om. a**; que est VI. Idus Augustas *a*; quae passa est in civitate Augusta VII. Id. Augusti *b.* c) :ritia, *ras.* ra (?) *a.* d) in quo *eras. a;* in quo t. *om. β.* e) cum *in litura scr. a.* f) c. christianorum *β*; c. apud christianos *b*; chr. *om. a. a**. g) *eras. a.* h) *ita a. β*; *om. a. a**; gloriosum esset persecutionis certamen subire et o. *b.* i) pro Christi nomine *pro* chr. conpr. et *β.* k) *ita a. β*; affecti *a*; affligi *a**; affligerentur *b.* l) *ita a* (conpelle|:::tur *m. al. corr.* conpellebantur). *a*; cogerentur, ut sacrificarent idolis atque *a**; (c. *om.*) ac sacrificare (atque *om.*) *b*; ad sacrificia traherentur, contigit Afram hanc, quam notam habebat facies publica, quod esset lupanaria, a persecutoribus conprehenditur. Quae cum fuisset iudici oblata, et interrogasset iudex et agnovisset, quae esset, dixit *(infra p. 48, 6) β.*

stentibus gloriosae[a] passiones adferretur mors, tunc et[b] apud[c] provintiam Ritia[d] in civitate[e] Agusta conprehensa est Afra venerabilis[f] martyra, quae[g] meretrix fuerat, oblataque est iudici. Iudex[h] iniquitatis dixit ad eam: 'Quae diceris?' Afra respondit[i]: 'Etsi[k] involuta[l] sum[m] peccatis, tamen christiana[n]'. Iudex dixit[o]: 'Quia expedit tibi vivere, necesse est, ut praeceptis imperatorum obtemperes, ut accedens sacrifices'. Afra respondit: 'Sufficiunt mihi peccata mea, quae nunc[p] usque gessi[q]; hoc[r] ego non sum factura'. Iudex[s] dixit: 'Accede[t] ad Capitolium, sacrifica'. Afra respondit: 'Capitolium meum Christus est[u], qui scit, quid gessi in me ipsa; tamen, si dignam me iudicat, desidero ipsi sacrificare'. Iudex dixit: 'Audio de te[v] esse publicam meretricem; sacrifica ergo[w], quia lex[x] christianorum aliena est[y] a Deo vestro[z], siquidem meretrix[a] [es[b]']. Afra respondit: 'Dominus noster Iesus Christus[c] pro peccatoribus de[d] caelo descendere et[e] pati dignatus est, unde[f]

a) gl. passiones *(ita pr. m.)* adfer::::: (*m. al. corr.* adferebatur) m., t. *a*; gloriosam passionem inferrent in singulis, tunc *a*; gloriosa (p. *om.*) mors inferretur, tunc *a**; gloriosa passionis inferrentur tormenta, tunc *b*. b) *eras. a*; *om. a. a*. b.* c) *ita a. a*. b*; apud — Agusta *om. a.* d) *ita pr. m. a.* e) rici *add., sed eras. a.* f) v. martyr(a *eras.*) *m. aequali in inf. mg. suppl. a.* g) H(a)ec enim m. *a. a*. b.* h) iudex *om. b*; iniq. *om. a*; iud. vero iniq. *a**. i) Respondit: Afra *a. a**; *tum add.*: Antiochus (*ita constanter pro* Iudex) dixit: Christiana es? Afra dixit *a**; Christiana sum. Iudex dixit: Christiana es? Respondit *add. b.* k) Etsi — tamen christiana *om. a.* l) *ita m. al. corr. ex* involata *a (cf. infra p. 49, 10).* m) *om. b.* n) sum *add. a*. b.* o) dixit (ad eam *add. a*; ei *add. β*): Sacrifica (diis *add. a*. β*), quia e. t. v. (v. *om. b*) *et omittunt* necesse est — *l.* 8. sacrifices *a. a*. b. β*; quam in tormenta deficere *add. β.* p) ignorans Deum *pro* n. u. *β.* q) *m. aequali in litura scr. a.* r) *ante* hoc (ego istud non *a**) *add.* Nam *a. a**, Namque *b*; hoc autem, quod me iubes facere, numquam factura sum *β.* s) Gaius *ante* iudex *add. β.* t) *ita a. a*; Accedens *a*. β (cf. l. 8)*; Ascendens *b.* u) quem habeo ante oculos meos (q. a. o. m. h. *b*; q. nunc a. o. h. *a**) *add. a. a*. b. β*; *pergunt*: quia multa sunt, quae gessi in corpore meo, ut me dignam vocet ad confessionem nominis sui. I. *a*; (qui scit *om.*), que gessi, ipse me ad singula iudicat. I. *b*; qui scit — sacrificare *om. a**; Ipsi cotidie crimina et peccata mea confiteor et, quia indigna sum ipsi sacrificium offerre, me ipsam ego pro nomine eius cupio sacrificare, ut corpus in quo peccavi, dum poenas pertulerit, abluatur. I. *(l. 13) β.* v) *ita a. a* (*om.* de); A. te esse publicanam m. *a**; A. pulcherrimam te esse m. *b*; Siquidem ut *(ita recte A 1b)* audio, meretrix es *β (cf. l. 15).* w) *om. β.* x) lex *m. aequali in litura a*; quia secundum legem christianorum *a. b*; quia iam secundum vestram legem *a**; l. chr. *om. β.* y) es *a. a*. b. β; v. supra p.* 42. z) *ita a. a*. b*; tuo *a*; christianorum *β.* a) meretri(x *in litura*) *a.* b) *ita a. a*. b; om. a;* s. m. es *h. l. om. β (sed cf. n. v).* c) dixit se *add. β.* d) descendisse de c. *β*; de c. descendit *a. a*. b.* e) nam et euangelia eius locuntur, quod meretrix lacrimis rigaverit pedes eius et indulgentiam acceperit, et meretrices et publicanos numquam dispexit *(p. 49, 2) β.* f) quorum pr. e. s. *a. a**; unde e. pr. s. *b.*

prima[a] sum ego. Nam nec publicanos[b] nec meretrices despexit, sed[c] cum ipsis bibit et[d] manducabit[d]'. Iudex[e] dixit: 'Magis[f] sacrifica, ut diligaris ab omnibus[g] amatoribus tuis, ut[h], sicut nunc[i] usque dilecta es[k], ameris[l] et[m] multa tibi conferentur[n] pecunia'. Afra respondit[o]: 'Adhuc[p] me cognosco non[q] esse despecta a facie Dei, quia[r] me[s] ad hanc[t] gloriosam passionem pervenire[u] dignatus est, per quam credo[v] me remissionem[w] peccatorum meorum esse consequuturam'. Iudex[x] dixit: 'Haec[y] fabulae sunt, magis sacrifica; te[z] enim talem scenam[a] tantisque involutam[b] peccatis desideras[c] salvari?' Afra respondit[d]: 'Nihil[e] difficile est apud[f] Deum; nam et latronem[g] confitenti[h] Deus

---

a) primas *pr. m. a.* b) peccatores *a*; (Nam *om.*) nec publicanos (enim *add. b*) nec m. *a. b*; Nam et publicanas et m. non d. *a**. c) quin immo etiam secum eos manducare permisit *β*. d) *om. b*; manducavit et bibit *a. a**. e) Gaius *add. β (om. A 2. B 1. 3)*. f) *ita α. a. a**; *om. b. β*. g) *ita a. a. a**; *om. β*; ut te diligant amatores tui, *om.* ut — ameris *b*. h) et *a*. β*; *om. a*; sicut — ameris *om. a**. i) semper *pro* n. u. *β*. k) *ita a. β*; dilect :: (us? *eras.*) *m. al. corr.* dilectanter *a*. l) habearis *β* (et ameris *A* 2); et amplius diligaris *a*; ut (et *a**) accedentes ad te secundum consuetudinem suam (s. *om. a**) *add. a. a**. m) et *(om. a. a*)* multas t. conferant (offerant *a**) pec(c)unias *a. a*. b*; et inferantur tibi pecuniae multae ab eis *β*. n) confer :: tur *m. al. corr.* conferatur *a*. o) dixit *a*. b*; 'Pecunias execrabiles iam numquam accipio, nam et quas habui expendi, quia non erant de bona conscientia; nam nolentes accipere aliquantos fratres meos pauperes etiam precibus exoravi, ut a me dignarentur accipere et pro peccatis meis orare. Si ergo quae habui a me abieci, quomodo potest fieri, ut quaeram accipere, quae iam quasi sordes abieci?' Iudex dixit: 'Iam te Christus dignam non habet; sine causa vis eum Deum tuum dicere, qui te suam non esse cognoscit: meretrix enim quae est dici non potest christiana'. Afra respondit: 'Christiana quidem ego nec dici mereor nec vocari, sed misericordia Dei, quae non de meo merito, sed de sua pietate iudicat, ipsa me ad hoc nomen admisit'. Iudex Gaius dixit: 'Unde nosti, quia te admisit ad hoc nomen?' Afra respondit: *add. β*. p) In hoc *a. β*; Ex hoc *a*. b*. q) a f. D. non esse proiectam *β*. r) *ita a. β*; qui *a. a**; *om. b*. s) *ita a. a**; *om. a. b. β*. t) ad (h. *om.*) gl. confessionem nominis sancti permittor accedere, per *β*. u) (suam *add. a*) vocare dign. est *a. a**; pervenire — *l.* 8. credo me *om. b*. v) me cr. *a. β*. w) omnium meorum scelerum indulgentiam accepturam *pro* rem. — consequuturam *β*. x) Gaius *add. β*. y) *ita a. a*; Hoc f. sunt *β*; Hoc fabula est *b*; Fabulae sunt ista *a**. z) diis, per quos salutem consequaris *pro verbis* te — salvari *β*. a) *ita a*; scenicam *a**; s . . . . am, *media legi nequeunt a; om. b; i. e. meretricem, quam schoeniculam propter usum unguenti schoeni aut scenulam appellabant, quia in scenulis prostituebantur; cf. Forcellini.* b) obvolutam p. *a**; obvoluta p. *et add.* Deus vester *a*; p. absoluta *b*. c) *ita b*; desidera *pr. m. a*; desiderat *a. a**. d) dixit *a*. b*. e) r.: 'Salus mea Christus est, qui pendens in cruce latroni confitenti *β*. f) est *(om. a)* Deo *a. b*; Deo diff., *om.* est *a**. g) *ita pr. m. a*. h) eadem hora *add. a. b (non a. β)*; eadem die hora nona *add. a**; Deus *om. a. a*. b. β*.

bona paradisi promittere[a] dignatus est'. Iudex[b] dixit[c]: 'Sacrifica[d], ne te in conspectu amatorum[e] tuorum, qui tecum turpiter vixerunt[f], ut[g] publicam meretricem vivam incendam'. Afra respondit[h]: 'Confusio mihi nulla est, nisi de peccatis meis'. Iudex dixit: 'Porro iam[i] sacrifica, quoniam[k] iniuria mihi[l] est tot horis tecum concertare[m]; certe, si nolueris, occideris[n]'. Afra respondit[o]: 'Hoc mihi[p] est, quod opto, si tamen merear[q] in[r] conspectu eius, cui peccavi in corpore[s] meo, requiem invenire'. Iudex[t] dixit: 'Aut[u] sacrifica[v] aut[w] te incendam'. Afra respondit: 'Corpus meum, quod peccavit, accipiat diversa tormenta; nam animam[x] meam sacrificiis daemonum non coinquinabo'. Tunc[y] iudex nequissimus[z], data[a] sententia, dixit: 'Afra[b] publica meretrix, qui[c] se christianam[d] professa[e] est et noluit sacrificiis participari[f], vivam incendi praecipimur[g]'. Statimque rapta est[h] a ministris, ducta[i] est ad[k] insulam fluvii[l], quae dicitur[m] Lacce[n], ibique expoliantes[o] eam ad stipe[p] ligaverunt[q]. At illa elevans[r] oculos suos[s] ad caelum,

---

a) repromisit. I. β. b) Gaius *add.* β *(om. A 1b).* c) Magis *add. a solus.* d) Diis *add.* β. e) amicorum *a.* a*. f) vivunt *a.* a*; *addunt* catomis caesa *a*, catonis cesam *b*, catinis caedam a*, catomis caedi iubeam β; *haec om. a.* g) *ita* α. *b*; (ut p. m. *om.*) vivam incendi precipio *a*; et publicanam (m. *om.*) v. i. a*; ut — incendam *om.* β. h) dixit a*. β *(non A 1b. 2. B 2).* i) *ita* α. β; i. *om. a.* a*; P. i. *om. b.* k) *ita a.* β; quia *a.* a*. *b.* l) est m. a*. β. m) *ita a.* a* *et* β (*A 1b, rell.* certare); concertari *b*; contendere *a.* n) occidam te a*. *b*; gladio te occidi precipio *pro* occ. *a.* o) dixit a*. β *(non A 1b. 2).* p) *om. a.* a*. β; Hoc et ego opto *b.* q) mereor *a.* a*; ut (vel *add.* a*. *b*) per hanc confessionem (nominis sui *add. a, cf. infra p.* 51, 9; merear *add.* a*; *post* p. in c. meo *pergit* invenire merear requiem peccatorum meorum *a*) *add. a.* a*. *b.* β. r) digna efficiar, *om.* in consp. — in corpore meo β. s) corpori *m. al., sed aequali corr.* corpore *a.* t) Gaius *add.* β. u) *om.* β. v) nam torquere te faciam *add. et pergit* et post haec vivam incendi β. w) totam *add. b*; tortam *h. l. et post* te *add.* ream a*; aut faciam te vivam incendi *a.* x) *ita a.* β; anima mea (inmundissimis *add. a*) sacrificiis (d. *om. a. b*; tuis *pro* d. a*) non quoinquinabitur (coin. a*; non coinquinabitur s. *b*) *a.* a*. *b.* y) *ita a.* a*. β; Sic *a. b.* z) *ita a.* β; *om. a.* a*. *b.* a) *ita a.* a*. *b*; dedit sententiam, dicens *a*; dictavit sententiam, dicens β. b) Afram (Affram *a*) publicam (p. *om.* a*) meretricem *a.* a*. *b.* β. c) *ita pr. m. a.* d) christia(nam *m. aequali superscr.*) *a.* e) confessa *a.* a*. f) *ita a.* β *(A 2. B 1. 2. 8)*; s. parere *b*; sacrificare *pro* s. p. *a.* a*. g) praecipimus β; precipio *a. b*; praecepi a*. h) *ita a.* β *(A 2. B 1. 2. 8)*; *om. b*; raptam a m. a*; a m. raptam *a.* i) *ita a. b.* β; ductam a*; (et *add.*) d. (est *om.*) *a.* k) in β. l) *om. b*; fl. *post* q. d. L. *a*; fluvio *post* L. a*. m) *ita a. b.* β; vocatur α; q. d. *om.* a*. n) *ita* α; Lacchae β *(A 2)*; Laechae a*; Lice *a*; Lycie *b.* o) eam exp. *a.* β; spolientes eam *b*; exspoliatam, *om.* eam a*. p) *corr.* stipē *a*; ad stipitem a*. β; stipiti *a. b.* q) alligaverunt *b*; alligarunt a*. r) levans o. a*. *b*; elevatis oculis *a.* s) *ita* α. β; *om. a.* a*. *b.*

oravit[a] cum lacrimis, dicens: 'Domine Deus omnipotens[b], qui non iustos venisti[c] vocare, sed peccatores ad paenitentiam, cuius promissio vera et manifesta est, sicut[d] dignatus es dicere: ex[e] qua ora conversus fuerit peccator a suis iniquitatibus, ex[f] eadem ora non te rememoraturum[g] peccata[h], tibi[i] soli[k] confiteor iniquitates[l] meas, quas gessi in corpore meo, et condignam paenitentiam non egi, sed peto ac[m] deprecor tuam[n] misericordiam, ut per hanc confessionem nominis tui digna satisfactione suscipias atque me[o] a conspectibus tuis non facias alienam, sed cum sanctis tuis requiem[p] donare[q] digneris'. Sic quoque subposito[r] igne, ministri vivam eam incenderunt[s] apud urbem[t] et cum[u] ea alios viginti septem[v], id est Quiriaco[w], Largion[x], Criscentianum, Memmiam[y], Iulianam[z], Leunidam[a], Euthicianum, Diumedam[b], Charietonem[c], Filadelfam[d], Agape,

---

a) ita a. β (A 1a); (o. c. l. om.) dixit a. a*. b. b) Iesu (Iesus a) Christe add. a. b. β, om. a; Deus o. om. a*. c) ita a. β; (propter add. a) iustos (de coelo add. a) descendisti (salvare add. b), sed (propter add. a) p. (ut add. a; vocare add. b) a. b; pro iustis sed pro peccatoribus de caelo descendere dignatus es et add. vocare eos a*; post ad poen. add. vocares a. d) qui β; ipse add. a; sicut — l. 6. peccata om. a*; ut si (d. — ora om.) conversus b. e) om. β; (ex om.) qua die a. f) om. a. b. β; eadem die a. g) ita a. b; : : memoraturum a; memoraturum β (non A 1b). h) eius add. a. b. β, om. a; dixisti add. a. b. i) accipe in hac ora passionis meae penitentiam meam et per hunc ignem temporalem, qui corpori meo paratus est, ab illo igne aeterno me libera, qui et animam et corpus simul exuret'. Et his dictis expletis, circumdata sarmentis, igne subposito, vox audita est, dicens: 'Gratias tibi, domine Iesu Christe, qui me dignatus es hostiam habere pro nomine tuo, qui pro toto mundo solus hostia oblatus es in cruce, iustus pro iniustis, bonus pro malis, benedictus pro maledictis, dulcis pro amaris, mundus a peccato pro peccatoribus universis. Tibi offero sacrificium meum, qui cum Patre et Spiritu sancto vivis et regnas in secula seculorum. Amen. Et haec dicens, emisit spiritum pergit β. k) Domine pro s. a; om. a*. b. l) ini(qui superscr.)tates a. m) et a. b. n) largam et ineffabilem add. a. b; largam add. a*. o) om. a. b. p) mihi add. a*. b. q) m. aequali corr. dare a, et sic a. a*. r) ita a. a*. b. β; subsequuto a. s) Eadem (Eodem a*) vero (namque a), die add. a. b; ea quae supra n. i attuli locus ad sepulturam Afrae et simile (subposito igne) matris famularumque martyrium pertinens (Stabant — cum palma martyrii pervenerunt, qui — regnat in s. s. Amen) subsequitur, quem martyrum Romanorum gesta paulo ampliora excipiunt (Eodem die passi sunt non longe ab urbe Roma Cyriacus, Largus, Smaracdus, Memmia, Iuliane et multi alii pro nomine Christi decollati sunt — — ad palmam martyrii pervenerunt, SS. rer. Merov. III, p. 51) β. t) a. eamdem u. b; Romam add. a. a*. u) et (om. a. a*) alii XXV a. a*. b. v) m. al. corr. sex a. w) Quirino a; Quiriacus b; Cyriacus a. a*. x) ita α. a. b; Largus β; Largos a*. y) Ammiam a; Memmia a; Nemmia a*; Hememia b. z) Iuliam a; Iuliana a. a*. b. a) Leunina a. b; Leonida a. a*. b) Diumercam a; Diomida a*; Diomede(i)s a. b. c) Cariato a; Carrito a*; Karitto b. d) Fidelfam m. al. corr. Fidalfam a; Filadelfus a. b; Phyladelfus a*; Philadelfia M. Hier.

Petrum et alii duodecim[a], quorum[b] nomina Dominus novit, qui[b] pro nomine domini nostri Iesu Christi decollati sunt, qui glorificat sanctos suos per[c] bonam confessionem in saecula saeculorum[d].

---

a) tredecim *a. a*. b.* b) quorum — qui *om. a. a*. b.* c) per b. c., ipsi gloria in s. s. Amen *desinit a* (brevius a. b).* d) *m. al. add.* Amen, *nota adhibita a.*

III.

chte und gefälschte Karolingerurkunde für Monte Cassino.

Von

Erich Caspar.

Seit etwa Jahresfrist liegt der erste Band der Diplomata Karolinorum vor, welcher die Urkunden der älteren Karolinger bis auf Karl d. Gr. enthält[1]. Der beste Dank, den man den Herausgebern für ihre Mühe abstatten kann, ist, dass man mit ihrem Pfunde wuchert und versucht, mit dem gesammelten und kritisch gesichteten Material weiter zu arbeiten und möglicherweise zu neuen Resultaten zu gelangen.

Aus der Fülle der Urkunden greife ich eine der stattlichsten Fälschungsgruppen, die unechten Diplome Karls d. Gr. für Monte Cassino, heraus. Es sind die Urkunden DK. 158. 242. 243. 255. 256[2]. Von ihnen ist die erste nur verunechtet, die anderen dagegen sind von Anfang bis zu Ende Fälschungen. Echtes und Unechtes ist schon von den Herausgebern in abschliessender Weise geschieden worden. Das echte Formular von DK. 158 hat zur Herstellung aller anderen Urkunden gedient[3]. Die willkürlich gewählten Daten sind in DK. 242 und 243[4] und in DK. 255 und 256[5] identisch, sachlich gehören aber vielmehr DK. 242 und 255 eng zusammen, während DK. 256 sich an DK. 158 anschliesst, und DK. 243 für sich

---

1) Die Urkunden der Karolinger. Erster Band. Die Urkunden Pippins, Karlmanns und Karls des Grossen, unter Mitwirkung von Alfons Dopsch, Johann Lechner, Michael Tangl bearbeitet von Engelbert Mühlbacher. Hannover 1906. 2) Bei Seite lasse ich hier eine sechste Fälschung, DK. 244, betreffend St.-Maur-sur-Loire (Glanfeuil), die mit anderen Spuria zu einer besonderen Fälschungsgruppe gehört, welche ich an anderer Stelle zu behandeln gedenke. 3) Aus DK. 158 sind in allen vier Fälschungen Anfangs- und Schlussprotokoll sowie die formelhaften Teile des Kontexts entnommen, die also überall gleich lauten. 4) 'Data octavo kalendas Maias anno decimo et quarto regni nostri, indictione XI; actum civitate Capua'. In Capua war Karl am 24. März 787 (DK. 157); aber schon am 28. März war er wieder auf dem Rückmarsch in Rom (DK. 158). Capua 787 April 24 ist also kein mögliches Datum. 5) 'Data octavo decimo kalendas Martii anno tricesimo regni nostri, indictione septima; actum civitate Papia'; 798 war Karl garnicht in Italien.

steht. Die einheitliche Ueberlieferung [1] und die gleichmässige Mache verraten überall denselben Fälscher, dem auch noch eine eng mit diesen Fälschungen zusammenhängende unechte Urkunde des Langobardenkönigs Desiderius [2] und andere auf die Namen späterer Karolinger lautende Fälschungen [3] zuzuschreiben sind.

Soweit ist den Resultaten der Herausgeber voll beizustimmen und nichts hinzuzufügen. Was sie über die Entstehungszeit der Fälschungen und die Person des Fälschers sagen, fordert dagegen zu näherer Untersuchung heraus.

Die umfangreichen Cassineser Fälschungen, von denen die genannten Karolingischen Spuria nur einen sehr kleinen Teil bilden, sind schon mehrfach von den verschiedensten Seiten her behandelt worden [4], an einer zusammenhängenden Untersuchung und Aufklärung hat es bisher jedoch gefehlt. Dass der zweite Chronist des Klosters, Petrus diaconus [5], hervorragenden Anteil an ihnen hat, ist seit Mabillons Tagen die allgemeine Ueberzeugung, aber wie dafür ein strikter Nachweis bisher nicht erbracht wurde [6], so ist jüngst auch noch in einem Einzelfall die Autorschaft des Petrus an einer Cassineser Fälschung geleugnet worden [7].

In der gleichen Richtung bewegt sich das Urteil der Herausgeber über die gefälschten Diplome Karls. Wiewohl sie zuerst und allein in dem von Petrus diaconus im 12. Jh. angelegten Urkundenregister des Klosters überliefert sind, sollen sie doch älteren Ursprungs sein, schon dem Vorgänger des Petrus, dem Chronisten Leo [8], zu Anfang des 12. Jh. vorgelegen haben und von ihm in seiner Chronik zitiert sein.

In einer Untersuchung über die Gesamtheit der Cassineser Fälschungen, die ich demnächst zu veröffentlichen hoffe, bin ich zu dem Resultat gelangt, dass alle

---

1) Sämtlich in Petri diaconi registrum, saec. XII, Monte Cassino Arch. abbaziale (vgl. Bethmann, Archiv XII, 511 ff.; P. Kehr in Miscellanea Cassin. 1899 p. 5 ff.), und zwar DK. 242: f. 47 n. 107, DK. 243: f. 44 n. 102, DK. 255: f. 44 n. 103, DK. 256: f. 48' n. 109. 2) Ibid. f. 82', n. 101, ed. L. Tosti, Storia della badia di Monte Cassino I, 87. 3) S. unten S. 61 f. 4) In älterer Zeit von Mabillon und von den Bollandisten anlässlich der Herausgabe von Cassineser Heiligenleben, in neuerer Zeit von Bethmann, Archiv XII, 502 ff. und anderen. 5) Vgl. über ihn Wattenbach, GQ.[6] II, 236 ff. 6) So mit Recht Holder-Egger in dieser Zeitschrift XII, 140. 7) Holder-Egger l. c. bezüglich der falschen Translatio s. Benedicti. 8) Leonis Marsicani Chronica monasterii Casinensis, ed. MG. SS. VII, 551 sqq.; vgl. Wattenbach l. c. S. 234 ff.

uns bekannten Cassineser Fälschungen von Petrus diaconus herrühren. Der positive Beweis dafür ist natürlich in einem einzelnen Fall, wie dem vorliegenden, nur im Zusammenhang mit den anderen Fälschungen zu führen. Hier will ich mich lediglich mit der entgegenstehenden Ansicht der Herausgeber beschäftigen, dass schon Leo, Petrus' Vorgänger, die falschen Urkunden Karls gekannt habe, und will die für diese Ansicht beigebrachten Argumente einer Prüfung unterziehen. Sollten sie sich nicht als stichhaltig erweisen, so wird schon dadurch die ganze Verantwortung auf den, der die Urkunden zuerst überliefert, auf Petrus diaconus, fallen.

Vergleicht man Leo's Notizen in der Chronik[1] über Schenkungsurkunden Karls d. Gr. für Monte Cassino mit der Gruppe der Fälschungen, so fällt zunächst auf, dass der Chronist jedenfalls nicht alle diese unechten Urkunden gekannt hat, die doch aufs engste miteinander zusammenhängen und gleichzeitig entstanden sein müssen, dass er sie zum mindesten nicht alle nennt. In DK. 243 bestätigt Karl d. Gr. dem Kloster die Schenkung eines Klosters S. Maria in Maurinis durch Herzog Hildebrand von Spoleto, Leo dagegen weiss nur von dieser Schenkung selbst, die 'zur Zeit König Karls' erfolgt sei, von einer königlichen Bestätigung weiss er nichts[2]. Er übergeht weiter die gefälschte Urkunde des Königs Desiderius mit Stillschweigen, was selbst die Herausgeber 'auffallend' finden[3], wäre es doch die älteste Königsurkunde, über die Monte Cassino verfügte. Ferner entsprechen der Angabe Leo's, Karl habe dem Kloster ein 'praeceptum de tota terra' ausgestellt, zwei der Fälschungen, DK. 242 und DK. 255, und die Herausgeber erklären es für 'zweifelhaft, ob n. 242 oder n. 255 damit gemeint ist'[4]. Eine von beiden zum mindesten ist Leo also gleichfalls unbekannt gewesen.

Was der Chronist über Schenkungen Karls d. Gr. an Monte Cassino berichtet, ist folgendes[5]: 'Praefatus vero rex (Karolus) prospere a Benevento revertens, causa orationis huc ad beatum patrem Benedictum ascendit, seque tam ipsi quam universis hic Deo servientibus fratribus

1) Lib. I, c. 12, S. 589. 2) Chron. l. I, c. 39: '. . . cella s. Mariae in Maurinis sita in comitatu Pennensi, quam videlicet Hildebrandus dux tempore Karoli regis ante centum circiter annos interveniente Beniamin monacho in hoc cenobio suo praecepto firmaverat'. 3) S. die Einleitung zu DK. 255. 4) S. die Einleitung zu DK. 242. 5) Chron. lib. I, c. 12, S. 589.

commendavit. Tunc rogatus ab abbate vel fratribus, ipse primum rex praeceptum confirmationis fieri de tota hac terra praecepit. Itemque altero praecepto confirmavit beato Benedicto monasterium s. Mariae in Cingla et s. Mariae in Plumbariola et s. Sophiae in Benevento et caetera quae tunc temporis habere videbatur; necnon et universas aquas cum ripis utriusque partis, ubicumque fuissent terris huius monasterii iunctae. Sed et auctoritatem dedit, ut monachi iuxta tenorem sanctae regulae abbatem sibi absque alicuius praeiudicio seu violentia eligerent'.

Nach der Meinung der Herausgeber sind in diesen Worten beschrieben: die Fälschungen DK. 242 oder 255, das echte, aber interpolierte Privileg DK. 158 und die Fälschung DK. 256 des Rechtsinhalts, dass alles Wasser, wo es Klosterland bespüle, samt den Ufern Monte Cassino gehören solle.

Nun scheint mir aus dem Wortlaut zunächst hervorzugehen, dass der Chronist nur von zwei Urkunden spricht. Deutlich scheidet er ein 'praeceptum de tota terra' von einem 'alterum praeceptum' und lässt eine Reihe notwendig auf dieses zu beziehender Angaben folgen, ohne irgendwo anzudeuten, dass er den Rechtsinhalt eines dritten Privilegs wiederzugeben beginne[1].

Weiter vergleiche man DK. 158, wie es heute vorliegt, mit der Beschreibung Leo's. Die Dispositio nennt an erster Stelle eben jene auch vom Chronisten erwähnten drei Klöster[2] — sicherlich ein echtes Element der Urkunde, da diese Klöster auch anderweit als zum ältesten Besitzstand von Monte Cassino gehörig nachzuweisen sind[3] —, es folgt eine lange interpolierte Besitzreihe, nach welcher der echte Text, dem Diktat anderer Urkunden Karls wörtlich gleichend[4], mit 'insuper et cetera monas-

1) Man müsste denn 'auctoritas' hier im Sinn von 'Urkunde' nehmen und den letzten Satz als Inhaltsangabe einer besonderen Urkunde ansehen. Doch das wäre, wie sich sogleich zeigen wird, irrig, auch ist dieser Satz garnicht der, auf den es ankommt. 2) 'Monasterium s. Dei genitricis Marie semperque virginis et s. Petronille, quod fundatum est in loco qui dicitur Plumbariola, simulque et monasterium s. Dei genitricis Marię, quod positum est in loco qui dicitur Cingla, nec non et monasterium s. Sophie, quod situm est infra civitatem Beneventanam'. 3) Vgl. die älteste päpstliche Bulle für Monte Cassino von Nicolaus I, 859 (ed. P. Kehr in Miscell. Cassin. 1899 p. 23, n. 1). Dort, etwa siebzig Jahre später, ist noch eine vierte Obödienz, S. Maria in Cosenza, hinzugekommen. 4) Vgl. DK. 157 für S. Vincenzo al Volturno, vier Tage vorher ausgestellt und von demselben 'Iacob ad vicem Radonis' rekognosciert.

teriola vel cellulas aut villas seu reliquas possessiones, que ex largitate [genitoris nostri Pippini ac patrui nostri Caroli aliorumque][1] regum vel reginarum, ducum sive principum aut bonorum hominum ordine legitimo date vel delegate sunt'. Daran reiht sich, wiederum echt und formelgemäss, die Verleihung der Immunität und zum Schluss des Rechtes freier Abtwahl. Leo in seiner Inhaltsangabe zählt, wie gesagt, nur jene drei Klöster, welche der ursprüngliche Text der Urkunde nennt, als Besitzungen auf und fährt dann fort: 'et caetera quae tunc temporis habere videbatur', in wörtlichem Anklang an den Satz, mit dem der echte Text der Urkunde hinter der Interpolation wieder beginnt: 'simul et cetera monasteriola'. Er hat also das Diplom DK. 158 in unverfälschtem Zustand gekannt, und die Interpolation ist erst nach seiner Zeit in den Text hineingeraten.

Die Interpolation rührt aber, auch nach dem Urteil der Herausgeber[2], sicher von demselben Mann her, der die Fälschungen schmiedete[3], und so lässt sich denn eine von diesen, DK. 256, ebenfalls mit Sicherheit als nach Leo's Zeit entstanden erweisen. Vergleicht man nämlich Leo's Inhaltsangabe weiter mit DK. 158

1) Hier möchte ich, gestützt auch auf das Diktat von DK. 157, das von mir in Klammern Geschlossene als Interpolation des Fälschers ausscheiden, was die Herausgeber unterlassen haben. Dass schon Pippin eine Schenkung an Monte Cassino gemacht habe, ist sehr unwahrscheinlich und noch mehr gilt das von Karlmann, der erst als Entthronter in das Kloster eintrat. Dagegen zeigen andere Fälschungen des Petrus diac., wie er bestrebt war, schon diese ersten Karolinger in nahe Beziehungen zu seinem Kloster zu bringen. Verleiten mochte ihn auch die, rechtlich nicht verbindliche, Aufzeichnung des Abts Bertharius aus dem 9. Jh. (s. unten S. 63), die er bei Leo Chron. lib. I, c. 45 las, wo es heisst: 'de rebus et cellis huius monasterii . . . quae b. Benedicto a sanctae memoriae regibus Carolo, Pipino, Lothario atque Ludovico . . . concessa noscuntur'. Uebrigens könnte hier auch, der Reihenfolge wegen, Karls Sohn, König Pippin von Italien, gemeint sein, von dem eine Urkunde für das nahe Vincenzkloster am Volturno erhalten ist (DK. 317). — Ebenso ist noch eine andere kleine Interpolation auszuscheiden, nämlich 'ex monasterio s. Benedicti .. in loco q. d. Casinum castrum, [ubi sacratissimum corpus eius humatum est']. Der Zusatz berührt die berühmte Streitfrage der Reliquien des h. Benedikt und ist, wie in diese, so in zahllose andere Urkunden von dem Cassineser Fälscher im Zusammenhang mit anderen Fälschungen hineininterpoliert worden. Näheres in meiner genannten Untersuchung. 2) Vgl. Einleitung zu DK. 242. 3) Bei DK. 158 haben die Herausgeber natürlich auch bemerkt, dass 'die drei Klöster in Plumbariola, Cingla und S. Sophia in Benevent, und nur diese in Leos Chronik . . . genannt werden'. Aber sie haben die notwendige Konsequenz nicht gezogen, die sich daraus bei der auch von ihnen anerkannten Identität des Interpolators und des Fälschers der übrigen Spuria für die zeitliche Ansetzung der letzteren ergibt.

in seiner heutigen Gestalt, so stimmen beide, wie am Anfang — die drei echten Obödienzen —, so auch am Schluss — die Verleihung des Abtwahlrechts — genau überein. Dazwischen aber, also als Inhalt derselben Urkunde, nennt Leo die Bestimmung über die 'aquae cum ripis', womit er nach Ansicht der Herausgeber den Inhalt der Fälschung DK. 256 wiedergibt. In Wahrheit verhält es sich gerade umgekehrt. Die Bestimmung über die 'aquae cum ripis', die sich in DK. 256 als alleiniger Rechtsinhalt einer Urkunde seltsam genug ausnimmt, gehört nach Leo's Inhaltsangabe, dem die Urkunde in ihrer ursprünglichen Gestalt vorlag, zu DK. 158, wo sie hinter der Aufzählung der Obödienzen und vor der Verleihung des Abtwahlrechts gestanden hat[1]. Erst der spätere Fälscher hat sie aus dem Zusammenhang gerissen und zum Inhalt einer besonderen Urkunde gemacht, sei es aus Mutwillen, um die Zahl der Urkunden Karls für Monte Cassino zu vermehren, sei es, weil er meinte, Leo spreche von einer besonderen Urkunde 'de aqua et ripis', die er zu rekonstruieren versuchte[2].

1) Bei einer Rekonstruktion von DK. 158 in echter Gestalt würde sich nur die Schwierigkeit erheben, ob vor oder nach der Immunitätsverleihung, denn diese übergeht Leo. Es handelt sich übrigens schon nach Leo's Angabe und vollends nach dem Wortlaut der Verleihung in DK. 256 — der wohl wörtlich aus der echten Urkunde übernommen ist —: 'ubicumque fuerit aqua coniuncta cum terris ipsius monasterii, eadem aqua cum alveo suo et cum ripis ex utrisque partibus in eodem monasterio concessimus atque libenti animo confirmamus', nicht um eine blosse Pertinenzformel, wie sie sonst üblich ist, sondern um eine besondere Verleihung. Dafür bieten spätere Urkunden des Klosters Parallelen. Auf das Ufergebiet am Liris richteten die Mönche ihr besonderes Augenmerk, es erhielt später den eigenen Namen 'Flumetica'. So bebestätigt Ludwig II. (B.-M.[2] n. 1237) 'omnia adiacentia iuxta ipsum flumen de rebus ipsius monasterii, quae flumetica nuncupantur' und Leo Chron. lib. II, c. 1 berichtet, die Grafen von Aquino hätten dem Kloster 'totam, ut vulgo loquar, Flumeticam' vorenthalten. Unter den späteren Urkunden langobardischer Fürsten aber finden sich Schenkungen wie 'integram aquam fluvio Lauri . . . cum alveo et ripis' (Paldolf I. und Landolf IV. 980 I 27, ed. Gattula, Acc. ad hist. abb. Cassin. p. 66; Reg. Voigt, Beitr. z. Diplomatik d. lang. Fürsten n. 176) und in einer Schenkung von Mühlen die ständig wiederkehrende Formel 'aqua et cursus ipsius aquae cum albeo suo et ripae ex utraque parte positae' (diess. 980 VI 3, ed. Gattula, Acc. p. 66; Reg. Voigt n. 177). Stets aber ist solche Bestimmung mit einer konkreten Schenkung von Land oder Mühlen verbunden. Als einziger Rechtsinhalt wie in DK. 256 ist eine derartige Verleihung undenkbar, im Rahmen von DK. 158 dagegen durchaus natürlich. 2) Bis auf den Anm. 1 mitgeteilten Satz ist der ganze Text von DK. 256 wörtlich aus DK. 158 entnommen. Und auch dieser Satz kann, ganz abgesehen von Leo's Zeugnis, kaum anderswoher stammen. Er macht nicht den Eindruck, frei erfunden zu sein, wie denn der Fälscher überall nach echten Vorlagen arbeitet, und als solche Vorlage

Auch die anderen falschen Diplome Karls und der späteren Karolinger für Monte Cassino finden eine voll befriedigende Erklärung erst, wenn man annimmt, dass sie nach Leo's Zeit und unter Benutzung der Angaben seiner Chronik verfertigt sind. Wie DK. 256 vielleicht einem Missverständnis des Chroniktextes seine Entstehung verdankt, so sind DK. 242 und DK. 255 durch das 'praeceptum de tota terra', von dem Leo spricht, angeregt worden. Die unlösbare Frage, welches von beiden Spuria Leo gekannt habe, schwindet vor der Erkenntnis, dass ein Fälscher hier auf Grund der Angabe Leo's freigebig nach dem Grundsatz 'Doppelt hält besser' verfahren ist. DK. 243 endlich ist offenbar nur deshalb geschmiedet, weil Leo bemerkt, die Schenkung Herzog Hildebrands sei 'zur Zeit König Karls' erfolgt.

Dem Doppelprivileg, das Karl d. Gr. nach Leo's Bericht dem Kloster verlieh, entspricht ein Doppelprivileg seines Enkels, Kaiser Lothars I., eine allgemeine Bestätigung und eine Einzelschenkung[1]. Die letztere ist, sogar im Original, erhalten[2]. Die Besitzbestätigung hingegen, nur im Registrum Petri diaconi überliefert[3], ist gefälscht, wiederum, wie wir jetzt behaupten dürfen, auf Grund der Notiz Leo's, der wohl keine Urkunde im Archiv mehr entsprach[4].

Die gleiche Doppelverleihung wiederholt sich bei Lothars Sohn, Kaiser Ludwig II. Auch er hat nach Leo's Bericht dem Kloster eine allgemeine Bestätigung und kurz darauf eine Einzelschenkung erteilt[5]. In diesem Fall ist

---

kommt nur DK. 158 in Betracht, das auch für alle anderen Fälschungen benutzt wurde. 1) Chron. lib. I, c. 23, S. 596: 'Huic (Authperto abbati) Lotharius rex Francorum, filius supradicti Ludowici, praeceptum fecit confirmans omnia quae huic sacro coenobio tam a regibus quam a principibus collata hactenus fuerant. Pratum etiam magnum vocatum Cervarium et servos et haereditates plurimas fisco suo pertinentes in pago Marsorum alio praecepto in hoc monasterio confirmavit'. 2) Ed. Gattula, Accessiones ad historiam abbatiae Cassinensis p. 34; B.-M.[2] n. 1047 (1013). 3) Reg. f. 48' n. 110, ed. Gattula l. c. p. 32; B.-M.[2] n. 1048 (1014). 4) Daneben muss man freilich im Auge behalten, dass ausser dem Mangel an Urkunden im Archiv den Fälscher in jedem einzelnen Fall auch der reine Mutwille geleitet haben kann, vorhandenes Echtes durch Falsches zu ersetzen. Gerade bei den falschen Diplomen Karls d. Gr. ist dies, wie wir sehen werden, der Fall gewesen. 5) Chron. lib. I, c. 36: (Ludwig II.) 'preceptum confirmationis totius abbatiae, iuxta quod sui praedecessores imperatores iam fecerant, beato Benedicto faciens ..... Tunc temporis idem imperator praeceptum fecit de una curte sua nomine Laianum in loco qui dicitur Turturitus et de s. Georgio cum omnibus rebus et pertinentiis eorum'.

die erstere Urkunde — abgesehen von geringen Ueberarbeitungen — in echtem Zustand erhalten[1], die andere dagegen, wiederum nur im Registrum Petri diaconi überliefert[2], in der nämlichen Weise, wie vorher, rekonstruiert, vielleicht um eine Lücke im Bestande des Archivs auszufüllen.

In dieser Reihe der Karolingischen Herrscher, die Monte Cassino mit Schenkungen bedachten, fehlt nur Ludwig der Fromme. Leo erwähnt zwar das sogenannte Ludovicianum von 817, das Privileg des Kaisers für die Römische Kirche[3], wie er vorher der Vorurkunde Karls des Grossen für Papst Hadrian, im gleichen Kapitel mit den Schenkungen Karls für Monte Cassino, gedacht hatte[4], aber von einem Privileg Ludwigs für sein Kloster weiss er nichts[5]. Gleichwohl existiert ein falsches Diplom dieses Kaisers von der gleichen Mache und an der nämlichen Stelle überliefert wie die übrigen Fälschungen[6]. Der Chronist hat es ebensowenig wie diese gekannt, ja es tritt hier noch einmal recht deutlich zutage, dass es vielmehr Leo's Notizen waren, an die sich der Fälscher vornehmlich hielt: Im Eingang des falschen Diploms erwähnt der Kaiser die Aachener Synode von 817[7], weil Leo, wo er vom Ludovicianum spricht, ihrer gedenkt[8].

Endlich erkennt man auch in dem falschen Desiderius-Privileg, das Leo noch nicht kannte, die Benutzung seiner Chronik durch den Fälscher. Als Notar ist Paulus dia-

---

1) Reg. Petri diac. f. 46 n. 105, ed. Gattula l. c. p. 88; B.-M.² n. 1237 (1203). 2) Reg. f. 50, ined.; B.-M. 1238 (1204). 3) 'Ludovicus imperator . . . quarto anno imperii sui in Aquisgrani palatio cum plurimis totius Franciae abbatibus monachisque religiosis conventum faciens . . . . . Hic ad instar parentum suorum Pipini et Karoli fecit b. Petro eiusque vicario domno Paschali pactum constitutionis et confirmationis' etc. Vgl. die Ausgabe, MG. Capit. I, 352, n. 172. 4) Chron. l. I, c. 12. 5) Ebensowenig die echten Nachurkunden. Berengar und Adalbert bestätigen 953 Okt. 19 (B. 1435) 'precepta predecessorum nostrorum imperatorum augustorum, scilicet Karoli et Lotharii'. Hugo und Lothar 943 Mai 15 (B. 1413) nennen 'precepta regum et imperatorum Lodwici, Karoli reliquorumque precessorum nostrorum'. Damit können indes schon der Reihenfolge wegen nur Ludwig II. (B.-M.² n. 237) und Karl III. (dep.) gemeint sein. 6) Reg. Petri diac. f. 45' n. 104, ined.; B.-M.² n. 660 (646). Durch die Freundlichkeit des Herrn Dr. E. Müller wurde es mir ermöglicht, dieses und das noch unedierte Diplom Ludwigs II. im handschriftlichen Apparat der Monumenta Germaniae mit gütiger Erlaubnis der Zentraldirektion einzusehen. 7) 'Quapropter nostrorum fidelium noverit universitas, quia, dum in palatio Aquisgrani cum quamplurimis viris religiosis positi essemus, Theutmar abbas . . . . misit ad nos' etc. 8) S. Anm. 3.

conus genannt[1], weil bei Leo zu lesen stand, er sei Notar des Königs Desiderius gewesen[2].

Betrachtet man ferner die Gesamtheit dieser falschen Urkunden auf ihre Komposition hin, so tritt das systematische Vorgehen des Fälschers auf Grund der Nachrichten, die ihm vor allem Leo's Chronik bot, noch deutlicher zutage. Bei Karl d. Gr. tat er, der Bedeutung dieses Herrschers auf seine Weise huldigend, ein übriges und fälschte im ganzen vier Urkunden, sonst aber beschränkte er sich so zu sagen auf das Notwendige. Er arbeitete mit echten Vorlagen, und zwar kehren als die wesentlichen Elemente der Komposition[3] überall die beiden nämlichen Stücke wieder[4].

Das erste ist das sogenannte Memoratorium Bertharii, eine Aufzeichnung des Abts Bertharius aus dem 9. Jh. über Klosterbesitzungen in den Marken, bei Chieti und Penne, 'die dem h. Benedikt von den Königen Karl, Pippin, Lothar und Ludwig oder von anderen Gläubigen geschenkt wurden, ohne dass wir die Schenker im einzelnen kennten, weil die Urkunden verbrannt sind'. Es ist also eine private, höchstens klosteroffiziöse Aufzeichnung, die nicht selbst rechtliche Bedeutung hat, sondern nur als Ersatz für verlorene Rechtstitel dient. Die Mutmassung, dass die Frankenkönige die Schenker der genannten Besitzungen seien, hat nur den Wert einer Klostertradition[5]. Aber der Fälscher, der das Memoratorium in Leo's Chronik überliefert fand[6], griff diese Tradition begierig auf. Weil in dem Memoratorium Karl d. Gr. als Schenker genannt war,

---

1) 'Paulus diaconus et notarius ex iussione domini nostri Desiderii serenissimi regis scripsi'. 2) Chron. lib. I, c. 15: 'Paulus diaconus supradicti regis Desiderii notarius . . . ad hoc monasterium venit'. 3) Ich sehe hier, wo es mir nur auf die Frage der Priorität ankommt, ab von einzelnen Elementen, die sich neben diesen Hauptbestandteilen noch in den falschen Urkunden finden. Sie weisen, wie ich nur erwähnen will, z. T. positiv mit aller Bestimmtheit auf Petrus diac. als Fälscher hin, z. B. nennt DK. 255 als Klosterbesitz die Kirche 's. Iohannis in Venere, que a Martino monacho eiusdem ecclesie constructore beato Benedicto oblata est'. Dieser 'Mönch Martin' ist der Held eines von Petrus gefälschten Heiligenlebens, wie ich an anderer Stelle nachweisen werde. 4) Nur für DK. 248 sind zwei Diplome Otto's I. benutzt, vgl. die Ausgabe. 5) Nicht einmal hinsichtlich Ludwigs (II.) trifft diese Tradition das Richtige. Dessen Urkunde (B.-M. n. 1237) enthält nur eine Generalbestätigung über Besitzungen in den Gebieten von Penne und anderen Abruzzenstädten, nennt aber keine einzelnen Kirchen und Höfe. Bez. Pippins vgl. oben S. 59, Anm. 1. 6) Chron lib. I, c. 45.

deshalb fügte er es — mit einigen Kürzungen — seiner Karlfälschung DK. 255 ein[1].

Das zweite Stück, dessen sich der Fälscher bediente, ist die Grenzumschreibung des Klostergebiets aus einem Diplom Otto's II.[2]. Er wählte dieses, weil es die älteste Kaiserurkunde war, die eine solche volle Grenzumschreibung enthielt, und weil er ausserdem hier das beste Schema fand für die Rekonstruktion der Doppelverleihungen Karls d. Gr. und Lothars I., von denen die Chronik Leo's berichtete[3]. Denn es sind noch heute im Original zwei Diplome Otto's II. für Monte Cassino vom nämlichen Tage, 6. August 981[4], erhalten, die wörtlich übereinstimmen, bis auf jene Grenzumschreibung, um welche das eine von ihnen, eben das vom Fälscher benutzte, reicher ist.

Mit diesen beiden Elementen liess sich der reiche Klosterbesitz bis in Karolingische Zeit hinauf rekonstruieren, der Klostertradition, die solchen Reichtum schon für jene alte Zeit annahm, aber den Verlust der urkundlichen Titel beklagte[5], nachhelfen. Mit dem Memoratorinm wurde DK. 255 ausgestattet, mit der Grenzumschreibung DK. 242 und die falsche Urkunde Lothars I. Wo dagegen keine echte Urkunde vorlag — oder vielmehr nie eine solche vorhanden gewesen war — bei Ludwig d. Fr. und König Desiderius —, da fabrizierte der Fälscher je ein möglichst stattliches Diplom, indem er beides, Grenzumschreibung und Memoratorium, in einer Urkunde vereinigte[6].

Auf Leo's Chronik und ihre Angaben muss man also zurückgehen, will man aus der verfälschten Ueberlieferung den echten Kern herausschälen. Leo kannte zwei Diplome Karls für Monte Cassino, das eine lässt sich aus seinen Angaben leicht rekonstruieren, an Stelle des anderen sind

---

1) Die zweite Hälfte der Besitzliste in DK. 255 ist frei komponiert. 2) DO. II. 254[b]. 3) S. oben S. 61. 4) DO. II. 254[a] und 254[b]. 5) Ebensowenig wie das Memoratorium macht Leo ein Hehl aus dem Verlust der Urkunden. Er erzählt (Chron. lib. I, c. 48), beim Brande von 896 seien 'plurima coenobii munimina atque praecepta a singulis imperatoribus, ducibus atque principibus eidem monasterio collata' zu Grunde gegangen. 6) Es ist inkonsequent, wenn einerseits in der Ausgabe gesagt wird, die Besitzliste von DK. 255 sei der falschen Urkunde des Desiderius 'entnommen', und wenn andererseits 'der enge Zusammenhang dieser Fälschung mit jenen auf den Namen Karls d. Gr., die wohl auch von demselben Fälscher gefertigt sind', betont wird. Da das letztere unzweifelhaft richtig ist, stehen so die Karlfälschungen der Desideriusfälschung gleich und als Quelle, aus der die Elemente für beide 'entnommen' sind, kann man nur das Memoratorium und DO. II. 254[b] bezeichnen.

eine Reihe von Fälschungen eingeschmuggelt worden. Aber ist es wirklich spurlos verloren gegangen?

Ich würde Bedenken getragen haben, die vorangegangene bescheidene Korrektur zur Ausgabe der Diplomata Karolinorum hier gesondert zu veröffentlichen, könnte ich sie nicht mit einer positiven Ergänzung des Bestandes der Karolingerurkunden für Monte Cassino verbinden.

Die Herausgeber haben ein Diplom Karls des Grossen für das Kloster übersehen oder doch nicht in die Ausgabe aufgenommen, obwohl es in einer Form überliefert ist, die eine wörtliche Rekonstruktion mit fast absoluter Sicherheit erlaubt.

Das Klosterarchiv bewahrt eine Gerichtsurkunde vom Jahre 1014, die längst bekannt ist[1] und neuerdings auch in sorgfältiger moderner Ausgabe[2] vorliegt. Das Instrument handelt von einem Streit der Mönche von Cassino mit den Grafen von Traetto bei Gaeta über Ländereien im Gebiet von Aquino. Die von beiden Parteien vorgelegten Urkunden sind wörtlich inseriert. Die Grafen erscheinen auf dem Plan mit zwei Privilegien Johanns VIII. und Johanns X.[3],

---

1) Ed. Gattula, Historia abbatiae Cassinensis p. 110; Reg. Hübner, Gerichtsurk. II, 135, n. 1199. 2) Ed. Tabularium Cassinense I, Codex diplomaticus Caietanus I (Monte Cassino 1888), p. 244, n. 130. Uebrigens hatte auch Sickel in der Einleitung zu DO. III. 337 auf diese Urkunde Karls hingewiesen. 3) Auch diese beiden Urkunden, obwohl sachlich sehr wichtig, sind bis in neueste Zeit vielfach unbeachtet geblieben und z. B. von Jaffé in den Regesten übersehen worden. Vgl. jetzt Hamel, Untersuchungen zur älteren Territorialgeschichte des Kirchenstaats, Diss. Göttingen 1899. Die Urkunde Johanns X. gibt eine fast vollständige Liste der amtierenden sieben Pfalzrichter (vgl. Galletti, Del primicero p. 67). Bez. der Urkunde Johanns VIII. benutze ich die Gelegenheit, einer jüngst von P. Fedele (Di un preteso duca di Gaeta, in Arch. stor. p. l. prov. Napol. XXIX, 782) geäusserten Ansicht entgegenzutreten. Er sieht in der hier beurkundeten Schenkung von Fondi an die Herzoge von Gaeta 'pro eorum fideli servitio et pro defensione gentis Christianae, et pro eo quod pugnaverat et pugnare devebat Saracenos', eine an ein 'servitium' gebundene Verleihung und damit die älteste im Gebiet des Kirchenstaats nachweisbare Belehnung, während man bisher die Belehnung des Langobarden Dauferius mit Terracina durch Silvester II., J.-L. n. 3912 (neuer, besserer Druck bei Giorgi, Documenti Terracinesi, in Bulletino del Istituto storico Italiano XV, (1895) p. 63, n. 1; Reg. P. Kehr, Italia pontificia II, 121) für die erste hielt und sie mit den durch diesen Franzosen und seinen deutschen Vorgänger Gregor V. nach Rom gebrachten nördlichen Einflüssen in Verbindung brachte. Dass aber tatsächlich bei Johann VIII. eine wirkliche Schenkung vorliegt, das 'servitium' nur als Grund derselben in der Narratio der Urkunde angegeben ist, lehrt das ständig wiederholte 'donamus perpetualiter, sempiternaliter' des Wortlauts, lehrt vor allem aber ein Vergleich mit Silvesters Urkunde, der 'maxime ob militare obsequium', 'iure et nomine bene-

der Vogt von Monte Cassino aber legt eine Urkunde vor 'continentem, quomodo Carolus rex Francorum et Longobardorum ac patricius Romanorum propter noverit sollertia sua, qualiter ad petitionem ei religioso viro Theomari . . .[1] erat monasterium sancti Benedicti, quod erat constructo in loco qui dicitur Casinu castru, tale beneficium circa ipsum monasterium visi fuerat concesserat, unde monachi Deo servire et pro eis et cumto populo Christiano vivere valeret, id est terras et silvas sacri sui palatii pertinentes per finis in territorio Aquinense, incipiente ab ipsa cosa, quomodo se iungebat cum ipso flumine et ibat per media serra de monte Sancti Donati et exinde descendebat super monticello de Marri et usque ad illos pesclos qui erant qui erant ad pede de montis de Valba, et comodo ibat exinde per duos leones et inde per serras montis super casale et per ipsum montem usque ad villam de Gareliano et a Gareliano usque ad pesclum quod dicitur Cripta imperatoris usque ad flumen, et cetera in omni ratione et ordine, sicut in ipso preceptum continebatur, roboratum per signum Carolus sigillatu ab anulo ipsius regi'.

Dass hier eine echte Urkunde Karls d. Gr. vorliegt, die der Schreiber des Instruments von 1014 mit ungelenken Ansätzen zu indirekter Rede wiedergibt, kann nicht zweifelhaft sein; es gilt, sie unter die anderen erhaltenen Karolingerdiplome des Klosters einzureihen.

Das Diktat stimmt, wie ein Vergleich lehrt, wörtlich mit DK. 158, dem bisher einzigen echten Diplom Karls für das Kloster überein, die Urkunde rührt also gleichfalls von dem nur in Italien tätigen Notar Jacob[2] her, der wenige Tage vor DK. 158, am 24. März 788, auch DK. 157 für das Vincenzkloster am Volturno, ebenfalls nach dem nämlichen Diktat, verfasste. Die in der Urkunde ent-

---

ficii' die Stadt Terracina schenkt 'ad tenendum et perfruendum' und des weiteren ausführlich begründet, diese Verleihung geschehe an Stelle der 'pensio in certas indictiones', bei der die Beliehenen 'sub parvissimo censu maximas res ecclesiae perderent', also an Stelle der bisher üblichen Verpfändung, und erklärt: 'id genus doni totum in melius commutamus, uti ea que per hanc nostre preceptionis paginam concedimus, sub nomine beneficii et stipendia militaria sunt', worauf schliesslich ein Jahreszins festgesetzt wird, 'ne res ecclesiastice in possessionem vel proprietatem alicuius transire possint sub nomine pensionis'. Man erkennt an der ausführlichen Begründung, dass es sich um etwas Neues, bis dahin nicht Uebliches handelt, und es wird also bei der bisherigen Ansicht, dies sei die älteste Lehnsurkunde des Kirchenstaats, sein Bewenden haben.

1) So in der Ausgabe. 2) Vgl. Sickel, Acta Karol. I, 82.

haltene Grenzangabe aber findet eine Stütze in dem echten Privileg Ludwigs II.[1], in welchem sie wörtlich wiederkehrt.

Man vergegenwärtige sich nun, was Leo von Karolingischen Urkunden berichtete, und was davon heute noch in echtem Zustand erhalten ist[2]. Während bei Karl d. Gr. und Lothar der Verlust des 'praeceptum de tota terra' und des Privilegs, in dem 'omnia huic sacro coenobio . . . collata' bestätigt wurde, zu beklagen war, ist bei Ludwig II. glücklicher Weise gerade das 'praeceptum confirmationis totius abbatiae, iuxta quod sui praedecessores imperatores iam fecerant' erhalten. Eben mit diesem stimmt die neue Urkunde Karls d. Gr. in der Grenzangabe wörtlich überein, sie ist die Vorurkunde zu jenem, mithin nichts anderes als die von Leo als 'praeceptum de tota terra' bezeichnete Parallelurkunde von DK. 158[3]. Nimmt man hinzu die völlige Uebereinstimmung des Diktats, derentwegen allein schon der neuen Urkunde ein Platz dicht bei DK. 158 gebührt, und das Beispiel der beiden Parallelurkunden Otto's II. vom gleichen Tage, so lässt sich das bei der Insertion fortgelassene Schlussprotokoll unserer Urkunde mit grösster Wahrscheinlichkeit wörtlich nach DK. 158 ergänzen, als das einer Urkunde vom gleichen Tage.

Dass es richtig ist, in der neuen Urkunde Leo's 'praeceptum de tota terra' zu sehen, bestätigt sich noch von anderer Seite. Denn sie ist in der Tat im Kloster zu Beginn des 12. Jh. — also jedenfalls auch dem Chronisten Leo — bekannt gewesen. Der Fälscher hat sie nämlich gleichfalls gekannt und benutzt. Der Passus 'unde monachi Deo servientes et pro nobis et cuncto populo Christiano exorantes vivere valeant' — so lautet er wiederhergestellt — findet sich wörtlich auch in der Fälschung DK. 242. Er kann nur unserer Urkunde entnommen sein, denn weder in der Nachurkunde Ludwigs II. noch in einer der anderen Cassineser Kaiserurkunden kehrt er wieder[4]. Der Fälscher hat unsere Urkunde, deren Diktat ja bis zu dem genannten Satz mit DK. 158 identisch ist, bei der Herstellung von DK. 242 bis zu dieser Stelle wörtlich aus-

---

1) B.-M. n. 1237 (1263), s. oben S. 62, Anm. 1. 2) S. oben S. 61 f. 3) Damit ist zugleich die wahre Gestalt der nur als Fälschung überlieferten Urkunde Lothars I. (s. oben S. 61, Anm. 3) sicher gestellt. Auch sie muss die nämliche Grenzangabe wie die Vorurkunde Karls d. Gr. und die Nachurkunde Ludwigs II. enthalten haben. 4) Ausser in der falschen Urkunde des Königs Desiderius, aus der ihn die Herausgeber (zu DK. 242) wieder als 'entlehnt' annehmen; doch vgl. oben S. 64, Anm. 6.

geschrieben und dann statt der kurzen Grenzangabe, die folgt, die lange aus dem Diplom Otto's II. eingesetzt.

Die kurze Grenzangabe unserer Urkunde und der Nachurkunde Ludwigs II. kehrt wörtlich auch in der langen Ottonischen Grenzangabe wieder, von der sie etwa das letzte Viertel bildet. Man könnte also meinen, dass es sich in den Karolingischen Urkunden um den Kern des Klosterbesitzes handelte, der dann in Ottonischer Zeit zu weiterer Ausdehnung angewachsen war, und dass der Fälscher, wie die Zahl der Klosterbesitzungen, so auch den grösseren Umfang des Klostergebiets aus späteren Urkunden für die Karolingerzeit ergänzt habe.

Zweifellos ist das des Fälschers Absicht gewesen, und Leo's Angaben waren es wieder, die ihn leiteten. Aber eben diese Angaben Leo's sind irreführend. Weder unsere Urkunde Karls d. Gr. noch diejenige Ludwigs II. sind in Wahrheit ein 'praeceptum de tota terra' und eine 'confirmatio totius abbatiae', wie Leo sie nennt. Denn die Grenzangabe in beiden ist nicht etwa die Umschreibung eines engen ursprünglichen Klostergebietes, vielmehr überhaupt keine Grenzumschreibung. Zieht man eine Spezialkarte der Umgebung von Monte Cassino zu Rate [1], so erkennt man, dass es sich vielmehr um eine Grenzlinie handelt, die das Gebiet von Aquino im Bogen ungefähr von Norden nach Süden durchläuft, in der Nähe der Stadt selbst beginnt und am Garigliano endet, ohne an ihren Ausgangspunkt zurückzukehren. Oestlich von dieser Linie soll offenbar das Klostergebiet beginnen.

Die beiden Karolingischen Urkunden sind also, was die Grenzangabe betrifft, nicht die Vorläufer des Ottonischen Diploms, sondern sie setzen sich eine andere Aufgabe; sie wollen nicht das Klostergebiet umschreiben, sondern nur eine Grenze, nicht einmal in unmittelbarer Nähe des Klosters, regulieren. Die Vorläufer des Diploms Otto's II. sind vielmehr die Urkunden beneventanischer Fürsten, in denen sich zuerst 928 [2], nicht in wörtlicher, aber in sachlicher Uebereinstimmung, jene Grenzumschrei-

---

1) Eine solche findet sich bei Gattula, Access. ad hist. abb. Cassin. p. 2. 2) Urk. Landolfs I. und Atenolfs II., ed. Gattula, Access. p. 45; Reg. Voigt n. 145. Die nämliche, wieder im Ausdruck im einzelnen abweichend, in Urk. Paldolfs I. und Landolfs III. von 963, ed. Gattula l. c. p. 61; Reg. Voigt n. 154. Eine sachlich identische, die nur im Westen, statt im Süden beginnt, in Urk. Paldolfs II. und Landolfs III. von 960 (?), ed. Gattula l. c. p. 57; Reg. Voigt n. 148. Vgl. auch die Einleitung zu DK. 242.

bung findet. Lässt sie sich also mit Sicherheit auch nicht in Karolingische Zeit hinauf verfolgen[1], so muss gleichwohl schon damals ungefähr der nämlich Klosterbesitz rings um Monte Cassino bestanden haben, wenn er in Karls d. Gr. und Ludwigs II. Urkunden der Art nach einer Seite, nach Westen, hin begrenzt wurde, dass die Grenzlinie in die Umschreibungen des 10. Jh. wörtlich überging[2].

Es erhebt sich damit an letzter Stelle die Frage, weshalb Karl d. Gr., ohne das Klostergebiet von Monte Cassino im ganzen zu umschreiben, gerade die Westgrenze im Gebiet von Aquino feststellte, und es ergibt sich da, dass die neue Urkunde auch für die politische Geschichte nicht uninteressant ist.

Karl schenkt im Frühjahr 787 an Monte Cassino 'terras et silvas sacri nostri palatii pertinentes per fines in territorio Aquinensi'. 'Palatium' ist in den auf italienischem Boden ausgestellten Urkunden Karls fast durchweg die Bezeichnung für Königsgut an Stelle des sonst üblichen 'fiscus'[3]. Es ist langobardischer Sprachgebrauch[4], den

1) Nach der ältesten Klosterchronik des 9. Jh., Chron. S. Benedicti c. 21 (ed. MG. SS. rer. Langob. p. 481) hat bereits Herzog Gisulf von Benevent 'cuncta in circuitu montana et planiora' an Monte Cassino geschenkt. Leo wiederholt die Nachricht, die er auf Gisulf II. bezieht — da zu Gisulfs I. Zeiten (690—705) Monte Cassino öde lag —, und teilt aus einem Diplom desselben eine Grenzumschreibung mit, die sachlich, aber nicht wörtlich, mit denen des 10. Jh. übereinstimmt. Es handelt sich jedoch, wie schon Wattenbach in der Ausgabe S. 582, N. 18 bemerkte, um eine Kombination Leo's, da eine solche Urkunde Gisulfs zu seinen Zeiten jedenfalls nicht mehr vorhanden war, weil sie auch im Registrum Petri diaconi fehlt. Nur möchte ich nicht mit ihm annehmen, Leo habe diese Grenzumschreibung mala fide aus jenen späteren Urkunden entnommen. Dawider spricht die selbständige Formulierung. Ein Fälscher verfährt mechanischer; DK. 242 schreibt wörtlich DO. II. 254[b] aus, ebenso ein falsches Privileg Papst Zacharias' (J.-E. † 2281), wörtlich eben diese Grenzumschreibung, die Leo mitteilt. Diese scheint vielmehr aus einer echten Urkunde zu stammen oder auf einer Aufzeichnung im Klosterarchiv über das nächste Klostergebiet ähnlich dem Memoratorium Abt Berthars über die hauptsächlichsten Klosterbesitzungen zu beruhen. Leo hat es dann mit der Nachricht über eine Schenkung Gisulfs bona fide kombiniert. Da aber eine sichere Datierung dieser Grenzumschreibung unmöglich ist, kommt sie für unsere Zwecke hier nicht in Betracht. 2) Mehr lässt sich mit Sicherheit nicht behaupten. Möglich ist, dass schon damals eine volle Grenzumschreibung existierte, die nicht erhalten ist, möglich aber auch, dass man sich bis zum Anfang des 10. Jh. mit der aus besonderem Anlass geschehenen Festsetzung der Westgrenze begnügte und sie erst damals zu einer vollständigen Grenzumschreibung ergänzte. 3) Vgl. Waitz, VG.[2] IV, 7. Die Urkunden bestätigen den nahezu durchgängigen Unterschied. Auf nichtitalienischem Gebiet finde ich 'palatium' nur in DK. 8, einer Schenkung Pippins für St.-Denis, die im wesentlichen und so auch an der fraglichen Stelle auf einer Vor-

Karl, wie manches andere, von dem bisherigen Regime übernahm[1]. Fränkisches Königsgut so weit im Süden, im Gebiet von Aquino, — das wirkt im ersten Augenblick überraschend. In der Tat hat es das nur einmal für eine kurze Zeit, nämlich im Frühjahr 787 gegeben, eben zu der Zeit, in die unsere Urkunde auch aus diplomatischen Gründen zu setzen ist.

Aquino gehört zum Gebiet des Fürstentums Benevent, es gehört ausserdem zu den 'civitates partibus Beneventanis', die Karl, einem Briefe Hadrians I.[2] zu Folge, in eben diesem Jahr 787 an die römische Kirche als Ergänzung der Schenkung von 774, resp. 781, gab, wie aus Ludwigs d. Fr. Nachurkunde hervorgeht[3]. Karl zog im März dieses Jahres gegen Arichis von Benevent, um auch den letzten Rest des Langobardenreichs zu erobern[4], gab

---

urkunde aus der Hausmeierzeit, MG. DD. I, 108, n. 23, beruht. Für 'fiscus' auf italienischem Gebiet weiss ich überhaupt kein Beispiel in echten Urkunden Karls zu nennen. 4) Bei den Goten war wie bei den Franken das römische 'fiscus' allein gebräuchlich, 'palatium' nur im wörtlichen Sinn, wie Cassiodors Varien lehren. In den süditalischen Langobardenstaaten hielt sich 'palatium' durchaus im Gebrauch, und auch in den Ottonischen Diplomen vermag man den Unterschied von 'fiscus' und 'palatium', der allerdings nicht mehr so scharf besteht, zu verfolgen. Daneben kommt 'camera' auf.

1) Nur 'terras sacri palatii' erregt Bedenken. Das Beiwort ist zwar stehend in den langobardischen Herzogsurkunden schon seit Arichis von Benevent († 787) (vgl. Poupardin, Etude sur la diplomatique des princes Lombards, in Mélanges d'archéol. et d'hist. XXI, 122); in einer Urkunde Karls d. Gr. ist es aber doch wohl auszuscheiden, (dass es dem süditalischen Transsumptor des 11. Jh. in die Feder floss, ist leicht erklärlich). In den deutschen Kaiser- und Königsurkunden findet es sich nämlich in Karolingerzeit, soviel ich weiss, nie. Vereinzelt taucht es in den Urkunden der italienischen Nationalkaiser auf. Zunächst wird die Pfalz von Pavia selbst als 'sacrum palatium' bezeichnet (Schiaparelli, I diplomi di Berengario, Fonti per la storia d'Italia (Roma 1903) n. 70, p. 189, n. VI, p. 377; Id., I diplomi di Guido e Lamberto (Roma 1906) Lambert n. 1, p. 71), dann findet sich auch in der Pönformel zweimal 'medietatem camerae sacri palatii nostri' (ibid. Berengar n. 111, p. 283, n. 112, p. 285). Ebenso vereinzelt sind die Beispiele aus Ottonenurkunden, z. B.: DO. I. 401: 'mundeburdium sacri palatii nostri'. Etwas anderes ist es mit Titeln. Da findet sich schon bei Ludwig d. Fr. ein 'summus sacri palatii cancellarius', ebenso weiterhin 'notarii, comites, iudices sacri palatii' in deutschen und italienischen Königs- und Kaiserurkunden. 2) Cod. Carol. ep. 84 (MG. Epp. III, app. p. 619), vgl. Hamel l. c. S. 70 ff. 3) Privileg Ludwigs d. Fr. von 817 (ed. MG. Capit. I, 352, n. 172): 'in partibus Campaniae Soram, Arcem, Aquinum, Arpinum, Teanum, Capuam'. 4) Vgl. Mühlbacher l. c. S. 109 ff. und die jüngste Darstellung dieser Vorgänge bei Poupardin, Etudes sur l'histoire des principautés lombardes de l'Italie méridionale II, in Moyen Age X (1906), 254 sqq.

diese Absicht aber auf, nachdem er bereits, ohne Widerstand zu finden, bis Capua vorgedrungen war, mit Rücksicht auf den unvermeidlichen Zusammenstoss mit Byzanz, für den er den beneventanischen Staat als Schutzwehr brauchte. Er begnügte sich mit einer halben Anerkennung fränkischer Oberhoheit durch Arichis. Als dieser kurz darauf, im August 787, starb, setzte Karl die friedliche Politik Benevent gegenüber fort, die nach mancherlei Verzögerungen im Jahre 788 mit der Einsetzung Grimoalds, des Sohnes Arichis', den er bis dahin als Geisel zurückbehalten hatte, endete. Der Papst aber musste in dem obengenannten Briefe vergebliche Klage führen, dass die Versprechungen vom Frühjahr 787 nicht erfüllt seien und das Fürstentum Benevent in seinem ursprünglichen Bestande belassen worden sei.

In den kriegerischen Anfang des Feldzuges von 787 führt unsere Urkunde. Wenn es schon nach den bisher bekannten Diplomen von Karls Absichten auf Besitzergreifung zeugt, dass er in diesen Tagen überhaupt für das Bistum Benevent, für die Klöster S. Vincenzo al Volturno und Monte Cassino urkundete, 'ganz in derselben Weise, als ob dieselben etwa am Po oder an der Seine gelegen wären'[1], so verstärkt das neue Diplom diesen Eindruck noch. Karl betrachtete damals das Gebiet von Aquino, in dem das Kloster Monte Cassino und sein geschlossener Besitz jedenfalls zum grossen Teile lagen[2], als ihm durch Eroberung zugefallenes Gebiet, als Königsgut, das er der römischen Kirche als Ergänzung der Schenkung von 774 zuzuwenden gedachte, und er wie die Mönche von Monte Cassino liessen es sich angelegen sein, unter den veränderten rechtlichen Verhältnissen die westliche Grenze der Klosterbesitzungen, die dabei in Frage kam, rechtskräftig festzustellen.

Es kam anders. Aus der Okkupation und der Schenkung an die römische Kirche wurde tatsächlich nichts — auch die Bestätigung Ludwigs des Frommen stand nur auf dem Papier —, vielmehr blieb Aquino für alle folgende Zeit im Besitz der langobardischen Fürsten[3], und so ist denn in Ludwigs II. Nachurkunde, welche die Grenzlinie des Diploms Karls wörtlich wiederholt, von 'terra sacri palatii' nicht mehr die Rede, nur noch von 'omnia praedia

---

1) Vgl. Mühlbacher l. c. S. 110. 2) Nur für die östlichen Teile ist das fraglich. Das Kloster selbst lag gleichfalls im Gebiet von Aquino. 3) Vgl. Hamel.

circa ipsum monasterium adiacentia per confinia et loca antiquitus determinata in territorio Aquinensi'[1]. Unser Diplom aber ist ein urkundliches Zeugnis für einen Rechtszustand, wie er nur ganz vorübergehend, einige Wochen hindurch, kann man sagen, bestanden hat.

Anhang.

Ich versuche im Anschluss an die obige Erörterung, den Text der zweiten Urkunde Karls d. Gr. für Monte Cassino wiederherzustellen[2].

Karl der Grosse schenkt dem Kloster Monte Cassino Königsgut im Gebiet von Aquino unter Festsetzung der Grenzlinie. [Rom 787 März 28][3].

Carolus gratia[a] Dei[a] rex Francorum et Langobardorum ac patricius Romanorum omnibus episcopis, abbatibus, ducibus, comitibus, iudicibus, gastaldiis, actionariis, vicariis, centenariis et reliquis fidelibus nostris presentibus scilicet et futuris.

Maximum regni nostri in hoc augere credimus munimentum, si petitionibus sacerdotum atque servorum Dei, in quo nostris auribus fuerint prolate, libenti animo obtemperamus atque ad effectum perducimus, regiam consuetudinem exercemus et hoc nobis ad mercedis augmentum vel stabilitatem regni nostri in Dei nomine pertinere confidimus[b]. Quapropter[c] noverit sollertia vestra[d], qualiter nos[e] ad petitionem religiosi viri Theuthmari[f] abbatis[g] ex[h] monasterio[i] sancti confessoris[k] Christi[k] Benedicti, quod est[l] construcktum[m] in loco qui dicitur Casinum castrum[n], tale beneficium circa ipsum monasterium visi fuimus[o] concessisse[p], unde monachi Deo servientes[q] et pro nobis[r] et cuncto populo Christiano exorantes[s] vivere valeant[t], id est terras et silvas [sacri][4] nostri[u] palatii pertinentes per fines[v] in territorio Aquinense, incipiente ab

---

a) om. b) 'omnibus episcopis — confidimus' om. c) propter. d) sua. e) om. f) ei religioso viro Theomari. g) Lücke. h) erat. i) monasterium. k) om. l) erat. m) constructo. n) Casinu castru. o) fuerat. p) concesserat. q) servire. r) eis. s) om. t) valeret. u) sui. v) finis.

1) Diese Fassung legt die Vermutung nahe, dass schon der Diktator dieser Urkunde in denselben verzeihlichen Irrtum verfiel, wie nach ihm Leo (s. oben S. 68), und die Grenzlinie für eine Grenzumschreibung hielt. 2) Die Abweichungen des Transsumpts sind in die Noten gesetzt. Für die Ergänzungen dienen als Vorlagen: für Anfang und Ende DK. 158, für den Satz 'Unde monachi — valeant' die auf dieser Urkunde fussende Fälschung DK. 242 (s. oben S. 67), für die Grenzangabe die Nachurkunde Ludwigs II. 3) S. unten S. 73, Anm. 2. 4) S. oben S. 70, Anm. 1.

ipsa cosa, quomodo se iungit[a] *cum ipso flumine et vadit*[b] *per mediam terram*[c] *de monte Sancti Donati et exinde descendit*[d] *super Monticellos*[e] *de Marri et usque ad illos pesclos qui sunt*[f] *ad pedem*[g] *de montis de Balba*[h] *et quomodo*[i] *vadit*[k] *exinde per duos Leones et inde per serras montis super Casale et per ipsum montem usque ad villam de Gariliano*[l] *et a Gariliano*[l] *usque ad pesclum quod dicitur Cripta imperatoris usque ad flumen [etc.]*[1]. *Et ut hęc auctoritas firmior habeatur ac diuturnis temporibus Deo adiutore inviolata conservetur, manu propria subter eam roborare decrevimus et de anulo nostro sigillare iussimus.*

Signum (M.) Karoli gloriosissimi regis.

Iacob ad vicem Radoni.

Data [quinto kalendas Aprilis[2]*] anno nono decimo et quarto decimo regni nostri; actum [in urbe Roma;]*[2] *in Dei nomine feliciter amen*[m].

---

a) iungebat. b) ibat. c) media terra. d) descendebat. e) monticello. f) qui erant qui erant. g) pede. h) Valba. i) comodo. k) ibat. l) Gareliano. m) 'Et ut hęc — feliciter amen' verkürzt in: 'roboratum per signum Carolus sigillatu ab anulo ipsius regi'.

1) Das Transsumpt hat: 'et cetera in omni ratione et ordine sicut in ipso preceptum continebatur'. Ob hier der gesamte Rechtsinhalt von DK. 158, Verleihung der Immunität und des Abtwahlrechts zu ergänzen ist, oder nur ein kurzer Schlusssatz, dessen genaue Rekonstruktion unmöglich ist, lässt sich nicht entscheiden. Für das erstere spricht der Vergleich mit DO. II. 254[a] und 254[b], den beiden wörtlich gleichlautenden Privilegien vom gleichen Tage, die nur durch die Grenzumschreibung, die DO. II. 254[b] enthält, von einander verschieden sind. Für letzteres Leo's kurze Angabe 'praeceptum de tota terra', der eine genaue Analyse von DK. 158 folgt. Endlich lässt sich auch nicht mit Sicherheit feststellen, ob etwa die in Ludwigs II. Nachurkunden angehängte Generalbestätigung über Besitzungen 'in finibus Pennensis et in finibus de Aprucio usque in Firmo et in finibus Teanensi usque in flumen Trinio et in finibus Balbae et in finibus Marsi et in finibus Furcone et in finibus Amiterno et in finibus Reatine et in finibus Ciculi una cum famulis etc.' bereits aus den Vorurkunden Karls d. Gr. und Lothars I. übernommen worden ist. Wahrscheinlich ist es mir, wenigstens für Karls Zeit nach dem, was wir vom damaligen Besitzstand des Klosters wissen, nicht. 2) Tag und Ort lassen sich nicht mit absoluter Sicherheit, nur mit höchster Wahrscheinlichkeit aus DK. 158 ergänzen (s. oben S. 67). Dass die Urkunde nahezu gleichzeitig mit DK. 158, gleichfalls im Frühjahr 787 erlassen wurde, ist auch aus sachlichen Gründen sicher, s. oben S. 70 f.

IV.

Die Vita Bennonis
und
das Regalien- und Spolienrecht.

Von

M. Tangl.

Der Streit um die Echtheit der Vita Bennonis ist, so jähe der kühne Angriff durch Philippi erfolgte, so überraschend durch Bresslau's glücklichen Fund der echten Fassung beendet[1].

Scheffer-Boichorst, der den Ausgang nicht mehr erlebte, würde den neuen Text mit recht gemischten Gefühlen geprüft haben. Denn wenn auch die Anfechtung sich als viel zu weitgehend erwies, so zeigte sich doch auch, dass die Verteidigung Teile preisgeben musste, die sicher retten zu können sie gemeint hatte. Es handelt sich nicht blos um die verhältnismässig harmlose Einschiebung von 3 Kapiteln mit Urkundenauszügen, die Scheffer-Boichorst allein zugestehen wollte, sondern um Interpolationen viel weiter gehender Art und ausserdem um Verderbungen, die den ganzen, früher allein bekannten Text durchsetzen. Vor allem aber hatte der Angreifer in der Frage des Ausgangspunktes und der Tendenz der Verfälschung Recht behalten. Auch die Lehre vom Satzschluss, die v. Winterfeld dem Beweisgang Scheffer-Boichorsts als Bundesgenossin zuführte, hat das Probestück einer zuverlässigen ars discernendi vera et falsa in diesem Falle nicht bestanden.

Ein Kapitel der neuen Vita aber würde Scheffer-Boichorst, dem wir die ersten gründlichen und bis heute massgebenden Ausführungen über das Regalien- und Spolienrecht verdanken, mit ungeteilter Freude begrüsst haben.

Es handelt sich um c. 16 des neuen Textes, das uns, wie schon Bresslau kurz bemerkte[2], in der früheren Fassung c. 20 arg verstümmelt vorlag. Näher ging Bresslau, dessen

---

1) Die wesentliche Litteratur über diese Frage ist folgende: Philippi, Norberts Vita Bennonis eine Fälschung? N. A. XXV, 767—795. Scheffer-Boichorst, Norberts Vita Bennonis Osnabrugensis episcopi eine Fälschung? SB. der Berliner Akademie 1901, 132—162 mit einem Exkurs Pauls v. Winterfeld, Der Rhytmus der Satzschlüsse in der Vita Bennonis, ebenda S. 163—168. H. Bresslau, Die echte und die interpolierte Vita Bennonis secundi episcopi Osnabrugensis, N. A. XXVIII, 77—135. Vita Bennonis II. episcopi Osnabrugensis auctore Nortberto abbate Iburgensi recognovit H. Bresslau, SS. rerum Germ. 1902. 2) N. A. XXVIII, 94.

Absicht nur war, das wesentliche, besonders hinsichtlich der Tatsachen und Tendenz der Verunechtung, hervorzuheben, im übrigen aber dem neuen Text lediglich ein Geleitwort zu geben, auf die Sache nicht ein. Das will ich hier nachholen und bitte den Leser, mir zu einer genauen Interpretation des neuen und zu einer Vergleichung beider Texte zu folgen.

Die Verschlimmerung der Lage in Sachsen nötigte Benno II., um die Mitte des Jahres 1076 aus seinem Bistum zu weichen[1] und an den Hof des Königs zu fliehen, dem er nun durch 3 Jahre folgte. Die unfreiwillige Musse beschloss er, zu einer Wiederaufnahme des alten Zehentstreites zwischen dem Bistum Osnabrück und den Klöstern Corvey und Herford zu nützen: 'iam tempus advenisse conspiciens, quo decimationis suae iam tanto tempore violenter ablatae commodius posset causa tractari'.

Diesen Plan teilt er zuerst eigenen näheren Freunden, dann den Vertrauten des Königs mit; durch ihren zustimmenden Rat ermutigt, beschliesst er, seinen Prozess anhängig zu machen. Der Zeitpunkt schien gut gewählt und Erfolg zu verheissen. Zunächst kam die allgemeine Strömung des Episkopats, vergessene oder geschmälerte Zehentrechte wieder zu erringen, dem Unternehmen förderud entgegen. So deute ich die Stelle: 'inprimis videlicet omnium ecclesiarum vel episcoporum sua omnia potestative possidere et disponere debere libera facultas et consuetudo communis'.

Tatsächlich war ein solcher Streit grossen Stils über die Thüringischen Zehenten unmittelbar zuvor zwischen Mainz einerseits und Hersfeld und Fulda andererseits geführt und in Gegenwart und unter Mitwirkung der Bischöfe Hermann von Bamberg, Hezilo von Hildesheim, Eberhard von Naumburg und Benno von Osnabrück vom König 1073 zugunsten von Mainz entschieden worden[2].

Dann aber durfte Benno auf seine besonderen Verdienste, zumal auf seine treue Anhänglichkeit an den König hinweisen, um deren willen er soeben seines Bistums verlustig gegangen war, das er aber in glücklicheren Tagen mit erhöhten Einkünften wiederzuerlangen begehrte. Umgekehrt stand sein Gegner, der Abt von Corvey, im Lager

1) Vgl. Bresslau N. A. XXVIII, 123. 2) Vgl. über diesen Thüringer Zehentstreit Ausfeld, Lambert von Hersfeld und der Zehentstreit zwischen Mainz, Hersfeld und Thüringen, Marburg, 1879; Holder-Egger, Studien zu Lambert von Hersfeld, N. A. XIX, 185 f.; Meyer von Knonau, JB. Heinrichs IV. I, Exkurs III und II, Exkurs I.

der Feinde Heinrichs IV. und schloss sich später dem Gegenkönig Rudolf von Schwaben an. Ihn im Besitz der reichen Zehenten belassen, hiess zum eigenen Schaden die Hilfskräfte der Feinde mehren. Sehr merkwürdig ist der nächste Grund: der König selbst musste in dem schweren Ungemach, das über ihn hereinbrach, eine Prüfung des Himmels sehen, die er durch Ungerechtigkeit, mehr aber noch durch Säumigkeit in der Rechtspflege heraufbeschworen habe: 'Postremo quia iam rex pro peccatis suis a Deo in tantis miseriis derelictus esse videretur, omnibus eum iam viribus niti oporteret, ut iuste iudicando reconciliari posset supernae iustitiae, quam plurimis iniquitatibus et secularium maxime iustitiarum neglectu omni pene vitae suae tempore offendisset'. Norbert von Iburg, der Biograph Benno's, hat diese Worte aus der ersten Urkunde Heinrichs IV. über die Beendigung des Osnabrücker Zehentstreites vom 30. Dezember 1077, St. 2808, Jostes, Die Kaiser- und Königsurkunden des Osnabrücker Landes n. 21, einem sicher auf Benno selbst zurückgehenden Empfängerdiktat, herausgelesen: 'qualiter fidelis noster Osnebruggensis episcopus secundus Benno in nostro servitio longo tempore devotissimus serenitatis nostrę clementiam adiit apostoli preceptum sequens arguendo increpando obsecrando et iuventutem nostram non parum incusando querimoniam faciens' etc. . . . . . 'Cuius proclamationi quamvis sepius iteratę diutius quam felicius assentire renuentes etatis teneritate ac quorundam consiliariorum nostrorum tunc temporis iuventuti nostrę providentium dissuasione ad [hec] determinanda variis occasionibus prefixis nos excusavimus; sed tandem eius crebris et infinitis etiam pro christianitatis miserabili defectu querimoniis et multorum clericorum et laicorum ius suum agnoscentium rogatu et consilio devicti' etc.

Ich werde darauf an anderer Stelle bei der Kritik der Osnabrücker Urkunden noch näher einzugehen haben; hier genügt der Hinweis auf den Zusammenhang.

Der König entschliesst sich endlich, in eine Untersuchung des Falles einzutreten, aber auffallend zögernd, halb ablehnend: 'His itaque aliisque perplurimis et idoneis assertionibus regi tandem constat esse persuasum, ut rem episcoporum aliorumque Christi fidelium iudicio permitteret, eorum se diffinitivae sententiae probando assensurum, cui tamen, si vellet, se dicebat refragari honestissime posse, et quod tanto tempore sub tot imperatoribus et famosis regibus mansisset immobile, sibi quoque eadem violatione iustitiae non mutari debere'. Nur soweit also kommt Heinrich IV. entgegen, dass er der Einleitung des Verfahrens zustimmt, er behält sich aber vollkommen freie Hand, die Beschlüsse der Bischofsynode, je nachdem sie lauten würden, anzuerkennen oder zu verwerfen. Geradezu wunderlich erscheint uns das Bedenken, das die Zuerkennung der Zehenten an die Klöster als alte und geheiligte Tradition hinstellt, an der man am besten gar nicht rühren sollte. Hier galt durch die ganzen Jahrhunderte als allgemeiner Grundsatz des Reichs- und Kirchenrechts gerade die umgekehrte Satzung, dass die Zehenten grundsätzlich den Bischöfen, nicht den Klöstern, zustanden. Mit einem der ganz seltenen Ausnahmefälle war überdies durch die Beendigung des Thüringischen Zehentstreites soeben aufgeräumt worden.

Hier wurde denn auch Abt Maurus Rost von Iburg, der Interpolator der Vita Bennonis, an seiner Vorlage irre. Der Satz und mehr noch die daran geknüpften weiteren Ausführungen waren ihm unverständlich; es schien ihm vielleicht auch dem Ruhme Benno's nicht gerade förderlich, wenn hier mit so unerfreulicher Aufrichtigkeit zugestanden wurde, dass nur ungestüme und immer erneute Bitten vermochten, Heinrich IV. etwas abzutrotzen, das er seiner Ueberzeugung nach als Unrecht ansah. Er verkürzte daher diesen Satz, unterdrückte die ihm unangenehme Wendung 'cui tamen, si vellet, se dicebat refragari honestissime posse', liess alles Folgende überhaupt weg und gelangte sofort zur Entscheidung der Zehentfrage durch die Urkunde v. J. 1077. Die Lücke füllte er durch eigenmächtige Einfügung eines allgemeinen Hinweises auf das Investiturrecht des Königs aus. So entstand die ganz verderbte Fassung der früher allein bekannten Vita, SS. XII, 71: 'regi tandem constat esse persuasum, ut rem episcoporum aliorumque Christi fidelium iudicio permitteret, eorum diffinitivae sententiae se submitteret, licet maiores sui multo iam tempore episcopalium et abbatialium ecclesiarum investituram usurpassent. Communi itaque sententia Ratisbonae conclusum est ecclesiam Osnabrugensen spoliatam publice restituendam. Igitur rex Heinricus decimationem suam Osnabrugensi ecclesiae . . . . . . recognovit et reddidit' etc. gleich der echten Fassung[1].

1) An früherer Stelle, vor Darlegung der Gründe, die ein Aufrollen des Zehentstreites gerade zu jener Zeit aussichtsreich gestalteten, enthält die bisher bekannte Vita einen Satz mehr gegenüber dem neuen Text, SS. XII, 70: 'Tempore enim Ludovici imperatoris Cobbo comes

Die Sätze, die in dem echten Text nun folgen, bedeuten für uns, da sie Maurus Rost ausgeschieden hatte, neue Erkenntnis, und ihnen vor allen gilt meine Untersuchung. 'Primitus enim et hic rex videbatur antecessorum suorum avaritiam velle aemulari, qui ab utraque ecclesia hinc inde aliquo episcopo vel abbate defuncto maxima solebant lucra sectari, et si iam uni ecclesiae sempiterna essent stabilitate firmata, iam se amplius hoc commodo cariturum posterisque regibus non minima detrimenta relicturum dicebat'. Wir müssen wieder zunächst eines feststellen. Beim Zehentstreit handelte es sich um die Frage, ob gewisse Kirchenzehenten in der Osnabrücker Diözese wie bisher im Besitze der Klöster Corvey und Herford verbleiben oder ob sie, den allgemeinen Grundsätzen über das Bezugsrecht und die Abführung der Kirchenzehenten entsprechend, fortan dem Bischof von Osnabrück zuerkannt werden sollten. Wie immer diese Entscheidung fiel, der königliche Fiskus war an ihr ganz unbeteiligt, er gab keinerlei eigene Anspsüche preis, es handelt sich in beiden Fällen lediglich um fremde Rechte und Bezüge[1]. Der ganze Satz ist daher, wenn er auf die Zehentfrage bezogen werden soll, ganz und gar unverständlich und am sinnlosesten das 'uni ecclesiae'; denn die Osnabrücker Kirche war nicht die erste, die den Vollbezug der kirchlichen Zehenten innerhalb ihres Sprengels begehrte, sondern so ziemlich die einzige, die ihn nicht besass.

Was hier wirklich gemeint war, ist bei der deutlichen Fassung der Stelle gar nicht zweifelhaft. Es gab nur

---

dioecesis bona distraxerat, eo quod Goswinus episcopus ad declinandas in dioecesi saevientes turbas Fuldae, ubi professus erat, moraretur, sicque dioecesis conservationi non intenderet'. Dieser Satz ist mit Benutzung der gefälschten Urkunde Ludwigs d. D., Mühlbacher 1389 (1349), niedergeschrieben. Ich halte es aber für sehr fraglich, ob hier eine Interpolation des Maurus Rost und nicht vielmehr eine Lücke im neuen Text vorliegt. Denn dieser zeigt an späterer, von Maurus Rost nicht aufgenommener Stelle desselben Kapitels ebenfalls Kenntnis und Benutzung dieser Fälschung; Vita Bennonis: 'ecclesiamque illam tali mutilatione deformem', und M. 1389 (1349) 'informe et mutilum'. 1) Bezeichnend ist, dass Lambert von Hersfeld bei seiner auch vor Lüge und freier Erfindung nicht zurückschreckenden Tendenz Heinrich IV. aus der Entscheidung des Thüringer Zehentstreites grosse materielle Vorteile schöpfen lässt. In Wahrheit handelte es sich hier so wenig um einen Gewinn, wie beim Osnabrücker Streit um einen Verlust des Königs. Lamberts Unterstellung hat schon Holder-Egger als in diesem Zusammenhang geradezu sinnlos zurückgewiesen (vgl. oben S. 78, N. 2).

zwei, allerdings höchst ergiebige, Vorteile, die der königliche Fiskus aus dem Ableben von Bischöfen und Reichsäbten zog: Spolie und Regalie; und es fragt sich, ob die Zehentfrage etwa in Beziehung zu diesen beiden Rechten zu setzen ist. Fiel die Entscheidung nach Benno's Wunsch aus, dann bedeutete sie eine empfindliche Schmälerung der bisherigen Einkünfte von Corvey und musste sich als solche auch bei der auf Grund des Regalienrechtes eintretenden Verwaltung dieser Reichsabtei während der Sedisvakanz durch den königlichen Fiskus geltend machen. Und auch die Spolie aus dem Mobiliarnachlass der Corveyer Aebte konnte sich aus gleichem Grunde vermindern. Dem aber stand die im gleichen Masse eintretende und an die gleichen Folgen geknüpfte Erhöhung der Bezüge des Bischofs von Osnabrück gegenüber. Das musste sich für den königlichen Fiskus im wesentlichen ausgleichen, ein irgend nennenswertes Opfer wurde ihm auch dadurch nicht zugemutet. Ueberdies hatte man sich über dieses Bedenken, wenn es, was ja von vornherein ganz unwahrscheinlich ist, überhaupt erhoben wurde, kurz vor Benno's Prozess in der Entscheidung zwischen Mainz und Hersfeld glatt hinweg gesetzt. Der Satz bleibt also nach wie vor unverständlich, unbegreiflich vor allem das so bestimmt hervortretende Betonen der Scheu vor dem gefährlichen erstmaligen Durchbrechen eines bis dahin ohne jede Ausnahme festgehaltenen Prinzips.

Diesen Sinn vermag ich nur durch eine Annahme, durch sie aber auch ganz klar, herzustellen: Benno II. von Osnabrück muss damals nicht allein die Rückgewinnung der Zehenten, sondern daneben auch die Befreiung seiner Kirche vom Regalien- und Spolienrecht angestrebt haben. Benno II. wird uns an verschiedenen Stellen der Vita als ein in der Verwendung des Erworbenen keineswegs geiziger, aber auf den Erwerb zeitlicher Güter erfolgreich bedachter Mann geschildert[1]. Einen Mann von solcher Veranlagung musste es besonders peinlich berühren, als er bei seinem Pontifikatsantritt in der bischöflichen Pfalz zu Osnabrück leere Schränke, Speicher, Keller und Ställe vorfand. Dazu kam, dass das Spolienrecht in jenen Tagen an dem Nachlasse

1) c. 4: 'Cumque in eodem loco aliquanto tempore manens non solum litteris, sed et per eas acquisitis divitiis abundare coepisset'; c. 8: 'Porro in solutione redditunm, quos annua deposcit exactio, manifestum est illum fuisse acerrimum, ita ut plerumque verberibus affectos debitum suum rusticos persolvere compulisset'.

des mächtigsten und berühmtesten deutschen Kirchenfürsten, Adalberts von Bremen, mit drückender Härte geübt worden war, wobei selbst die in Adalberts Verwahrung befindlichen Urkunden und Reliquien nicht geschont wurden[1]. Der Vorgang mochte selbst in den Kreisen des königstreuen Episkopats Missstimmung erregen und zu Erörterungen über die Rechtsgrundlage des alle in gleichem Masse bedrückenden Brauches Anlass geben[2]. Nicht zuletzt war es wohl auch die steigende Notlage des Königs, die zur Ausübung eines Druckes auf ihn ausgenutzt werden konnte.

Ist meine Interpretation richtig, dann liegt uns in der Vita Bennonis ein Zeugnis für einen ersten vereinzelten Versuch der Abschüttelung des Regalien- und Spolienrechts vor, der um nahe ein Jahrhundert älter ist als die frühesten zuverlässigen Belege, die wir bisher kannten.

Aus dieser Stelle der Vita Bennonis fällt aber auch neues und sehr günstiges Licht auf das Verhalten Heinrichs IV. Es ist einer seiner treuesten und fähigsten Anhänger, der mit der wiederholt erneuerten Bitte um Befreiung vom Regalien- und Spolienrecht in ihn dringt. Der König aber weist ihn schroff zurück; er lehnt es ab, auch nur in eine Untersuchung der Zehentfrage einzutreten, wenn sie mit der andern, viel weitergehenden und das Recht des Königtums berührenden, verquickt werde. Und selbst 1077 — im Jahr von Canossa und der Wahl des Gegenkönigs Rudolf von Schwaben — ist seine Antwort ein festes Entweder — Oder: Billigung des Spruches der Bischofsynode, wenn sie sich mit der Frage der Osnabrücker Zehenten allein befassen wolle, Verwerfung, wenn sie nach Benno's Herzenswunsch darüber hinauszugehen gedächte[3]. In der schwierigsten Lage, in der von sächsi-

1) Auf die betreffende Stelle bei Adam von Bremen III, 66, SS. r. Germ. p. 144 machte bereits Scheffer-Boichorst aufmerksam: 'Praeter libros atque sanctorum reliquias et vestimenta sacra fere nichil inventum est in tesauris eiusdem viri. Q u a e t a m e n o m n i a r e x a c c i p i e n s, una cum praeceptis ecclesiae tulit etiam manum sancti Iacobi apostoli. Hanc manum, dum esset in Ytalia pontifex, accepit a quodam Veneciarum episcopo Vitale'. 2) Ich zweifle nicht, dass die eingehenden Vorberatungen, die Benno erst mit seinen nächsten Freunden und dann mit Vertrauten des Königs hielt, nicht allein der Zehentfrage, sondern sehr wesentlich der anderen Angelegenheit galten. 3) Diese Deutung ergibt sich als der sehr klare und verständliche Sinn der zunächst verblüffenden Sätze der Vita Bennonis, der Klagen über lange Rechtsverweigerung und der daran sich schliessenden Mitteilung über wenigstens teilweisen Erfolg: 'regi tandem constat esse persuasum, ut rem episcoporum aliorumque Christi fidelium iudicio permitteret, eorum se diffinitivae sententiae probando assensurum, cui tamen, si vellet, se dicebat refragari honestissime posse'.

schen Bischöfen überhaupt nur noch Liemar von Bremen, Benno von Osnabrück, Friedrich von Münster und der selbst höchst hilfsbedürftige Diedo von Brandenburg ihm anhingen [1], hält der König an dem unbedingten Verfügungsrecht über die Bistümer und Reichsabteien und über das Reichskirchengut unentwegt fest und lehnt es ab, selbst die weitestgehende Ausnützung dieser Ansprüche, — denn dies waren Regalie und Spolie — auch nur in einem ersten Ausnahmefall durchbrechen zu lassen. Voll und ungeschmälert will er diese Rechte, wie er sie von seinen Vorfahren überkam, den Nachfolgern vererben.

Der Erfolg stand im Festhalten dieser Rechte gegenüber den Befreiungsgelüsten Benno's von Osnabrück ganz auf seiner Seite. Die Wormser Synode selbst scheint sich bereits auf das vom König ihr bezeichnete Verhandlungsgebiet beschränkt zu haben: 'Itaque huius rei gratia loco dieque statuta synodus est congregata, in qua episcoporum multitudo caeterique ecclesiasticarum dignitatum ordines, laicis etiam universis pariter omnino consentientibus, pari iudicio communique sententia Osnabrugensem affirmabant ecclesiam iniuste tanto tempore fuisse spoliatam, regemque praesentem oportere liquidissimam recognoscere iustitiam ecclesiamque tali mutilatione deformem communi consuetudine et iure ecclesiarum non uti esse impium et perversum'. Die Zuerkennung eines allgemeinen Rechts bischöflicher Kirchen, in dem aber gerade Osnabrück seit langer Zeit geschmälert war, des vollen Bezuges der kirchlichen Zehenten der Diözese, das klingt ganz anders als das vom Biographen uns verratene Verlangen Benno's nach einem Vorrecht, das den anderen Kirchen nicht zukam. Der Aufhebung einer Ausnahmestellung Osnabrücks, nicht der Schaffung einer solchen, wie sie in der Befreiung von Regalie oder Spolie gelegen hätte, redete die Synode das Wort. Allerdings fügt Norbert sogleich noch eines bei, 'regem quoque suae magis saluti animae et honestati quam successorum suorum divitiis debere consulere', und scheint damit anzudeuten, dass auch die zweite Frage angeschnitten wurde. Allein ich sehe in dieser kurzen Wiederaufnahme des früher Gesagten nur ein Rückzugsgefecht, durch das Norbert die teilweise Niederlage Benno's zu decken suchte.

Sicher ist, dass Heinrich IV. in den Urkunden, die er in der Angelegenheit ausstellte, an Osnabrück nur die

1) Vgl. Hauck, KG. Deutschlands, 3. und 4. Aufl. III, 841.

ungeschmälerte kirchliche Pastoration in den angefochtenen Gebieten und mit ihr das Recht der Erhebung der kirchlichen Zehenten verlieh[1]. Der Sturm auf Regalie und Spolie war abgeschlagen.

Doch wir müssen, ehe wir zu einem abschliessenden Urteil gelangen, noch die Bedeutung prüfen, welche die neue Stelle der Vita Bennonis unter den bisher bekannten Zeugnissen über das Regalien- und Spolienrecht einnimmt. Da über Deutung und Wertung dieser Zeugnisse selbst noch mancher Zwiespalt besteht, ist es trotz der Zusammenstellungen, die wiederholt schon gegeben wurden, nötig, die Zeugnisse der Reihe nach nochmals vorzuführen und bei jedem einzelnen zu untersuchen, ob es sich auf das Regalien- oder Spolienrecht oder auf beide gleichzeitig bezieht. Am Schlusse dieser Erörterung wird dann auch erst die Frage zu behandeln sein, in welchem Umfang hier Benno II. von Osnabrück eine Befreiung anstrebte[2].

Als ältestes Zeugnis für das Spolienrecht führte Ficker den Bericht des Chronicon Laureshamense (SS. XXI, 349) an, dass Abt Gundelandus von Lorsch im J. 778 ausdrücklich die Erlaubnis Karls d. Gr. einholte, einen Teil seiner Habe den Armen vermachen zu dürfen. Aber Waitz hat

---

1) Vgl. Jostes, Die Kaiser- und Königsurkunden des Osnabrücker Landes n. 21—23; am deutlichsten die Fassung in n. 21: 'Concedimus etiam eidem episcopo et licentiam damus immo precipimus ..... decimas cunctorum infra sui episcopii terminos ha[bit]antium, quibus iam diu iniuste caruit, in suam episcopalem potestatem recipere [nemine] contradicente, sed liceat prefato episcopo easdem decimas ..... quieto ordine possidere suasque ęcc[lesias], sicuti ceterorum ius est episcoporum, corrigere et earum causas abs[que u]ll[a] con[tradictione] disponere'. Die Osnabrücker Kirche erhielt Gleichstellung mit den übrigen Reichsbistümern und Aufhebung eines sie belastenden Ausnahmezustandes, nicht aber die Schaffung eines anderen, sie allein begünstigenden.

2) Die wesentlich in Betracht kommende Litteratur ist folgende: Scheffer-Boichorst, Friedrichs I. letzter Streit mit der Kurie, Berlin 1866, S. 189 ff., Beilage IV, Regalien- und Spolienrecht in Deutschland; Julius Ficker, Ueber das Eigentum des Reichs am Reichskirchengute II, Wiener SB. LXXII, 381—390; Waitz, Der Ursprung des s. g. Spolienrechts, Forsch. z. deutschen Gesch. XIII, 494—502; Stutz, Die Eigenkirche als Element des mittelalterlich-germanischen Kirchenrechtes, Berlin 1895; Eisenberg, Das Spolienrecht am Nachlass der Geistlichen in seiner geschichtlichen Entwicklung in Deutschland bis Friedrich II., Marburger (jurist.) Diss. 1896; Krabbo, Die Besetzung d. deutschen Bistümer unter Friedrich II. S. 10 ff.; Richard Schröder, Lehrbuch d. deutsch. Rechtsgesch., 4. Aufl. 1902, S. 418 ff.; Hauck, KG. Deutschlands IV, 299; Werminghoff, Geschichte der Kirchenverfassung Deutschlands im MA. I, 185 f.; Stutz, Regalie bei Herzog-Hauck; Friedberg, Spolienrecht ebenda; Sägmüller, Spolienrecht bei Wetzer-Welte.

hier wohl mit Recht widersprochen. Ganz abgesehen von der Frage, wie viel Gewicht auf die Erzählung des drei Jahrhunderte später schreibenden Autors zu legen sei, ist selbst bei voller Zuverlässigkeit der Stelle die Deutung, dass Karl d. Gr. in dem Falle eine Ausnahme von dem bereits bestehenden Spolienrecht eintreten liess, so zweifelhaft, dass man besser tut, auf diese höchst unsichere Stütze zu verzichten. Geradezu notwendig wird dieser Verzicht gegenüber dem wiederholt herangezogenen Diplom Heinrichs II. DH. II. 445, obwohl neuerlich Eisenberg gegen den ausdrücklichen Widerspruch von Waitz es wieder versuchte, die Urkunde als unwiderlegliches Zeugnis für das Spolienrecht zu verwerten (a. a. O. S. 75). Bresslau hat in der Vorbemerkung zur Neuausgabe in den MG. DD. im Diktat dieses Diploms mit vollem Recht zwei Teile geschieden. Der eigentliche dispositive Teil der Urkunde geht auf eine ausserhalb der Kanzlei entstandene, das heisst wohl vom Empfänger der Urkunde, dem Bischof Witger von Verden, eingereichte Vorlage zurück, und enthält, was auch Eisenberg nicht leugnet, nichts als die Anerkennung und Bestätigung einer uralten, meines Wissens zuerst durch die Synode von Karthago vom Jahre 419 (Migne, Patrol.-Lat. LXVII, 192) aufgestellten Satzung, dass der Besitz solcher Geistlichen, die ihn ausschliesslich ihrer Pfründe verdanken, vor dem Eintritt in ihr Amt eigenes Vermögen nicht besassen — dies der Begriff des 'pauper clericus' —, ganz an die Kirche heimzufallen habe. DH. 445 fügt daran nur noch eine ergänzende Bestimmung gegen den Versuch der Hinterziehung des Erbes. Diesen Text versah der Schreiber GE. mit einer ihm geläufigen Arenga und der Korroboration, vor die er nur noch den an das ähnlich gefasste allgemeine Schlusswort von Schenkungen oder Immunitäten erinnernden Satz einschob: 'et quicquid de bonis eorum ad nostrum ius dinoscitur pertinere, sepius nominatam ecclesiam totum proprie permittimus habere', wahrscheinlich ohne sich viel Rechenschaft über einen möglichen tieferen Sinn seiner Beifügung zu geben. Aus diesen Worten auf ein 'unwiderlegliches Zeugnis' für das Spolienrecht zu schliessen, geht viel zu weit und verbietet sich auch deshalb, weil die Urkunde ganz vorwiegend von Immobilienbesitz ('prędia, aedificia', daneben allerdings auch 'vel aliam supellectilem') spricht, das Spolienrecht des Königs aber ausschliesslich das Recht auf den Mobiliarnachlass von Bischöfen, Reichsäbten und Reichspröpsten umfasste. Wichtig ist dagegen allerdings das Zeugnis von DH. II. 14 für die Kirche von Utrecht: 'Insuper etiam prędictus honorabilis episcopus Ansfridus deprecatus est nostram imperialem clementiam, ut res presbiterorum advenarum, quos teutisca lingua overmerke nominamus, post obitum eorum nostrę ditioni relictę supra nominatę ęcclesię concederemus'. Nach den überzeugenden Ausführungen von Stutz geht das Spolienrecht in seinen Grundlagen auf das Eigenkirchenwesen zurück. Wie es der König den Reichskirchen gegenüber übte, so jeder andere Herr der Kirche gegenüber, an der er Eigenrechte besass, und dem Geistlichen gegenüber, den er an ihr bestallt hatte. Da an dem landfremden Priester der Einzelne ein Sonderrecht nicht geltend machen konnte, trat das allgemeine Recht des Königs in Kraft, der innerhalb des Utrechter Sprengels zu Gunsten des Bischofs darauf verzichtete. Es liegt hier bereits eine Ausdehnung des Spolienrechts vor, die den Bestand seiner Grundlage notwendig voraussetzt.

Von schonungsloser und misbräuchlicher Uebung des Regalienrechts unter Heinrich V. und Konrad III. besitzen wir Zeugnisse in der Lorscher Chronik, die darüber Klage führt, dass die Sedisvakanz auf 3 und sogar 6 Jahre ausgedehnt und die Güter dieser Reichsabtei während dessen für den königlichen Fiskus verwaltet und ausgebeutet wurden [1], und in einem Schreiben Friedrichs I. von Köln an Otto von Bamberg vom Jahre 1114—1115 [2]. Und für die Anwendung des Spolienrechts ist seit langem und von allen Seiten auf zwei bestimmte, weit auseinander liegende Einzelfälle hingewiesen; auf eine Nachricht der Casus S. Galli, die Waitz meines Erachtens ohne triftigen Grund zu entkräften suchte, dass Salomon von Konstanz-St. Gallen nach dem Tode des Erzbischofs Hatto von Mainz (913) leere Schränke vorfand, weil der königliche Fiskus bereits zuvor-

1) Chron. Lauresham., SS. XXI, 435: 'Laureshamensis ecclesia VI annis in dispositione regali fuit', und l. c. XXI, 444: 'Quo (sc. Marquardo abbate) defuncto rursum Laureshamensis abbatiae procuratio ad regalem manum devolvitur. U n d e f e r e p e r t r i e n n i u m f r a t r e s a d e x t r e m a m r e d a c t i i n o p i a m tum ex annorum diutina sterilitate, t u m e x p r o c u r a t o r u m s u a q u e r e n t i u m i n g l u v i e clamaverunt tandem ad dominum, et de necessitatibus eorum liberavit eos'. 2) Verdienstvoller Hinweis von Hauck, KG. Deutschlands IV, 299, N. 3; Cod. Udalrici ed. Jaffé, Bibl. V, 295, n. 167: 'Quid de kathedris episcopalibus dicemus, q u i b u s r e g a l e s v i l l i c i p r a e s i d e n t, quas disponunt et de domo orationis speluncam plane latronum efficiunt. De animarum lucris nulla quaestio est, d u m t a n t u m t e r r e n i s l u c r i s r e g a l i s f i s c i o s i n s a c i a b i l e r e p l e a t u r'.

gekommen war[1], und auf die Einziehung der gesamten Hinterlassenschaft des 1072 verstorbenen Erzbischofs Adalbert von Hamburg-Bremen[2]. Für die Wahrheit des Vorganges ist uns Adam von Bremen, der seinen Bericht unmittelbar nach dem Tode Adalberts niederschrieb, ein vollwertiger Bürge. Sein Zeugnis musste denn auch Waitz gelten lassen, aber nur für diesen Einzelfall, nicht für ein feststehendes allgemeines Recht. Zur Stütze seiner Ansicht, dass das Spolienrecht der älteren Zeit durchaus fremd gewesen und erst von Friedrich I. als Erweiterung des Regalienrechts aufgebracht worden sei, betrat er ganz abseits von allen anderen Forschern den Weg, an bestimmten Beispielen (Ulrich von Augsburg, Adalbero von Metz, Heribert von Köln) nachzuweisen, dass Bischöfe vor ihrem Ableben über ihre Habe durch Testament oder Schenkung frei verfügten. Und er hat dabei noch das berühmteste Beispiel aus dem 10. Jh., das Testament Brunos von Köln, anzuführen vergessen[3].

So stand hier nach Waitz Brauch gegen Brauch. Was war Regel und was Ausnahme? Hierüber scheint uns zwar die Urkunde Friedrichs I. an Rainald von Köln vom Jahre 1166 zu belehren[4], welche die Rechtsgrundlage 'ex antiquo iure regum et imperatorum atque ex cotidiana consuetudine' herleitet. Aber hier ist, wie wir sehen werden, erst noch der Beweis zu erbringen, dass es sich nicht blos um das Regalien-, sondern gleichzeitig auch um das Spolienrecht handelt. Ueberdies aber bezeichnet eine Urkunde Otto's IV. für Adolf von Köln — die Kronzeugin für alle, die das Bestehen des Spolienrechts vor Friedrich I. leugnen — klipp und klar das Spolienrecht als einen von Friedrich I. eingebürgerten Misbrauch: MG. Constit. II, 22: 'Preterea consuetudinem minus decentem, quam Fridericus imperator contra iustitiam induxerat, scilicet quod decedentibus principibus, ecclesiasticis videlicet personis quemadmodum archiepiscopis

1) SS. II, 89: 'Hatto archiepiscopus Moguntinus Italica febri cruce non exacta diem obiit. Egit tamen Salomon episcopus Constantiensis pro anima eius precibus et operibus quantumcumque potuit. Scrinia eius palatio addicta sibi non providerunt'. 2) Der Wortlaut bereits oben S. 83, N. 1. 3) Ruotgeri Vita Brunonis, SS. IV, 271: 'Tunc vocato notario coram memoratis testibus testamentum suum ipse dictavit; res omnes quas habuit a sese, dum adhuc in bona spe viveret, abalienavit, dispersit, dedit pauperibus'. Der Wortlaut des Testaments a. a. O. S. 274. 4) Lacomblet, Niederrhein. UB. I, 288; Wiederabdruck mit guter Erläuterung bei Doeberl, Monumenta Germaniae selecta IV, 213.

episcopis abbatibus abbatissis et prepositis, eorum suppellectilem sibi violenter usurpavit, penitus abholemus nec a nobis nec a nostris successoribus retractandam'.

Dieser zunächst Köln allein gegebene Verzicht wurde in der Speierer Urkunde vom 22. März 1209 grundsätzlich und unter ausdrücklicher Ausdehnung auf das Spolien- und Regalienrecht in die Hand Innocenz' III. wiederholt[1]. Mit vollem Recht spricht hier Werminghoff von einem dem König 'aufgenötigten Formular'[2], und dies gilt in vielleicht noch höherem Masse auch von der Kölner Urkunde. Wenn irgendwo, haben wir hier ein Empfängerdiktat vor uns. Es war der Parteihass Adolfs von Köln, der diese Beschuldigung wider Friedrich I. erhob; als einwandfreies Zeugnis der Reichskanzlei über geltenden Rechtsbrauch scheidet diese Urkunde aus.

Mitten zwischen diese spärlichen und überdies sich widersprechenden Zeugnisse tritt der neue Text der Vita Bennonis als der einzige Beleg, der schon für die Zeit Heinrichs IV. von einem Rechte spricht, 'quod tanto tempore sub tot imperatoribus et famosis regibus mansisset immobile', das auch nur in einem Ausnahmefall aufzugeben der König sich standhaft weigert.

Waitz hatte auch folgendes eingewandt: 'Geschichtsschreiber und Urkunden hätten mannigfach Gelegenheit, ja Aufforderung gehabt, davon zu sprechen. Die zahlreichen Biographien von Bischöfen hätten davon nicht schweigen können; es wäre undenkbar, dass in den Privilegien der Könige für die verschiedenen Stifter hierauf nie verzichtet oder überhaupt Bezug genommen ist'. Hier ist jetzt das Zeugnis, das Waitz bisher vermisste, und in ihm auch die Erklärung, weshalb in Urkunden vor dem 12. Jh. von Befreiung nicht die Rede sein konnte. Das Recht war eben als so grundsätzliches und wichtiges angesehen, dass an Verzichtleistung auch in den Tagen der Not nicht gedacht wurde. Es blieb den Königen der unseligen Doppelwahl von 1198 vorbehalten, in wahrem Wetteifer ein Recht zu verschleudern, an dem ihre Vorfahren auch in Not und Drang festgehalten, das noch Friedrich I. strenge geübt und nur in einzelnen Ausnahmefällen gemildert hatte, das Heinrich VI. nur um den höchsten Preis des Erbkönigtums hatte opfern wollen. Die Festigkeit Heinrichs IV. selbst

1) Constit. II, 37, § 4. 2) Gesch. d. Kirchenverfassung Deutschland im MA. I, 186.

im Jahre der Aufstellung eines Gegenkönigs und der tiefe Verfall der Reichsgewalt um 1200 treten hier in scharfen Gegensatz.

Um so wichtiger wird es, sich über das Ausmass des so fest gefügten Gewohnheitsrechtes der Salierzeit klar zu werden, und wieder drängt sich die Frage auf: Spolie und Regalie, Spolie oder Regalie?

Um über diese Frage schlüssig zu werden, wird es sich empfehlen, zunächst einen ausserdeutschen und jüngeren Bericht heranzuziehen, der aber den Vorzug geniesst, das ausführlichste und auschaulichste Bild von der Uebung beider Rechte zu entwerfen. Diese waren nach dem Ableben des Bischofs Hugo IV. von Auxerre durch König Philipp von Frankreich in einer Weise geltend gemacht worden, die Innocenz III. zum Einschreiten veranlasste. Sein vom 18. Mai 1207 datiertes Schreiben ist so wichtig, dass ich seinen wesentlichen Inhalt hier mitteilen muss[1]. 'Turonensi archiepiscopo et episcopo Parisiensi .... Ad audientiam namque nostram noveritis pervenisse, quod idem rex, audito, quod bonae memoriae Hugo Altisiodorensis episcopus naturae debitum exsolvisset, statim fecit per servientes suos episcopales res, quas vocat regalia, occupari. Qui more praedonum debachantes in eis crudeliter, ecclesiae nemora passim fecerunt succidi, eadem venalia omnibus exponentes; stagna quoque fecerunt dirui et penitus expiscari et eiusdem ecclesiae hominibus captis, ipsos tormentis ad redemptionem miserabilem compulerunt; et abducentes animalia universa frumentum vinum foenum ligna etiam et lapides expolitos, quos idem episcopus ad construendam capellam et alia aedificia praeparaverat, nequiter asportarunt, episcopalibus domibus supellectili qualibet spoliatis, ita ut in eis praeter tectum et parietes non fuerit aliquid derelictum; alia damna et gravamina in rebus episcopalibus nihilominus irrogantes. Praeterea bona, quae praefatus episcopus ecclesiis et pauperibus diversorum locorum sub bonorum virorum testimonio pia et provida deliberatione legarat, ... idem rex penitus confiscavit'. Bei dem letzten Satz müssen wir mit der Interpretation beginnen. Bischof Hugo IV. von Auxerre hatte über seinen Nachlass testamentarisch verfügt. Läge

1) Innocentii III. Epistolae X, 71, ed. Baluze II, 40; Potthast n. 3107. Hinweis auf dieses Schreiben bei Friedberg bei Herzog-Hauck unter Spolienrecht S. 684. Friedberg unterdrückte hier aber die für mich gerade wichtigsten Stellen.

der Zufall der Ueberlieferung, mit dem wir doch stark rechnen müssen, so, dass uns das Schreiben Innocenz' III. fehlte, dafür aber die Vita dieses Bischofs, die wir tatsächlich besitzen, uns nicht nur im allgemeinen über das erbauliche Lebensende, sondern näher über die Bestellung seines Hauses und die Aufrichtung des Testamentes berichtete, dann stände dieser Fall schroffster Uebung königlicher Hoheitsrechte auf der Liste der von Waitz gesammelten und angeblich gegen das Bestehen des Spolienrechts beweiskräftigen Bischofstestamente! Nicht darauf kam es an, ob der Bischof sein Testament machte, sondern ob er mit ihm gegen die Ansprüche des königlichen Fiskus durchdrang. Der nächste Schritt war dann die Beschlagnahme der gesamten Fahrhabe des Verstorbenen durch königliche Beamte; und nun folgte die Verwaltung der Bistumsgüter auf Grund des Regalienrechtes, die in diesem Fall zu rücksichtslosester Raubwirtschaft ausartete.

Die Beachtung dieses Beispiels legt uns auch das Verständnis der Kölner Urkunde von 1166 nahe.

'Cum itaque constet et ex antiquo iure regum et imperatorum atque ex cotidiana consuetudine manifestum sit, quod episcopis in imperio nostro constitutis ab hac vita decedentibus episcopales redditus et bona deputata usibus eorum, annona videlicet et vinum et cetera huiusmodi victualia seu servitia, quecunque in curtibus episcopalibus vel in territoriis vel et in ceteris eorum officinis intus vel foris inveniuntur, fisco regali universa iure debeant applicari et usque ad substitutionem alterius episcopi cedere in nostros usus: nos, ne prorsus omnia inutiliter distrahantur, ne curtes et territoria suis necessariis instrumentis omnino nudentur, ad necessariam providentiam futurorum hunc rationis modum opponimus et per hanc distinctionem apertius determinamus, ut quandocunque noster dilectissimus et imperio fidelissimus Reinoldus Coloniensis archiepiscopus vel eius successor ab hac vita decesserit, redditus episcopales et servitia, que de curtibus proveniunt, sive in censu sive in annona sive in vino vel in aliis victualibus in potestatem nostram redigantur et sicut episcopo viventi servire debuerant, sic nostris usibus deserviant; relique vero res mobiles, videlicet boves et oves et cetera animalia ad agriculturam pertinentia et similiter annona, que ad semen agrorum est deputata, et illa que ad procurationem colonorum et servorum in curtibus et territoriis necessario est designata, in ipsis territoriis et curtibus ad archiepiscopatum Coloniensem pertinentibus libere et secure et absque diminutione eius successori remaneant'.

Auch hier musste, obwohl nicht wie bei Philipp von Frankreich ausdrücklich erwähnt, der nächste Schritt die Festhaltung des Mobiliarnachlasses auf Grund des Spolienrechts sein. Und zwar richtete sich das Augenmerk der Beauftragten des Königs vornehmlich auf Keller, Speicher und Ställe; denn bei Geld und Wertgegenständen dürfte die Hinterziehung durch Schenkung oder rasch ausgeführte Beerbung eher die Regel gewesen und ein voller Erfolg auch nach dieser Richtung nur dann eingetreten sein, wenn der betreffende Bischof unvermutet vom Tode ereilt wurde oder besondere Umstände ein rasches und wirksames Zugreifen ermöglichten. Zu augenblicklicher Verwertung konnte hier zunächst nur der etwa verfügbare Ueberschuss gebracht werden; denn ohne Viehstand, Saatgetreide und den notwendigen Vorrat an Lebensmitteln war die Bewirtschaftung der grossen geistlichen Grundherrschaft auch während der Sedisvakanz nicht möglich. Erst mit dem Ende der Fiskalverwaltung erfolgte dann jenes grosse Räumen, das den Schrecken und Abscheu der geistlichen Herren bildete. Die Uebung von Spolie und Regalie fanden mit ihm ihren gemeinsamen Abschluss; der Nachfolger im betreffenden Bischofssitz befand sich zunächst dem Nichts gegenüber. Diese schlimmste Härte sollte durch das Zugeständnis an Rainald von Köln gemildert, dem Nachfolger wenigstens der notwendigste Vorrat an Vieh, Getreide und Nahrung belassen werden. Das bedeutete nicht nur eine Milderung des Regalien-, sondern einen wenigstens teilweisen Verzicht auf die volle Geltendmachung des Spolienrechts[1].

Ausdrücklich auf das Spolienrecht geht dann das in das folgende Jahr 1167 fallende Schreiben des Kaisers an die Kirche von Cambrai, obwohl Stutz auch dieses Zeugnis auf die Regalie bezog. Constit. I, 327: 'et quia iura imperii . . . . . apud vos nobis negata sunt, scilicet quod res episcopales decedente episcopo ad eamdem manum non redierunt, de cuius munere eas constat descendisse'.

---

1) Zu gleichem Ergebnis gelangt auch Eisenberg in seiner sehr zutreffenden Interpretation dieser Urkunde (a. a. O. S. 81), während Richard Schröder, RG. 4. Aufl. S. 418, N. 98 aus der gleichen Urkunde herausliest, dass Friedrich I. das Spolienrecht damals (1166) 'offenbar noch nicht kannte' (!).

Die Cambraier hatten selbst rasch und gründlich geräumt, so dass die kaiserlichen 'villici' sich um die Beute betrogen sahen.

Die Uebung des Spolienrechts war eben die notwendige Grundlage für die wirksame Durchführung des Regalienrechts. Wie eng beide zusammenhingen, ersehen wir am besten aus den mehrfachen, teils besonderen, teils grundsätzlichen Verzichtleistungen Philipps, Otto's IV. und Friedrichs II., deren Fassungen bald auf das eine, bald auf das andere Recht zu gehen scheinen, während Krabbo mehrfach in Gegensatz zu älteren Erklärern — meines Erachtens vollkommen zutreffend — in allen diesen Fällen Verzicht auf beide Rechte angenommen hat[1].

Die Zeugnisse über das Regalien- und Spolienrecht tragen alle einen streng einheitlichen Zug. Es sind die Kennzeichen der beginnenden und erstarkenden Auflehnung wider die drückende Belastung. Die Enttäuschung Salomons von Konstanz über den entgangenen eigenen Gewinn, der Schmerz Adams von Bremen über die Ausplünderung seines toten Herrn, der Versuch des Bischofs von Utrecht, einen kleinen Nebenabfall sich selbst zu sichern, die Klagen Friedrichs von Köln und des Lorscher Chronisten, endlich die sich mehrenden und bald häufenden Versuche seit der zweiten Hälfte des 12. Jh., von denen oben nur die wichtigsten, nicht alle behandelt wurden, alles bewegt sich in demselben Geleise. Diese Belege haben durch das Hinzutreten der Vita Bennonis für das 11. Jh. eine Geschlossenheit gewonnen, die ihnen bisher fehlte. Ueber diese Milderungs- und Befreiungsversuche zurück reichen die Rechte selbst, die damals am besten gesichert waren, als

---

1) H. Krabbo, Die Besetzung der deutschen Bistümer unter Friedrich II. S. 10 ff. Das Muster einer törichten und ungeschickten Fassung bietet die Urkunde Philipps für den Erzbischof Ludolf von Magdeburg, 1204 September 22, B.-F. 86, in deren Vordersatz, blos nach den Worten gedeutet, ebenso klar vom Spolienrecht, wie im Nachsatz vom Regalienrecht gesprochen wird: 'Cum inquam ex antiqua et antiquata consuetudine imperii episcoporum omnium, qui de iurisdictione sunt imperii, decedentium in quibuscunque redditibus reliquiae fisco imperiali deberent cedere: ob sinceram dilectionem memorati archiepiscopi ..... concedimus, iuri imperii in hac parte derogantes, ut omnes proventus episcopales, qui defunctis episcopis imperio cedere deberent, ad usus ipsorum colligantur et collecti conserventur'. Also: 'da uns nach altem Herkommen das Spolienrecht zusteht, verzichten wir auf das Regalienrecht'. Tatsächlich kann an einem Gesamtverzicht nicht gezweifelt werden. Ob für die unbeholfene Fassung Reichskanzlei oder Empfänger verantwortlich zu machen sind, lasse ich dahingestellt.

noch niemand über sie, das heisst gegen sie, sprach. 'Regalien- und Spolienrecht sind die Konsequenzen der Investitur', dieser Ausspruch Haucks[1] trifft den Kern der Sache. Mit der Investitur selbst reichen sie zurück in eine Zeit, da das Königtum das Eigentumsrecht an den Reichskirchen uneingeschränkt übte[2]. Es ist kein Zufall, sondern im ursächlichen Zusammenhang streng begründet, dass das gesteigerte Ankämpfen, zugleich aber auch das erste schrittweise Zurückweichen[3], zu einer Zeit einsetzt, da nach dem Wormser Konkordat die alte Grundlage zwar nicht ganz geschwunden, aber doch verändert und unsicher geworden war. Die Gefolgschaft jener, die mit Eisenberg in den Jahren Friedrichs I. die Blütezeit des Spolienrechts sehen, dürfte sich mehr und mehr verringern; denn unter den Forschern haben die Recht behalten, die, wie Scheffer-Boichorst, Ficker, Stutz, Hauck, Werminghoff, Ursprung und Ausbildung beider Rechte in viel frühere Zeiten verweisen, nicht Waitz und Richard Schröder, die über das 12. Jh. und beim Spolienrecht über die Zeit Friedrichs I. nicht zurückgehen wollten[4].

Dem Bischof Benno II. von Osnabrück aber gebührt unter allen, die einen grundsätzlichen Ansturm wagten, weitaus der Vorrang. Dieser Ansturm galt in späterer Zeit in erster Linie der Plünderung grossen Stils, wie sie auf Grund des Spolienrechts geübt werden konnte. Ich möchte nicht zweifeln, dass dies auch Benno's nächstes Ziel war. Mit Wahrung oder Verlust der Spolie stand und fiel aber ein wesentlicher und der vielleicht wirksamste Teil der Regalie. Die Salier haben hier erfolgreich verteidigt, was die Staufer preisgeben mussten.

---

1) KG. Deutschlands IV, 800. 2) Vgl. jetzt Werminghoff, Die Kirche Deutschlands im früheren Mittelalter, Deutsche Monatsschrift von Lohmeyer-Hötzsch, 1907, S. 339 ff., besonders S. 300. Für englische Verhältnisse verweise ich auf Heinrich Böhmer, Kirche und Staat in England und der Normandie im 11. und 12. Jh. S. 288 f. 3) Hierher gehört unter anderm das Zugeständnis Friedrichs I. für Hersfeld v. J. 1184: 'concedimus . . ., ut . . . Creimberc et hec villicationes eius . . . hanc habeant libertatem illibatam, ut defunctis abbatibus Heresveldensis ecclesiae seu vivis ab ea recedentibus, quidquid in victualibus vel in supellectile vel in quacunque alia re inventum in eis fuerit, neque nos neque successores nostri aliquid tollant inde'. (Böhmer, Acta imp. p. 143, n. 150). 4) Nach Schröder zwischen 1166 und 1183!

V.

Italienische Prophetieen
des 13. Jahrhunderts.

III.

Von

O. Holder-Egger.

Wie erklärlich und selbstverständlich bei einem Materiale wie den Italienischen Prophetieen, habe ich auch diesen dritten Teil mit Nachträgen zum ersten in Bd. XV und zum zweiten in Bd. XXX dieser Zeitschrift erschienenen Teile zu beginnen.

Im vorigen Jahr (1906) untersuchte ich und beutete für meine Zwecke aus die Vatikanische Hs. Lat. 3822, die durchweg prophetische und pseudojoachitische Stücke enthält, darunter mehrere vollständig oder teilweise, die ich in den beiden früheren Teilen dieser Prophetieen herausgab. Es wird ganz nützlich sein, den Inhalt dieser Hs. mitzuteilen, wobei sich dann Nachträge zu den früher publizierten Texten ergeben werden.

Sie ist eine Pergamenths. in Oktav-Format (Höhe 24, Breite 17 cm) in dem gewöhnlichen roten Lederband der Vatikanischen Hss. Sie ist von vielen Händen des XIII., XIII—XIV. und XIV.[1] Jh., fast durchweg in zwei Kolumnen, zweifellos in Italien geschrieben. Ueber ihre Herkunft findet sich leider keine Notiz, und ihr Inhalt lässt keinen sicheren Schluss darüber zu, woher sie etwa stammen könnte. Am wahrscheinlichsten ist mir aber, dass sie in Rom geschrieben ist, dort einem Minoritenkonvent angehörte.

Vorne sind zwei Vorsatz- (Schmutz-) Blätter von Pergament angeheftet, die ursprünglich nicht zu der Hs. gehörten und auch nicht numeriert sind. Die ersten beiden Kolumnen des ersten Vorsatzblattes enthalten ein Stück über Häresieen s. XIII—XIV., die Verso-Seite des Blattes (nicht in 2 Kolumnen) von anderer Hand s. XIII—XIV. ein Stück der Sibylla Erithea (N. A. XV, 168—170), welches

1) Wenn ich die Hände auf s. XIII. oder auf s. XIV. bestimmt habe, so ist das so zu verstehen, dass ich an ihnen (mit Ausnahme der eingehefteten Blätter) mehr den Charakter dieses beginnenden oder jenes ausgehenden Jahrhunderts zu erkennen glaubte. Jedermann weiss, dass genaue Zeitbestimmung da unmöglich ist, zumal die Stücke bald von jüngerem, bald von älterem Schreiber herrühren können.

nach wenigen fehlenden Worten da anschliesst, wo ein anderes grösseres Fragment derselben Sibylla unten f. 19^{c}—20^{d} aufhört. Aber auch diese beiden Fragmente zusammen ergeben noch nicht die ganze Sybilla, der Schluss fehlt.

Das zweite Vorsatzblatt, auf Langzeilen beschrieben, enthält auf der Recto-Seite oben ein Gebet, dann von anderer Hand s. XIV. in. (s. XIII. ex.?) ein Fragment, das beginnt 'Viennesis dixit in concilio Lugduni' und das ich später gebe. Auf der Verso-Seite steht wohl von derselben Hand eine Notiz über Erhebung der Gebeine der Maria Magdalena 1280(!), die ich als Appendix SS. XXXII hinter der Chronik Salimbene's publiziere.

Danach die ursprüngliche paginierte Hs.:

F. 1^{a}. Hand s. XIV. 'Incipit epistola abbatis Ioachim[1]. Universis Christi fidelibus, ad quos littere iste pervenerint, frater Ioachim dictus abbas Floris[2] vigilare et orare, ut non intrent[3] in temptationem. ℭ Loquens Dominus Ezechieli' — f. 3^{b}. Ueber tempora et sigilla. Ist natürlich pseudojoachitisch.

F. 3^{c}. 'Incipit epistola subsequentium figurarum. Genealogia sanctorum antiquorum patrum texitur ab Adam usque ad Iacob' — f. 4^{a}. Gehört wohl noch zum vorigen.

Dann f. $4^{a.b}$ auf leer gebliebenem Raum von anderer Hand s. XIV: 'Domino Vuldonen̄ dei gratia abbati venerabili frater Ioachim habundare in virtute caritatis dei. || Noticia illa vera et Christi sermonibus approbata' . . . . .

Was f. $4^{c.d}$ steht, gehört zu dem Text auf f. 1^{a}—4^{a} und ist von der Hand, die jene Blätter schrieb.

F. 5. 6 sind eingeheftet und gehörten ursprünglich nicht zu dieser Hs. Die ersten 3 Seiten dieser beiden Blätter sind von einer Hand s. XIII(—XIV.) auf Langzeilen geschrieben.

F. 5^{r}. 'Primum caput draconis cepit ab Herode proselito' mit Zeichnung des pseudojoachitischen Drachen mit 7 Köpfen. Der erste Kopf ist Herodes, 2. Nero, 3. Con-

1) Das gesperrt gedruckte ist in der Hs. immer rot geschrieben. Dieselbe Schrift steht in der Hs. der Bibl. Laurenziana zu Florenz LXXXIX inf. 41, die unter anderem die Sibyllae Tiburtina und Erithea und noch eine andere Prophetie enthält, f. 109^{d}—112^{b}. Sie schliesst dort: 'ut comedatis fortium et bibatis sanguinem regum super montes Israel, ad quorum interitus omnium mundus letabitur, et in victum sibi munera mittent'. Den Schluss in der Vatikanischen Hs. habe ich mir nicht notiert. 2) 'Floris' fehlt Florent. 3) 'ne intretis' Florent.

stantius Arrianus, 4. Cosdroe, 5. Henricus I[us], 6. Saladinus, der 7. Hauptkopf Fridericus II.[1]

F. 5[r]. 'Ex dictis Sibille Delfice'. Eine mir sonst unbekannte, sehr dunkle Römische Prophetie, welche beginnt: 'Leo postquam revertitur ab insula'. Ich habe sie abgeschrieben.

F. 6[r]. 'Principium malorum secundum Merlinum'.

F. 6[c]. beginnt ganz abrupt das Fragment einer Prophetie, die ich später gebe, mit den Worten 'et eorum exercitus corruet'. Sie scheint mir von derselben Hand herzurühren, welche f. 1—4[a]. 4[c.d] schrieb.

Danach f. 6[d] von anderer Hand s. XIV. 5 Verse, welche zu dem unten unter n. XI herausgegebenen, weit verbreiteten Gedicht 'Gallorum levitas' gehören. Danach wieder von anderer Hand s. XIV. die Prophetie 'Cedrus alta Libani succidetur', welche ich später herausgebe.

F. 7[a]—13[c] gehört wohl noch zu dem was f. 1—4[a]. 4[c.d] steht (dem pseudojoachitischen Liber figurarum?) und ist von derselben Hand wie jenes geschrieben. Rest von f. 13[c] und f. 13[d] leer.

F. 14[a]—17[a] sind (mit Ausnahme des unten genannten Stückes auf f. 14[d] unten) wieder von einer Hand s. XIII. (—XIV.) geschrieben. F. 14[a]—14[d] enthält ein Stück des pseudojoachitischen, unten herausgegebenen Liber de oneribus prophetarum, und zwar aus dem zweiten (oder dritten) Teil des Werkes, das unten f. 28[a]—33[b] dieser Hs. noch einmal fast vollständig steht. An dieser Stelle f. 14[d] (mit R bezeichnet) und am Schluss desselben vollständigen Werkes in der Hs. der Biblioteca Vittorio Emanuele zu Rom 14. S. Pantal. 31 f. 47[b] [2] (V) folgt dann noch, in V mit der Ueberschrift 'Alius tractatus', ein anscheinend nicht zu der vorstehenden Schrift gehöriges Stück von wenigen Zeilen:

Quia semper in stipendiariis[3] propriis vires suas hostis reparat violentus, ut populus Christianus, qui contra indifferenter accingitur pro patria pugnaturus, debilitetur et corruat ac per hoc tamen[4] sui, quod absit! premii dispendia doleat: unde versutis[5] insidiis per desidiam[6] non repugnat. 'Veniet' inquit[7], 'exinde altera aquila' etc̄.[8]

Danach f. 14[d]: 'Dicitur a quodam indubitanter, quod

1) Auf den Vorsatzblättern der alten Ausgaben von Joachims echten und unechten Werken steht eine Abbildung des siebenköpfigen Drachen, dessen sieben Köpfen dieselben Namen wie hier beigeschrieben sind. Vgl. unten S. 152 f. 2) Vgl. N. A. XV, 174. 3) 'stipediariis' R. 4) 'in̄' V. 5) 'uersutus' R. 6) 'desideria' R. 7) 'inquid' V. — Das sagt nämlich die kürzere Redaktion der Sibylla Erithea, N. A. XXX, 334: 'Exinde veniet aquila altera', die in der vorstehenden Schrift benutzt ist. 8) 'etc̄' fehlt R.

Antichristus natus sit' . . . . . . (beinahe eine halbe Kolumne). Es folgt von anderer Hand s. XIV. f. 14[d]: 'De Antichristo, quod natus est. Dico tibi, quod revelatum est cuidam de Antichristo, quod natus sit' . . . . . . (etwa ein Drittel der Kolumne).

Auf dem unteren Rande von f. 14[c] stehen von anderer Hand die Verse:

Anni milleni transibunt atque ducenti
Quindecies seni post partum virginis alme:
Tunc Antichristus regnabit demone plenus.
Infra millenos [ducenos[1]] XXXVIque annos
Erunt sedata immensa turbina mundi.

Die ersten drei Verse kommen öfter vor (vgl. N. A. XV, 175), die beiden ersten sind hier aber abgeändert[2], und zwar wird hier die Geburt des Antichrist auf 1290 angesetzt, während sie nach den ursprünglichen Versen der pseudojoachitischen Lehre zu Folge 1260 erfolgen sollte. Die 3 Verse erscheinen auch noch in einer Prophetie, welche ich später herausgebe. Die beiden letzten Verse sind eine spätere Interpolation im Vaticinium des Michael Scotus, V. 76. 77 meiner Ausgabe N. A. XXX, 365 f., und zwar stehen sie hier in der Form der Brüsseler Hs. J.

F. 15[a–c]. 'Revelatio mirabilis super statu tocius ecclesie et precipue super hiis que contingere debent in diebus Minorum et Predicatorum. Sanctissimo patri ac domino specialissimo Iacobo divina providentia Tusculano episcopo magister I. suus clericus et servus humilimus'. . . . . . Das Stück habe ich abgeschrieben.

F. 15[c–d]. 'Sibilla Delphica in templo Apollinis genita. Ad memoriam eternorum premia tribuenda notavimus devotionem esse mutatam' . . . . . .

F. 15[d]—17[a]. 'De ultimis temporibus tractatus brevis conpositus ab abbate Io[achim] super Danielem. De ultimis tribulationibus disputantes' . . . . . . Pseudojoachitisch.

F. 17[a]. Die 'Verba Merlini', welche ich N. A. XV, 175—177 herausgegeben habe, und die bei Salimbene f. 359[a. b], SS. XXXII, 359 sq. stehen. Sie haben hier keine Ueberschrift, beginnen aber mit dem Worte 'Merlinus'. Dieser an nichts bedeutenden Fehlern sonst reiche Text

1) Für das eingeklammerte Wort ist in der Hs. leerer Raum gelassen. 2) Sie sind später auch benutzt, um eine schottische Prophetie daran zu hängen, die in den Appendices zu der französischen Reimchronik des Pierre de Langtoft, ed. Th. Wright II, 449 steht.

stimmt an einigen Stellen mit Salimbene überein gegen die beiden Hss., aus denen ich die Prophetie N. A. XV[1] herausgab, ich bemerke folgende Varianten von dieser Ausgabe:

S. 176, Z. 6 (N. 11) 'autem' wie Joach.; Z. 8. 9 (N. 13) 'caitan'; Z. 11 'prosperitate sua LXXII annis' wie Sal. Bemerkenswert ist, dass in Z. 12 'vix quinquagenarius' (statt 'bis') steht, wie sonst keine Ueberlieferung hat[2].

S. 177, Z. 1 (N. 1) 'extra se' wie Sal.; Z. 7 (N. 9) 'et in' wie Sal.; 'omnes' (N. 10) fehlt wie bei Sal.; Z. 8 (N. 11) 'maledixerint' wie Sal. und Joach.

Es ist wahrscheinlich, dass die Lesarten Salimbene's, die durch diesen Text bestätigt werden, dem originalen Merlin-Texte angehörten.

F. 17^{b-d} auf früher leer gebliebenem Raum von einer Hand s. XIV. geschrieben, enthält zunächst f. 17^{b}: 'Sibilla. Excitabitur Roma contra Romanum' . . . . . . Der hier unvollständige Text dieses Vaticiniums steht unten f. $100^{a.b}$ vollständig, wo ich weiteres über ihn bemerke. Danach 'Misterium quod absconditum fuit a seculis' . . . . . . Eine sehr dunkele Prophetie, welche ich abgeschrieben habe. Darauf folgt 17^{b} unten bis 17^{d} eine Schrift über die 12 Sternbilder des Zodiacus.

Dann von anderer Hand s. XIII. f. 18^{v} und 19^{r} rote pseudojoachitische Figuren mit Inschriften, Kreise, ein grosser Adler, der die ganze Seite 19^{r} einnimmt.

F. 19^{c}—20^{d} von anderer Hand s. XIII. der erste Teil der Sibylla Erithea, N. A. XV, 155—168, vgl. oben S. 97 f. (erstes Vorsatzblatt). Danach f. 20^{d} von derselben Hand noch eine Erklärung vieler in der Sib. Erithea vorkommender Namen und dunkler Worte, abgeschrieben.

F. 21^{a}—38^{d} sind von einer anderen Hand s. XIII. geschrieben. F. 21^{a} inc.: 'Henrico sexto inclito Romanorum augusto frater Ioachim, dictus abbas Floris, humiliari sub divine[3] potentia maiestatis. Licet mee simplicitatis inherciam nunciis et litteris recurrentibus urgeretis[4] — quis incursibus plenius eruditur[5]'. Es ist der Einleitungsbrief zum folgenden. Und derselbe Brief steht an der Spitze der pseudojoachitischen Interpretatio in Ieremiam in der

1) Dort ist S. 175 in N. 5 zu streichen: 'in' Sal. 2) Aber vgl. unten S. 171. 3) 'divinæ' Hs., a in e oder e in a korrigiert. 4) 'urgentis' Hs. 5) Die letzten Worte gehören nicht mehr zu dem Brief, sondern zu den einleitenden Worten der Expositio.

Brüsseler Hs. 11956—66 und in der Hs. der Bibl. Laurenziana in Florenz S. Crucis Dext. IX, 11 f. 1^{a}[1].

'Excepta de libro Iohachim super Iheremiam. Isti sunt VII illi angeli suas phyalas effundentes — f. 24^{b} sub ecclesie fluctuatione consurget'[2].

F. 24^{c}—25^{b}. Die jüngere kürzere Sibylla Erithea, welche ich N. A. XXX, 328 ff. aus 2 Hss. herausgegeben habe. Sie trägt hier die Ueberschrift (rot): 'Excepta de libro qui dicitur Vasilographus, qui interpretatur imperialis scriptura, quem Heritea Babilonica prophetissa tempore Priami ad petitionem Grecorum edidit[3]'. Sie schliesst mit den Worten: 'in aquis Adriaticis, id est Venetie, ex desolatione' = S. 333, Z. 2. Der Text ist zwar sehr fehlerhaft, würde aber doch für die Ausgabe von Bedeutung gewesen sein. Viele Glossen, die zum Teil in den beiden anderen Hss. übergeschrieben sind, stehen hier im Text.

F. 25^{b}—26^{c}. Fragment der grösseren Exposition der Sibylla Erithea und des Merlin mit der Ueberschrift (rot): 'expositio Ioachim super Heritee'. Es weicht ausserordentlich stark von dem aus zwei anderen Hss.[4] mir bekannten Texte ab, ist eine neue Bearbeitung dieses älteren Textes, ja es scheint, als sei dies Stück schon mit Benutzung der kürzeren Expositio Sib. Eritheae et Merlini bearbeitet.

F. 26^{c}. 'Incipit tractatus editus a Methodio de fine mundi. In novissimo miliario seu septimo tunc agente in ipso eradicabitur regnum Persarum' — f. 27^{d}. 'in secula seculorum. Amen. Explicit tractatus quem conposuit Methodius episcopus et martyr de fine mundi, secundum quod revelatum fuit sibi a Domino'. Ist also nur der Schlussteil des Pseudo-Methodius von Kap. 11 bis zu Ende, E. Sackur, Sibyllinische Texte und Forschungen S. 80—96.

F. 28^{a}—33^{b}. 'Incipit liber de honeribus prophetarum editus ab abbate Io[achim]. Henrico sexto inclito Romanorum imperatore' ...... Ist die unten unter n. XII herausgegebene pseudojoachitische Schrift, von der schon oben f. 14^{a-d} (S. 99) ein Fragment steht. Diese Hs. ist unten mit R bezeichnet.

---

1) Die anderen Hss., welche denselben Kommentar enthalten, habe ich nicht gesehen. 2) Diese Excerpte aus der Jeremias-Exposition sind nicht dieselben wie die der genannten Brüsseler Hs. f. 92^{d}—98^{b}. 3) 'edididit' Hs. 4) Vgl. N. A. XV, 151. 174.

F. 33[b]—37[d]. 'Exceptiones sunt de Apocalipsi. Concordat iusiurandum VI. angeli[1], per quod tempus illud intelligitur' . . . . . .

F. 38[a]. 'De ortu, vita et morte Antichristi. Nascetur Antichristus in Babilona de tribu Dan' . . . . . . Nur wenig über eine halbe Kolumne.

F. 38[a]—38[d]. Eine Prophetie über das heilige Land und den Orient überhaupt, mit der Ueberschrift 'Liber Achaz' und den Anfangsworten: 'Hec expositio est libri filii Acab'. Es ist die Prophezeiung, welche R. Röhricht unter dem Titel 'Prophetia filii Agap' aus einer Londoner Hs. unter Beigabe einer altfranzösischen Uebersetzung herausgegeben hat[2]. Doch geht hier eine Vorrede voran, die dort fehlt, während in der Vatikanischen Hs. der Schlussteil (p. 220—222 der Ausgabe) fehlt. Es wird sich lohnen, dieses Stück mit Benutzung der neuen Textquelle später noch einmal herauszugeben. Auf dem leer gelassenen Raum der Kolumne 38[d] ist von späterer Hand s. XIII. ex. geschrieben: 'Legitur in libro Clementis. Anno dominice incarnationis[3] M°CC°LXXXVIIII° ve tibi Tripolis civitas opulenta, quia capieris, et beati illi qui habebunt habitationis refugium in terra Rubea'.

F. 39[a]—100[a] von anderer Hand des 13. Jh. die pseudojoachitische Interpretatio in Ieremiam mit der Ueberschrift f. 39[a] [4]: 'Verba Yeremie filii Elchie de sacerdotibus qui fuerunt in Anathot in terra Beniamin' . . . . . . Inc.: 'Si tempus regum, sub quibus exorsus est predicare Yeremias, attendimus' . . . . . . Schliesst f. 100[a]: 'Sane imperium Constantinopolitanum revertetur ad Grecos, et ex Britanis multi fient incole Sicule regionis. In ipso quoque finietur imperium, quia, et si successores sibi fuerint, tamen imperiali vocabulo ex Romano fastigio privabuntur[5]. Explicit expositio

1) Am Rande: 'Apo. X'. Ich weiss nicht, ob diese Excerpte der echten Interpretatio in Apocalypsim Joachims von Fiore entnommen sind. 2) Publications de la société de l'orient Latin. Série historique. II. Quinti belli sacri scriptores minores p. 214—220. 3) Folgt noch einmal 'dn̄ice' Hs. 4) Es fehlt hier der Brief an Heinrich VI. und einiges andere einleitende, was in den beiden oben S. 101 f. genannten Hss. und auch oben f. 21[a] steht, ebendaher hier vielleicht weggelassen ist. Aber ebenso wie hier beginnen und schliessen die Ausgaben der Interpret. 5) Ebenso in der Ausgabe Coloniae 1577 p. 386. Salimbene zitiert den letzten Satz mehrfach. Weil der ihn einer Sibylle zuschreibt, meint Fr. Kampers, Die deutsche Kaiseridee in Prophetie und Sage S. 205, der Satz sei in den Jeremias-Kommentar interpoliert. Das ist falsch. Salimbene irrte, er hatte den Satz sich wohl notiert und wusste nicht mehr, woher er stammt.

domini Iohachim super Iheremiam prophetam. Deo gracias'.

Auf dem leer gelassenen Raum von f. 100$^{a.b}$ hat eine Hand s. XIII—XIV., die sonst in der Hs. nicht vorkommt, mit der Ueberschrift 'Sibilla Delphica' eine kurze Prophetie eingetragen, deren erster Teil schon oben f. 17^{b} (S. 101) steht[1]. Sie beginnt mit den Worten: 'Exaltabitur (am Rande: 'al. excitabitur') Roma contra Romanum' und ist auf Grund der N. A. XV, 178 herausgegebenen[2] 'Sibilla Samia' verfasst, aber so verändert und mit Zutaten versehen, dass ein ganz neuer Text entstanden ist. Mit diesem Stück muss ich mich später noch beschäftigen.

Dieselbe Hand schrieb danach f. 100^{b} mit der Ueberschrift 'Alii versus de eodem'[3] die Verse 41—54 des dem Johannes von Toledo zugeschriebenen Gedichtes, welches ich N. A. XXX, 380—384 wieder herausgab. Da in diesem Fragment gerade die 10 Verse stehen, welche sich sonst nur in einer Hs. der Bibl. Riccardiana finden, so drucke ich es lieber hier ganz ab statt die zahlreichen Varianten anzugeben, die freilich sicher zum grössten Teil, vielleicht alle falsch sind.

Rex novus eveniet toto ruiturus in orbe,
Qui domet eternam matris honore plagam,
Ex insperato properans de montibus altis
Atque cavernosis, mitis et absque dolo.
Pauper opum, dives morum, dittissimus almi
Pectoris, ob meritum cui Deus augur erit[4].
Conteret hic Siculos, sevam tribum Frederici
Conteret, ulterius nec sibi nomen erit.
Cuncta reformabit, que trux Fredericus et eius
Subvertit soboles seva suusve sequax.
Hic sub apostolico Romano ponet in agnos
Vi Danaos[5], Rome sic patientur onus.
Hic trahet ad Christum Machometi marte[6] sequaces,
Sic uni cause pastor et unus erit.

Da die Verse 45—54, welche in der Wiener Hs. fehlen und die ich daher für vielleicht interpoliert erklären wollte, in

1) Wo sie aber nur einer ungenannten 'Sibilla' zugeschrieben wird. 2) Aber vgl. dazu N. A. XXX, 324. 3) Diese Ueberschrift ist wenig zutreffend, da die Sibilla Delphica vorhergeht. 4) 'augerit' korr. in 'aug erit' Hs. 5) Hinter 'Danaos' ein Punkt in der Hs., wonach ich Komma gesetzt habe. Dass die V. 51. 52, welche von der anderen Hs. so stark abweichen, hier verdorben sind, kann kaum zweifelhaft sein. 6) Am Rande 'mšce' Hs.

derselben Reihenfolge wie in der Hs. der Riccardiana auch hier erscheinen, so wird es doch wieder möglicher, dass sie dem Gedicht ursprünglich angehörten.

Es folgen danach von derselben Hand ohne Zwischenraum geschrieben drei Verse, aber vor jedem steht das Rubrikzeichen ℭ, so dass man sieht, der Schreiber war sich bewusst, dass sie weder zu den vorhergehenden noch zu einander gehören.

Tempus erit, sub quo Cremonam Crema cremabit[1].
Flores Pipinorum terminabunt aquilamque leonem[2].
Karolus[3] orbis honor, orbis et ipse dolor.

Danach ist noch eine halbe Kolumne von f. 100[b] leer.

F. 100[c]—104[b] hat wieder eine andere Hand s. XIII. einen Traktat geschrieben, der mir ohne jedes Interesse war. Er beginnt 'Ecce autem egressus est filius mulieris Israhelite, quem peperit de viro Egiptio'. Schliesst: 'exclusus sit et alienus spiritu sancto'.

F. 104[b] folgt von anderer Hand s. XIII—XIV. mit ganz kleiner Schrift: 'Testamentum opusculorum domini abbatis Ioachim de Flore. Universis quibus littere iste ostense fuerint frater Ioachim dictus abbas Floris'[4]......

F. 104[c]—109[a] wieder von der Hand, welche f. 100[c]—104[b] schrieb: 'Nunc de concordia II testamentorum agendum est' ...... Der grössere Teil der Kolumne 109[a] und f. 109[b]—111[d], die schon liniiert waren, sind leer.

F. 112[a—d] (letztes Blatt der Hs.) wieder von anderer Hand s. XIII—XIV.: 'Visio et prophetia Norsei viri Dei', die ich abgeschrieben habe[5].

Eine weitere Fundgrube für unten und später zu gebende Texte war die Hs. der Königl. Bibliothek im Haag 71 E 44 in folio aus Papier[6], durchweg von einer Hand des 15. Jh. auf Langzeilen geschrieben. Auf sie machte mich Herr Dr. Piur aufmerksam, der sie hier in Berlin benutzte. Die von mir ausgewählten Stücke hat Herr Dr. B. Schmeidler abgeschrieben[7].

---

1) Ueber dies Wortspiel vgl. N. A. XXIX, 209, N. 4. 2) Da der Vers zu lang und fehlerhaft gebaut ist, ist er wahrscheinlich verdorben. 3) D. i. Karl I. von Sizilien. 4) So beginnt der Einleitungsbrief zum Indroductorius der Interpretatio in Apocalypsim Joachims von Fiore. 5) Fr. Kampers, Kaiserprophetieen u. Kaisersagen im M.-A. (1895) S. 243, N. 5 sagt, die hier beschriebene Hs. enthalte die Revelatio Rabani de summis pontificibus unter dem Namen Merlins: 'Prophetia Merlini', beginnend: 'Genus neque'. Die Angabe muss auf Konfusion beruhen. 6) Vgl. J. Zacher in Zeitschr. f. Deutsches Alt. I, 267 f. 7) Es ist vielleicht von irgend einem Nutzen, hier zu bemerken, dass in dem

Dass sich zu meinen Mitteilungen über die angeblich zwischen Kaiser Friedrich II. und dem Papst gewechselten Streitverse N. A. XXX, 335—349 bald Nachträge ergeben würden, war mir nicht zweifelhaft, und so konnte ich schon ebenda S. 714 f. einen solchen bringen.

So habe ich übersehen, was K. Hampe N. A. XXII, 638 bemerkt hat, dass die Verse auch in der Hs. des British Museum Harleian Mss. n. 3724 von einer Hand des ausgehenden 13. Jh. f. 49ᵛ stehen, woher Hampe sie abgeschrieben hat. Es sind hier 10 Verse, dem Papst werden schon 6 Verse zugeschrieben, denn es sind hier die beiden Ueberlieferungen über die Entgegnung des Papstes kombiniert, etwa wie in der Chigi-Hs., N. A. XXX, 341 f., aber sie erscheinen hier in anderer Reihenfolge und wieder mit Varianten, die in den verschiedensten Ueberlieferungen vorkommen. Ich setze die Verse lieber ganz her, als dass ich die Lesarten der Hs. angebe. Auch hier ist der Papst unbekannt, an den der Kaiser die Verse gerichtet haben soll.

Fredericus imperator ad papam:

Fata monent, stelleque docent aviumque volatus:
Tocius subito malleus orbis ero[1].
Roma diu titubans, longis erroribus aucta,
Corruet et mundi desinet esse caput[2].

Petrus ad Fredericum:

Fata silent, stelleque tacent, nil predicat ales
Solius est proprium nosse futura Dei.
Niteris incassum navem submergere Petri,
Fluctuat et numquam mergitur illa ratis[3].
Fama refert, scriptura docet, peccata loquuntur,
Quod tibi vita brevis, pena perhennis erit[4].

Danach folgen aber noch die Verse auf Kaiser Friedrich II., welche bei Franc. Pipinus II, 40, Muratori, SS. R. Ital. IX, 661 stehen:

---

antiquarischen Kataloge 338 von Karl W. Hiersemann in Leipzig (1907) auf S. 129 unter n. 1177 eine Papierhs. des 16. Jh. zum Kauf angeboten wird, welche Prophetieen grössten Teils in italienischer, zum Teil aber auch in lateinischer Sprache enthält. Der dafür angesetzte Preis von 600 M. ist freilich hoch. 1) Diese beiden Verse stimmen ganz mit der Englischen Form und Cron. Mantuana, N. A. XXX, 337. 339. 2) Diese Verse stimmen durch die Lesarten 'longis', 'aucta', 'Corruet', von denen zwei auch in anderen Hss. vorkommen, mit der Chigi-Hs. überein, N. A. XXX, 341. 3) Diese vier Verse sonst ganz wie in der Cron. Mantuana, aber 'nosse' im zweiten Verse ist eigentümliche Lesart, die in dem unten gedruckten Text wiederkehrt. 4) Diese beiden Verse wieder ganz wie in der Englischen Ueberlieferung.

Fre: fremit in mundo, de: deprimit alta profundo,
Ri: mala[1] rimatur, cus: cuspide cuncta minatur.

Jetzt hat Val. Rose im Verzeichnis der lateinischen Hss. der Königl. Bibliothek zu Berlin II, 3 (1905), 1035 f. aus der Papierhs. der Berliner Bibliothek 878, Lat. qu. 4 die oft vorkommenden 8 Verse gedruckt, die von einer Hand des 15. Jh. dort f. CCXVIII^v stehen[2], aber die die Verse einleitenden Worte fast ganz weggelassen, ich gebe das kleine Stück hier vollständig.

Nota, quod Fredericus imperator illius nominis secundus, filius Henrici VI^{ti}, qui propter rebellionem ecclesie fuit depositus ab Innocencio papa quarto, scripsit eidem Innocencio pape epistolam et inseruit hos sequentes versus:

Astra docent, et fata mouent[3] aviumque volatus,
Quod Fredericus ego malleus orbis ero.
Roma diu titubans, variis erroribus acta,
Decidet et mundi desinit esse capud.

Quibus epistola et versibus perlectis et studiose discussis prefatus dominus Innocencius papa rescripsit epistolam responsalem dicto Frederico, inter alia apponens tales versus:

Astra silent, nil fata docent nec predicat ales,
Solius est proprium nosse[4] futura Dei.
Niteris incassum Petri subvertere classem,
Fluctuat et numquam desinit esse capud.

Am meisten kommen diese Verse sowohl in ihrer Reihenfolge wie in einigen seltenen Lesarten mit denen der Münchener Hs. Lat. 4432 von St. Ulrich und Afra in Augsburg, die ich N. A. XXX, 345 mitteilte, überein[5], haben aber eine ganze Reihe von besseren Lesarten, die mit der älteren Ueberlieferung übereinstimmen, vor allem V. 6, der dort ganz abgeändert ist, in der gewöhnlichen Form[6]. Während jene Ueberlieferung den dichtenden Papst

---

1) Bei Pipin ist dieses Wort von einem Anhänger des Kaisers zu 'ius' verändert, was zu dem übrigen Inhalt der Verse nicht stimmt. 2) Rose vermutet, dass die Hs. in Xanten geschrieben sei, jedesfalls stammt sie vom Niederrhein. Bethmann hat sie Archiv VIII, 834 f. beschrieben, aber die Verse nicht erwähnt. Obgleich der Bericht von L. Bethmann über die Hss. der Berliner Bibliothek im Archiv VIII, 823—860 gewiss sehr gut war, kann man doch jetzt erst aus dem mit unübertrefflicher Genauigkeit gearbeiteten Katalog von V. Rose ihren Inhalt vollständig übersehen. 3) So für 'monent' Hs. 4) 'nosce' Hs. 5) So 'Astra' in V. 1 und 5, 'Quod Fred. ego', 'capud' in V. 8. 6) Aber doch wieder mit der eigentümlichen Variante 'nosse' statt 'scire'.

nicht kennt, ist er hier, wie meist, Innocenz IV. Ganz neu ist, dass die Verse in Briefen, die Kaiser und Papst wechselten, gestanden haben sollen. Es ist mit diesen Versen schon wie mit einem Kartenspiel nach jedesmaligem Mischen: in jeder neuen Ueberlieferung tauchen neue Kombinationen und Permutationen auf.

Zur weiteren Verbreitung dieser Verse teilt mir Herr Dr. B. Schmeidler folgendes mit: In der Lateinischen Uebersetzung von Siegmund Meisterlins Chronik, Chroniken der Deutschen Städte III, Nürnberg III, 206 wird sonderbarer Weise zur Zeit des Investiturstreites und des Zwistes zwischen Heinrich IV. und V. berichtet: 'tanta fuit tunc discordia inter imperatorem Romanorum et papam, ut tota Terra Sancta cum sepulchro Domini deperderetur, et imperator pape scriberet:

Roma diu titubans, variis erroribus acta,
Corruet et desinet esse caput.

Papa e converso:

Nitteris incassum navem submergere Petri,
Fluctuat et nunquam mergitur illa navis'.

In dem Deutschen Text seiner Chronik der Reichsstadt Nürnberg, Städtechroniken, Nürnberg III, 87[1] schreibt Meisterlin, ebenfalls mit Bezug auf die Zeit Heinrichs IV. und V.: 'Soliche grosse zwitrechtigkeit was zwischen dem babst und dem kaiser, dass das heilig ertrich, grab und Jerusalem verloren ward. Da schreib der kaiser an die went:

Rom ist mit tauben narren begabt,
darumb wird sie nit sein ein haubt.

Der babst schreib:

Das schiff Petri wiltu ertrenken,
wie wol du es wegst, magstu es nit versenken'.

Meisterlin scheint nur jene beiden Distichen gekannt zu haben, und diese hatten offenbar nur eine Aufschrift wie 'Imperator ad papam' und umgekehrt[2], so dass er darauf kommen konnte, sie schon auf den Investiturstreit zu beziehen.

Hiernach gebe ich zunächst vier kleinere Prophetieen, von denen drei bisher unbekannt sind, die vierte aller-

---

1) Siehe daselbst N. 3 über Vorkommen der Verse in der Casteler handschriftlichen Chronik. 2) Wie N. A. XXX, 337.

dings oft gedruckt, aber nicht brauchbar herausgegeben und doch ziemlich unbekannt ist.

VIII. Süditalienische Prophetie auf Friedrich II. und Konrad IV.

Die nachstehende Prophetie steht in der oben (S. 105) genannten Hs. aus dem Haag p. 209. 210. Die zahlreichen übergeschriebenen Glossen geben zumeist das richtige. Wo das der Fall ist, füge ich keine Erklärung hinzu.

Post galli[1] fugam in Galliam[*] superbit civitas[**] nomine[2] sui fluminis appellata[3]; propter quod obsidetur et non destruetur, quia in fundamentis eius consistit lapillus[4], unde evadet tota Liguria[***]; fremit, defloratur in Tuscia lese matris prolex[†]. Expugnatur dracho[5], desolatur urbs nova[††], Emilia in pristinos langores revertitur; pullus[6] eius de concubitu carceratur in nido[†††] philosophorum[7] et non evadet. Ardet genitor[*†], tirannidem exercet, Sampnitam[**†] sedem evertit[8], leditur sponsa[*††] agni, captivos in regna materna ducit[9] et eorum quosdam occidit. Superatur Francus[†*] in Egipto et Memphy[†**.10] dimissa desinitur[11] a vinculis verecundis. Malleus[*†*] emittit[†*†.12]

---

*) Gl. übergeschr.: 'Transalpinam'.
**) Gl. übergeschr.: 'Tibur'.
***) Gl. übergeschr.: 'Lombardia'.
†) Gl. übergeschr.: 'id est ecclesie patrimonium'. Natürlich ist 'prolex' = 'proles'.
††) Gl. übergeschr.: 'Victoria'.
†††) Gl. übergeschr.: 'Bononia'.
*†) Gl. übergeschr.: 'id est Federicus'.
**†) Gl. übergeschr.: 'id est Beneventum'.
*††) Gl. übergeschr.: 'id est ecclesia'.
†*) Gl. übergeschr.: 'id est rex Francorum' (Ludwig IX. 1250 bei Mansurah geschlagen und gefangen).
†**) Gl. übergeschr.: 'Damieta'.
†) Gl. übergeschr.: 'id est imperator'. Siehe oben S. 106 den 2. Streitvers.
†*†) Gl. übergeschr.: 'moritur' (1250 Dec. 13).

1) Nach Innocenz' IV. Flucht nach Lyon 1244. 2) 'nomen' Hs. 3) Natürlich Parma am Parma-Fluss gelegen, das 1247 vom Kaiser abfiel. Die Glosse ist Unsinn. 4) Ich denke, damit ist der Legat Gregor von Montelongo gemeint. 5) Kaiser Friedrich II. 6) Henzius, Friedrichs II. unehelicher Sohn, der 1249 gefangen wurde. 7) 'philozophorum' Hs. 8) 1250 Jan. 1. Zu den wenigen Nachrichten über die Zerstörung Benevents (vgl. Reg. Imp. V, n. 3807a) tritt diese hinzu. 9) Natürlich K. Friedrich II., der das Königreich Sizilien, von seiner Mutter ererbt hat. 10) 'emephy' Hs. 11) Der Ausdruck 'desinitur' für 'dimittitur' ist ja sehr auffällig, aber schwerlich zu emendieren. Am 6. Mai 1250 wurde König Ludwig aus der Gefangenschaft entlassen. 12) 'emictit' Hs.

spiritum, terrarum orbis variis rumoribus contremiscit. Gallus revertitur[1], fiunt false[2] paces, bellis, proditionibus, dolis et horrendis sceleribus [plene[3]]; terra germinat exteriori veneno suffusa; devorati pulli pullulus* tossicabitur a suis, regnum scinditur. C.** ingreditur ipsum, arma ingerit, diu laborat *frustra, tandem belliger populus*** iuxta Sarvum† diversis variis divisus irruit[4]. Exules revocat, quos predecessor eius expulerat. Aspidem†† verberat, leonis formam resumit, timent exulum deiectores†††, coniurant cum matre*†. Exulant cum aspide**†. Sirene ac lupe*†† cum aliis reptilibus fedus ineunt, de XIIcim

*) Gl. übergeschr.: 'filius Federici'. — Vielmehr der Enkel des Kaisers, Friedrich, Sohn des in der Gefangenschaft des Kaisers 1242 verstorbenen Königs Heinrich (VII.), der 1251 bald nach dem Tode des Kaisers starb. Es verbreitete sich das alberne Gerücht, dass König Konrad IV. diesen seinen Neffen habe vergiften lassen. Vgl. Reg. Imp. V, n. 4616c. V, 5, p. LXXV. Vom K. Friedrich II. und seinem Sohn Heinrich sagt die Sib. Erithea, N. A. XV, 166: 'et duo pulli (Söhne des Kaisers), ex quibus vorabit unum'.

**) Gl. übergeschr.: 'rex Corraldus'. — 1252. Jan. kam Konrad IV. in sein Sizilisches Königreich.

***) Gl. übergeschr.: 'id est Theotonicorum'.

†) Gl. übergeschr.: 'id est Sanctum Germanum'. — Wenn das richtig ist, wüsste ich 'iuxta Sarvum' nicht zu erklären. Es liegt ja nahe, 'Sarnum' zu emendieren und an den Fluss oder den Ort Sarno zu denken. Dass dort aber ein bedeutendes Gefecht in jener Zeit stattgefunden habe, ist nicht überliefert. San Germano (heute Cassino) wurde im Sommer 1252 von Konrad IV. genommen. — Was 'variis divisus' ist, weiss ich auch nicht zu sagen, es liegt da wahrscheinlich Verderbnis vor.

††) Gl. übergeschr.: 'id est capitaneum ecclesie'.

†††) Gl. übergeschr.: 'marchiones'. — Zweifellos die Markgrafen Galvan und Friedrich Lancia, wohl auch noch Bonifaz von Anglano ist mit gemeint.

*†) Gl. übergeschr.: 'id est ecclesia'. — Auf Grund dieser Stelle wird man sagen können, dass C. Rodenberg, Innocenz IV. und das Königreich Sicilien (1892) S. 188, N. 2, mit Recht angenommen hat, die Lancia hätten bald nach ihrer Verbannung 1252 sich dem Papste unterworfen und mit ihm Intrigen (ihrerseits natürlich zu Gunsten Manfreds) angeknüpft, ja, da 'Exulant' hier erst folgt, könnte man vermuten, dass sie schon früher mit dem Papste in Verbindung getreten wären, dass das der Anlass zu ihrer Verbannung gewesen wäre.

**†) Gl. übergeschr.: 'id est capitaneo ecclesie'.

*††) Gl. übergeschr.: 'Calabrie'.

1) Innocenz IV. kehrte 1251 aus Lyon nach Italien zurück. 2) 'falce' Hs. 3) 'plene' habe ich ergänzt. 4) 'irruitur' Hs. Auch 'variis' dürfte verdorben sein.

Iudas[*] administrat eis. Undique concutitur leo[**]. Oritur timor mirabilis. Sibi tamen expugnantur exules in ede[***] Iude; fugam, cedem[1] et carcerem paciuntur, succursus eorum frangitur. Languent[2] post membra[†] leonis, quia leo[3] triumphum parat. Casum fratris[††] deflet, restaurat in brevi Circem[†††] et lupam[*†] expugnat, sed[4] rediens triumpho potitur, sed renovant coniurati[**†] bellum, capiuntur in arce[5] septemplici. Arx ruit et rubet[6] in sanguinem[7] peccatorum, petita pace negata leo floribus coronatur, gallo[8] adheret Circes[*††], et lupa[†*] succumbit, paciuntur verbera meretricis. Sitis fiat, gallo novum diadema veniet[9]. Scinduntur maria, vincuntur filii iniquitatis, fit mare tranquillum[10], celantur arma, caput[†**] mundi utroque[††*] principe[*†*] gaudet. Urbs[†*†] urbis proles metropolis efficitur, belliger[*⁎†] populus incitatur ad bellum, iungitur yrcus[†⁎*] tauro de equa Hyspana, vulpes[†⁎†] garrire presumunt, et corrigit devios novo pastore surgente.

---

*) Gl. übergeschr.: 'id est proditor quidam'.
**) Gl. übergeschr.: 'princeps'. — Also Manfred.
***) Gl. übergeschr.: 'id est apud Fogiam'.
†) Gl. übergeschr.: 'sequaces principis'.
††) Gl. übergeschr.: 'Federici'. — Das ist falsch, es ist wohl sicher Konrads Bruder Heinrich gemeint, der 1253 Dec. starb. Die Worte auf Konrads Tod, den der leo (Manfred) beklagt, zu deuten, geht sicher nicht an.
†††) Gl. übergeschr.: 'Siciliam'.
*†) Gl. übergeschr.: 'Calabriam'. — Konrad war selbst nie in Calabrien und Sizilien.
**†) Gl. übergeschr.: 'marchiones et alii'.
*††) Gl. übergeschr.: 'Sicilia'.
†*) Gl. übergeschr.: 'Calabria'.
†**) Gl. übergeschr.: 'Roma'.
††*) Gl. übergeschr.: 'id est populus'. — Die Glosse kann nicht hierher gehören, oder es ist 'papa' zu lesen.
†) Gl. übergeschr.: 'imperatore'. — Kaiser und Papst.
†*†) Gl. übergeschr.: 'Leonina'.
*⁎†) Gl. übergeschr.: 'id est Theotonicorum'.
†⁎*) Gl. übergeschr.: 'Grecus'.
†⁎†) Gl. übergeschr.: 'id est Anglici'.

1) 'sedem' Hs. 2) 'Languens' Hs. 3) Man erwartet vielmehr C(onrad) IV., der damals seinem Halbbruder Manfred einen grossen Teil seiner Besitzungen entzog und dessen Verwandte, die Lancia, verbannt hatte. 4) Vielleicht 'et' zu verbessern. 5) 'arte' Hs. Die siebenfache Burg könnte auf Neapel gedeutet werden, das sich am 10. Okt. 1253 dem Könige Konrad ergab. 6) 'rubus' Hs. 7) Wohl 'sanguine' zu lesen. 8) 'Gallus' ist natürlich der Papst, aber von 'petita pace' an weiss ich die Prophetie nicht mehr zu deuten. 9) Das könnte man noch darauf deuten, dass Innocenz IV. sich im J. 1254 eines grossen Teils des Königreichs bemächtigte. Aber höchst auffällig ist, dass dann der Tod Konrads nicht erwähnt wäre. 10) 'transquillum' Hs.

So klar und leicht zu deuten der erste Teil der Prophetie ist, der die Ereignisse von 1244 bis 1252 behandelt, so unverständlich und dunkel ist der Schlussteil von 'Sirene ac lupe' ab. Das könnte sich für die nächsten Sätze noch daher erklären, dass wir über die Ereignisse der Jahre 1252—1254 im Königreich Sizilien recht schlecht unterrichtet sind, aber der Schlussteil spottet jedes Versuches, ihn mit den wirklichen Ereignissen in Einklang zu bringen. Man möchte vermuten, ein Stück sei ausgefallen oder der Schluss gehöre überhaupt nicht mehr zu dieser Prophetie, sei nur zufällig hierhergeraten, weil ein Blatt der Vorlage unserer Hs. ausgefallen oder verheftet gewesen wäre[1]. Aber das ist nicht recht wahrscheinlich, weil noch in den letzten Worten der oben gebrauchte Ausdruck 'belliger populus' wiederkehrt. Manches mag durch Verderbnis unverständlich geworden sein, aber so stark kann die Korruptel doch schwerlich sein, dass sie jeden Erklärungsversuch unmöglich macht. Dann muss also der Schluss wirkliche, recht sinnlose, Prophetie geben. So scheint es. Soweit ich sie zu erklären vermag, muss ich annehmen, dass die Prophetie kurz nach 1253 geschrieben ist. Erst wenn eine zweite Ueberlieferung gefunden wäre, könnte man über sie sicherer urteilen.

Obgleich ich glaube, dass es nichts austrägt für die Fragen, welche die eben besprochene Prophezeiung betreffen, muss ich doch mitteilen, dass auf dem unteren Rande von Seite 209 der Haager Hs. folgendes von des Schreibers Hand steht ohne ein beigefügtes Zeichen, das angäbe, wohin das gehört.

In nube filie gemelle prolex ex preconceptis insidiis nova litigia parient[2] non sine calliditate plurima[3], alterutra prosternetur, prostrata premetur, exinde pressa curvata redibit ad veniam propter impetum novissime potestatis; interea auctor[4] capitulo magnus sacerdos obibit, ex sanguine rutilantis capitulum deflet et negligit; Liguria tota fremit, Emilia ventis agitatur, filiarum mater dolore intestino premetur, partes finitime verentur propter Siculas[5] et maritimas tempestates.

---

1) An irgend eine Konfusion zu glauben, wäre man sonst berechtigt, denn auf die Schlussworte der Prophetie folgt in der Hs. sofort, in derselben Zeile fortlaufend ein Stück des zweiten Teiles des pseudojoachitischen Liber de oneribus prophetarum (Isaie), beginnend mit den Worten: 'Sicut turbines ab Affrico veniunt'. 2) So Hs. 3) 'calliditate plurima' sagt die Sib. Erithea von Friedrich II., N. A. XV, 166. 4) Wohl 'aucto' zu verbessern. 5) 'sicl'as' (könnte auch 'sid'as' gelesen werden) Hs.

Die Andeutungen dieser Prophezeiung sind zu wenig fassbar, als dass ich einen Erklärungsversuch wagen möchte.

IX. Eine von Salimbene überlieferte Prophetie.

Lange habe ich vergebens in Hss. nach zwei Prophetieen gesucht, die Salimbene f. 437^{a-c} der Vatikanischen Originalhs. mitteilt, deren erste aber ohne den Anfang bei ihm überliefert ist, da Blatt 436 der Hs. ausgeschnitten und verloren ist. Als diese Partie meiner Ausgabe der Chronik Salimbene's gedruckt wurde, SS. XXXII, 544 sq., konnte ich nur auf eine Prophetie verweisen, welche in der Ausgabe des Theolosphorus de Cusentia und anderer Schriften Venedig 1518 gedruckt ist und die das meiste mit der zweiten der Salimbenischen Weissagungen (mit dem Anfang 'Grifo regalis genitus'), einiges aber auch mit der ersten gemein hat. Erst später wurde mir die oben genannte Hs. aus dem Haag bekannt, in der jene erste Prophetie wiederzufinden ich mich um so mehr freute, als ihr bei Salimbene die erste Partie fehlt. Sie steht in der Hs. p. 211. 212. zwischen anderen Weissagungen, unter denen sich aber die zweite von Salimbene mitgeteilte nicht findet, obwohl beide dem späteren Bearbeiter der obengenannten Prophetie des Theolosphorus - Druckes vorgelegen haben müssen. Der bei Salimbene erhaltene Teil weicht doch noch stark von dem Text der Haager Hs. ab, und es lässt sich an einigen Stellen erkennen, dass diese schon eine Ueberarbeitung des ursprünglichen Textes bietet, namentlich wird man annehmen, dass die Worte der Hs. 'Prefinito autem XII annorum spacio' erst später irrig für 'Prefinito vero termino' bei Salimbene eingesetzt sind. Sehr schwer ist es zu erkennen, ob manche verschiedene Lesarten, welche die beiden Texte bieten, auf Schreiberverderbnis in der jüngeren Ueberlieferung beruhen oder von dem Ueberarbeiter absichtlich so geändert sind, ich halte mich daher in dem folgenden Abdruck möglichst an die Ueberlieferung der Haager Hs. Den Text Salimbene's, soweit er erhalten ist, gebe ich in der zweiten Kolumne. Dabei ist zu bemerken, dass Salimbene wie überall in seiner Originalhs., so auch in der Prophetie sehr sorgfältig interpungiert hat, während sich in der Haager Hs. durchweg fast garkeine Interpunktion ausser Punkt und Majuskelbuchstaben am Satzschluss und Satzanfang findet. Der Salimbene's bin ich genau gefolgt und habe sie auch auf die zweite Partie des Textes der Haager Hs. übertragen, im ersten Teil nach meinem Ermessen eingesetzt, doch habe ich nur da Majuskelbuchstaben am Anfang der Sätze gesetzt, wo sie in der Hs. stehen. In dieser trägt die Prophetie keine Aufschrift, die da übergeschriebenen erklärenden Glossen sind fast durchweg falsch.

Surget leo[1] de stirpe regali habens cornua* duo[2] et magnum murum[3], et in eo coronabitur et caudam longam[4] post se trahet cum carnibus et osse et classe magna, et ad eum confugiet multitudo maxima, sed una spe. Ultimo defraudabitur[5]. Erit autem leo iste fortis et terribilis et in prelio potens, audax, callidus et astutus, et ad se detrahet tauros pingues, et sponsus[6] pugnabit cum eo adversus ursum[7], et contra eum veniet in campum, et non poterit sibi ursus resistere, ymo leo ipsum confringet et universa detrahet arma. Interim pax clamabitur et non invenietur, sed pacis dilatione magna effusio sanguinis erit. Tunc leo mugitum emittet[8] et ad florem**.[9] veniet et eum iudicabit, falconis alas deponet et confringet, vulpeculam***.[10] rubeam devorabit et Aquas confringet et non dolebit; tunc sponsus

adulterabitur[11] et cognoscetur; gloriam Lombardorum sibi leo attribuet[12] et partes aquile[13] trucidabit, extollens nomen suum super omnium

Salimbene.

adulterabitur et cognoscetur. Gloriam Lombardorum átteret et partes aquile trucidabit, et extollet nomen suum super terrarum principes, et ab

*) Gl. superscr.: 'id est regna'.
**) Gl. superscr.: 'id est ad regnum Francie'.
***) Gl. superscr.: 'id est Anglicum'.

1) Karl I. König von Sizilien. 2) Die Grafschaften Anjou und Provence. 3) Rom, wo Karl zum Senator erwählt wurde. 4) Das durch Oberitalien zu Karl marschierende französische Heer. Auch die Prophetie des Theolosphorus-Druckes hat (SS. XXXII, 545, N. 6): 'trahens ad se magnam caudam'. 5) Das kann nur heissen: Die Italiener, die sich Karl anschliessen, werden den erhofften Gewinn nicht erlangen. 6) Der Papst Clemens IV. 7) Manfred. 8) 'emictet' Hs. 9) Florenz, wohin Karl 1267 Aug. kam. Die Glosse ist falsch. 10) 'vulpelam' Hs. Das rote Füchslein ist doch wohl Konradin. Es wäre doch auffallend, wenn er nicht erwähnt würde. 11) Ich möchte glauben, dass damit auf die lange Vakanz des päpstlichen Stuhles 1268—1271 hingewiesen wird, 'et cognoscetur' bedeutet dann die Wahl Gregors X. 12) 'actribuet' Hs. 13) Friedrichs II. und seiner Nachkommen. In vielen Prophetieen, besonders in der Sibylla Erithea, werden die Angehörigen des Staufischen Geschlechts mit 'aquila' bezeichnet.

terrarum principes ab omnibus timebitur, et exaltabunt nimium nomen eius. Prefinito autem XII annorum spacio[1] surget aquila[2] habens rostrum fortissimum et alas magnas et sibilabit; post ea multitudo magna et fortis[3] facient inquisicionem de regno; et dabitur [sibi[4]] gallina orientalis c. o. et a[5], que sibillabit cum pullis suis, et aquile iniuriam sibi factam indicent; tunc tanta et talis erit occisio et strages sanguinis, quanta et qualis non fuit ab inicio mundi, ex quo gentes[6] esse ceperunt. Philozophia[*, 7] devastabitur, et turris[8] destruetur; et tunc leo vincetur, nec sponsus[9] sibi proficiet, sed in exilium fugiet[10] nec invenietur; leo iterum exurget, pugnabit quantum[11] poterit et interficietur[12]; tunc erit mors ultra et imperpetuum; tunc sponsa adulterabitur et duos sponsos[**] habebit, sed unus

omnibus timebitur et exaltabitur nomen eius. Prefinito vero termino surget aquila habens rostrum fortius et alas magnas et sibilabit. Tunc aggregabit aquile[13] in unum et sibilabit, et post multitudo magna faciet inquisitionem de Trínacli regno. Et una gallina orientalis sibi dabitur cum o. a., que sibilabit, et suis pullis et aquile iniuriam sibi factam dicet. Tunc aquila cum suis partibus contra leonem veniet cum armata[14] manu[15] forti. Tunc erit tanta cesio et strages sanguinis, qualis non fuit a principio mundi, ex quo gygantes fuerunt, usque tunc. Tunc leo pugnabit cum suo agmine, tunc avaricia discooperietur, tunc flos ex toto desiccabitur, et tunc bos cornua amittet et interficietur. Philosophya et turris devastabitur. Tunc leo devincetur, nec sibi sponsus proficiet, sed in exilium

*) Gl. superscr.: 'id est Athene'.
**) Gl. superscr.: 'id est papas'.

1) Wenn man von der Wahl Gregors X. ab rechnet, vergingen 11 Jahre bis zur Landung Peters von Arragonien in Sizilien (1282 Aug. 31). 2) Peter III. von Arragonien als Erbe der Staufer. 3) 'et' folgt in der Hs. 4) 'sibi' fehlt Hs. 5) Constanze, die Tochter Manfreds, Gemahlin Peters von Arragonien. Vielleicht ist für 'c.' mit Sal. 'cum' zu lesen. 6) Die Lesart bei Sal. 'gygantes' wird durch die Prophetie des Theolosphorus-Druckes (SS. XXXII, 545, N. 6) geschützt. 7) Wohl Bologna. 8) Wohl das Mailänder Geschlecht de la Torre, das 1277 aus Mailand vertrieben wurde. 9) Der Papst Martin IV. 10) Karl I., der noch 1282 nach der Provence und Frankreich ging. 11) 'q̄' Hs. 12) Karl I. starb 1285 Jan. 7. 13) So Sal. Da die Worte 'Tunc — sibilabit' in dem andern Texte fehlen, ist auch jetzt noch nicht klar, wie zu emendieren ist. 14) 'arma' von Sal. in 'armata' korrigiert. 15) 'manu' von Sal. mit anderer Tinte am Rande ergänzt.

et alter uno tempore destruetur; panis[1] floridus adnichilabitur, nec poterit eidem aquila[2] resistere nisi solus Deus; cauda leonis destruetur, aquila frenum habebit.

fugiet, nec invenietur leo. Iterum vires resumens pugnabit quantum poterit et interficietur. Tunc erit mors valida in eternum. Tunc sponsa adulterabitur et duos sponsos habebit, sed unum adulterum. Eneades[3] destruetur, et nomen Dei blasphemabitur. Sibilabit aquila et deos alienos habebit; sibilabit aquila, nec sibi resistetur. Pars floris[4] anichilabitur, nec sibi aliquid poterit resistere nisi Deus deorum. Cauda detruncabitur, et aquile frenum habebunt.

Die Ausdrucksweise und der Ton dieser Prophetie sind ganz die der Sybilla Erithea (N. A. XV, 155 ff.), die überhaupt für viele der späteren Prophetieen Vorbild gewesen ist. So wird hier wie dort 'sibilabit' gebraucht etwa für 'wird die Königsherrschaft ausüben', 'wird König (Königin) sein', 'sponsa' steht gleich Kirche, 'Eneades' = Rom in beiden, 'aquila' für die Könige aus Staufischem Geschlecht, 'leo' für einen sie bekämpfenden König. Fast wörtlich sind die Worte 'una gallina orientalis sibi dabitur' der Sibylla Erithea, wo sie zweimal (S. 166. 169) vorkommen, entnommen und auf Constanze übertragen, und so kann man noch manche Ausdrücke anführen, die jener entstammen.

Diese Prophetie muss nicht lange nach dem Beginn der Kämpfe zwischen den Anjou und den Arragonesen um das Königreich Sizilien verfasst sein, also sicher nach 1282, aber vielleicht schon vor dem Tode Karls I., also vor 1285, denn von ihm wird gesagt 'interficietur', was insofern nicht zutrifft, als er natürliches Todes starb, aber der Ausdruck braucht von dem Pseudopropheten nicht wörtlich genommen zu sein. Was danach folgt ist wirkliche Prophezeiung. Der Hinweis auf ein späteres Schisma in der Kirche kommt in vielen Vaticinien vor — wir werden

1) Die richtige Lesart 'pars' bei Sal. ist offenbar vom Bearbeiter schon verdorben, wie das folgende 'floridus' für 'floris' zeigt. 2) Selbstverständlich ist 'aliquid' bei Sal. das richtige. 3) Rom. 4) Florenz.

solche noch kennen lernen —, die sicher lange vor dem grossen Kirchenschisma, auch vor dem Schisma unter Ludwig dem Baiern geschrieben sind. So sagt auch schon die Sib. Erithea (S. 169): 'Et erunt ei (sponse) tres adulteri unusque legittimus'[1]. Die Schlusssätze unserer Prophetie (bei Sal.) 'Pars floris — frenum habebunt' können wenigstens zum Teil vom Propheten schon erlebtes berichten.

In der Haager Hs. folgen auf dieses Vaticinium sogleich mit beigeschriebenem 'Versus' die Verse:

Non pertransibit Septembricus angelus iste,
In populo terre veniet miserabile triste.

Ich vermag nicht zu sagen, wer der 'Septembricus angelus' ist.

X. Prophetie auf Peter III. von Arragonien.

Da in dem vorhergehenden Stück von dem Kriege nach der Sizilianischen Vesper die Rede war, lasse ich hier eine kurze Prophetie folgen, die ebenfalls von der Eroberung Siziliens durch Peter handelt. Sie steht in der Hs. X H 22 der Bibliotheca Estense zu Modena auf deren letzter Seite von einer Hand des 15. Jh. in kursiven Zügen geschrieben. Die Hs. enthält einen Auszug aus Donizo's Vita Mathildis, den sogenannten Epitomator Padolironensis[2].

1) In einer Prophetie, die sich in dem genannten Theolosphorus-Druck f. LI[d] findet und überschrieben ist: 'Prophetia inventa in oppido Mestri apud Venetias in quodam antiquissimo lib. auctentico', stehen die (näher mit dem Salimbene-Text übereinstimmenden) Worte: 'Erunt duo sponsi, unus legitimus, alter adulter'. Dann wird weiteres über die beiden Päpste gesagt, was mit unserer Prophetie nichts zu tun hat. Aus dieser stammen dann aber folgende Sätze: 'Clamabitur pax et non reperietur'. 'Ecce prelia et mortalitas, que nunquam fuerunt ab origine mundi'. 'Et vocabit thauros pingues et baronos'. Es ist danach ganz unzweifelhaft, dass diese viel spätere Prophetie, die über ganz andere Dinge handelt, und auf die ich nicht weiter eingehe, auf Grund der hier mitgeteilten gemacht ist. Herr Prof. Kampers übersandte mir durch Herrn Prof. A. Werminghoff Abschrift einer Prophetie in griechischer Sprache, die in den Hss. Ottobon. 260 und München Graec. 154 steht. Sie ist angeblich von einem Presbyter Theophilus von Alt-Rom verfasst und zum Teil aus Fetzen der in Mestre gefundenen, oben genannten, und einer anderen, die in dem angeführten Theolosphorus-Druck steht und welche ich in den Noten zu SS. XXXII, 545 f. ganz abgedruckt habe, zusammengesetzt.
2) Sie ist Archiv XII, 696 von L. Bethmann beschrieben und SS. XII, 350 erwähnt mit der Signatur V A 28, sie wird an der erstgenannten Stelle ins 14. Jh., an der zweiten an den Ausgang des 14. Jh. gesetzt. Auch die von mir angegebene Signatur ist neuerdings jedesfalls wie die aller anderen Hss. der Bibl. Estense geändert.

Die Prophetie hat in der Hs. die Aufschrift 'Prophetia sine titulo', nach ihrem Schluss steht: 'Retrovata in Venosa in uno libro molto antiquo anno Domini MCCCCXXXIII'. Vor vielen Jahren habe ich sie abgeschrieben, aber bisher zurückgehalten, da einige Sätze so verdorben sind, dass sie keinen Sinn ergeben, und ich hoffte, noch irgendwo eine andere Ueberlieferung zu finden.

Non finientur dolores Appuleę, donnec surgat leo[1] de cavernis terrae. Qui se mentietur ire contra Saracenos et ibit contra unam potestatem Christianam et subintrabit eam, veniensque natando super aquas maris sub nomine fęderis intrabit regnum Trinachrię in loco ubi dicitur Mons-foci[2]. O quam magnus ignis orietur ex combustis lapidibus huius! Ve ve ve filiis et filiabus morantibus in partibus Parthenope et prope eam, non valentibus ponere pedes suos super aquarum undas[3]! cadat [qui[4]] super ea dominabitur. Gallia intrabit, Gallus subcumbet[5] Franchus[6], quousque voces populorum venient ad Cristum, qui eduxit filios Ysrael de terra Aegipti; gaudebit asina, sument[7] audatiam, et a nullo dominabitur nisi a matre ovium. Pro salute anime mee dignemini Christi misericordiam exorare!

Finis[8].

Die Zeit der Abfassung dieser Pseudo-Prophetie ist deshalb schwer festzustellen, da ich wenigstens nicht weiss, wer die 'asina' und wer die 'mater ovium' ist. Wäre 'asina' = Messina und 'mater ovium' = ecclesia, so könnte das Stück nicht lange nach der Seeschlacht von Neapel geschrieben sein, als die Messinesen noch die Herrschaft der Römischen Kirche sich gefallen lassen, nur von Karl I. und den Franzosen nichts wissen wollten.

XI. Römische prophetische Verse.

Nicht minder verbreitet als die angeblich zwischen Kaiser und Papst gewechselten Streitverse, welche ich

---

1) Peter von Arragonien. 2) Peter landete bei Trapani, in dessen Nähe ich einen Ort oder Berg Montefuoco nicht kenne. 3) Das bezieht sich wohl sicher auf die Seeschlacht von Neapel 1284 Juni 5, in der Karls I. Sohn Karl von der Sizilisch-Arragonesischen Flotte besiegt und gefangen wurde. 4) 'qui' habe ich zweifelnd ergänzt, um überhaupt nur einen Sinn zu ermöglichen. 5) Die Worte 'Gallus succumbet' finden sich in dem überaus weit verbreiteten Gedicht 'Gallorum levitas', das ich unten mitteilen werde. 6) 'franch^cu^' ? Hs. 7) Wahrscheinlich 'sumet' zu lesen. 8) Davor steht noch von anderer Hand 'Amen'.

N. A. XXX, 335 ff. behandelte, waren die 11 Verse, die mit den Worten 'Gallorum levitas' beginnen. Auch sie finden sich in vielen Hss. und in historiographischen Werken, die ich hier aufzähle. An ihre Spitze stelle ich:

R) eine Hs. der Bibliothek der Königin Christina im Vatikan 132, membr. fol., welche Ioachimi abbatis Enchiridion super Apocalypsim und Visio Fursei enthält[1]. Die Verse, die ich selbst abgeschrieben habe, stehen hier auf f. 201'. 202 von einer Hand des 14. Jh. Diese Hs. enthält die Verse vollständig in der Reihenfolge, wie ich sie gebe, und sie bietet nach meinem Urteil durchaus die beste Ueberlieferung, sie hat nur einen einzigen Fehler, den ich nach anderen Hss. verbesserte.

Auch in England waren diese Verse verbreitet, wie überhaupt die Engländer und noch mehr die Iren und Schotten grosse Neigung für solche Prophezeiungen bekunden. Zwei der englischen Ueberlieferungsformen haben noch die richtige Versfolge wie R und nicht gar viele Fehler, nämlich

Cov.) In dem sogenannten Memoriale des Walter von Coventry stehen sie I, 26 der Ausgabe von W. Stubbs (Rolls Series, London 1872) nach der Hs. der Bibl. Bodleiana zu Oxford Douce n. 115 mit der Ueberschrift: 'Sibilla de eventibus regnorum et eorum regum ante finem mundi' und, wie auch SS. XXVIII, 606, N. * bemerkt ist, mit der Unterschrift: 'Isti versus reperiebantur in sarcophago cuiusdam sollempnis clerici in urbe Rome et per quosdam ibidem existentes Anglicos Anglie transmissi'.

Petr.) In den Appendices zu der französischen Reimchronik des Peter von Langtoft in der Ausgabe von Th. Wright II, 450 (Rolls Series, London 1868) nach der Hs. des British Museum Kings library 20 A XI. Da folgt auf die Verse diese Unterschrift: 'Isti versus immediate precedentes inventi fuerunt[2] in ecclesia Petri et Pauli sub petra marmorea'.

Diesen drei Texten nähert sich in der Versfolge am meisten

P) die Hs. der Bibl. Palatina im Vatikan 753, membr., auf deren letzter Seite die 11 Verse von einer Hand des 15. Jh. eingetragen sind mit der Ueberschrift: 'Sibilla ait'.

---

1) Vgl. Archiv XII, 132; Archiv für Litteratur- und Kirchengeschichte I, 94 f. 2) 'fuerint' Hs.

Aber V. 7 ist hier hinter V. 8. 9 gestellt, die Jahrangabe in V. 5. 6 ist hier wie in den meisten Hss. geändert. Diese Verse hat Herr Archivdirektor Professor Friedensburg für mich vor Jahren abschreiben lassen und selbst verglichen.

Nur die Verse 7—11 stehen in der richtigen Reihenfolge in den Hss. v) der Bibl. Vaticana 3822 auf f. 6^d von Hand des 14. Jh.[1] b) Bologna, Univ.-Bibl. 1456, unter den Prophetieen, die auf Vorsatzblättern der Chronik des Pier Villola vorhergehen, diese auf f. 4^v von Hand des 14. Jh. Sie sind daraus mit den vorhergehenden Versen jetzt gedruckt in Rerum Italicarum Scriptores XVIII, 1 (1906), p. 17[2], in der ersten Lieferung der von Albano Sorbelli herausgegebenen Bolognesischen Chroniken.

Vollständig stehen die Verse noch bei zwei Englischen Chronisten, nämlich

Wig.) in den Annales Wigornienses zum Jahre 1293, SS. XXVII, 470 f. und Annales Monastici (Rolls Series) ed. Luard IV, 514 sq., ohne jede einleitende Worte und ohne Unterschrift. Hier folgen auf V. 4 gleich die Verse 8. 9, dann V. 7, dann erst V. 5. 6.

Barth.) In der Historia Anglicana des Bartholomeus de Cotton zum Jahre 1294, SS. XXVIII, 606 sq., ed. Luard (Rolls Series) p. 238 sq.[3], der folgendes vorher bemerkt: 'Ante illud tempus dicebatur, quod fuerunt versus subscripti reperti in quodam sarchophago cuiusdam nobilis clerici, qui lucem subumbravit secularem elapsis ducentis annis et amplius, in civitate Romana, et per quosdam amicos ibidem quibusdam amicis Anglicanis destinabantur anno Domini MCCXCIII'. Aber obgleich diese Bemerkung nahe verwandt ist mit der in dem Memoriale des Walter von Coventry[4], sind die Verse doch hier kunterbunt wie Kraut und Rüben durch einander gestellt, so dass sie da gar keinen Sinn ergeben, in folgender Reihe meiner Ausgabe: 1. 6. 2. 8. 3. 9. 4. 10. 7. 11. 5. Man begreift nicht recht, wie solche Konfusion hat entstehen können, in der nicht einmal ein System der Verwirrung zu entdecken ist.

---

1) Vgl. oben S. 99. 2) In V. 8 ist die ursprüngliche falsche Lesart 'et equi cadens' richtig durch übergeschriebene Zeichen korrigiert in 'cadens et equi'. 3) Nach der Hs. sind sie auch gedruckt von R. Pauli, Geschichte von England IV, 89. Nach der Ausgabe von Luard abgedruckt von Fr. Kampers, Kaiserprophetien und Kaisersagen S. 128 und Die deutsche Kaiseridee S. 78. 4) Auch in V. 7 findet sich eine Lesart, die mit diesem Text übereinstimmt, ja auch bei Petr. wiederkehrt, so dass diese drei Texte zuletzt doch auf dasselbe Exemplar zurückgehen müssen, während Wig. mit ihnen keine nähere Verwandtschaft zeigt.

Danach folgt eine Gruppe von Hss., denen sämtlich V. 7 fehlt, und in deren Archetyp die Verse 3. 4 hinter V. 5. 6 gestellt waren. An deren Spitze ist eine Hs. zu stellen, in welcher die ursprüngliche Jahrangabe in V. 5 noch erhalten, nur die Zahl 'Et tribus' in V. 6 verändert ist, während in allen folgenden Hss. schon andere Jahrzahlen eingesetzt sind, nämlich

W) Wien, Hofbibliothek 447 (Rec. 676), auf deren letzter Seite die Verse von einer Hand des 14. Jh. stehen. Ich benutze eine Abschrift von W. Wattenbach, der nach ihr die Verse auch Archiv X, 528 f. abgedruckt hat [1]. Dahin gehören ferner:

M) München, Hof- und Staatsbibliothek Lat. 5141 aus Beuerberg, f. 138, nach 1456 geschrieben. Aus allen hier aufgeführten Münchener Hss. hat Herr Sekretär Dr. G. Leidinger die Verse für mich freundlichst abgeschrieben. — In dieser Hs. folgen auf unsere Verse noch zwei, welche sich wohl auf einen im 15. Jh. gestorbenen Herzog von Baiern beziehen:

Dux tamen illustris complebit [2] gaudia vite
Tempore quo Venus obumbrabit cornua Martis [3].

Dieselben Verse in derselben Reihenfolge und mit den beiden eben angeführten Versen am Schlusse stehen in

m) der Hs. der Münchener Hof- und Staatsbibl. Lat. 716, f. 119ᵛ, von Hartmann Schedel am 2. September 1494 geschrieben, wie er darunter bemerkte, mit der Ueberschrift 'Antiquissima Prophetia', aber Schedel hat sie nicht aus M, sondern aus einer anderen Hs. abgeschrieben, dazu hat er noch die Lesarten (m^2) einer anderen Hs. übergeschrieben und V. 6 in deren Fassung dazu gefügt.

S) In den Appendices zu Konrad Stolle's Chronik seiner Originalhs. auf der Universitätsbibliothek zu Jena Sagitt. in qu. n. 3 stehen diese 10 Verse auf f. CCCXVᵛ und sind daraus von L. F. Hesse in der Bibliothek des litterar. Vereins in Stuttgart XXXII (1854), S. XXI f. herausgegeben [4].

---

1) Danach sind sie wiederholt in Forschungen z. D. Gesch. XVIII, 572. 2) 'camplebit' M. 3) Aus dieser Hs. sind die 10 hier vorhandenen Verse mit den beiden zugesetzten abgeschrieben in der Münchener Hs. Lat. 4143 (aus Heiligenkreuz in Augsburg), f. 42, 17. Jh. Sie haben hier die unpassende Ueberschrift 'Carmina de Friderico imperatore'. 4) In der neuen schlechten Ausgabe von Konrad Stolle's Chronik in den GQ. der Provinz Sachsen XXXIX stehen die Verse nicht.

Mat.) Auch der Bologneser Chronist Pietro di Mattiolo († 1425), dessen Chronik Corrado Ricci herausgegeben hat[1], hat p. 10 die 10 Verse dieser Gruppe überliefert. Nach einer Bologneser Prophetie des 14. Jh., von der er sagt: 'che fo trovada in MCCCXX. e secondo gli astrologi la se dovea verificare et avere lo so effetto in MCCCLXXXVIIII.' folgt die unsrige nur mit der Vorbemerkung: 'Infrascritta è la copia d'un' altra prophetia'.

Hier ist auch anzuschliessen die Hs.

B) Berlin, Königl. Bibliothek Lat. 4° n. 291, auf deren Deckel von einer Hand des 14. Jh. das Gedicht ohne die beiden ersten Verse[2] steht, denn die Anordnung der Verse ist hier wie in WMS und V. 7 fehlt. Die Verse sind hieraus SS. XXII, 389 sq. abgedruckt.

Nun folgt eine der vorigen nahe verwandte Gruppe von Hss., in der auch V. 7 fehlt, aber die Verse 3. 4 sind in ihr erst hinter V. 8. 9, nicht wie in der vorigen Gruppe hinter V. 5. 6, gestellt. Jedoch die Verse 3. 4 stehen vollständig nur in der Hs.

O) des Ungarischen Nationalmuseums in Budapest Lat. 229, wo sie im Jahre 1522[3] hinter der Continuatio VI. der Cronica Minor[4] f. 52 eingetragen sind mit der Ueberschrift: 'Prophecia sculpta in antiquissimo lapide, Verone inventa'.

Die folgenden Hss. dieser Gruppe haben das gemein, dass die Verse 3. 4 in einen zusammengezogen sind, indem die zweite Hälfte von V. 3 und die erste von V. 4 weggelassen ist[5]. Dahin gehören:

V) Hs. der Wiener Hofbibl. 3282 (Hist. prof. 1083), die in Böhmen geschrieben ist. In ihr stehen die Verse zweimal von zwei verschiedenen Händen des 14. bis 15. Jh., und zwar erstmal V[a]) f. 28[v] hinter den Versen 34—44 und 55. 56 des dem Johann von Toledo zugeschriebenen prophetischen Gedichtes von derselben Hand wie diese geschrieben[6],

---

1) In Scelta di curiosità letterarie inedite o rare del secolo XIII. al secolo XVII. Disp. CCII. Bologna 1885. Fr. Kampers, Kaiserprophetieen und Kaisersagen im M.-A. S. 128 f., N. 3 zitierte die Verse dieser Chronik. 2) Diese sind verdrängt durch 4 andere Verse, die mit diesem Gedicht nichts gemein haben. 3) Diese Zahl steht am Schluss der Verse und der Charakter der Hand stimmt zu der Jahrangabe. 4) Vgl. Monum. Erphesfurt. p. 501 sq., wo die Hs. mit B 1[a] bezeichnet ist. 5) Das kann daher gekommen sein, weil in ihrer gemeinsamen Mutterhs. wie in O die zweite Hälfte des V. 3 sinnlos verdorben war, daher von einem Abschreiber mit der ersten Hälfte des folgenden Verses weggelassen wurde. 6) Vgl. N. A. XXX, 381. Die dort angegebene, vor den Versen stehende Ueberschrift könnte sich auf das hier behandelte Gedicht beziehen.

dann V[b]) f. 39 unter anderen Prophetieen[1]. Hier folgt diese Unterschrift: 'Ista metra sunt rescripta ex antiquo exemplari per dominum Pessconem, regestratorem quondam cancellarie regis, de quo se vix ipse expedire potuit. Anno Domini M°CCC° nonagesimo quarto'. An beiden Stellen geht das Gedicht auf dieselbe, dieser Gruppe angehörige Ueberlieferung zurück, ist aber doch wie die Verse des Johann von Toledo jedesmal aus anderer, obwohl einander nahe verwandter, Hs. abgeschrieben.

J) Bibl. Vaticana, Palatina 461, wo die Verse f. 276[v] etwa zu Anfang des 15. Jh. fortlaufend, nicht abgeteilt, geschrieben sind mit der roten Ueberschrift: 'Prophecia Sibille conscripta per Ioachin prophetam', die ganz willkürlich ist. Abt Joachim galt im 13. bis 15. Jh. eben für den grossen Propheten, dem man alle Weissagungen zuzuschreiben geneigt war. Die Abschrift dieser Verse erhielt ich vor Jahren durch Herrn Archivdirektor Professor Friedensburg.

E) München, Hof- und Staatsbibl. Lat. 5895, aus Ebersberg, ganz von einer Hand des Jahres 1475/6 geschrieben. Die Verse stehen f. 380[v] nicht abgeteilt. Auf den Schlussvers folgt noch dieser:

Vis ius mensurat, homo potens iura non curat.

In der folgenden Hs.

H) Wien, Hofbibl. 3332 (Hist. eccl. 52) gehören die Verse in ihrem Hauptteil einer von der vorigen Gruppe verschiedenen Ueberlieferung an. Auf dem Vorderdeckel stehen Teile dieses Gedichtes zweimal hinter einander von einer Hand des 14. Jh. geschrieben, und zwar voran H[a]) 7 Verse in der Reihenfolge unserer Ausgabe 1. 2. 5. 6. 8. 9. 7, dann nach einzeiligem Zwischenraum folgen H[b]) zum Teil dieselben Verse noch einmal, danach die Schlussverse, in der Reihenfolge 5. 6. 3. 4. 8. 9. 10. 11. Mit dem zweiten Text dieser Hs. (H[b]) stimmen genau die Verse überein in der Hs. D) der Münchener Hof- und Staatsbibl. 5596 (aus Kloster Diessen), f. 75, 15. Jh., sind hier nur doch etwas stärker als in H[b] verdorben. In beiden Hss. folgt noch der Vers:

Atque Venetorum[2] cadent sublimia regna[3].

---

1) Vorher geht ein kurzes Vaticinium: 'In illo anno veniet aquilla', davor das dem Johann von Toledo zugeschriebene Gedicht; vgl. N. A. XXX, 880. Das alles ist von einer Hand geschrieben. 2) 'venetarum' D. 3) Dieser Vers klingt zusammen mit dem in das

Da in der ersten Versreihe V. 7 vorkommt, erhellt, dass sie der Ueberlieferung der vorhergehenden Gruppen ganz fremd ist, die Versfolge der zweiten Reihe deutet auf Zusammenhang mit der Hss.-Gruppe WMSB. In der ersten Versreihe hat aber eine zweite Hand (H^a II) andere Lesarten übergeschrieben und dann am Rande noch die Verse 3/4[1]. 10. 11 und dann noch den soeben aus der Münchener Hs. E zitierten Vers 'Vis ius mensurat' etc. nachgetragen. Ihre Vorlage war also dieser Hs. zunächst verwandt.

Die Verse, welche in den beiden folgenden Münchener Hss., die beide aus Oberaltaich stammen, beide mit der Beischrift 'Prophecia' A^a) Lat. 9804, auf S. 489 um die Mitte des 15. Jh. geschrieben, A^b) Lat. 9503, f. 350^v nach 1453 geschrieben, stehen, sind sehr nahe verwandt. Jede der beiden Hss. hat 7 Verse, aber A^a die Verse 1. 2. 5. 6. 10. 4. 11, A^b die Verse 1. 2. 5. 6. 8. 10. 11, also V. 4 und 8 steht nur in je einer Hs. Das Fehlen des 7. Verses und die Versfolge zeigt schon an, dass auch diese Hss. der grossen Gruppe angehören, der wir unsere meisten Hss. zuwiesen.

Solche Verse haben zuweilen merkwürdige Schicksale. Um dafür ein seltsames Beispiel zu geben, will ich noch anführen, dass in der Hs. der Berliner Königl. Bibliothek 422 (Theol. q. 61) am Schluss eines kurzen eschatologischen Traktates[2] von einer Hand des 15. Jh. die vier letzten Verse unseres prophetischen Gedichtes sehr verdorben in Verbindung mit vier anderen stehen, sie alle gar dem Papst Honorius (III.) zugeschrieben werden[3]. Ich setze sie hierher:

Unde Honorius papa in suis versibus:

Constantine, cades et equi[4] de marmore facti
Et lapis erectus et iusta palacia Rome.

Vaticinium des Michael Scotus spät interpolierten Verse 48, N. A. XXX, 368:

Protensa deficient Venetum sublimia regna

und das um so mehr, als in dem folgenden interpolierten Verse:

Ut Constantini equestra divisa videntur

doch jedesfalls auf den Sturz derselben Konstantinstatue hingedeutet wird, der in V. 8 unseres Gedichtes erwähnt ist. So dürfte der erste Vers wohl auf die schwere Niederlage zu deuten sein, welche die Venetianer am 18. Mai 1294 durch die Genuesen in der Seeschlacht bei Laiaccio erlitten.

1) Die Verse 3. 4 in einen zusammengefügt wie in der Gruppe $V^{a.b}$ JE. 2) Vgl. Val. Rose, Verzeichnis der lat. Hss. der Königl. Bibl. zu Berlin II, 1, 266. 3) Das erinnert daran, dass die päpstlichen Streitverse, deren ich am Eingang dieses Stückes gedachte, einmal dem Papste Honorius III. zugeteilt werden; N. A. XXX, 388. 4) 'qui' Hs.

Papa cito morietur, erunt fratres Iacobite[1].
Desp[t] timendo cesar regnabit ubique.
Quingentos denos et bis centum minus uno
Annos dic ab Adam, donec verbum caro factum[2].
Et sex[3] deni post partum virginis alme
Tunc Antichristus regnabit demone plenus[4].

Unzweifelhaft wird sich das Gedicht vollständig oder teilweise noch in manchen anderen Hss. finden, es mag auch noch an mir unbekannt gebliebenen Stellen gedruckt sein, aber das, was ich gesammelt habe, reicht aus, um den ursprünglichen Text herzustellen, auch eine Geschichte der Verse zu geben, denn ihre Geschichte haben auch sie.

Obgleich ich Schreibfehler und Verderbnisse vereinzelter jüngerer Hss. und orthographische Abweichungen weggelassen habe, ist die Masse der Varianten doch noch sehr gross, denn ich glaubte, die starken Abwandlungen, welche die Verse erlitten haben, auch zur Anschauung bringen zu müssen, wenn man sie einmal gründlich behandelt. Die zahlreichen Interpolationen in den Versen 5. 6 betreffs der Jahrzahl habe ich aber fast alle nicht im Variantenapparat, sondern hinter dem Text gegeben. Die Stellung der Verse und fehlende Verse sind in den Noten nicht angemerkt.

Incipit prophetia alia inventa anno Domini M°CC°LXXXXIII° Rome.

Gallorum levitas Germanos iustificabit,
Ytalie gravitas Gallos confusa necabit.

---

1) Das stammt wohl aus einem anderen Gedicht. 2) D. h. also, dass nach dem Eusebisch-Hieronymianischen Ansatz Christus 5199 Jahre nach Adam geboren wurde. Die beiden Verse stehen z. B. in den Ann. Dunemund., SS. XIX, 709 und N. A. VIII, 614. 3) 'se' Hs. 4) Das sind die beiden letzten der drei pseudojoachitischen Verse, nach denen der Antichrist 1260 geboren werden sollte; vgl. N. A. XV, 175 und oben S. 100. Hier sind sie schon etwas abgeändert. Also aus drei bis vier Gedichten sind diese Verse von einem erzdummen Schreiber nach dem Gedächtnis zusammengeschmiert.

Inc. — Rome] Die Ueberschrift, die ich mit Ausnahme von 'alia' für original halte, nur in R. Die Ueberschriften anderer Hss. habe ich oben bei ihrer Beschreibung angegeben, die meisten Hss. haben überhaupt keine.

V. 1. Ueber 'Gallorum' übergeschr. 'Francigenorum' M. — germanis J; germanios Mat.; über 'Germanos' übergeschr. 'scilicet Teotonicos' P, 'id est tetunicos' V[a]. — iustificauit A[a.b].

V. 2. Ytalia M; Italia Mat. — Ueber 'Gallos' übergeschr. 'scilicet Franciginos' P; gallo WMm(m[2])SO; gallus V[b]JA[a.b]; gallis H[a]. —

Gallus succumbet, aquile victricia signa
Mundus adorabit; erit Urbs vix presule digna.
Millenis ducentenis nonaginta sub annis
Et tribus adiunctis consurget aquila grandis.
Terremotus erit, quod non procul auguror esse.
Constantine, cades et equi de marmore facti
Et lapis erectus et multa palacia Rome.
Papa cito moritur, cesar regnabit ubique,
Sub quo tunc vana cessabit gloria cleri.

Explicit prophetia pro magna parte comperta.

---

confisa Wig.; confuso WMmSO (confuso gallo S); confuse m^2V^bJ; confusus $A^{a.b}$. — negabit WSMat.J$A^{a.b}$; vacabit MmO$V^a$$H^a$; vagabit V^b; fugabit E.

V. 3. subcumbet Cov.PWE; succumbit BV^bJD; Su(c)c. gallus Cov. Petr. — aquile] et eius Mm; et erunt O; 'aquile — (V. 4) adorabit' fehlt $V^{a.b}$JEH^aII. — victoria PH^b; vittoria O; victorie D. — signa] arma M; victr. signa] quoque grandi Mat.

V. 4. adhorabit PW; aborrebit Barth.; errabit OA^a. — vix] sub Cov.; tunc D; et A^a; fehlt Mat., wo 'urbs erit'; vix erit urbs MV^aJ; vix urbs erit O. In A^a ist 'et (!) urbs — digna' zu V. 10 statt 'cesar regnabit ubique', was zu V. 4 gestellt ist, gezogen. — preside Pm^2.

V. 5 so nur R Cov. Barth.; nur in der Form verändert: 'Mille ducentenis et nonag.' Wig.; 'Annis millenis ducentis et nonag.' W; 'Milleque ducentis nonaginta sub tribus annis' Petr. — Ueber die übrigen Hss. zu V. 5. 6 siehe unten.

V. 6. Et tribus adiunctis] Merlini dictis Petr.; siehe unten. — consurgit JEDA^b; surget A^a. — auguror] agitur H^a.

V. 7 fehlt in den meisten Hss.; siehe unten die Tafel. — Et teremotus b. — quod] Rb; quem Pv; Que Wig.; qui H^a; erunt quos Cov. Petr. Barth. — procul] prius Barth.

V. 8. Constantini Petr. Pm(m^2); Constantinus M; Costantinus b; Constantina S$V^b$$H^bDA^b$; Contastina Mat.; Constantiam JE; Constancia O$V^a$$H^a$II; Constantie H^a. — cadens b; cedes Petr.; cadent Pm(m^2)Mat.H^bD; cadet MSO$V^{a.b}$JEH^aII; cadit A^b. — 'et' fehlt RMat.H^bD. — eque A^b; equus S. — de] in H^a; fehlt $V^{a.b}$E. — facti] facte V^b; facta A^b; surgent O; statim D; 'et — facti' zu V. 9 gesetzt, dafür 'et — Rome' zu V. 8 gezogen v.

V. 9. 'Et' fehlt V^b. — electus Wig.; ere ruens b. — 'et' fehlt Wig. — multa] alta PH^a; plura m^2; er. multaque Mat. — Rome] cadent PMH^a; ruent O. Für 'et — Rome' J: 'et erunt victricia signa' aus V. 3 mit Lesart von O, welche Worte in V. 3 der Gruppe $V^{a.b}$E fehlen.

V. 10. 'cito' fehlt M; Pazito mor. Mat.; Et moritur papa v; morietur bMMat.; 'et' setzt zu b. — cesar] 'enetia' auf Rasur P; regn. cesar ubique mB; ubique regn. vJ, aber in v umgestellt; regnat A^b.

V. 11. tunc] cuncta J; tanta Mat. — vani H^aII; cess. tunc vana PWig.; Et omnis post hec cess. v; Et subito cess. vana O; Absb'a tunc vana (von anderer Hand 'Absque trenaua') cess. H^b; Absque traiano cess. D; 'tunc' setzt nach 'cess.' noch einmal hinzu A^b.

Expl. — comperta] Die Unterschrift wieder nur in R.

Wie ich schon oben bemerkte, ist die Jahrzahl in V. 5. 6 des vorstehenden Gedichts in allen jüngeren Hss. geändert. In W ist nur 'Bis denis' statt 'Et tribus' in V. 6 eingesetzt, das Erstehen des grossen Adlers also auf 1310 bestimmt, und da ist er somit wohl als Heinrich VII. verstanden. Diese Aenderung kehrt in vielen anderen Hss., die ganz andere Zahlen haben, wieder wie in P, wo ursprünglich wohl noch die Zahl 1293 stand, jetzt aber:

Mille *quater centum* nonaginta sub annis
Bis X adiunctis,

d. i. 1510, aber das kursiv gedruckte steht auf Rasur. Im wesentlichen gleichlautend ist V. 5 in den Hss. $H^{a.b}$ D J Mat.:

Annis[1] millenis tricentis[2] cum nonagenis,

aber in V. 6 hat H^a: 'Bis novem adiectis' (also 1408), Mat. H^b D: 'Bis denis adiunctis[3]' (= 1410), J: 'Ter denis adiunctis' (= 1420). Auf dieselbe Grundform muss die in $A^{a.b}$ wieder abgeänderte Zahl zurückgehen in $A^{a.b}$:

Annis millenis quadringentis terdenis
Adiunctis bisdenis (= 1450).

Ganz für sich steht B mit:

Anno milleno tricenteno nono deno
Ter deno iunctis (= 1349)[4].

Die gleiche Angabe hat die zusammen gehörige Gruppe der Hss. $V^{a.b}$ E H^a II:

Annis[5] millenis tricentis[6] bis quadragenis
Atque quater denis (= 1420)

und dazu stellt sich auch O, setzt aber in V. 5 'quadringentenis' für 'tricent.'[7], also das Jahr 1520. Verwandt sind auch hierin wieder mit einander M und m, denn M hat:

Annis millenis quater centum et quater denis
Et septem trinarie (= 1461),

m: Annis millenis quadringentenis et sexagenis[8]
Et decem trinarie[9] (= 1490).

m^2 lässt V. 5 von m unverändert, hat aber in V. 6 'Bis duo adiunctis', das ergäbe 1464. Und endlich S:

---

1) Actis H^b D. 2) 'tricenis' J, wo 'cum' fehlt; 'trecentenis' ohne 'cum' Mat. — Es ist auffällig, dass sich J in der Jahrangabe von den nächstverwandten Hss. $V^{a.b}$ E H^a II trennt und mit einer anderen Gruppe übereinkommt. Da aber auch Mat. zu dieser letzteren tritt, erkennt man, dass aus der Lesart von W sowohl die der Gruppe M m S Mat. wie der $V^{a.b}$ J E H^a II stammen. 3) 'adde iunctis' Mat. 4) Ist da Karl IV. gemeint? 5) Anno E. 6) trecentis V^b; tercentum V^a. 7) In V. 6 'quatuor'. 8) 'saxagenis' Hs. 9) 'ternarie' m, übergeschr. 'al' tri'm^2.

Mille quater centum cum annis septuaginta
Ter denis adiunctis (= 1500).

Die folgende Tafel zeigt, welche Verse in den einzelnen Hss. fehlen und in welcher Reihenfolge sie stehen, da ich das in dem Variantenapparat schwer deutlich anzeigen konnte.

R Cov. Petr. u. Ed.	P	vb	Wig.	Barth.	WM m S Mat.	B	O	Va.b JE[1]	Ha	Hb D	Aa	Ab
1	1	—	1	1	1	—	1	1	1	—	1	1
2	2	—	2	3	2	—	2	2	2	—	2	2
3	3	—	3	5	5	3	7	} 7	—	3	—	—
4	4	—	4	7	6	4	8	}	—	4	6	—
5	5	—	8	11	3	1	3	3	3	1	3	3
6	6	—	9	2	4	2	4	4	4	2	4	4
7	9	1	7	9	—	—	—	—	7	—	—	—
8	7	2	5	4	7	5	5	5	5	5	—	5
9	8	3	6	6	8	6	6	6	6	6	—	—
10	10	4	10	8	9	7	9	8	—	7	5	6
11	11	5	11	10	10	8	10	9	—	8	7	7

V. 1—3 gehen natürlich auf die Sizilianische Vesper und den folgenden Krieg zwischen Arragonesen und Anjovinen. Die 'levitas' der Franzosen ist so gross, dass ihnen gegenüber die Deutschen, die früher herrschten, in günstigem Lichte erscheinen. Gallus ist Karl I. von Anjou und sein Sohn Karl II., aquila der siegreiche Peter von Arragonien und sein Sohn Jakob. Die Worte in V. 4 'erit Urbs vix presule digna' weisen m. E. ohne Zweifel auf die lange Sedisvakanz nach dem Tode Nikolaus' IV. 1292 April 4 bis zur Wahl Coelestins V. 1294 Juli 5, und das Gedicht muss während dessen Pontifikat, also vor dem 13. Dezember 1294 verfasst sein, da in V. 10 gesagt wird, dass der Papst bald sterben wird[2], der bekanntlich die Papstwürde niederlegte.

Leider kann ich nichts über das Erdbeben zu Rom beibringen, das nach V. 7 bald (natürlich nach der angeblichen Auffindung der Inschrift im Jahre 1293), also im Jahre 1293 oder 1294, stattfinden soll. Die Konstantin-Statue, welche nach V. 8 bei dem Erdbeben fallen soll, war, wie mir Herr Prof. Chr. Hülsen schreibt, der Marc Aurel beim Lateran, der jetzt auf dem Kapitolplatz steht,

1) Zu E gehört auch Ha II. 2) Das konnte leicht prophezeit werden, weil Peter von Murrone ein sehr alter Mann war, als er zum Papst gewählt wurde.

die Marmorpferde die Rossebändiger auf dem Quirinal-Platz, der 'lapis erectus' der Obelisk beim Vatikan, der erst 1586 an seiner jetzigen Stelle auf dem Petersplatz aufgestellt wurde. V. 10. 11 enthalten wirkliche, nicht ungewöhnliche Prophezeiung.

In der Hs. der Königin Christine 132 (R) stehen unmittelbar hinter diesen Versen auf f. 202 und von derselben Hand geschrieben folgende 8 Verse, die ich in keiner anderen Hs. gefunden habe:

Incipit prophetia inventa sub Capitolio Rome anno predicto[1].

Dum machine ferient Pantheon Urbis in edem,
Theutonicus miles cererem ciet ore cruento[2].
Flos aquile rabiem Rechin[3] prosternet in armis,
Celestisque color auro liliisque coruscans
Germanos proceres post hec per secla tenebit
Sub censu domitos obnixe, cesare dempto,
Allobrogos socios[4] penarum teste Sibilla
Victoresque leves eadem fortuna iugabit.

Explicit prophetia pro parte aliqua iam comperta.

XII. Der pseudojoachitische Liber de oneribus prophetarum.

Von den pseudojoachitischen Schriften ist noch keine in ursprünglicher Gestalt herausgegeben, und doch hat man ein Interesse daran zu erfahren, was die Joachiten, die um die Mitte des 13. Jh. im Minoritenorden eine so

---

1) Also 1293. 2) Ich weiss nicht, ob man daran erinnern darf, dass 1294 Hungersnot im Elsass und in Lothringen herrschte; Curschmann, Hungersnöte im M.-A. S. 201 f. 3) Natürlich könnte 'rechin' der Hs. verdorben sein, aber es gibt dafür doch wohl eine Erklärung. Fulco IV. mit den Beinamen Rechin († 1109) war Graf von Anjou aus dem alten Geschlecht der Plantagenest. Setzt etwa der Prophet Rechin = Anjou, obgleich Karl I. ein Kapetinger war, so wird hierpwieder auf den Kampf der Arragonesen und Anjovinen um Sizilien hingedeutet. 4) 'socōs' Hs. Hier liegt eine Erinnerung vor an den Vers 'Solamen miserum socios habere penarum', der zuerst bei Salimbene f. 485c, p. 636, in einem Schreiben N. A. XXIV, 524 und in anderer Form in einem Belial-Brief, Wattenbach, Teufelsbriefe, SB. d. Berliner Akad., Philos.-hist. Cl. 1892 S. 118 erscheint. — Die Allobrogi sind wie bei Gottfried von Viterbo die Einwohner von Burgund.

grosse Rolle spielten, eigentlich lehrten und wollten, gehörten zu ihnen doch so bedeutende Männer wie der Ordensgeneralminister Johann von Parma und der hochgepriesene Hugo von Die. Dennoch kommt in dem fleissig gearbeiteten Buch von P. Hilarin Felder, Geschichte der wissenschaftlichen Studien im Franziskanerorden, das Wort Joachiten, so viel ich sehe, garnicht vor, ihre Schriften werden nicht erwähnt, nur ganz gelegentlich wird mit Bedauern der Tatsache gedacht, dass so bedeutende Männer sich in die Prophezeiungen Joachims (Pseudo-Joachim wird garnicht genannt) verstricken liessen. Nicht die wirklichen Bücher des Abtes Joachim von Fiore waren es ja, welche die heillose Verwirrung in den Köpfen der Minderbrüder anrichteten, sondern die auf seinen Namen gefälschten. Auch Salimbene de Adam von Parma war Joachit mit Leib und Seele. Sagt er, dass er von der Joachitischen Lehre abgelassen habe, als er zu seinem Schrecken im Oktober 1251 erfahren hatte, dass Kaiser Friedrich II. wirklich tot sei, so kann man das doch nicht wörtlich nehmen. Nur an das zu glauben musste er aufgeben, was die Joachiten über die noch bevorstehenden bösen Taten des Kaisers gefabelt hatten, der ihnen der apokalyptische Drache, der Vorläufer des Antichrists oder gar der Antichrist selber war. Seine Neigung für die abstrusen Prophezeiungen, die aus dem Kreise der Joachiten hervorgingen, hat er sich bis in sein Alter, bis in die Jahre 1283—1288, da er seine uns erhaltene Chronik schrieb, bewahrt. Nur der Umstand, dass er mehrere solche Prophetieen mitteilt und zitiert, hat mich wider meine Neigung dazu gezwungen, mich mit diesem absurden Zeug zu beschäftigen und es an das Licht zu ziehen.

Nicht nur auf diese Prophezeiungen, sondern auch auf andere pseudojoachitische Schriften musste ich mein Augenmerk richten, da mir die dankbare, aber mühselige, Aufgabe zugefallen war, die Chronik Salimbene's herauszugeben. Von solchen Schriften Joachims, die er natürlich für echt hielt, nennt er einmal[1] die 'lectura Ysaie super oneribus'. Diese hat er einmal vor dem Markgrafen Azzo III. (VII.) von Este gelesen[2], da nennt er sie 'Expositio abbatis Ioachym de oneribus Isaie'. Es ist zweifellos dasselbe Werk, das in den Hss. und von Martin von Troppau, SS. XXII, 470, als 'Liber de oneribus prophetarum' bezeichnet ist. Dieser Titel findet sich in den

1) F. 359^b, SS. XXXII, 360. 2) F. 366^c, p. 377.

Ueberschriften unserer Hs. R und des letzten Fragmentes, das H² bietet, in einer Randnotiz von H¹ [1] und noch einmal in derselben Hs. [2] In der Unterschrift unserer besten Hs. V heisst es aber nur 'Liber de honeribus'. Gerade eine solche Hs. wird Salimbene gehabt haben und von sich aus 'Ysaie' ganz richtig hinzugesetzt haben, denn der Prophet Isaias überschreibt einzelne Kapitel und Abschnitte mit 'Onus Babylonis', 'Onus Moab', 'Onus Damasci' usw., welche Ueberschriften in dieses Werk übernommen sind, und es beschäftigt sich vornehmlich mit dem Propheten Isaias. Da aber auch viele Stellen anderer Propheten behandelt sind [3], werden wir den Titel der Hss. RH mit Recht beibehalten. Jetzt glaube ich genügendes handschriftliches Material gesammelt zu haben, um den Text des Werkes säuberlich genug herstellen zu können, wenn auch noch einige wenige Stellen übrig bleiben, die nicht ganz einwandfrei oder wenigstens schwer verständlich sind. Ich habe mich zu der unerfreulichen Arbeit, diese Schrift herauszugeben, entschlossen, da wir aus ihr erkennen, zu welch ungesunder geistiger Nahrung Salimbene und seine Freunde, die Joachiten Bartholomeus Guisculus von Parma [4], Girardin von Borgo S. Donnino usw. neigten, in wie dumpfer, stickiger Luft sie sich bewegten.

Folgende Hss. habe ich für die Ausgabe benutzt:

V) Hs. der Biblioteca Vittorio Emanuele zu Rom 14. S. Pantaleone 31, membr. 8° [5], in der dieses Werk f. 39ᵇ—47ᵃ von einer Hand des 13. Jh. in sehr kleinen Zügen voll starker und seltener Abkürzungen [6] auf in 2 Kolumnen geteilten Blättern geschrieben ist. Sie hat zahllose Korrekturen, die von dem Schreiber selbst bei der Kollation seiner Vorlage durchweg richtig eingesetzt sind. Sie ist wie die einzige ganz vollständige, so auch die weitaus beste Hs., wenn sie auch recht zahlreiche Fehler hat. Ich habe sie selbst abgeschrieben.

B) Hs. der Königlichen Bibliothek zu Brüssel n. 11956—66, membr. 8° [7]. Sie enthält auf f. 82ᵇ—87ᵃ von den beiden

1) Siehe unten S. 133. 2) Unten S. 138, N. 3. 3) Nahum 1, 1 überschreibt das Kapitel 'Onus Ninive', und auch diese Ueberschrift findet sich vor einem Abschnitt unseres Werkes. 4) Ueber ihn siehe Salimbene f. 301ᶜ. 308ᵇ·ᶜ. 439ᵈ, p. 220. 236 sq. 552. 5) Vgl. N. A. XV, 174. 6) Wenigstens einige notiere ich hier: 'ꝯ̈ = conspectu', 'cᵒ = cuius', 'nec̃ = necessario', 'poᵉ = potentie', 'poᵍ = potius', 'ᴾpˢ = populus', wie 'm̄a = mea', so 'm̄u = meum', 'ı̊ = ita', 'iᵈ = illud', 'oʒ = oportet', oft 'ȇ = Erithea', 'Mᵍ = Merlinus'. 7) Vgl. N. A. XV, 151 f.

Distinctiones, in die das Werk in der Hs. V geteilt ist, nur die erste, allerdings weit umfangreichere, von einer Hand des 13. Jh. Sie ist nicht nur fehlerhafter als V geschrieben, sondern hat auch viele willkürlich abgeänderte Lesarten, bietet aber zuweilen gegenüber V auch die richtige Lesart. Sie ist auf meinen Wunsch im Jahre 1885 von Lothar von Heinemann abgeschrieben, von Georg Waitz kollationiert.

Die beiden folgenden Hss. gehören einer überarbeiteten Rezension an, deren Redaktor sich bemühte, die dunkele Sprache des Werkes lesbarer und verständlicher zu machen, wobei ihm natürlich zahllose Missverständnisse unterliefen. Dann hat er zahlreiche Bibelzitate nachgeprüft, deren von der Vulgata oft abweichenden Wortlaut nach dieser geändert[1] und vervollständigt. Von ihm rühren zweifellos die zahlreichen Angaben am Rande der Hs. R her, wo sich die zitierten oder benutzten Bibelstellen finden, wie 'Ys. III.' 'Iere. XLVI.' In dieser Schrift sind wie in allen diesen pseudojoachitischen Werken die Verba Merlini und auch die Sibylla Erithea mehrfach benutzt und zitiert, aber von dieser stets der kürzere, überarbeitete Text, den ich N. A. XXX, 328 ff. herausgab, nicht der ursprüngliche, N. A. XV, 151 ff. herausgegebene. Der Ueberarbeiter hat aber diesen längeren ursprünglichen Text gekannt, er hat in ein Zitat zwei Lesarten aus diesem eingesetzt. Wenn das Verhältnis der beiden Redaktionen des Werkes zu einander überhaupt zweifelhaft sein könnte, so wäre damit allein die Entscheidung darüber gewonnen. In dieser Redaktion hat das Werk drei Distinctiones, in dem die erste in zwei Teile zerlegt ist. Die erste Distinctio schliesst recht gut mit der eigentlichen Exposition der 'Onera' ab, aber ich habe mich doch an die Einteilung der Hs. V der ursprünglichen Redaktion gehalten.

Fast vollständig steht das Werk in dieser Bearbeitung in der Hs.

R) der Bibl. Apostolica Vaticana Lat. 3822, f. 28^a—33^b in zwei Blattkolumnen von einer Hand des 13. Jh. geschrieben[2], nur ein kurzes Stück am Schluss der ersten (hier zweiten) Distinktion fehlt. Aber in derselben Hs. steht schon f. 14^a—14^d ein nicht kleines Stück der zweiten (hier dritten) Distinktion desselben Werkes von einer Hand

1) Ich merke den Wortlaut der Vulgata zu den Zitaten nicht an, zum Teil ergibt er sich aus den Aenderungen des überarbeiteten Textes.
2) Vgl. oben S. 99. 102.

des 13. Jh. ohne deren Anfang, aber bis zum Schluss. Auch dieses Stück gehört der überarbeiteten Redaktion an und ist aus einer Hs. abgeschrieben, die der ganz nahe verwandt war, aus welcher der obige, nahezu vollständige, Text geflossen ist[1]. Dieses Fragment bezeichne ich mit R^2, von da an, wo dieses einsetzt, den andern Text dieser Hs. mit R^1, wo aber beide Texte in ihrer Lesart übereinstimmen, setze ich R. Diese Hs. habe ich selbst teils abgeschrieben, teils kollationiert.

Ganz eigentümlich ist die Ueberlieferung in der oben S. 105 genannten Hs.

H) der Königl. Bibliothek im Haag 71 E 44, 15 Jh. Da steht p. 187, mit der Ueberschrift 'Sequuntur aliqua dicta Ioachim', der Einleitungsbrief an K. Heinrich VI. zur (längeren) pseudojoachitischen Expositio Sibyllae Eritheae et Merlini, auf ihn folgt aber zunächst nicht dieses Werk, sondern der Anfang des Liber de oneribus prophetarum (ohne den Einleitungsbrief), beginnend mit den Worten: 'Quanta sub Egipti filia'. Dazu steht richtig am Rande von des Schreibers Hand: 'hoc est primum capitulum libri Ioachim de oneribus[2] prophetarum'. Aber hier p. 187. 188 steht nur das erste Kapitel der Schrift (Onus Egypti) bis zu den Worten: 'subiecte discutionis illatio — id est calamitas (am Rande) — non silebit', und danach folgt auf p. 188. 189 ein Stück aus der zweiten (oder dritten) Distinktion des Werkes, nur zwei Kapitel, von den Worten an, die in meiner Ausgabe (unten S. 174) lauten: 'Ecce Dominus ascendet' bis 'et omnis multitudo eius' (unten S. 177). Danach folgt nun wirklich der Anfang der Expositio Sib. Eritheae et Merlini, aber nur ein ganz kurzes Stück p. 189. Nach andern Stücken[3] dann, die ich zum Teil später behandele, folgt dann p. 192 der Einleitungsbrief zum Liber de oneribus prophetarum und die ersten Worte von dessen Text: 'Onus Egipti'. 'Quanta sub Egipti filia etc.' mit der Bemerkung: 'Quod hic iterum ponitur quere supra in signo tali ∘—', und dieses Zeichen

1) Um so merkwürdiger ist es, dass hier f. 14^d noch ein kurzer Passus von wenigen Zeilen folgt, der auch am Schluss derselben Schrift in V steht, und den ich oben S. 99 gegeben habe. 2) 'ibus' ist abgeschnitten. 3) P. 191 steht folgendes: 'Ioachim abbas Floris in libro suo de oneribus prophetarum, cuius prephatio ('propheticum' Hs.) incipit: "Henrico VI° inclito Roman[orum] augusto frater Ioachim, dictus abbas Floris" etc., ponit onera sequencia: Onus Egipti, id est Francie. Onus Philistiim, quod signat Ligures' usw. Die Deutung der Onera geht aus dem Werk selbst hervor.

steht oben p. 189, wo das erste Kapitel des Werkes beginnt, am Rande. Danach folgt hier das zweite Kapitel (Onus Philistiim) und weiter das Werk bis (p. 197) dahin, wo in der überarbeiteten Redaktion die erste Distinktion schliesst, also bis zu den Worten 'fide non ficta diffidet' (unten S. 152), dann p. 198—209 die längere Sibylla Erithea[1], danach p. 209. 210 die oben unter n. VIII herausgegebene Prophetie, hierauf aber p. 210. 211 wieder ein Stück des Liber de oneribus prophetarum, nämlich aus der zweiten (dritten) Distinktion genau von da an, wo oben p. 189 der Text schliesst, beginnend mit den Worten eines Kapitels 'Sicut turbines ab affrico' bis zum Schluss dieses Kapitels 'difficultate regiminis resipiscant'. Dann folgt p. 211. 212 die oben unter n. IX herausgegebene Prophetie, die zum Teil bei Salimbene erhalten ist, und danach andere Stücke. Am Schluss der Hs. stehen nach der Ueberschrift (p. 274) 'Hec que sequntur extracta sunt de prophetia Ioachim abbatis de oneribus prophetarum' wiederum p. 275—277 Stücke aus dem Liber de oneribus und zwar sonderbarer Weise das erste Kapitel (Onus Egipti), das schon oben p. 187. 188 der Hs. sich findet und dieselben zwei Kapitel der zweiten (dritten) Distinktion, die getrennt oben p. 188. 189 und 210. 211 stehen, also: 'Ecce Dominus ascendet — difficultate regiminis resipiscant'. Von diesen also zweimal in der Hs. vorkommenden Kapiteln bezeichne ich mit H^1 was auf p. 187—189 und p. 210 sq. steht, mit H^2 die Blätter 275—277, wenn aber die Lesarten von H^1 und H^2 übereinstimmen, setze ich H, und diese Sigle gilt für die Abschnitte, die in der Hs. nur einmal vorkommen. Also an vier Stellen der Hs. finden sich Fragmente unserer Schrift, was aber an den drei ersteren, zerstreut auf den Blättern 187 bis 211 steht, gehört offenbar zusammen, da es sich gegenseitig ergänzt, davon zu trennen ist das mit H^2 bezeichnete Schlussstück der Hs. Sehr merkwürdig ist nun die Textüberlieferung der einzelnen Fragmente: H^2 gehört ganz der überarbeiteten Redaktion an und steht der Hs. R sehr nahe[2], ebenso die übrigen Fragmente von H, welche nur einmal in der Hs. stehen,

1) N. A. XV, 155—175. 2) Es ist ja besonders bemerkenswert und kann nicht zufällig sein, dass das in der Hs. R zum zweiten mal stehende Fragment R^2 genau mit denselben Worten beginnt wie das zweite Stück von H^1, allerdings weiter reicht. Dennoch kann nicht festgestellt werden, dass H^2 zu R^2 in einem näheren Verhältnis steht als H (mit Ausnahme von H^1) zu R. Es muss also schon in einer älteren Hs., auf die sowohl R als H zurückgehen, neben dem vollständigen überarbeiteten Text ein Fragment aus der zweiten (dritten) Distinktion in dem Umfange von R^2 gestanden haben.

sie sind aber keineswegs aus R geflossen, die Stücke aber, welche auch H² hat, die ich also mit H¹ bezeichnet habe, zeigen zwar viele Lesarten des überarbeiteten Textes, daneben aber eine grosse Anzahl solcher der ursprünglichen Fassung, somit also eine Kontamination beider Texte. Jemand, der bemerkte, dass diese Stücke der überarbeiteten Redaktion zweimal in einer älteren Hs. standen, muss in die erste Ueberlieferung derselben die Lesarten der ursprünglichen Fassung interpoliert haben, anders ist die Erscheinung nicht zu erklären. Nach einigen wenigen fehlerhaften Lesarten, die B und RH gemein haben, scheint die Hs., auf Grund deren die Ueberarbeitung gemacht wurde, der Hs. B näher verwandt gewesen zu sein als V. Es ergibt sich somit folgende Affiliation der Hss.

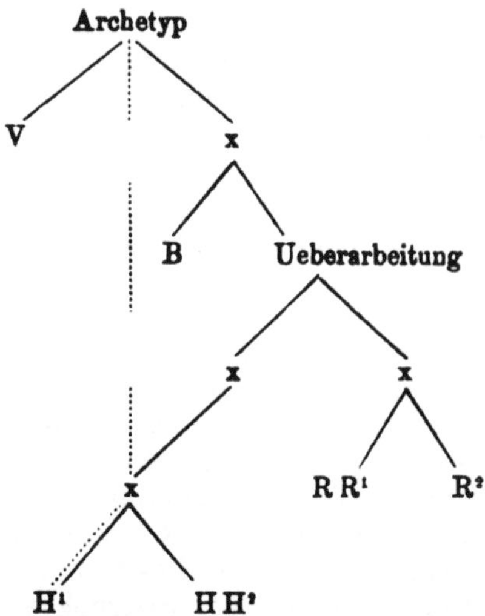

Für die Textherstellung der ersten (ersten und zweiten) Distinktion, für die V und B zur Verfügung stehen, leisten die Hss. RH sehr erspriesslichen Dienst, um zwischen den Lesarten von V und B die Entscheidung abzugeben, ohne dass ihre eigenen Lesarten in Betracht kommen, für die zweite (dritte) Distinktion ergeben sie die Möglichkeit, manche Fehler von V zu verbessern, sie bestätigen eine Anzahl von Konjekturen, die ich in dem Text von V gemacht hatte, ehe ich diese Hss. kannte. Die abgeänderten Lesarten der überarbeiteten Redaktion musste ich sämtlich im kritischen Apparat mitteilen, um dem Leser, der sich ernstlich mit diesem Werk beschäftigen möchte, ein eigenes

Urteil über das Verhältnis der beiden Redaktionen zu einander zu ermöglichen. Viele Schreibfehler der untergeordneten Hss. RH, aber auch nicht wenige von B[1] und manche von V in dem ersten Teil habe ich nicht angegeben, nur sehr wenige orthographische Varianten, diese zumeist in Namen, angemerkt[2].

Nach Fr. Kampers[3], der keine Hs. dieses Werkes gesehen hat, gäbe es auch schon einen, wenn auch stark interpolierten, Druck desselben, das ist indessen nicht richtig. Der Druck[4], den Kampers meint, hat auf Blatt 59ᵛ die Unterschrift: 'Explicit scriptum Vene[rabilis] Abbatis Ioachim super Esaiam et super nonnulla capitula Naum, Abachuch, Zacharie et Malachie. Revisum et correctum: in quo et fere totius orbis eiusdem Abbatis Ioachim vaticinia continentur. Impressum Venetiis per Laçarum de Soardis 1517. Die 27. Iunii' usw.[5] Der Prolog ist nicht etwa an Kaiser Heinrich VI. gerichtet, sondern er trägt die Ueberschrift: 'Incipit prologus Abbatis Ioachim ad fratrem Raynerium de Pontio[6] super Esaiam prophetam'. Das folgende Werk hat mit unserer Schrift de oneribus nichts weiter zu tun, als dass diese darin, soweit ich sehe, garnicht einmal viel, benutzt ist. Die Benutzung ist unverkennbar an folgender Stelle. Auf Blatt 49ᵛ heisst es: 'Explicit prima pars de oneribus ecclesie. Incipit secunda de septem temporibus'. Und dieser zweite Teil beginnt: 'Ecce ab oneribus omnibus expediti, quibus orbis in suis urbibus eque pro peccatis affligitur: ut facilius corrigatur, ad sequentia libri huius que obscuriorem inferunt intellectum stilum dilucidationis cepte reducimus'. Mit den Worten, an die sich dieser Passus anlehnt (unten S. 152), beginnt auch in der überarbeiteten Redaktion unserer Schrift die zweite Distinktion, aber in dem gedruckten Werk scheint doch die ursprüngliche Fassung benutzt zu sein[7].

---

1) Zumal solche, die mir eher Lesefehler in der von mir benutzten Abschrift zu sein schienen. 2) Von B oder R oder beiden geleitet bin ich sehr oft von der Orthographie von V abgewichen, welche Hs. manche Eigenheiten der italienischen Vulgärschreibung hat. 3) Kaiserprophetieen u. Kaisersagen S. 240. 4) Ich habe das Exemplar der Münchener Hof- und Staatsbibliothek benutzt. 5) Auf dem Titelblatt steht: 'Eximii profundissimique sacrorum eloquiorum perscrutatoris ac futurorum prenunciatoris Abbatis Ioachim Florensis scriptum super Esaiam prophetam' usw. 6) Das ist eine stehende Figur der pseudojoachitischen Schriften, vgl. unten S. 173. 7) An der Stelle hat die Ueberarbeitung 'erumpnis' für 'oneribus', welches Wort an der angeführten Stelle des Druckes übernommen ist. — Weiter kümmere ich mich um den gedruckten Jesaias-Kommentar nicht, am wenigsten um die Frage, wann er entstanden sein mag.

Viel stärker als zu diesem gedruckten Werk sind die Beziehungen des Liber de oneribus zu der in drei Drucken vorliegenden pseudojoachitischen Interpretatio in Ieremiam. Einigemal habe ich auf ähnliche Stellen in dieser hingewiesen, ohne damit die Parallelen zwischen den beiden Schriften erschöpfen zu wollen. Es ist das auch im Einzelnen fast unmöglich, denn einige Grundideen gehen durch beide Werke hindurch und werden beständig wiederholt. Neben dem Hauptthema, den bösen Taten des Kaisers Friedrich II., wird das zweite, die Verderbnis der Weltgeistlichen, ihre Habsucht, ihre Simonie, ihr Hochmut usw., beständig variiert. Die Deutung der bei den Propheten vorkommenden Völker- und Ländernamen auf solche der Zeit des Autors ist in beiden Werken fast immer dieselbe. Die Frage, die allerdings sehr wahrscheinlich mit Ja zu beantworten ist, ob beide Werke von demselben Verfasser herrühren, kann erst entschieden werden, wenn die Interpretatio in Ieremiam einmal in ursprünglicher Gestalt herausgegeben sein wird.

Der Liber de oneribus muss nach dem Tode Friedrichs II. abgefasst sein. Ueber die letzten Zeiten des Kaisers wird öfters gehandelt, die Absetzung auf dem Konzil von Lyon mehrfach erwähnt, seiner (definitiven) Rückkehr ins Königreich Sizilien (1249) gedacht, mehreremal auf sein Ende hingedeutet[1]. Auch der unglückliche Kreuzzug Ludwigs IX. gegen Damiette 1249/50 wird erwähnt. Am entscheidendsten für die Frage nach der Zeit der Abfassung ist aber, dass zweimal schon von einem zukünftigen Kaiser Friedrich III. gesprochen wird, von einem solchen konnte nur nach dem Tode Friedrichs II. die Rede sein. Natürlich ist hier noch nicht an Friedrich von Meissen, den Enkel Friedrichs II., den Sohn seiner Tochter Margarete, gedacht, sondern von einem der vier lebenden Söhne des Kaisers soll der abstammen. Gewiss aber nicht lange nach 1250 ist die Abfassung der Schrift anzusetzen. Es findet sich keine fassbare Hindeutung auf Ereignisse nach 1250. Freilich ist das wohl nicht ganz beweiskräftig, weil eben dem Verfasser der böse Kaiser die Hauptfigur ist, um die sich alles dreht, auf die alle Aussagen der Propheten von bösen Herrschern gedeutet werden, weil ja auch das Werk keine Geschichtserzählung bietet, sondern

---

1) Namentlich: 'quia ultimum vite eius, quo magis ad finem accelerat, eo dirius eius rabies necesse est insolescat'.

wüste Hirngespinnste eines anormalen Geistes. Es ist mir aber sehr wahrscheinlich, fast sicher, dass die Entstehung aller dieser pseudojoachitischen Schriften in die kurze Spanne der Jahre 1251 bis 1254 fällt. Dieser Zeit gehört ja auch das pseudojoachitische Evangelium aeternum des Girardin von Borgo San Donnino an, das von der Komission von Anagni 1254 untersucht und von Alexander IV. verurteilt wurde[1]. Und in gewissem Zusammenhange stehen diese Werke gewiss[2]. Ob auch Girardin an diesen Expositionen seine Hand gehabt hat, weiss ich nicht, wenn nicht, so doch sicher ein ihm geistesverwandter. Man darf gegen die von mir angenommene Entstehungszeit des Liber de oneribus nicht einwenden, dass sich viele Aussagen und Prophezeiungen in ihm finden, die auf jene Zeit nicht zutreffen. Sie sind nimmer erfüllt worden, und der Schluss, dass der Liber niemals geschrieben ist, wäre doch falsch. Es liegen da wilde Phantastereien eines wirren Geistes vor, die man nicht mit dem Mikroskop prüfen kann. Wenn Girardin von Borgo S. Donnino nach dem Tode Friedrichs II. im Jahre 1258 sich einbilden konnte, dass König Alfons X. von Castilien der Antichrist sei[3], welcher geistigen Ausschreitungen waren dann er und seine Geistesverwandten sonst noch fähig?

Der Liber de oneribus ist eins ihrer wüstesten Produkte. Natürlich hat ihn der Abt Joachim von Fiore angeblich an Kaiser Heinrich VI. gerichtet, wie alle diese pseudojoachitischen Schriften. Der an ihn gerichtete Einleitungsbrief soll das beweisen, und sehr oft wird der Kaiser in der Schrift angeredet. Oft sinnlos sind zahllose Propheten- und andere Bibel-Stellen aneinandergereiht, um auf die Ereignisse und Verhältnisse des 13. Jh. gedeutet zu werden. Es war nicht leicht, sie alle herauszufinden, da sie sehr oft absichtlich im Wortlaut verändert sind; und doch musste auf sie verwiesen werden, um das Verständnis der Schrift — so weit von einem solchen bei

1) Vgl. Denifle im Archiv für Kirchen- und Literaturgeschichte I, 49 ff. 2) In der Interpret. in Jeremiam c. 23, ed. Colon. p. 321 sq. heisst es: 'Et nota, quod per omnem orbem et fere omnibus regnis terre predicabitur E v a n g e l i u m e t e r n u m'! Ich hätte hier Anlass auf das einzugehen, was Fr. Kampers über die Entstehung und Abfassungszeit der Sibylla Erithea und der Schriften, in denen sie benutzt ist, geäussert hat. Das lässt sich aber kurzer Hand nicht abmachen, und mir werden diese Auseinandersetzungen hier schon zu lang. Ich habe so viel neues handschriftliches Material für diese Sibylle gesammelt, dass ich wohl noch einmal auf sie zurückkomme. 3) Salimbene f. 400[a], SS. XXXII, 456.

diesem Werk die Rede sein kann — zu ermöglichen. Dieses wird noch durch die absichtlich verschrobene Sprache erschwert, die den Eindruck alter, weiser Weissagung hervorrufen soll. Die Mittel dazu sind die Anwendung geschraubter und in ungewöhnlicher, übertragener Bedeutung gesetzter Worte und ungeheuerliche Wortstellung.

INCIPIT LIBER DE ONERIBUS PROPHETARUM EDITUS AB ABBATE IOACHIM[a].

Prima distinctio ad imperatorem Henricum sextum Iohachim[b].

[Henrico[c] sexto inclito Romanorum imperatori[d] augusto frater Ioachim, dictus abbas Floris, humiliari sub divine potentia maiestatis] [1].

Pie petis, set[e] minus pie, puto, prosequeris exponi tibi aliquid ex prophetis, qui vel[f] tempora tua respiciunt vel ad tuos posteros[g] se transfundunt. Licet[h] enim ad hoc[i] aliquorum vatum silvestrium[k] dicta te moveant, mentem[l] tamen a veris vaticiniis auguria[m] supervacua non abducant[n], quia[o] omnino tibi commodius eorum est[p] inniti consiliis, qui duplicitatis[q] angulos[r] fugientes fausta[s] simul et infausta[t] rudis preferunt Babylonis[u]. Set[v] si pseudovates ex[w] proximo invalescente mundi malitia surgere habeant, ut in signis verbisque mendacibus eruditos etiam[x] viros fallant, tu, qui novorum niteris[y] erigere solium Chaldeorum[z], ad solum usque diruere[a] pro posse, queso, non negligas hominum blasphemias impiorum. Set[b] forsan os suum quelibet oppilet[c] iniquitas[2], et imputari tibi non

---

a) Diese Ueberschrift rot nur in R, wo 'honeribus' und 'Io'. b) Diese Ueberschrift nur in V, wo 'distintio' und vom Miniator 'Iohacim' geschrieben, aber 'Iohachim' schwarz vorgeschrieben war; B nur: 'Ad Henricum sextum'. In H[1] keine Ueberschrift, über H 2 siehe oben S. 134. c) 'Henr. — maiestatis' nur in RH. d) 'imperatore' R; fehlt H. e) 'set — prosequeris' fehlt RH. f) 'tibi' B. g) 'post. tuos' R. h) 'Licet — abducant' fehlt RH. i) 'h̄' (hec) V. k) 'siluestria' B. l) 'interest' B. m) 'aguria' V; 'aliguria' B. n) 'adducant' V. o) 'Nam' RH. p) 'tibi puto commodius eorum inn.' RH. q) 'duplicatis' BH, korr. in 'duplicitatis' B. r) 'ãgl'os' VR. s) 'frustra' B. t) 'infesta' B. u) 'Babillon.' V meist; 'Babilonis' H; 'Babiloniis' R. v) 'Set' fehlt B; 'Quod' RH. w) 'e' H. x) 'erud. viros et' R. y) 'nitens' H. z) 'Cald.' H; 'Chald. erig. solium' B. a) 'dirut' R; 'dirutum' H. b) 'si' B; 'quin pocius os' R; 'qui potius os' H. c) So R; 'opilet' H; 'oppilleo' korr. in 'oppileo' B; 'oppilabit' V, scheint nach dem angeführten Psalmverse eingesetzt.

1) Ebenso oben S. 101 f. 21[a]. 2) Ps. 106, 42: 'omnis iniquitas oppilabit os suum'.

valeat de tam alluvione[1] precipiti undecumque[a] secutura tempestas. Ad exequendum[b] itaque[c] tanti principis invitus[d] imperium et prosequendum[e] nichilominus ex hiis[f] que fideles prophete pretulerunt[g] votum tuum quoddam[h] ad presens presagium tue inprobe[i] aviditati premittitur[k], ut, e medio nebulis fugatis[l] et neniis[m], inoffensis obtutibus ad lucem te pertrahant[n] veritatis.

Onus[o] Egypti[*,2].

Quanta sub Egypti filia, id est[p] Francia, sit futura[q] confusio, propheticus sermo[r] satis elucidat, quia necesse est in die certaminis, ut[s] tradatur in manu[t] populi aquilonis. Sicut enim in Geon Grecorum notatur imperium, Saracenorum[u] in Tygri[v], Romanorum in Phison[w], sic et in Eufrate[x] tuorum[y] solium Germanorum[z]. Caveat sibi proinde occidentalis ecclesia, que et[a] Romana, ne velut olim Petri navicula laboret in fluctibus, et inde cogatur

---

*) Auf dem unteren Rande von p. 187, auf der diese Partie steht, hat die Hand des Schreibers in H[1] hinzugefügt: 'Omnes fere antiqui, qui de futuris aliqua scripserunt, per Egiptum Franciam intellexerunt, de quo Ysaie 19. per totum et in diversis aliis capitulis eiusdem et Danielis XI. terra Egipti non effugiet. Etiam ad Franciam referunt illa verba Ysaie 6° capitulo in fine (v. 9): 'Audite audientes et nolite intelligere et videte visionem et nolite cognoscere. Ex[c]eca cor populi huius'.

a) 'Undec.' mit Majuskel-U V; 'tam precip. obliuionis unda queque secut.' RH. b) 'excipiendum' RH. c) 'igitur' B; 'ergo' RH. d) 'inuictis' B; 'inuictum' R; 'iniunctum' H. e) 'perseq.' B. f) 'is' V. g) 'que proph. locuti sunt fideles' RH. h) 'quedam ad pr. monimenta tue' B. i) 'inuide' korr. in 'inprobe' V. k) 'premittimus' B; 'premictuntur' H. l) 'effugatis' RH. m) 'et neniis' fehlt RH. n) 'protraham' RH. o) Hier beginnt H[2]; 'Honus' rot fast immer V, aber 'onus' war oft am Rande schwarz dem Illuminator vorgeschrieben; 'Honus' immer R; in R geht vorher rot: 'Honus Francie'; 'O. Eg.' fehlt H[1]. p) 'id est Fr.' in H[1] als Glosse übergeschr.; 'filia in Fr.' V; 'filia scilicet Fr.' RH[2]. q) 'fut. sit' R. r) 'textus' RH. — 'satis' fehlt H[2]. s) 'ut in die cert. trad.' RH[2]. t) 'manibus' B; 'manus' RH[2]. u) 'sarrac.' RH. v) 'tigri' BH. w) 'physon' V; 'fison' BH[1]. x) 'eufratē' V. y) 'nouorum' RH. z) 'Chaldeorum' R; 'Caldeorum' H 2. a) 'et' fehlt RH[2]. — 'Roma' H.

1) Vgl. Iob 14, 19: 'alluvione paulatim terra consumitur'. 2) Ueber 'Onus Aegypti' handelt Is. 19, 1 ff. Daher in R am Rande zur folgenden Zeile: 'Ys. XIX' und weiter unten 'Iere. XLVI', weil da v. 2 ff. über die Schlacht von Karkamis zwischen dem Pharao Nechao und Nabuchodonosor gehandelt wird.

ipse Christi vicarius tunica[a] sibi[b] suorum[c] succinctus[1] occurrere, unde[d] procellam imperii sine periculo plurium[e] vix poterit evitare. Quamvis enim diebus preteritis Alamanni[f] pariter et Normanni inter se[g] sub Paschasio[h] papa confligerent, quorum tamen esset[i] absoluta victoria, non apparet, *quia fortis inpegit in fortem, et*[k] *ambo pariter conciderunt*[l, 2]. Restat itaque[m], ut adhuc summus pontifex Germanorum subeat[n] scandalum, ubi[o] Francorum baculum, cui[p] sedes eius innititur, sibi[q] presenserit iam confractum[3]. Set nec[r] est tui temporis, ut novus quassetur[s] Egyptius[t], quia[u] futurus est quantotius[v] posterus[w], sub cuius[x] quisque corruet[y] infestatione protervus. Qualiter autem id[z] fieri poterit, subiecte[a] discussionis calamitas[b] non silebit[c].

O n u s P h i l i s t i i m[d, 4].

Philistiim[e], quondam Israelitici cetus emuli veteres, novas pretendunt Ligurum factiones[f]; propterea quanta eos accelerata pressura concutiet[g, *], non tam vel[h] Merlinus Britannicus[i] quam[k] Ieçechiel vates Leviticus representat.

---

*) In V folgt hier im Text, in B steht am Rande: 'auferetur factio lascivientium' (Amos 6, 7).

a) 'tunicā' V. b) So alle Hss. c) fehlt R; 'succ. tun. sibi fidenter' H^1; 'succ. iterum' H 2. d) 'et inde' H^2. e) 'prelii' RH^2; 'Unde non sine peric. plur. proc. imp. vix' H^1. f) 'Alammani' oder 'Alammanni' B immer; 'Almanni' H^1; 'Alemanni' H^2. g) 'inter se Al. par. et Norm.' H^1. h) 'pascasio' V; 'paschalio' R; 'pascasuo' H^1; 'paschali' H^2. i) 'esse' B. k) 'et' fehlt B. l) 'corruerunt' RH^2. m) 'ergo' RH^2. n) 'substineat' B. o) 'cum' H^1; 'nisi' H^2. p) 'cui — innititur' fehlt B; 'cuius' H^2. q) 'sibi' fehlt H^2; 'inter manus auxilii' st. 'sibi' H^1. r) 'nȝ (neque)' RH^2. s) 'cassetur' RH^1. t) 'egyptus' B. u) 'sȝ (set)' R. v) 'quasi tocius' H^1. w) 'tuus post.' RH^2. x) 'tua' B. y) 'corruat' BH^1. z) 'hoc' H^1. a) 'subiecto' B. — 'discutionis' RH^1. b) 'collatio' B; 'illatio', übergeschr. 'id est calamitas' H^1. c) Alles folgende fehlt H^2. d) 'filistim', nachher 'phylistim', am Rande war schwarz dem Illuminator vorgeschrieben 'onus filistiim' V; 'phylistiim' R nur hier. e) 'quoque' setzen zu RH. f) 'fractiones' RH. g) 'concusciat' R; 'pressuram concutiat' H. h) 'vel' fehlt RH; 'minus' st. 'tam vel' B. i) 'brictāicus' V. k) 'quem (q̄)' VR. — 'iezech'' V; 'ezechiel' RH.

1) Vgl. Joh. 21, 7: 'Simon Petrus . . . tunica succinxit se'. 2) Jer. 46, 12. Daher R am Rande 'Ibidem'. Vgl. S. 140, N. 2. 3) Derselbe Gedanke in des Pseudo-Joachim Interpret. in Jerem. c. 2, Coloniae 1577. 8°. p. 46. 4) 'Onus Philistiim' kommt bei den Propheten nicht vor; aber vgl. Is. 9, 12.

Onus Moab[1] et Amon[2].

Pondus istud[a] exuberes[b] filios Loth educti[c] de Sodomis involvit ad litteram[d], set spiritus ex ea[e] prosiliens[f] Ierosolimitanum populum et Antiochenam[g] ecclesiam sub tui posteri sagena concludit.

Onus Iuda[3] vel visio[h].

Quia[i] tribus Iuda, quam[k] Dominus aliquando[l] pretulit, ruina[m] ceteris tribubus facta[n] fuit, Ytaliam totam intuens ex obiectu[o], eo[p] tonsor gregis[4] morbidi, puer tuus, vocabit ad incendium actumque[q] iudicium, quo multa suo tempore habundante[r] malitia[5] devorabit abyssum. Ab introitu enim Emath et Arphad[s, 6], que Ianuenses preferunt[t] et Pisanos[u], sic[v] huius fictor bruci[7] — erroneorum[w] dumtaxat Ligurum — eos congressu modico disperdet[x] et conteret[y], ut non solum torrentem heremi — Mediolanensem[z] utique cuneum —, set et[a] hostem eius proximum[b] Cremonensem incendio subiti[c] furoris involvet.

---

a) 'i^{d} (illud)' V; 'iste' B. b) 'exules' H. c) 'eductos' H. d) 'ad litt. non inuoluit' RH. e) 'spir. extra' RH. f) 'prosilitus' B. — 'iherosol.' RH; 'ierosolimitanorum' B. g) 'anthiocenam' R; 'anthiochenam' H. h) 'vel visio' fehlt RH. i) 'Quinta' V; fehlt RH. k) 'quam' fehlt H. l) 'quandoque' RH. m) 'pret. ruina' B. n) 'pret. (ceteris H) postmodum trib. ruina' RH. o) 'fuit . hec utique ex obiectu concordie totam intuetur Ythaliam' ('Ital.' H) RH. p) 'et' V; 'quam' RH. — 'torsor' R. q) 'utrumque' B; 'act. iud.' fehlt RH. r) 'habundabit' B; 'habundancie' H. s) 'erphat' B; 'arphat' R; 'arphach' H. t) 'preferant' B. u) 'atque Pis. pref.' RH. v) 'sic' fehlt RH. w) 'cironeorum' RH. x) 'sic disperget' RH. y) 'et cont.' fehlt RH. z) 'mediolanum' B; 'mediolanentium' R. a) 'et' fehlt RH. b) 'utique' setzen zu RH. c) 'repentini' RH.

1) Is. 15, 1. Daher hier in R am Rande: 'Ys. XV'. 2) Vgl. Jerem. 49, 1 ff. 3) 'Onus Iuda' nicht bei den Propheten. 4) Dies scheint Anspielung auf Amos 7, 1 zu sein, wo es heisst: 'ecce serotinus post tonsionem regis'. Der Autor wird 'gregis' statt 'regis' gelesen haben. Denn auch der folgende Abschnitt lehnt sich an Amos 7, 4 an, wo es heisst: 'et ecce vocabat iudicium ad ignem dominus Deus, et devoravit abyssum multam'; und gleich darauf wird wieder auf Amos 7, 1 zurückgegriffen. 5) Vgl. Ps. 49, 19; Matth. 24, 12. 6) Amos 6, 15: 'Et conteret vos ab introitu Emath usque ad torrentem deserti'. Jer. 49, 23: 'Confusa est Emath et Arphad'. 7) Amos 7, 1: 'et ecce fictor locustae' etc. Locusta und bruchus kommen in der Vulg. mehrfach zusammen vor.

Onus Ierusalem[a, 1].

Occidentalis ecclesia velut altera Ierosolima[a] in Romanis acsi lateribus[b] aquilonis[2] sita[c] describitur, que si casum suum in hac parte sibi tam pomposa[d] prenosceret, in Babylonis[e] forsan imperium non migraret. Set si necesse est, ut Dominus[f] novum a sanctuario suo[g] iudicium inchoet[3], quid[h] atrium, quod est foris[4], adhuc a gentibus perpeti[i] debeat, tam prudenter protinus[k] quam patienter expectet. Sicut[l] enim templum illud[m] abolitum Romanum capitulum exigit[n], sic et atrium Constantinopolitanum clerum et populum ex prophetica conformitate pretendit[o]. Utraque quidem[p] ecclesia devio[q] pravorum errore[r] polluitur, et inde neutra[s] cum sobole a rumphea[t, 5] ultionis excipitur[u]. Unde humus[v] cuiuslibet Persarum[w] tandem funiculo metietur[x, 6]. Tunc[*] generalis ecclesie[y] cardinales[z] — vel potius ex avaritie[a] ambitu carpinales[b, 7] — futurus malleus non solum aggredietur et diruet, set et conpacta contra se[c] superliminaria[d, 8] presulum diri vulneris velut vulneris[e] acerbitate discindet[f]. Verum[g] quia Dominus sicut bis in id ipsum non iudicat, sic[h], et si vulnerat[9], non trucidat,

---

*) VB am Rande: ‘Disperdam quadrigam ex Effraim et equum de Ierusalem’ (Zach. 9, 10).

a) ‘ih'rl'm’ RH. b) ‘in lat.’ RH; ‘latera’ B. c) ‘ita’ H. d) ‘hac pace sibi superba’ B. e) ‘babiloniis’ H. f) ‘dominus’ fehlt BRH. g) ‘suo’ fehlt BRH; ‘iud. a sanct.’ RH. h) ‘quod’ B; ‘ut’ R. i) ‘perp. a gent.’ H. k) ‘prot.’ fehlt RH. l) So R; ‘Nc̄ (Nunc)’ V; ‘Secundum’ B; ‘Si’ H. m) ‘id’ B. n) ‘erigit’ H. Ich möchte ‘exprimit’ emendieren. o) ‘Verum’ setzt zu R. p) ‘ꝗ (quod)’ V. q) ‘denuo’ RH. r) ‘eccl. facili fornicatione poll.’ B. s) ‘neutrum’ H. t) ‘rumfea’ V; ‘ruphea’ R. u) ‘excipietur’ H. v) ‘unius’ R; ‘huius’ H. w) ‘personarum in flagelli’ (‘flagella’ H) RH. x) ‘nectitur’ B; ‘mencietur’ H. y) ‘ecc̄’ R. z) ‘cardines’ B. a) ‘ex amb. pecunie’ RH. b) ‘carpinale’ B. c) ‘comp. casse’ H. d) ‘sr̄selimi-naria’ R; ‘super luminaria’ H. e) ‘velut vuln.’ fehlt RH. f) ‘diffundet’ korr. in ‘diffindet’ B; ‘vi scindet’ H. g) ‘Verumque’ H. h) ‘s; (set)’ V.

1) ‘Onus Ierusalem’ kommt bei den Propheten nicht vor. 2) Is. 14, 13: ‘sedebo . . . in lateribus aquilonis’. 3) Ezech. 9, 6: ‘a sanctuario meo incipite’; 9, 7: ‘implete atria interfectis’. 4) Apoc. 11, 2: ‘atrium autem, quod est foris templum, eice foras’. 5) Apoc. 2, 12: ‘angelo . . . qui habet rompheam utraque parte acutam’. 6) Amos 7, 17: ‘Uxor tua in civitate fornicabitur, et filii tui et filiae tuae in gladio cadent, et humus tua funiculo metietur’. 7) Vgl. Salimbene f. 304[d], p. 228. 8) Amos 9, 1: ‘Percute cardinem, et commoveantur superliminaria, avaritia enim in capite omnium’. 9) Iob 5, 18: ‘quia ipse vulnerat et medetur’.

Christi sponsa, si fluctuat, non pavescat, quia, et si frequenter eam in postero tuo[a] velut in cribro concutiet[b, 1], unitatem tamen fidelium per discordiam iam rescissam[c] accelerante[d] presidio restitutionis adducet[e]. Licet enim Merlinus[2] ille non centenum, set quinquagenum in eum numerum prudenter ingeminet[f], tamen eo Erithea[3] discretior fingit[g] eum in pedibus sexagenum, quia, si[h] in suis — nec dubium — non[i] vacillent[k] oraculis, usque ad quinquagesimum secundum[l] annum ipse[m] lene tractabitur tam ab ecclesia quam a suis, exinde passurus[n] invitus[o] scandalum ab utrisque; ob quod in[p] suos et alios sic[q] violentus hostis inseviet[r], quod[s] versus in rabiem[t] alicui sibi rebellium, si fieri poterit, non indulget. Quis scit, si cor lapideum mutetur[u] in carneum[v, *, 4]? Multos eius[w] vexabit asperitas, nonnullis ex terrore[x] profugis inerit[y] difficultas. *Vide, domine, et considera*[5], si[z] cause[a] tui fuerit: preoccupabuntur vada[6] undique[b], et nullus evadet[c]; set[d] si sui in eos, quos concluserit[e], more volantis reguli[7] venena mortifere crudelitatis effundet[f], utrobique[g] periculum, veluti[h] si a facie leonis quis[i] effugerit[k], ursus se

---

*) VB am Rande: 'Percutiet domum maiorem ruinis et domum minorem scissionibus' (Amos 6, 12).

a) 'tuo' fehlt H; 'tuo post.' B. b) 'concutiat' B. c) 'recissam' R. d) 'acceleratos' B; 'accelerat:' (1 Buchstabe nicht lesbar) H. e) 'obducet' B. f) 'urgerent cum eo' H. g) 'dissertior figit' V; 'discutior fingat' H. h) 'et' R; 'et si' H. i) 'non' fehlt RH. k) 'vacccillent' V; 'vacillat' B; 'vacillet' H. l) 'sec.' fehlt H. m) 'ipse' fehlt RH. n) 'et inde patiatur' B. o) 'ruine' RH. p) 'et in' R. q) 'eo' RH. — 'violentius' H. r) 'inseuietur' B. s) 'quo' RH. — 'conuerso' R; 'conuersus' H. t) 'rabie' H. u) 'lapidem vertetur' H. v) 'carnem' H. — Kein Fragezeichen in den Hss. w) 'enim' H. x) 'timore' R; 'nonn. exteriore' H. y) 'prefugis erit' B. z) 'si — fuerit' fehlt H. a) 'cāē' VB; 'c̄a (causa)' R. — 'tue' V. b) 'und. vada' RH. c) 'ut nullus euadat' B. d) 'set' fehlt B. e) 'set ('et' setzt zu R) si quos sui conclus. in eos utique more' RH. f) 'diffundet' RH. g) 'utr. — veluti' fehlt B. h) 'velut' RH. i) 'quis leonis' B; 'si quis a facie leonis' RH. k) 'confugiat' RH. — 'et' setzt zu R.

1) Amos 9, 9: 'sicut concutitur triticum in cribro'. 2) N. A. XV, 176 und Salimbene, SS. XXXII, 360: 'Bis quinquagenarius lene tractabitur'. 3) N. A. XV, 165. XXX, 332: 'veniet aquila habens . . . pedes LX'. 4) Ezech. 11, 19: 'auferam cor lapideum de carne eorum et dabo eis cor carneum'; vgl. ebenda 36, 26. 5) Thren. 1, 11. 6) Jerem. 51, 32: 'et vada praeoccupata sunt'; 50, 29: 'et nullus evadat'. 7) Is. 30, 6: 'vipera et regulus volans'.

sibi subito[a] vorax obiciat[b], a quo si[c] lapsus idem[d] parieti[e] manum addiderit, latens coluber se mordebit[1]. Quia[f] vero sicut[g] ab equis in petris vix curritur, sic et in bubalis non aratur[2], nec mirum inde, si vita[h] sibi pro votis humilium additur[3], unde[i] celer[k] tumidis retributio conpensatur.

Onus Edom[*,4].

De terra yspidi Esau, que Grecorum potentiam respicit[l], tamen[m] etsi cruentatus dominus ultro[n] redit, ut qui[o] falsa locuti sunt[p,5], occidentalis[q] ecclesie fidei derogantes[r], illam[s] contritionem e[t] proximo a subditis sibi populis subeant, qua ultra non adiciant[u] ut resurgant[6].

Onus Cedar[**,7].

Filii Agar Egyptie[v] de terra prudentiam exquirentes[8] non minus doctores Ligures[w] preferunt quam etiam[x] Galli-

---

*) Hier folgt rot in der Kolumne V, am Rande B: 'Quis iste qui venit[y] de [Edom[z]]' (Is. 63, 1).
**) B am Rande: 'Lamie nudaverunt' (Thren. 4, 3).

a) 'sub.' fehlt H; 'sub. sibi' R. b) 'obiciet' B. c) 'si' fehlt hier RH; 'quis' V. d) 'item' B; 'in terrorem si quis' st. 'idem' RH. e) 'par.' fehlt B. f) 'Quia — conpensatur' fehlt H, von Hand des Schreibers auf dem unteren Rande ergänzt R. — 'vero' fehlt R. g) 'si' R. h) 'vota' R. i) 'Inde' R. k) 'celet' B; 'terror' R. l) 'conspicit' R. m) 'tamen etsi' fehlt RH. n) 'ultor' B (könnte wohl richtig sein; vgl. Jerem. 51, 56: 'quia fortis ultor Dominus'); 'ultimo' H. — 'reddat' H. o) 'nam et' für 'ut qui' RH. p) 'ab utero' setzen zu RH aus dem hier benutzten Verse Ps. 57, 4: 'erraverunt ab utero, locuti sunt falsa'. q) 'quidem' setzen zu RH. r) 'derogando' RH. s) 'et ideo necesse est illam' ('illam vocem est' R) RH. t) 'ex' H. u) 'addiciant' R; 'abicient' H. v) 'egypti' V; 'egip̄' H. w) 'ligurios' B; 'liguros' R. x) 'et' R; fehlt H. y) 'nouit' B; 'ueniet' V. z) 'de Edom' fehlt B; statt 'Edom' V: '℞ I (?)'.

1) Amos 5, 19: 'Quomodo si fugiat vir a facie leonis, et occurrat ei ursus, et ingrediatur domum et innitatur manu sua super parietem, et mordeat eum coluber'. 2) Amos 6, 13: 'Numquid currere queunt in petris equi, aut arari potest in bubalis?' 3) Eccli. 48, 26: 'et addidit regi vitam'. 4) Die Worte 'Onus Edom' finden sich nicht in den Propheten, aber vgl. Jerem. 49, 7 ff. Die Verse Is. 63, 1 ff. liegen dem folgenden zu Grunde. 5) Ps. 57, 4: 'locuti sunt falsa'. 6) Is. 24, 20: 'et non adiciet, ut resurgat'. 7) Vgl. Is. 21, 16. 17; Jerem. 49, 28. 8) Baruch 3, 23: 'Filii quoque Agar, qui exquirunt prudentiam'. Daher in R am Rande: 'bar III'.

canos, quos eo[a] vicinius vertiginis flatus[1] arripiet[b], quo fortius rex Babylonis seviet in stultos filios orientis[c, 2].

Onus Damasci[*, 3].

Sirus Sobal, qui vertitur in sublime[d], Patarenorum cuneum effantem[e] ingentia[f, 4] contra Christum patenter[g] insinuat; set quanta eos strages subita[h] repetat, stilus propheticus non occultat, quia futurum est, ut cetus erroneus obstinationis sue gemat angustiam, et fiat in penultimo[i] temporis aquile previe[k] velut acervus lapidum[l] in ruinam[m, 5].

Onus Tyri[n, 6].

Non immerito[o], si[p] filius hominis de Tyri[u] finibus ut[q] pulsus egreditur[r, 7], quia, pro eo quod regnum Sicilie[s] de negotiatione[t] sua turbavit, imperium[u] perdetur[v] in posterum de medio lapidum ignitorum[8].

Onus Sydonis[9].

Sydon[w] licet aliquando Apuliam[x] tangat ad litteram, tamen hic[y] in[z] spiritu Campanos urget et Marchios, quia, pro eo quod vestis Christi — dumtaxat ecclesie — laci-

---

*) B am Rande: 'Percutiet Syriam tribus vicibus' (vgl. 4. Reg. 13, 17. 18).

a) 'eos' B; 'et' H. b) 'arripiat' V. c) 'orientes' B. d) 'sublimen' B. e) 'efferentem' R; 'efferente' H. f) 'ignauia' B; 'ingentem' R; 'ingenua' H. g) 'pat.' fehlt RH. h) 'subito' B. — 'repetet' H. i) 'fiat permutatio' RH. k) 'prime' H. l) 'lap.' fehlt H. m 'ruina' B. n) 'thiri' H. o) 'Non im.' fehlt hier RH. p) 'si' fehlt H. q) 'vel' H. r) 'egredietur' H. s) 'sicil'' VB; 'Sic. ('scicilie' R) regnum' RH. t) 'Sic. denegatione' V. u) 'non immerito' ('merito' R) setzen hier zu RH. v) 'perdatur' B. w) 'Sidon' hier VR. x) 'aliq. licet apulum' V. y) 'hic ('hoc' H) tamen' RH. z) 'in' fehlt H.

1) Is. 19, 14: 'Dominus miscuit in medio eius spiritum vertiginis'. 2) Jerem. 49, 28: 'ascendite ad Cedar et vastate filios orientis'. 3) Is. 17, 1. Daher auch R am Rande: 'Ys. XVII'; vgl. Jerem. 49, 23 ff. 4) Dan. 7, 8: 'os loquens ingentia'. 5) Is. 17, 1: 'Ecce Damascus desinet esse civitas et erit sicut acervus lapidum in ruina'. 6) Is. 23, 1. 7) Marc. 7, 31: (Iesus) 'iterum exiens de finibus Tyri'. 8) Ezech. 28, 16: 'et perdidi te . . . de medio lapidum ignitorum'. 9) Nicht in den Propheten. Vgl. Is. 23, 2 ff. Jerem. 42, 4.

nias[a] vulgus inprudens deseret[1], tuus versutus filius eos inter angustias apprehendet[b].

Onus Elam[c, 2].

Romanos Urbis[d] primos, quos Eneas profugus edidit, et in cede sanguineos et in potestate sonoros — concordes — effigiant[e] Elamite, quia, etsi in eis Christus arbiter[f] ecclesie posuerit solium[3], tamen[g], ut eorum calvitium detegat, prede patebunt unguium[h] novorum principis Chaldeorum.

Onus Ninive[4].

Onus istud[i] orientales innuit populos et[k] linguis dissonos et morum feditate respersos[l], in quos velut in[m] reprobos, a Christianis cultibus alienos, eo de[n] abysso bestia[5] saliens bellicos[o] ungues exacuet[p], quo[q] eam[r] divinus furor accelerans absque spe aliqua prestabilis[s] pietatis impellet[t].

Onus terre Çamri[u, 6].

Indifferenter Yspanie populos pondus istud[v] amplectitur, quorum licet[w] aliqui[x] contra Mauros ex parte prevalent[y], tandem tamen ipsi ut de calice Babylonis insaniant[z], voluntarii necesse est[a] fecem bibant[7]; futurum profecto est, ut, qui diu[b] ritus illorum[c] orribiles ex socia

---

a) 'latinus' B; 'lasciuias' RH. b) 'deprehendet' BH. c) 'Elayn' H. d) 'Urbis romane' RH. e) 'effugiant' VH. — 'elamitate' R. f) 'abiecte' RH. g) 'tā' V. h) 'unguibus' B; 'uirginum' H. i) 'i^d (illud)' V; 'hoc' RH. k) 'et' fehlt RH. l) 'repersos' R. m) 'in' fehlt RH. n) 'eodem' ? B. o) 'bellicas' B. p) 'excutiet' H. q) 'quos' R. r) 'eos' RH. s) 'prest.' fehlt RH. t) 'inuoluet' RH. u) 'Zamri' VR; 'Zambri' H. v) 'i^d (illud)' V; 'Onus ('Honus' R) hoc ysp. ('hisp.' H) pop. indiff.' RH. w) 'quia et si' RH. x) 'ipsi' H. y) 'preualeant' B. z) 'insanient' H. a) 'ut' setzen zu RH. b) 'quidem' R. c) 'eorum' V. — 'horribilis' H.

1) Gen. 39, 12: 'apprehensa lacinia vestimenti eius (Ioseph) . . . . Qui relicto in manu eius pallio fugit'. 2) Vgl. Jerem. 49, 34 ff. 3) Jerem. 49, 38: 'Et ponam solium meum in Aelam et perdam inde reges et principes'. 4) Nahum 1, 1. 5) Apoc. 11, 7: 'bestia, quae ascendit de abysso, faciet adversum eos bellum et vincet illos et occidet eos'. 6) Vgl. Jerem. 25, 25. 7) Is. 51, 17: 'quae bibisti de manu Domini calicem irae eius . . . et potasti usque ad faeces'; Ezech. 23, 33. 34: 'Ebrietate . . . repleberis . . . calice sororis tuae Samariae. Et bibes illum et epotabis usque ad faeces'.

conversatione non improbant, congesta[a] mala de vasis interitus[b, 1] mox incurrant.

Contra Arabes[c, *].

Onus in Arabia[d, 2] Britannos[e] ex[f] mutuo respicit, quibus quanta cedes ab Egyptiis — Francis[g] — immineat, obtusus eorum oculus[h] non attendit[i]. Pro eo vero[k] quod Barachie filius[3] in Thoma[l] rursus occiditur[m, 4], necesse est, a rege denuo[n] Gallico acsi Ieu[o, 5] altero ut ex maiori[p] parte populus Anglicus assiduis incursibus[q] atteratur.

Contra pastores[r].

Quantos[s] mercennarios habeat ovile dominicum, aures tuas prophanis fedare narratibus non est meum. Set quia Dominus[t] sustinere non poterit amplius[u] huius[v] terre deos[6] avaros et lubricos[w], lupi tui rapacis — filii — puto morsibus relinquendos.

Onus austri[x, 7].

Sabeorum regio tangit Ybernos[y] ex obice sicut Regma[z] et Chenne[a, 8] Frisios[b] et Suevos, quorum strages

---

*) Am Rande in B später hinzugefügt: 'Nota, quod Anglicos'.

a) 'coniesta' V. b) 'interitu' V. c) 'Onus ('Honus' R) in Arabia' statt dieser Ueberschrift RH. d) 'Onus ('Honus' R) hoc' RH. e) 'brictannos' V; 'britanos' R; 'britones' B. f) 'ex' fehlt RH. g) 'sr̄|| atis' R; 'francie' H. h) 'obtusis e. oculis' V; 'oc.' fehlt H. i) 'attendat' V. k) 'videlicet' RH. l) 'thōnia' V. m) 'occiderunt' B. n) 'a denno rege' B; 'denno a rege' RH. o) 'geũ' V; 'iehu' RH. p) 'maiore' V. q) 'cursibus' B. r) Diese Ueberschrift fehlt RH, wo m der Zeile fortgeschrieben ist. s) 'O quantos' RH, 'O' in R getilgt? t) 'deus' R. — 'substinere' B. u) 'amplius sust. non pot.' RH. v) 'huiuscemodi' V. w) 'et lubr.' fehlt H; 'lubr. et av.' B. x) Diese Ueberschrift fehlt B. y) 'hybernos' H. z) 'thema' RH. a) 'chēne' V; 'cherine' B; 'chane' RH. b) 'frigios' R; 'frigos' H. — RH setzen zu: 'quidem ex obiectu respiciunt (resp. ex obi.' H).

1) Ps. 7, 14: 'Et in eo paravit vasa mortis'. 2) Is. 21, 13, daher auch in R am Rande 'Ys. XXI'. 3) Matth. 23, 35: 'usque ad sanguinem Zachariae filii Barachiae, quem occidistis inter templum et altare'. 4) Der Apostel Thomas wurde nach dessen apokryphen Gesta in einem heidnischen Tempel vom Oberpriester getödtet. 5) Vom König Jehu wurde der König Joram getödtet; 4. Reg. 9, 24. 6) 'Dii' sind die Geistlichen. 7) Is. 30, 6. 8) Ezech. 27, 22. 23: 'Venditores Saba et Reema .... Haran et Chene et Eden negotiatores tui'.

in futurum tempus[a] extenditur, ut, qui nunc[b] abstinere penitendo conpellitur, haut[c] tunc iam cum ceteris terre fornicatoribus involvatur.

Onus vallis visionis[1].

Quod[d] non solum religiosos huius temporis exprimit[e], set[f] et seculares clericos conprehendit, de quorum adipe tanta prodit dissolutionis iniquitas[g. 2], ut contra eos merito Dominus[h] ignitas acuere debeat sub proxima desolatione sagittas. Iusto quidem iudicio agitur[i], ut is[k], a quo per opera fides Christiana confunditur, pro sue voluntatis arbitrio ut lapis sanctuarii dispergatur[3]. Preterea[l] ille populus, qui attonsus[m] in comam[4] erigitur[n], Hospitalariis pariter et Templariis[o] counitur[p], quia, et si de ancillarum filiis prodeunt[q], hereditatem tamen[r] cum liberis non[s] contingunt, et idcirco Ierosolima[t] illa vetus in eis gemat et ingemat, quia presto sunt[u] in fictilibus pedibus statue[v] reliquie ferree[5], per quas aquilonis malleus illorum superbiam[w] atterat et consumptis debilium carnibus[x] ossa fortium de vicino confringat[y. 6]. Heu! quanta erit in diebus illis Ierosolimitano[z] regno contritio, quantave conmotio populo Christiano, ubi et[a] ab hoste publico trucidabuntur[b] intus ecclesie filii[c], et foris vastabunt[7] propugnatores[d] filii[e] alieni. Licet enim nunc[f] a barbaris ipsa

---

a) 'tpīs' B. b) 'n̄ (non)' V. c) 'aū (aut)' V; fehlt RH. d) 'Onus ('Honus' R) hoc' RH. e) 'comprimit' B; 'exprimet' H. f) 'set — conprehendit' fehlt RH. g) 'tante diss. iniq. prodit' RH. h) 'Dom.' fehlt H. — 'igneas' RH. i) 'agitur iud.' RH. k) 'his' V. l) 'pp'erea' V; 'Semper enim' RH. m) 'est' setzt zu R; 'in comam att.' B. n) 'eliditur' B. o) 'atque Templ. par.' RH. p) 'commutatur' H. q) 'proderunt' H. r) 'tamen' fehlt RH. s) 'nunc' RH. — 'contingant' H. t) 'iheros.' RH. — 'illa' fehlt H. u) 'sunt' fehlt H. v) 'statue' fehlt B. w) 'sup. ill.' V. x) 'cornibus' R. y) 'constringat' V; 'confligat' H. z) 'ihrlitana' R; 'iherosolima' H. — 'regno' fehlt RH. a) 'et' fehlt B. b) 'cruciabuntur' RH. c) 'filii eccl.' B. d) 'prop. vast.' RH. — 'undique', darüber geschrieben 'utique' setzt zu R; 'utique' setzt zu H. e) 'fidei' V. f) 'non' H.

1) Is. 22, 1. 2) Ps. 72, 7: 'Prodiit quasi ex adipe iniquitas eorum'. 3) Thren. 4, 1: 'dispersi sunt lapides sanctuarii'. 4) Jerem. 9, 26. 25, 23. 49, 32: 'qui attonsi sunt in comam'. 5) Dan. 2, 32—34: 'Huius statuae . . . tibiae autem ferreae, pedum pars erat ferrea, quaedam autem fictilis . . . et percussit statuam in pedibus eius ferreis et fictilibus'. 6) Mich. 3, 3: 'Qui comederunt carnem populi mei . . . et ossa eorum confregerunt'. 7) Deut. 32, 25: 'Foris vastabit eos gladius et intus pavor' etc.

regio lacrimetur eversa, magis tamen pungit familiaris[a] aculeus quam externus[b], et ideo durum erit posteros[c] posse de suis[d] faucibus erui, cui[e] rigida colla etiam[f], ut a vate consulitur, debent[g] de necessitate submitti.

Onus deserti maris[h.1].

Non prorsus in postero reputes huius ponderis[i] te expertem, qui[k] tam in Germania[l] quam in[m] Campania[n] exercere videris prestitam potestatem. Quia cetus Ytalicus fidem Christi deseruit corrumpens eam[o] moribus et exemplis, inter feras arundinis[2] trepidus[p] non quiescet[q]. Nonne tu es ursus[r] in saltu seviens[s.3], et pardus vigilans[4] tuus heres[t]? et si tibi iam[u] occasus accelerat, post ipsum tamen[v] leo[5] ab aquilonari solio[w] subsequens[x] quid facere ceperit, regnicolarum error evidens[y] non tacebit. Inde est, quod aquila revolans[z], et si prius et post in seditiosis[a] exercet[b] gladium, tamen[c] eversis oppidis adducet arreptum[d] populum in desertum. O quantos vorabit[e] trux gladius[6], quantos orribilis absorbebit abyssus, quantos penalis eculeus[f] celi volucribus deseret, quantos igniculus flamme devorantis[g] assumet[h]! et[i] peribit tunc temporis a veloce[k] diffugium[7], a forte[l] presidium, a sapiente consilium[8], et corruet per dissidium[m] vir in virum[9]. Taceo[n] preterea,

---

a) 'fam. pungit' B; 'fam. acul. pungit' H. b) 'extraneus' RH c) 'posteris' V; 'ceteros' RH. d) 'suis de' B; 'de suis posse' RH. e) 'cum' V. f) 'et' R; 'colla a vate etiam' ('ut' fehlt) B. g) 'debent' fehlt B; 'debeant' RH. h) 'Honus de Samaria' V. i) 'ab hoc pondere' B. k) 'et si' RH. l) 'germaniam' BH (korr. in 'germania' H). m) 'in' fehlt B. n) 'Ciclopia' B; 'esperia' R; 'Hesperia' H. o) 'eam corr.' RH. p) 'turpidus' V; 'tepidus' H. q) 'quiescit' B; 'quiescat' RH. r) 'crassus' H. s) 'deseuiens' RH. t) 'heres tuus' B. u) 'si tam' H. v) 'est' setzen zu RH. w) 'aquilone solis' H. x) 'ueniens. et' RH. y) 'evid.' fehlt R. z) 'reuolat' R. a) 'seditiōis' V; 'sediciosos' RH. b) 'exerit' B; 'exerceat' RH. c) 'cum' H. d) 'arr.' fehlt RH. — 'populos' H. e) 'deuorabit' H. — 'trux' fehlt RH. f) 'acculeus' R; 'aculeus' H. g) 'dev. fl.' B. h) 'consumet' B; 'absumet' R. i) 'et' fehlt R. k) 'uol'ue' (?) V. l) Später korr. in 'forti' R, und so H. m) 'discidium' H; 'desiderium' R. n) 'Taceo — abscondet' fehlt B.

1) Is. 21, 1. 2) Ps. 67, 31: 'Increpa feras arundinis'. 3) 2. Reg. 17, 8: 'veluti si ursa raptis catulis in saltu saeviat'. 4) Jerem. 5, 6: 'pardus vigilans super civitates eorum'. 5) Otto IV. 6) Is. 31, 8: 'gladius non hominis vorabit eum'. 7) Amos 2, 14: 'Et peribit fuga a veloce, et fortis non obtinebit virtutem suam'. 8) Jerem. 18, 18: 'non enim peribit lex a sacerdote neque consilium a sapiente'. 9) Is. 3, 5: 'irruet . . . vir ad virum'.

quot arens[a] inedia perimet, quot teter carcer[b] includet, quot peregrina tellus excipiet[c], quot incognita mors abscondet[d]. Scito[e], cesar, et consulo, quod[f], donec ab eo velut ecclesie malleo[1] prefinita sibi tempora lubricent, que sub umbra sui culminis vivunt et habitant, contra eum aliquid saltus[g] bestie[2] non attemptent[h]. Quo enim eius vigilantius emuli de manu sua contenderint[i] arripere prede manubias, eo ubique validius in eos excutiet comas suas[3].

Onus terre Chaldeorum et Babylonis[k, 4].

Si annales et cronicas tam novorum quam veterum equa consideratione[l] revolvimus, onus istud tangit imperium Germanorum, quod[m] tanto sui casus poterit deflere dispendia[n], quanto pro meritis[o] in ipsum invecta[p] fuerit disciplina. Necesse quippe est, ut[q], per quem[r] Petri navicula pene demergitur[s, 5], ipse[t] versa vice in profundum equoris demergatur[u]. *Cecidit,* inquit[6], *cecidit Babylon, et*[v] *non adiciet, ut resurgat.* Inculcatio hec duos tangit[w] principes atterendos, ut[x], quemadmodum duo[y] cesares, tu et pater, in solio usquequaque manebitis, sic et duo[7] post te futuri[z] ruent a culmine dignitatis. Et unus quidem occidet in Germania, reliquus[a] in Liguria sive Roma. Quod Daniel[8] patenter elucidat, ubi in Apedno[b] fixo[c]

---

a) 'aeris' RH. b) 'cesar' V; 'quot tot carcer' R; 'quot ter quater' H. — In R hier am Rande: 'Ys. III'. c) 'accipiet' R. d) 'absorbebit' H. e) 'Suadeo igitur' RH. f) 'et' setzt zu R. g) 'saltus' fehlt RH. h) 'acceptent' VB, nachher korr. in 'accëptent' V. i) 'contenderent' V. — 'abripere' B; 'corripere' H. k) 'et Bab.' fehlt RH. l) 'equato fide ratione' H. m) 'quo' H. n) 'stipendia' R; 'stipendium' H. o) 'merito' H. p) 'in tempora inuenta' B. q) 'vero' H. r) 'quod' RH. s) 'demerg. — equoris' fehlt H; 'dimergitur' B. t) 'ipsum' B; 'ip̄' R. u) 'diiungatur' H. v) 'et' fehlt V; 'ultra' RH. w) 'tangit duos' RH. x) 'ut' fehlt H. y) 'duos' R. z) 'fut.' fehlt H. — 'cesares' setzen zu RH. a) 'et relicus' V. b) 'pedno' B; 'aphedno' R; fehlt H. c) Für 'fixo' leerer Raum in B. — 'tentoria' B.

1) Friedrich II. sagt von sich selbst in den Streitversen an den Papst, N. A. XXX, 336 ff.: 'malleus orbis ero'. 2) Ezech. 31, 6: 'omnes bestie saltuum'. 3) Jerem. 51, 38: 'excutient comas veluti catuli leonum'. 4) Jer. 50, 1. 5) In den Streitversen des Papstes heisst es, N. A. XXX, 338 ff.:

Niteris incassum navem submergere Petri,
Fluctuat, at numquam mergitur illa ratis.

6) Is. 21, 9. 24, 20. Daher in R am Rande: 'Ys. XXI. XXIIII'. 7) Otto IV. und Friedrich II. 8) 11, 45: 'Et figet tabernaculum suum Apadno'. Am Rande in R, 'XI'.

tentorio ducem austri rex aquilonis expugnat*. Unde et[a] Ieremias[1] ait: *Capta est Babylon, confusus est Bel, victus est Merodach*[b]. Nomine Babylonis[c] non solum Romanos intelligas[d], set et tyrannos[e] imperii sive regni. Bel autem pretendit illum principem[2], qui post te mox[f] fuerit ad imperium evocandus[g], Merodach quoque[h] tuum hunc[i] posterum prenotat, cuius finem vel caudam brucus aculeatus[3] intentat[k]. Primus itaque confusus, secundus victus describitur, ut scias ultimum maioris esse potentie et[l] totum pondus prelii contra Christi ecclesiam et[m] eius[n] vicarium inportare[o]. Quia vero contra eum de[p] sponse superbia** fidelis sit[q] populus ascensurus, non solum ipse de illorum fama turbabitur, set et manus sue potentie dissolvetur[r,4], quia[s], sicut ex locis aliis non inepte colligitur, et caput in imperio[t] et ventrem[u] pariter dolebit[5] in regno. Interim autem[v] conmixtum migma[w] ventilabit et conmedet[6], et cui[x] fraus in[y] exteris auxilium conferet[z], de suorum quoque[a] fidelium fide non ficta[7] diffidet[b].

A pressurarum[c] igitur oneribus[d] expediti, que mundum[e] in regnis singulis tumescentem[f] ex prophetica conminatione conquassent, libet[g] adhuc[h] aliquid ex habundanti[i] describere, ut scias, unde fomes tante malitie pro-

*) VB am Rande: 'Casus hic non mortis, set dignitatis'.
**) VB am Rande: 'De sponse superbia'.

a) 'et' fehlt RH. b) 'marodach' B hier und nachher; 'meredach' H nur hier. c) 'scito' setzen zu RH. d) 'intelligi' RH. e) 'tyrampnos' B; 'set et tyr.' fehlt R. f) 'mox' fehlt R. g) 'prouocandus' H. h) 'autem' R; 'vero' H; 'tuum quoque' V. i) 'hunc' fehlt B; 'pren. tuum hunc post.' H. k) 'intendat' V; 'intersecat' R; 'interferat' H. l) 'ut' H. m) 'et' fehlt H. n) 'eiusdem' RH. o) 'importandum' RH. — Am Rande R: 'Ys. XIII'. p) 'de' fehlt H. q) 'scit' B. r) 'dissoluentur' RH. s) 'quia' fehlt R; 'qui' H. t) ||'perio' V. u) 'verticem' R. v) 'ante' H. w) 'magna' B; 'smigma' R. x) 'tui' R. y) 'ab' V. z) 'conferit' korr. in 'confert' V. a) 'suorum confidelium' RH. b) Hier schliesst H mit der Unterschrift 'Explicit'. — Vor dem folgenden in R die Ueberschrift: 'Secunda distinctio'. c) 'Appressuratum' R. d) 'erumpnis' R. e) 'mundo imminent. ut et ipsum' R. f) 'tabescentem' V. g) 'inheamus' R. h) 'ad hoc' B; 'adhc̄ et' R. i) 'habundantia' B; 'ex hab. aliq.' V; 'tibi' setzt zu R.

1) 50, 2. Am Rande in R: 'X. L'. 2) Otto IV. 3) Jerem. 51, 27: 'adducite equum quasi bruchum aculeatum'. 4) Vgl. Is. 13, 7. Ezech. 7, 17: 'Omnes manus dissolventur', und viele ähnliche Bibelstellen. 5) Jerem. 4, 19: 'ventrem meum doleo'. 6) Is. 30, 24: 'commistum migma comedent'. 7) 1. Tim. 1, 5: 'fide non ficta'.

deat, et non sit oblocutor[a] iam improbus, qui[b] veritatis sermonibus contradicat[c]. Antiquus ille hostis, Israelitici quondam[d] generis emulus et nunc Christiani nominis inimicus, pro Adam in synagoga[e] posuit[f] Herodem, pro Noe Neronem, pro fideli Habraham[g] Constantium Arrianum, pro Moyse Machumetum[h], pro David Henricum primum[i] Germanicum, pro Iohanne Baptista Saladinum, pro Helia[k] regem perditum Antichristum[1]. De his Apoc.[2] ait: *Quinque ceciderunt, et unus est, et unus nondum*[l] *venit, et cum venerit, oportet illum breve tempus manere*[m]. Quinque utique ceciderunt[n] per singula[o] tempora[p], ut in sexto ille unus interim permaneat[q], donec alter, qui nondum[r] venit, adveniat et veluti[s] in tempore septimo[t] previo se coniungat[*]. Sic[u] duo aquarum genera in cataclismo conveniunt[3], sic[v] due in Apoc.[4] bestie pariter[w] federantur, sic in Babylonis statua lutum et ferrea durities[x] admiscentur[5], pro quibus necesse est, ut in Romano imperio sub[y] tuo postero Saraceni[z] et heretici alii dispersi per Liguriam et partes alias uniantur.

---

*) Hierzu hat R auf dem unteren Blattrande von Hand des Schreibers: 'Sextum regem solum a principio regnare oportet, ut veraciter dici possit: *unus est, et unus nondum venit,* set tamen, ut Christus Iesus secutus est Iohannem Baptistam, et factum est duorum, scilicet Iohannis et Christi, tempus unum, sic, ut ego extimo, septimus rex prius veniet, quam deficiat sextus, et erit eis votum unum ad conplenda opera patris, sicut factum est Neroni et Symoni mago. Unde cor et una voluntas ad resistendum veritati, quam annunciabant apostoli; et hec quidem consumanda in proximo, velit, nolit mundus, sine mora contingent'.

a) 'oblocutus' V; 'obloqutor' R. b) 'q̃ (quam)' V; 'et ei' setzt zu R c) 'contradicit' B. — 'Anticus' VR. d) 'q̃dam' R. e) 'in syn.' fehlt R. f) 'inuenit' R. g) 'habraam' V; 'abraham' R. h) 'Moamethum' V; 'mahometum' R. i) 'primum' fehlt R. k) 'helya' R. l) 'ūn' R. m) 'man. tempus' B. n) 'ceciderunt utique' setzt wieder zu R. o) 'V^{e}' R. p) 'ecclesiastica' setzt zu R. q) 'maneat' B. r) 'nūdum' R. s) 'uelud' B; 'uelut' R. t) 'sept. temp.' R. u) 'Sic̄(ut)' R. v) 'sicut' B. w) 'par.' fehlt R. x) 'duriores' B. — Hierzu in R am Rande: 'Dan. II'. y) 'sub tuo post.' fehlt R. z) 'sarraceni' R.

1) Vgl. dazu die persecutores ecclesiae nach dem pseudojoachitischen Liber figurarum bei Salimbene f. 393^{c}, SS. XXXII, 440 und Alb. Milioli Cron. imp., SS. XXXI, 663, und oben S. 98 f. f. 5^{r}. der Vatikanischen Hs. 3822, unten S. 159. 2) 17, 10. Daher in R am Rande: 'XVII'. 3) Gen. 7, 10. 12. Daher am Rande R: 'Ge. VII'. 4) 13, 1. 11. Daher in R am Rande: 'XIII'. 5) Dan. 2, 41. 43.

Determinatio temporum vel signaculorum[a].[1].

Primum[b] fuit sub Manasse et Effraym filiis Ioseph[c]. Secundum sub Moyse et Iosue[d]. Tertium sub Samuele[e] et David. Quartum sub Helia et Heliseo[f]. Quintum sub Eçechia[g] et Ysaia[h]. Sextum sub Ieçechiele[i] et Daniele[k]. Septimum sub Çorobabel[l] et Iesu[m] filio Iosedech[n]. In novo quoque primum[o] fuit sub Paulo et Barnaba. Secundum sub Iohanne evangelista in Asya. Tertium sub beato Silvestro. Quartum sub Antonio[p] heremita. Quintum[q] sub papa Gregorio Magno vel[r] sub papa Eugenio[s] et beato Bernardo *. Sextum sub duobus ordinibus post annum millesimum ducentesimum veluti in generatione XL. prima**, acsi parasceue[t] et Iordanis transitu, quantotius revelandis in mundo[u]. Septimum sub angelo septimo tuba canente[2], sub quo necesse est acsi brevis tractus in vigilia pasce[v], ut Antichristi persecutio subsequatur. Que, etsi brevitate temporum[w] clauditur, penarum tamen immanitate solvetur[x].

---

*) Hierzu hat R auf dem unteren Rande von des Schreibers Hand: 'Datum est Paterenis hereticis, illis scilicet qui extimantur perfecti, qui per locustas designantur, *ut cruciarent* credentes *mensibus V*[3]. Set quare mensibus V? Forte quia V menses habent dies CL, et solitanty designare dies annum, XXX vero dies unam annorum generationem; fortassis ergo V menses signant generationes annorum, annos videlicet CL, quia diu est, ex quo confota est secta ista, licet nesciamus, a quo fuerit inchoata vel aucta'.

**) Auf dem oberen Rande von f. 29[c] von des Schreibers Hand in R: 'Anno MCC. incarnationis Domini finis est XL generationum'.

a) Diese Ueberschrift in B, und so war in V dem Illuminator schwarz vorgeschrieben, davor aber noch 'Signaculum'. Der Illuminator aber schrieb 'Sign. de termino temp. vel sign.'. Die Ueberschrift fehlt R. b) 'tempus synagogicum sive tempus primi signaculi' setzt zu R. c) 'Iosep' öfter VR. d) 'aaron' R. e) 'samuhele' B. f) 'helyseo' B; 'elyseo' R. g) 'ezechia' V; 'ezechya' R. h) 'hysaya' V; 'ysaya' R. i) 'iezechiele' V; 'ezechiel' R. k) 'danihele' B; 'daniel' R. l) 'zorobabele' V; 'zorobabel' R. m) 'ih'u' B; 'yh'u' V; 'iehu' R. n) 'iosedeth' V. o) 'Primum quoque tempus ecclesiasticum sive apertio primi signaculi fuit' R, dazu am Rande: 'Apo. VI'. p) 'anthonio' R, wo 'her.' fehlt. q) 'et' B. r) 'Quintum' hier B. s) 'Eug. papa' B. t) 'in die parasceues' R. u) 'in mundo revel.' R. v) 'pasche' R. w) 'temporis' R. x) 'solūntur' V; 'soluatur' B. y) 'solialum' R; zweifelhafte Konjektur.

1) Der sigilla oder signacula der Apokalypse c. 5. 6. 2) Apoc. 11, 15. 3) Apoc. 9, 3. 5: 'et de fumo putei exierunt locustae in terram . . . ut cruciarent mensibus quinque'.

Sub primo namque[a] signaculo[b] fuit persecutio Egyptiorum[c]. Sub secundo[d] Philistinorum. Sub tertio[e] Syrorum[f]. Sub quarto[g] Assiriorum. Sub[h] quinto[i] Chaldeorum. Sub sexto rursus Assyriorum[k] sub Oloferne[l], quia de ferri erat[m] plantario processurum[n. 1]. Sub septimo[o] Grecorum sub Aman, qui delere statuit populum Iudeorum. In[p] novo similiter[q] fuit prima apertio[r] Iudeorum. Secunda[s] paganorum. Tertia Arrianorum. Quarta Persarum. Quinta Germanorum. Sexta Saracenorum. Septima Patarenorum.

Quod[t] autem Antiochus[u] dedit finem Iudeis veteribus[v], ita Gog[w] rudibus[x] Christianis, et hoc non secundum determinata tempora, set dum equantur[y] duo se mutuo respicientia Testamenta. Ecce primum Testamentum incepit[z] ab Adam, cuius finis in Christo. Secundum incepit ab Oçia, limitandum iterum[a] in Christo venturo[b]. Sciendum tamen[c], quod vetus habuit unum statum, novum autem duos status conplectitur[d] propter illud Ysaye[2]: *Quis*[e] *appendit tribus*[f] *digitis molem terre,* et Iohannes[3] propter hoc[g] et rationem predictam de ydriis capientibus singulis[h] metretas binas vel ternas — *ut in ore duorum vel trium testium maneat*[i] *omne verbum*[4] —: binas propter duo Testa-

a) 'nempe' V. b) 'Sub tempore namque primi signaculi' R. c) 'egyptorum' B. d) 'Sub tempore secundi' R. — 'phylistin.' V. e) 'tempore tercii' R. f) 'syriorum' V. g) 'tempore quarti assyr.' R. h) 'Sub — Assyriorum' fehlt V. i) 'tempore quinti' R. k) 'Sub tempore sexti Persarum et Medorum' R. l) 'holoferne' R, am Rande: 'Iudit III'. m) 'erat' fehlt R. n) 'processerunt' R. o) 'tempore septimi' R, am Rande: 'Hester III'. p) Für 'In — Patarenorum' hat R: 'Sub apertione primi signaculi fuit persequtio Iudeorum. Sub apertione secundi paganorum. Sub apertione tercii Arrianorum. Sub apertione quarti Persarum. Sub apertione V[ti] Germanorum. Sub apertione VI. Sarracenorum. Sub apertione VII. Pateronorum'. q) 'specialiter' B. r) 'ap. prima' V. s) 'In sec.' B. t) 'Sicut' R. u) 'anthiocus' R, am Rande: 'Ma. I'. v) 'veter.' fehlt R; 'veter. Iudeis' B. w) 'quoque' B. x) 'daturus est' R. y) 'set secundum quod sibi coequantur' R, wo am Rande: 'CX. XXXVIII. et XXXVIIII. per totum'. z) 'incipit' B. a) 'it.' fehlt B. b) 'vent.' fehlt R. c) 'etiam' R. d) 'in duos st. complebitur' B. e) 'Q (Quod)' V; 'qui' R. f) 'duobus' B. g) 'idem misterium dicit' R statt 'hoc — predictam'. h) 'capientes singule' R. i) 'stet' BR mit Vulg.

1) Dan. 2, 41 (daher in R am Rande 'Dan. II'): 'quia vidisti . . . partem testae figuli et partem ferream: regnum divisum erit, quod tamen de plantario ferri orietur'. 2) 40, 12. In R am Rande: 'XL'. 3) 2, 6: 'Erant autem ibi lapideae hydriae sex positae . . . capientes singulae metretas binas vel ternas'. In R am Rande: 'II. Io.'. 4) Matth. 18, 16.

menta[a], ternas propter tres status, sex[b] propter labores temporum, quia in septimo datur requies[c], et idcirco labor septimi sub sexti serie geminatur[d].

[De statibus][e].

Primus ergo status claruit ab[f] Abraham, cuius initiatio ab[g] Adam. Secundus fulxit[h] a Çacharia[i] sacerdote[k], cuius uxor Elisabet[l], habens exordium ab Oçia rege Iuda. Tertius splendebit ab anno M⁰CC⁰, quasi sub Celestino papa[m], cuius inceptio[n] a beato Gregorio[o]. In[p] principio primi status, id est secundum claritatem sui, surrexit Pharao, qui afflixit filios Israel, quos percussis Egyptiis[q] eduxerunt Moyses et Aaron per medium Rubri maris. In claritate secundi regnavit Herodes, qui occidit pueros Hebreorum in cunctis finibus Bethleem, ut[r] de servitute legis nonnullos eduxerunt Paulus et Barnabas, ceteros[s] iudaiçantes reliquerunt a fluctibus Romani imperii absorbendos. Iam vero in[t] claritate tertii status[u] futurus est alter Herodes et Pharao, heres tuus, qui Christianum populum supra[v] quam credatur[w. 1] vexabit et opprimet tam in Romanis finibus[x] quam in regno. Ad quorum clamores[2] duo testes[3] vel ordines sunt mittendi, qui[y] non solum a servitute vitiorum et onerum[z] illos excutiant, set et[a] totum Christianum populum[b] versum in Egyptum[c] — pravis moribus denigratum — labiorum virga percutiant et ad

---

a) 'testemta' V. b) 'ydrie' setzt zu R. c) 'quies' R. d) 'generatur' B. e) Die Ueberschrift fehlt BR. f) 'sub' R. — 'abraam' V g) 'habens iniciationem sub' R. h) So VB; 'fulsit' R. i) 'zach.' VR. k) 'sacerd. — Elisabet' fehlt R. l) 'helisabeth' B. m) 'papa Cel.' R. n) 'habens iniatom̄' R. o) 'papa' setzt zu R. p) Statt 'In — maris. In clar.' hat R: 'Inchoata claritate primi status surrexit Pharao, qui precepit nechari pueros Hebreorum (a. R.: 'Ex. I'), affligens filios Israel, quos eduxerunt Moy[ses] et Aaron per medium maris Rubri, a cuius fluctibus persequentes Egyptii sunt absorti (dazu a. R.: 'Ex. XIIII'). Inchoata clar. sec.'. q) 'percussit egyptus' B. r) 'nisi' V; 'et' R, am Rande: 'Mat. II'. s) 'vero' setzt zu R. t) 'inchoata' R. u) 'st.' fehlt R. v) So nur V; 'ultra' BR. w) 'creditur' V; 'credi potest' R, wohl aus Dan. 8, 24. x) 'partibus' R. y) 'qa (quia)' V. z) 'morum' B; 'honere' R. a) 'et' fehlt R. b) 'pop. christ.' R. c) 'in Eg. versus' R.

1) Dan. 8, 24: 'supra quam credi potest universa vastabit'. Am Rande R: 'Dan. V'. 2) Hierzu ist 'Exo. III.' in R am Rande notiert, weil es dort 3, 7 heisst: 'vidi afflictionem populi mei in Aegypto et clamorem eius audivi'. 3) Die duo testes aus Apoc. 11, 3 werden auch in anderen pseudojoachitischen Schriften wie namentlich in der Interpret. Jeremiae als der Minoriten- und Dominikaner-Orden erklärt; vgl. auch Salimbene f. 321[b. c], SS. XXXII, 266.

perimendum impium[a, 1] in sua fortitudine principem mare Christiani populi per discordiam rescindendum reductis in unum fluctibus virium[b] superducant[c], ut, qui velut draco matris[d] ecclesie filium[e] vorare conabitur, ipse tandem[f] proiectus a solio[2] et[g] devictus[h] cum suis fautoribus devoretur*. Inde Apoc.[i, 3]: *Draco stabat*[k] *ante mulierem*[l], *ut, cum peperisset, devoraret filium*[m] *eius. Et*[4] *vidi*[n] *de mari bestiam ascendentem, habentem capita VII et cornua X, et X diademata super ea et super capita nomina blasphemie. Et*[5] *vidi aliam bestiam ascendentem de terra, et habebat duo cornua similia agni* et cetera usque: *cruciabitur igne et*[o] *sulfure* in eternum. Licet textus hic[p] littere totum statum ecclesie conprehendat[q], quid tamen de postero tuo sentiat[r], stilus noster prescribere[s] non postponat[t]. Ipse cogis, ut eloquar, ipse repetis[u], ut commenter. Ecce tu quinto versaris in tempore et quasi cetus grandis in Babylonis flumine procrearis[v]. Posterus autem tuus sextum occupare videbitur, cum ex rudimentis infantie velut agnus[w] in magnarum alarum aquilam[x, 6] emigrabit. De regno utique[y] Siculo volabit ad imperiale fastigium, set[z] processu temporis[a] versus in rabiem propinabit ecclesie matri poculum venenosum. *Fiat*, inquit Iacob patriarcha[b, 7], *coluber in via,*

---

*) Am Rande R: 'De Frederico'.

a) So habe ich schon mit Rücksicht auf die Isaias-Stelle verbessert; 'imperium (impium, inp.)' VBR, in R am Rande: 'Ex. XVII'. b) 'uiū' V. c) 'reducant' R. d) 'matrix' V. e) 'germen' R. f) 'tand.' fehlt R, am Rande: 'Apo. VII'. — 'proiectis' B. g) 'et' fehlt R. h) 'demotus' B. i) 'in Apoc.' B; 'Inde Apoc.' fehlt R. k) 'stetit' R mit Vulg. l) R setzt hier aus der Vulg. zu: 'que erat paritura etc.', statt des folgenden bis 'in eternum' da aber nur: 'Usque ibi: et fumus tormentorum eius ascendet in secula seculorum' (a. R.: 'XIIII. d.') = Apoc. 14, 11. m) 'filiam' B. n) 'uidit' VB. o) 'et — eternum' fehlt B. p) 'istius' R. q) 'stat. tot. conpr. ecce (!)' R. r) 'sentiet' B; 'de tuo disponat post.' R. s) 'scribere st. noster' R. t) 'non postp.' fehlt R. u) 'petis' R. v) 'procreatus' R. w) 'agnus' fehlt R. x) 'aquila' R. y) 'itaque' B. — 'syc.' R. z) 'set et' B. a) 'temporum' B. b) So R; 'pater' VB.

1) Is. 11, 4: 'percutiet terram virga oris sui et spiritu labiorum interficiet impium'. Am Rande R: 'Ys. XI'. 2) Auf dem Konzil von Lyon 1245. 3) 12, 4. 4) Apoc. 13, 1. Bekanntlich bezeichnet Gregor IX. mit derselben apokalyptischen bestia Friedrich II. zu Beginn seines berüchtigten grossen Rundschreibens von 1239 Juli 1, MG. Epist. pont. sel. I, 645 ff., n. 750. 5) Apoc. 13, 11 — 14, 10. 6) Ezech. 17, 3: 'Aquila grandis magnarum alarum'. 7) Gen. 49, 17. R am Rande: 'Ge. XLIX'

cerastes in semita, mordebit[a] *ungulas equi, ut cadat ascensor*[b] *eius retro.* Quam[c] versutus erit hic coluber, quam astutus[d], ubi *et*[e] *pelle pardi clamidabitur*[1] vigilis[2], et plena dolis eius versabitur sub[f] pectore vulpis, imperialis sensus excogitet[g], et non iam Erithea vel[h] Merlinus aut alius[i], set Iohannes veritatis seriem[k] administret. Duas quidem[l] depingit celebres mulieres: unam[3] amictam sole et calcato minore[m] lumine stellis[n] XII coronatam, reliquam[4] auro[o] circumdatam sanctorumque[p] sanguine temulentam; quarum sicut erunt mixta discrimina, sic et tu non exorreas[q] que mox post te fuerint affutura.

Mulier amicta sole[5] ecclesia Romana describitur, de qua Ys.[r,6]: *Civitas solis vocabitur una.* Inter ceteras enim ecclesias IIII^or precedentes, Ierosolimitanam[s], Antiochenam, Alexandrinam et Constantinopolitanam, Romana precellit, quia ceteris datis in atrium[t] ipsa sola ob firmitatem fidei facta est tenplum Dei[7]. *Non,* inquit[8], *auferetur*[u] *sceptrum de Iuda*[v], *donec veniat qui mittendus est,* et[w] ad Petrum dicitur[x,9]: *Tu es Petrus, et super*[y] *hanc petram he[dificabo]*[z] *ecclesiam meam, et porte inferi non prevalebunt adversus eam*[a], preambuli silicet Antichristi; habet[b] quippe Petrus cum Iuda concordiam, sicut Ruben[c] cum Andrea, Gad[d] cum Symone[e], Levi cum Matheo, Ioseph[f] cum Iohanne, Beniamin cum Iacobo[g] uterino, Dan cum Iuda, de[h] quibus alibi latius disseremus. Quia vero repulsis ceteris tribubus elegit Dominus tribum Iuda, de ipsa concorditer eloquamur.

---

a) 'mordens' R mit Vulg. b) 'assessor' V. c) 'Quoniam quam' R. d) 'astutu' B. e) 'et' fehlt B. f) 'in' R. g) 'cogitet' R. h) 'et' V. i) 'aut alius' fehlt R. k) 'sapientie' (?) B. l) 'quippe' R. m) 'a minori' B; 'inferiori' R. n) 'stellas' B. o) 'vero' B. p) 'sanctorum' R; fehlt B. q) 'exerceas' R; 'tu hōcitas' B. r) 'XIX.' setzt zu R. s) 's(cilicet)' setzt zu R. t) 'cetis datis incertum' B. u) 'aufertur' V; 'aufetur sc. inquid' R, wo 'Ge. XLIX.' am Rande. v) 'et dux de femore eius' setzt R aus der Vulg. hinzu. w) 'et' fehlt B. x) 'dicit' R. y) 'super — eam' fehlt B, wo folgt 'etc̄.'. z) 'edi.' R, wo die meisten Worte dieses Verses abgekürzt sind. a) 'porte inquit inferi' setzt zu R. b) 'habent' B. — 'quidem' R. c) 'rubē' V. d) 'Gat' V. e) 'sim.' V. f) 'Iosep' V. g) 'Iohannis' setzt zu R. h) Für 'de — eloquamur' hat R: 'Mulier igitur amicta sole Romana est ecclesia'.

1) Das sind Worte der sog. Sibylla Samia, N. A. XV, 178, über welche vgl. N. A. XXX, 324. 2) Jerem. 5, 6: 'pardus vigilans'; vgl. oben S. 150. 3) Apoc. 12, 1. Am Rande R: 'Apo. XII'. 4) Apoc. 17, 4. 6. Am Rande R: 'XVII'. 5) Apoc. 12, 1. 6) 19, 28. 7) Apoc. 11, 1. 2: 'Surge et metire templum Dei . . . atrium autem, quod est foris templum, eice foras et ne metiaris illud, quoniam datum est gentibus'. Vgl. oben S. 143. 8) Gen. 49, 10. 9) Matth. 16, 18.

Luna[1] mundus est, cuius caput Roma, quem[a] habet sub pedibus Romana ecclesia de plenitudine[b] potestatis. Duodecim stelle totidem ecclesie cardinalium sacerdotum. Que, licet in utero fidei habeat[c] verbum Dei, idcirco tamen[d] clamat et parturit, quia, unde suscipit de beata fecunditate letitiam, inde sustinet[e] in prolis editione[f] pressuram. *Draco*, inquit[2], *stabat ante*[g] *mulierem*. Draco iste tuus posterus est[h], quem Dominus ad illudendum ecclesie crescente iniquitate formabit. Magnus[i], rufus cornutusque describitur[3], ut[k] non solum per imperium et regnorum adeptorum auxilium, set[l] in omni crudelitate, qua poterit, ecclesie filiis adversetur. Unde et[m] Aman, qui interpretatur 'iniquitas'[4], malum, quod in Mardocheum Assueri[n] portarium ex proditionis apertione conceperat, in omne genus eius çelo ficte fidelitatis intorsit. Simile quidem futurum est de Christi vicario, quem pro nichilo ducet[o] affligere, nisi posset[p] et alios[q] ecclesie filios et[m] a fide proscribere et de terra delere.

Habens septem capita[r, 3]. Primum[5] caput draconis[s] fuit in specie[t] Herodes. Secundum Nero. Tertium Constantius[u] Arrianus. Quartum Cosdroe[v]. Quintum Henricus Alamannus. Sextum Saladinus. Septimum ipse prophanus[6]. Nempe cum Herode[w] habet concordiam; unde timendum[x] est, ne non valente[y] eo[z, 7] fidem Christi[a] elidere vel doctrinam[b] in partibus Gallicis, ad quas oportet Christum in

---

a) 'quoniam' R. b) 'eccl. plenitudinem' R. c) 'habet (ht̄)' V; 'habent' B. d) 'terra' B; 'inde' R. e) 'substinet' B. f) 'educatione' R, wo 'press.' fehlt. g) 'stetit ad' R; vgl. oben S. 157, N. k. h) 'est post.' V. i) 'et' setzt zu V. k) 'et' R. l) 'set et' R. m) 'et' fehlt R. n) 'assuer̄' V; fehlt R. — 'portarum' V. o) 'ducit' B; 'duceret' R. p) 'possit' B. q) 'al.' fehlt R. r) 'cap. VII' R; 'Hab. s. cap.' fehlt V. s) 'dr. cap.' B; 'capud fuit dr.' V. t) 'in sp.' fehlt R. — 'herodis' V. u) 'constantinus' R. v) 'chorroe' korr. in 'chosroe'. nachher 'Cosroe' V. w) 'herede' BR. x) 'timendus' R. y) 'ne inualescente' B. z) 'eo' fehlt R. a) 'Chr. fid.' B. b) 'doctr.' fehlt R.

1) An der zitierten Stelle Apoc. 12, 1. 2 heisst es nämlich: 'Mulier amicta sole, et luna sub pedibus eius, et in capite eius corona stellarum duodecim, et in utero habens clamabat parturiens'. 2) Apoc. 12, 4. 3) Apoc. 12, 3: 'draco magnus, rufus, habens capita septem et cornua decem'. 4) Isid. Etym. VI, c. 2, § 29, Opera ed. Arevalus III, 246: 'Aman, qui interpretatur iniquitas'. 5) Das folgende steht fast ebenso auch in der Interpret. in Jeremiam cap. 10, Coloniae 1577. p. 143. Vgl. oben S. 98 f. 158 und die Vorsatzblätter zu Joachims Interpretatio in Apocalypsim, Venetiis 1517. 6) D. i. Friedrich II. Vgl. Ezech. 21, 25: 'Tu autem profane, impie dux Israel, cuius venit dies in tempore iniquitatis praefinita'. 7) Friedrich II.

spiritu[a] fugere[b], per totam Iudeam — Ytaliam utique — filii ecclesie[c] trucidentur. Nero vero[d] ydolatrie cultum amplificans Petrum peremit in stipite et Paulum ad suggestionem[e] Symonis iugulavit. Duo isti signant duos ordines affuturos, de quibus Apoc.[f, 1]: *Dabo duobus testibus meis* — fidelibus[g] — *prophetare M ducentis sexaginta diebus;* quos puto ab eodem tuo postero reprobandos suadentibus Patarenis[h], et si locus iste sit non tam ad doctores ecclesie[i] quam ad[k] pontifices referendus[l]. Constantius[m] ad suadelam Arrii et[n] Sabellii non solum Greciam, set et[o] Ytaliam erronea doctrina fedavit; et quia necesse est, ut heres tuus Grecis adhereat, et secundum Sibillam[2] eius *ad Danaos* sit *volatus,* fidem procul dubio in dictis regionibus perturbabit.

Cosdroe rex Persarum, cui perditus Machometus[p] adhesit, crucem sanctam arripuit et in Christi contumeliam multa milia virginum in Thebaida et Egypto degentium ex vite dissolutione corrupit. Videat ipse posterus tuus[q], ne Machometica[r] labe respersus[s] quartum caput in sui[t] confusione possideat et ferrum, quod ex eo ducit[u] originem[3], in pedibus statue cum luto[4] conpingat. Daniel[v, 5] quoque[w] dicit[x], quod deum Maozin[y] venerabitur in loco sancto[z], quia sub Christiano nimirum[a] nomine deum excolet[b] alienum.

Henricus primus Alamannorum rex, a quo tu sextus Henricus inscriberis, quintum caput draconis optinuit[6], set quantum Romanam afflixit[c] ecclesiam, aquilonaris regio reseret[d], in qua, ut equari possit altissimo, posuit damp-

---

a) 'iterum' setzt zu R. b) 'effugere' B. c) 'ecce filii' R. d) 'quoque' R. e) 'sugiestonem' V. f) 'XI.' setzt zu R. g) 'fid.' fehlt R. — 'prophetarum' V; 'et prophetabunt diebus MCCLX amicti saccis' R nach der Vulg. h) 'paterinis' R. i) 'ecclesiarum' R. k) 'ad' fehlt V. l) 'referendum' VBR? m) 'Constantinus' R. n) 'atque' R. o) 'et' fehlt V. p) 'maomethus' V; 'mahometus' R. q) 'tuus' fehlt B; 'iste tuus post.' R. r) 'maomethica' V; 'mahometica' R; 'machumetana' B. s) 'conspersus' R. t) 'sua' B. u) 'duxit' B. v) 'Danihel' B. w) 'quidem' V. x) 'dicto' B. y) 'mahozi' R; Raum dafür leer gelassen B. z) 'suo' B mit der Vulg. a) 'nim.' fehlt R. b) 'excolat' B. c) 'affixerit' R; 'romanum affl. ecclesia' B. d) 'referat' R.

1) 11, 3. Vgl. oben S. 156, N. 3. 2) Eritheam, N. A. XV, 167. XXX, 333. 3) Dan. 2, 40: 'Et regnum quartum erit velut ferrum'; oben S. 155, N. 1. 4) Dan. 2, 41: 'vidisti ferrum mistum testae ex luto'; cf. v. 43. 5) 11, 38. 6) In der ganzen pseudojoachitischen Litteratur ist Heinrich I. als Verfolger der Kirche mit Heinrich IV., den die Italiener den dritten nannten, verwechselt. Vgl. Interpret. in Jeremiam c. 4, ed. Colon. 1577. p. 8.

nabiliter sedem suam [1]. O quam ista sedes diaboli hucusque prevaluit, quam [a] profecit! Unde et tu ipse [b], cui presides, in cronica [c] rei publice cogita, si [d] sedes ipsa, quam Dominus in postero collidet in terram [e, 2], non [f] perversum te possidet successorem; set si forsan in tantum extolleris, ut, de [g] ipso quid sentiam, non cognoscas, scito, quod ex ea et si finetenus [h] corrues, tamen in duobus, qui [i] post de futuri sunt, leo silicet [k] aquilonaris [l] et aquila [3], ipsis etiam [m] vita fungentibus [n] casum lues.

Saladinus autem diebus istis quid fecerit, mens dicere refugit, set Ierosolima vetus illa non sileat, quam sepe [o] Dominus [p] in furoris virga [4] flagellat. Videtur michi, quod heres tuus regnum illud [5] accipiet et tandem contra ipsum spiritum indignationis obfirmans [6] per bestiam, que ascendit [q] de abysso [7], concepte malitie rabiem explicabit.

Septimum caput ipse ex ferro lutoque [r] conpactum [8] supra quam credi potest [s] universa vastaturus insurget [t, 9], de quo quid sequitur [u], lingua balbutiens prosequatur [v].

Et cornua X [10]. Licet ista draconis cornua [w] in escam Ethyopum [x, 11] distributi — populorum [y] malitiam excedentis [z] — a cornibus X bestie coccinee [12] — si [a] tamen ipsa sit, et non alia, que ascendet [b] de abysso — sub alia descriptione discordent, tamen inter specialia et generalia aliquid duximus [c] distinguendum. Quia cornua bestie, sicut

---

a) 'quantum' R. b) Nachher 'tibi' übergeschr. V. c) 'cramea' B; 'ipse in romana cron. rei publ. cui pres. cog.' R. d) 'sı (set)' V. e) 'terre puluerem' R. f) 'non' fehlt B. g) 'ut et de te' R. h) 'ex eo suisque in tinem (finem?) n̄(on)' R. i) 'qui et' R. k) 'sil.' fehlt B. l) 'leone sil. aquilonario' R. m) 'et' R. n) 'fugientibus' V. o) 'sepe' fehlt V. p) 'dcs (dictus)' R. q) 'ascendet' V; 'de abisso asc.' R. r) 'luteoque' B. s) 'quam creditur' R. t) 'inconsurget' B. u) 'sequatur' R. v) 'prosequetur' B. w) 'cornua drac.' B. x) 'ethiopum' B. y) 'pp' R. — 'malitia' V. z) 'excedentes' V; 'extendentis' B. a) 'si' fehlt B. b) 'ascendit' B. c) 'dixerimus' B.

1) Is. 14, 13. 14: 'exaltabo solium meum, sedebo in monte testamenti, in lateribus aquilonis . . . similis ero altissimo'. 2) Ps. 88, 45: 'sedem eius in terram collisisti'. 3) Vgl. oben S. 150 f. 4) Is. 10, 5: 'virga furoris mei'. 5) Das von Jerusalem. 6) Dan. 5, 20: 'spiritus illius obfirmatus est ad superbiam'; Ezech. 3, 14: 'in indignatione spiritus mei'. 7) Apoc. 11, 7. 13, 1; vgl. oben S. 147. 157. 8) Dan. 2, 41. 43. 9) Vgl. oben S. 156, N. 1. 10) Apoc. 12, 3; vgl. oben S. 157. 11) Ps. 73, 14: 'Tu confregisti capita draconis, dedisti eum escam populis Aethiopum'. 12) Apoc. 17, 3: 'vidi mulierem sedentem super bestiam coccineam . . . habentem capita septem et cornua decem'. R am Rande: 'Apoc. XVII'.

ab apertione[a] quarti signaculi habuerunt exordium, et sub sexto et septimo fortius ventilabunt, ita draconis cornua ab ipso primo signaculo inceperunt factura[b] usque ad sextum simul[c] et septimum ea mala, que non fuerunt[d] a principio neque[e] fient. *Draco*, inquit[1], *dedit virtutem*[f] *suam et potestatem*[g] bestie precedenti, ex quo conicitur[h], quod heres tuus Saracenis[i] adherens regnum Ierusalem[k] veteris[l] conteret et, quod maius est, de longe venientes[m. 2] populos super terram Emmanuelis[n. 3] inducet. *Ungule*[o], inquit[4], *equorum eius ut silex, et rote eius quasi impetus tempestatis. Vox eius ut mare sonabit*[5]. Abyssus et mare idem signant[p]; de quo[q] bestia in populorum multiplicitate conscendet[r], nisi forte quia, quod imperabit princeps imperii, exequetur tunc temporis rex abyssi[6]. Et Merlinus[7]: *In*[s] *tempore suo mare sanctorum sanguine rutilabit*, et Apoc.[8]: Venit et *stetit draco*[t] *super arenam*[u] *maris*. Arena maris[v] modo aquis salsis infunditur[w], modo solis ardoribus exsiccatur; falsos utique Christianos significat, qui[x] et imperii[y] molestias sustinent et Christiani nominis vim[z] contempnunt. Videant huiuscemodi[a] homines bestie caracterem admittentes, ne qui[b] duplices esse maluerunt[c] terre marisque pericula sub ecclesie reique publice turbatione[d] subintrent. Inter templum[e] et edem Çacharias[f. 9] pontifex summus[g] occiditur, pro quo necesse est, ut Petri vicarius sub filii tui persecutione prematur et simul[h] cum Petro a facie Herodis[10] effugiat vel raptus ad solii gloriam[11] protervos in virga ferrea

a) 'operatione' V. b) 'facta' B. c) 'simul' fehlt R. d) 'fecerunt' B. e) 'nec' B. f) 'potestatem' R. g) 'et pot.' fehlt R. h) 'cognoscitur' R. i) 'sarrac.' V (hier) R. k) 'hier.' B; 'ih'rl'm' R. l) 'uehementer' V. m) 'uenientis' B. n) 'hemanuhelis' B; 'emanuel' R. o) 'Ungule — et Apoc.' fehlt R. p) 'signatur' V; 'significant' korr. in 'signant' B. q) 'qua' B. r) 'conscende' B. s) 'In' fehlt B. t) 'dr. et st.' R. u) 'arena' V; 'har.' B. v) 'Ar. maris' fehlt B; 'q̄ (que)' setzt zu R. w) 'refunditur' B. x) 'signat q (quod)' V. y) 'impii' R. z) 'vim' fehlt B. a) 'hi9' R. b) 'adm. neque' V. c) 'maluerint' B. d) 'perturbatione' R. e) 'enim' setzt zu R. f) 'çaternarias' B; 'zach.' VR. g) 'summ. pont.' R. h) 'si vel' B?

1) Apoc. 13, 2. R am Rande: 'XIII'. 2) Is. 49, 12: 'Ecce isti de longe venient'; 60, 4: 'filii tui de longe venient'. 3) Is. 8, 8: 'implens latitudinem terrae tuae, o Emmanuel'. 4) Is. 5, 28. 5) Jerem. 6, 23; cf. Is. 5, 30. 6) Apoc. 9, 11: 'habebant super se regem angelum abyssi'. 7) N. A. XV, 177; Salimbene f. 359[b], SS. XXXII, 360. 8) 12, 17. 18, wo aber 'Venit et' nicht steht. R am Rande: 'Apo. XII'. 9) Luc. 11, 51: 'Zachariae, qui periit inter altare et aedem'; Matth. 23, 35: 'Zachariae . . ., quem occidistis inter templum et altare'. Vgl. oben S. 148. 10) Act. 12, 6—9. 11) Apoc. 12, 5: 'raptus est filius eius ad Deum et ad thronum eius'.

feriat vel vasa figuli fallentis effringat[1]. Quod[a] mulier fugit in solitudinem[b, 2], designat Christi vicarium ad tutiores[c] partes Christiani populi secessurum[d] alendumque cum suis tam a regibus quam a clero in illis partibus constitutis. Interim[e] vero, donec idem[f] in angelo et draco diabolus in postero robore resumpto confligant, draco ipse locum amplius non obtinebit[g] in celo[3], quia forte pelletur[h] a solio et repelletur[i] in regnum[k, 4] plus a suis tunc quam ab aliis rescidendum[l]. Unde conicitur, quod[m] erit inreparabilis casus eius[5], tum propter delationem summi pontificis, tum propter effusionem sanguinis populi[n] innocentis. Quod[o] misit[p] flumen quasi aquam[q] post eam[r] ex ore suo, et terra flumen absorbuit iuvans illam[6]: videtur[s], quod[t] delegatos[u] suos sapientes et quasi pseudoprophetas[v] disperget in seculo ad[w] excusationem sui et[x] ad[y] infamationem[z] vicarii contra servitutem imperii satagentis. Set quia[a] fideles terre dolis[b] vulpis huius[c] precognitis aures[d] detractionis errorisque sermonibus non prestabunt, unde[e] iuvamen ecclesie conferent, inde[f] virulenta consilia quasi nocumenta subvertent[g]. Et quia nimis adhuc *in sua*[h] *confidet prudentia* iuxta [Merlinum[i, 7]] vatem,

a) 'autem' setzt zu R. b) 'solitu^ne' V. c) 'tuitiores' B. d) 'successurum' V; 'secedendum' B; 'sesessurum' R. e) 'Interitu' B. f) 'id' B. g) 'optin.' B. h) 'repelletur' R. i) 'impelletur' R. k) 'rep. a regno' B. l) So B; 'residendum' V; 'suis quam ab alienis tunc temporis rescindd'' R. m) 'qui' B. n) 'pop.' fehlt R. o) Für 'Quod — illam' hat R den Text der Vulg., wie ich ihn in N. 6 angegeben habe bis 'absorbuit flumen' ohne 'et aper. — suum'. p) 'Qui transit' B. q) 'aqua' B. r) 'eum' V. s) 'uel' V. t) 'qui' B. u) 'legatos' R. v) 'prophetas' R. w) 'tam ad' R. x) 'quam' R. y) 'ad' fehlt V. z) 'infaiationem' korr. in 'infamationem' V; 'infamiam' B; 'Christi' setzt zu R. a) 'quia' fehlt R. b) 'dolū' R. c) 'huius vulpis' B. d) 'aurores' B. e) 'ut' R. f) 'conferant et' R. g) 'subuertant' R. h) 'in sua' fehlt B. i) 'Merl.' fehlt BR, war wahrscheinlich im Archetyp nur am Rande vermerkt, wie in den pseudojoachitischen Hss. oft die im Texte zitierten Schriften.

1) Apoc. 2, 27: 'reget eas (gentes) in virga ferrea, et tamquam vas figuli confringentur'. 2) Apoc. 12, 6: 'et mulier fugit in solitudinem, ubi habebat locum paratum a Deo, ut ibi pascant eam diebus mille ducentis sexaginta'. 3) Apoc. 12, 7. 8: 'Et factum est proelium magnum in coelo, Michael et angeli eius proeliabantur cum dracone, et draco pugnabat et angeli eius . . . neque locus inventus est eorum amplius in coelo'. 4) Friedrich II. kehrte, nachdem er zu Lyon 1245 abgesetzt war, ins Königreich 1249 zurück, ohne wieder nach Oberitalien zu kommen. 5) Eccli. 28, 32: 'sit casus tuus insanabilis'. 6) Apoc. 12, 15. 16: 'Et misit serpens ex ore suo post mulierem aquam tanquam flumen . . . Et adiuvit terra mulierem, et aperuit terra os suum et absorbuit flumen, quod misit draco de ore suo'. 7) N. A. XV, 176; Salimbene l. l. p. 359.

faciet prelium cum reliquis de semine mulieris[1], expellens forsitan et occidens filios ecclesie, duos testes[2], furore succensus[a], pro eo quod[b] mandata Christi vicarii custodiant[c] et non sua sicut ceteri[d] draconem ipsum et bestiam — catervam sibi[e] obedientium — adorantes[3]. Diligentes ergo mundum et que eius[f] sunt sapientes[4] ad se incredibiliter[g] attrahet et faciet, ut, qui in[h] gladio occiderit verbi Dei, erroris sui gladio feriatur[i. 5]. Ex[k] hoc loco datur intelligi, quod alii[l] contra ipsum insurgere[m] conabuntur turbantes regnum et populos exteros animantes. Set quia nondum regni vel[n] ecclesie rubigo consumitur[6], in brevi de eis tamquam dissolutis[o] viribus ulciscetur[p]. Unde Ieremias[7]: *Perdix fovit que*[q] *non peperit, fecit divicias et non in iudicio, in dimidio temporis perdet*[r] *eas, et in novissimo suo erit insipiens.* Perdix ista[s] posterus tuus est[t], vel quia perdet plurimos, vel quia in fine[u] ipse perdetur. Incautus enim[v] et hostilis familiaritatis elusus[w] *bellum dolebit* merito[x] *intestinum*[y. 8], propter quod de Ytalie partibus non minus furibundus quam stupidus redire cogetur[z] in regnum, facturus in draconis astutia illa seva, que forsan[a], nisi experta fuerint, non credentur. Gemat in hoc generalis ecclesia, quia enormem filium pariens illius necesse est sub pressura tabescere, sub quo predam didicerit[b] capere et quasi leo leunculos proprios[c] devorare[9]. Attende,

a) 'accensus' B. b) 'qui' B. c) 'custodiens' B; 'custodient' R. d) 'et cet.' R. e) 's(cilicet)' R. f) 'et ea que mundi' R. g) 'indicibiliter' R. h) 'ut quasi' R. i) 'feriantur' R. k) 'Set' B. l) 'int. qui aliqui' B. m) 'surgere' V. n) 'nond. gn̄al' (generalis)' R. o) 'de diss.' R. p) 'illiscetur' R. — 'Unde et' V. q) 'quem' B. r) 'in medio dierum suorum derelinquet' R nach der Vulg. s) 'hi⁹' R. t) 'est' fehlt V. u) 'quia finaliter' R. v) 'est' B. w) 'fam. arte delusus' R. x) 'in utero' R. y) 'intestino' V. z) 'cog.' am Rande ergänzt, wo im Text getilgtes 'in mundum' folgte, V. a) 'forte' R. b) 'didiscerit' R; 'didicit' B. c) 'leonculos pp̊s (populos)' R.

1) Apoc. 12, 17: 'Et iratus est draco in mulierem et abiit facere proelium cum reliquis de semine eius, qui custodiunt mandata Dei'. 2) Vgl. oben S. 156, N. 3. 3) Apoc. 13, 4: 'Et adoraverunt draconem, qui dedit potestatem bestiae, et adoraverunt bestiam'. 4) Matth. 16, 23 (Marc. 8, 33): 'quia non sapis ea quae Dei sunt, sed ea quae hominum'; Joh. 2, 15: 'Nolite diligere mundum neque ea quae in mundo sunt. Si quis diligit mundum'. 5) Apoc. 13, 10: 'qui in gladio occiderit, oportet eum gladio occidi'. 6) Ezech. 24, 11: 'consumatur rubigo eius'. 7) 17, 11. 8) Das sind Worte der kürzeren Sib. Erithea, N. A. XXX, 333. 9) Ezech. 19, 3. 5. 6: 'leo factus est et didicit capere praedam hominemque comedere . . . tulit unum de leunculis suis . . . et factus est leo et didicit praedam capere et homines devorare'. R am Rande: 'Eze. XX'.

cesar, quod puer tuus, immo vir Belial[1], pardi varietate vestitus[2], sicut cunctis fuerit improbus, sic et quibuslibet[a] odiosus. Coloratus siquidem maculis fraudisque[b] versutus amplo[c] in[d] omnes ore deseviet, quia, sicut de urso habebit ingluviem, de leone audaciam, ita et[e] de pardo[3] pavido levitatem[f]. Set si a[g] ceteris[h] bestiis seculi quasi saltus bestia[i] ipsa dissimilis legitur[4] affutura, quis[k] tam audax fuerit, ut cum eo aggrediatur[l] et certet[m]? Loquetur[n] grandia[5], persequetur ecclesiam[o], sanctos altissimi conculcabit[6], et ut brevi[p] cuncta concludam, malitie[q] eius non erit finis, quia puteum abyssi aperiet[7] et fumum ad mentes instabiles sue feditatis[r] emittet. Habebit enim mel in ore, quo mulceat, set in cauda feret aculeum[8], unde pungat. Finis ergo eius erit valde[s] sevissimus, sicut initium humile[t], medium gloriosum. Tu autem claude sermones[9] usque ad tempora postera[u] prefinita, quia velut ignis probabuntur multi, et quasi era in fornace eius ferrea[v] conflabuntur[10]. Ecce enim squama squame[w] et bestia bestie adherebit[11], ut nulla detur ecclesie militanti quietis occasio, set laboris. *In mundo* quidem[x] *pressuram habebitis*[y], inquit quidam[z.12], set necesse est fideles in eo[a] vincere mundi nequitias, qui[b] mundum et eius principem virtutis sue potentia[c] superavit[13].

---

a) 'quibusdam' R. b) 'fraudis' R. c) 'p̄lio' R. d) 'et' B; fehlt R. e) 'et' fehlt B. f) 'lenitatem' V. g) 'et' R. h) 'cunctis' B. i) 'bestia — affutura' fehlt R. k) 'q̄uis (quevis)' R. l) 'ingrediatur' B. m) 'certetur' B; 'conteretur' R. n) 'autem' setzt zu R. o) 'superabit populos' setzt zu B. p) 'in br.' V. q) 'militie' V. r) 'fetiditatis' V; 'feditates' B. s) 'valde' fehlt R. t) 'humil'(is)' V. u) 'posteri' R. v) 'ferrei' R. w) 'scam̄ scame' R. x) 'inquit dn̄s' R. y) 'habetis' V. z) 'inq. quid.' fehlt hier R. a) 'in eo fid.' R. b) 'qui et' R. c) 'potentiam' B.

1) 2. Reg. 16, 7. 20, 1. 2) Die Sib. Erithea sagt von Friedrich II., N. A. XV, 164. XXX, 382: 'cuius color sicut pardi (pardus)'. 3) Vgl. Apoc. 13, 1: 'Et bestia, quam vidi, similis erat pardo, et pedes eius sicut pedes ursi, et os eius sicut os leonis'. 4) Dan. 7, 7: 'bestia quarta terribilis atque mirabilis . . . dissimilis autem erat ceteris bestiis'. 5) Dan. 7, 20: 'habebat oculos et os loquens grandia'. 6) Dan. 7, 25: 'sanctos altissimi conteret'. Vgl. Salimbene f. 220[b], p. 31. 7) Apoc. 9, 2: 'Et aperuit puteum abyssi, et ascendit fumus putei'. 8) Apoc. 9, 10: 'et aculei erant in caudis earum'. 9) Dan. 12, 4: 'Tu autem, Daniel, claude sermones et signa librum usque ad tempus statutum'. 10) Ezech. 22, 22: 'Ut conflatur argentum in medio fornacis'; Jerem. 11, 4: 'qua eduxi eos . . . de fornace ferrea'. 11) Ezech. 29, 4: 'universi pisces tui squamis tuis adhaerebunt'. 12) Joh. 16, 33. 13) Joh. 16, 33: 'ego vici mundum'; cf. 1. Joh. 5, 4. 5.

Descripta dissimili[a] bestia, que quarto ecclesie tempore generaliter[b] ascendet[c] de abysso[1] et specialiter de Romano[d] condescendet[e] imperio sub tuo postero, pardi[f] varietate resperso[2], qui sextum calcaturus[g] ecclesiam[h] occupabit, pro eo[i] quod, sicut[k] *de ferri orietur plantario*[l, 3], sic et federabitur populo Saraceno[m] tam in Ytalia quam in Iudayca provincia iam[n] eversa, quod patenter insinuat[o] egressa de finibus pristinis[p] Cananea[4], que respicit a Sicilia[q] barbaros transferendos et feriendos[r] populos circumquaque dispersos; et si in angustia sui temporis gentes innumerabiles per ipsum[s] posterum advocentur[t] orientales provincias[u] vastature, ut vates nostri[v] veridici manifestant[5], alia[w] truculentior de terra consurget cuneum[x] preferens Patarenum[y]. Ad quorum instinctum[z] eo[a] insidiarum sponse agni laqueos superducat[b] et pedicas[c] subtegat[6] falsitatis, quo[d] verisimilia prestabit simplicibus argumenta. Habebit enim duo cornua agni similia[*, 7], ut per prioris bestie cornua contrarios feriat et per huiusmodi[e] innocuos sub specie pietatis eludat. Inde Merlinus[8] prima vite[f]

---

*) Hierzu hat R auf dem unteren Rande, obgleich das damit in garkeinem Zusammenhange steht: 'Sicut Christus Iesus dictus est rex et pontifex et propheta, ita et Antichristus[g] nunc prophetam, nunc pontificem, nunc se regem Christum simulabit et dicet; tam vero magna erunt signa, que faciet, licet omnia falsa et mendaciis plena, ut nulla extimentur signa Christi comparatione signorum eius'.

a) 'Descr. est ergo dissimilis' R. b) 'gener.' fehlt R. c) 'ascenderit' B; 'ascendit' R. d) 'pulchra uarietate resperss' setzt hier ganz verkehrt zu R. e) 'conscendet' B; 'concendit' R. f) 'pardi var. resp.' fehlt hier R. g) 'tempus' setzt zu R. h) 'eccas' R. i) 'eo s(cilicet)' R. k) 'sicut' fehlt V. l) 'plant. or.' R. m) 'sarrac.' B (hier) R. n) 'tam' B. — 'auersa' R. o) 'pronunciat' R. p) 'p̄stās' R. — 'chananea' V. q) 'cilicia' R; 'resp. sicilie' B. r) 'ferendos' V. s) 'tempora' B. t) 'aduocantur' B. u) 'prouincie' R. v) 'nū' R (statt 'nr̄i'). w) 'Alia uero' R. — 'truculentorum' V. x) 'surget cuneos' R. y) 'paterinos' R. z) 'instantiam' B. a) 'eo s(cilicet)' R. — 'insidiare' B. b) 'superducescat' R. c) 'pedicam' R. d) 'quo et' R. e) 'h⁹ (huius)' V; 'hi⁹' R. f) 'vice' V; 'vita' B. g) 'anχ⁹' R.

1) Vgl. oben S. 161, N. 7. 2) Vgl. oben S. 165, N. 2. 3. 3) Dan. 2, 41; vgl. oben S. 155, N. 1. 160. 4) Matth. 15, 22: 'ecce mulier Chananaea a finibus illis egressa'. 5) Ich weiss nicht, wo das steht, in den sonst hier benutzten Verba Merlini und Sib. Erithea und Samia nicht. 6) Jerem. 5, 26: 'inventi sunt in populo meo . . . laqueos ponentes et pedicas ad capiendos viros'. 7) Apoc. 13, 11: 'Et vidi aliam bestiam . . . et habebat cornua duo similia agni'. Am Rande R: 'Apo. XIII'. 8) N. A. XV, 176; Salimbene p. 359.

eius postremaque[a] concludens ait: *Inter capras agnus laniandus, non absorbendus ab eis.* Licet enim post te regnum eius dilacerent[b] et quasi vespertiliones[c] totam undique terram concutiant et confundant, personam tamen regiam non offendent. Set cavendum in posterum, ne velut agnus ducatur[d] ad victimam[1] et resumpta leonis audacia edos[e] devoret cervicosos. In articulo siquidem illius[f] angustie regnum lacerari videbitur, set exigente alio mediante[g] misterio, quod conpletum iri[h] per omnia oportebit, etsi alumpnorum viscera contra se[i] viderit[k, 2] vel bellum doluerit intestinum[3], ad faciendam vindictam in populis[4] tam regnicolarum quam Ligurum et etiam Romanorum, mitigatis utcumque[l] regni scismatibus[m] et sibi obloquentium[n] proscriptis forsitan et frustratis, ad imperii negotia redeat et quasi ursa raptis catulis predantibus trux[o] occurrat[5]. Verum quia[p] nidus eius fumo[q] denigratus[6] erroris — qui[r] sicut ipsum letus[s] excipiet, sic et[t] mestus ignem fovisse in gremio penitebit — loqui scribitur[u] sicut draco, prioris exercens bestie potestatem[7]: videtur[v], quod Sicilie[w] barbari cum Patarenis[x] Ligurum in conspectu principis unientur, et eo cum[y] utraque bestia draco ipse crudelius[z] [et sevius[a]] seviet, quo potentius quasi de capite[b] imperialis apicis mortificato[8] resurget.

---

a) 'eius innuens et extrema' R. b) 'dilascerent' R. c) 'ůspertiliones' V; 'uispiliones' B. d) 'ducantur' R. e) 'eos' R. f) 'ill.' fehlt R. g) 'meditante' B; 'm̄diante' R. h) 'ui' B; 'conpleri' R. i) 'contra se visc.' R. k) 'uideret' V. l) 'utrumque' B; 'utriusque' R. m) 'cismat.' R. n) 'obloquentibus' R. o) 'crux' R. p) 'quia' fehlt R. q) 'm̄dus fumo eius' R. r) 'q2 (quia)' V; fehlt R. s) 'letus ipsum' R. t) 'et' fehlt R. u) 'loquebatur' R. v) 'qui vid.' B. w) 'cilicie' R. x) 'paterenis' R. y) 't̄c (tunc)' V. z) 'crudel'(is)' R. a) 'et sevius' fehlt BR. b) 'caple' V.

1) Jerem. 11, 19: 'quasi agnus mansuetus, qui portatur ad victimam'; Jerem. 51, 40: 'Deducam eos quasi agnos ad victimam et quasi arietes cum hoedis'. 2) Verba Merlini, N. A. XV, 177, (und Salimbene p. 360): 'Viscera sua contra se videbit'. 3) Das sind schon oben S. 164 zitierte Worte der kürzeren Sib. Erithea. 4) Ps. 149, 7: 'ad faciendam vindictam in nationibus, increpationes in populis'. 5) Osea 13, 8: 'Occurram eis quasi ursa raptis catulis'. 6) Das ist Cremona. Vgl. die längere Sib. Erithea, N. A. XV, 168: 'pars nidi manu proxima nigrescet'; und die kürzere, N. A. XXX, 333: 'nidus nigrescet'. 7) Apoc. 13, 11. 12: 'Et vidi aliam bestiam . . . et loquebatur sicut draco. Et potestatem prioris bestiae omnem faciebat in conspectu eius'. 8) Apoc. 13, 3: 'Et vidi unum de capitibus suis quasi occisum in mortem, et plaga mortis eius curata est'.

Nec ista mala sola[a] sufficient, set draconem ad suggestionem[b] et deceptionem monstruose huius bestie[c] filii diffidentie adorabunt[1], quasi non habeat tantas vires fides ecclesie, vel abbreviata sit manus Domini[2], qua[d] resistat; et hoc est quod dicitur[3]: *Faciet ignem de celo descendere in terra*[e], utique[f] hominum[g] reproborum. Possibile est, ut signa fallacia[h] huiusmodi[i] faciant heretici[k] pestilentes, quibus omnino draconi adhereant[l] et, quod ipse sit super[m] principatum ecclesie, non diffidant. Habebunt[n] quidem[o] ex agno[p] fictam iustitiam, ex cornibus recurvis innocentiam, ex[q] dracone potentiam, ex adipe[r] doctrinam, ex priori bestia feritatem. Quid ultra[s]? Si sic perfidie fides cedit, et veritas mendaciis non obsistit[t], dum regni pontifices velut arietes[4] in utroque homine languescentes ducantur[u] in captivitatem ante faciem[v] tui posteri[w], perditionis filii[5] subsequentis, non[x] video, quis iugum exactoris huius[y] excutere possit vel debeat, quia data terra in manu[z] impii non erit de facili qui resistat. Rides ex hoc, o cesar, quod profero, et[a] non conpateris populo Christiano vexando[b]; cui[c] predico, ut, si possibile[d] est, mala futura non videant nec[e] sub umbra ramni[f] pestiferi Christi famuli conquiescant[g. 6]. Set si iam[h] id orbis impietas meruit[i], ut tyrannus ipse faciat quod Dei iustitia[k] ab eterno previdit, necesse est, ut de calice furore eius insaniat[7] quivis[l] et[m] fraudis

---

a) 'sola' fehlt R; 'sola mala' B. — 'sufficiant' B. b) 'suggeīoē;' V. c) 'huius bestie monstr.' B; 'huius monstr. bestie' R. d) 'q (que)' R. e) 'terram' R mit Vulg. f) 'ut.' fehlt BR. g) 'hostium' R. h) 'ut si qua falsa' B. i) 'h9 (huius)' V; 'fac. hi9' R. k) 'heretica' V. l) 'adhereat' V. m) 'supra' V. n) 'Habebit' B. o) 'quid.' fehlt R. p) 'igne' B. q) 'et' B. r) 'igne' B. s) 'Quid ultra' fehlt R. t) 'obsistet' B. u) 'ducentur' B. v) 'ante fac.' fehlt R. w) 'post. tui' R. x) 'nec' R. y) 'exaccionis eius' R. z) 'manibus' B. a) 'prefero non' B. b) 'Chr. vex. pop.' B. c) 'cum' B. d) 'possibil'(is)' V. e) 'ne per sub' B. f) 'rapni' V; 'pest. ramni' R. g) 'non quiescant' V; 'requiescant' R; 'conq. Chr. emuli' B. h) 'ita' V. i) 'iniquitas meruerit' R. k) 'iustitiam' B. l) 'cuiuis' B; 'c9 (cuius)' R. m) 'etiam' B.

1) Apoc. 18, 12: 'et fecit terram et habitantes in ea adorare bestiam primam, cuius curata est plaga mortis'; Eph. 2, 2. 5, 6: 'in filios diffidentiae'. 2) Is. 59, 1: 'Ecce non est abbreviata manus Domini, ut salvare nequeat'. 3) Apoc. 13, 13, wo folgt: 'in conspectu hominum'. 4) Vgl. oben S. 167, N. 1 den zitierten Vers Jerem. 51, 40. 5) Joh. 17, 12 und 2. Thess. 2, 3: 'filius perditionis'. 6) Judic. 9, 14. 15: 'Dixeruntque omnia ligna ad rhamnum. . . . Quae respondit eis: . . . venite et sub umbra mea requiescite'. 7) Jerem. 25, 15. 16: 'Sume calicem vini furoris huius de manu mea et propinabis de illo cunctis gentibus . . . Et bibent . . . et insanient a facie gladii'.

fomitem administrat[a]. Si ascenderit[b] quis in celum — ecclesie fidelium[c] —, illic[d] erit, si descenderit in infernum[e] — sequentium Machumeti[f] —, aderit. Si sumpserit pennas diluculo — collegii Patareni[g] inter lucem et tenebras persistentis — et habitaverit in extremis maris[1] — 'imperii Germanorum' subauditur —, inveniet[h]. Nullus locus expers erit [eius[i]] presentie[k], et idcirco[l] ecclesia caveat[m] Christiana, ne in eam[n], cum educandus[o] fuerit, inducatur coluber tortuosus[2]. Et hec de bestiis maris et terre[p] discussa[q] sunt super dracone futuro, cuius in tempore Christianus populus[r] conprimetur[s] ab illis[t] et velut in limo profundi[3] sub procellis imperialis altitudinis infigetur. In mari[u] notatur imperium, in profundo populus barbarus[v], in limo fecis[w] hereticorum omnium cuneus Patarenus[x]. Quia vero conterendus[y] est draco, et bestie capiende[z], tibi tacere[a] non potero, ut scias, quod, quanto altior fastus[b] extiterit, tanto proclivior sit et casus.

Dole, cesar, et satage[c], quia cadet superbus heres tuus et corruet, et sicut non erit qui suscitet[4], sic et in populo[d] eius Dominus ignem çeli[e] furorisque succendet[5]. Licet enim[f] eius gladius contra quosque filios nove[g] Babylonis inseviet[h], tamen ipse quoque columbe gladium non evadet[6], quia, sicut per unum multorum cohercetur audacia, sic et in eum exeretur[i] plurium disciplina. Verum[k] quia

a) 'administret' V. b) 'ascendit' B. c) 'fid. in celum eccl.' R. d) 'illuc' V. e) 'inferum' V. f) 'maomeothi' V; 'inf. populi barbarorum adherit mox ibidem' R. g) 'patereni' R oft. h) 'ueniet' B; 'inv. subaud.' R. i) 'eius' fehlt VR. k) 'presentia' B. l) 'sibi' setzt zu B. m) 'cav. eccl.' B; 'cav. Christ. nauicula' R. n) 'eum' V; 'ipsum' R. o) 'educendus' B. p) 'terre et maris' R. q) 'diffusa' R. r) 'pop.' fehlt V. s) 'opprimetur' B; 'conpelletur' R. t) 'illo' V. u) 'mare' V; 'enim' setzt zu B. v) 'barbaꝗ' V; 'barbarorum' R. w) 'fece' B; 'fex' R. x) 'paterenus' R. y) 'contendus' R. z) 'rapiende' B. a) 'celare' R. b) 'faustus' B; 'status' R. c) 'sat. et' B. d) 'pꝑ' R. e) 'celi' VB; 'zeli' R. f) 'ergo' R. — 'eius' fehlt R, wo am Rande: 'Iere. XLVI'. g) 'noxe' R. h) 'inseuiat' R. i) Von des Schreibers Hand übergeschr. 'vel exercetur' V; 'exercetur' R. k) 'Verumptamen' R.

1) Ps. 138, 8. 9: 'Si ascendero in coelum, tu illic es; si descendero in infernum, ades. Si sumsero pennas meas diluculo et habitavero in extremis maris'. 2) Iob 26, 13: 'obstetricante manu eius eductus est coluber tortuosus'. 3) Ps. 68, 3: 'Infixus sum in limo profundi'. 4) Jere. 50, 32: 'Et cadet superbus et corruet, et non erit qui suscitet eum; et succendam ignem in urbibus eius'. 5) Ezech. 36, 5: 'in igne zeli mei'; Soph. 1, 18: 'in igne zeli eius devorabitur omnis terra'; ib. 3, 8: 'effundam super eos . . . omnem iram furoris mei, in igne enim zeli mei devorabitur omnis terra'; Ezech. 16, 38: 'dabo te in sanguinem furoris et zeli'; Jerem. 17, 4: 'ignem succendisti in furore meo'. 6) Jerem. 46, 16: 'revertamur . . . a facie gladii columbae'.

solius Domini iudicium erit in improbum, non presumat contra eum quis[a] ascendere loricatus[1], set prece repetendus[b] est Dominus, donec lapis divine potentie pedes statue quasset[c] et destruat[d. 2] et omnia regna[e] celi, que sub humano imperio superbiunt, in pulverem ex culpe cognitione[f] deducat.

XLa[g] generatio nunc agitur, conplenda in anno MºCCº, triginta annis per singula supputatis[h], a Christo, cui adhibende sunt due generationes alie[i] et[k] usque ad annum LX. extendende[l], in quo labor tolletur ecclesie[3], et libertas dabitur populo Christiano, contritis regibus[m] omnibus seculi et subiectis — nec dubium — sceptro Christi. Licet enim Erithea[4] LX pedes — annos dumtaxat totidem — indulgeat nato tuo, et Merlinus[5] duos adiciat numero prefinito, tamen, quia et in hoc illis misterium consonat, ambigere non audemus, maxime quia et filiis Israel XL annis dispersis per heremum due sunt addite mansiones, et testes fideles prophetare dicti[n] sunt[6] sub pari misterio MCC sexaginta duobus. Unde conicitur, quod[o] heres tuus sexagenarius quasi erit, set a LIIº anno eius et ultra non sic lene[p] a fideli populo Christi tractabitur[7] sicut prius. Ego autem puto, quod ab anno XLVIII. regni eius, quo eum mater ecclesia coronabit, iacturam sustinebit[q. 8] a viris ecclesiasticis et a suis, ut non solum *extra*[r] *se* — vel *contra* — *viscera* videat[9], set et bellum

a) 'quis' fehlt R, übergeschr. V. b) 'reputandus' B. c) 'casset' R. d) 'conterat' R. e) 'regni' V; 'signa' R. f) 'cogitatione' R. g) 'Sexta' R. h) 'singulas decades subputandas a Chr.' R. i) 'cui addende sunt alie decad'(es)' R. k) Von hier an bis zum Schluss dieses ersten Teiles (— 'non arcetur') fehlt alles R. l) 'extn̄de' V. m) 'regis' V. n) 'dicta' VB. o) 'qui' B. p) 'late' B. q) 'substin.' B immer. r) 'exterret' B.

1) Jerem. 51, 8: 'non ascendat loricatus'. 2) Dan. 2, 35. 45. 3) Vgl. Interpret. in Jeremiam c. 20, ed. Colon. p. 285. 4) N. A. XV, 165. XXX, 332: 'veniet aquila habens caput unum et pedes LX'. Vgl. oben S. 144. 5) N. A. XV, 176 und Salimbene p. 360: 'Vivet in prosperitate sua sexaginta d u o b u s annis'. 6) Apoc. 11, 3. 7) Diese Merlin-Worte sind schon oben S. 144 und bald hiernach wieder angeführt. 8) Das muss von der Krönung Friedrichs II. zum Könige von Sizilien (1197 Mai 17) an gerechnet sein. Das folgende bezieht sich dann auf die Absetzung durch das Konzil zu Lyon 1245 und die Verschwörung Apulischer Grosser gegen den Kaiser 1246 März. Pseudo-Merlin selbst dachte aber bei den 'viscera' an den Abfall von Friedrichs Sohn Heinrich (VII.). 9) Diese Merlin-Worte sind schon oben S. 167 zitiert, und zwar hat Salimbene wie oben S. 101 'extra se', der N. A. XV, 177 gegebene Text 'contra se', wie auch oben S. 167.

doleat intestinum[1]. Sive ergo secundum diffinitionem previam a LII° ruat a solio Romanorum sive a XLVIII°, propter illud[2]: *Bis quinquagenarius* — id est vix quinquagenarius[a, 3] vel bis, duobus annis additis L — *lene tractabitur,* nostro[b] intellectui non obsistit, quia ultimum vite eius, quo magis ad finem accelerat, eo dirius eius rabies necesse est insolescat, et sic laborem ecclesie cum vite sue laboriose previsa meta concludat. *Quadraginta,* inquit[4], *annis proxi[mus]*[c] *f[ui] g[enerationi] h[uic]* — silicet secundi status — *et dixi semper: 'hii errant corde'. Ipsi vero non cognoverunt vias meas*[d], *qui i[uravi] in i[ra] mea, si intro[ibunt] in re[quiem] meam.* Unde videtur, quod[e] propter multos errores et scandala populus fatigatus nec ad Deum ex corde conversus requiem promissam patribus[5] non videbunt, set in tribulatione sub postero tuo, rege inpudente, deficient, qui *supra quam credi potest,* non suo, set divino iudicio *universa vastabit*[6]. Propter quod[f] in hoc meum audiat unusquisque consilium[g], ut patienter sub eius honere[h] subiciat humerum, donec in eo desinat cor firmum. Sane si turbaris et scinderis, quod puerum tuum, pardum fedum, labrum[i] dictaverit imperitum, parce, queso, vel cogita, quia in hac parte magis es[k] princeps tu quam ego presbiter arguendus, ubi domini voluntas exequitur et subditi de meritis non arcetur[l].

Secunda distinctio ad eundem[m].

Quia generalis[n] mundi naufragium, quod sub sexti signaculi vicina reseratione subsequitur per singulas regionum[o], succincta dudum collatione perscribimus[p], adhuc

---

a) 'quinquagenus' B. b) '$\overline{\text{mo}}$' V. c) 'pro$\overline{\text{xi}}$' V; 'ꝓ (pro)' B; die Vulg. hat 'offensus'. Die meisten Worte der Psalmstelle sind in beiden Hss. nur durch Anfangsbuchstaben oder -Silben bezeichnet. d) 'meas' fehlt V. e) 'qui' B. f) 'qui' B. g) 'cons. un.' B. h) 'honore' V. i) 'labium' B. k) 'ē (est)' V. l) Hier schliesst B. m) Diese Ueberschrift hat V, wo 'distintio'. Hier beginnt wieder R, wo die Ueberschrift (schwarz und rot): 'Distinctio tercia (III[a])'. n) 'Qua generale' R. o) 'regioñ' R. — 'succinta' V. p) 'perscripsimus' R.

1) Diese Worte der kürzeren Sib. Erithea sind schon oben S. 164. 167 zweimal angeführt. 2) Zitat aus den Verba Merlini. 3) 'vix quinquagenarius' hat die Vatikanische Hs. 3822, wie oben S. 101 bemerkt. 4) Ps. 94, 10. 11. 5) Vielleicht hatte der Verf. hier die Stelle 2. Reg. 7, 11: 'et requiem dabo tibi ab omnibus inimicis tuis' im Auge. 6) Dan. 8, 24. Vgl. oben S. 156. 161. Auch in der Interpret. in Jeremiam c. 4, ed. Colon. 1577. p. 86. 93 wird dieser Vers auf Friedrich II. angewandt.

de ipso que remanent prolixius enarremus, ut, quem undique cernimus in malitia positum, eius[a] inculcemus pre solito[b] in Romane navicule depressione collapsum. Ab imperio igitur Romanorum, sub quo minamur cervicibus et fessi[c] iam viribus provocamur, exordium iam[d] lugubre presumentes[e], eo licentius sub eius ymagine lugeamus orbis angustias, quo sub aquilonis[f] inportabili pondere in obprobrium fidei voluntarias[g] multiplicamus offensas.

Igitur Onus Babilonis[h] et terre Chaldeorum[i].

Super montem caliginosum[k. 1] et cet.[1] Mons iste tuus est filius a dignitatis culmine subruendus, et forte caliginosus[m] idcirco prescribitur, quia per eum universalis ecclesia doloris lacrimis obtegetur. *Obtexit*, inquit Ieremias[2], *caligine*[n] *Dominus filiam Syon*. Sane[o] si ad montem pestiferum[3] caligo devolvitur, profecto idem erroris tenebris involvetur. Concorditer autem Romanus populus tangitur; unde[p] conicitur, quod eius superbia per tuum filium diruetur[q]. *Dominus*, inquit[r. 4], *precepit militie belli venientibus de terra procul*, de lateribus silicet aquilonis[5], ad ponendam terram in solitudinem et inclitos eius quantotius conterendos[6]. Sane stelle celi cardinales sunt et rectores, de[s] quibus partem draconis cauda prosternet. Set necesse est, ut et[t] ipse de celo ecclesie tetrifer lubricet, cum eum undique repentina calamitas[7] in partibus Ytalie[u] circumcinget*. Cessabit eius exactio, tributa quiescent, et calcato

*) R am Rande: 'De devictione Frederici'.

a) Folgt 'ꝑ (pre)'? V. b) 'incultemus prestitum' R. c) 'confossis' R. d) 'iam' fehlt R. e) 'resumentes' R. f) 'aquilonari et' R. g) 'uoluntarii' R. h) 'babillon.' meist V. i) Hier folgt noch im Text: 'super montem et cet.' V. — Statt dieser Ueberschrift hat R: 'Contra Romam' (rot). 'Adversus Babilonem et terram Cald'[eorum]' (schwarz) R. k) 'caligosum' V, wo 'Super m. cal. et cet.' am Rande. l) 'leuate signum' (statt 'et cet.') R. m) 'caligosus' V. n) 'in furore suo' setzt R aus der Vulg. zu. o) 'Porro' R. p) 'Unde et' R. q) 'tuum posterum deriuetur' R. r) 'ys.' setzt zu R. s) 'e' R. t) 'et' fehlt R. u) 'ytalia' V.

1) Is. 13, 1. In R am Rande 'Ysa. XIII'. 2) Thren. 2, 1. In R am Rande 'Tre. II'. 3) Jerem. 51, 25: 'mons pestifer . . . qui corrumpis universam terram'. 4) Is. 13, 4. 5) Ezech. 39, 2: 'ascendere te faciam de lateribus aquilonis'. 6) Is. 13, 9. 10: 'Ecce dies Domini veniet . . . ad ponendam terram in solitudinem et peccatores eius conterendos de ea. Quoniam stellae coeli et splendor earum non expandent lumen suum'. 7) Prov. 1, 27: 'Cum irruerit repentina calamitas.

pravorum[a] baculo vel contrito sortem eius ericius et honocratulus[b] possidebunt[c. 1]. Ha Deus! turbabit terram[2], regna[d] concutiet et desertis urbibus vel translatis orbem desertum ponet. Et quia vinctis eius carcer perhennis[e] adicitur[3], ipse nec minus[f] ut stirps inutilis[g] de patrum tumulo propelletur[4].

[Contra Liguriam. Adversus Philistiim[h]].

Ne leteris, omnis Phylistea[i] *tu*[5], quia, etsi ad horam virga percussionis atteritur[6], necesse est, ut versa vice undique Liguria conteratur. *De radice*, inquit[5], *colubri*[k] — previi Frederici — *egredietur regulus* alius — silicet[l] Fredericus —, cuius[m] semen — Fredericus tertius iuxta Raynerium[n. 7] — superbos populos absorbebit[8]. *Ab aquilone*, inquit[9], — Germanie — *fumus*[o] *veniet, et non erit qui effugiat agmen eius*. Quia vero Phylistea[p] in quinque regulos scinditur[10], videtur, quod et confines eius — Tusci[q] quilibet — ad ultimum confringentur. *Volabunt*, inquit[r. 11], *Phylistim per mare, simul et*[s] *predabuntur filii*[t] *orientis*.

[Adversus Moab[u]].

Quia nocte vastata est Or[v. 12], *que prominet*[w] *in finibus*

---

a) 'puerorum' R. b) 'auis' in V übergeschr.; 'er. vel onocrotalus' R. c) 'possidebit' R. d) 'regnat' R. e) 'perh. carcer' R; 'perhemnis adhicitur' V. f) 'ipse nichilominus' R. g) 'iuuenil'(is)' V. h) Diese Ueberschrift nur in R. i) 'philistea omnis' R mit Vulg. k) 'col.' fehlt R. l) 'sicl's (siculus)' R. m) 'eius' R. n) 'rain.' R. o) 's(ilicet) Fredericus' setzt zu R. p) 'phil. vero' R. q) 'Tusci' fehlt R. r) 'in humeros' setzt R aus der Vulg. zu. — 'philistiim' R. s) 'et' fehlt R mit Vulg. t) 'filios' R mit Vulg. u) Diese Ueberschrift nur in R. v) 'ar' R mit Vulg. In R folgt: 'Moab conticuit (aus Vulg.). Ar siquidem est civitas'. w) 'preminet' R.

1) Is. 34, 11: 'Et possidebunt illam (terram) onocratalus et ericius'. 2) Vgl. Salimbene f. 220[b], p. 31. 3) Is. 14, 16. 17: 'Numquid iste est vir, qui conturbavit terram, qui concussit regna, qui posuit orbem desertum et urbes eius destruxit, vinctis eius non aperuit carcerem?' 4) Is. 14, 19: 'tu autem proiectus es de sepulcro tuo quasi stirps inutilis pollutus'. 5) Is. 14, 29. R am Rande: 'Ys. XIIII'. 6) Ebenda: 'quoniam comminuta est virga percussoris tui'. 7) In allen mir bekannten pseudojoachitischen Schriften tritt der Bruder Raynerius auf, seine Meinungen äussernd, die zum Teil angeblich von denen des Pseudo-Joachim abweichen. 8) Is. 14, 29: 'et semen eius absorbens volucrem'. 9) Is. 14, 31. 10) Jos. 14, 3: 'terra Chanaan, quae in quinque regulos Philistiim dividitur'. 11) Is. 11, 14. Am Rande R: 'Ys. XI'. 12) Is. 15, 1, wo vorangeht 'Onus Moab'. In R am Rande: 'Ys. XV'.

Amorreis[a. 1], Ruben et Gad[b] Ierosolimitane[c] plebis et Antiocene[d] luctus insinuet[e], quia necesse est, ut, cum leo Germanicus obicietur eis tempore[f] grandinis, fugientium quoque[g] latibulum pereat a vicini facie vastatoris[2]. Quantumcumque enim petra[h] heremi[3] repugnet[i] misterio, nichilominus tamen per posterum[k] auferetur exultatio de Carmelo[l. 4].

[Adversus Damascum[m]].

Ecce Damascus esse civitas desinet[n. 5]. Quia Patarenorum heresis[o] tempore vespere[p] pullulet, *in matutino* procul dubio *non subsistet*[6]. Quo enim de valle Raphaym[7] sollicitius[q] messis abripitur[r], eo instantius cetus erroneus a facie flaminis[s] ut pulvis montium rapietur[8].

[Contra Franciam. Adversus Egyptum[t]].

Ecce Dominus ascendet[u] *super nubem levem*[v. 9]. Demonstrativa[w] quidem dictio[x] vicinum tempus insinuat, in quo tuus posterus* Francos — Egyptios[y] — in futura congressione collidet[z]. Licet enim nubes levis uxorem aquile

---

*) H[1] am Rande: 'loquitur adhuc imperatorem'.

a) 'amorrei' R mit Vulg. In R folgt: 'cuius terra filiis Ruben et Gad in possessionem a Domino est concessa' (Deut. 8, 12. 16. 29, 8). b) 'gaht' V. c) 'ih'rl'itane' R. d) 'anthiochene' R. e) 'insinuat' R. f) 'grandis' (für 'temp.') R. g) 'quoque' fehlt R. h) 'pecus' R. i) 'repungnet' V. k) 'post. tuum' R. l) 'carm'lo' R. m) Diese Ueberschrift nur in R. n) 'des. esse civ.' R wie Vulg. o) 'et si' setzt zu R. p) 'uesperi' R. q) 'sollititius' V. r) 'arripitur' R. s) 'flāminis' V. t) Mit diesem § beginnen R[2]H[1]H[2]. Diese Ueberschrift so in R 1 ('C. Fr.' rot, 'Adv. Eg.' schwarz), in H 2: 'Adv. Egiptum et Fr.', sie fehlt VR[2]H[1]. u) 'ascendit' R[2]; 'dn̄o ostendet' H[1], wo vorangeht: 'Ecce, inquit Ysaye 19, id est XIX. capitulo'. v) 'et ingredietur Egyptum' setzen aus der Vulg. zu RH. w) 'Demostr.' V; 'Demonstratā' R[2]; 'demonstrācia' H[1]; 'demonstranciā' H[2]. x) 'deiectio' V. y) 'nouos Eg.' RH[2]. z) 'collidat' RH[2].

1) Num. 21, 13. 2) Is. 16, 4: 'Habitabunt apud te profugi mei, Moab esto latibulum eorum a facie vastatoris'. 3) Is. 16, 1: 'Emitte agnum . . . de petra deserti ad montem filiae Sion'. 4) Is. 16, 10: 'Et auferetur laetitia et exultatio de Carmelo'. 5) Is. 17, 1, wo vorangeht 'Onus Damasci'. In R am Rande: 'Ys. XVII'. 6) Is. 17, 14: 'In tempore vespere, et ecce turbatio; in matutino, et non subsistet'. In R am Rande: 'Ibidem'. 7) Is. 17, 5: 'erit sicut quaerens spicas de valle Raphaim'. 8) Is. 17, 13: 'et rapietur sicut pulvis montium a facie venti'. 9) Is. 19, 1, wo vorhergeht 'Onus Aegypti'. In R am Rande: 'Ys. XIX'.

postremam[a], sterilem[b, 1], preferat, tamen referri poterit ad malitiam[c] potius expeditam, per quam[d] et nobilium simulacra[e] corruant[2], et populus in populum[f] verticosa nec dubium contentione[g] concurrant. Videtur michi, quod deficientibus populis et aquis fluminum ad cruce[h] signatorum transitum arefactis tradetur Francia in manu[i] robustissimi principis et crudelis[3]. *Frendet,* inquit[4], *obtinebit*[k] *predam, et non erit qui eruat.* Tunc igitur[l] a fonte suo nudabitur alveus, et marcesset[m] post calamum etiam[n] omnis[o] iuncus[p, 5], quia[q] subtractis viribus fortium scientia[r] necesse est areat et doctorum. *In die,* inquit[6], *illa*[s] *erit Egyptus quasi mulieres, et stupebunt et timebunt a facie commotionis*[t] imperii[u, *] contra eos.

Minabit rex Assirius captivitatem[7] Ethyopum[v], aquila silicet multitudinem[w] gentium signandarum[x], et idcirco succinctus[y] eius[z] Gallicus[8] quo ad occasum[a] corporeum pudeat[b], si suam ignominiam[c] per desistentiam non oc-

---

*) H^1 am Rande: 'id est manus Domini'.

a) 'nouissimam' H^1. b) 'set ster.' RH^2; 'et ster.' H^1. c) 'miliciam' RH^1. — 'potius' fehlt H^1. d) 'quem' R^1; 'sub qua' H^1. e) 'ydola' H^1. f) 'populi in populos' RH^2. g) 'pop. in spiritu nec dubium vertiginis' RH^2; 'pop. effusa contencione in spiritu ('nec d.' fehlt) vertiginis' H^1; vgl. Is. 19, 14: 'spiritum vertiginis'. h) 'cruci' V. i) 'manus' RH^2; 'manibus' H^1. — 'robusti' H. k) 'et tenebit' RH mit Vulg. l) 'enim' RH. m) So VR^1H^2; 'marcescet' R^2H^1. n) 'etiam' fehlt RH. o) 'ānis' V. p) So R^1H^1; 'uĩctus (vinctus)' V; 'iũctus (iunctus)' R^2; 'inimicus' H^2. q) 'subtr. enim' H^1. r) 'doctrina' H^1. s) 'illa' fehlt R^1. t) 'commot.' fehlt RH^2. u) 'quam mouebit' setzt aus Vulg. zu H^1. v) 'ethiopum' H; 'etiopum' R^2. w) 'multitudine' R^1H^1. x) 'signandorum' VH^1. y) 'succintus' V; 'fortis' H^1. z) 'ille' RH. a) 'casum' RH. b) 'pudāt' V; 'pudebat' H^2. c) 'ignoranciam' H^2.

1) Weder Elisabeth von England noch Blanca Lancia — die beiden letzten Frauen Friedrichs II. — waren unfruchtbar. Ueberhaupt ist dieses Kapitel mit der Wirklichkeit nicht zu vereinigen, da kein Kampf zwischen Friedrich II. und Frankreich stattgefunden hat, wenn man nicht etwa annimmt, es wolle sagen, es sei durch die Tücke ('malitia') des Kaisers geschehen, dass der König von Frankreich mit seinem Heer in Aegypten gefangen wurde. Vielleicht liegt hier eine ältere Quelle vor, welche mit der Wirklichkeit nicht in Einklang gebracht ist. 2) Is. 19, 1: 'et commovebuntur simulacra Aegypti a facie eius'. 3) Is. 19, 4—6: 'Et tradam Aegyptum in manu dominorum crudelium, et rex fortis dominabitur eorum . . . Et arescet aqua de mari, et fluvius desolabitur atque siccabitur. Et deficient flumina'. 4) Is. 5, 29. In R^1 am Rande: 'Ys. V'. 5) Is. 19, 6. 7: 'Calamus et iuncus marcescet, nudabitur alveus rivi a fonte suo, et omnis sementis irrigua siccabitur'. In R^1 am Rande: 'XIX'. 6) Is. 19, 16. In H^1 am Rande: 'Ysaie inquit'. 7) Is. 20, 4. Am Rande R^1: 'XX'. 8) Vgl. Prov. 30, 31: 'gallus succinctus lumbos'.

cultat[1]. Verum quia necesse est, ut sub tuo postero Dominus de suis martiribus impleat passionem[a], non[b] videtur michi, quod possit a cepto[c] divertere, et hoc sit illud, quod sequitur, quia veluti baculus arundineus[d, 2] dux interiecti federis[3] conteretur. *Corruent,* inquit[4], *fulcientes Egyptum, et superbia imperii* — Gallici[e] — *deprimetur*[f]. *De Menphys,* inquit[g, 5], id est Parisius, *cessabunt simulacra, et dux Egypti non erit amplius,* quia confracto brachio[h] Gallici roboris, dum tenere non poterit[i] gladium, dispergi necessario cogetur[k] in nationes efferas barbarorum[6]. Propter hoc universalis[l] ecclesia lugeat et manus magis[m] retrahat quam extendat[7], quia prorsus contristabitur Libanus[n], cum vel occurret[o] Gallicis inferus, vel[p] rudes Ethiopes orridus[q] involvet abyssus[8]. Et quidem quo[r] gladius Babilonis veniet eis in gladiis fortium plus acutus[s], eo potius reges orbis[t] horrore[u] nimio formidabunt[9]. Planctus erit, et plangent eum filie gentium, cum de-

---

a) 'pactionem' R; 'passione', übergeschr. 'vel paccionem' H^1. b) 'nunc' R^1. c) 'accepto', erstes c auspungiert V; 'quod velit arepto' H^1; 'ab incepto' RH^2. d) 'arundinis' H^1. e) 'gallia imp.' H^1. f) 'destruetur' (wie Vulg.), übergeschr. 'vel deprimetur' H^1; 'et ita' setzt zu H^1. g) 'enim' setzt zu H^2. h) 'baculo' R^1; 'brachio' am Rande rot ergänzt R^2, fehlt im Text. i) 'non pot. ten.' RH^2. k) 'cog' V. l) 'uniuersa' RH^2. m) 'potius' H^1. — 'atthraat' R^1; 'atraat' R^2; 'attrahat' H^2. n) 'manus' (m aus Korr.) R^1; 'labanus' R^2. o) 'occur'' R^1; 'occurret' nachher korr. in 'occurrerit' R^2; 'occurrerit' H^2. p) 'et' H^1; 'ut' H^2. q) So V; 'horrida' RH. r) 'ergo' H^2; 'Et quid est quod' H^1. s) 'veniet ei acutior in gl. forcium' H^1. t) 'ceteri' H^1. u) 'errore' R^2.

1) Is. 20, 4: 'discoopertis natibus ad ignominiam Aegypti'. — 'Desistentia' hat Ducange-Henschel einmal aus einer englischen Quelle in der Bedeutung von Waffenstillstand belegt. 2) Is. 36, 6: 'confidis super baculum arundineum confractum'. 3) Dan. 11, 22: 'Et brachia pugnantis expugnabuntur a facie eius et conterentur, insuper et dux foederis'. 4) Ezech. 30, 6. R am Rande: 'Eze. XXX. et XXXI. per totum'. 5) Ezech. 30, 13. 6) Ezech. 30, 21—26 ist hier benutzt, wo 'brachium Pharaonis regis Aegypti confregi, et ecce non est obvolutum, . . . ut recepto robore posset tenere gladium . . . et comminuam brachium eius forte, sed confractum, et deiciam gladium de manu eius . . . Et dispergam Aegyptum in nationes'. 7) Ezech. 30, 25: 'cum dedero gladium meum in manu regis Babylonis, et extenderit eum super terram Aegypti'. 8) Ezech. 31, 15: 'quando descendit ad inferos, induxi luctum, operui eum abysso . . . contristatus est super eum Libanus'. 9) Ezech. 32, 10—12: 'reges eorum horrore nimio formidabunt super te . . . Gladius regis Babylonis veniet tibi, in gladiis fortium deiciam multitudinem tuam'. So dunkel alle diese Sätze sind, so kann doch darüber kein Zweifel sein, dass sie sich auf den Zug Ludwigs IX. gegen Damiette, seine Niederlage und Gefangennahme beziehen.

trahetur in lacum[a] et tradetur[b] in manus[c] fortissimi robustorum[1]. Unde et[d] sequitur[2]: *Dormivit Pharao in medio incircumcisorum cum interfectis gladio et omnis multitudo eius.*

[Adversus desertum maris[e]. Contra prelatos[f]].

Sicut turbines ab africo[g] *veniunt*[3], sic et de prelatorum vita[h] carnalium[i] fletus pudoris[k] erumpunt. Ideoque nonnulli[l] implentur[m] angustiis, et possidet alios vexatio parientis. Set et[n] cor meum simul emarcuit, dum orribilis[o] visio stupefecit[p]. Idcirco pono[q] mensam et contemplor[r] in specula[4], ut ab arcus[s] facie fugiant[5] qui suum ordinem non observant. Ecce currus duorum equitum ad[t] cursum minus quam ad[u] bellum accingitur; et si fides verbis[v] adicitur, a camelo[*] simul et asino urbs frequens necesse est totaliter atteratur[6]. *Filia,* inquit[7], *Babilon quasi area, tempus*[w] *triture eius. Ecce,* inquit[8], *adducam*[x] *in Babilonem* — Romam[y] — *congregationem magnam de terra aquilonis, et sagitta*[z] *eius quasi viri fortis interfectoris*[a] *non revertetur*

---

*) Gl. übergeschr. H^1: 'id est Anglico'.

a) 'locum' R^1. b) 'et trad.' fehlt RH^2. c) 'manu' RH^2. d) 'et' fehlt RH. e) Diese Ueberschrift haben $R^1R^2H^2$, sie fehlt VH^1. f) Diese Ueberschrift haben R^1R^2, aber 'C. prel.' (rot) vor 'Adv. des. m.' (schwarz) R^1. g) 'aufrico', u auspungiert V; 'affrico' RH^1; 'officio' H^2. h) 'uice' V. i) 'cardinalium' V; 'calialium' R^2. k) 'pudorum' H^2; 'aliter inpugnationis' übergeschr. H^1. l) 'in nullis' H^2. m) 'replentur' RH. n) 'et' fehlt H^1. o) 'me' setzt zu H^1. p) 'stup(er)fecit' V. q) 'pone' RH^2. r) 'contemplare' RH^2. s) 'acus' H^1; 'actus' H^2. t) 'in' R^1H^2; 'incursus' R^2. u) So H^1; 'mi9 quasi' V; 'unius ad' R^1; 'unius qui ad' H^2; 'pronius qui ad' R^2. v) 'uerbi' R^2. — 'addicitur' H. w) 'tempus aree' H^1. x) 'Ecce educam' H^1. y) 'nouam' RH^2. z) 'sagitte' R. a) 'et int.' RH.

1) Ezech. 32, 16. 18. 21: 'Planctus est, et plangent eum, filiae gentium plangent eum . . . cane lugubre super multitudinem Aegypti et detrahe eam ipsam . . . ad terram ultimam cum his qui descendunt in lacum . . . Loquentur ei potentissimi robustorum de medio inferni'. 2) Ezech. 32, 32. R^1 am Rande: 'Eze. XXXI'. 3) Is. 21, 1, wo vorhergeht: 'Onus deserti maris'. In R am Rande: 'Ys. XXI'. 4) Is. 21, 2—5: 'Visio dura nuntiata est mihi . . . angustia possedit me sicut angustia parturientis . . . Emarcuit cor meum, tenebrae stupefecerunt me . . . Pone mensam, contemplare in specula'. 5) Is. 21, 15: 'A facie enim gladiorum fugerunt . . . a facie arcus extenti'. 6) Is. 21, 7: 'Et vidit currum duorum equitum, ascensorem asini et ascensorem cameli'. Vgl. Jerem. 8, 6. 7) Jerem. 51, 33. Am Rande R: 'Iere. L'. Diese Stelle wird hier angeführt, weil es Is. 21, 10 weiter heisst: 'Tritura mea et filii areae meae'. 8) Jerem. 50, 9. 10.

vacua, et erit Chaldea[a] *preda,* provincia silicet Germanorum. Puto autem, quod[b], sicut in Merlino digestum est, percutietur Francia sub camelo — silicet[c] Anglico — nidi tertii[1], versa vice[d] et ferietur Germania[e] occasione asini — filii, ut conicitur, quarti nidi[2] —, deficientibus fere ducibus omnibus[f], qui contra superstitem aquilam et secundi nidi filium venerint[g], de terra surgentibus aquilonis[3]. Sane vox leonis[4], filius[h] vel[i] affinis, quem[k] ecclesia, sponsa agni, volanti filio basilisco[l] submittet[m] attritum[n], pro obruendo[o] duce consurget facturus mala, sed recepturus iniqua, ita ut navicula Christiana ac si inter duo maria fluctuans et[p] ventum validum sentiat, et salvatoris adventui Petrus denuo succinctus[q] occurrat[5]. Interim[r] aquila repelletur et[s] repellet multipliciter[t] Ligures* versipelles, ut[u] undique subactis contrariis tandem de Francia faciat[v] quod affectat. Quod autem vir bige equitum contriturus est[w] inter illa discrimina misticam Babilonem[6], aquila clarius[x] prevideat[y], natus tuus. Set et ille filiorum geminatus[z] exercitus doleat, si[a] votis eorum per aquilam contrariorum adversitas non aspirat[b]. Nec obstet[c], si

*) Gl. übergeschr. H¹: 'Lombardos'.

a) 'caldea' R²H. — 'in predam' R¹H¹ mit Vulg. b) 'quod' fehlt H¹. c) 'id est' H¹; 'sil. Angl.' fehlt RH². d) 'versa vice' fehlt H¹. e) 'germana' R. f) 'pene omn. duc.' RH². g) 'ueniunt' H²; 'ven. et sec. nidi fil. surg. de terra' H¹. h) 'filiis' H¹. i) 'vel' fehlt H¹; 's(cilicet) uel' RH². k) 'ꝙ (quam)' V. l) 'bassilico' R²; 'basilico' H. m) 'submittat' R, aber durch übergeschriebenes e in 'submittet' korr. R²; 'submictit' H². n) 'attr.' fehlt RH². o) 'errendo' H¹. p) 'et — succinctus' fehlt H¹. q) 'succintus' V; 'succictus' R¹. — 'accurrat' H¹. r) 'Iterum' R; 'Iterim' H¹. s) 'rep. et' fehlt H¹. t) 'multiplices' H¹. u) 'et' H². v) 'faciet' V. w) 'est' fehlt H¹; 'et' H². x) 'clarus' VR², korr. in 'clarius' R². y) 'preuidet' RH²; 'preuiderat' H¹. z) 'ille illorum germanicus' H¹. a) 'exerc. scilicet' H². b) 'aspiret' H¹. — 'neque' H². c) 'obstat' RH.

1) In den Verba Merlini heisst es: 'Tertio tamen nido exaltabitur qui ceteros vorabit'. Auch hier scheint an Friedrichs Sohn Heinrich von seiner englischen Gemahlin Isabella gedacht zu sein. 2) Von einer vierten Ehe (nidus) des Kaisers ist bei Merlin nicht die Rede, wohl aber in der Sib. Erithea, N. A. XV, 166. 3) Hier könnte wieder an wirkliche Ereignisse gedacht sein. Der Gegenkönig Heinrich Raspe und seine Anhänger, die sich gegen den Kaiser und Konrad, seinen Sohn aus zweiter Ehe erheben, richten nichts aus, der erstere stirbt. 4) Die Exposition kehrt zurück zu Is. 21, wo V. 8: 'Et clamavit leo'. 5) Joh. 21, 7. 6) Is. 21, 9: 'Ecce iste venit vir bigae equitum . . . et dixit: Cecidit Babylon . . . et omnia sculptilia deorum eius contrita sunt'.

pulli eius ex maioritate[a] ipso supervivente[b] depereant[1], quia diebus illis[c] undique super terram[d] tanta mala crebuerint[e], ut[f] defatigati viribus[g] homines et opibus diminuti[h] mori quam vivere plus[i] requirent[k]. O si esset qui inter pecus[l] et pecus[m] discerneret[2] et inter pastorem et mercenarium[3] iudicaret, forsitan rei publice fluctus quiescerent et archam[n] ecclesie pauperis in tanta redundantia diluvii non mergerent[o], set levarent[p]. Set ecce[q] curarum pondera sic eam[r] undique pregravant, ut navitas[s] quoque[t] naufragos non iam[u] ad tuta portus litora[v], set[w] periculosa maris profunda[x] depellant. Tutius inde erit[y] summis remigibus pusillum[z] navem[a] ad terram reducere[4] quam usque ad iactum onerum[b] et cenum[c] profundi sordidum[d] pervenire. Cur itaque[e] tam precipites ecclesie cardines[f] pericula subeunt, qui[g] maris instabilis[h] experientiam non addiscunt? aut[i] quod exauserant[k] de temporalibus presules[l] evomant, aut ab erepti[m] difficultate regiminis in subditorum iniuriam[n] resipiscant[o].

---

a) 'maiori parte' RH. b) 'superueniente' VR^2H^2, korr. in 'superuiuente' R^2. — 'depereunt' RH^2. c) 'eius' RH^2. — 'utique' H^1. d) 'super t. und.' RH^2. — 'tanta' fehlt H^1. e) 'crebrescent' R^1H^2; 'crebesceret' R^2. f) 'Un̄(de)' R^2. g) 'defatigatis vir.' H^2; 'vir. defatigatis' R^1; 'fatigatis vir.' R^2; 'hom. defat. vir.' H^1. h) 'diminutis' RH^2. i) 'potius' H^1. k) 'requirant' RH^2; 'requirat' H^1. l) 'petr̄' R^1; 'petrus' korr. in 'petrum' R^2; 'petrum' H^2. m) 'petū' R^2; 'petrum' H^2; 'et pecus' fehlt R^1. n) 'ecc̄ȝ' R^2. o) 'mergeret' RH^2 ('nec merg.' H^2); 'non merg.' fehlt H^1. p) 'leuaret' R^1H^2; 'lauaret' R^2; 'dil. subleuarent' H^1. q) 'ēē (esse)' H^1; 'ecclesie' H^2. r) 'eam' fehlt H^1. s) 'nautas' RH^1. t) 'queque' H^1; 'quasi' RH^2. u) 'tam' RH^2; 'iam — portus' fehlt H^1. v) 'littora' RH. w) 'quam' RH^2. — 'pericula' R^1H^2; fehlt H^1. x) 'extrema depellat' H^1. y) 'erat' RH^2; 'T. erit ergo' H^1. z) 'pus.' fehlt H^1. a) 'navem' fehlt RH^2; 'ad terram naues' H^1. b) 'hominum' RH. c) 'limim' (statt 'limum') H^1. d) 'stilidum' H^2. e) 'ita' H^2. f) 'cardinales' R^2; 'eccl. card.' fehlt H^1. g) 'que' H. h) 'inst.' fehlt R^2H^1. — 'experientia' V. i) 'aut ergo' RH^2. k) 'exauserunt' H^1; 'exhauserunt' R^2; 'exhauserint' R^1H^2. l) 'pontifices' H^1. m) 'aut abrepti' H^1; 'ab arreptu' H^2; 'arrepti' R^1; 'arepti' R^2. n) 'in subd. in.' fehlt H^1; 'in subd. in. diff. reg.' RH^2. o) Hier schliessen H^1H^2.

1) Beim Tode Friedrichs II. war von seinen Söhnen nur Heinrich (VII.) tot, Enzius gefangen. Aber vgl. auch die Sib. Erithea, N. A. XV, 168. 2) Ezech. 34, 17: 'ego iudico inter pecus et pecus'. 3) Joh. 10, 12. 13 ('Mercenarius autem et qui non est pastor'). 4) Luc. 5, 3: 'Ascendens autem in unam navim . . . rogavit eum a terra reducere pusillum'.

[Contra Grecos. Adversus Edom[a]].

Ad me clamat ex Seyr[b. 1] Grecorum populus arrogans, cuius quam nimis velociter casus adveniat, structura muri fictilis[2] representat. *In umbra*[c] quidem[d] *Esebon*[e] *steterunt de laqueo fugientes*[3]. Quod autem cornu eius abscisum[f] describitur brachiumque confractum[4], profecto eorum imperium ad Latinos innuit devolvendum[g]. Unde sequitur[5]: *Ecce*[h] *aquila volabit et extendet alas suas ad Moab. Ascendetque*[i. 6] *de superbia*[k] *Iordanis ut leo*[l] *ad pulcritudinem robustam subitoque curret*[m] *ad eam*[n]. Quia vero populum cervicosum terre fertilitas[o] non transfundit, set potius in suis fecibus[p] requievit[7], non absonum videatur, si e vicino eos ecclesiastici gregis parvuli detrahant, et[q] prorsus viri prelii conticescant[8].

[Adversus vallem visionis[r]]. De Romana ecclesia et preside eius[s].

Quidnam quoque[t] *tibi est,* Syon[u], *ut in tecta conscenderes, plena* iam calumpniis et *clamoris*[9]. Ecce tui[v] pontifices et[w] rectores fugam arripient, et quos hostilis[x] inprelio non peremerit gladius, nexus ligaverit fabrefactus[y. 10].

---

a) Diese Ueberschrift nur in R: 'C. Gr.' rot, 'Adv. Ed.' schwarz. b) 'seyri', i auspungiert V; 'sayr' R². c) 'ūbin' V; 'inquit' setzt zu R¹. d) 'quid.' fehlt R. e) 'ezebō' R¹; 'esebeo' durchstrichen und dafür 'inquit' später am Rande R². f) 'abcisum' R². g) 'aduoluendum' R. h) 'ecclīe e.' R²; 'quasi' setzt aus Vulg. zu R. i) 'quasi leo' setzt R aus Vulg. zu. k) 'superiora' R². l) 'ut leo' fehlt hier R. m) 'decurret' R. n) 'illam' R mit Vulg. o) 'sterilitatis' nachher korr. in 'sterilitas' R². p) 'fetibus' VR². q) 'ut' R. r) Diese Ueberschrift in R. s) 'q̄ᵒ' V, wo allein diese Ueberschrift, dafür 'Contra papam' R². t) 'quoq.' fehlt R. u) Für 'Syon — clamoris' hat R aus der Vulg.: 'quia ascendisti et tu omnis in tecta, clamoris plena, urbs frequens, ciuitas exultans'. v) 'Syon' setzt hier zu R. w) 'vel' R. x) 'hostis' R¹. y) 'fabricatus' R.

1) Is. 21, 11, wo vorhergeht 'Onus Duma'. In R am Rande: 'Ys. XXI'. 2) Jerem. 48, 31. 36: 'ad viros muri fictilis'. 3) Jerem. 48, 45. Am Rande R: 'Iere. XLVIII'. 4) Jerem. 48, 25: 'Abscissum est cornu Moab, et brachium eius contritum est'. 5) Jerem. 48, 40. Am Rande R¹: 'Iere. L'. Der angeblich um 1195 weissagende Pseudo-Joachim spricht hier natürlich über die Einnahme von Constantinopel 1204. 6) Jerem. 49, 19. 7) Jerem. 48, 11: 'Fertilis fuit Moab ab adolescentia sua et requievit in faecibus suis'. R¹ am Rande 'XLVIII'. 8) Jerem. 49, 26: 'omnes viri proelii conticescent'. 9) Is. 22, 1. 2, wo vorhergeht 'Onus vallis visionis'. In R¹ am Rande: 'Ys. XXII'. 10) Is. 22, 2. 3: 'interfecti tui non interfecti gladio nec mortui in bello. Cuncti principes tui fugerunt simul, dure ligati sunt'. Das bezieht sich auf die Seeschlacht von 1241 und die Gefangennahme der zum Konzil reisenden Prälaten.

Contra Elamitas[a].

Etsi Elam[b], id est Roma, contra natum resumpserit[c] faretram, scissura[d] tamen eius eam, nec dubium subito, detrahet in ruinam[1]. Summus[e] preterea pontifex in ea[f] sepulcrum quietis eligens vel tabernaculum diligenter[g] excidens ut gallus gallinatius[h] dicitur asportandus[2]. Quod tollerabile satis esset, si non coronatus angustia in terra Galliarum vastissima poneretur volubilis velud pila[3]. *Ibi,* inquit[4], *morieris,* tam[i] de ministerio positus[k] quam de loco propulsus[5]. Quia currus[l] cardinalium non solum frangetur et corruet[m], immo, quod est durius[n], peribit sub postero quicquid pependerit in[o] paxillo[6].

Quod in platea Elam[p] aries cum yrco congreditur, quo victore contrarius[q] superatur[7], ad ducem et posterum[8], futuros post te cesares, sermo dirigitur, ad Romanum imperium conscensuros[r]. Sane quod postmodum cornu eius insigne conteritur[9], ad humiliationem est potentie[s] vel imperii referendum. Cornua quoque[t] quattuor, que orta sunt super[u] eo[10], filios eius effigiant[v] quasi per quattuor partes orbis. Erit quidem unus Yspanus, alter Syrus,

---

a) Diese Ueberschrift nur in V. b) 'e Elam' V; 'helā' R¹. c) 'sumpserit' R¹; 'subserint', n auspungiert R². d) 'scissurā' V. e) 'Summus — paxillo' folgt viel weiter unten R, siehe unten S. 183, N. m. f) 'in ea' fehlt R; 'Rome' setzt hier zu R², hinter 'quietis' R¹. g) 'diligens' V. h) 'gallinaceus' R¹. i) 'tam' fehlt R¹. k) 'depositus' R. l) 'cursus' V. m) 'corruat' R¹. n) 'q. erit deterius' R. o) 'sub' R. p) 'elaym', y auspungiert V; 'Quod autem in palude Susis ciuitatis' ('ci'a' R¹) R. q) 'contraius' VR. r) 'ascensuros' R. s) 'sue pot.' R. t) 'uero' R. u) 'sr̄' V; 'subter' R mit Vulg. v) 'effugiant' durch Rasur in 'effigiant' korr. V; 'effugiat' später korr. in 'effigiāt' R².

1) Is. 22, 6. 9: 'Et Aelam sumsit pharetram, currum hominis equitis . . . Et scissuras civitatis David videbitis, quia multiplicatae sunt'. Am Rande R¹: 'Ibidem'. 2) Is. 22, 16. 17: 'quia excidisti tibi hic sepulcrum, excidisti in excelso memoriale diligenter, in petra tabernaculum tibi. Ecce Dominus asportari te faciet, sicut asportatur gallus gallinaceus'. 3) Is. 22, 18: 'Coronans coronabit te tribulatione, quasi pilam mittet te in terram latam et spatiosam'. Es ist wieder von Innocenz' Flucht nach Lyon die Rede. 4) Is. 22, 18. 5) Is. 22, 18. 19: 'et ibi erit currus gloriae tuae, ignominia domus Domini tui. Et expellam te de statione tua et de ministerio tuo deponam te'. 6) Is. 22, 25: 'Auferetur paxillus, qui fixus fuerat in loco fideli, et frangetur et cadet et peribit quod pependerat in eo'. 7) Dan. 8, 2—8. In R am Rande: 'Da. VIII'. 8) Otto IV. und Friedrich II. 9) Dan. 8, 5. 8: 'porro hircus habebat cor insigne inter oculos suos . . . cumque crevisset, fractum est cornu magnum'. 10) Dan. 8, 8: 'et orta sunt quater cornua subter illud per quatuor ventos coeli'.

sequens Anglicus, reliquus Alamannus[1], post quos, immo de quibus unus egrediens, quem frater Rainerius[a] tertium autumat Fredericum[b, 2], sine manibus conteretur[3], Erithea dicente[4]: *Erit mors eius abscondita, sonabitque in populo*[c]: *'Vivit' et*[d] *'non vivit'.* In secunda vero specie[e] intellectus videtur, quod cornu illud[f] modicum et postremum[5] prenotet[g] natum tuum supra quam. creditur omnia vastaturum[6]. Precogitet ergo Roma inter illa discrimina, ne ad sui ignominiam detegat humerum et intret in tenebras novorum filia Chaldeorum[h, 7]. *Veniet,* inquid[8], *super eam*[l] *malum, et nesciet ortum*[k] *eius, irruetque in*[l] *eam calamitas, quam non poterit expiare*[m]. Unde et[n] sequitur[9]: *Una die veniet ei subito*[o] *sterilitas et viduitas,* de temporalibus nec dubium et personis. Unde Merlinus[10]: *Romam decalvabit et minuet.* Calvatio quidem spectat ad viros et presules, minutio[p] ad proventus[q].

Onus vallis visionis[11].

Quis[r] *tu hic, aut quasi quis hic*[s, 12], prelati sexti temporis, set bissexti[t] pressuram geminam[u] non sine laboribus expectantes, preesse videntur[v] ad vellus ovium, non ad

a) So R; 'FR R' V. b) 'FR.' V. c) 'populis' wie die längere Sib. R. d) 'et' fehlt R, wie die längere Sib. e) 'Verum iuxta secundam speciem typici' R. f) 'id' VR[1]; 'istud' R[2]. g) 'prenotat' R[2]. h) 'cald.' R[2]. i) 'ea' R[2]. k) 'ortus' V. — 'eius' fehlt R[2]. l) 'super' R mit Vulg. m) 'expirare' V; 'exipiare' R[2]. n) 'et' fehlt R. o) 'sub.' fehlt R. p) 'inminutio' R. q) R setzt zu: 'Ceterum ex eo quod sequitur', wo das folgende ohne die Ueberschrift, die nur in V steht, in der Zeile fortgeht. r) 'quid' mit Vulg. R[1]; 'qd' (quod)' R[2]. s) 'innuitur' ('quia' R[1]; 'qr' R[2]) setzt zu R. t) 'bisexti' V; 'bissesti R[2]. u) 'geminat' V. v) 'uidetur' R[2].

1) Heinrich (VII.) von der Spanischen (Arragonischen) Constanze, Konrad von der Isabella von Jerusalem, Heinrich von der Englischen Isabella, Enzius von einer Deutschen Konkubine. 2) Vgl. oben S. 178. 3) Dan. 8, 25: 'sine manu conteretur'. 4) Das ist aus dem Text der kürzeren Sib. Erithea, N. A. XXX, 333 f., wo aber 'cuius mors erit', während in R zwei Lesarten aus der längeren Sib., N. A. XV, 168 eingesetzt sind. 5) Dan. 8, 9: 'De uno autem ex eis (cornibus) egressum est cornu unum modicum et factum est grande'. 6) Dan. 8, 24: 'et supra quam credi potest universa vastabit', was oben schon mehrfach vorkommt. 7) Is. 47, 1. 2. 5: 'Descende . . . virgo filia Babylon, sede in terra, non est solium filiae Chaldaeorum . . . denuda turpitudinem tuam, discooperi humerum . . . Sede tacens et intra in tenebras, filia Chaldaeorum'. 8) Is. 47, 11, wo 'super te', 'nescies' u. s. w., immer die zweite Person steht. 9) Is. 47, 9, wo 'Venient tibi' etc. 10) N. A. XV, 176; Salimbene p. 360, an beiden Stellen aber 'R. disgregabit'. 11) Is. 22, 1. 12) Is. 22, 16.

verbum balantium animarum [1]. Qui[a] quo se pro eis segnius[b] sepem defensionis obmittunt[c, 2], eo licentius dispersas vel perditas lupi tui[d] faucibus derelinquunt[e]. Idcirco percutiet eos aper de nemore, et pardus vigilans super urbes[f] singulariter devastabit[3]. *Nolite*[g], inquid[4], *exire ad agros et in viam non ambuletis, quoniam gladius inimici*[h] *et pavor in circuitu.* Ad probandam ergo viam pontificum et conflandam malitiam perversorum populator[i] validus dabitur[5] puer tuus, set, ni fallor, tantus influxerit[k] langor pedis et capitis, quod plumbi rubiginem[6] nec[l] fornax consumpserit Babilonis[m].

Onus[n] Tyri[7], rex G. II.[o] [Contra Siciliam[p]].

Ululate naves maris[7], nam repente nauticus quassabitur[q] exercitus, qui contra Grecos barbarosque dirigitur[r] ab insulari psytaco[s, 8] preparatus. Quia[t] non eum tantummodo tangit sermo propheticus, set et[u] quemlibet alium, qui undique fuerit sub aquile[v] proxima tempestate diffusus.

---

a) 'utique' setzt zu R. b) 'segn.' übergeschr. V; 'segnius se pro eis' R. c) 'opponunt' R. d) 'rapacis filii' setzt zu R. e) delinquunt' R[1]. f) 'principaliter' folgt getilgt V. g) 'Nolite — circuitu' fehlt R. h) 'iinimici' aus Korr. V. i) 'probator' R. k) 'influxerat' R[1]. l) 'nec pl. rub.' R. m) Hier folgt 'Summus — paxillo' R, siehe oben S. 181, N. e. n) So schwarz am Rande vorgeschrieben V, der Illuminator schrieb aber 'Honus'. o) Diese Ueberschrift nur in V, dafür hat R[1]: 'Aduersus Tyrum'. p) Diese Ueberschrift nur in R[2]. q) 'quassatur' R[2]; 'cassatur' R[1]. r) 'dirig' V. s) 'insula in phitago' R. t) 'Verum quia' R. u) 'et' fehlt R. v) 'aquila' R[1].

1) Tob. 2, 20. 21: 'factum est, ut hoedum caprarum acccipiens detulisset domi. Cuius cum vocem balantis vir eius audisset, dixit: Videte, ne forte furtivus sit'. 2) Ezech. 22, 30: 'Et quaesivi de eis virum, qui interponeret sepem et staret oppositus contra me pro terra'. 3) Ps. 79, 40: 'exterminavit eam aper de nemore'; Jerem. 5, 6: 'lupus ad vesperam vastavit eos, pardus vigilans super civitates eorum'. 4) Jerem. 6, 25. 5) Jerem. 6, 27: 'Probatorem dedi te in populo meo robustum, et scies et probabis viam eorum'. 6) Jerem. 6, 29: 'in igne consumtum est plumbum, frustra conflavit conflator, malitiae enim eorum non sunt consumtae; Ezech. 24, 11: 'liquefiat aes eius, et conflетur in medio eius inquinamentum eius, et consumatur rubigo eius'. 7) Is. 23, 1. Am Rande R[1]: 'Ys. XXIII'. 8) Der 'psitacus' ist in der Sib. Erithea, N. A. XV, 163. XXX, 332, und hier, wie die Ueberschrift in V besagt, König Wilhelm II. von Sizilien, dessen Expedition gegen die Griechen 1185 auch in der Sib. Erithea ewähnt ist. Pseudo-Joachim fällt hier aus der Rolle, denn da er dieses Buch an den Kaiser Heinrich VI. zu schreiben vorgibt, konnte er nicht mehr von dem längst vergangenen Kriegszug von 1185 prophezeien.

In spiritu, inquit ille[a][1], *conteres naves Tharsis*[b]. Maris igitur[c] queque litora lugeant, quia classica prelia[d] necesse est pereant, que Oriones et Plyades[e] yeme vel sabbato non refrenant. Ecce principaliter insula Sicula tam vastanda quam peregrinanda proscribitur[f][2], set a quibus[g] hec dolorum initia[h][3] prodeant, protinus aperitur: Tyrus siquidem in angustia[i] vertitur iuxta illud[4]: *In terra*[k] *tribulationis et angustie leena et leo, et ex eis vipera et regulus volans, portantes divitias suas super gibos*[l] *camelorum;* de quibus quid presentiat nostra capacitas, imperialis non improbet Erofile[5] discussione magestas[m]. Denique quam[n] repleverint Siculas nundinas[o][6] mare Mediterraneum transmeantes, confluentibus ad eas populis circumquaque diffusis, ipsa maris experientia[p] protestatur. Set ad Siculorum gloriam annullandam[q] quasi mare fluctuans[7] tuus filius exardescet[r], ut muros destruat, conterat populos, et datis reliquiis[s] in lapidem limpidum sequetur[t] mistica siccatio sagenarum[*][7].

---

*) Hierzu auf dem unteren Rande von R[1] von anderer Hand: 'planget enim Trinacria planctu magno[8], quasi suis alumpnis miserabiliter viduata'.

a) 'uehementi' setzt aus Vulg. zu R. b) 'tarsis' R[2]. c) 'ig.' fehlt R. — 'q̄ʒ' R[1]. d) 'littora' wieder R[1]. e) 'phyliades' R[1].) 'perimenda describitur' R. g) 'quibusdam' R[2]. h) 'nimia' R[1]. i) 'angustiam' R. k) 'terram' R. l) 'gybbos' R[1]; 'gybos' R[2]; in V folgt ·g· auspungiert und c übergeschr. m) 'quid presentire poteris, nisi probet imperialis capacitas atque terribilis discutione maiestas' R. n) 'qui' R[1]; 'quid' R[2]. — 'replent' R. o) 'nundanas' V. p) 'manifestius' setzt zu R. q) 'adnull.' R. r) 'sic ascendet' R aus Ezech. 26, 3. s) 'reliquis' VR[2]. t) 'eātur' (oder 'eq̄tur') R[1]; 'equetur' R[2].

1) Ps. 47, 8. 2) Is. 23, 7: 'ducent eam (Tyrum) pedes sui ad peregrinandum'. 3) Marc. 13, 8: 'Initium dolorum haec'. 4) Is. 30, 6. 5) Dazu kann ich nur den Vers Tibulls II, 5, 67 f. anführen: 'quidquid Amalthea, quidquid Marpessia dixit Herophile'. Sollte der Autor gar gewusst haben, dass damit die Erythräische Sibylle gemeint ist? 6) Ezech. 27, 12: 'stanno plumboque repleverunt nundinas suas'. 7) Ezech. 26, 3—5: 'ego super te, Tyre, et ascendere faciam ad te gentes multas, sicut ascendit mare fluctuans. Et dissipabunt muros Tyri et destruent turres eius . . . et dabo eam in limpidissimam petram. Siccatio sagenarum erit in medio maris'; cf. ib. v. 14. Vgl. Interpret. in Jeremiam c. 20, ed. Colon. 1577. p. 285. 8) 1. Mach. 2, 70 und öfter: 'planxerunt eum omnis Israel planctu magno'.

[Adversus montem Syon[a]]. [Contra clerum[b]].

Ve[c] *Ariel*[d], *quam expugnavit*[e] *David*[1] aliquando in Silvestro[f], cum[g] monarchus ille[h. 2] Christi ecclesie lepra deposita se subiecit[i]. Set quia ingemiscendum est[3] potius[k] quam loquendum, in effuso aquile furore[4] plangamus, quia et propheta sic stillat ad africum[l. 5], ut et[m] adducat Ytalicum populum in[n] desertum. *Ecce,* inquid[6], *auferet*[o] *a Iuda et Ierusalem fortem*[p] *et validum,* quo ad duces, *roburque*[q] *panis*[r], quo ad doctores vel redditus temporales[s], *virosque bellatores,* quo ad milites, *iudicem et prophetam,* quo ad consules vel senatores[t], *ariolum et senem,* quo ad pontifices et alios[u] cardinales, *principem quinquagenarium,* quo ad reges presulesque[v] sublimes. Sicque ruet Ierusalem[w], et Iudas[x] concidet[7], ut omnino velut ager aretur[y] ecclesia[8], et altitudo sublimium incurvetur[9]. Clerici preterea legem Domini contempnentes, dum per eos eius blasphematur eloquium, ponentur more cadaverum velud stercus in medio platearum[10]. Denique si aquile clerus obstiterit, dum iam[z] vas sincerum et solidum sordidis actibus incrustarint[a], robur eorum erit ut favilla stuppe[b] et opus nichilominus ut scintilla[c], quod[d] utrumque succensum[e] pariter[f] non

---

a) Diese Ueberschrift nur in R¹ schwarz. b) Diese Ueberschrift nur in R² rot. c) 'Veh' R¹; 'Uve' R². d) 'ciuitas' setzt aus der Vulg. hinzu R. e) 'et circumdedit' setzt zu R. f) 'sancto Silv.' R. g) 'cum' fehlt R. h) 'ille' fehlt R. i) 'subiecto' V; 'subiessit' R¹. k) 'p⁹' V. l) 'affricum' R²; 'affricam' R¹. m) 'et' fehlt R. n) 'in' fehlt R². o) 'dominus' setzt zu R. p) 'sortem' V. q) 'et robur' R¹. r) 'et robur aque' setzt aus Vulg. zu R¹. s) 'temp.' fehlt R². t) 'senatus' V. u) 'alios' fehlt R. — 'cardinas' R¹. v) 'et presides' R. — 'subl.' fehlt R. w) 'ih'rl'm' R. x) 'iuda' R¹; 'iud'a' R². y) 'ageretur' V. z) 'iam' fehlt R. a) 'ingustauerit' R. b) 'stupe' R. c) 'sintilla' V. d) 'Quorum' R. e) 'succenssum', durch untergesetzten Punkt korr. in 'succensum' VR². f) 'periture' V.

1) Is. 29, 1. Am Rande R¹: 'Ys. XXVIII'. 2) Konstantin der Grosse. 3) Vgl. Ezech. 21, 6. 7. 4) Ezech. 20, 33 34: 'in furore effuso regnabo super vos'. 5) Ezech. 20, 46: 'stilla ad africum et propheta ad saltum agri meridiani'. 6) Is. 3, 1—3. Am Rande R¹: 'Ys. III'. 7) Is. 3, 8: 'Ruit enim Ierusalem, et Iudas concidit'. Am Rande R¹: 'Ys. III'. 8) Jerem. 26, 18: 'Sion quasi ager arabitur'. 9) Is. 2, 11: 'Oculi sublimes hominis humiliati sunt, et incurvabitur altitudo virorum'; v. 17: 'Et incurvabitur sublimitas hominum, et humiliabitur altitudo virorum'. Am Rande R¹: 'Ys. II'. 10) Is. 5, 24. 25: 'Abiecerunt enim legem Domini exercituum et eloquium sancti Israel blasphemaverunt . . . et facta sunt morticina eorum quasi stercus in medio platearum'.

fuerit[a] qui extinguat[1]. Consultius quidem[b] est non[c] levare gentem huius[d] rubiginis gladium quam contra imperium Domini exercere brachium ad conflictum. Sciat igitur[e] omnis terra, quia necesse est, ut tuus hic posterus in ardoris et iudicii spiritu et clericorum sanguinem expiet et religiosorum saniem[f] tempore visitationis expurget[2].

[Adversus domum David[g] et terram Iudeorum].
[Contra cardinales et presides[h]].

Sibilabit[i] *dominus musce*[3] et cet.[k] Quantum[l] ad litteram verbum propheticum per Vespasianum[m] et socium[n] tangit exterminium Iudeorum, secundum concordiam per tuum posterum additis[o] barbaris vastationem prenotat ydolorum. Quiescat proinde omnis ab homine, cuius spiritus, immo furor, versatur in naribus, quia celsior terre regibus viribus et opibus necesse est reputetur[4]. Denique si cardinales et presules, qui vespertilionum talparumque[5] typo[p] tam per arrogantiam quam per avaritiam ceci sunt, ingrederentur[q] saltem terre voragines[r] et speluncas[6], et iram Domini commodius fugerent et ictum[s] Babilonici mallei non sentirent. Set quia Dominum modi-

---

a) 'erit utique' R. b) 'ergo' R ('est ergo' R²). c) 'non' fehlt V. d) 'h'i' R¹. e) 'ergo R. f) 'scoriam' R. g) Bis hier die Ueberschrift in R (aber 'auersus' R²), 'et terr. Iud.' nur in R¹. h) Diese Ueberschrift nur in R². i) 'Scibilabit' V. k) Statt 'et cet.' setzt R aus der Vulg. zu: 'que est in extremo fluminum Egypti, et api, que est in terra Assur'. l) 'Q. ad litt.' fehlt R. m) 'vaspasianum' R¹; 'vespesianum' R². n) 'tytum' R¹; 'titum' R²; 'literale' setzt hier zu R. o) 'adhibitis' R. p) 'typum' V. q) 'ingredirentur' V. r) 'voraginem' R. s) 'ictu' R².

1) Is. 1, 31: 'Et erit fortitudo vestra ut favilla stuppae, et opus vestrum quasi scintilla, et succidetur utrumque simul, et non erit qui extinguat'. Am Rande R¹: 'Ys. I'. 2) Is. 4, 4: 'Si abluerit Dominus sordes filiarum Sion et sanguinem Ierusalem laverit de medio eius in spiritu iudicii et spiritu ardoris'. Bei Jerem. steht mehrfach 'in tempore visitationis'. 3) Is. 7, 18. Am Rande R¹: 'Ys. VII'. 4) Is. 2, 22: 'Quiescite ergo ab homine, cuius spiritus in naribus eius est, quia excelsus reputatus est ipse'. Am Rande R¹: 'Ys. III'. Cf. Interpret. in Jeremiam c. 20, p. 288. 5) Is. 2, 20: 'In die illa proiciet homo idola . . . et simulacra auri sui, quae fecerat sibi, ut adoraret talpas et vespertiliones'. 6) Is. 2, 19: 'et introibunt in speluncas petrarum et in voragines terrae a facie formidinis Domini'. Am Rande R¹: 'Ys. II'.

cum[a] non prenoscunt propter aureum ydolum, in quo fidunt[b], arescentibus siti ceteris, ipsi in[c] vastitatis inedia interibunt[1].

Explicit liber de oneribus[d].

---

a) 'quia iudicium domini' R. b) 'confidunt' R. c) 'in' fehlt R. d) Diese Unterschrift in V, wo 'honer.'. Nur 'Explicit' R[1], keine Unterschrift R[2].

1) Is. 5, 13: 'nobiles eius interierunt fame, et multitudo eius siti exaruit'.

Hierzu möchte ich noch folgendes bemerken: Wie ich oben S. 130 sagte, hat Salimbene seiner Erzählung nach die vorstehende Schrift einmal vor dem Markgrafen Azzo von Este gelesen. Das kann naturgemäss nur in Ferrara geschehen sein, wo der Markgraf seinen ständigen Wohnsitz hatte. Nun lebte Salimbene etwa von August (oder später) des Jahres 1249 bis in das Jahr 1256 zu Ferrara. Damit ist der terminus ad quem für die Abfassung der Schrift gegeben, sie muss vor 1256 fallen. Ist sie nach 1250, wie wir oben ausführten, anzusetzen, so erhellt, dass Salimbene die Schrift bald nach ihrem Entstehen kennen gelernt hat. Daher ist es wohl wahrscheinlich, dass ihr Verfasser unter den dem Bruder Salimbene befreundeten Minoriten joachitischer Gesinnung zu suchen ist. Parma scheint eine der ersten Brutstätten der Joachiten gewesen zu sein.

VI.

Miscellen.

Eine verschollene Rebdorfer Legendenhandschrift.

Von Georg Leidinger.

Die Bücherbestände des ehemaligen Augustinerchorherrnstiftes Rebdorf bei Eichstätt sind heutzutage in alle Welt zerstreut. Von einem ungeschickten Tausch am Ende des 17. Jh. abgesehen, hatte sich die Klosterbibliothek bis zum Ende des 18. Jh. günstig entwickelt und war zu einer stattlichen Sammlung herangewachsen. Als Hirsching seinen 'Versuch einer Beschreibung sehenswürdiger Bibliotheken Teutschlands' herausgab, konnte er in der 2. Abteilung des III. Bandes (Erlangen 1790), S. 473—567 viele bemerkenswerte Stücke in der Rebdorfer Bibliothek namhaft machen, und zusammenfassend bemerkte er: 'Man findet hier mehr als man wohl suchen mag'. Hirsching berichtete a. a. O. S. 479, dass der Bestand an Hss. sich auf 789 Nummern belief. In dem Chorherrn Andreas Strauss besass das Kloster einen tüchtigen Bibliothekar. Er veröffentlichte an bibliothekarischen Arbeiten im Druck: Monumenta typographica, quae exstant in bibliotheca collegii canonicorum regularium in Rebdorf (Eichstadii 1787) und Opera rariora, quae latitant in bibliotheca etc. in Rebdorf (Eichstadii 1790).

Da traf die blühende Bibliothek in den Kriegsläuften des Sommers 1800 [1] ein harter Schlag: sie musste sich gefallen lassen, dass der französische General Dominique Joba [2] sie ihrer wertvollsten und besten Stücke beraubte. Die Geschichte dieser Plünderung findet man erzählt in dem Pastoralblatt des Bistums Eichstätt 1866, S. 107 ff. auf Grund eines offiziellen Berichtes eines eichstättischen Hofkammerrates. Dieses Schriftstück wird im bischöflichen Ordinariatsarchiv zu Eichstätt aufbewahrt. Daraus ist in Kürze zu entnehmen: Als General Joba am 12. Juli 1800

---

1) Nicht '1801 oder 1806', wie es Archiv IX, 518 heisst. 2) Vgl. über ihn Nouvelle biographie générale XXVI, 766.

das Kloster besuchte, wusste er sich das Vertrauen des Bibliothekars dadurch zu gewinnen, dass er der Bibliothek seinen besonderen Schutz versprach und sich als ein in der Literatur bewanderter Mann zeigte, der selbst eine Bibliothek von 20000 Bänden in Metz zu besitzen vorgab. Arglos zeigte man ihm alle Schätze der Bibliothek. Einige Tage später, am 17. Juli, liess er durch eine Truppenabteilung das Kloster überfallen, der grösste Teil der Hss. wurde auf zwei Wagen gepackt und als Kriegsbeute dem General zugefahren, welcher sie nach Frankreich mitnahm.

Im Frieden von Lunéville kam Rebdorf mit dem ganzen Eichstätter Gebiet an das Kurhaus Bayern, darauf an den Grossherzog von Toscana, dem 1803 gehuldigt wurde und welcher dem Stifte den Fortbestand zusicherte. Aber der Pressburger Friede brachte 1806 Eichstätt abermals an Bayern, und nunmehr wurde im Stifte Rebdorf die Säkularisation durchgeführt. Im Oktober 1806 erging von München der Befehl, Kataloge über die noch vorhandenen Bibliothekbestände einzuliefern. Es zeigte sich, dass der französische General Joba gründliche Arbeit hatte machen lassen und dass insbesondere die Pergamenthss. verschwunden waren. Was von den Beständen wichtig erschien, wurde in die Münchener Zentralbibliothek gebracht, andere Teile erhielten die Bibliotheken von Eichstätt und Augsburg. Beisammengeblieben sind nur die Reste des Bestandes der lateinischen Hss. der einstigen Rebdorfer Sammlung, jetzt Cod. Lat. 15121—15241 der k. Hof- und Staatsbibliothek zu München, im ganzen 56 Bände, sämtlich Papierhss.

Als Johann Andreas Schmeller diese Abteilung für die Münchener Bibliothek katalogisierte, liess er die Nummern 15101—15120 absichtlich unbesetzt, indem er in dem Katalog erklärend bemerkte: 'si forte inveniantur codices quidam membranei'; er hoffte also, dass von den verschwundenen Pergamenthss. einzelne wieder den Weg zu dem übriggebliebenen spärlichen Rest der lateinischen Papierhss. zurückfinden würden und dann an die Spitze dieser Abteilung gestellt werden könnten.

Vor kurzer Zeit war die Münchener k. Hof- und Staatsbibliothek in der glücklicken Lage, wenigstens eine der verschollenen Pergamenthss., noch dazu eine nicht unwichtige, wiederzuerwerben.

Es wäre eine lohnende Aufgabe, der ich aber zunächst nicht nachgeben kann, über die Schicksale der vom General Joba nach Frankreich entführten reichen Rebdorfer Bestände Nachforschungen anzustellen. Eine wertvolle frühere Rebdorfer Hs., höchstwahrscheinlich aus der Joba'schen Beute herstammend, war in die Pariser Nationalbibliothek gelangt. Man findet diesen Codex (Cod. Lat. 10867) in den Mon. Germ. hist. SS. IV, 887 und bei Steichele, Das Bistum Augsburg IV, 580 als zu Paris befindlich erwähnt und näher beschrieben [1]. Man darf wohl vermuten, dass wie diese Hs. noch andere Rebdorfer Bände auf dem gleichen Wege in die Pariser Nationalbibliothek gewandert sein werden [2]. Wieder andere der durch Joba entführten Rebdorfer Hss. sind in französische Privatbibliotheken, von da zum Teil in den Antiquariatshandel und damit in alle Welt gelangt. Die Hs., von der ich hier berichten will, trägt das 'Ex libris Gualteri Sneyd', wurde durch einen Münchener Antiquar der k. Hof- und Staatsbibliothek zum Kauf angeboten und von deren Direktor, Herrn Geheimrat Dr. von Laubmann, nachdem ich die Bedeutung der Hs. festgestellt hatte, sofort erworben. Es hatte sich nämlich bei meiner Untersuchung ergeben, dass damit eine an mehreren Stellen der Monumenta Germaniae historica als verschollen bezeichnete Hs. wieder aufgetaucht war. Schmellers Hoffnung, dass die Münchener Bibliothek im Lauf der Zeit wieder in den Besitz von Rebdorfer Pergamenthss. kommen könnte, ging zunächst wenigstens in diesem einen Stück in Erfülluug, und die Hs. konnte auf dem von Schmeller in ahnungsvoller Voraussicht freigehaltenen Platz als Cod. Lat. 15101 aufgestellt werden.

Der alten kurzen Beschreibung bei Hirsching a. a. O. S. 490 gegenüber gebe ich hier nunmehr eine neue Beschreibung der Hs. Der von verschiedenen Händen am Anfang des 13. Jh. geschriebene, sehr gut erhaltene Pergamentcodex, bestehend aus 1 Vorsetzblatt und 264 Blättern in Blattgrösse 27 : 19 cm, ist in Holzdeckel gebunden, welche mit gepresstem Leder überzogen sind und einst mit Metallbuckeln und Schliessen, von denen nur noch eine da ist, versehen waren. Der Einband gehört dem

1) Die kurze Erwähnung in Delisles Inventaire des manuscrits latins conservés a la bibliothèque nationale sous les nos. 8823—18613 gibt die Herkunft nicht an. 2) So stammt aus Rebdorf Lat. n. 10770 (Suppl. Lat. 201. 11), der die Flores temporum des Schwäbischen Minoriten mit der wichtigen Fortsetzung des Heinrich Taube enthält; vgl. SS. XXIV, 227. Ferner Lat. 9744 (Suppl. Lat. 165), welcher die Vitae Willibaldi, Sualonis oder Soli von Ermanrich und Dietrichs von Apolda Vita Elisabeth enthält; vgl. Archiv XI, 282; SS. XV, 1, 84. 153. O. H.-E.

15. Jh. an. Auf dem Vorsetzblatt steht, von einer Hand dieser Zeit geschrieben, der Eigentumsvermerk: 'Iste liber est monasterii beatissimi Iohannis baptistae in Rebdorff canonicorum regularium ordinis S. Augustini dyocesis Eystetensis'. Der Inhalt der Hs. besteht aus folgenden Stücken:

1) Passio B. Thomae (Cantuariensis). Anf. Bl. 1r: 'Gloriosi martyris Thomae, fratres karissimi, natalem celebrantes . . .' Schluss Bl. 5r: '. . . ad quam nos perducere dignetur . . . per omnia saecula saeculorum. Amen.' Vgl. Bibl. hagiogr. Lat. p. 1189, n. 19.

2) Passio B. Matthiae, verfasst von Lambertus de Legia. Anf. der ersten Vorrede Bl. 5r: 'Cum multo studio ac sollicitudine flagrarem . . .' Die zweite von Lazius gedruckte Vorrede findet sich in dieser Hs. nicht. Die eigentliche Passio trägt die Ueberschrift: 'Incipit passio b. Mathie apostoli a monacho Trevirensi ex Hebraico translata' und beginnt: 'Igitur gloriosissimus apostolus domini nostri Iesu Christi Mathias . . .' Vgl. Bibl. hagiogr. Lat. p. 836, n. 4. An die Vita schliessen sich die an der eben genannten Stelle verzeichneten Inventiones et miracula in folgender Nummernreihe: I (mit abweichender Vorrede), II, III, IV, V, VI, XIa, VIII, XII, IX, X, XIII. Das Ganze schliesst Bl. 27v: '. . . ne fastidium legentibus nasceretur, obmisimus'.

3) Vita S. Kunegundis reginae. Anf. Bl. 28r: 'Ex praeclaro parentum sanguine . . .' Schluss Bl. 33v: '. . . clarescentibus signis videtur testificata'. Vgl. Bibl. hagiogr. Lat. p. 302, n. 1 b. Bl. 33v schliessen sich unter der Ueberschrift: 'Ista de miraculis eius' die Wundererzählungen ohne den Prolog an. Anf.: 'Anno dominicae incarnationis 1199 . . .' Schluss Bl. 37v: 'per virginem tantum supplicium evasisse peccatorum'. Hierauf folgt noch ein 19zeiliges Gedicht, beginnend: 'Virginis iste docet Chunegundis gesta libellus . . .' und ein Gebet mit dem Anfang: 'Oramus te, virgo sanctissima, imperatrix gloriosissima . . .' Diese Vita mit den Miracula, den Versen und dem Gebet hatte zuerst Gretser in seinen Divi Bambergenses (Ingolstadii 1611) p. 103 sqq. und zwar aus der vorliegenden Rebdorfer Hs. (sowie der Bamberger) herausgegeben. Als Waitz in den SS. t. IV die Vitae Heinrici II. et Chunegundis herausgab, konnte er von der für die Textgestaltung nicht unwichtigen Hs. nur sagen: 'Ubi hodie asservetur, nescio' (a. a. O. S. 788; vgl. auch S. 791). Um so erfreulicher ist es, dass wir die Hs. jetzt wieder im Lande haben.

4) Vita S. Heinrici Romani imperatoris des Adalbert von Bamberg. Anf. Bl. 38v: 'Anno ab incarnatione domini millesimo primo ...' An die Vita schliessen sich die Miracula an. Schluss Bl. 64v: '... praestante domino nostro Iesu Christo, qui cum patre et spiritu sancto vivit et regnat deus per omnia saecula saeculorum. Amen.' Auch diese Vita hatte zuerst Gretser a. a. O. S. 1 ff. aus unserer Rebdorfer Hs. herausgegeben; Waitz bezeichnete die verschollene Hs. a. a. O. S. 788 mit 1a. Neben der Bamberger und Leipziger Hs. kommt die jetzt wieder aufgetauchte Rebdorfer in erster Linie in Betracht.

5) Vita S. Servatii episcopi des Iocundus. Anf. Bl. 64v: 'Ad illuminandum humanum genus ...' Schluss Bl. 87r: 'Sed quia nimis longum est ... universaliter laudemus, cui sit laus et gloria in omnia saecula. Amen'. Vgl. Bibl. hagiogr. Lat. p. 1104, n. 7a.

6) 'De inventione sanctae dei genitricis Mariae Sardynai'. Anf. Bl. 87v: 'In praefato loco, qui est abbatia ...' Schluss Bl. 88r: '... et credulis de die in diem crescat'. Vgl. das. p. 800, n. 60.

7) 'De S. Achatio et sociis eius'. Anf. Bl. 88r: 'Passio et memoria sanctorum decem milium martyrum ...' Schluss Bl. 88v: '... quae est apud portas Alexandri et Antyochiam ... cui laus est et honor per infinita saecula saeculorum'. Vgl. das. p. 5, n. 2b.

8) Vita S. Mariae Magdalenae. Anf. Bl. 89r: 'Cum in suis actibus beatissima Maria Magdalena ...' Schliesst Bl. 93r: '... animae et corporis praestando salubria, largiente ...' Vgl. das. p. 805, n. 4a. Hierauf folgt die Translatio. Anf. Bl. 93r: 'Quoniam placuit divinae miserationi ...' Schluss Bl. 96r: '... signorum virtutibus ipsa ... claruit praestante ...' Vgl. das. p. 808, n. 9, II. Schliesslich Miracula. Anf. Bl. 96r: 'Miraculorum vero magnitudinem ...' Schliesst Bl. 99v: '... et ante sacrum b. Mariae Magdalenae corpus affirmat.' Vgl. das. p. 807, n. 8 B.

9) Vita S. Marthae. Anf. Bl. 100r: 'Cum sanctae ecclesiae typum ...' Schliesst Bl. 109r: '... scilicet septeno peracto dominicae resurrectionis'. Vgl. das. p. 816, n. 1. Darnach ein unvollendeter Abschnitt (11 Zeilen), beginnend: 'Zacharias natione Graecus ex patre Polichomo ...'

10) Passio S. Georgii. Anf. Bl. 109v: 'Cum saevissimorum principum Diocletiani et Maximiani ...' Schliesst Bl. 114r: '... haec et alia multa miracula fecit ... in saecula saeculorum. Amen'. Vgl. das. p. 505, n. 3a.

11) Vita S. Patricii. Anf. Bl. 114v: 'Natus est igitur Patricius . . .' Schluss Bl. 134v: '. . . in qua exultatione et beatitudine perfruitur . . . in saecula saeculorum. Amen'. Vgl. das. p. 940, n. 12a.

12) Vita b. Ottonis episcopi. Anf. Bl. 135r: 'Scripturus vitam b. Ottonis episcopi . . .' Schliesst Bl. 213r: '. . . anno dominicae incarnationis 1139. 3. Nonas Iulii feliciter. Amen'. Vgl. das. p. 925, n. 8a.

Die vorliegende Rebdorfer Hs. erwähnte Gretser in seinen Divi Bambergenses p. 380 und darnach als verschollen Köpke in SS. XII, 729 bei seiner Ausgabe der Vitae Ottonis episcopi Bambergensis.

13) Passio S. Katherinae. Anf. Bl. 213r: 'Cum sanctorum fortia gesta ad memoriam posterorum transscribimus . . .' Schliesst Bl. 235v: 'Passa est ergo . . . per immortalia saecula saeculorum. Amen'. Vgl. Bibl. hagiogr. Lat. p. 252, n. 4, I.

14) Vita S. Othiliae virginis. Anf. Bl. 235v: 'Temporibus Childerici imperatoris erat quidam dux illustris nomine Adelricus . . .' Schluss Bl. 238r: '. . . ipsa autem cum gratiarum actione hoc ipsum accipiens . . .' Bricht damit ab; die untere Hälfte des rückwärts leeren Pergamentblattes ist weggeschnitten. Vgl. a. a. O. p. 906, n. 1.

15) 'Omeliae b. Bernhardi abbatis de annuntiatione b. virginis Mariae'. Anf. Bl. 239r: 'Sanctitati vestrae scribere . . .' Schluss Bl. 264v: '. . . opusculum devotissime destinavi'. Diese letzte Seite der Hs. trägt von gleichzeitiger Hand die Notiz: 'Hic fuit frater Chunradus Helt, Kelhaymensis subdiaconus, professus in Rebdorf anno 1457, in anno, ubi viguit persecutio Turcorum'.

Zum Judenschutzrecht unter den Karolingern.

Von M. Tangl.

'Unter den Karolingern scheint sich ein typisches Judenschutzrecht ausgebildet zu haben. Denn unter Ludwig I. finden sich Schutzbriefe für christliche Kaufleute, in welchen ihnen der Schutz zugesichert wird, wie ihn die Juden geniessen'. Diese Ausführungen Heinrich Brunners (Deutsche Rechtsgeschichte 2. Aufl. I, 404) folgen der Forschung Theodor von Sickels, der (Beiträge zur Diplomatik III, SB. der Wiener Akademie XLVII, 254 f.) zuerst auf diese Frage aufmerksam gemacht und sein Urteil in ganz ähnliche Worte gekleidet hatte wie später Brunner. Die Folgerung schien sich aus den Zeugnissen, auf die sich beide Forscher beriefen, in der Tat mit zwingender Sicherheit zu ergeben. Es sind zwei Stellen aus den Formulae imperiales, die sich in Schutzbriefen für christliche Kaufleute finden: MG. Formulae ed. Zeumer p. 311, n. 32: 'sed liceat illi, sicut ceteris fidelibus nostris et his, qui sub nostra defensione recepti sunt, absque cuiuslibet impedimento una cum rebus et hominibus suis cum honore residere et quieto ordine vivere absque cuiuslibet, sicut ipsi Iudei, iniusta contrarietate'; und ebenda S. 315, n. 37: 'Proinde . . . decernimus atque iubemus, ut neque vos neque iuniores seu successores vestri aut missi nostri discurrentes memoratos fideles nostros illos de nullis quibuslibet illicitis occasionibus inquietare aut calumniam generare vel de rebus illorum contra iustitiam aliquid abstrahere aut minuere neque naves eorum quasi pro nostro servitio tollere neque scaram facere neque heribannum aut aliter bannos ab eis requirere vel exactare praesumatis; sed liceat eis, sicut Iudeis, partibus palatii nostri fideliter deservire'. Das Schutzrecht für jüdische Händler erscheint hier in der Tat als das bereits vorhandene und feststehende Vorbild, dessen Bestimmungen zugleich ziemlich deutlich dargelegt werden.

Und doch erfahren wir hier wieder an einem besonders lehrreichen Beispiel, dass wir bei allen unseren Forschungen Sklaven der Ueberlieferung sind, von deren Reichhaltigkeit und Zuverlässigkeit, von deren richtiger Deutung und Lesung wir ganz und gar abhängen. Die Formulae imperiales sind zum allergrössten Teil in Tironischen Noten geschrieben. Wenn hier sich der Herausgeber nur des geringsten Versehens schuldig machte, dann beschränkt sich die Richtigstellung meist nicht auf eine harmlose Textvariante, sondern führt zu einer gänzlich abweichenden Lesung. Um das Ergebnis gleich vorweg zu nehmen: statt 'sicut ipsi Iudei' ist 'sicut iam diximus' und ebenso statt 'sicut Iudeis' 'sicut diximus' zu lesen! Doch ich habe nunmehr den Beweis für die Richtigkeit meiner Lesung und für die Möglichkeit des bisherigen Irrtums anzutreten.

Die Lichtdruckausgabe der Monumenta tachygraphica codicis Parisiensis Latini 2718 durch Wilhelm Schmitz und die sie begleitende Transskription, auf die sich auch Zeumer bei der Herausgabe der Formulae imperiales im wesentlichen verlassen musste[1], wird immer eine der verdienstvollsten Leistungen in der Litteratur der Tironischen Noten bleiben. Schmitz hat die ältere Ausgabe Carpentiers geradezu unvergleichlich überholt und zahllose Fehler berichtigt: in einzelnen wenigen Fällen blieb aber doch auch er im Banne des Irrtums, den der erste Herausgeber begangen hatte. Auch mit unseren 'Iudei' verhält es sich so; das Versehen läuft seit Carpentier durch alle Ausgaben hindurch. Das Gleichartige in der Schreibweise von *diximus* und *Iudei* besteht darin, dass beide Wörter durch die Kreuzung von *d* und *iu* gebildet werden; bei *diximus* aber ist *d* das Hauptzeichen, steht als solches auf der Zeile und wird von dem kleineren und höher stehenden Hilfszeichen gekreuzt, während bei *Iudei* *iu* als Hauptzeichen erscheint und das *d*, höher gerückt, als Beizeichen hindurchgelegt ist. Damit ist aber der Unterschied noch nicht erschöpft. Während in *diximus* das *iu* bereits die Endung *imus* bedeutet (vgl. Schmitz, Commentarii notarum Tironianarum 18, 99; vgl. ebenda *dixit* 6, 71), tritt in *Iudeus*

1) Doch war Zeumer durch seine sichere Kenntnis der Urkundensprache jener Zeit in der Lage, manchen Zweifel von Schmitz zu lösen.

die Bezeichnung der Endung erst noch hinzu; im Nominativ singularis durch den darüber gesetzten Punkt (CNT. 86, 72 *Iudaeus*), in den anderen Formen durch Ueberschreiben der betreffenden Endung, in *Iudei* also des *i*. Die beiden Wörter stehen sich daher in folgender Weise gegenüber:

diximus Iudei

So erscheinen sie auch an anderen Stellen der Formulae imperiales: *diximus* im Lichtdruckfacsimile bei Schmitz fol. 75′ Z. 8 (= Form. n. 23), f. 85′ Z. 7 (= Form. n. 40, hier besonders deutlich) und f. 134′ Z. 19 (= Form. n. 55); *Iudei* f. 76 Z. 5 (= Form. 30, vgl. Iudeus f. 76, 15, Iudeum f. 126′ Z. 6, Iudeos f. 76 Z. 9, Iudeorum f. 76 Z. 1 Randvermerk). Die Verschiedenheit ist daher doch so ausreichend, dass sie auch Schmitz nicht entgangen wäre, wenn ihn nicht an der ersten für uns in Betracht kommenden Stelle das unmittelbar voranstehende Zeichen irregeführt hätte. Auch die Noten für *iam* und *ipsi* stehen sich sehr nahe; beide bestehen aus einem kurzen Hauptschaft und einem von ihm nach links sich abbiegendem und spitz zulaufendem Ausstrich. Der Unterschied beschränkt sich hier darauf, dass — bei völlig korrekter Schreibung — der Hauptschaft von *ipsi* gerade steht (CNT. 2, 29), während er in *iam* vòn links nach rechts sich neigt (CNT. 1, 52). Von dieser korrekten Schreibung wurde hier abgewichen und das *iam* so geschrieben, dass es tatsächlich mit *ipsi* verwechselt werden musste, und dass nur die Vertrautheit mit der Urkundensprache zu gunsten des rein formelmässigen *sicut iam diximus* entscheiden kann; an der zweiten Stelle aber war diese Entscheidung überhaupt keinen Augenblick zweifelhaft.

Die Richtigstellung, die ich hier geben musste, bringt für den Historiker und Juristen einen Ausfall ohne Gegenleistung; an die Stelle eines sachlich hoch bedeutsamen Hinweises tritt eine vollkommen wertlose, in den Königsurkunden jener Zeit zu Dutzenden zu belegende Phrase. Wir müssen von einem typischen Judenschutzrecht, auf das christliche Kaufleute bei der Erteilung des Königsschutzes an sie als auf ein feststehendes Vorbild kurzweg verwiesen wurden, für immer Abschied nehmen.

Damit will ich selbstverständlich nicht leugnen, dass unter den Karolingern Bestimmungen über den Judenschutz bestanden; denn dafür bleiben uns besonders in den Judenschutzbriefen der Formulae imperiales noch ausreichend gesicherte Zeugnisse übrig. Nur von der Ausdehnung, die diesem Judenschutzrecht gegeben, und von den Beziehungen, in die es gesetzt wurde, ist fortan abzusehen.

Der Schlachtort Fontaneum (Fontanetum) von 841.

Von Ernst Müller.

Wo man Fontaneum, den Ort der Entscheidungsschlacht zwischen den Söhnen Ludwigs des Frommen zu suchen hat, ist von jeher strittig gewesen. Der in der ersten Hälfte des 18. Jh. schreibende verdiente französische Historiker Abbé Lebeuf sah ihn in dem heutigen Fontenailles bei Coulanges-sur-Yonne, und obwohl er von dieser wenig glücklichen Annahme[1] selbst später zu gunsten von Fontenoy-en-Puisaye zurückgekommen zu sein scheint, blieb sein Ansehen lange Zeit massgebend. Einen Umschwung der Ansichten bahnte erst die 1811 erschienene Arbeit des Ingenieur-Geographen Pasumot an, der sich für Fontenoy-en-Puisaye (Canton Saint-Sauveur) erklärte[2]. Seine Hypothese ergänzte später der Artillerie-Offizier Paultre des Ormes vom strategischen Standpunkte aus[3], mit dem Unterschiede, dass er Kaiser Lothars Lager, statt nach Fontenoy, nach dem nordwestlich nicht weit davon entfernten Fontaines verlegte[4]. Die naheliegende Vermittlung zwischen diesen beiden Ansichten brachte dann ein Aufsatz von A. Challe[5]. Auf deutscher Seite trat Meyer von Knonau für Fontenoy-en-Puisaye ein[6], und dieser Bestimmung des Schlachtfeldes neigt die neuere

---

1) Ein weiteres Eingehen auf sie erübrigt sich, da sie bereits in den weiter unten anzuführenden Schriften von Challe (p. 59—64), Meyer von Knonau (S. 137, N. 5) und Vaulet (p. 47 sqq.) genügend widerlegt worden ist. 2) In Malte-Brun, Annales des voyages, de la géographie et de l'histoire XIII, 171—215. 3) Seine mir leider nicht zugängliche Abhandlung: Notice historique et géographique sur la bataille de Fontenoy, Auxerre 1848, kenne ich nur aus der späteren Litteratur. 4) Karten des Schlachtfeldes findet man bei Meyer von Knonau (Umgegend von Fontenoy-en-Puisaye) und Vaulet (Umgegend von Auxerre, hinter p. 55). 5) Bulletin de la société des sciences historiques et naturelles de l'Yonne XIV (1860), 44—76. 6) Ueber Nithards vier Bücher Geschichten, 1866, S. 136—141.

Forschung überhaupt im allgemeinen zu[1]. Nun hat im Jahre 1900 der französische Hauptmann Vaulet eine besondere Abhandlung über die Schlacht veröffentlicht, die eine ältere Hypothese, den Schlachtort nicht südwestlich, sondern östlich von Auxerre, beim heutigen Fontenay-près-Chablis zu suchen, wieder aufnimmt[2]. Doch lassen sich dagegen von allen Seiten gewichtige Bedenken geltend machen.

Zwar trägt die Kirche dieses Ortes eine Inschrift, die für ihn die Ehre des Schlachtfeldes in Anspruch nimmt; doch diese wurde erst etwa 1625 durch einen Privatmann angebracht und ist im günstigsten Falle der Ausdruck einer späten und deshalb ganz unsicheren örtlichen Ueberlieferung, vielleicht aber überhaupt erst deren Ausgangspunkt. Auch der wetteifernde Ort Fontenoy-en-Puisaye, wo im Jahre 1860 die Société des sciences historiques et naturelles de l'Yonne eine Denksäule errichtete, kann sich auf in topographischen Namen angeblich zu Tage tretende Lokaltradition berufen, die freilich nicht sicherer ist als bei Fontenay-près-Chablis. Die örtliche Ueberlieferung ist somit bei der Entscheidung der Frage ganz auszuschalten; man muss sich zunächst streng an die Quellen halten und darf auch sachkritischen, d. h. strategisch-taktischen, Erwägungen nur ergänzungsweise Raum gewähren.

Der Schlachtort lag nach den gleichzeitigen offiziellen Annalen des Prudentius, den Gesta Aldrici, der Historia Francorum und den daraus abgeleiteten Nachrichten sowie nach der Genealogia Karolorum: in pago Altiodorensi (Autisiodorensi)[3], im Gau von Auxerre, während die über westfränkische Ereignisse weniger genau unterrichteten deutschen Reichsannalen Rudolfs von Fulda[4] und die Chronik von Saint-Wandrille[5] sich allgemeiner ausdrücken.

1) Dümmler, Geschichte des Ostfränkischen Reiches I^2, 155 N.; Mühlbacher, Regesta imperii I^2, n. 1084 f. 2) La bataille de Fontanet près d'Auxerre (25 juin 841), Paris, o. J., 71 pp. Sie ist bisher, anscheinend auch in Frankreich, wenig bekannt geworden. H. Bresslau's Nachricht in dieser Zeitschrift XXVI (1901), 772, n. 294 beruht auf der vorsichtig zurückhaltenden Notiz der Revue historique LXXV (1901), 244. H. Hahn spricht in den Jahresberichten der Geschichtswissenschaft XXIV (1901), II, 19, n. 68 von einem 'Beweise, dass nicht Fontenoy-en-Puisaye, sondern Fontenay bei Chablis der Schlachtort sei'; wir werden sehen, dass davon gar keine Rede sein kann. 3) Eine übersichtlich knappe Zusammenstellung des gesamten Quellenmaterials für die Schlacht gab Mühlbacher a. a. O. n. 1084 f—i. 4) 'in regione Alcedronense'. 5) 'in territorio Autisiodorensi'.

Schon diese Angabe spricht entschieden zu gunsten von Fontenoy-en-Puisaye und gegen Fontenay-près-Chablis[1]; denn dieses lag ebenso wie Chablis im Gau von Tonnerre (pagus Tornodorensis)[2].

Hauptquellen für die Schlacht sind die Zeugnisse zweier Mitkämpfer, Nithards in seinem Geschichtswerk II, 10 und Angelberts in seinem Rhythmus. Während des Dichters ergreifendes Stimmungsbild zugleich über die Geländebeschaffenheit dankenswerte Aufschlüsse gibt, liefert Nithard über die Truppenbewegungen an den dem Kampfe vorhergehenden Tagen und über den Verlauf der Schlacht einen bei aller Kürze durch seine genauen topographischen Angaben höchst wertvollen Bericht.

Nachdem Kaiser Lothar die mit seinem Bruder Karl dem Kahlen für den 8. Mai 841 nach Attigny verabredete Zusammenkunft nicht eingehalten hatte, zog dieser in südlicher Richtung nach Châlons-sur-Marne, wo er seine Mutter Judith mit Aquitaniern an sich zog, und vereinigte sich dann nicht weit von dieser Stadt[3] mit seinem Bruder Ludwig dem Deutschen. Der Kaiser, der bisher in der Nähe des feindlichen Heeres gelagert hatte, brach nun auf, um seinerseits seine Vereinigung mit seinem Neffen Pippin, der von Aquitanien heranrückte, zu vollziehen, schlug also südsüdwestliche Richtung ein. Die Brüder folgten ihm und erreichten ihn am 21. Juni bei Auxerre. Lothar nahm jedoch die ihm angebotene Schlacht nicht an, offenbar weil Pippin noch fern war, brach vielmehr am 22. auf[4] und erreichte in einem Tagemarsche den Ort Fontaneum, wo er sein Lager aufschlug. Ludwig und Karl

---

1) Darauf wies bereits Lebeuf, Recueil de divers écrits pour servir d'éclaircissemens à l'histoire de France I (1738), 132 sq., hin. 2) Urk. vom 21. Okt. 711: 'porcionem meam in villa que dicitur Fontanas, que est sita in pago Ternodorense', in M. Quantin, Cartulaire général de l'Yonne I (1854), 22; vgl. L.-M. Duru, Bibliothèque historique de l'Yonne II (1863), 574; Gesta pontificum Autissiodorensium: De Maurino (772—799/800): 'Sunt autem eedem res posite in pago Tornodorensi in villa que dicitur Fontanetus', in Duru, Bibl. I (1850), 351; Clarii monachi Chronicon S. Petri Vivi Senonensis zum Jahre 1118: 'Dederunt etiam in pago Ternodorense villam quae vocatur Fontanas', in Duru, Bibl. II, 529; A. Longnon, Atlas historique de la France, pl. VIII. 3) Vgl. K. Schwartz, Der Bruderkrieg der Söhne Ludwigs des Frommen S. 34, N. 3. 4) In der Stelle, SS. Rer. Germ., 3. Aufl. (1907), p. 25, l. 32: 'protinus obviam iter arripuit', muss man wohl 'Pippino' zu 'obviam' ergänzen oder sich wenigstens hinzudenken; die Brüder können nicht gemeint sein, und allein gibt 'obviam' auch keinen Sinn.

überholten ihn in beschleunigtem Marsche und bezogen am Abend desselben Tages ein Lager bei dem Vicus Tauriacus. Die noch einmal angeknüpften Verhandlungen zog der Kaiser, um Pippin zu erwarten, geschickt in die Länge. Nach dessen Eintreffen am 24. Juni kam es in der Frühe des 25. zur Schlacht. Die Brüder besetzten mit ungefähr einem Drittel ihres Heeres den Lothars Lager (bei Fontaneum) benachbarten Berg, wo sie die Ankunft des Feindes erwarteten. Der Kampf entspann sich dann oberhalb des Baches der Burgunder an den Orten Brittas, Fagit und Solennat.

Der Versuch, das Schlachtfeld zu bestimmen, muss von der Nachweisung der Gesamtheit oder wenigstens der Mehrzahl der von Nithard überlieferten topographischen Namen ausgehen: Fontaneum und Tauriacus als der Lagerplätze einen Tagemarsch von Auxerre und zwar letzteres etwas weiter als ersteres entfernt, rivolus Burgundionum, Brittas, Fagit und Solennat als der Schlachtorte nahe bei einander und in nicht zu weiter Entfernung von den Lagerplätzen und zwar näher bei Fontaneum als bei Tauriacus. In dieser Hinsicht nun befriedigt Pasumots Hypothese berechtigte Anforderungen durchaus, und nachdem inzwischen die Geschichtsquellen des Département de l'Yonne in brauchbarer Weise herausgegeben sind und ein sachkundig gearbeitetes geschichtliches Ortslexikon vorliegt, können wir seine Bestimmung der Ortsnamen teilweise auch geschichtlich näher begründen. Wir beginnen mit Tauriacus, dessen Deutung auf Thury (Canton Saint-Sauveur) am wenigsten in Zweifel gezogen ist. In den dem 9. und 10. Jh. angehörigen Teilen der Gesta pontificum Autissiodorensium erscheint der Ort als Pfarre des Gaues von Auxerre[1], in Urkunde Karls des Einfältigen von 901 eine Vicaria Tauriacensis[2], in Urkunden des 12. Jh. unter den Namensformen Toire und Thori, deren letztere dem heu-

---

1) De Aunario (572—603): 'Nam ad tutelam gregis sibi a Deo commissi praecepit, ut tam in civitate Autissiodorensi quam per parochias ipsius pagi hec debeat institutio custodiri .... XXVII die, Tauriacus cum suis', in Duru, Bibl. I, 329; de Tetrico (691—706): 'Constituit, qualiter abbates vel archipresbyteri in aecclesia s. Stephani divinum persolverent offitium. Taliter vero ordinavit, ut Kalendis Aprilis IV. ebdomada Tauriacus ... Kalendis Augusti IV. ebdomada Tauriacus', a. a. O. p. 344 sq.; de Geranno (909—14): 'Et in comitatu Autissiodorensi Tauriacum cum adiacentiis suis', a. a. O. p. 370. 2) Quantin, Cartul. I, 182.

tigen Thury schon ganz nahe steht[1]. Die Entfernung Thury — Auxerre beträgt in der Luftlinie etwa 35 km.

Ein Gut Fontanetum wird in den Gesta zur Lebensbeschreibung des heiligen Germanus (418—48) erwähnt[2], das Monasterium Fontanetense in der des Aunarius (572—603)[3], eine Kapelle bei Fontenetum im 12. Jh.[4] Der Abwandlung der Namensform zum heutigen Fontenoy stehen sprachliche Bedenken nicht entgegen. Nithards, durch Agnellus gestützte Namensform Fontaneum (statt Fontanetum der übrigen Quellen) würde, wenn man sie als Vulgärform auffassen dürfte, diese Entwicklung quellenmässig belegen[5]. Die Entfernung Fontenoy — Auxerre beträgt 27 km; von Thury ist Fontenoy etwa 7 km in nördlicher Richtung entfernt. Etwa $1^1/_2$ km südsüdöstlich von Fontenoy, also in der vorherrschenden Richtung auf Thury zu, liegt der Weiler Solmet[6], etwa $2^1/_2$ km in derselben Richtung entfernt das Gehölz Briottes, unter denen Pasumot Solennat und Brittas vermutete. Lässt sich auch diese Entwicklung der Namensformen geschichtlich nicht lückenlos begründen[7], so hat sie doch die Wahrscheinlichkeit für sich. Fagit dagegen und der Rivolus Burgundionum lassen sich unter entsprechenden Namen heute nicht mehr nachweisen. Fagit verlegte Pasumot an eine Stelle ostsüdöstlich von Solmet und nordöstlich von Briottes, wo sich in der Tiefe eines Tälchens Spuren einer Ansiedlung[8] finden. Nicht mit Unrecht bezeichnete Meyer von

---

1) 1163, a. a. O. p. 152: 'terra de Toire'; 1164, p. 173: 'terra de Thori'; 1168/75, p. 202: 'decimatio, territorium de Toire'; 1267: 'Thoriacum', 15. Jh.: 'Turiacum', 1528: 'Tury-en Puysoys', 1667: 'Thury'; vgl. M. Quantin, Dictionnaire topographique du département de l'Yonne p. 128 sq. 2) 'Hec predia delegavit . . . Fontanetum vero ad frumenta serenda', in Duru, Bibl. I, 318. 3) 'Item constituit, ut per duodecim mensium capita ita eedem celebrentur letanie: . . . Kalendis Septembris monasterium Fontanetense . . . . Item constituit, a quibus vigilie in basilica s. Stephani in civitate cum abbatibus celebrentur: . . . Secunda feria . . . monasterium Fotanetense' (sic), a. a. O. p. 329 sq. 4) Fromundus de Guillelmo: 'Cum ad benedicendum altare in capella fratrum de Grandi-Monte apud Fontenetum properaret', a. a. O. p. 426. 5) 1522 heisst der Ort Fontenoy-en-Puisoye, Quantin, Dictionnaire p. 54. 6) So die Schreibweise des Namens im Dictionnaire; sie wäre besser auch in die Neuausgabe des Nithard p. 58 eingesetzt worden. 7) 1604: Solmé, 1619: Solemez, 1657: Soullemé, 1604: Briotte; vgl. Quantin, Dictionnaire p. 124, bez. 20. 8) Ueber sie handelte später ausführlich E. Duché im Bull. de la soc. des sciences hist. et nat. de l'Yonne VI (1852), 451—467, wies sie der gallisch-römischen Zeit und ihre Zerstörung bereits dem 5. Jh. zu. In einer mir leider nicht zugänglichen späteren Notiz im

Knonau diese Nachweisung von Fagit als den schwächsten Punkt in Pasumots Ausführungen. Denn die Erklärung des Rivolus Burgundionum als des Baches, der bei Sementron, Coulon und Fontenoy vorüberfliesst und jeweils nach diesen Orten benannt wird, hat vieles für sich [1]. Die Bezeichnung 'rivolus Burgundionum' ist überhaupt kein individueller Flussname. Es ist eine ganz bekannte Erscheinung, dass unbedeutende Bäche keinen oder wenigstens in ihrem Oberlaufe noch keinen besonderen Namen führen, sondern von den Eingesessenen nach den Orten, die sie bespülen, benannt werden. Auch Angelbert gibt dem Bache keinen Namen. Vielleicht hat er seine ziemlich dunkle Bezeichnung [2] überhaupt erst anlässlich seiner durch die Schlacht erlangten Berühmtheit und zwar nur in der amtlichen Berichterstattung der Landfremden gewonnen. Wir brauchen also auf seine Nachweisung das geringste Gewicht zu legen.

Prüfen wir nun Vaulets Hypothese auf ihre historisch-topographische Begründung. Gegen die Bestimmung von Fontaneum als Fontenay-près-Chablis, das von Auxerre etwa 24 km entfernt ist, lässt sich geschichtlich und sprachlich nichts einwenden, wie wir aus den oben bereits angeführten Quellenstellen ersehen [3]. Auf eine Nachweisung des wichtigen Lagerplatzes Tauriacus jedoch und des Schlachtortes Solennat muss Vaulet verzichten, da es in der von ihm als Schlachtfeld angesprochenen Gegend keine Orte ähnlichen Namens gibt [4]. Seine Deutung von Brittas

---

Annuaire statistique de l'Yonne von 1858 scheint er jedoch auch mit der Möglichkeit ihres Unterganges im 9. Jh. zu rechnen. 1) Dass er heutzutage im Sommer wenig Wasser führt, spricht nicht dagegen. Heute noch ist das Land Puisaye reich an Sümpfen, wozu Angelberts Erwähnung von 'paludes' vortrefflich passt. Dass vor tausend und mehr Jahren die Gegend wasserreich gewesen ist, dafür sprechen auch die zahlreichen mit fons zusammengesetzten Ortsnamen: Ausser Fontenoy-en Puisaye im Canton Toucy die Gemeinde Fontaines und in derselben der Weiler Les Fontaines; ein gleichnamiges einzelnes Haus in der Gemeinde Toucy; ferner in der Gemeinde Lindry der Weiler Le Fonteny. Im Canton Saint-Fargeau der Weiler Fontinoy in der Gemeinde Ronchères, im Canton Bléneau ein einzelnes Haus La Fontaine in der Gemeinde Champcevrais. 2) Der Gau von Auxerre bildete zu Ende des 5. Jh. die Grenze des Frankenreiches gegen das der Burgunder, Longnon l. c. p. 109. 3) Vgl. oben S. 203, N. 2; 1339 heisst der Ort Fontenoy, Quantin, Dictionnaire p. 54. 4) Uebrigens scheint Vaulet nicht einmal den Text Nithards selbst vor Augen gehabt zu haben, sondern seinen Schlachtbericht nur aus der älteren Litteratur zu kennen. Denn seine Uebersetzung desselben ist unvollständig und falsch. Wie soll man sich sonst auch seinen Satz erklären (p. 60): 'On peut s'étonner aussi, que

auf die Ebene Brettauchée, nordwestlich von Chablis, die ich sonst nicht nachweisen kann, erscheint sprachlich sehr anfechtbar. Vollends seine Bestimmung von Fagit als Fyé oder Fley, die schon durch ihr Schwanken bezeichnende Unsicherheit verrät, ist nicht nur etymologisch unmöglich[1], sondern auch sachlich ausgeschlossen. Denn da Vaulet die Schlacht auf das linke Ufer des Serain verlegt, diese beiden Orte dagegen rechts des Flusses liegen, können sie keine Schlachtorte, sondern höchstens Plätze von Rückzugsgefechten gewesen sein, und das kann man in Nithards Text unmöglich hineindeuten. Der Rivolus Burgundionum aber soll der Serain sein. Dieser Fluss ist bei Chablis 10 m breit und tritt uns, und zwar gerade an dieser Stelle seines Laufes, bereits im Jahre 867 mit seinem individuellen Namen entgegen[2]. Da erscheint es doch so gut wie ausgeschlossen, dass Nithard und Angelbert ihn übereinstimmend als 'Bach' bezeichnet hätten. Auch wäre mit dieser Bestimmung die Aussage Angelberts, Lothar habe anfangs seine Feinde auf der Flucht 'usque forum rivuli' verfolgt, nicht zu vereinigen. Nach Vaulets Annahme stand er ja vor dem Flusse, den Rücken diesem zugekehrt, hätte also bei einer Verfolgung den Gegner vom Flusse fort, nicht zum Flusse hin treiben müssen.

Seiner in historisch-topographischer Beziehung auf sehr schwachen Füssen stehenden Hypothese sucht Vaulet den nötigen Rückhalt zu geben, indem er durch sachkritische Erwägungen Pasumots geschichtlich weit besser begründete Bestimmung des Schlachtfeldes als unmöglich zu erweisen und die seinige wahrscheinlich zu machen sucht. Doch auch nach dieser Richtung hin versagt sein Erklärungsversuch vollkommen. Denn wie mancher ausschliesslich fachmännisch gebildete Kriegshistoriker vor ihm überträgt er die militärischen Voraussetzungen seiner

---

M. Challe ait trouvé dans la relation de Nithard le nom de Solennat, dont Lebeuf, qui fit pourtant consulter le manuscrit de Nithard au Vatican, ne parle pas'?

1) Von Fyé sind folgende Namensformen überliefert: 850, 'Fiacus in pago Tornotrinsi', vgl. Quantin, Dict. 58; 1116, 'ecclesia de Fieo', Quantin, Cartul. I, p. 282; 1191, 'parochia de Fie', a. a. O. II, p. 484; 1536, 'Fiacum', Quantin, Dict. 58. — Von Fley die Formen: 'in valle Flaiaci', 1133 Februar 2, Quantin, Cartul. I, 292; 'apud villam Flaiacum', 1176, a. a. O. II, 279; 'Fley' 1246 und 'Flay prope Chablies', 14. Jh.; vgl. Quantin, Dict. p. 53.

2) '... quamdam fisci nostri cellam nomine Capleiam in pago Tornodrinsi super fluvium Sedenae sitam', in Quantin, Cart. I, 96; für die späteren Namensformen vgl. Quantin, Dict. p. 123.

Zeit ohne weiteres auf viel ältere, in diesem Falle mehr als ein Jahrtausend zurückliegende Kriegsverhältnisse. Daraus, dass die in Auxerre befehligenden Generäle das Gelände um Fontenoy-en-Puisaye fast immer als für ihre Herbstübungen ungeeignet betrachtet haben, folgt noch nicht, dass es nicht der Schlachtort von 841 gewesen sein kann. Zu diesem Schlusse gelangt Vaulet nur vermöge seiner geringen Kenntnisse der mittelalterlichen Kriegsgeschichte. Aus der ganz unbeglaubigten Angabe des Agnellus, auf seiten des Kaisers seien über 40 Tausend Mann gefallen, schliesst er, dass Lothars Heer mehr als 100, vielleicht 200 Tausend Mann betragen habe. Denken wir uns die siegreiche Truppenmacht der Brüder ebenso stark, so gelangen wir zu der stattlichen Gesamtzahl von 300 bis 400 Tausend Streitern. Man muss Vaulet ohne weiteres zugestehen, dass so grosse Heere nicht auf einem Gelände mit einander gerungen haben können, auf dem nach seiner Angabe heute nicht über 14 bis 15 Tausend Mann manövrieren können. Und wie heutzutage die Infanterie die Hauptwaffe bildet, so sollen nach seiner Annahme diese gewaltigen Truppenmassen überwiegend aus Fussvolk bestanden haben. Es verlohnt sich kaum, diese beiden Grundlagen seiner Beweisführung eingehender zu widerlegen. Jeder Kenner der Kriegsgeschichte nicht nur, sondern der allgemeinen Geschichte der Karolingerzeit überhaupt weiss, dass in der Zeit des Bruderkrieges die Umwandlung des altgermanischen Volksheeres zum Vasallenheere schon so gut wie ganz vollzogen war[1], dass in Folge dessen die Heere dieser Zeit sehr klein und ganz vorwiegend aus Reitern, ritterlichen Vasallen zusammengesetzt waren[2]. H. Delbrück sagt[3]: 'Wir werden annehmen dürfen, dass Karl der Grosse selten mehr als 5 Tausend oder 6 Tausend Krieger auf einer Stelle beisammen gehabt hat. 10 Tausend Kombattanten werden wir als das Aeusserste eines Karolingischen Heeres anzunehmen haben'.

Woher Agnellus seine Verlustziffer hat, wissen wir nicht; richtig kann sie nach unserer Kenntnis der Karolingischen Kriegsverfassung unmöglich sein. Heereszahlen

1) Vgl. H. Delbrück, Geschichte der Kriegskunst im Rahmen der politischen Geschichte III, 27. 90. 2) Ein Ueberwiegen des Rossdienstes geht auch aus einer Reihe von Stellen Nithards, die Meyer von Knonau a. a. O. S. 145 zusammengestellt hat, unmittelbar oder mittelbar, durch Berücksichtigung der aus seiner Darstellung zu erschliessenden Marschgeschwindigkeiten, hervor. 3) A. a. O. S. 16.

sind ja überhaupt der denkbar unsicherste Bestandteil in der Ueberlieferung der klassischen und frühmittelalterlichen Geschichtschreiber. Berücksichtigen wir, dass nach übereinstimmender Aussage der Quellen bei Fontaneum eine grosse Schlacht mit schweren Verlusten auf beiden Seiten geschlagen wurde, so könnten wir in den 40 Tausend allerhöchstens die Gesamtzahl der Streiter erblicken [1]. Haben wir uns aber die beiden Heere sehr viel kleiner zu denken, als Vaulet annimmt, so entfällt der Hauptgrund, den er gegen die Möglichkeit des Schlachtfeldes bei Fontenoy-en-Puisaye geltend macht. Dass das Schlachtgelände bergig, waldig und sumpfig, also für einen Entscheidungskampf wenig geeignet war, geht aus Angelberts Gedicht hervor [2]; wir werden für diese Tatsache noch eine Erklärung suchen. Tagemärsche von 27 km (Fontenoy — Auxerre), bezw. 35 km (Thury — Auxerre) wären zwar für grosse, hauptsächlich aus Fussvolk bestehende Truppenmassen schwer denkbare Leistungen; kleineren Reiterheeren jedoch können wir sie unbedenklich zumuten, zumal der weitere durch Nithard ausdrücklich als Eilmarsch bezeichnet wird [3].

Das ebene, weithin offene Gelände um Chablis ist unzweifelhaft für eine Schlacht geeigneter als die Gegend von Fontenoy-en-Puisaye; der Schauplatz des Entscheidungskampfes von 841 jedoch kann es schon deshalb nicht gewesen sein, weil Angelberts Geländebeschreibung durchaus nicht zu ihm passt. So bleibt uns nur noch übrig, Vaulets Hypothese mit seinen eigenen Waffen zu bekämpfen. Ein Flussübergang im Angesicht des schlachtbereiten Feindes, wie er ihn dem nach seiner Annahme ursprünglich rechts des Serain stehenden Kaiser zumutet, ist ein gefährliches Wagnis. Allerdings könnte man diesen Einwand durch den Hinweis etwas entkräften, dass beide Parteien die Schlacht als Gottesurteil betrachteten, Lothar also sicher sein konnte, im Anmarsche noch nicht angegriffen zu

---

1) Damit würde die Angabe der Datierung einer Urkunde des Klosters Redon in der Bretagne: 'ceciderunt multa millia in illo certamine', vereinbar sein. 2) 'Silvae, paludes, ima vallis, vertex iuieri' werden von ihm genannt. 3) Ed. Ausfeld, Der Königszug von Mainz nach Coblenz am 17. und 18. März 842, Westdeutsche Zeitschrift für Geschichte und Kunst XIV (1895), 343 ff. weist auf Grund von Nithards Ueberlieferung nach, dass die kleineren Reiterheere Karls, Ludwigs und Karlmanns in der Zeit vom 17. März 842 morgens bis zum Mittag des folgenden Tages Wege von 66 bis 100 km zurücklegten.

werden[1]. Soll man aber mit Vaulet dem Kaiser so wenig taktisches Geschick zutrauen, dass er seine Schlachtstellung am linken Ufer des Flusses, den Rücken diesem zugekehrt, genommen hätte? Wo blieb ihm da die Rückzugsmöglichkeit? Musste er nicht gewärtigen, im Falle der Niederlage, der bekanntlich eintrat, mit seiner Heeresmacht in den Fluss zurückgeworfen und so gänzlich vernichtet zu werden?

Ueberhaupt aber passt die Gegend um Chablis östlich von Auxerre viel weniger in den Zusammenhang der der Schlacht vorhergehenden Truppenbewegungen hinein als die von Fontenoy-en-Puisaye südwestlich dieser Stadt[2]. Wir sahen bereits, wieviel Lothar darauf ankam, vor der Entscheidungsschlacht mit seinen Brüdern seinen Neffen Pippin an sich zu ziehen. Dieser rückte von Aquitanien heran, wahrscheinlich also in nordöstlicher Richtung und könnte die Loire bei Mesves überschritten haben. Es ist nun viel wahrscheinlicher, dass der Kaiser, um seine Vereinigung mit ihm auf kürzestem Wege zu vollziehen, seine frühere südwestliche Marschrichtung auch hinter Auxerre beibehalten hat, als dass er sich ganz im Gegensatz zu derselben von dieser Stadt aus nach Osten gewandt hätte. Von Auxerre nach Chablis scheint auch in alter Zeit keine grössere Strasse geführt zu haben. In südöstlicher Richtung dagegen führte die alte Römerstrasse von Auxerre über Ouanne, Thury und Entrains nach Mesves-sur-Loire[3]. Von dieser Heerstrasse nun liegt Fontenoy-en-Puisaye, westsüdwestlich von Ouanne, wenige Kilometer entfernt; Solmet und Briottes liegen zwischen ihr und Fontenoy. Ist es da nicht sehr wahrscheinlich, dass der Kaiser zunächst die Römerstrasse bis nach Ouanne verfolgt und sich dann, um Zeit zu gewinnen, seitwärts, dem herannahenden Pippin entgegen, in das weniger leicht zugängliche Bergland um Fontenoy-en-Puisaye zurückgezogen hat? Die Brüder werden ihm auf derselben Strasse gefolgt sein[4], ihn nach seinem Abschwenken überholt haben und dann selbst bei Thury rechts von der Strasse eingeschwenkt sein, um durch ihre Stellung Pippins Vereinigung mit Lothar

1) Man vergleiche dazu das Angebot der Brüder vom 22. Juni bei Nithard l. c. p. 25, l. 20 sqq. 2) Die im Folgenden dargelegte Auffassung deckt sich in ihren Hauptzügen mit der von Challe, teilweise nach dem Vorgang von Paultre des Ormes, vertretenen. 3) Vgl. Quantin, Dictionn. VII, 7. 4) Benutzung der Römerstrasse durch sie nahm schon Pasumot an.

zu verhindern oder ihn wenigstens zu einem zeitraubenden Umwege zu nötigen. Am Schlachttage standen sie dann mit nach Norden gerichteter Front dem Feinde gegenüber.

Die vorstehenden Ausführungen sollten dazu dienen, die nicht ohne fachmännisches Selbstbewusstsein vorgetragene Erneuerung einer alten Hypothese als text- und sachkritisch verfehlt und ihr gegenüber die Richtigkeit der Verlegung des Schlachtfeldes nach Fontenoy-en-Puisaye möglichst sicher zu erweisen.

Beiträge zur Textkritik Wipos.

Von **Franz Koehler.**

Wie wenig befriedigend die Texte unserer Quellenschriftsteller zum Teil noch sind, zeigen Wipo's Gesta Chuonradi. Dass der Verfasser in den historischen Teil seines Werkes nachträglich Sätze eingeschaltet hat, ist von Andern nachgewiesen (vgl. H. Bresslau, N. Archiv II, 590 f.). Aber auch in dem Widmungsbrief und in dem Prolog liegen deutliche Beweise dafür vor, dass Wipo an seinem ersten Entwurf Aenderungen vorgenommen hat, die von Abschreibern mit dem Ursprünglichen teilweis vermengt sind, so dass das vom Verfasser Gewollte nur mit Mühe herausgeschält werden kann, oder dass sich nicht ermitteln lässt, was als letzte Fassung zu gelten hat. Handelte es sich dort um Zusätze sachlicher Natur, so hier um Veränderungen, die eine andere Formulierung von Sätzen bezwecken. Die Sache wird dadurch noch schwieriger, dass wir nur eine späte Hs. und den Druck des Pistorius haben, den man nicht ohne Weiteres als Hs. behandeln kann, zumal dieser die Abschrift seiner Textquelle durch einen andern besorgen liess (Epistola dedicatoria: 'repertos libros describi . . . iubeam'). Ob dieser sich genau an seine Vorlage gehalten hat, oder, um nur einen Sinn zu gewinnen, freier mit der Ueberlieferung umgesprungen ist, lässt sich nicht mit Bestimmtheit sagen, während in der Karlsruher Hs. eine revidierte Kopie vorliegt ('Revidiert cum Originali manu propria' Pertz SS. XI. praef.). Die Stellen, die ich besprechen will, lassen willkürliche Aenderungen bei Pistorius befürchten. Die Verwirrung, die hier im Texte vorliegt, über welche auch May klagt (N. Archiv III, 412), kann ich mir nur so erklären, dass die Abschriften unseres Textes, wenigstens was den Prolog betrifft, in letzter Linie auf Wipo's Brouillon zurückgehen, das bunt genug ausgesehen haben mag. Die bedenkliche Partie steht in der Ausgabe Bresslau's (1878) S. 6: 'Hos autem' ff.

Wipo bemerkt zur Rechtfertigung seiner weltlichen Schriftstellerei — es ist die Zeit des wachsenden Einflusses von Cluni —, das Gebot Christi verpflichte ihn zur öffentlichen Verkündigung des Evangeliums. Die Heiden haben ihre Kaiser gepriesen, wir Christen dürfen christlichen Königen, Verteidigern des christlichen Glaubens, nicht versagen, was die Heiden jenen gewährten. Die Verkündigung christlicher Taten ist christliche Predigt. Material dieser Predigt sind:

1) Maturo consilio, morali gravitate, summa constantia peractae res
2) lusu inepto, ficta audacia, cupiditate flagitiosa (factae res), gesta et omissa

Moralischer Zweck:

1) Anspornung der Guten zur Tugend
2) Besserung der Schlechten durch Tadel

Richtschnur der eigenen Darstellung:

1) Vermeidung dessen, was gegen die Religion ist
2) Aufzeichnung dessen, was dem Vaterlande, was der Wahrheit dient.

Beschränkung auf die Vergangenheit ('Res Chuonradi').

In dem Satze: 'Si enim nostri catholici reges, verae fidei defensores, legem ac pacem Christi, quam nobis per euangelium suum tradidit, sine periculo erroris gubernant, qui eorum benefacta scriptis suis manifestabunt, quid aliud quam euangelium Christi praedicabunt?' hängen die Worte 'legem ac pacem Christi, quam nobis per euangelium suum tradidit' in der Luft; das christliche Regiment der Fürsten ist durch 'sine periculo erroris gubernant' genügend gekennzeichnet. Jener Satz kann unmöglich an seiner Stelle bleiben. In Wipo's Dedikationsexemplar wird er an Stelle der Worte 'euangelium Christi', die demnach auszuscheiden wären, gestanden haben. Das Umgekehrte, dass er die längere Fassung durch das kurze 'euangelium Christi' ersetzt hätte, erscheint mir unwahrscheinlich. Der längere Satz war von Wipo im Konzept am Rande beigefügt und ist von den Abschreibern an falscher Stelle eingeschoben worden.

Die folgende Partie muss ich nach den Drucken und nach der Karlsruher Hs. hersetzen:

Pistorius[1].	Handschrift[2]. Fol. 4b.
Quamvis animus scribentis vacillet aggredi arduas res, maturo consilio, morali gravitate, summa[que] constantia peractas, et si inepto luxu vel ficta audacia aut cupiditate flagitiosa fiant res, in quibus cunctis scriptorem oportet versari: et in actis eorum, quos notat, vulganda sunt tam gesta quam omissa, prout facultas ingenii dederit, ex qua re boni ad virtutem incitantur, mali autem honesta invectione corriguntur. Illa igitur est causa scribendi, quod nulla vetat religio, et commendat intentio, et proderit patriae, et benedictio conducit posteritati. Quod praeterit, in promptu est;	Quamvis animus scribentis vacillet | aggredi arduas maturo consilio, morali graui | tate, summa constantia peractas, nisi inepto luxu, | vel ficta audatia, aut cupiditate flagitiosa | fiant, res in quibus cunctis scriptorem oportet | versari, et malefactis eorum, quos notat, Vul- | ganda sunt tam gesta, quam omissa, prout fa | cultas ingenii dederit, Ex qua re boni ad Vir | tutes incitantur, mali autem honesta inuectione | corriguntur. Illa igitur est causa scribendi, quod | nulla uetat relligio scriptis commendare, sed si- | lentio, et proderit patriae, et benedicitur | veritati, quod praeterit in promptu est[3].

Nach der oben gegebenen Disposition ist nun die ganze Periode, deren Schluss anakoluthisch mit 'igitur' angefügt ist, folgendermassen zu ordnen:

Quamvis animus scribentis vacillet aggredi arduas maturo consilio, morali gravitate, summa constantia peractas res, in quibus cunctis scriptorem oportet versari,

aut si inepto lusu vel ficta audacia aut cupiditate flagitiosa fiant,

ex malefactis eorum, quos notat, vulganda sint tam gesta quam omissa, prout facultas ingenii dederit,

ex qua re boni ad virtutes incitantur, mali autem honesta invectione corriguntur:

illa igitur est causa scribendi, quod nulla vetat religio scriptis commendare, et proderit patriae et veritati,

sed silentio benedicitur (deus in Sion)[4].

---

1) Bresslau schliesst sich Pistorius an, hat aber nach der Hs. 'summa constantia' statt 'summaque'. 2) Die sorgfältige Vergleichung der Hs. an dieser Stelle verdanke ich der Güte eines Unbekannten in Karlsruhe. 3) Hervorzuheben ist, dass in der Hs. 'res' hinter 'arduas' nicht steht, dass die beiden Zeilen, die mit 'benedicitur' und 'promptu est' schliessen, nicht ganz ausgefüllt sind. 4) Freie Wiedergabe von Psalm 64, 2.

Die Aenderungen des handschriftlichen Textes bestehen in Umstellung des Satzes: 'nisi — fiant res' mit Aenderung des 'nisi' zu 'aut si'; 'inepto lusu' statt 'inepto luxu' wegen des Gegensatzes zu 'morali gravitate' (der Ausdruck nach Ovid. Trist. II, 223 'lusibus ineptis'); ferner 'ex malefactis' statt 'et malefactis', 'vulganda sint' statt 'vulganda sunt', endlich der Ausscheidung von 'sed silentio' und Verbindung mit 'benedicitur (deus in Sion)' zur biblischen Sentenz.

Um ein deutliches Bild von der Gestalt des Textes in der Hs. zu geben, setze ich das Folgende nach einer Photographie her.

Pist.	Hs.
Quod praeterit, in promptu est; quicquid autem futurum est, non est in praenotione. Qua re atque spe adductus; scribere volui ad communem utilitatem legentium, quod audientibus esset iucundum. Nam si . . .	. . . ., quod praeterit in promptu est . . . . (Lücke von ca. 35 Buchstaben) . . . Quare atque spe adductus . . . (Lücke von ca. 20 Buchstaben) . . . et ad communem utilitatem legendam . . . (Lücke von ca. 15 Buchstaben) . . . Nam si . . .

Statt 'praeterit' ist hier 'praeteriit' (die 'Vergangenheit') zu schreiben (Cicero, Cato maior c. 69: 'Cum enim id advenit, tum illud, quod praeteriit, effluxit; tantum remanet, quod virtute et recte factis consecutus sis; horae quidem cedunt et dies et menses et anni; nec praeteritum tempus umquam revertitur, nec, quid sequatur, sciri potest'; vgl. bei Wipo: 'quicquid autem futurum est, non est in praenotione').

Ferner ist der Satz 'quod audientibus esset iucundum' zu beseitigen. Wipo mag zuerst so geschrieben haben; weil die Wendung aber in keiner Weise seinem Ziele: 'boni incitantur ad virtutes, mali corriguntur' entspricht, so ersetzte er ihn durch das zum Vorhergesagten besser passende 'ad communem (sc. bonorum et malorum) utilitatem legentium' ('ad communem utilitatem' Cic. de off. I, 16, 52).

Der nächste Satz bietet nicht, was man erwartet; zwei Sätze sind in der Ueberlieferung durch einander geraten, und die eben angeführte Doppelaufgabe ist dadurch verwischt:

Pist.	Hs.
Nam si quid in his, quod inhonestum afferatur, in	Nam si quid in his, quod honestum sit . . . (Lücke

Pist.	Hs.
potestate lectoris ad imitandum erit in propatulo. Quod etiam facio meo provectu, ut qui multis prementibus vitiis corpus excitante Deo otiositatem velut animae inimicam his occupatus negotiis vitare valeam.	von ca. 22 Buchstaben) . . . ad imitandum erit in propatulo . . . (Lücke von ca. 16 Buchstaben) . . . et meo prouectu; ut qui multis praementibus vitiis torpore excitante domino ociositatem velut animae inimicam, his occupatus negotiis vitare valeam.

Dass 'inhonestum' sich mit 'ad imitandum' nicht reimt, liegt auf der Hand. Dem Gedankengange Wipo's würde, ohne dass man ein Wort zu ändern braucht, folgende Anordnung entsprechen: 'Nam si quid in his, quod honestum sit, afferatur, in potestate lectoris ad imitandum, quod inhonestum, in propatulo erit'. Die Verwirrung wird durch 'honestum — inhonestum' entstanden sein.

Zu dem auf die Allgemeinheit bezüglichen Motiv seiner Schriftstellertätigkeit ('scribere volui ad communem utilitatem') fügt Wipo nun noch ein persönliches: ich tue dies, nämlich ich schreibe, auch zu meinem Vorteil ('et meo provectu') weil ich, mit diesen Aufgaben beschäftigt, mit Gottes Hülfe die 'otiositas' vermeiden kann. Das 'torpore' der Hs. ist Glosse zu 'vitiis' und auszuscheiden oder aus 'torporem' verschrieben und Variante zu 'otiositatem'. Dass bei 'prementibus vitiis' nicht an körperliche Gebrechen zu denken ist, wozu die Aenderung 'corpus' im Druck nötigt, bedarf keines Beweises; es ist das Bekenntnis der menschlichen Unzulänglichkeit aus dem Munde eines frommen Geistlichen (vgl. oben: 'verendum est modernis scriptoribus vitio torporis apud Deum vilescere').

Die Wendung 'ne spernat stilum cadentem erigere' im Folgenden ist mir nicht verständlich; sollte nach Ovid. Trist. IV, 3, V. 77—78 ('Ars tua, Tiphy, iacet . . . ars tua, Phoebe, vacat') 'iacentem' oder 'vacantem' zu schreiben sein (die 'untätig liegende', 'feiernde')? Auch in den Schlussworten des Satzes scheint etwas nicht in Ordnung zu sein.

Es stehen sich da wieder zwei Fassungen gegenüber; nach der einen (Pist.) bittet Wipo einen späteren Darsteller der Taten Heinrichs, seine (Wipos) 'coepta' nicht mit missgünstigen Augen anzusehen, d. h. doch wohl nicht zu verschmähen, wie er das Gleiche in betreff der eigenen coepta nicht wünschen würde.

Die Hs. dagegen sagt, 'wie er nicht wünschen würde, dass ein anderer' — 'aliquem' müsste jedenfalls eingeschaltet werden — 'zu dem von ihm Beendigten etwas hinzufüge'.

Die letztere Fassung kann ich nur so verstehen, dass Wipo fürchtete, es könne ein späterer zu seinen (Wipo's) 'finita', d. i. Vita Chuonradi, hinzufügen, was absichtlich und zwar aus guten Gründen übergangen war. Dieser Gedanke passt aber zu dem unmittelbar Vorhergehenden nicht; so wird Wipo selbst ihn ersetzt haben durch das, was wir bei Pistorius lesen. Dass zwei Abschreiber ein und dasselbe Wort, der eine als 'invidere', der andere als 'addere' gelesen haben sollten, halte ich für unmöglich. Es läge hier also eine Umgestaltung vor, wie oben in der behandelten Stelle, wo 'evangelium Christi' durch einen ganzen Satz ersetzt wurde.

Das Umgekehrte wird im Folgenden anzunehmen sein:

Pist.	Hs.
non oportet esse aliquem in huius operis calce ingratum, qui principium inveniet praeparatum.	non oportet esse aliquem in huius operis calce ingratum aut carpere opus praeparatum.

Man gewinnt hier den Eindruck, dass das unbestimmte 'ingratum, qui principium inveniet praeparatum', vom Verfasser selbst ersetzt worden ist durch 'carpere opus praeparatum', spricht er doch im Briefe ausdrücklich von 'calumpniantes'. In diesem Falle würde also die handschriftliche Lesart den Vorzug verdienen; denn 'invidere' sagt nicht, dass die Missbilligung in Worten ihren Ausdruck findet, wohl aber 'carpere'.

Was das Ziel, welches sich Wipo gesteckt hat, betrifft, so scheint mir die Behandlung dieser Frage durch Hereinziehen von Mängeln der Gesta Chuonradi selbst auf falsche Bahnen geraten zu sein. Er scheidet ausdrücklich 'gesta Chuonradi effigiabo, gesta Heinrici, quam diu vixero, congregare non desinam', d. h. vom ersteren werde ich ein abgeschlossenes Bild geben, die Taten des letzteren als Material für Spätere sammeln; womit übereinstimmt in der Epistola: 'quae vero post obitum illius (sc. Chuonradi) gloriose feceras, per se ordinanda decrevi' (= annalistisch zu verzeichnen) und 'Tibi, summe imperator, . . . gesta patris repraesento, ut, quotiens ipse res clarissimas agere mediteris, prius paternas virtutes velut in speculo imagineris'.

Trotz des 'effigiabo' war gewiss, als Wipo dies schrieb, das Werk vollendet (cf. im Prolog: 'qua re atque spe adductus, scribere volui'). Wipo glaubt wegen seiner Kränklichkeit und wegen seines höheren Alters nicht, dass er den zweiten Teil seiner Aufgabe zu Ende führen werde, und bittet deswegen, das nur Begonnene nicht mit missgünstigen Augen anzusehen, sondern als Fundament für eine Darstellung der Taten Heinrichs in der Weise zu benutzen, wie er die Taten des Vaters geschildert hat. Dass er, was Heinrich bei Lebzeiten des Vaters getan, in dessen Gesta mit aufnehme, hebt er im Briefe ausdrücklich hervor; es wird also mehr künstlerisches Unvermögen sein, wenn die auf Heinrich bezüglichen kurzen Angaben wie mehr oder weniger ungeschickt angefügt erscheinen.

An zwei Stellen der Gesta selbst möchte ich noch eine Textesänderung vorschlagen: S. 11 haben die Ausgaben: 'locus et amplitudine planitiei causa, multitudinis maximae receptibilis'. Eine Ebene kann schmal, kann klein sein; lesen wir dagegen 'planitiei circa', so wird damit gesagt, dass sie sich nach allen Seiten hin erstreckt, folglich 'multitudinis maximae receptibilis est'. Der Eingang der Schilderung ist gemacht nach Ovid. Met. XII, 40. — S. 14 haben Hs. und Schulausgabe: 'qui feliciores nobis esse poterunt, si alter regnabit, alter regnanti publicam rem per benevolentiam suam quasi solus praestabit?' 'quasi solus' enthält eine unmögliche Hyperbel. Im Vorhergehenden setzt der ältere Konrad auseinander, dass die Mitglieder eines Geschlechts an der Erhebung eines der Ihrigen teilnehmen, wenn sie auch selbst die höchste Gewalt nicht erhalten ('ut alter eiusdem honoris participatione alterius[1] quodammodo non careat'). Diesem Gedanken würde die Aenderung entsprechen: 'quasi socius praestabit'.

In der ersten Strophe der Cantilena (S. 78) heisst es:

Voces laudis humane,
curis carneis rauce,
non divine maiestati
tantum sufficiunt.

Was 'tantum' hier bedeuten soll, weiss ich nicht. Einen erträglichen Sinn gewinnt man durch die Aenderung 'cantu': die Stimmen des menschlichen Lebens reichen mit ihrem Gesang nicht aus etc. Der ersten Strophe entspricht die letzte:

---

1) 'ulterius' ist wohl nur Druckfehler.

quem angelorum laudes bonorum et voces
laudant rite per evum.

Zu den bereits angeführten Zitaten füge ich noch einige hinzu; sie beweisen, dass Wipo ein belesener Mann war, und woher er seinen Wortschatz und gelegentliche Vorbilder seiner Darstellung nahm. Dass solche Nachweisungen auch für die Textkritik von Nutzen sein können, habe ich in meiner Abhandlung über Liudprand gezeigt (N. Archiv Bd. VIII) und beweist die obige Stelle mit lusus.

S. 4. (Prolog) 'Tullum et Ancum, patrem Aeneam' — Hor. Od. IV, 7, 15. 'pater Aeneas, quo dives Tullus et Ancus'.

S. 8. 'ut in plerisque locis caedes, incendia, rapinae fierent' — nicht nach Sallust, sondern nach Cic. pro domo c. 5: 'ad incendia, caedes, rapinas', ähnlich ib. c. 6, § 17 und Cat. II, 5, 10: 'nisi caedem, nisi incendia, nisi rapinas'.

S. 10. 'Nunc ad propositum redeo' — Iordan. 37: 'ad propositum vero redeamus'.

S. 11. 'inter spem et metum suspensi' — nicht aus Horaz, sondern Livius VIII, 13: 'tot populos inter spem metumque suspensos'.

S. 14. 'consedere principes, populus frequentissimus astabat' — Ov. Met. XIII, 1: 'consedere duces et vulgi stante corona'.

S. 15. 'fit clamor populi' — Ov. Met. XII, 387: 'fit clamor'.

S. 19. 'feminei laboris patiens' — Sall. Iug. c. 17, 28: 'laboris patiens'.

S. 22. 'gloria .... transcendit ... transnatavit ... manabat' — Cic. Cat. IV, c. 3, § 6: 'malum ... manavit ... transcendit'.

Proverbia. S. 55. V. 79 — Sprüche 15, 4.
V. 90 — Römer 12, 21.
V. 97 — Ps. 95, 4.

Tetralogus. S. 56. 'quod ros Hermon excelso monti Sion' — Ps. 133, 3.

War die im Jahre 1244 verstossene Gemahlin Ezzelins von Romano eine Tochter Kaiser Friedrichs II.?

Von Ernst Salzer.

Ezzelin von Romano, der langjährige Tyrann der Trevisaner Mark, hat sich im Jahre 1238 — so berichten die Veroneser Annalen — zu Verona mit Selvaggia, einer natürlichen Tochter Kaiser Friedrichs II., vermählt[1].

Im Jahre 1244 — also sechs Jahre nachher — hat er nach Rolandin seine Gemahlin, eine Schwester des Markgrafen Galvano Lancia, die er 'non multo tempore antea' geheiratet hatte, und zwar 'datam sibi scilicet ab ipso imperatore' verstossen. Jaffé, der Herausgeber Rolandins, hat die Vermutung ausgesprochen, dass diese Markgräfin Lancia, deren Vornamen Rolandin nicht angibt, mit Selvaggia identisch sei[2]. Dafür scheinen in der Tat einerseits der Umstand zu sprechen, dass Friedrich II. in Beziehungen wenigstens zu der jüngeren Bianca Lancia gestanden hat[3], aus denen bekanntlich König Manfred hervorgegangen ist, andererseits die Worte: 'datam sibi ab ipso imperatore'. Schon Ficker indessen hat diese Vermutung verworfen, weil die Verheiratung 'non multo tempore antea' geschehen sein soll[4]. Man kann ferner gegen

---

1) B.-F.-W. 13251b. 2) MG. SS. XIX, 81, N. 5. 3) Wahrscheinlich auch zu der älteren — B.-F.-W. 4632b; damit übereinstimmend Merkel, Manfredi I. e Manfredi II. Lancia, Turin 1886, . 168 sqq. 4) Forschungen zur italienischen Reichs- und Rechtsgeschichte II, § 406, N. 20. Vgl. B.-F.-W. 13501a. Gittermann, Ezzelin von Romano S. 133 f. dagegen sucht die Identität der Selvaggia und der Markgräfin Lancia zu erweisen — freilich mit einem sehr anfechtbaren Argument: Die Annalen von Verona berichten zum Jahre 1250 die Vermählung Ezzelins mit der Tochter des Bontraversus de Castronovo mit der Einleitung: 'Prima uxore defuncta'. Nun berichten die Annalen nur zum Jahre 1238 die Vermählung mit Selvaggia — (weder sie noch Rolandin wissen etwas von Ezzelins erster Ehe mit Zilia von San Bonifacio, die im Jahre 1221 22 abgeschlossen wurde) — also muss das nach Gittermann dieselbe Frau

die Hypothese Jaffés geltend machen, dass Rolandin die Verheiratung mit Selvaggia im Jahre 1238 gar nicht erwähnt, und dass bei den nahen Beziehungen Friedrichs II. zu dem Hause Lancia die Mitwirkung des Kaisers bei der Vermählung der Markgräfin erklärlich ist, auch ohne dass diese seine Tochter war.

So nennt denn auch Brentari[1] neben Selvaggia als dritte Gemahlin Ezzelins die Markgräfin Isotta Lancia. Den Vornamen Isotta gibt nicht Rolandin an, sondern Bonifacio in seiner Storia Trivigiana (1. Aufl. 1591)[2]. Hier wie auch sonst geht Bonifacio auf die noch ungedruckte, anonyme Foscarinische Chronik von Treviso zurück, die noch dem XV. Jh. angehört und ihrerseits wohl auf noch älterer Ueberlieferung beruht[3].

Ich lasse die betr. Stelle der beiden Trevisaner Quellen hier folgen.

Bonifacio p. 255.	Foscarinische Chronik[5].
Morta Selvaggia, moglie d'Ezzelino, inamoratosi egli d'Isotta, figluola di Galvano Lanza, fece questo suo padre crear podestà[4] e vicario cesareo di Padova e volendo perciò mescolarsi con Isotta	Eccelin da Roman havea facto meter per avanti Galvan Lanza per vicario del imperio in Padoa a fin de haver Isota, sua fia, ma essendo prudente el padre non volse assentir senza legitima dis-

gewesen sein, die nach Rolandin im Jahre 1244 verstossen wurde. Als ob nicht die Ehe mit der Markgräfin Lancia den Veroneser Annalen ebenso gut unbekannt geblieben sein könnte wie die erste Ehe, namentlich da sie nur von kurzer Dauer war. Ganz verkehrt ist aber die Gittermannsche Kombination auch schon deshalb, weil die Ehe mit Selvaggia nach den Veroneser Annalen durch deren Tod, die Ehe mit der Markgräfin Lancia aber nach Rolandin durch Scheidung endete. Wie Rolandin nichts von der zu Verona 1238 abgeschlossenen Ehe mit Selvaggia berichtet, so berichten die Annalen von Verona nichts von der kurzen, vermutlich in Padua abgeschlossenen Ehe mit der Markgräfin Lancia.

1) Ezzelino da Romano nel mente del popolo p. 38 sq. nach Rolandin und Bonifacio, aber ohne näher auf die Widersprüche und den Wert der beiden Quellen einzugehen.

2) Auch Piloni, Storia di Belluno 1607 p. 120 gibt den Vornamen Isotta und bezeichnet sie als Galvanos Tochter, wohl nach Bonifacio, während seine Darstellung der Scheidung im übrigen aus Rolandin geschöpft ist.

3) Bailo im Archivio Veneto XVII, 1879, p. 388 sqq., besonders p. 403.

4) Galvano wurde nach Rolandin S. 79 im Juli 1242 Podestà von Padua.

5) Ms. 659 der Kommunalbibliothek von Treviso fol. 96v. Für die liebenswürdige Mitteilung dieser Stelle bin ich dem Direktor der Kommunalbibliothek, Herrn Prof. Bailo, zum grössten Danke verpflichtet, ebenso der Direktion der K. K. Hofbibliothek zu Wien für die Kollation mit der dort beruhenden Hs. 6331 fol. 147a. b.

Bonifacio p. 255.	Foscarinische Chronik.
con intenzione poi di sposarla, nè avendo Galvano voluto ciò permettere, Ezzelino la sposò con licenza dell' imperatore; ma tosto divenutone satollo, nè si curando più di lei, la rimandò a casa del padre. Di che dolutosi Galvano con Federico fu commessa questa causa a Filippo, arcidiacono Feltrino, nipote di Giacobo, vescovo di Padova, il quale nel Genaro essendo Ezzelino contumace, pronunciò Isotta esser sua moglie. Di che Ezzelino sdegnato, da Verona andò a Padova, ove il terzo giorno di Febrajo fece carcerar Filippo il giudice, che nelle prigioni morì, e privato Galvano della podestaria lo condennò in gran somma di danari, calunniandolo, perchè egli avesse usato tirannide nella città e rubato il fisco, di che egli indarno si dolse con l' imperatore.	ponsation. Ecelin la disponsò intervegnando lo consentimento del imperador per esser morta la fia. Questo tirano senza fede havendo satiado el suo apetito rimandò la donna a casa del padre et non curava più de tuorla. Galvan se dolse al imperador et de sua volontà fece cometer la causa matrimonial a Philippo, archidiacono Feltrino, nepote de Jacomo, episcopo de Padoa, et quel de zenaro[1] in contumacia d' Ecelin terminò, Isota esser sua legitima donna, e per questo Ecelin pien de animo da Verona se trafferì a Padoa a 3. Febrajo et fece prender el judice et cazolo nele preson, et privò Galvan de la dignità del vicariato et astrinselo a pagar gran quantità di denari cum imputation ch' el havea facto tyranità nel populo et robato el fisco del imperio; el judice non havendo da satisfar morite[2] in seraio(?), Galvan andò a dolerse a Friderico imperador, ma puocho li zovò.

Man wird wohl dieser Trevisaner Ueberlieferung hier folgen dürfen, mindestens in so weit ihre Nachrichten genauer sind als die der zeitgenössischen Chronik Rolandins: Wie den Vornamen Isotta, so gibt nur sie den 3. Februar als Tag der Ankunft Ezzelins in Padua an[3]. Auch sonst ist die Darstellung der trevisanischen Ueberlieferung ein-

1) Für Genaro? (vgl. 'zovò' für 'giovò') — jedenfalls hat Bonifacio so gelesen — oder Ortsname? 2) monete? 3) Rolandin gibt nur den Monat an.

leuchtender. Nach ihr beschwert sich Galvano Lancia beim Kaiser, und der delegierte Richter Philipp, Erzdiakon von Feltre, fällt ein Kontumazialurteil gegen Ezzelin, dass Isotta seine rechtmässige Gemahlin sei. Darauf eilt Ezzelin am 3. Februar nach Padua und lässt Philipp einkerkern. Nach Rolandin dagegen spricht Philipp als delegierter Richter die Ehescheidung aus und wird von Ezzelin später ins Gefängnis geworfen [1].

Da sich die Trevisaner Quellen durch die Ueberlieferung des Vornamens Isotta und des Datums des 3. Februar besser unterrichtet zeigen als Rolandin, so möchte man zunächst geneigt sein, auch ihre Darstellung des Prozesses für richtig zu halten [2] — obwohl es ja freilich auch denkbar ist, dass sie die Ereignisse in freier Weise pragmatisch verknüpft haben. Beachtenswert ist es ferner, dass die Foscarinische Chronik die Zustimmung des Kaisers zur Vermählung Isottas damit motiviert, dass seine Tochter gestorben gewesen sei — womit also ausdrücklich der Tod der Selvaggia berichtet wird [3]. Ebenso sagt Bonifacio ausdrücklich, dass Selvaggia vorher gestorben sei [4], motiviert aber die Zustimmung des Kaisers mit dem anfänglichen Widerstand Galvanos gegen die Verbindung. Wie in der Darstellung des Prozesses, so weichen die Trevisaner Quellen noch in einem anderen Punkte von Rolandin ab: dieser bezeichnet die Gemahlin Ezzelins als Schwester, jene bezeichnen sie als Tochter von Galvan Lancia. Wir haben keine Anhaltspunkte, um zu entscheiden, welche Angabe die richtige ist. Jedenfalls aber scheint das Zeugnis der Trevisaner Quellen zu beweisen, dass Selvaggia nicht mit Ezzelins Gemahlin aus dem Hause Lancia identisch ist. Diese dritte Gemahlin Ezzelins ist dagegen vielleicht dieselbe Isolda Lancia, die später — um das Jahr 1255 — als Gemahlin des Markgrafen Berthold von Hohenburg erscheint [5] und in den Jahren 1259—1270 auch urkundlich nachweisbar ist [6].

---

1) Es widerspricht wenigstens nicht der Darstellung der Trevisaner Quellen, dass Ezzelin im Jahre 1249 eine vierte Ehe einging — B.-F.-W. 13731a; inzwischen kann die Ehe mit Isotta durch deren Tod oder durch Scheidung auch rechtlich aufgelöst worden sein. 2) Vgl. aber unten N. 5. 3) Wie Bonifacio so wird wohl auch seine Vorlage die Vermählung von Selvaggia zum Jahre 1238 berichten. 4) Das spricht dafür, dass auch mit der ersten verstorbenen Gemahlin Ezzelins, die die Annalen von Verona erwähnen — s. oben S. 220, N. 4 — Selvaggia gemeint ist. 5) Jamsilla, Muratori SS. VIII, 574 — dann müsste also doch ihre Ehe mit Ezzelin, der bekanntlich erst 1259 gestorben ist,

Der Name kann aber auch mehrfach im Hause Lancia vorgekommen und Ezzelins Gemahlin schon gestorben sein, bevor jener im Jahre 1249 seine vierte Ehe mit Beatrice Bontraversi einging.

---

geschieden worden sein — entweder im Jahre 1244, wie Rolandin berichtet, oder, wenn die Darstellung des Prozesses des Jahres 1244 durch die Trevisaner Quellen richtig ist, später; vgl. oben S. 223, N. 1 und 2.
6) Riccio, Saggio di Codice diplomatico. Suppl. I, 26. 29 sqq. Del Giudice, Codice diplomatico del regno di Carlo I. e II. II, 322.

Zu den Urkunden über die Erhebung Landgraf Heinrichs I. von Hessen in den Reichsfürstenstand.

Von **Otto Grotefend.**

Zu den zuletzt von J. Schwalm in den Constitutiones III (Mon. Germ. Leges IV) S. 464 f. nach der Textwiedergabe von Professor Dr. Höhlbaum (in den Mitteilungen des Oberhessischen Geschichtsvereins in Giessen, N. F. IV, 49 f.) abgedruckten Urkunden vom 10. und 11. Mai 1292 über die Erhebung Landgraf Heinrichs I. von Hessen in den Reichsfürstenstand sei es mir gestattet, in Folgendem einige berichtigende Worte zu sagen. Schon Höhlbaum bemerkte, dass jede der im Preussisch-Hessischen Samtarchiv zu Marburg (im Kgl. Staatsarchiv) erhaltenen Urkunden auf der Rückseite mit einer Ordnungszahl versehen ist, und zwar die Königsurkunde mit 'tercia', der Willebrief Erzbischof Gerhards von Mainz mit 'quarta', der Markgraf Ottos IV. mit dem Pfeil von Brandenburg mit 'sexta', der seines Vetters, des Markgrafen Otto V. des Langen von Brandenburg, mit 'septima', der Herzog Albrechts II. von Sachsen mit 'octava' und schliesslich der des Pfalzgrafen Ludwig bei Rhein mit 'nona'. Nicht vorhanden sind also einerseits die Zahlen 'prima', 'secunda' und 'quinta', andererseits drei Willebriefe; die beiden Brandenburger repräsentieren zusammen eine Kurstimme. Der Schluss lag nun sehr nahe, dass das Fehlen der drei Willebriefe und der Ausfall gerade dreier Zahlen im engsten ursächlichen Zusammenhange stehe.

Diesem Gedanken verleiht Höhlbaum auch indirekt Ausdruck, indem er zu dem Satze, dass die Ausstellung jener drei Willebriefe einem Zweifel nicht unterliege, die Anmerkung hinzufügt (S. 49): 'die Urkunden sind von gleichzeitiger Hand auf dem Rücken mit Ordnungsnummern versehen, 9 Stücke, von welchen 1, 2 und 5 heute fehlen'. Schwalm, der allerdings die Urkunden selbst nicht gesehen zu haben scheint, spricht sich (Anm. S. 466) schon etwas bestimmter aus: 'ex serie documentorum deesse primum, secundum, quintum, id est consensum Coloniensis, Trevirensis archiepiscoporum, regis Bohemiae opinari licet'; auch er bemerkt, dass jene Ordnungszahlen 'manu coaeva' geschrieben seien.

Nun, einen dieser fehlenden Willebriefe vermag ich nachzuweisen: es ist der des Erzbischofs Boemund von Trier, gleichfalls am 10. Mai zu Frankfurt ausgestellt und in Form und Inhalt den übrigen gleich. Er ist uns aber nicht mehr im Original, sondern nur in einer Abschrift des 14. Jh. im Kopiar I, 1 (über Verträge etc. 1292—1370) des Staatsarchivs zu Marburg erhalten, wo er zwischen dem Willebrief des Erzbischofs Gerhard (quarta) und dem des Markgrafen Otto IV. (sexta) steht. Wäre der Willebrief des Trierers also noch erhalten und nicht, was bei dem zum Teil sehr schlechten Zustande der übrigen anzunehmen ist, der Feuchtigkeit zum Opfer gefallen, so würde er sicherlich die Nummer 'quinta' tragen. Jenes Kopiar I, 1 ist etwa um das Jahr 1350 und zwar der Handschrift nach in der landgräflichen Kanzlei angelegt worden; es enthält zunächst in zwei Urkunden einen wichtigen Vertrag zwischen dem Herzog Albrecht von Braunschweig und dem Landgrafen Heinrich von Hessen vom Jahre 1306, denen 12 Königsurkunden und unsere Willebriefe, Hausverträge hessischer Landgrafen und schliesslich 24 Urkunden über Gütererwerbungen seitens der Landgrafen folgen. Die jüngste dieser sämtlich von einer Hand geschriebenen Urkunden ist vom 22. Mai 1350; zwischen und hinter ihnen haben gleichzeitige und spätere Kanzleibeamte Abschriften von Urkunden des 13. bis 15. Jh., zumeist Lehnsurkunden, hinzugefügt. Bei genauerer Betrachtung dieses Kopiars fiel mir die Uebereinstimmung in der Anordnung seiner Abschriften und der Reihenfolge der oft genannten Ordnungszahlen auf. Der Urkunde König Adolfs vom 11. Mai (tercia) gehen, wie gesagt, dort die Kopieen der zwei Urkunden von 1306 voraus. Die erste von ihnen ist leider in der hessischen Ausfertigung nicht mehr erhalten, die zweite befindet sich im Staatsarchiv Marburg und trägt auf der Rückseite die Zahl 'secunda', von der gleichen Hand wie die Zahlen der Königsurkunde und der Willebriefe, aber auch von derselben Hand, die die Urkundenabschriften jenes Kopiars bis zum 22. Mai 1350 angefertigt hat, nicht also, wie

Höhlbaum meinte, 'von gleichzeitiger Hand'. Eine Prüfung der auf die Willebriefe im Kopiar folgenden Urkunden ergab, dass sie von dem nämlichen Schreiber in fortlaufender, mit der Anordnung im Kopiar übereinstimmender Reihe mit den Zahlen 10 bis 19 versehen sind; 'nonadecima' steht auf dem Rücken einer Königsurkunde vom 3. Juni 1331; die ihr im Kopiar folgende königliche Urkunde vom 7. Dezember 1336 ist im Original nicht erhalten, die nächsten Urkunden aber tragen sämtlich keine Nummern mehr, was vielleicht darin seinen Grund hat, dass unter ihnen sich keine einzige Königsurkunde und keine in Gegenwart oder auf Veranlassung des Königs entstandene Urkunde mehr befindet.

Das Kopiar stellt also den ersten uns bekannten Versuch einer Ordnung und Verzeichnung des landgräflichen Archivs dar und ist deshalb auch archivtechnisch sehr interessant. Für uns aber kommt hier besonders in Betracht, dass durch diese Ermittlung nachgewiesen ist, dass jene Zahlen absolut nichts mit der Ausstellung der Willebriefe zu tun haben, dass aus ihnen nicht auf die ehemalige Existenz jener fehlenden Urkunden zu schliessen ist. Sollte der Abschriftenbestand des Kopiars nicht vielmehr gerade im Gegenteil beweisen, dass die Willebriefe des Kölner Erzbischofs und des Königs von Böhmen niemals existiert haben? Ich glaube, dieses annehmen zu dürfen; dafür spricht, dass jene Abschriften ums Jahr 1350, also knapp 60 Jahre nach dem beurkundeten Ereignis im Archiv des Landgrafen vom fürstlichen Schreiber nach dem dort vorhandenen Urkundenmaterial angefertigt wurden. Der Willebrief des Erzbischofs von Trier war damals noch vorhanden; es wäre doch seltsam und ist wohl nicht anzunehmen, dass Urkunden, die für das junge Fürstenhaus von derartig eminenter Bedeutung waren, schon in verhältnismässig so kurzer Zeit aus dem landgräflichen Archiv verschwunden gewesen sein sollten. Aeussere Gründe für das Fehlen der Willebriefe jener beiden Kurfürsten vermag ich allerdings diesen inneren nicht bekräftigend zur Seite zu stellen. Bei König Wenzel von Böhmen ist vielleicht der Umstand daran schuld gewesen, dass er an der Königswahl zu Frankfurt persönlich nicht teilgenommen hat, sondern sich bekanntlich durch den Erzbischof von Mainz vertreten liess.

Nachrichten.

1. Zur 7. Auflage von Dahlmann-Waitz, Quellenkunde der Deutschen Geschichte (vgl. N. A. XXXI, 733, n. 364) ist ein Ergänzungsband erschienen, der auf 119 Seiten zahlreiche Nachträge und Berichtigungen bringt. O. H.-E.

2. A. Molinier's verdienstliches Handbuch 'Les sources de l'histoire de France des origines aux guerres d'Italie (1494)' erhält durch die 1906 erschienene, von L. Polain bearbeitete, 218 Seiten starke, 'Table générale', ein einheitliches Register der in dem Werke vorkommenden Personen- und Ortsnamen, der geschichtlichen Ereignisse, der Titel anonymer Schriften usw., seinen Abschluss und zugleich erhöhte Brauchbarkeit als Nachschlagewerk. Recht umständlich wird ausser nach Band- und Seitenzahlen auch nach den durch die fünf Bände durchlaufenden Abschnittzahlen zitiert; dass die grösseren und fetteren Kursivzahlen sich auf die wieder in sich durchgezählten Abschnitte der den V. Bd. eröffnenden 'Introduction' beziehen, sei besonders bemerkt, da über die Zitierweise jede Vorbemerkung bedauerlicher Weise fehlt. E. M.

3. In der Appendix zu den Analecta Bollandiana t. XXVI, fasc. 2/3 sind die hagiographischen Hss. der Römischen Bibliotheken Angelica, Casanatensis und Corsiniana von Albert Poncelet mit der den Herren Bollandisten eigenen Sachkenntnis beschrieben. Da die Bibl. Chigiana jetzt leider für Jedermann geschlossen ist, konnte über die ihr angehörigen Hss. nur nach dem handschriftlichen Katalog berichtet werden.
O. H.-E.

4. Bei der grossen Bedeutung der modernen Collections der Bibliothèque Nationale in Paris wird der von René Poupardin eingehend und zuverlässig gearbeitete

und mit guten Registern versehene 'Catalogue des manuscrits des collections Duchesne et Bréquigny', Paris, Leroux, 1905, XXVI und 328 S. der Forschung sehr willkommen sein. M. T.

5. Les documents d'histoire ecclésiastique Belge à la section des manuscrits de la Bibliothèque royale de Belgique stellt J. van den Gheyn in den Analectes pour servir à l'histoire ecclésiastique de la Belgique, 3. série, t. III, 108—114 zusammen. A. H.

6. In n. 29 des Historischen Archivs der Böhmischen Akademie der Wissenschaften (1907) gibt J. V. Šimák u. d. T. 'Bohemica in Leipzig' (in tschechischer Sprache) eine genaue Beschreibung von 98 auf die Geschichte Böhmens bezüglichen Hss. aus der Leipziger Universitäts- und Stadtbibliothek. Angehängt ist ein genau gearbeitetes Register. B. B.

7. Beachtenswert ist der 'Essai de fixation d'une chronologie des rois mérovingiens de Paris aux VI. et VII. siècles' von J. Depoin im Bull. hist. et philol. du comité des travaux hist. et scientif. 1905 S. 205—214, der auf dem bisher wenig beachteten, 1760 von Dom Racine unter Benutzung dreier verlorener Nekrologien (deren ältestes dem 9. Jh. angehörte) verfassten Totenbuche von St.-Denis (in der Pariser Nationalbibliothek) beruht. E. M.

8. Ein sehr wichtiges Hilfsmittel verspricht das Monasticon metropolis Salzburgensis antiquae von P. P. Lindner zu werden; es enthält Verzeichnisse aller Aebte und Pröpste der Männerklöster der alten Kirchenprovinz Salzburg. In der bisher erschienenen ersten Abteilung (Salzburg 1907) liegen die Abt-Listen der Klöster in den Diözesen Salzburg, Chiemsee, Gurk, Lavant, Seckau, Brixen, Freising und Passau vor. Den einzelnen Verzeichnissen gehen kurze Bemerkungen über Namen und Stiftung des Klosters, Quellen- und Literaturangaben voraus. Es wäre nur zu wünschen, wenn ähnliche Behelfe auch für alle übrigen deutschen Kirchenprovinzen geschaffen würden. H. H.

9. Erwähnung verdient der Aufsatz von P. Odilo Starck, 'Entstehen und Geist der Mauriner Kongregation. (Nach dem Englischen des Dom G. C. Alston in 'The Downside Review', Vol. VI, n. 1, 1906)' in Studien

und Mitteilungen aus dem Benediktiner- und dem Cistercienser-Orden, Jahrg. XXVIII, 160—167, 402—410 wegen biographischer Notizen über Mabillon. B. B.

10. In den Pfingstblättern des Hansischen Geschichtsvereins 1907 entwirft Goswin Freiherr von der Ropp unter stetem Zurückgehen auf die Quellenzeugnisse in flotter Darstellung ein anschauliches Bild vom Leben des mittelalterlichen deutschen Kaufmanns im Gebiet der Hansa. M. T.

11. Ch. Desages Olphe Galliard veröffentlicht in Bull. et mém. de la soc. archéol. et hist. de la Charente, VIII. sér., VI (1905/6, erschienen 1906), 221—236 einen 'Essai sur la chronologie et la généalogie des comtes d'Angoulème du milieu du IX. à la fin du XI. siècle'. E. M.

12. Avv. Raffaele Foglietti, ein fruchtbarer Lokalhistoriker, dem wir manche Untersuchungen über Macerata und Ancona verdanken, verfolgt in seiner Schrift Dei Marchesi di Ancona die Schicksale eines Geschlechts, das von einem deutschen Krieger Werner (Guarnerius, bekannt seit 1053) abstammte. Während die ersten Glieder zwischen 1094—1190 zeitweilig das Herzogsamt zu Spoleto und die Markgrafschaft Ancona bekleideten und daher die Titel 'dux et marchio' führten, begnügten sich die späteren Nachkommen vom 13. Jh. ab mit dem Namen de Marchionibus, der lediglich ihre Abstammung von früheren Markgrafen bezeichnen sollte. Von den drei Anhängen der kleinen Schrift behandelt der erste die Reihe der Markgrafen von Ancona und der letzten Herzoge von Spoleto, der zweite die Entstehung der Bezeichnung Mark Ancona; der dritte: 'Federigo marchese e duca', ist ein Nachtrag zu S. 9 ff. der Abhandlung. L. v. E.

13. Eine grössere Arbeit von Julius Strnadt über 'das Gebiet zwischen der Traun und der Ens' (Archiv für Oesterr. Gesch. XCIV, 465—660), die in engem Zusammenhang mit älteren Arbeiten des Verf. und seiner Beteiligung an dem historischen Atlas der österr. Alpenländer steht, enthält eine Reihe sorgfältiger Untersuchungen auf dem Gebiete der Genealogie und der historischen Topographie, deren wichtigstes Ergebnis der überzeugende und die entgegenstehende Annahme von Krones wohl endgültig widerlegende Nachweis ist, dass das Geschlecht der steirischen Ottokare, das 1194 mit dem ersten steirischen Herzog er-

losch, von den Chiemgauer Grafen des 10. und 11. Jh. sich herleitet, und dass der Uebergang aus dem Chiemgau in die Kärntnerische Mark genau um die Mitte des 11. Jh. sich vollzog. Einzelnes wird allerdings noch weiterer Erörterung bedürfen. So kann ich beispielsweise der Art, wie Strnadt den 'Odachorus marchio' aus der Intervenientenreihe der Urkunde Heinrichs V. St. 3026 hinauszuinterpretieren versucht, unmöglich folgen. M. T.

14. 'Wo lag der Gau Hemmerfelden?' ist ein Aufsatz von R. Giese betitelt, welcher in der Zeitschrift des Historischen Vereins für Niedersachsen 1907 S. 203—239 unter Beigabe einer Karte diese Frage behandelt und sie dahin beantwortet, dass dieser Gau nicht, wie man früher annahm, ein Teil des sächsischen Hessens gewesen ist, sondern dass er in der oberen Leinegegend etwa in der Umgebung der Städte Einbeck und Northeim gesucht werden muss. E. P.

---

15. Der Aufsatz von A. Esmein, L'histoire et la légende de Saint-Cybard' in Bull. et mém. de la soc. archéol. et hist. de la Charente, VIII. sér., VI (1905—6, ersch. 1906), 1—67 behandelt im ersten Kapitel die Texte zur Geschichte des hl. Eparchius, nämlich Gregors von Tours Hist. Franc. VI, 8, Ademars von Chabannes Chronik und die verwandten Quellen, die Vita et virtutes Eparchii reclusi Ecolismensis (SS. rer. Merov. III, 550 sqq.) und die nach seiner Meinung gefälschte epistola manumissionis des Chartulars des Kapitels von St. Peter zu Angoulême. E. M.

16. Im Bull. hist. et scientif. de l'Auvergne, II. sér., 1907 p. 183—191 handelt Abbé Mioche über 'St. Émilien et St. Brachion (480—578), les premiers solitaires, les premiers moines de la vallée de la Sioule de Pontgibaud au pont de Boucheix' (vgl. Greg. episc. Turon. Liber vitae patrum c. 12). E. M.

17. Fr. Görres, Die byzantinischen Besitzungen an den Küsten des spanisch-westgotischen Reiches, Byzantinische Zeitschr. XVI, 1907, 515—538, zeigt in einem Anhang S. 532, dass der noch von Arndt SS. rer. Merov. I, 230 beibehaltene Name Theodosia für Leovigilds erste Gemahlin und die hier und da ausgesprochene Ansicht, sie sei orthodox gewesen, nicht hinreichend beglaubigt sind. Beide Angaben finden sich erst bei Lucas Tudensis. R. S.

18. L. Traube hat in den SB. d. philos.-philol. u. d. hist. Kl. d. Akad. d. Wissensch. z. München, 1907 die letzten Früchte seiner eindringenden Hss.-Studien ververöffentlicht, unter Mitwirkung Gröbers und H. Fischer's, nämlich eine rätoromanische Interlinearversion s. XII. aus Einsiedeln 199, s. VIII. IX, demselben Codex, der auch die Dicta Pirminii enthält, und neue Bruchstücke der untergegangenen Bamberger Uncialhs. des Livius, auf die er zuerst die Blicke den Philologen gelenkt hatte. Den Zuwachs unserer Livius-Kenntnisse macht er durch einen Abstrich wett. Er hat bemerkt, dass das Livius-Zitat bei Jonas, V. Col. I, 3, mit Ciceros Verrinen I, 2, 4, wenigstens in den Anfangsworten ('nihil esse tam sanctum') völlig übereinstimmt, und möchte nun 'ut Livius ait' in 'ut Tullius ait' ändern, unter Berufung auf eine Corruptel der jungen Hs. A 1 b*, so dass also die verbreitete Annahme fallen würde, Jonas habe noch ein vollständiges Livius-Exemplar gehabt. Die Worte Ciceros sind mit ihrem Parallelismus unvergleichlich eleganter stilisiert als das Zitat bei Jonas. Wenn jener 'nihil tam munitum' schreibt, so bleibt er auch in der Folge im Bilde des Kriegswesens, während dieser mit 'tamque custodia clausum' die Wollust ('libido') als das zerstörende Element hinstellt. In dieser Fassung passte die Stelle ausgezeichnet zum Mönchstum und zum h. Columban, und eben deshalb könnte man an eine Aenderung durch den Hagiographen denken; Namensverwechselungen begegnen aber auch sonst bei ihm (V. Col. I, 26). Ist auch das Livius-Problem der Vita Columbani durch Traube nicht völlig geklärt, so hat er doch eine neue wertvolle Spur gefunden, und nicht ohne schmerzliches Bedauern nehmen wir Abschied von diesem Pfadfinder auf dem Gebiete der mittelalterlichen Philologie. B. Kr.

19. A. Endres, Die Konfessio des h. Emmeramm zum dritten Mal (Römische Quartalschrift f. christl. Altertumskunde u. f. Kirchengesch., Rom 1907, 21. Jahrg., S. 18 ff.), tritt von Neuem für seine Ansicht ein, dass der Grabfund von 1894 die vom Bischof Gawibald im 8. Jh. angelegte Ruhestätte des Patrons ans Licht gebracht habe, dass also der hinter dem Hauptaltar tief unter dem Boden verborgene hässliche Steinsarg die prunkvolle Anlage sei, die Arbeo (c. 35) ausführlich beschreibt, eine willkürliche Annahme, die, wie Weber richtig bemerkt, keiner weiteren Widerlegung bedarf. Er verbessert bei dieser Gelegenheit richtig einen Interpunktionsfehler des letzteren (N. A.

XXXII, 519) in dem Zitat der einen Arnoldstelle über die nach den Füssen Emmerams benannte Confessio (N. A. XXIX, 366), vermag aber wiederum nicht zu erweisen, dass das durch Mauern abgeschlossene Grab mit dieser Confessio oder gar mit dem h. Emmeram jemals in irgend einem Zusammenhange gestanden habe. B. Kr.

20. Das Buch von Marguerite Bondois 'La translation des saints Marcellin et Pierre. Étude sur Einhard et sa vie politique de 827 a 834' (Paris, Libr. Honoré Champion 1907, XVI u. 116 S.) ist mit dem ganzen wissenschaftlichen Rüstzeug verfasst und reich an neuen Ergebnissen oder doch neuen Behauptungen. Die Verf. setzt, abweichend von der herrschenden Meinung, die Abfassung der ersten beiden Bücher der Translatio schon in die Mitte bis Ende des Jahres 828, die des III. und IV. Buches zu 830/1 und meint, dass der Schluss des IV. Buches (c. 15—18) um 834 verfasst sei, ein darin erzähltes Wunder des h. Hermes sei erst auf den 28. Aug. 834 anzusetzen. Aber da liegt ein fast unglaublicher Irrtum vor. Das Wunder soll an einem Sonntag 28. Aug. geschehen sein, das trifft auf 830, aber nicht auf 834 zu. Die Verf. beruft sich für ihren Ansatz auf die Translatio SS. Alexandri et Iustini, die 834 geschehen sein soll. Nun wäre diese Translatio auch nicht ein spätes Machwerk (vgl. P. v. Winterfeld, N. A. XXVI, 751 ff., dessen Aufsatz die Verf. nicht kennt), so wäre durch sie für jenen Ansatz doch nichts zu beweisen. Im Schlusskapitel weist die Verf. die herrschende Ansicht zurück, dass Einhard sich nach 830 von den Staatsgeschäften zurückgezogen habe, dass er bei dem 830 ausbrechenden Aufstande der Söhne Ludwigs des Frommen ein Anhänger Lothars gewesen wäre, sie sucht zu beweisen, dass er auch nach 830 am Hofe beschäftigt gewesen sei, während der Rebellionen 830 und 834 sich vorsichtig neutral zurückgehalten hätte, doch aber im Innern mehr für Ludwig d. Fr. gewesen wäre. Darüber berichte ich nur, ohne die Beweisführung nachzuprüfen. Ausserdem handelt die Verf. über Reliquienverehrung und Wunderglauben im 9. Jh. im allgemeinen und im besondern bei Einhard, über dessen Stellung und Tätigkeit als Laienabt mehrerer Klöster. Es ist da manches beachtenswert, besonders möchte ich hinweisen auf die Ausführungen über das Verhältnis des Rundschreibens Ludwigs d. Fr. und Lothars vom J. 828 Dec. zu dem damit teilweise übereinstimmenden an der Spitze der Akten des Pariser Konzils

von 829. Die Verf. meint, letzteres sei von den Bischöfen auf Grund des ersten entstellt (altéré), sie nennt es geradezu eine 'falsification de la missive impériale'. Da hätten sich die Bischöfe doch ein starkes Stück geleistet! Man sollte doch meinen, der Kaiser hätte von den Konzilsakten Kenntnis erhalten. Auch in der erweiterten Fassung des Schreibens spricht nicht Ludwig d. Fr. allein, sondern auch sein Sohn Lothar. Hätte der sich auch eine solche Fälschung gefallen lassen? Für eine Fälschung ist das ausführlichere Schreiben ja schon früher gehalten worden, aber dass die Bischöfe auf der Synode diese hergestellt hätten, ist eine neue Behauptung. O. H.-E.

21. Im Bull. archéol. de l'association Bretonne, III. sér., XXIV (1906), 55—107 veröffentlicht Ch. de Calan mit de la Borderie's Histoire de Bretagne sich auseinandersetzende 'Observations sur quelques points controversés de l'histoire de Bretagne', nämlich über 1) Jarnhitin et Morvan, 2) Le règne de Noménoé, 3) Règne d'Erispoé, 4) Règne de Salomon, 5) Valeur historique de Dudon de St.-Quentin (für die Zeit der Normanneneinfälle in der zweiten Hälfte des 9. und der ersten Hälfte des 10. Jh. als ganz unzuverlässig, chronologisch verwirrt und voll von romantischen Erfindungen erwiesen), 6) Règne d'Alain le Grand, 7) Dates de l'exode des reliques des saints Bretons, 8) Les premiers comtes de Rennes. E. M.

22. Das Werk von H. G. Voigt, Brun von Querfurt. Mönch, Eremit, Erzbischof der Heiden und Märtyrer (Stuttgart, J. F. Steinkopf 1907, XII u. 525 S.) enthält im Anhang zunächst vollständige Uebersetzungen, und zwar S. 333—376 die der Passio Adalberti in der längeren Rezension (Monumenta Poloniae I, 189 ff.), S. 377—436 der Passio SS. Benedicti et Iohannis ac sociorum eorundem (MG. SS. XV, 2, 709 ff.), S. 436—443 des Briefs Bruns an Heinrich II. (Giesebrecht, Kaiserzeit II, 5. Aufl., S. 702 ff.) und endlich S. 444—458 der Passio S. Adalperti martiris (MG. SS. XV, 2, 705 ff.); es folgen S. 450—478 Uebersetzungen aus anderen Aufzeichnungen, deren Nachrichten über Brun hier zusammengetragen werden.

A. W.

23. Bei Eröffnung des Schatzes der Kapelle Sancta Sanctorum in Rom im J. 1905 fand P. Hermann Grisar ein Pergamentblatt aus dem 11. Jh., über das er in höchst lehrreichen und interessanten Ausführungen in der Zeit-

schrift für kath. Theologie XXXI, 1—22 berichtet ('Dionysius Areopagita in der alten päpstlichen Palastkapelle und die Regensburger Fälschungen des 11. Jh.'). Der Fund hängt aufs engste mit den berüchtigten Fälschungen von St. Emmeram, der angeblichen Translatio S. Dionysii Areopagitae, dessen Gebeine man anlässlich des siegreichen Feldzuges K. Arnulfs (der tatsächlich niemals in Westfrancien war) geraubt zu haben sich rühmte, und den unechten Königs- und Papsturkunden zusammen. Das Pergamentblatt wurde nach Grisars überzeugender Beweisführung zur Täuschung Papst Leos IX. zurecht gemacht, diesem anlässlich seines Aufenthaltes im Regensburg im Oktober 1052 überreicht und von ihm nach Rom mitgenommen. Das grösste Interesse aber bietet die palaeographische Untersuchung. Eine sorgfältige Schriftvergleichung an der Hand der Tafeln von Chroust und Arndt-Tangl führte Grisar dazu, die Schrift des Fundes bestimmt der Emmeramer Schule und näher noch Otloh und seinem engsten Kreise zuzuweisen. Hatte Lechner den Knoten des Beweises, in Otloh den Urheber dieser Regensburger Fälschungen zu sehen, schon recht eng gezogen, so gewinnt dieser Nachweis nur weiter an Sicherheit.

M. T.

24. In den Analecta Bollandiana t. XXVI, fasc. 2/3, p. 302—304 bemerkt Albert Poncelet, dass in dem kürzlich von ihm herausgegebenen Bericht über den Tod des Papstes Leo IX. (vgl. N. A. XXXII, 523 f., n. 43) der Verfasser, ein Bischof von Cervia, einen ganzen Passus aus einer Vita S. Hieronymi ausgeschrieben hat, wodurch natürlich der Wert der Stelle auf das stärkste beeinträchtigt wird. O. H.-E.

25. Die Münsterer Inaug.-Diss. von Albert Predeek: Papst Gregor VII., König Heinrich IV. und die Deutschen Fürsten im Investiturstreite (Münster 1907, XI und 104 S.) ist kaum geeignet, auch nur an einem Punkte die Forschung zu fördern. Der Verf. geht von der Erwägung aus, dass die weltlichen Fürsten, die gegen Heinrich IV. in Opposition standen, und der Papst mit der kirchlichen Partei verschiedene Interessen gehabt hätten, was natürlich kein verständiger Forscher verkannt hat. Diesen Gedanken verfolgt der Verf. aber nun in der einseitigsten Weise und zieht daraus die verkehrtesten Schlüsse, z. B. dass ein Bündnis (an einen geschriebenen Traktat wird Niemand denken) zwischen dem Papst und den Fürsten

unmöglich gewesen wäre, dass die Fürsten in Tribur den Papst nicht haben einladen können, nach Deutschland zu kommen, was doch die Chronisten einmütig berichten. Des falschen, verkehrten und schiefen ist so viel, dass man über die Massen Raum und Zeit verbrauchen müsste, um es aufzuzählen. Hier ist nur noch zu erwähnen, dass es dem Verf. nicht einleuchtet, dass das Manifest aus der Zeit Heinrichs IV., von dem ich kürzlich ein Fragment veröffentlichte, von einem deutschen Bischof verfasst sein müsse, dass es vom Erzbischof von Mainz, wie ich vermutete, herrühre, glaubt er gar nicht. Aber auf seine kindlichen Einwürfe zu antworten, ist wirklich nicht notwendig. O. H.-E.

26. Alex. Schürr stimmt in der Revue historique XCV, 80—90 der Ansicht von St. Kętrzynski zu, dass der Anonymus Gallus, der erste polnische Chronist, aus dem Kloster St.-Gilles in der Provence nach Polen gekommen sei, ohne weitere Gründe dafür beizubringen. O. H.-E.

27. Die neue Ausgabe von Guiberts von Nogent berühmter oder berüchtigter Selbstbiographie in der Collection de textes pour servir à l'étude et à l'enseignement de l'histoire (Guibert de Nogent, Histoire de sa vie [1053—1124] publiée par Georges Bourgin, Paris 1907) ist leider völlig unzulänglich. Man ist ja durch besonders gute Ausgaben in dieser Sammlung keineswegs verwöhnt und stellt an solche daher von vornherein nicht hohe Ansprüche, aber diese genügt nicht den bescheidensten. Das Werk ist nur in einer Abschrift des 17. Jh. erhalten, die natürlich fehlerhaft ist, der Herausgeber aber geht an sehr vielen Stellen, die durch Verderbnis völlig sinnlos geworden sind, vorbei, ohne zu merken, dass da etwas unverständliches steht. Die widerlich schwülstige und unnatürlich gekünstelte Sprache Guiberts erschwert es oft sehr, die richtige Lesart herzustellen, aber nicht selten drängt sich die notwendige Konjektur geradezu auf. Der Herausgeber merkt davon nichts. Zwei Beispiele für viele: Auf S. 57 ist ein Satz, in dem von einem Dämon die Rede ist, so gedruckt: 'cumque ad ejus stratum, quem praelibavimus, juvenis, quemque ab eodem plurimum acceptari episcopo, falsissimus accessisset, substitit'. Der Herausgeber merkt zu 'falsissimus' an: 'C'est l'Imposteur, le Démon', er ahnt nicht, dass das Wort aus einem fehlenden Verbum verdorben sein muss, das auf -imus endigte. S. 87 steht:

'significavit mihi quod ingentibus et reliquo corpore magnis doloribus angeretur'. Natürlich muss 'ingentibus' verdorben, es muss da von einem Körperteil die Rede sein, also ist 'in genibus' (oder 'in genubus') zu lesen. Richtige Konjekturen von D'Achery, der seine Ausgabe auch auf Grund der erwähnten modernen Kopie machte, sind aus dem Texte geworfen, Fehler von ihm (wahrscheinlich meist Druckfehler) in den Text aufgenommen[1]. Zuweilen erklärt der Herausgeber schwer oder garnicht verständliche Sätze, aber seine Deutungen sind meist schief oder ganz verkehrt, seine eigenen, freilich sehr seltenen, angeblichen Textbesserungen oft ganz falsch. Aus der jungen Abschrift übernimmt der Herausgeber alle Narrheiten der zur Renaissance-Zeit aufgekommenen Orthographie, die in Hss. des 11. und 12. Jh. unmöglich sind, wie 'abjicere, conjicere' (auch wo die Hs. das richtige hat), 'lachrymae, charitas, schola, eleemosyna' usw. Durch die romanische Art der Interpunktion ist natürlich auch hier das Verständnis des Textes nicht erleichtert, sondern erschwert, aber der Herausgeber bemüht sich noch, durch seine Interpunktion deutlich zu zeigen, dass er oft den Textsinn durchaus nicht verstanden hat. Man lese, um sich davon zu überzeugen, z. B. einen Satz auf S. 16, in dem der vom Herausgeber natürlich nicht angeführte Horazvers Epist. II, 3, 132: 'Non circa vilem patulumque moraberis orbem' verwendet ist. Guibert ist ein fein gebildeter (allerdings auch verbildeter), viel belesener Mann, ein Herausgeber seiner Schriften sollte zum mindesten sich bemühen, die ausdrücklichen Zitate nachzuweisen, aber damit steht es kläglich, es ist fast nichts in der Hinsicht getan. Trotz der Einführung mit 'poetae veridici dictum' ist S. 23 nicht einmal ein so bekannter Vers wie Lucan. Pharsal. I, 70. 71 angemerkt, keine der zahlreichen Sallustischen und Horazischen Reminiszenzen ist dem Herausgeber aufgefallen. Viele Bibelstellen, die im Text zitiert oder benutzt sind, sind angeführt, aber lange nicht genug, unzählige andere, deren Wortlaut man zum Verständnis oder zur richtigen Würdigung des Textes bedarf, sind nicht angemerkt. Wenn zu einer Ausgabe, so war zu dieser ein Verzeichnis der zahlreichen Wörter mittelalterlicher Latinität zu geben,

---

1) Z. B. S. 16, Z. 7 steht 'non' mit D'Achery für 'nam' der Hs. S. 17 hat die Hs. 'prosulcaret', D'Achery verdirbt in 'proculcaret', das ist in die neue Ausgabe aufgenommen, es ist 'persulcaret' zu lesen, usw.

es ist ein grosser Mangel, dass solches fehlt. Loben kann ich an der Ausgabe zu meinem Bedauern garnichts, aber vieles, vieles wäre noch zu tadeln. — Beigegeben ist ein Stück aus dem Nekrolog von Laon, in dem einige Stellen von Guiberts Werk benutzt sind. O. H.-E.

28. Das Bedürfnis nach einer genaueren Untersuchung der Schlettstadter Hs. 1179, die ausser den althochdeutschen Glossen, durch die sie besonders bekannt ist, auch mancherlei historisches enthält, ist schon von E. Steinmeyer (Bd. IV, S. VII der Glossenausgabe, hervorgehoben und wird auch durch das, was J. Fasbender, Die Schlettstadter Vergilglossen und ihre Verwandten (Diss. Strassburg 1907), bietet, nicht befriedigt. Immerhin sei von dem Notiz genommen, was er S. 6 ff. über die Geschichte der Hs. (S. 10 ff. insbesondere über den Papstkatalog bis 1118) beibringt; sie ist nach ihm zwischen 1118 und 1130 nicht im Elsass, sondern in einem Benediktinerkloster des südlichen Schwabens entstanden, wohin sie bereits Bethmann verlegt hatte. H. Br.

29. In der Zeitschrift des Vereins für Thüringische Geschichte und Altertumskunde (Neue Folge XVIII, 175—248, 1907) wird durch M. Frommann 'Landgraf Ludwig III. der Fromme von Thüringen (1152—1190)' zum Gegenstande eines Aufsatzes gemacht; darin werden der Lebensgang des Landgrafen und die Grundzüge seiner Politik, für welche das Streben nach territorialer Unabhängigkeit das Hauptmotiv bildete, dargestellt. E. P.

30. Zu der berühmten Hs. des Petrus von Ebulo auf der Berner Stadtbibliothek hatte im Jahre 1746 nach Erscheinen der ersten Ausgabe ein gewisser Werner Huber eine Reihe von Anmerkungen gemacht (s. Forschungen zur Deutschen Geschichte XV, 605 ff.), die sich auf die Interpretation und das Verständnis des Gedichtes beziehen. G. B. Siragusa, 'Le annotazioni di Werner Huber al Liber ad honorem Augusti di Pietro da Eboli' gibt eine neue Beschreibung der Hs. und veröffentlicht die Anmerkungen im Wortlaut (Bullettino dell' Istituto storico Italiano n. 28, Roma 1906, p. 99—110). B. Schm.

31. Nur vorläufig notieren wir einen ersten Teil des Aufsatzes von Albert Huyskens, der Studien über die Quellen zur Geschichte der hl. Elisabeth bietet, im Historischen Jahrbuch XXVIII, 3, 499—528. Ueber ihn

berichten werden wir, nachdem die Fortsetzung erschienen sein wird. O. H.-E.

32. Im Bull. hist. et philol. du comité des travaux hist. et scientif. 1904 p. 46—63 druckte und besprach G. Guigue 1) Une lettre de Hugues de St.-Cher, cardinal de Sainte-Sabine pour la réformation de l'abbaye de Savigny-en-Lyonnais (1248), 2) Extraits des manuscrits du chroniqueur Benoît Mailliard concernant l'abbé Zacharie de Savigny (1234), 3) Publication du testament de Guillaume de la Palud, archidiacre de Vienne et prévôt de St.-Thomas-de-Fourvière (1243). E. M.

33. In seiner Abhandlung: 'Die Anfänge des St. Marienstiftes der Augustiner-Chorherrn auf dem Breslauer Sande' (Kritische Studien zur schlesischen Geschichte I. Gross-Strehlitz 1906) gelangt W. Schulte auf Grund einer eingehenden Kritik der Ueberlieferung, die er zum Teil als gefälscht erweist, zu dem Ergebnis, dass jenes Stift nicht, wie man bisher annahm, zu Beginn des 12. Jh. von dem Grafen Peter Wlast, sondern erst um die Mitte desselben Jh. von den Herzogen Wladislaw II. und Boleslav dem Langen gegründet worden ist. M. Kr.

34. Von der N. A. XXX, 507, n. 246 angezeigten Geschichte Brunos von Schauenburg', von Dr. Max Eisler, begonnen in der Zeitschrift des deutschen Vereines für die Geschichte Mährens und Schlesiens VIII, 239, sind mittlerweile in den Jahrgängen IX, X und XI weitere Fortsetzungen erschienen. Kap. IV handelt von der 'Disziplin in der Diöcese', Kap. V von der 'Kloster- und Pfarrgeschichte', Kap. VI von der 'Wirtschaftsreform und Einführung des Lehenswesens in Böhmen-Mähren', und Kap. VII von 'Brunos Statthalterschaft in der Steiermark'. B. B.

35. Girolamo Biscaro bringt im Archivio storico Lombardo, serie quarta, fasc. XIV, anno XXXIV, p. 281—316 Beiträge zur Lebensgeschichte des Chronisten Benzo von Alexandrien. Aus einer beigegebenen Urkunde des kaiserlichen Richters zu Mailand, als dessen Notar und Beistand Benzo fungierte, stellt er fest, dass dieser 1311 in Mailand war, auch sicher noch 1312 bei der Kaiserkrönung Heinrichs VII. sich dort befand, 1313—1320 und vielleicht länger war er dann in Como. Er war kein Minorit, (gehörte überhaupt keinem Orden an).

O. H.-E.

36. In der Neuausgabe von Muratori's Rerum Italicarum Scriptores ist als t. XI, parte V (fasc. 45. 46) der erste Teil der Storie Pistoiesi (1300—1348), der bis zum Jahre 1327 reicht, erschienen, bearbeitet von Silvio Adrasto Barbi. Der Text ist nach vier Hss., von denen drei lückenhafte aus dem 16. Jh. der ältesten vom Ende des 14. Jh. gegenüberstehen, bearbeitet, während die Editio princeps, die Muratori wiederholte, nur nach der letzteren Hs. gemacht war. Der Herausgeber ist der Ansicht, dass das Werk aus zwei zu verschiedener Zeit geschriebenen Teilen besteht, von denen der erste bis 1329, der zweite von 1330 bis zum Schluss reichte. Freilich handelt er darüber nur mit wenigen Worten. Die Einleitung nimmt im Verhältnis zum Texte einen sehr grossen Raum ein, da auf 71 Seiten die Parteiungen und Parteikämpfe in Pistoia in der zweiten Hälfte des 13. Jh. behandelt sind.
O. H.-E.

37. Im Archivio Muratoriano 4, p. 226 sq. macht G. Bertoni kurze Mitteilung über eine bisher unbenutzte unvollständige Hs. saec. XIV. ex. — XV. in. des Chronicon Regiense der Gazata (oder Gazadi) in dem Staatsarchiv zu Modena. O. H.-E.

38. Im Bulletin de la Commission royale d'hist. (de Belgique) LXVI, p. LXXX ff. spricht S. Balau über eine geplante Ausgabe der Lütticher 'Chroniques vulgaires'; er behandelt neben anderm die handschriftliche Ueberlieferung der Werke des Jean d'Outremeuse und des Jean de Stavelot. A. H.

39. Für die Société de l'histoire de France (Bd. CCCXXII) gab H. Lemaître 1906 die in Flandern entstandenen, aber vorwiegend für die Geschichte Frankreichs zu Beginn des 14. Jh. wichtigen 'Chronique et annales de Gilles le Muisit, abbé de St.-Martin de Tournai (1272—1352)', begleitet von längerer Einleitung und einem Register, neu heraus. E. M.

40. Die Arbeit von Walther Ziesemer, Nicolaus von Jeroschin und seine Quelle (Berliner Beiträge zur Germanischen und Romanischen Philologie XXXI, Berlin 1907) ist im Verhältnis zu dem winzigen Ertrage viel zu breit und umfangreich (155 Seiten). Sie behandelt das Verhältnis von Nikolaus' Reimchronik zu der von ihm übersetzten Chronik Peters von Dusburg, jenes Abänderungen und Zusätze und deren Quellen, die charakteristi-

schen Eigenheiten seiner Dichtungsweise und seines Stiles. Ein rein philologischer Anhang beschäftigt sich mit der Sprache des Reimchronisten. — Zu S. 32 ist zu bemerken, dass es eine Chronica S. Aegidii nicht mehr gibt, gemeint ist die Erfurter Cronica Minor, die in den beiden ebenda zitierten Thüringischen Chroniken einfach ausgeschrieben ist. O. H.-E.

41. In den Analecta Bollandiana t. XXVI, fasc. 2/3, p. 305—316 tritt E. Hocedez S. J. gegen Th. Lindner und G. Schmidt dafür ein, dass die Vita Urbani V. papae, die man als die erste bezeichnete, erst nach 1387, wahrscheinlicher noch erst nach dem Tode Clemens' VIII. († 1394) verfasst ist (ohne Interpolationen). Er zeigt, dass der zweite Teil zumeist aus den für die Kanonisation Urbans 1382 vorbereiteten Akten geschöpft ist. Da ausserdem Briefe und Urkunden Urbans benutzt sind, ist der Wert der Vita sehr gering. O. H.-E.

42. W. Schulte handelt im I. Bande der 'Darstellungen und Quellen zur schlesischen Geschichte' (Breslau 1907) eingehend über 'Die politische Tendenz der Cronica principum Polonie'. Sie ist nach Sch. 1385/86 von dem Brieger Kanonikus Peter Biczczin verfasst und nimmt lebhaft gegen das deutsche Königshaus der Luxemburger und ihre Herrschaft über Schlesien Stellung. Von den zahlreichen Beilagen seien eine Anzahl Schreiben von Päpsten des 14. Jh. sowie Schreiben der römischen Könige Karl IV. und Wenzel erwähnt. M. Kr.

43. Unter dem Titel: Vatikanische biographische Notizen zur Geschichte des XIV. und XV. Jh. vereinigt H. V. Sauerland im Jahrbuch der Gesellschaft für lothringische Geschichte und Altertumskunde XVIII (1906), 517—524 kleinere Funde zur Lebensgeschichte u. a. Lupolds von Bebenburg, Heinrichs von Langenstein, Peters von Ailly. A. W.

44. Das Buch von Mulder, Dietrich von Nieheim, zijne opvatting van het concilie en zijne kroniek (2 Teile XXV, 215 und XXIX, 88 S.), Amsterdam 1907, behandelt in einem ersten Teil in allgemeiner Uebersicht die Papstgeschichte zur Zeit des grossen Schismas und geht dann auf Dietrich von Nieheim, sein Leben und seine literarische Tätigkeit ein. In der viel umstrittenen Frage der Unionstraktate tritt der Verf. bei der Schrift 'de necessitate' bestimmt für die Autorschaft Dietrichs ein,

stellt sie aber für die Schriften 'de modis' und 'de difficultate' ebenso bestimmt in Abrede. Die eigentliche Bedeutung des Buches liegt im 2. Teil, der unter Heranziehung einer Leidener Hs. den jetzt besten und reichhaltigsten Abdruck (9 gegenüber bisher 5 Fragmenten) der als Ganzes leider verlorenen Chronik Dietrichs bringt. Auch der fleissige und reichhaltige Kommentar ist beachtenswert. Die Quellenuntersuchung (S. IX—XXVIII) ist verdienstlich, aber wohl nicht abschliessend. M. T.

45. Im Anzeiger f. Schweiz. Gesch., N. F. X, 197 ff. sucht A. Fluri (vgl. N. A. XXXII, 535, n. 72) die beiden ältesten Kopien der Justinger-Chronik, Codex W. in Winterthur und die Hs. von Kaltschmidt in Freiburg, zeitlich näher zu fixieren, indem er an der Hand von Briquets Werk über die Wasserzeichen das Alter des Papiers der beiden Hss. festzustellen sich bemüht. Es stellte sich heraus, dass das Wasserzeichen des Papiers von Cod. W (Ochsenkopf mit Stange und Stern) auf Verwendung eines Schreibstoffes schliessen lässt, der 1441 in Bernischen Gebieten in Gebrauch war, dass aber das Wasserzeichen im Papier der Kaltschmidt'schen Hs. (Traube mit goth. Buchstaben) auf das Ende des 15. und den Beginn des 16. Jh. deutet. Das ist zweifellos ein sehr wichtiges Argument, das für die Priorität von Cod. W spricht; wenn die beiden Hss. zeitlich ca. 60 Jahre von einander abstehen, muss übrigens auch der palaeographische Befund ein einigermassen sicheres Urteil gestatten. H. H.

46. Die Chronik des Bamberger Immunitätenstreites von 1430—1435 hat A. Chroust nach einem Ms. von Th. Knochenhauer mit grosser Sorgfalt neu bearbeitet und herausgegeben (Veröffentlichungen der Ges. f. fränk. Gesch. Ser. I. Fränkische Chroniken Bd. I, erste Hälfte, Leipzig 1907). Die Chronik ist der mit Akten durchsetzte Bericht eines Bamberger Stadtbürgers über die Streitigkeiten zwischen der Bürgerschaft des Stadtgerichtes und dem Klerus von Bamberg wegen der fünf geistlichen Immunitäten (Muntäten) daselbst. Dem Text der Chronik folgt eine Anzahl von Urkunden und Aktenstücken — (darunter auch Schreiben und Erlasse König Wenzels und Kaiser Sigmunds) —, durch die gegenüber den Darlegungen des Bamberger Bürgers die Lage der anderen Partei (Kapitel und Klerus von Bamberg) illustriert wird. — In der noch zum grösseren Teil von Knochenhauer herrührenden Einleitung werden unter Heranziehung des ge-

samten Quellenmaterials Vorgeschichte, Verlauf und Beendigung des Streites eingehend dargelegt. H. H.

47. Ueber eine unbekannte Chronik in italienischer Sprache, welche die Ereignisse von 1446—1448 erzählt und von einem Veroneser verfasst ist, gibt Giovanni Soranzo wiederholt im Archivio Muratoriano 4, p. 227 kurze Nachricht, nachdem er schon früher über sie berichtet hatte (vgl. N. A. XXXII, 77 f., n. 290). O. H.-E.

48. Der Aufsatz von C. Schmitt über den Kardinal Nicolaus Cusanus in der Festschrift des Real-Gymnasiums in Coblenz 1907 (Coblenz, H. L. Scheid) mag der bibliographischen Vollständigkeit halber hier erwähnt sein. Neue Quellen hat der Verfasser weder benutzen noch veröffentlichen können; sein Ziel ist die Verherrlichung des Kardinals und die Verteidigung seiner Rechtgläubigkeit. A. W.

49. Von dem Diarium Romanum des Jacopo Gherardi von Volterra (vgl. N. A. XXX, 495, n. 219) ist der Schlussteil (1483/4) in der Neuausgabe von Rerum Italicarum SS. t. XXIII, parte III (fasc. 44) erschienen. Beigegeben sind noch einige Aktenstücke zum Leben des Verfassers und Aufzeichnungen von ihm selbst und das Diarium consistoriale des Kardinals Jakob Ammanati (1472—1479), das Muratori dem genannten Jakob Gherardi zuschrieb. Es folgt das Personen- und Ortsregister, alles bearbeitet von Enrico Caruso. O. H.-E.

50. In derselben Sammlung ist mit fasc. 47 eine Publikation begonnen, die besonders zu begrüssen ist. Es sollen der Neubearbeitung der Rerum Ital. SS. auch Werke hinzugefügt wurden, welche Muratori nicht gebracht hatte. Der XXXII. Band soll Cronache Romane enthalten, als dessen ersten Teil Enrico Celani das Diarium (von dem Herausgeber 'Liber notarum' benannt) des Magisters und päpstlichen Zeremonienmeisters Johannes Burckard (früher auch Brocard genannt) von 1483—1506 herausgibt. Das erste erschienene Heft enthält die Vorrede und den Anfang des Textes 1483/4. Wir werden hier die erste vollständige und wirklich brauchbare Ausgabe des Werkes erhalten, die für die Jahre 1483—1492 und 1497—1503 auf der Münchener Hs. (für den ersten Teil auch unter Benutzung einer Paduaner Hs.), für 1492—1496 auf der Abschrift in der Bibl. Vaticana, die Burckard selbst hat anfertigen lassen, von 1503 bis 1506 auf dem erhaltenen Autograph Burckards

im Vatikanischen Archiv beruht, von dessen abscheulicher Schrift — Burckards Kollege und Nachfolger sagte von ihr: 'credo ipsum habuisse diabolum pro copista talis scripturae' — eine gute Lichtdrucktafel beigegeben ist. Eine zweite beigegebene Tafel der Abschrift der Bibl. Vaticana zeigt auf den ersten Blick, dass diese nicht von Burckard selbst, wie behauptet wurde, geschrieben ist. Die andern zahlreichen Hss. sind nach dem Herausgeber alle wertlos, weil sie alle aus einer unvollständigen Vatikanischen Hs. stammen, die ihrerseits wieder aus der von Burckard veranlassten Abschrift kopiert ist. O. H.-E.

51. In den Verslagen en mededeelingen der Kon. Vlaamsche Academie voor Taal- en Letterkunde 1907 S. 96 ff. bespricht und veröffentlicht C. Lecoutere einen Text des ausgehenden Mittelalters über den Ursprung der Beghinen, der in lateinischer und vlämischer Fassung vorliegt. A. H.

52. Im Jahrbuch f. Schweizerische Geschichte XXXII, 139 ff. berichtet R. Luginbühl über eine anonyme Zürcher- und Schweizerchronik, die in vier Hss. erhalten und 1535—1537 entstanden ist. Ihre Darstellung reicht ins 13., 14. und 15. Jh. zurück, basiert aber hier, wie die genaue Quellenanalyse Luginbühls dartut, zumeist auf bekannten Geschichtswerken. H. H.

53. Aus der Arbeit von P. M. Straganz über Gerards von Roo österr. Annalen (Forsch. u. Mitt. z. Gesch. Tirols u. Vorarlbergs IV, 272 ff.) heben wir die Quellenuntersuchung hervor, aus der sich ergibt, dass die von v. Roo selbst herrührende Liste der benutzten Quellen nicht vollständig ist, dass sich aber anderseits die angeführten Werke nicht immer mit solchen sicher identifizieren lassen, die uns heute noch vorliegen. — Im Anhang ist aus cod. n. 137 des Wiener Staatsarchivs ein Bericht über einen Vorfall bei der Kaiserkrönung Friedrichs III. mitgeteilt. H. H.

---

54. Zu Constitutiones IV, n. 703—712 habe ich gegen V. Samanek in Mitt. d. Inst. f. Oesterr. Geschichtsf. XXVIII, 146, Anm. 1 folgendes zu erklären:

Nach dem Erscheinen von MIÖG. XXVII, Heft 2, in dem Samanek S. 237 ff. und 267 ff. über die Genuesischen Aktenstücke als Erster berichtete, begab ich mich, da ihre Aufnahme in die Constitutiones notwendig war,

Mai 1906 nach Turin und schrieb die Sachen sämtlich ab, bezw. kollationierte sie. Genau dem entsprechend lautet das Prooemium zu der Ausgabe in Const. IV. Mein Abdruck beruht in keiner Weise auf dem Abdruck von Samanek (MIÖG. XXVII, Heft 4), der mir erst im Nov. oder Dec. 1906, im Sonderabdruck sogar erst am 8. Jan. 1907 zu Gesicht kam; den entsprechenden Bogen der Constitutiones habe ich bereits am 20.—26. Okt. 1906 das Imprimatur gegeben.

Dass meine nochmalige Durcharbeitung des Materials nicht ohne Nutzen war, beweist gerade Samaneks Nachtrag MIÖG. XXVIII, 146—149, von dem ich hier ausgehe: S. 146 akzeptiert er meine Auffassung von 'Ordo — Ian(ue)' als Ueberschrift; S. 147, Anm. 1 ist die falsche Angabe über die Besiegelung, wie sie sich MIÖG. XXVII, 272, Anm. 3 fand, nach Const. IV, 691, N. 1 verbessert; S. 149, Anm. 2 trägt er eine von mir bemerkte, von ihm übersehene höchst wichtige Dorsuale nach.

Dies also vielmehr der Sachverhalt.

J. Schwalm (Hamburg).

55. Ueber Rechtsgrundlage und Wandel der Beziehungen zwichen Reich und Kirche handelt A. Werminghoff in der Deutschen Monatsschrift 1907 S. 340—350 in dem Verständnis eines weiteren Leserkreises angepasster, aber auf tiefer Sachkenntnis sich aufbauender Darstellung. M. T.

56. Ernst Bernheim teilt in der Hist. Vierteljahrsschrift 1907, 2. Heft, S. 196—212 mit, dass an einer früher unlesbaren Stelle des Briefes, den Erzbischof Adalbert von Mainz bald nach dem Wormser Konkordat an den Papst geschrieben hat, 'presentie' (scil. imperatoris) nach Lesung von H. Omont steht, und knüpft daran sehr überzeugende Erörterungen über die Bedeutung der im Wormser Konkordate zugestandenen 'praesentia regis' bei den Bischofswahlen, die Auslegung des Zugeständnisses von kirchlicher und kaiserlicher Seite und dessen praktische Wirksamkeit. O. H.-E.

57. W. Ganzenmüller gibt in seiner Arbeit 'Die flandrische Ministerialität bis zum ersten Drittel des 12. Jh.' (Westdeutsche Zeitschrift für Gesch. und Kunst XXV, 371—410) unter Hinweis darauf, dass Ursprung und Entwicklung der Ministerialen zur Zeit in Frankreich noch kaum ernsthaft untersucht seien, eine

ausgiebige Darlegung der Terminologie in den flandrischen Quellen. Leider reicht das vorhandene Material nicht aus, um auf die Frage nach der Entstehung des Standes eine sichere Antwort zu geben. G. neigt im Ganzen der Heckschen Theorie zu. Für sie spricht, dass eine Gruppe von Freigelassenen, die caballarii, und eine von Mundlingen, die homines de generali placito, in einer der ministerialischen sehr ähnelnden Rechtsstellung auftreten und ferner, dass die Heerpflicht der Dienstmannen in Flandern anscheinend öffentlich-rechtlich begründet ist. Freilich fügt G. hinzu, dass keiner dieser drei Beweise sicher sei.
M. Kr.

58. W. Vogel versucht in seiner Abhandlung 'Ueber den Titel "Vogt" (advocatus) der Herren von Weida, Gera und Plauen' (Mitteil. des Altertumsvereins zu Plauen i. V. XVII, 1—66) den Nachweis zu führen, dass dies Haus ministerialischen, nicht freien Standes gewesen ist, und dass sie den Titel advocatus, der zuerst 1209 begegnet, angenommen haben, weil ihnen in einem Teile ihres Lehnsbesitzes das Landrichteramt zustand. M. Kr.

59. In den Neuen Jahrbüchern für das klassische Altertum etc. X (1907), 375 f. weist H. Christensen nach, dass von den 14 Hexametern der poetischen Einleitung zur Goldenen Bulle Karls IV. anderthalb dem Anticlaudianus des Alanus ab Insulis entnommen sind, und dass sich ausserdem in ihnen einige Reminiscenzen an Dungal und Alcuin finden. Dass der grössere Teil der Hexameter aus Sedulius' Carmen paschale stammt, ist längst bekannt, wie Ch. bereits aus Harnacks Kurfürstenkollegium S. 141 hätte ersehen können. R. S.

60. Im Jahrbuch des historischen Vereins Dillingen IX (1906), 87—133 handelt A. M. Koeniger über einen Vemgerichtsprozess der Stadt Lauingen a. D.; beigefügt sind Regesten der benutzten Urkunden und Akten aus den Jahren 1441 bis 1445, darunter zweier Briefe des Kaisers Friedrich III. vom 17. und 19. Juli 1443 an den Rat von Lauingen und an den Erzbischof von Köln.
A. W.

61. H. Suhle behandelt in den Mitteilungen des Vereins für Anhaltische Geschichte und Altertumskunde X, 661—726 (1907) auf Grund eingehender Quellenstudien 'Das Recht des Hochstifts Halberstadt auf Aschersleben'. Die Rechtsansprüche Halberstadts auf die Graf-

schaft Aschersleben stammten aus dem 13. Jh.; jedoch wurde dieselbe dem Hochstift durch einen Schiedsspruch Erzbischof Ottos von Magdeburg im Jahre 1340 entzogen, und Fürst Bernhard III. von Anhalt durch Ludwig den Baiern feierlich damit belehnt. Dennoch blieben die Bestrebungen des Hauses Anhalt, in den tatsächlichen Besitz von Aschersleben zu gelangen, dauernd vergeblich.
E. P.

62. Hier nur kurz zu erwähnen ist die Arbeit von Ugo Inchiostri, Contributo alla storia del diritto Romano in Dalmazia nel X. e XI. secolo (Archeografo Triestino, vol. III. della terza serie, XXXI. della raccolta, p. 85—158), die sich mit verschiedenen neuerdings mehrfach behandelten Fragen der Verwaltung und des Rechts in Dalmatien beschäftigt. B. Schm.

63. F. Frensdorff weist in den Nachrichten von der Königl. Gesellschaft der Wissenschaften zu Göttingen, Philol.-hist. Kl. 1907, Heft 2, S. 223—230 auf eine verschollene Hs. des Lübischen Rechts hin, die noch im J. 1737 existierte. O. H.-E.

64. In den SB. der Kgl. böhm. Gesellschaft der Wissenschaften, Jahrg. 1906 veröffentlicht in tschechischer Sprache H. J. Gross vier 'Urkunden zur Erneuerung der Stadtordnungen in Böhmisch-Krumau durch Ulrich von Rosenberg im Jahre 1443'. B. B.

65. Paduaner Statuten des 14. Jh. ediert B. Cessi, Gli statuti Padovani durante la dominazione Scaligera (Atti dell' Accademia scientifica Veneto-Trentino-Istriana, N. S., anno II, fasc. II, 1905, p. 66—124) nach zwei Hss. des Museo civico in Padua. R. S.

66. Eine Abhandlung von Ferdinand Lot, 'La question des fausses décrétales' (Revue historique XCIV, 290—299, 1907), ist gegen die von Paul Fournier verfasste 'Etude sur les fausses décrétales' (Louvain 1907) gerichtet. Der Verfasser wendet sich zunächst — und nach der herrschenden Meinung zweifellos mit Recht — gegen die von Fournier vertretene Hypothese, welche die Diözese Le Mans (Kirchenprovinz Tours) zur Heimat der pseudoisidorischen Dekretalen macht. Wenn er zu seinen Ausführungen u. a. anmerkt, es erscheine unbegreiflich, wie B. von Simson die Idee haben konnte, Pseudoisidor mit dem Verfasser der 'Actus pontificum Cenomannensium' zu identifizieren, so hätte er hinzufügen müssen, dass von Simson diese vor

über zwanzig Jahren vorgetragene Vermutung bereits im J. 1890 ausdrücklich zurückgenommen hat. Lot betont, dass sich gerade in Le Mans Verhältnisse, wie sie den Hauptzielen Pseudoisidors, so besonders der Stärkung der bischöflichen Stellung gegenüber den Metropolitanen, entsprächen, nicht im entferntesten finden, und ist mit der Mehrzahl der neueren Forscher der Ansicht, dass es die Erzdiözese Reims ist, zu welcher der grosse Fälscher die nächsten Beziehungen gehabt haben muss. Diesen sieht er in Wulfad, dem Haupte der von Ebo geweihten, dann 853 durch die Synode von Soissons abgesetzten Reimser Kleriker, ohne jedoch irgendwie beweiskräftige Gründe dafür beizubringen. Was Lot S. 296, N. 3 gegen die Rothad-Hypothese vorbringt, erscheint durchaus nicht überzeugend. Wenn überhaupt eine einzelne Persönlichkeit als Autor der Fälschung oder auch nur als führender Geist bei ihrer Abfassung zu bezeichnen ist, so dürfte doch für Rothad die meiste Wahrscheinlichkeit sprechen. Es ist m. E. die Tatsache noch nicht genügend beachtet worden, dass er — der 853 schon seit mehr als zwei Jahrzehnten Bischof von Soissons war und als solcher die ganze causa Ebonis miterlebt hatte, der dann wie kein anderer 'praktischer Pseudoisidorianer' wurde und den Kampf gegen seinen Metropoliten aufs äusserste durchfocht, wie er auch zur weltlichen Macht in lebhafte Opposition trat — bereits in der zweiten Hälfte der vierziger Jahre, also sicher während des Zeitraums, in welchem die falschen Dekretalen entstanden sind (847—52), zu Hinkmar in einem unfreundlichen und entgegengesetzten Verhältnis gestanden hat (vgl. Schrörs, Hinkmar von Reims S. 238). Vielleicht lassen sich unter Heranziehung des ganzen einschlägigen Quellenmaterials doch noch einmal genügende Beweisgründe erbringen, um den Bischof von Soissons zu überführen. — Das wohl am meisten verdienstvolle Kapitel der Fournier'schen Arbeit, welches von der Rezeption Pseudoisidors an der Kurie handelt, wird von Lot am Ende seiner Untersuchung nur kurz berührt. Dass Lot in derselben noch einmal eine Lanze für den Mainzer Ursprung der Fälschung des Benediktus Levita einlegt, zeigt, dass er dabei die meiner Ansicht nach durchaus abschliessenden Darlegungen Seckels (Realencyklopädie für protestantische Theologie und Kirche 3. Aufl. XVI, 300, 1905, Artikel: Pseudoisidor) übersehen oder nicht ausreichend berücksichtigt hat: 'Grade darum, weil Benedikt, um die Entlarvung des Betrugs zu erschweren, den Verdacht nach Mainz ablenkt, ist Mainz der Entstehungsort nicht'. E. P.

67. A. M. Koeniger hat im Anhang seines Buches: Die Sendgerichte in Deutschland I. (München 1907) folgende Stücke aufs neue herausgegeben: S. 190—194 die Augsburger Sendordnung (= N. A. XVIII, 118—120); S. 194—196 das Sendrecht der Main- und Rednitzwenden (= MG. LL. III, 486 sq.); S. 198 f. eine Kölner Sendordnung wohl aus dem 10. Jh.; S. 199 f. Rügeeide (vgl. N. A. XXXI, 383); S. 200 f. einen angeblich Toletanischen, sicher aber fränkischen Kanon aus dem Anfang des 9. Jh. (= Archiv für katholisches Kirchenrecht LXXXVII, 1907, S. 394 f.) und schliesslich S. 202 f. den Kanon eines angeblichen Konzils zu Rouen (= Wiener SB. XLIV, 504), den Koeniger dem Jahrzehnt von 830 bis 840 zuweisen möchte. Ein Werturteil über die Ausführungen des Verf. muss an dieser Stelle unterbleiben. A. W.

68. Im Archiv für katholisches Kirchenrecht LXXXVII (1907), 393—406 teilt A. M. Koeniger Extravaganten zum Dekret Burchards von Worms († 1025) mit, die sich in dessen Münchener Hs. 4570 saec. XII. finden, darunter einen angeblich toletanischen Kanon aus dem Anfang des 9. Jh. (wiederholt in dem in der vorstehenden Nummer genannten Buche des Verfassers S. 200 f.), weiterhin Lesarten zu MG. Capit. I, 281 c. 1 und endlich eine in der Hs. fälschlich Papst Hadrian I. zugeschriebene Formel für die Exkommunikation, vielleicht aus dem Ende des 10. Jh. A. W.

69. In einer neuen Zeitschrift, Studi e Memorie per la storia dell' Università di Bologna, vol. I, parte I, p. 67—96 handelt Augusto Gaudenzi über die Zeit der Abfassung von Gratians Decretum und sucht zu erweisen, dass es im Jahre 1140 vollendet und veröffentlicht wurde. Das kann richtig sein, manches aber, was der Verf. in den Erörterungen sagt, ist sicher nicht richtig. Er handelt über eine Hs. des Dekrets von Montecassino, welche er für die älteste und für sehr wichtig erklärt, sowohl wegen der Kapitel, welche sie nicht hat, als auch wegen ihrer Zusätze. — In demselben Hefte S. 9—18 beschäftigt sich auch Francesco Brandileone mit Gratian, nämlich mit einer von Sigonius herrührenden Inschrift von 1574, die den Verfasser des Dekrets fälschlich zum Mönch des Klosters S. Proculi in Bologna macht.
O. H.-E.

70. Der erste Band der Quellen z. Gesch. d. röm.-kanon. Prozesses im Mittelalter, herausg. von L. Wahrmund (vgl. N. A. XXXII, 548, n. 99), liegt nun durch die VIII. Lieferung (Innsbruck 1907) vollendet vor. Sie enthält das nach Ansicht des Herausgebers 1232 entstandene Formularium des Martinus de Fano.

H. H.

71. In seiner wertvollen Abhandlung über das Speierer Offizialatsgericht im dreizehnten Jahrhundert (Mitt. des hist. Vereins der Pfalz XXIX und XXX, 1 ff.) druckt O. Riedner mehrere Urkunden des 13. und 14. Jh. ab und berichtet über die weitverzweigte Ueberlieferung des in Frankreich entstandenen Ordo iudiciarius mit dem Incipit 'Antequam dicatur . . .', einer kurzgefassten Darstellung des kanonischen Gerichtsverfahrens. R. teilt die Texte in solche, die einer französischen, und in solche, die einer deutschen Vorlage folgen, und sucht mit beachtenswerten Gründen zu erweisen, dass die letztere Fassung des Ordo ca. 1260 in Speier entstanden ist.

H. H.

---

72. Das erste Heft des ersten Bandes einer neuen Zeitschrift mit dem Titel 'Archiv für Urkundenforschung', die von Karl Brandi, Harry Bresslau und Michael Tangl herausgegeben wird, ist erschienen. Jeder der drei Herren Herausgeber hat für dieses erste Heft einen Beitrag geliefert. In einer gross angelegten Untersuchung 'Der byzantinische Kaiserbrief aus St.-Denis und die Schrift der frühmittelalterlichen Kanzleien' kommt K. Brandi (S. 1—86) zu keinem sicheren Ergebnis über die Zeit der Abfassung und den Absender des arg verstümmelten Briefes. Die Beantwortung dieser Frage war ihm auch Nebensache, denn er gibt, wie der Untertitel besagt, 'Diplomatisch-paläographische Untersuchungen zur Geschichte der Beziehungen zwischen Byzanz und dem Abendlande, vornehmlich in fränkischer Zeit', deren Inhalt sich nicht kurz skizzieren lässt. Dankenswert ist darin besonders die Zusammenstellung sämtlicher Erlasse, Briefe und Urkunden der byzantinischen Kaiser von Justinian I. an bis 912 und der Versuch, aus diesem dürftigen Material die ersten Elemente einer byzantinischen Diplomatik zu entwickeln. Ein Kapitel behandelt 'die Schrift in den älteren Urkunden der Päpste und der Erzbischöfe von Ravenna', ein daran anschliessendes Bemerkungen 'zur Entwicklungsgeschichte der Kanzleischriften in Italien und

dem fränkischen Reich, für deren Ausbildung der Verf. starken griechischen Einfluss annimmt. Vier Facsimile-Tafeln sind dem Aufsatz beigegeben. — M. Tangl behandelt (S. 87—166) 'die Tironischen Noten in den Urkunden der Karolinger' mit Ausschluss der westfränkischen. Er gibt unter Beifügung von 31 Facsimiles die Lesung der sämtlichen in den genannten Diplomen vorkommenden Noten, die zum Teil ganz erstaunlich von früheren falschen Lesungen abweichen, darunter eine beträchtliche Anzahl Neulesungen, und verwertet sie für erweiterte Erkenntnis der Kanzleiverhältnisse und der Kanzleibestände. In einem Schlusskapitel stellt er auf Grund der Noten fest, dass unter Karl dem Grossen die Erzkapläne die obersten Leiter der Kanzlei, über dem eigentlichen Kanzleivorstande stehend waren, während sich das unter Ludwig dem Frommen ändert, indem der Kanzleivorstand selbstständig leitender Beamter wird. Von den fünfziger Jahren des 9. Jh. tritt wieder das frühere Verhältnis ein. — H. Bresslau weist in schön geschlossener Untersuchung 'Der Ambasciatorenvermerk in den Urkunden der Karolinger' (S. 167—184) ganz überzeugend nach, dass 'ambasciavit' in den Karolinger-Urkunden der technische Ausdruck für die Ueberbringung des Beurkundungsbefehls, dass es gleich dem früher dafür bevorzugten Wort 'ordinavit' ist, dass 'ambasciare' melden, verkündigen, einen Austrag ausrichten bedeutet. Dieses Ergebnis gewinnt er namentlich, indem er die Bedeutung des Wortes im Gebrauch ausserhalb der Karolingischen Urkunden verfolgt, was, wenn es schon früher geschehen wäre, die bisherige falsche Deutung unmöglich gemacht hätte. O. H.-E.

73. Im Moyen Age XL, 121—134 setzt Maurice Jusselin (Notes Tironiennes dans les diplomes) seine Untersuchungen über die Tironischen Noten in einzelnen Karolinger-Urkunden fort. Seine Entzifferung der Noten in M. 689 (669) deckt sich mit der, die ich jetzt in meiner Monographie über die Tironischen Noten in den Urkunden der Karolinger gab. Ausserdem bespricht Jusselin die Noten in 3 Urkunden Pippins von Aquitanien, 6 Diplomen Karls d. Kahlen und die eines kurzen (ein Archivregest vorstellenden) Dorsualvermerks auf einer Urkunde des Abtes Ado für St.-Remi in Reims v. J. 714. M. T.

74. H. Bresslau begründet und rechtfertigt im Jahrbuch der Gesellschaft für lothringische Geschichte

und Altertumskunde XVIII (1906), 456—462 die zeitliche Ansetzung der Zusammenkunft zwischen Konrad II. und Heinrich I. von Frankreich zum Jahre 1033, genauer in der Zeit zwischen dem 18. Mai und 20. Juni, zumal als Todestag des Herzogs Friedrich II. von Oberlothringen der 18. Mai 1033 mit Sicherheit feststellbar ist.
A. W.

75. Mit dem 'Manifest Kaiser Friedrichs II. vom J. 1236 gegen Herzog Friedrich II. von Oesterreich' beschäftigt sich eine Arbeit Florian Thiel's in den Prager Studien aus dem Gebiete der Geschichtswissenschaft, herausgeg. von Ad. Bachmann, Heft 11 (1905). Sie hat den Charakter einer Interpretation des Schriftstückes mit angefügten kritischen Untersuchungen über seine Glaubwürdigkeit und seinen historischen Wert, wobei ebenso das Quellenmaterial wie die bisherige Literatur eingehend berücksichtigt werden. Es hätte sich vielleicht empfohlen, das Schriftstück, von dem nur zwei brauchbare Abdrücke bei Huillard-Bréholles und im Steiermärkischen Urkundenbuch II. vorliegen, im Anhang anzufügen. B. B.

76. Dem ersten Band der 'Italia Pontificia' liess P. Kehr rasch einen zweiten folgen, dessen Inhalt er kurz mit dem Schlagwort 'Latium' umschreibt, einem Begriff, der hier allerdings nicht gepresst werden darf. Im wesentlichen werden die Papsturkunden für die im weiteren Sinn suburbikaren Bistümer verzeichnet (im N. bis Viterbo und Orvieto, im S. und SO. bis Segni, Anagni und Veroli). Ueber Anordnung und Grundsätze dieser Regesten ist bereits in der Anzeige des ersten Bandes N. A. XXXII, 557 f., n. 121 berichtet. Der Gewinn gegenüber den in Jaffé's Regesten Ed. II. verzeichneten Nummern ist wieder sehr bedeutend; durch Einbeziehung der Acta deperdita und der neu gefundenen Stücke wird die bekannte Zahl mehr als verdoppelt (677 gegen 290 Nummern). Grösste Sorgfalt ist wieder der Feststellung der Ueberlieferungsgeschichte zugewandt. M. T.

77. Paul Kehr 'Aus Sant' Antimo und Coltibuono' (Quellen u. Forsch. aus ital. Arch. u. Bibl. herausg. v. Preuss. histor. Institut in Rom X, 216—225) weist nach, dass der Bischof Piccolomini von Pienza und Montalcino im J. 1596 noch zwei Papyrus-Originale von Johann XIII. und Benedikt VII. besass, deren Schrift er für —

etruskisch(!) hielt. In einer anschliessenden Miscelle teilt er aus dem Chronicon Passinianense eine Supplik des Abtes Hugo von S. Lorenzo di Coltibuono an Kaiser Otto IV. mit. M. T.

78. In einer kritischen Prüfung der 'Kanonisationsbulle für Erzbischof Heribert von Köln' (Kritische Beiträge zur rheinisch-westfälischen Quellenkunde des Mittelalters III. Westdeutsche Zeitschrift XXVI, 1—25) erbringt Th. Ilgen den Nachweis, dass sich die handschriftliche Ueberlieferung der angeblich von Gregor VII. ausgestellten Kanonisationsbulle J.-L. 4915 nicht über die Farragines des Johannes Gelenius und das Jahr 1626 zurückführen lässt. Er schliesst daraus weiter, dass Johann Gelenius selbst der Fälscher dieser bereits von Jaffé verworfenen Urkunde sei, die Ilgen S. 6 nochmals abdruckt. Seiner Beweisführung im einzelnen vermag ich nur mit grosser Einschränkung zu folgen. Die Unechtheit der Urkunde ergibt sich, abgesehen von der ganz verderbten Grussformel, schlagend aus den kurz abgehackten und in ihrer Fassung ganz unkurialen Sätzen des ersten Teils. Was aber Ilgen S. 14 gegen die Konstruktion des folgenden Satzes 'iubemus illum ammodo inter sanctos connumerari et in confessorum catalogo scribi atque ab omnibus ut sanctissimum in suo natalicio celebrari' einzuwenden hat, ist mir schlechterdings unverständlich, am meisten, dass er sogar den Theologen die Entscheidung anheim gibt, ob hier unter 'sanctissimum' das Allerheiligste (sc. sacramentum) verstanden sein könnte. Konstruktion und Sinn dieses Satzes sind so klar wie möglich, und die Fassung ist rein formell, von sachlichen Schwierigkeiten und vom Superlativ natürlich abgesehen, kaum ernstlich zu beanstanden (man vgl. den korrekten Satzschluss 'natalicio celebrari'), so dass ich hier allerdings wenigstens eine Anlehnung an irgend eine echte Vorlage annehmen möchte. Die Nichterwähnung des Beirats der Kardinäle würde, wenn hier eine Rettung überhaupt denkbar wäre, in einer Urkunde Gregors VII. eher im günstigen Sinne ausgelegt werden können. (Man vgl. den Vorwurf des Kardinals Benno, MG. Lib. de lite II, 370: 'a consilio removit cardinales sacrae sedis'). M. T.

79. A. Chroust veröffentlicht in den Mitteilungen d. Instituts f. Oesterr. Gesch.-Forschung XXVIII, 348—555 aus einer Hs. der Bibliothek des freiherrlich Hutten-Stolzenbergischen Schlosses Steinbach bei Lohr a. Main,

deren Provenienz aus dem Kloster Michelsberg bei Bamberg er erweist, den vollständigen Text des Wahldekrets Anaklets II., der sich von der bisher aus dem Codex Udalrici bekannten Fassung durch die sehr wichtige Beigabe der Unterschriften der Wähler unterscheidet. Die Zahl dieser Unterschriften ist im Vergleich mit der Aufzählung in der Wahlanzeige an K. Lothar III. wesentlich geringer (14 statt 26 Kardinäle), so dass die grosse Majorität der Wähler des Pierleoni-Papstes, wie Chroust zutreffend erläutert, erst durch nachträglichen Access zustande kam. Unter den Kardinalsunterschriften ist eine sicher verderbt. Einen Kardinalstitel SS. apostolorum Philippi et Iacobi gab es nicht. Gemeint ist der schon unter Papst Honorius II. nachweisbare und dann auch wieder unter Anaklet II. bezeugte Kardinalpriester Gregor von Santi Apostoli (d. h. XII apostolorum). Die Beifügung der Namen Philippi et Iacobi fällt auf Rechnung des Abschreibers. Ob aber dieser Verderbung nicht 1—2 Unterschriften (— in der Wahlanzeige folgen unmittelbar die im Protokoll fehlenden Amicus tt. SS. Nerei et Achillei und Desiderius tt. S. Praxedis —) zum Opfer fielen und das Originalprotokoll doch mehr Namen aufwies, bleibt noch fraglich. M. T.

80. Aus dem 'Cartulaire de l'abbaye de St.-Sulpice-la-Forêt', von dem P. Anger in Bull. et mém. de la soc. archéol. du départ. d'Ille-et Vilaine XXXV (1906), 325—388 einen zweiten Teil druckt, sind folgende unbekannte Papsturkunden zu notieren: Eugen III. 1146 Apr. 22, Alexander III. 1161, Urban III. 1186—87 Okt. 18, Johann XXII. 1320 März 2. 1330 Okt. 24, Martin V. 1423 März 24. Die sachliche Anordnung dieses UB. an Stelle der zeitlichen muss um so mehr befremden, als es sich hier nicht um den Abdruck eines Chartulars handelt. E. M.

81. P. M. Baumgarten, Das päpstliche Siegelamt beim Tode und nach Neuwahl des Papstes (Römische Quartalschrift XXI, 1907, Gesch. S. 32—47) bespricht unter ausgiebiger Benutzung gedruckter und ungedruckter Quellen die Vernichtung des Namensstempels und die Verwendung der Halbbullen. R. S.

82. Den 'Kirchenstaat unter Klemens V.' behandelt eine gut geschriebene Monographie von Anton Eitel (Abhandlungen z. mittl. und neueren Gesch. herausg.

v. Below, Finke u. Meinecke, 1. Heft, Berlin und Leipzig, Rothschild 1907, 218 S.). In 7 Kapiteln wird die Entwickelung der zerfahrenen Verhältnisse in Rom und den einzelnen Teilen des Kirchenstaats verfolgt. Das Eingreifen des Papstes sucht der Verf. als ein im ganzen erfolgreiches, doch jeder Organisationsgabe entbehrendes hinzustellen. Im Anfang wird aus dem Original im Archiv der Colonna in Rom die Urkunde Clemens' V. von 1306 Febr. 2 abgedruckt, durch die er die Colonna unter Aufhebung der Zensuren Bonifaz' VIII. wieder in ihre Rechte einzetzte. Die Arbeit ist nicht nur an sich brauchbar, sondern verdiente systematische Fortführung bis an den Ausgang der Avignonesischen Zeit. M. T.

83. Von den rüstig vorwärts schreitenden 'Monumenta Vaticana res gestas Bohemicas illustrantia' (vgl. N. A. XXIX, 544, n. 105 und XXXI, 522, n. 272) erschien jetzt der von J. F. Novák bearbeitete zweite Band, enthaltend die Urkunden und Regesten aus dem Pontifikat Innocenz' VI. (1352—1362), im ganzen 1323 Nummern. Die Anordnung folgt dem bewährten Vorbild der früheren Bände (I. und V.). Die Bearbeitung macht den Eindruck von Sorgfalt und Zuverlässigkeit, der sich für den I. von Klicman bearbeiteten Band, wie ich hier bemerken darf, bei der Nachprüfung von Texten anlässlich der Vorarbeiten zu den Constitutiones Karls IV. als vollkommen gerechtfertigt herausstellte. Nováks umfangreiche Einleitung (LI S.) stellt zuerst die Register-Ueberlieferung für diesen Pontifikat zusammen, gibt dann eine Uebersicht über den Geschäftsgang der Kanzlei mit einer gut und übersichtlich angeordneten Zusammenstellung der gebräuchlichsten Formulare und schliesst mit einem Hinweis auf den materiellen Ertrag der Edition speziell für die Geschichte Böhmens. In der Leugnung der Tätigkeit der Camera secreta in der Bearbeitung und Registrierung der politischen Korrespondenz schliesst sich Novák ganz den Ausführungen Göllers an, wogegen ich beiden gegenüber meinen ablehnenden Standpunkt, den ich N. A. XXIX, 796, n. 286 ausgesprochen hatte, in vollem Umfange aufrecht halte. Dass die Sekretäre dem Kämmerer, nicht dem Kardinal-Vizekanzler unterstanden, ist nicht, wie man nach Novák S. VII glauben könnte, eine neue Entdeckung Göllers, sondern von mir bereits in den 'Festgaben' für Büdinger S. 305 hervorgehoben. Ich sowohl, wie früher schon v. Ottenthal, hatten gerade diese Zwitterstellung der

Sekretäre als einen der wesentlichsten Gründe für den zunehmenden Verfall der päpstlichen Kanzlei bezeichnet.
M. T.

84. Vier Stücke aus den Registern Gregors XI. betr. Radulphus de Rivo, einen Lütticher Historiker vom Ende des 14. Jh., teilt U. Berlière im Bulletin de la Commission royale d'hist. (de Belgique) LXVI, 274 sqq. mit. A. H.

85. Zwei Bullen Gregors XI., die das Stift Moustier-sur-Sambre betreffen, werden von V. Barbier in den Analectes pour servir à l'hist. eccl. de la Belgique, 3. série, t. III, 52 sqq. veröffentlicht. A. H.

86. In den Bijdragen tot de geschiedenis bijzonderlijk van het aloude Hertogdom Brabant VI (1907), 255 f. teilt U. Berlière aus den Registern Clemens' VII. zwei auf die Erhebung Johann T'Serclaes zum Bischof von Cambrai 1378 bezügliche Stücke mit. A. H.

87. Im Bull. hist. de la soc. des antiquaires de la Morinie XI (1902—6, ersch. 1907), 753 sq. druckt J. de Pas eine Bulle Clemens' VII. vom 30. Nov. 1379 für die Stadt St.-Omer. E. M.

88. G. Pérouse veröffentlicht im Bull. hist. et philol. du comité des travaux hist. et scientif. 1905 p. 364—399 fünfzehn 'Documents inédits relatifs au concile de Bâle (1437—1449)' aus dem Staatsarchiv zu Turin, der Genfer Bibliothek, der Kantonalbibliothek zu Solothurn und der Pariser Nationalbibliothek, die er in seinem Paris 1904 erschienenen Buche über 'Le cardinal Louis Aleman, président du concile de Bâle, et la fin du grand schisme' bereits verwertet hat. E. M.

89. In derselben Zeitschrift 1904 S. 555—556 veröffentlichte Brutails, 'Rectification à la liste des abbés de Sainte-Croix de Bordeaux', eine Urk. Pius' II. für das Kloster vom 12. Juni 1461. E. M.

90. Ebenda 1905 S. 356—359 veröffentlicht A. de Boislisle den interessanten bemalten Wappenbrief, den Papst Innocenz VIII. am 12. Dez. 1488 der Stadt Salon ausstellte, nachdem sie zwei Jahre vorher durch den Erzbischof von Arles ihrer Wappen beraubt worden war.
E. M.

91. F. X. Glasschröder beschreibt im Historischen Jahrbuch XXVIII (1907), 341—351 die Hs. 650 der

Giessener Universitätsbibliothek (vgl. L. Weiland, N. A. IV, 73) mit ihrem mannigfachen Inhalt an kirchlichen Urkunden und Aktenstücken zur Geschichte des 15. und 16. Jh.; leider hat er unterlassen, den Inhalt von fol. 1—58, Dokumente zur Kenntnis des Konflikts zwischen Eugen IV. und dem Basler Konzil, näher anzugeben. A. W.

92. Edw. Gailliard handelt in den Verslagen en mededeelingen der Kon. Vlaamsche Academie voor Taal- en Letterkunde 1907 S. 274 ff. über 'Het woord "Imparat" uit oorkonden van Vlaamschen oorsprong', das er von dem lateinischen 'Imparatus' ableitet und als 'niet bij de hand', 'verloren', 'In't ongereede' erklärt. A. H.

93. Bekanntlich ist der grösste Teil der Auflage des von Lappenberg herausgegebenen ersten Bandes des Hamburgischen Urkundenbuchs bei dem Brande von 1842 zu Grunde gegangen, und das Buch, von dem nur zwei vollständige und 100 später vervollständigte Exemplare gerettet waren, ist so zu einer bibliographischen Seltenheit geworden. Lappenberg selbst ist zu der von ihm beabsichtigten Herstellung eines Neudruckes nicht mehr gekommen, und so ist es mit grösstem Danke zu begrüssen, dass der jetzige Leiter des Hamburgischen Staatsarchivs, Dr. A. Hagedorn, sich dessen angenommen hat. Er berichtet, dass er zunächst eine Neubearbeitung des ersten Bandes in Aussicht genommen, dann aber vorgezogen habe, den noch unbekannten urkundlichen Stoff des Hamburger Archivs der Forschung zu erschliessen und von dem ersten Bande einen anastatischen Neudruck zu veranstalten. Wir freuen uns dieses von Senat und Bürgerschaft zu Hamburg genehmigten Beschlusses um so mehr, als wir nun einerseits hoffen dürfen, in nicht zu ferner Zeit eine Edition der Hamburger Urkunden des 14. Jh. zu erhalten, auf die man bei andersartigem Vorgehen wohl noch sehr lange würde haben warten müssen, und als andererseits die uns vorliegende Reproduktion des Lappenbergschen Werkes (Hamburg, Leopold Voss 1907) Dank Hagedorns sorgfältigen Bemühungen in geradezu mustergiltiger Weise ausgeführt ist, womit denn zugleich, wie Hagedorn mit Recht bemerkt, eine Pflicht der Pietät gegen Lappenberg schön und würdig erfüllt ist. Möge er uns nun aber zu neuem Danke verpflichten, indem er uns die Fortsetzung des Werkes und die verheissenen Nachträge zum ersten Bande möglichst bald bescheert! H. Br.

94. In der Westdeutschen Zeitschrift XXVI (1907), 110—118 bespricht und veröffentlicht J. Hansen eine im Pfarrarchiv zu Ediger an der Mosel gefundene Urkunde vom 20. März 1488, die auf die Tätigkeit des Heinrich Institoris, des Verfassers des Hexenhammers, neues Licht wirft. A. W.

95. Die den ersten drei Heften von Bd. XXII der Zeitschr. f. d. Gesch. d. Oberrheins (N. F.) beigegebenen Badischen Archivberichte betreffen eine Reihe von Familienarchiven (Eichtersheim, Mahlberg, Wieblingen, Altdorf, Rittersbach) und Archivalien aus Gemeinden der Amtsbezirke Lahr, Karlsruhe, Ettenheim. Aus dem Fürstl. v. d. Leyenschen Hausarchiv in Waal werden Archivalien, die ehemalige Grafschaft Hohengeroldseck betr., mitgeteilt. Nur vereinzelt sind Kaiserurkunden aus dem späteren Mittelalter (vgl. S. m 112 n. 2 = Böhmer, Reg. Lud. 220, n. 6 = Chmel, Reg. Rup. 1486, S. m 113 n. 11 bei Chmel, Reg. Frid. III. nicht verzeichnet) vertreten. H. H.

96. Der Colmarer Gemeinderat hat die Herausgabe von 'Veröffentlichungen aus dem Stadtarchiv zu Colmar' beschlossen, deren erstes von dem Stadtarchivar Dr. E. Waldner bearbeitetes Heft erschienen ist (Colmar 1907). Für uns kommt von seinem Inhalt neben einer kurzen und übersichtlichen Geschichte des Stadtarchivs die Herausgabe der Verordnungen des Colmarer Rats von 1362—1432 in Betracht, der das 1386 von dem Stadtschreiber angelegte älteste Colmarer Stadtbuch zu Grunde liegt. H. Br.

97. Der Aufsatz von G. Wolfram, 'Les chartes de la comtesse Ève (950) et de son fils Udalrich (958). — Contribution à la question du lieu de naissance de St. Arnould' im Bull. mensuel de la soc. d'archéol. Lorraine VI (1906), 281—290 ist eine Uebersetzung aus seinen 'Kritischen Bemerkungen zu den Urkunden des Arnulfsklosters' in Metz im Jahrb. der Gesellsch. für lothring. Gesch. und Altertumskunde I (1888/9), 62—69. E. M.

98. Als Festschrift zur 49. Versammlung deutscher Philologen und Schulmänner hat die Historische und Antiquarische Gesellschaft in Basel die Statuten der philosophischen Fakultät zu Basel in der ältesten uns erhaltenen Redaktion vom Jahre 1464 in vor-

züglicher Ausstattung herausgeben lassen. Die sorgfältige Edition ist von Carl Christoph Bernoulli besorgt.

H. Br.

99. In der Festschrift des hist.-ant. Vereins des Kantons Schaffhausen (= Beiträge zur vaterländischen Gesch. Heft VIII, 1 ff.) erörtert G. Walter das Verhältnis zwischen Schaffhausen und Allerheiligen im späteren Mittelalter. Seinen Ausführungen liegt eine ca. 1480 abgefasste Beschwerdeschrift des Abtes Konrad Dettikofer und ihre Beantwortung durch den Rat der Stadt zu Grunde; die Streitigkeiten betrafen Asylrecht, Gerichtsbarkeit, Leibeigene, Zoll, Jagdrecht, u. a. — fast ausschliesslich Rechte des Klosters, die in letzter Instanz von der durch Päpste und Kaiser gesicherten immunen Stellung der Abtei hergeleitet werden konnten. Es ist interessant zu beobachten, wie Allerheiligen im Laufe der Zeit von seinen Freiheiten und Rechten immer mehr einbüsste und von einem Herrn der Stadt zu einem Bürger herabsank. — Beilage II. der Festschrift, eine Lichtdruckreproduktion des DH. V. St. 3076, wird den Schaffhauser Lokalforschern willkommen sein; von allgemeinerem Standpunkt aus wäre es wünschenswert gewesen, wenn von den interessanten Urkunden des Klosters eine andere reproduziert worden wäre. St. 3076 hat ja schon Bresslau (u. zw. in natürlicher Grösse) in den Kaiserurkunden in Abbildungen (IV, 23) wiedergegeben. H. H.

100. Die fleissige Arbeit von P. Bonaventura Egger, Geschichte der Cluniazenser-Klöster in der Westschweiz (Freiburger Hist. Studien Heft III, Freiburg i. Schweiz 1907), müssen wir hier erwähnen, weil der Verfasser, wie ganz natürlich, häufig die Gelegenheit zu kritischen Bemerkungen über die Urkunden dieser Klöster (namentlich bei Peterlingen, Romainmôtier und Rüggisberg) ergreift. Einigen Peterlinger Urkunden (Böhmer, Reg. Kar. 1504. 1505, DO. II. 307, St. 2996, J.-L. 7052. 9269) ist ein eigener Exkurs gewidmet, dessen Resultate aber nicht als abschliessende Beurteilung dieser Stücke gelten dürfen. E. handelt hier hauptsächlich über die in zwei angeblichen Originalen s. XII. vorliegende Stiftungsurkunde der Königin Bertha, der Gemahlin Rudolfs II. von Burgund, und berührt sich hierin enge mit Ausführungen des fast gleichzeitig erschienenen Buches von R. Poupardin, Le royaume de Bourgogne p. 392 sqq., die derselben Frage gewidmet sind. E. scheint im Recht zu sein,

wenn er die Gründungsurkunde von Cluny (I) als Vorlage der Peterlinger Fälschung (II) ansieht, da beide Urkunden mit einander mehr übereinstimmen als mit der gleichfalls von Cluny herzuleitenden Stiftungsaufzeichnung von Romainmôtier (III), die P. als Vorurkunde für II bezeichnet hat. Doch haben auch II und III gegenüber I den Drucken zu Folge Varianten gemeinsam, so dass die Vorlagenfrage für II nur bei genauer Heranziehung der Ueberlieferung klar zu stellen ist. Man wird aber jedenfalls P. eher folgen, wenn er sich über die Frage nach einem echten Kern, der in II steckt, vorsichtiger äussert als E. H. H.

101. Die Materialien zur Standes- und Landesgeschichte gem. III Bünde (Graubünden), herausg. von F. Jecklin, sind ein 1464—1803 reichendes Repertorium zur Graubündner Landesgeschichte. Der erste jetzt vorliegende Teil (Basel 1907) enthält die Regesten der Urkunden, Briefe und Akten aus der gedruckten Literatur und aus den Archiven und Bibliotheken von Chur, Luzern, Schwyz, Zürich, St. Gallen, Innsbruck u. a.; der zweite soll die Texte bringen. H. H.

102. In seinem Aufsatze 'Zur Kirchengeschichte Wiltens und Innsbrucks aus der Zeit des Bruches zwischen Eugen IV. und dem Basler Konzil' (Forsch. und Mitt. zur Gesch. Tirols und Vorarlbergs IV, 258 ff.) bespricht und publiziert J. Zöchbauer eine wegen der Jakobskirche zu Innsbruck an den Papst gerichtete Supplik des Klosters Wilten (1438 Mai 15) und die Entscheidung des Basler Konzils (1438 Okt. 17). H. H.

103. Nach dreiundzwanzigjähriger Pause ist dem VIII. Bande des UB. des Landes ob der Enns ein neunter, bearb. von V. Baron Handel-Mazzetti, hinzugefügt worden (Linz 1906). Die Fortführung der Publikation bis 1400 soll nun in rascherem Tempo erfolgen. Die Urkunden sind zumeist in extenso gedruckt, der stattliche Band erstreckt sich daher nur über fünf Jahre (1376—1380). Urkunden Wenzels und Karls IV. (n. 386 = Huber 5921) sind spärlich vertreten. H. H.

104. 'Aus den Vorarbeiten für ein Zwettler Urkundenbuch' betitelt sich ein im Monatsblatt des Vereins f. Landeskunde von Niederösterreich, 1907 Mai, abgedruckter Vortrag des Stiftsarchivars P. Benedikt Hammerl, in dem er auf einzelne Traditionsurkunden aufmerksam macht, die ursprünglich gleich der grossen Masse

bairisch-österreichischer Traditionen undatiert waren, bei der Eintragung in das Zwettler Kopialbuch aus dem Anfang des 14. Jh. aber mit einer nicht nur wertlosen, sondern, wie schlagend nachgewiesen wird, ganz irreführenden Datierung versehen wurden. Anschliessend an die gewonnene Erkenntnis wird die Richtigstellung der genealogischen und Besitzverhältnisse vorgenommen. M. T.

105. Aus einem Codex der Hohenfurter Stiftsbibliothek saec. XV. veröffentlicht P. Valentin Schmidt u. d. T. 'Ein Lilienfelder Formelbuch' in den Studien und Mitteilungen aus dem Benediktiner- und dem Cistercienser-Orden, Jahrg. XXVIII (1907), 392—402 Urkundenregesten von ca. 1308—1447. Sch. vermutet drei verschiedene Schreiber, von denen der erste (fol. 1—131, 146—203) mehr um Lilienfelder Angelegenheiten sich bekümmert, der zweite (fol. 131—146) Material aus böhmischen und mährischen Klöstern, der dritte solches aus Hohenfurt verarbeitet. In der vorliegenden ersten Fortsetzung liegen 79 Regesten bis 1390 vor. B. B.

106. Im Historischen Archiv der Kaiser-Franz-Joseph-Akademie in Prag n. 26 (1905) veröffentlicht in tschechischer Sprache Dr. Ed. Sebesta unter dem Titel 'Ein neu aufgefundenes Fragment des Formulars des Bischofs Tobias von Bechin 1279—1296' einundzwanzig dieser Formeln, nach Urkunden teils von Tobias selbst, teils von anderen Personen aus der Zeit 1260—1296. Das Fragment fand S. in der Nikolsburger fürstl. Dietrichstein'schen Bibliothek. Die kleine Studie mit einer gründlichen Einleitung versehen ist eine notwendige Ergänzung zu J. B. Nováks trefflicher Edition des genannten Formulars in derselben Sammlung n. 22 (s. N. A. XXXI, 527, n. 291). B. B.

107. Aus einer Hs. des Prager Stadtarchivs n. 1857 s. XVI. veröffentlicht J. Teige 54 teils lateinische, teils tschechische 'Urkunden der Karlsteiner Dechantei von 1322—1625' in den SB. der Kgl. böhm. Gesellschaft der Wissenschaften, Jahrg. 1906. Die tschechisch geschriebene Einleitung gibt zuerst eine genaue Beschreibung der Papierhs., nach der die Edition gemacht ist, sowie einer zweiten mit der ersten zum grossen Teil identischen aus der Bibliothek der Prager Universität (XI D 12), die jünger ist, etwa 1671—1710, und nur zur Ergänzung der ersten nicht durchwegs mehr gut erhaltenen benutzt wurde,

wenn er die Gründungsurkunde von Cluny (I) als Vorlage der Peterlinger Fälschung (II) ansieht, da beide Urkunden mit einander mehr übereinstimmen als mit der gleichfalls von Cluny herzuleitenden Stiftungsaufzeichnung von Romainmôtier (III), die P. als Vorurkunde für II bezeichnet hat. Doch haben auch II und III gegenüber I den Drucken zu Folge Varianten gemeinsam, so dass die Vorlagenfrage für II nur bei genauer Heranziehung der Ueberlieferung klar zu stellen ist. Man wird aber jedenfalls P. eher folgen, wenn er sich über die Frage nach einem echten Kern, der in II steckt, vorsichtiger äussert als K. H. H.

101. Die Materialien zur Standes- und Landesgeschichte gem. III Bünde Graubünden, herausg. von F. Jecklin, sind ein 1464—1803 reichendes Repertorium zur Graubündner Landesgeschichte. Der erste jetzt vorliegende Teil (Basel 1907) enthält die Regesten der Urkunden, Briefe und Akten aus der gedruckten Literatur und aus den Archiven und Bibliotheken von Chur, Luzern, Schwyz, Zürich, St. Gallen, Innsbruck u. a.; der zweite soll die Texte bringen. H. H.

102. In seinem Aufsatze "Zur Kirchengeschichte Wiltens und Innsbrucks aus der Zeit des Bruches zwischen Eugen IV. und dem Basler Konzil" (Forsch. und Mitt. zur Gesch. Tirols und Vorarlbergs IV, 255 ff.) bespricht und publiziert J. Zöchbauer eine wegen der Jakobskirche zu Innsbruck an den Papst gerichtete Supplik des Klosters Wilten (1438 Mai 15) und die Entscheidung des Basler Konzils 1438 Okt. 17. H. H.

103. Nach dreiundzwanzigjähriger Pause ist dem VIII. Bande des UB. des Landes ob der Enns ein neunter, bearb. von V. Baron Handel-Mazzetti, hinzugefügt worden (Linz 1906). Die Fortführung der Publikation bis 1400 soll nun in rascherem Tempo erfolgen. Die Urkunden sind zumeist in extenso gedruckt, der stattliche Band erstreckt sich daher nur über fünf Jahre (1376—1380). Urkunden Wenzels und Karls IV. (n. 5885 = Huber 5921) sind spärlich vertreten. H. H.

104. "Aus den Vorarbeiten für ein Zwettler Urkundenbuch" betitelt sich ein im Monatsblatt des Vereins f. Landeskunde von Niederösterreich, 1907 Mai, abgedruckter Vortrag des Stiftsarchivars P. Benedikt Hammerl, in dem er auf einzelne Traditionsurkunden aufmerksam macht, die ursprünglich gleich der grossen Masse

bairisch-österreichischer Traditionen undatiert waren, bei der Eintragung in das Zwettler Kopialbuch aus dem Anfang des 14. Jh. aber mit einer nicht nur wertlosen, sondern, wie schlagend nachgewiesen wird, ganz irreführenden Datierung versehen wurden. Anschliessend an die gewonnene Erkenntnis wird die Richtigstellung der genealogischen und Besitzverhältnisse vorgenommen. M. T.

105. Aus einem Codex der Hohenfurter Stiftsbibliothek saec. XV. veröffentlicht P. Valentin Schmidt u. d. T. 'Ein Lilienfelder Formelbuch' in den Studien und Mitteilungen aus dem Benediktiner- und dem Cistercienser-Orden. Jahrg. XXVIII 1907, 392—402 Urkundenregesten von ca. 1306—1447. Sch. vermutet drei verschiedene Schreiber, von denen der erste (fol. 1—131, 146—208) mehr um Lilienfelder Angelegenheiten sich bekümmert, der zweite fol. 131—146 Material aus böhmischen und mährischen Klöstern, der dritte solches aus Hohenfurt verarbeitet. In der vorliegenden ersten Fortsetzung liegen 79 Regesten bis 1390 vor. B. B.

106. Im Historischen Archiv der Kaiser-Franz-Joseph-Akademie in Prag n. 26 1905 veröffentlicht in tschechischer Sprache Dr. Ed. Sebesta unter dem Titel 'Ein neu aufgefundenes Fragment des Formulars des Bischofs Tobias von Bechin 1279—1296' einundzwanzig dieser Formeln, nach Urkunden teils von Tobias selbst, teils von anderen Personen aus der Zeit 1260—1296. Das Fragment fand S. in der Nikolsburger fürstl. Dietrichsteinschen Bibliothek. Die kleine Studie mit einer gründlichen Einleitung versehen ist eine notwendige Ergänzung zu J. B. Nováks trefflicher Edition des genannten Formulars in derselben Sammlung n. 22 (s. N. A. XXXI, 527, n. 291).
B. B.

107. Aus einer Hs. des Prager Stadtarchivs n. 1557 s. XVI. veröffentlicht J. Teige 54 teils lateinische, teils tschechische Urkunden der Karlsteiner Dechantei von 1522—1525 in den SB. der Kgl. böhm. Gesellschaft der Wissenschaften. Jahrg. 1908. Die tschechisch geschriebene Einleitung gibt zuerst eine genaue Beschreibung der Papierhs., nach der die Edition gemacht ist, sowie einer zweiten mit der ersten zum grossen Teil identischen aus der Bibliothek der Prager Universität XI D 12, die jünger ist, etwa 1671—1710, und nur zur Ergänzung der ersten nicht durchwegs mehr gut erhaltenen benutzt wurde,

und ferner insoweit sie neue im anderen älteren Codex nicht vorfindliche Urkunden bot. Dann spricht die Einleitung über den Inhalt und Wert der einzelnen Stücke. Einige wenige Urkunden entstammen auch anderen Quellen. B. B.

108. Unter dem Titel 'Quellen zur Geschichte der Besitzverhältnisse des Bistums Breslau' (Darstellungen und Quellen zur schlesischen Gesch. III. Bd. Studien zur schlesischen Kirchengesch. S. E. dem Kardinal Kopp gewidmet', Breslau 1907, S. 171 ff.) erläutert und veröffentlicht W. Schulte die bisher ungedruckten Originale der Schutzurkunden von Papst Hadrian IV. (1155 April 23) und Papst Innocenz IV. (1245 Aug. 9) für das Bistum Breslau, ferner ein Fragment einer jüngeren Redaktion des liber fundationis episcopatus Wratislaviensis und ein ausführliches Registrum Wratislaviense censuum et redditūum ad episcopatum spectantium aus dem Anfang des 15. Jh. Von der Urkunde Hadrians IV. ist ein schönes Facsimile in Originalgrösse beigegeben. M. Kr.

109. Als 'Analekten zur Biographie des Bischofs Johann IV. Roth von Breslau' veröffentlicht H. Bauch in dem oben genannten Bande S. 19 ff. viele ungedruckte Stücke, darunter mehrere Urkunden von K. Friedrich III. und Papst Sixtus IV. M. Kr.

110. Hermann Bier will sich in seiner Arbeit 'Das Urkundenwesen und die Kanzlei der Markgrafen von Brandenburg aus dem Hause Wittelsbach 1323—1373', von der der Anfang jetzt als Berliner Dissertation (1907) vorliegt, nicht auf eine rein diplomatische Untersuchung beschränken, sondern die Kanzlei als Glied des landesherrlichen Verwaltungsapparats, ihre Geschichte, ihre Organisation und ihren Geschäftsgang darstellen. Dafür bot sich ihm ausser ca. 900 Originalurkunden ein reiches Material in der dem Berliner Staatsarchiv angehörenden Reihe der wittelsbachischen Register und Kanzleibücher. B. zieht nicht nur die Auslaufsregister zur Untersuchung heran; er betont in der Einleitung die Einheit und Zusammengehörigkeit der mannigfachen Arten von Hilfsmitteln, Büchern und Listen einer spätmittelalterlichen Kanzlei; er stellt fest, dass die blosse Beobachtung, ob empfangene oder ausgegebene Urkunden eingetragen sind, für die Definition und die kritische Bewertung des Registers im Gegensatz zum Kopiar für diese Zeit nicht

mehr genügt und erblickt mit Neudegger das entscheidende Kriterium in der 'Zugehörigkeit zum Kanzleiapparat'. Kap. 1 gibt eine sorgfältig gearbeitete Beschreibung und Geschichte der Bestände; eine beigefügte Tabelle erleichtert den Ueberblick. — Hervorgehoben seien hier noch die gerechte Beurteilung des Landbuches Karls IV. (S. 19) sowie die treffende Bemerkung über die Pfandsetzung (S. 25).
R. S.

111. In den Forschungen zur Brandenburgischen und Preussischen Geschichte XX, 209—210 (1907) teilt H. Bier 'das Zollprivileg des Falschen Waldemar für Perleberg vom Jahre 1348' mit. Die seit langer Zeit gesuchte Urkunde wurde im Stadtarchiv zu Perleberg gefunden; sie ist allerdings nur in einer Abschrift des 17. Jh. überliefert. E. P.

112. Im Hohenzollernjahrbuch IX (1905), 207—209 hat L. Schmitz-Kallenberg eine vorzüglich erhaltene, reich bemalte Prunksupplik (absque litterarum desuper expeditione) des Kurfürsten Albrecht Achilles an Sixtus IV. von 1476—78 aus dem Königlichen Hausarchive zu Charlottenburg herausgegeben und abgebildet.
E. M.

113. In den Bijdragen voor de geschiedenis van het bisdom van Haarlem XXXI, 101 ff. teilt P. M. Grijpink aus dem Rijksarchief in Haarlem u. a. eine Urkunde der Gräfin Margarete von Holland, der zweiten Gemahlin Ludwigs des Baiern, von 1347 mit. A. H.

114. Der 'Inventaris van het archief van het St. Ursulen Convent te Neder Elten opgemaakt door P. N. v. Doorninck', Haarlem 1906, verzeichnet 66 Nummern aus dem 14.—17. Jh., darunter, soviel ich sehe, keine Königs- oder Papsturkunden. Die Stücke befinden sich jetzt in der Bibliotheek van de Maatschappij der Nederlandsche Letterkunde te Leiden. Zwei vorzüglich gelungene Siegelabbildungen sind beigegeben. A. H.

115. J. Goetschalckx setzt in den Bijdragen tot de Geschiedenis bijzonderlijk van het aloude Hertogdom Brabant VI (1907), 280 ff. den Abdruck der Chartulare von S. Michiels in Antwerpen fort (vgl. N. A. XXXII, 569, n. 171). Auch diesmal bringt er dabei eine Reihe Papsturkunden aus der Mitte des 13. Jh., von denen drei Innocenz' IV. und zwei Urbans IV. bisher ungedruckt scheinen; n. 157, Alexander IV., unvollständig datiert, ist nach dem

Ausstellungsort 'Oignii' (offenbar = Anagni) Sept. 10 zu 1255. 1256 oder 1259 einzureihen. Von den sonstigen Stücken ist z. B. n. 116 für das Itinerar des Kardinallegaten Hugo wichtig (1253 April 27, nicht 28, Antwerpen). A. H.

116. Im Bulletin de la Commission royale d'histoire, Bruxelles 1907, t. LXXVII, p. LXX sqq. gibt L. Devillers eine Uebersicht über die Chartularien der Hospitäler von Brüssel. A. H.

117. Im Bull. hist. de la soc. des antiquaires de la Morinie XI (1902—1906, ersch. 1907), 671—688 schildert E. Fournier, 'Quelques éclaircissements sur les rapports de Stefano Colonua avec la collégiale de St.-Omer' in Ergänzung zu Cochins Aufsatz (vgl. N. A. XXXI, 537, n. 341) den Zustand des Kapitels unter diesem Propst. E. M.

118. In demselben Bande S. 708—724 veröffentlicht J. de Pas, 'Quelques chartes inédites des abbayes de Clairmarais, de Bonhem (sur la Bistade, commune de Ste.-Marie-Kerque) et de Ste.-Colombe (de Blendecques)', 51 Regesten von meistenteils unbekannten Urkunden überwiegend des 12. und 13. Jh., von denen die des Herzogs Berthold von Zähringen, Grafen von Boulogne, von 1183, die des Grafen Balduin von Flandern von etwa 1199 und eine Reihe von Urkunden der Bischöfe von Thérouanne erwähnt seien. E. M.

119. Im Bull. hist. et philol. du comité des travaux hist. et scientif. 1906 p. 10—32 behandelt E. Petit die 'Archives de l'hôpital de Tonnerre: Le cartulaire (Regesten, u. a. von Urkunden Bonifaz' VIII., Clemens' V. und Benedikts IX., sowie Philipps IV. von Frankreich und seiner Gattin Margarete 1290—1308). L'obituaire' (Edition). E. M.

120. Für die mittelalterliche Handels- und Geldgeschichte wichtiges Material veröffentlicht L. Gauthier in seinem Paris 1907 erschienenen Buche 'Les Lombards dans les Deux-Bourgognes' (Bibl. de l'école des Hautes Études, Sciences hist. et philol., Fasc. 156). Einer etwa 100 Seiten starken Darstellung ist der Abdruck von 172 überwiegend dem 13. Jh. (1265—1476) angehörenden Urkunden sowie die Abbildung eines 1340/1 durch einen Zolleinnehmer angelegten Handelsmarken-Verzeichnisses beigegeben. E. M.

121. L. Levillain's 'Note sur une charte du monastère de Paunat (Dordogne) et sur les origines de St.-Martial de Limoges' weist die Schenkungsurkunde des David und der Benedicta aus dem vierten Jahre eines Kaisers Karl nach dem Vorgange von Mabillon und im Gegensatze zu Poupardin und Thomas, die sie ins Jahr 888 setzen wollten, dem Jahre 804 zu auf Grund der Erkenntnis (für die er DK. 24 in Verbindung mit M. 519 [500] anführt), dass das Wort 'monachi' zu Anfang des 9. Jh. gleichbedeutend mit 'canonici' sein kann. E. M.

122. Unter dem Titel 'Constat au prieuré de Saint-Jean de Malte de la commanderie d'Aix en 1373' besprach und veröffentlichte Baron Guillibert im Bull. hist. et philol. du comité des travaux hist. et scientif. 1904 p. 270—290 aus dem Vatikanischen Archiv ein 'Processus factus mandato sancte sedis apostolice per . . . archiepiscopum (Aquensem) de facultatibus domorum S. Iohannis Iherosolimitani (de Aquis)' betiteltes Aktenstück. E. M.

123. Im Verfolg von Verhandlungen, die auf dem Internationalen Historikerkongress zu Rom im J. 1903 über die Bearbeitung eines Corpus chartarum Italiae gepflogen wurden, haben sich das Istituto storico Italiano und das Preussische Historische Institut in Rom zu dem grossartigen und mit dankbarer Freude zu begrüssenden Unternehmen vereinigt, die älteren Urkundenbestände der italienischen Archive nach einem gemeinsamen Plane zu durchforschen, die Urkunden in Regesten zu verzeichnen und diese 'Regesta chartarum Italiae' in zwanglosen Bänden zu veröffentlichen. Als Symbol des wissenschaftlichen Bundes führt jeder Band auf dem Titelblatt ein Medaillonbild mit den Büsten von Muratori und Leibniz. Die Verteilung der Archive scheint bisher nur so weit durchgeführt zu sein, dass das italienische Institut die von Rom, Stadt und Provinz, und von Florenz, das preussische die von Volterra, Siena und Pisa übernahm. Ueber die Ausführung der Arbeit im einzelnen haben zwar Besprechungen stattgefunden, die mannigfache Anregung gegeben haben, man ist aber dahin übereingekommen, den einzelnen Bearbeitern eine sehr weitgehende Freiheit in dieser Beziehung einzuräumen.

Dass diese davon vollen Gebrauch gemacht haben, zeigen die drei Bände der Regesta, die uns bis jetzt vorliegen (Rom, Loescher 1907). Die beiden italienischen und der deutsche Band stimmen zwar im Format, aber nicht in allen sonstigen Aeusserlichkeiten (Papier, Typen, Anordnung der Noten u. s. w.) überein, und in bezug auf die Grundsätze der Bearbeitung sind die Verschiedenheiten zwischen allen drei Bänden noch erheblicher.

Das Regestum des Klosters S. Apollinare Nuovo zu Ravenna, das 1516 zu Gunsten des Klosters S. Paolo fuori le mura zu Rom aufgehoben wurde, hat V. Federici aus dem Archiv dieses römischen Klosters herausgegeben. Im ganzen sind 558 Urkunden von 959—1516 in dem 26 Bogen starken Bande bearbeitet: die älteren bis zum J. 1000 (darunter auch Stücke, die schon publiziert waren), sind in vollem Wortlaut, die späteren in sehr ausführlichen, bisweilen eine ganze Druckseite füllenden Auszügen mitgeteilt, die je nach der Beschaffenheit der Urkunden subjektiv oder objektiv gefasst sind. Die Zutaten des Herausgebers beschränken sich auf kurze Anmerkungen, in denen zumeist über äussere Merkmale der Urkunden und ihre Chronologie gehandelt wird, ein Verzeichnis der vorkommenden Notare, ein Sach- und Namenregister, ein Verzeichnis seltener Worte und drei Tafeln mit Abbildungen von Notariatsmonogrammen und -Zeichen. Die Vorrede berichtet über das Archiv und über die Grundsätze der Ausgabe. Ich mache hier besonders auf n. 9 des Regestum, das Placitum Ottos II. vom 16. Juli 983 (DO. II. 315), aufmerksam, das in den Mon. Germ. nach dem, wie sich nun zeigt, sehr schlechten Drucke Amadesi's wiederholt war; die neue Ausgabe nach einer Abschrift Palmieri's (wohl aus dem jetzt nicht auffindbaren Original) und einer anderen Zaccagni's in Cod. Vat. Reg. 378 bietet sehr erhebliche sachliche und formale Besserungen, hätte aber auch ihrerseits den Druck Amadesi's (den der Mon. Germ. erwähnt Federici garnicht) an mehreren Stellen berücksichtigen sollen.

Von dem durch L. Schiaparelli und F. Baldasseroni bearbeiteten Regestum des Klosters S. Salvatore di Camaldoli, dessen die Urkunden von S. Maria di Prataglia einschliessendes Archiv in Florenz ist, liegt nur der erste Band vor, der auf 17 Bogen in 639 Nummern die Urkunden bis zum Jahre 1100 verzeichnet. Von vollständigem Abdruck ist abgesehen; die Regesten — meist etwas kürzer als die Auszüge Federici's, aber immerhin noch recht ausführlich — sind sämtlich auf die objektive Fassung gebracht und abgesehen von den Eigennamen und gewissen anderen Urkundenteilen orthographisch und sprachlich modernisiert. Beigegeben ist einstweilen nur eine chronologische Tabelle der Urkunden zum Vergleich mit dem Spoglio des Florentiner Staatsarchivs; die Register und eine ausführliche Einleitung soll der zweite Band bringen. Bisher unbekannte, für die Reichsgeschichte wichtige Stücke enthält der erste, wieviel ungedrucktes er auch bringt, soweit ich sehe, nicht; doch wird man mit Interesse die wechselnden Formen der Datierung verfolgen: nach Heinrich III. z. B. wird schon 1040, nach Heinrich IV. erst 1062, dafür 1057 einmal nach Papst Viktor und 1078 nach Gregor VII. und Heinrich IV. datiert; Heinrich heisst dann auch nach 1084 in den nicht zahlreichen Urkunden, die ihn nennen, fast immer König, und nur ganz vereinzelt wird sein Kaisertitel anerkannt.

Anderer Art ist das von F. Schneider bearbeitete Regestum Volaterranum. Während die beiden italienischen Bände die Urkunden nur je eines Klosterarchivs, diese aber vollständig, verzeichnen, umfasst das Reg. Volaterranum alle Archive, die einst in der Grafschaft Volterra vorhanden waren, geistliche und kommunale, mögen sie heute dort oder anderswo beruhen; von den Beständen dieser Archive aber berücksichtigt es vollständig nur die Urkunden bis zum Jahre 1000, von da bis 1300 ausser Diplomen, Reichssachen, Gerichts- und 'anderen öffentlichen Urkunden', Grafen- und Bischofsurkunden, ferner alle, die wichtige Aufschlüsse für die Entwickelung 'dieser beiden Institutionen' (der Herausgeber meint Grafschaft und Bistum) bieten, endlich alles was 'von allgemeinerem Interesse für die Geschichte und ihre Zweigdisciplinen war'. Durch diese Beschränkung ist es dem Herausgeber möglich geworden mit gerade 1000 Regesten und einem Bande von 29 Bogen auszukommen. Die Auszüge Schneiders schliessen sich in Sprache und Orthographie aufs engste an die excerpierten Urkunden an und scheinen mir z. T. etwas stärker verkürzt zu sein als die der anderen Bände; doch versichert der Herausgeber alles gegeben zu haben, was historisch, diplomatisch und philologisch von einem gewissen Interesse für irgendwelche Studien sein konnte. Dass Schneider schon früher leidlich korrekt gedruckte Urkunden nur in knappster Form, oft sogar ohne Inhaltsangabe, verzeichnet, wird man billigen können. Dagegen kann ich es nicht für sachlich gerechtfertigt halten, dass er auch eine 'ganze Anzahl' noch ungedruckter staufischer Urkunden und Reichssachen ähnlich behandelt und nur in 'kurzem Regest wiedergegeben hat, indem er sich vorbehält, sie mit seinen übrigen Funden aus der Stauferzeit als Anhang einer Arbeit über die Verwaltung von Toscana in dieser Periode herauszugeben, und dass so dem Benutzer des Reg. Volaterranum ausführlichere Mitteilungen über diese wichtigen Stücke vorenthalten werden. Die eigenen Zutaten Schneiders bestehen in einer umfangreichen Einleitung, zahlreichen und nützlichen erläuternden Anmerkungen, endlich in Register und Glossar, die ich nach den gemachten Stichproben nicht besonders loben kann. Die Einleitung berichtet in ihrem ersten Teile, in dem einige Wendungen (so z. B. die Uebertreibung S. XXI unten oder die unüberlegte Aeusserung S. XXII oben) nicht angenehm berühren, über die Archive, die Art ihrer Benutzung und die Grundsätze der Regestenbearbeitung. Der zweite Teil gibt eingehende und recht dankenswerte Erörterungen über das Volterraner Urkundenwesen. Ueber Einzelheiten daraus zu diskutieren, ist an dieser Stelle nicht möglich; doch muss ich bemerken, dass die Sicherheit, mit der der Verf. einzelne Hypothesen vorträgt (z. B. S. XXXIII die Ausbildung der Notare in der Domschule oder S. LI die Abstammung des Bischofs Gumfred aus Novara), mir nicht ausreichend begründet erscheint. Dass der Band für die allgemeine Geschichte sehr viel inhaltreicher ist als die beiden anderen, soll zum Schlusse nachdrücklich hervorgehoben werden. H. Br.

124. Auf Grund umfassender Kenntnis des reichen, aber zum Teil noch nicht veröffentlichten Materials handelt L. Schiaparelli (Charta Augustana. Note diplomatiche (Arch. stor. Ital. XXXIX, 1907, 253—351) in sorgfältiger und ergebnisreicher Untersuchung über die Urkunden von Aosta, deren so interessante Doppelaufzeichnungen auf Rück- und Vorderseite des Pergaments zuerst Fritz Kern unserem Verständnis näher gerückt hatte. In den 'cancellarii' von Aosta sieht Schiaparelli wohl mit Recht öffentliche, nicht bischöfliche Notare. Im Anhang werden 10 noch unbekannte Originale des 11. und 12. Jh. abgedruckt; daran reiht Schiaparelli ein bis ins einzelne belegtes und erläutertes Verzeichnis der in den Aostaner Urkunden bis gegen den Ausgang des 14. Jh. genannten cancellarii, vicecancellarii und scriptores; von hohem Interesse ist für das 14. Jh. das Kanzellariat der Grafen von Savoyen.

M. T.

125. In zwei Arbeiten macht Diego Sant'Ambrogio die Ergebnisse der unlängst im Auftrage der französichen Regierung veröffentlichten Annales de Clugny für Italien nutzbar. Im Nuovo archivio Veneto, Nuova serie, n. 26, p. 137—141, Donazione a Cluny (1122) del monastero di Santa Lucia nella contea di Treviso bespricht und veröffentlicht er von neuem die auf diesen Akt bezügliche Urkunde; im Archivio storico per la città e comuni del circondario di Lodi, Anno XXVII (1907), p. 32 ff., Due disperse obbedienze Cluniacensi, veröffentlicht er ebendaher eine Urkunde von 1068, durch die ein Kloster bei Lodi gegründet und den Cisterciensern übertragen wird, und die Urkunde des Bischofs von Lodi, die die Stiftung anerkennt und bestätigt, von 1069. B. Schm.

126. Im Bollettino della società Pavese di storia patria, Pavia 1907, Anno VII, p. 155—174 druckt P. Ciapessoni, Nuovi documenti sulla zecca Pavese (Contributo alla storia del diritto monetario Italiano), drei von G. Biscaro in der Rivista Italiana di Numismatica vol. XVIII (1905), p. 277—281 und ebenda XIX (1906), p. 429—435 erstmalig aus dem Staatsarchiv in Mailand veröffentlichte Urkunden von 1160 Nov. 8, 1174 Nov. 1 und 1202 März 19 wieder ab und bespricht die Urkunden und die Deutungen des ersten Herausgebers. B. Schm.

127. Als Anhang seiner Arbeit, Pirano per Venezia, gibt Luigi Mortenani (Archeografo Triestino, vol. III. della terza serie, XXXI. della raccolta, p. 1—70) den Atto di dedizione della città di Pirano alla repubblica di Venezia (26. Januar 1283) nebst einem photographischen Facsimile der Urkunde in $^3/_4$ der natürlichen Grösse.

B. Schm.

128. Alle Urkunden und Urkundenstellen über die Schicksale der Universität Bologna und einzelner Lehrer und Studenten an derselben will zusammenfassen die Publikation Chartularium studii Bononiensis. Documenta per la storia dell' Università di Bologna dalle origini fino al secolo XV. Imola 1907. Die von Luigi Nardi und Emilio Orioli im Auftrage der Kommission für die Geschichte der Universität Bologna besorgte Publikation zerfällt in drei Abschnitte, je nachdem die Urkunden aus dem Registro grosso, dem Registro nuovo oder aus den Processi e sentenzie genommen sind. Alle Urkunden vor 1200 sind in extenso, die späteren meist nur auszugsweise

mit den in Betracht kommenden Stellen gedruckt. Gegenüber den Drucken bei Savioli, der besonders aus den beiden ersten Abteilungen die meisten Urkunden bereits publiziert hatte, zeichnen sich die Neudrucke nach Angabe der Vorrede durch genauere Wiedergabe der Originale — in der Tat findet man manche Abweichungen von Savioli — aus.

B. Schm.

129. Im Bullettino Senese di storia patria (3. Heft des XIII. Jahrgangs. Siena 1906) bringt Lisini die Fortsetzung des Verzeichnisses der im k. Archiv zu Siena verwahrten Urkunden aus der Zeit vor 1200. Er bietet diesmal an 400 kurze Regesten aus den J. 826—1128. Es wäre zu wünschen, dass diese Archivverzeichnisse auch in einer Sonderausgabe den Benutzern zugänglich gemacht würden; vielleicht ist eine solche auch schon im Werke, da die Regesten nicht bloss unter dem Schlagwort Archivi eine eigene Abteilung des Bullettino bilden, sondern auch auf Halbbogen gedruckt sind, die mitten im Kontexte eines Regests S. 487 beginnen und S. 542 ebenso schliessen.

Im gleichen Hefte des Bullettino Senese behandelt Parducci S. 297 ff. das Zusammentreffen K. Friedrichs III. mit seiner Braut Eleonora von Portugal zu Siena, 1452, unter Mitteilung eines zeitgenössischen Gedichts und eines Lichtdrucks von Perugino's Verewigung dieser Begegnung (auf der Seitenwand der Libreria des Doms von Siena). Ferner veröffentlichte hier G. Mengozzi S. 381 ff. die Charta bannorum des Ubertinus dall' Andito, Podestà von Siena, vom J. 1249.

L. v. E.

130. G. Arias 'Le società di commercio medioevali in rapporto con la chiesa', Archivio della società Romana di storia patria XXIX, 351—377 veröffentlicht und erläutert, anknüpfend an die Ausführungen von Samaran und Mollat, La fiscalité pontificale en France au XIV. siècle, einen aus Privatbesitz in Prato stammenden Gesellschaftsvertrag zwischen Francesco di Marco aus Prato, Boninsegna di Matteo und Tieri di Benci aus Florenz und Andrea di Bartolommeo aus Siena vom 1. Januar 1386. Die Geschäftsbeziehungen sind bezeichnender Weise zur Kurie des Avignonesischen Gegenpapstes angeknüpft. Der Herausgeber lässt es noch unentschieden, ob die Urkunde zu 1385 oder 1386 zu setzen sei und gibt sogar den für 1385 sprechenden Gründen den Vorzug. Meines Erachtens kann hier ein Zweifel kaum bestehen. Dass die Angabe Montag d. 1. Januar 1385 unserm 1. Januar 1386

entspricht, hat Arias bereits erkannt, und das Datum des Endpunktes des auf zwei Jahre geschlossenen Vertrages kann ich, gerade mit Rücksicht auf die S. 372, N. 1 beigefügte Erläuterung, gar nicht anders als 'XXXI. di decembre MCCCLXXXVII.' lesen. Es liegt daher beim Januar-Datum ein sicherer Beleg für die Verwendung des stilus Florentinus vor. M. T.

131. Im Archivio della società Romana di storia patria XXX, 119—168 beschliesst Giovanni Ferri die schon in früheren Bänden derselben Zeitschrift begonnene Ausgabe der Urkunden aus dem Archiv von S. Maria Maggiore in Rom ('Le carte dell' archivio Liberiano'). Unter den Urkunden und Regesten, die von 1258 bis 1498 reichen, befindet sich S. 126 auch die für den Kunsthistoriker so interessante Urkunde vom 8. Juni 1272 mit der Zeugenschaft des 'Cimmabove pictor de Florentia', auf die Strzygowski als erster hingewiesen hatte. M. T.

132. Den Grafen von Anguillara widmet Vittorina Sora ('I Conti di Anguillara dalla loro origine al 1465') im Archivio della società Romana di storia patria XXIX, 397—442 und XXX, 53—118 eine eingehende historisch-genealogische Untersuchung. Aus der Zahl der für die Familiengeschichte in Betracht kommenden zuverlässigen Quellen streicht die Verfasserin in einer andern Untersuchung ('Sul diploma di Enrico VI. per Leone de Monumento', ebenda XXIX, 527—533) das Diplom Heinrichs VI. vom 27. November 1186, St. 4597. Der Name 'Leo de Anguillaria' ist erst später mit anderer Tinte über Rasur eingefügt; tatsächlicher Empfänger dieser Urkunde war vielmehr Leo de Monumento. M. T.

133. V. Federici veröffentlicht aus einer (Tivoleser?) Hs., von der er genaue Beschreibung, aber keine Signatur oder Standort gibt, Atti del comune di Tivoli dell' anno 1389. Der Inhalt bietet hauptsächlich Ratsprotokolle, aber auch Aemterverzeichnisse und ähnliche Stücke, aufgezeichnet von dem Notar Pietro di Giovanni di Iberio und einem Gehilfen (Bullettino dell' Istituto storico Italiano n. 28, Roma 1906, p. 47—98). B. Schm.

134. C. A. Garufi publiziert in den Studi medievali II, 1906, 104—107 eine Urkunde aus La Cava vom März 1231, welche 'la più antica firma autografa di Pier della Vigna' enthält. Eine zweite Unterschrift des Petrus aus gleicher Zeit befindet sich nach G.'s Angabe

im gleichen Archiv. Eine editionstechnische Neuerung, die hoffentlich keine Nachahmung finden wird, ist die Andeutung des Zeilenschlusses der Vorlage durch einen Gedankenstrich im Druck, also z. B. agen—di, fe—cimus mitten in der Zeile. R. S.

135. Die normannischen Herzogsurkunden für Bari sind von den Herausgebern des Codice diplomatico Barese samt und sonders als Fälschungen verworfen worden. Gegenüber dieser Hyperkritik erweist R. Salomon in eingehender Untersuchung die Hälfte dieser Urkunden, darunter alle für die St. Nikolauskirche ausgestellten, als echt und stellt für die übrigen sechs den Grad ihrer Verfälschung sowie deren Entstehungsart und -Zeit fest. Interessant ist besonders die in Abwesenheit des Notars durch den Archidiakonus Johannes unter Verzicht auf kanzleimässige äussere Merkmale vorläufig ausgefertigte Urkunde Herzog Rogers I. vom Aug. 1089, der einige Monate später eine endgültige Kanzleiausfertigung folgte. Beigegeben sind zwei andere Urkunden desselben Herrschers für La Cava vom Aug. 1086 und für S. Angelo zu Mileto vom Mai 1087. Die Abhandlung ist ein kleiner Ausschnitt aus einer umfangreichen Arbeit über die Urkunden der normannischen Herzoge von Apulien, Fürsten von Capua und Grafen von Sizilien (Studien zur normannisch-italienischen Diplomatik. Teil I, Kap. IV, 1. Die Herzogsurkunden für Bari. Berliner Dissertation 1907, 47 S.). E. M.

---

136. Die Notiz von L. Auvray, 'Un manuscrit écrit à Orléans au XIII. siècle' im Bull. de la soc. archéol. et hist. de l'Orléanais XIV (1906), 236—239 sei erwähnt, weil diese Hs. der Briefe des Stephan von Tournai, Abts von St.-Euverte in Orléans 1167/8—1176, von der die letzte Seite mit Schreibervers und Schreibernamen abgebildet wird, sich jetzt in Wolfenbüttel unter den Cod. Gudiani befindet. E. M.

137. Unter dem Titel 'Un mayeur de St.-Omer (1317—1319)' veröffentlicht der Abbé Bled im Bull. hist. et philol. du comité des travaux hist. et scientif. 1904 p. 478 — 523 aus dem Stadtarchiv von St.-Omer den interessanten Briefwechsel des Jean Bon-Enfant mit der Gräfin Mathilde von Artois. Einen dort abgedruckten eigenhändigen Brief desselben bildet E. Berger im Jahrgang 1905 S. 406 f. ab. E. M.

138. Im Anschluss an seinen Aufsatz 'I conti di Savoia e lo scisma occidentale (1378—1417)' hat Arturo Segre in den Atti della R. Accad. di Torino XLII (1906/7) einen sehr wichtigen Brief des Papstes Johannes XXIII., den er unmittelbar nach seiner Flucht von Constanz 1415 an den Grafen von Savoyen schrieb, herausgegeben. Freilich ist der Druck sehr fehlerhaft. O. H.-E.

139. 'Zwei alte Briefe aus Eschwege' (aus dem 14. und 15. Jh.) veröffentlicht aus dem Stadtarchiv zu Göttingen L. Armbrust in der Zeitschrift Hessenland XXI, 229—231 (1907). E. P.

140. Im Bull. d'hist., de littérature et d'art religieux du diocèse de Dijon XXIII (1905), 116—135 veröffentlicht Ph. Noirot ein 'Avis du chancelier (de Bourgogne) Nicolas Rolin pour la paix d'Arras' (1435 Sept. 20) aus der Dijoner Bibliothek. E. M.

141. Die documents glanés dans les archives de la Neuveville, welche die section Neuvevilloise de la société Jurassienne d'émulation den Teilnehmern der Jahresversammlung der allgem. geschichtforsch. Gesellschaft der Schweiz widmete, bieten eine von Herrn Staatsarchivar Prof. Türler zusammengestellte Auswahl von Berichten über Ereignisse der Schweizergeschichte von 1444—1712, meist Briefe von im Felde stehenden Hauptleuten. Als Anhang folgt die älteste Gerichtsverfassung der Stadt (Plaid de Sales). J. W.

---

142. R. Ehwald, Aldhelm von Malmesbury (Jahrb. d. Kgl. Akad. gemeinnütziger Wissensch. zu Erfurt 1907, Heft 33) entwirft in schwungvoller Form ein Bild von dem Leben und Wirken des ersten angelsächsischen Schriftstellers, als Vertreter römischen Wesens im Gegensatz zu den Bestrebungen der Iren, deren Bedeutung für die geistige Kultur, wie er richtig bemerkt, im allgemeinen stark überschätzt wird, und zeigt neben den Mängeln seiner wunderlich gemischten Sprache seine literarhistorischen Verdienste, besonders als Verfasser der Rätselsammlung, die als das erfreulichste aller seiner Werke gelten darf. B. Kr.

143. In den Memorie storiche Forogiuliesi (unter diesem Titel erscheint jetzt die bisher Memorie storiche Cividalesi genannte Zeitschrift) III, 1907, 49—77 versucht V. Capetti in einem übermässig breiten Aufsatz 'Di

alcuni caratteri speciali del "Planctus" di S. Paolino' u. a. die Erklärung einiger in dem Gedichte vorkommender Fluss- und Ortsnamen. Vgl. N. A. XXXII, 576, n. 198. R. S.

144. 'Eenige Vraagstukken bij het Walthariusonderzoek' erörtert L. Simons in den Verslagen en mededeelingen der Kon. Vlaamsche Academie voor Taal- en Letterkunde 1907 S. 520—565. Nach ihm ist der uns vorliegende Text nicht, wie meist angenommen, der urspürngliche Ekkehards I., sondern der von Ekkehard IV. verbesserte; der Erchambald, dem der Mönch Gerald eine Hs. des Werkes schenkte, ist nicht der Bischof von Strassburg, sondern der Erzbischof von Mainz (1011—1021), der Vorgänger Aribo's, auf dessen Geheiss Ekkehard IV. seine Verbesserungen vornahm; unter der Ueberlieferung der Geraldus-Klasse kommt der Vorrang zu, die auch K. Strecker kürzlich seiner Neubearbeitung der Peiperschen Waltharius-Ausgabe zu Grunde gelegt hat. A. H.

145. In seinem Beitrag zu den Mélanges Chabaneau (Rom. Forsch. XXIII, 993—1001: un dotto Borgognone del sec. XI. e l'educazione letteraria di S. Pietro Damiani) behandelt Franc. Novati eine Stelle des Adelmannschen Planctus und identifiziert den in der spätern Rezension genannten Walter aus Burgund mit dem Walter, den Petrus Damiani als socius seines Lehrers Ivo bezeichnet. J. W.

146. In den Nachrichten von der Königl. Gesellschaft der Wissenschaften zu Göttingen, Philol.-hist. Kl. 1907, Heft 2, S. 235—240 gibt Wilhelm Meyer eine Probe (die ersten 108 Verse) einer mittelalterlichen Umarbeitung in leoninischen Hexametern der Ilias Latina des Italicus (des sogen. Pindarus Thebanus).

Ebenda S. 231—294 brachte W. Meyer einen Nachtrag zu den von ihm früher herausgegebenen (N. A. XXXII, 804, n. 390) Primas-Gedichten. O. H.-E.

147. Mit den Lebensumständen des Ebernand von Erfurt, des ältesten Verdeutschers der Vita Heinrici II. und der Vita Kunegundis, beschäftigt sich die Jenaer Dissertation von G. M. Priest (Jena, Kämpfe, 1907). Ihn identifiziert sie mit demjenigen Erfurter Patrizier, welcher in vier Urkunden aus den Jahren 1212 und 1217 als 'Ebernand iunior' oder 'iuvenis' auftritt, in zweien des Jahres 1227 den Namen 'Hebernand Hetenig' führt und um 1180 geboren sein wird. Die SS. 70—82. 86—102

analysieren eingehend das 1511 gedruckte Werk des Michelsberger Klosterkustos Nonosius 'Dye legend vnd leben des heyligen sandt Keyser Heinrichs': es beruht ausser auf den beiden obengenannten Viten auf einer kürzeren Redaktion des Additamentum, einer deutschen Chronik und mehreren deutschen Legenden, insbesondere der Prosabearbeitung von Ebernands Gedicht, welche dem Sommerteil des 'Heiligenlebens' oder, wie man jetzt auch sagt, des 'Wenzelpassionals' einverleibt war. E. St.

148. Ein uns nicht zugängliches Buch von V. Capetti, L'anima e l'arte di Dante, Livorno 1907, enthält einen umfangreichen Aufsatz: L'apostrofe di Dante e il grido di dolore di Valafrido Strabone. Vgl. Mem. stor. Forogiuliesi III, 129. R. S.

149. Im Archivio Muratoriano 4, p. 189—217 publizierte Armando Tallone ein lateinisches Gedicht in Distichen von 530 Versen des Antonio Astesano über das Erdbeben von 1456 aus der schönen Hs. der Stadtbibliothek zu Grénoble. O. H.-E.

150. Im Bulletino dell' Istituto storico Italiano, n. 28 (Roma 1906), p. 111—124 veröffentlicht C. A. Garufi L'obituario della chiesa di S. Spirito. Es handelt sich um das Kloster S. Spirito in der Diözese von Benevent. G. gibt eine Beschreibung der im Jahre 1198 angelegten Hs. (im Kapitelarchiv zu Benevent n. 28), den Abdruck einiger kleiner Stellen und eines Kirchenverzeichnisses der Diözese. B. Schm.

151. Ebenda n. 28 handelt P. Egidi auf S. 1—6 Di un martirologio Amiatino scritto a Citeaux. Die Hs. (cod. Vatic. n. 523, Sammelhs.) stammt aus dem Kloster S. Salvatore auf dem Monte Amiata, ist aber dorthin wahrscheinlich bei Gelegenheit der Reformation des Klosters 1228 durch Cistercienser aus Cîtaux gekommen, denn der Inhalt betrifft ausschliesslich französische Verhältnisse. Egidi veröffentlicht die wenigen in Monte Amiata im 13. und 14. Jh. nachgetragenen Notizen. B. Schm.

152. Umfangreiches Handschriftenmaterial zur Keltischen Heiligengeschichte verzeichnet F. Duine, 'Bréviaires et missels des églises et abbayes bretonnes de France antérieurs au XVII. siècle' in Bull. et mém. de la soc. archéol. du département d'Ille-et-Vilaine XXXV (1906), 1—219. E. M.

153. In den Analectes de l'ordre de Prémontré II, n. 4 und III, n. 1 und 2 hat M. van Waefelghem eine Ausgabe des Liber ordinarius Premonstratensis unter Benutzung einer Anzahl Hss. des 13. und 14. Jh. begonnen. A. H.

154. Seine Studien über Berthold von Regensburg schliesst Anton E. Schönbach in den SB. der Wiener Akad. d. Wiss. CLV, 5 (1907) mit folgender Arbeit ab: 'Ueber Leben, Bildung und Persönlichkeit B.'s von R. II' (Studien zur Geschichte der altdeutschen Predigt VIII). Daraus hebe ich hervor den Nachweis, dass Berthold seine naturwissenschaftlichen Kenntnisse hauptsächlich der Lehre und dem Werk de proprietatibus rerum des Englischen Minoriten Bartholomaeus verdankt, dann die Darlegungen über frühere grosse Prediger, die auf Bertholds Predigtweise eingewirkt haben, dass unter diesen besonders Jakob von Vitry zu nennen ist. O. H.-E.

155. Eine Studie von W. Füsslein in der Zeitschrift f. Thüringische Gesch. und Altertumsk. XXV, 391—416 bringt Klarheit über die Männer, welche den Namen Heinrich von Vrimar trugen. Er unterscheidet drei Persönlichkeiten des Namens, einen Professor der Theologie, der 1340 gestorben ist, einen Lektor und einen jüngeren Lektor und Professor der Theologie, der 1354 starb. Alle drei lebten eine Zeit lang im Augustiner-Eremiten Konvent zu Erfurt, der erste von ihnen war der berühmte Theologe, von dem mehrere Schriften existieren. Es sind 42 Regesten von Urkunden, welche zu diesem Ergebnis führten, beigegeben. O. H.-E.

156. In seinem Aufsatze 'Ruprecht III. v. d. Pfalz u. d. deutsche Publizistik' (Zeitschr. f. d. Gesch. d. Oberrheins, N. F. XXII, 291 ff.) gibt G. Sommerfeldt einen Abdruck des Briefes Heinrichs von Langenstein super scismate, der nach seiner Ansicht 1394 an Ruprecht III. gerichtet ist, und bespricht weiter eine von dem Kartäuserprior Michael verfasste Schrift 'de regimine principum', deren Widmung an Rupertus iunior dux Bavarie er gleichfalls R. III. zuweist. H. H.

Derselbe Verf. macht im Katholik 1906, 6. Heft, S. 50—57 auch auf einen unbekannten Traktat desselben Heinrich v. L. über die Lehre von der unbefleckten Empfängnis Mariae aufmerksam. O. H.-E.

157. Von Fr. Steffens Lateinischer Palaeographie ist das erste Heft in zweiter vermehrter Auflage erschienen (Trier 1907), die sich gegenüber der ersten auch durch grösseres Format unterscheidet und dadurch den Uebelstand zu stark verkleinerter Aufnahmen behebt. Die Vermehrung soll für alle 3 Hefte ein Viertel (125 gegenüber 100 Tafeln) betragen. Unter den neu hinzugekommenen Stücken sei auf den Berliner Papyrus aus der Zeit des Kaisers Claudius (T. 4) und auf das Diplom Aistulfs v. J. 755 (T. 39) besonders hingewiesen. Die schlecht erhaltene Merovinger-Urkunde der 1. Aufl. Taf. 26 ist durch die der Reproduktion im Album paléographique entnommene, besser überlieferte Childeberts III. (695 Dez. 23) ersetzt. Wie lange wird aber der Nachtrag über Z. 15 noch verlesen werden? Auch Steffens folgt allen bisherigen Texten 'et visa eis ipsas esse cognovit', während es heisst 'et viracis ipsas esse cognovit'. Von Karolinger-Urkunden sind aus den Kaiserurk. in Abbildungen I, 1 und VII, 1 (Taf. 40. 41) wiederholt. Originalaufnahmen aus den dem Herausgeber so nahe liegenden Fundstätten St. Gallen, Zürich, Chur, Colmar hätten für diese und die folgende Zeit der Forschung wesentlich höhere Dienste geleistet. M. T.

158. Ueber den in den letzten Jahren rüstig weiterschreitenden Fortgang des Archivio paleografico Italiano sei hier im Zusammenhang berichtet. Nachdem schon 1897 der I. Bd. mit 100 Tafeln zum Abschluss gelangt war, sind jetzt auch die II. und III. Abteilung auf die gleiche Zahl von Facsimiles gebracht und damit vollendet. Ausserdem aber wurden nicht weniger als 4 neue Abteilungen eröffnet, von denen sich IV (Miniaturen) und V (Inschriften) neue Aufgaben stellen, während VI und VII, wie es wenigstens scheint, als Ergänzung und Fortsetzung der bisherigen Publikation gedacht sind. Zunächst sei auf einzelne Tafeln besonders hingewiesen. II. 73—75 enthält in Montecassinesischer Schrift (vom Herausgeber in veralteter Bezeichnung als 'scrittura longobarda' benannt) den Ordo Romanus aus der Zeit Otto's III. (die Schrift saec. XI—XII; nach dem Herausgeber 'forse non anteriore al. sec. XI'). Zum erstenmal sind auch Königs- und Papsturkunden aufgenommen. Bei dem Mangel an guten und besonders vollständigen Facsimiles müssen wir für die prächtigen Lichtdrucke der Papsturkunden besonders dankbar sein. Das älteste dieser Stücke VI, 1, J.-L. 3792 ist vom Bearbeiter, der früher allgemeinen und auch in den

Papstregesten noch festgehaltenen Annahme entsprechend, wieder Benedikt VII. zugewiesen, obwohl Pflugk-Harttung, Bresslau und Kehr die Zugehörigkeit zu Benedikt VIII. längst erkannt hatten, und Schreibstoff, Schrift und Benevalete die Richtigkeit ihres Urteils ausser Zweifel setzen. Die folgenden Papsturkunden sind VI. 2—3 Gregor VI. J.-L. 4123, VI. 4—5 Leo IX. J.-L. 4267, VI. 11—12 Nikolaus II. J.-L. 4395, VI. 6 Nikolaus II. J.-L. 4413, VI. 7 Alexander II. J.-L. 4564, II. 95 Alexander IV. an den Podestà und die Kommune von Orte, 1256 Jan. 23, Potth. — Was dieser Urkunde zur Ehre der Aufnahme verhalf, ist mir ganz unerfindlich. Die Schrift bietet keinerlei besonderes Interesse, der Erhaltungszustand ist ungewöhnlich schlecht. Die Plica ist abgefallen, der ganze untere Rand beschädigt; es fehlen Schreibervermerk, Taxvermerk und Bulle, also gerade das, was der Palaeograph und Diplomatiker zu exakter Untersuchung braucht. Schade um die Platte! Eine auch nur einigermassen umsichtige Auswahl, die sich dabei auf die ergiebigsten Fundstätten Italiens beschränken könnte, müsste an Papsturkunden des 13. Jh. eine geradezu glänzende Ausbeute ergeben. Ich empfehle, um nur ein Beispiel zu nennen, die berühmte Bulle Nikolaus' IV. über die Regelung der Bezüge der Kardinäle (Or. Rom, Vat. Arch.) oder ein in Italien wahrscheinlich nicht allzu schwer aufzutreibendes Original Innocenz' IV. zwischen dem 5. Juli 1252 (Rundschreiben über den Untergang des alten, durch viele Jahre verwendeten Apostelstempels) und dem 3. Juni 1253 (Ankündigung der Ersetzung des misslungenen neuen Stempels durch einen anderen). Eine Abbildung dieses nur durch ein Jahr im Gebrauch befindlichen Stempels, der die Apostelköpfe 'corpulentiores solito' ausgeprägt hatte, wäre für kritische Untersuchungen, wie die von Schmitz-Rheydt, Mitteil. d. Instituts f. Oesterr. Gesch.-Forschung XVII, 64 ff. angeregte, von hohem Wert. Von Königsurkunden sind aufgenommen: III. 96 Konrad II. St. 1939, III. 97 Heinrich III. St. 2320, III. 98 Friedrich I. St. 3993, III. 88 Heinrich VI. St. 5043, sämtlich für S. Pietro in Perugia. Wieso kommt diese Gruppe zur alleinigen Ehre? Ist dies eine kleine Entschädigung für das, wie wir fast fürchten müssen, gestrandete Unternehmen der Diplomi imperiali e reali? Die übrigen Tafeln enthalten wieder viele Proben von Notars-Urkunden, darunter auch Vorakte in dorso, und zum ersten mal auch Urkunden aus den unteritalischen Gebieten, diese in Zahl und Auswahl noch ganz unzureichend und wohl nur eine erste Abschlagszahlung auf Weiteres und Besseres. Die Facsimiles von Inschriften erstrecken sich bisher vom 1.—6. Jh. Alle Hochachtung vor den Pompejanischen Graphiti und dem Edictum Diocletiani de pretiis rerum venalium; aber die Schrift der einen wie des andern ist uns in guten und mehrfachen Proben bereits wohlbekannt. Auch sonst scheint mir die Auswahl aus dem so gründlich durchgeackerten Gebiet der Epigraphik der ersten Jahrhunderte bereits etwas reichlich. Praktisches und wissenschaftliches Bedürfnis verweisen hier gleich dringend auf die spätere Zeit. Wer es verstünde, aus dem unvergleichlichen Material, das gerade Italien hierfür bietet, eine sachkundige Auswahl von Facsimiles auf dem Gebiete der mittelalterlichen Epigraphik zu treffen, der würde sich ein Verdienst von grundlegender Bedeutung erwerben. Diesen Wunsch nach grösserer Sorgfalt und Planmässigkeit der Auswahl muss ich aber dem ganzen Unternehmen des Archivio paleografico Italiano gegenüber in dringender Weise aussprechen, wenngleich ich die schweren äusseren Hemmnisse, über die sich E. Monacci im Schlusswort zum I. Band mit Offenheit aussprach, nicht verkenne und mir bewusst bin, dass die Fülle und Zersplitterung des Materials die Schwierigkeit der Auswahl wesentlich erhöhen. Als Text liegt jeder neuen Lieferung ein provisorisches Blatt bei, das die meist auf 3 Abteilungen sich verteilenden Tafeln aufzählt, Inhalts- und Provenienzbezeichnung und schliesslich noch ein paar kurze Bemerkungen enthält; doch damit gerate ich auf den wundesten Punkt des Archivio paleografico, dem gegenüber wir längst gewohnt sind, nicht Wünsche auszusprechen, sondern nur noch Entsagung zu üben. M. T.

159. In der Bibliothèque de l'école des chartes LXVII, 593—596 wird eine Zusammenstellung der vom Pariser Atelier Berthaud frères ausgeführten, teils vollständigen, teils in Auswahl auf einzelne Teile und Blätter sich beschränkenden Reproduktionen von Hss. der Bibliothèque Nationale gegeben. Unter den vollständig reproduzierten Hss. befindet sich die Historia Francorum Gregors v. Tours aus Cod. Paris. lat. 17654. Von anderen interessanten Hss. wie der Bibel Karls d. Kahlen werden Photographien einzelner Blätter zu einem sehr mässigen Preis angeboten. M. T.

160. In dem Album palaeographicum (Cracoviae 1907) hat St. Krzyżanowski auf 31 Tafeln Urkunden

s. XI—XV. reproduziert, die zumeist von polnischen Herzogen und Königen ausgestellt sind. Besonderes Interesse bietet Tab. 18; die Urkunde will 1105 von dem päpstlichen Legaten für Ungarn und Polen Egidius Thusculanus ausgestellt sein, ist aber ganz ersichtlich erst in der zweiten Hälfte des 13. Jh. geschrieben. Die ausschliesslich in lateinischer Sprache abgefassten Urkunden des 13., 14. und 15. Jh. zeigen, wie sich das Urkundenwesen der polnischen Herzoge und Könige vielfach kongruent dem eines deutschen Territorialfürsten dieser Zeit entwickelt hat. Die in Autotypie ausgeführten Tafeln werden ihrer Bestimmung als Unterrichtsbehelfe vollständig entsprechen, können sich aber an Schönheit und Schärfe mit Lichtdruckreproduktionen nicht messen. — In einem beigefügten Heft gibt K. Regesten und kurze Beschreibungen der einzelnen Stücke. H. H.

161. Ein lehrreiches Beispiel für die Art, wie wissenschaftliche Irrtümer entstehen und sich forterben, bietet der Aufsatz von J. Berthélé, 'Un prétendu moulin à papier sur l'Hérault en 1189', im Bibliographe moderne X (1906), 201—213. Im Archivrepertorium des Bistums Lodève, dem sog. Repertorium Brissoneti, von 1498, jetzt in den Archives départementales de l'Hérault zu Montpellier, findet sich das folgende Regest: 'Dominus Raymundus Lodovensis episcopus dedit in emphiteosim sive ad accapitum Raymundo Petri de Popiano plenariam potestatem faciendi paxeriam seu paxerias et apilandi easdem necnon habendi portum liberum equitum, peditum, navis seu navium perpetuo in flumine Erauri versus Lodovensem diocesim a medio flumine citra, prout extenditur a ponte castri Giniaci usque ad flumen Lirge, ad construendum etiam ubi volet molendina'. Der Bischof von Lodève, Jean Plantavit de la Pause benutzte für seine 1634 erschienene Chronologia praesulum Lodovensium diese Stelle, verlas jedoch paxeriam zu paperiam — das x der Kursive des ausgehenden 15. Jh. hat, wie man auch auf der beigegebenen Abbildung der Eintragung sehen kann, wenn auch im Zuge ganz verschieden, im Gesamtbilde mit p eine gewisse Aehnlichkeit — und machte daraus: 'exstruendi in medio flumine Erauris pistrinum vel plura pistrina ad conficiendum papyrum'. Diese angebliche erste Erwähnung der Papierherstellung in Frankreich aber ging nicht nur in die ortsgeschichtliche, sondern auch in die

Fachlitteratur: Briquet, Wattenbach (Schriftwesen, 3. Aufl. S. 145), Reusens, Giry, über. Auch das Datum 1189 fügte erst Plantavit willkürlich hinzu; Berthélé macht wahrscheinlich, dass das Regest in das Jahr 1266 (1267) zu setzen und auf einen späteren gleichnamigen Bischof zu beziehen ist. — Mit einer der wirklich ältesten französischen Papiermühlen, die 1376 gegründet wurde, hat H. Stein, 'La papeterie de Saint-Cloud (près de Paris) au XIV. siècle', in derselben Zeitschrift VIII (1904), 105—112 bekannt gemacht. E. M.

162. 'Het schrijven op feestdagen in de middeleeuwen' behandelt Fr. B. Kruitwagen in der Tijdschrift voor Boek- en Bibliotheekwezen V, 97 ff. Die Angaben in Hss., dass an ihnen an Festtagen geschrieben sei, beruhen nach ihm auf der Vorstellung, dass solche Werke nicht verkauft werden dürften, wie das zuweilen ausdrücklich bemerkt werde. A. H.

163. R. Fruin hat im Nederlandsch Archievenblad 1906/7 mehrere kleine Untersuchungen über die Frage des Jahranfangs im Mittelalter, welche in den Niederlanden und in Belgien neuerdings viel verhandelt ist, veröffentlicht. In n. 4 zeigt er, dass Beda durchweg das Jahr mit dem 1. Januar begann, diesen Anfang sogar für die Jahre des Lunarcyclus vorzieht, obwohl er natürlich weiss, dass Dionysius Exiguus diese mit Ostern begann. Für den letzteren ist es eigentlich selbstverständlich, dass er sonst nach Römischer Weise das Jahr rechnete. Beda's Rechnungsweise musste bei seinem Ansehn in chronologischen Dingen im Mittelalter natürlich von grösster Bedeutung sein. In n. 2 der genannten Zeitschrift stellt Fruin fest, dass die Abtei Middelburg im 14. und 15. Jh. das Jahr mit dem 1. Januar begann, obgleich die Stadt Middelburg von 1328 an von Ostern den Jahranfang rechnete. In n. 3 bemerkt er, dass Gervasius von Canterbury zwar erklärt den Jahranfang von Weihnachten an rechnen zu wollen, doch aber öfter das Jahr mit dem 1. Januar beginnt. O. H.-E.

164. G. Amardel handelt im Bull. de la commission archéol. de Narbonne IX (1906—7), 1—4 über 'Un triens mérovingien inédit' (de Rodez); ferner p. 5—16 über 'Les monnaies wisigothes anonymes du musée de Narbonne'. E. M.

165. M. Kemmerich behandelt in der Zeitschrift Die christliche Kunst III (1907), 200—213 die bildlichen Darstellungen Ottos III., deren Reproduktionen er beifügt. In der Politisch-Anthropologischen Revue VI (1907), Heft 5 beschäftigt er sich mit dem körperlichen Habitus der deutschen Herrscher des Mittelalters, gestützt vornehmlich auf die historiographische Ueberlieferung —, der erste Versuch einer derartigen Zusammenstellung, deren Ergänzung und Vervollständigung Sache auch der Historiker sein möchte. A. W.

166. In der Altbayerischen Monatsschrift VII (1907), 57—96 beschreibt M. Kemmerich die Hs. 104 saec. XI. in. des bischöflichen Dommuseums zu Augsburg, deren biblische Malereien zum grossen Teile reproduziert werden und die sich als Erzeugnisse der nach Vöge genannten Malerschule erweisen. A. W.

167. Ein schönes Büchlein haben W. Faber und J. Kurth in ihrer ikonographischen Studie 'Wie sah Huss aus?' (Berlin 1907) geliefert. Sie weisen nach, dass der heute übliche, auch von K. F. Lessing in dem Gemälde 'Huss vor dem Scheiterhaufen' und Adolph Menzel in 'Vaterunser' verewigte Typus auf Holbein zurückgeht, der aber Huss mit Hieronymus von Prag verwechselt hat. Das richtige Bildnis Hussens hat sich in einigen Miniaturen eines lateinischen utraquistischen Kanzionale, das sich in Leitmeritz befindet, erhalten und zeigt uns im Gegensatz zum Holbein'schen schmalwangigen bärtigen Mann mit Adlernase ein bartloses vollwangiges Gesicht, einen kraftvollen Körper. Den interessanten Ausführungen sind drei Tafeln in Photogravüre beigegeben. B. B.

168. Im Bollettino della società Pavese di storia patria, Pavia 1907, Anno VII, p. 133—154 widerlegt G. Romano, Di un supposto palazzo reale presso S. Pietro in Ciel d'Oro in ausführlicher Erörterung die mehrfach aufgestellte Behauptung, dass neben dem bekannten Königspalast in Pavia, der im Jahre 1024 zerstört wurde, zu irgend einer Zeit noch ein zweiter ausserhalb der Stadt bei dem Kloster in Ciel d'Oro bestanden habe. B. Schm.

169. Ein Aufsatz von G. Dehio in der Zeitschrift für die Geschichte des Oberrheins, N. F. XXII (1907), 471—477 untersucht die Glasgemälde am nördlichen Seitenschiff des Strassburger Münsters. Von ursprüng-

lich 28 Gemälden sind nur noch 19 erhalten; sie stellen deutsche Könige von Karl Martell bis zu den letzten Hohenstaufen dar und verdanken ihre Entstehung vielleicht den Anregungen Ellenhards. A. W.

170. Dem Buche von J. Lutz, 'Les verrières de l'ancienne église St.-Etienne a Mulhouse (Supplément au Bullettin du Musée historique de Mulhouse t. XXIX, 1906) sind zwölf Abbildungen von Miniaturen des Clm. 23433, einer Hs. des 14. Jh. des Speculum humanae salvationis, dessen Abbildungen als Vorlagen für die Kirchenfenster dienten, beigegeben. E. M.

171. Ueber die Alaungruben von Tolfa, deren Ausnutzung durch die Päpste im 15 Jh. grosse Bedeutung erlangte und auch in die Fragen der hohen Politik hineinspielte, handelt G. Zippel ('L'allume di Tolfa e il suo commercio') im Archivio della società Romana di storia patria XXX, 5—51. M. T.

VII.

Studien zu Tholomeus von Lucca.

Von

B. Schmeidler.

VII.

[illegible] zu Thukydides [illegible]

von

[illegible]

I. Die Annalen oder Gesta Tuscorum des Tholomeus.

Die folgenden Studien sind hauptsächlich der Erforschung des Verhältnisses der Annalen des Tholomeus[1] von Lucca zu einigen ihrer wichtigeren Quellen, den Gesta Lucanorum und den Gesta Florentinorum, gewidmet. Die Lösung einer solchen Aufgabe erfordert aber neben anderen als eine Voraussetzung die, dass man mit den Annalen des Tholomeus als einer gegebenen, allseitig bekannten und in ihren Eigenschaften bestimmten Grösse rechnen, dass man sie als sicheres Fundament zum Aufbau weiterer Folgerungen und Schlüsse benutzen könne. Diese Voraussetzung ist bisher keineswegs erfüllt. Der Text selbst der Annalen, die in zwei Rezensionen überliefert sind, ist bisher nur mangelhaft und unvollständig veröffentlicht[2], und die Kenntnis des vollständigen und richtigen Textes führt zur Berichtigung sehr vieler falscher Schlüsse, die auf den schlechten Text gegründet worden sind. Ueber Art, Zeit und Ort der Abfassung sind erst wenige Feststellungen gemacht worden[3], die sich z. T. beträchtlich vermehren und genauer fassen lassen und bei Betrachtung des Ver-

1) Ich wähle diese unter den verschiedenen richtigen Formen des Namens als die einfachste aus. Er lautet in den verschiedenen Ausgaben von Urkunden und Chroniken Bartholomeus, Tholomeus, Ptolomeus, Ptollomeus, Ptholomeus. Nach der Zuverlässigkeit der Hss. und Ausgaben sind am besten beglaubigt die Formen Bartholomeus, Tholomeus und Ptholomeus (stets mit Th.). Ich halte danach für seinen Taufnamen Bartholomeus, Tholomeus für die gebräuchliche Abkürzung und Ptholomeus für eine von ihm selbst angenommene, ihm auch von seinen Ordensbrüdern und Freunden beigelegte, aber in amtlichen Urkunden bisher nicht sicher beglaubigte gelehrte Abänderung seines Namens in der Art der Gelehrtennamen der Renaissance. 2) Von C. Minutoli in den Documenti di storia Italiana. Cronache dei secoli XIII e XIV. Vol. unico. Firenze 1876. Ueber die Art der Edition vgl. O. Holder-Egger, N. Archiv XI, 257—259. 3) Es kommen hauptsächlich drei Arbeiten in Betracht, von Dietrich König, Ptolomaeus von Lucca und die Flores chronicorum des Bernardus Guidonis. Eine Quellenuntersuchung. Würzburg 1875. Von demselben: Tolomeo von Lucca. Ein biographischer Versuch. Progr. der Realschule zu Harburg. 1878. K. Krüger, Des Ptolomaeus Lucensis Leben und Werke. Inaug. Diss. Göttingen 1874.

hältnisses zu den Quellen stets als mit zu berücksichtigende Umstände heranzuziehen sind. Endlich die Arbeitsweise, die Art der Quellenverwertung des Th. ist vielfachen, oft recht unbegründeten Vorwürfen ausgesetzt gewesen. Ohne dass ich hier den Beweis für meine Ansichten im Einzelnen antreten könnte, der vielmehr durch die Ausgabe selbst zu erbringen ist, wird es doch zweckmässig sein, wenn ich die durch die gesamte Quellenvergleichung erzielten Ansichten und Resultate über Th. als Geschichtschreiber hier kurz zusammenfassend ausspreche, anstatt sie in den besonderen Untersuchungen über die toscanischen Quellen, wo der Text des Th. und seine Zuverlässigkeit doch stets eine Rolle spielt, im Einzelnen darzulegen und zu begründen. Allen diesen Aufgaben, mit einem Worte der Klarstellung der allgemeinen Verhältnisse des Werkes der Annalen selber, soll diese einleitende Studie dienen, auf deren Grundlage sich alsdann die spezielleren Forschungen über die Gesta Lucanorum und die Gesta Florentinorum aufbauen können.

Die Annalen sind in drei alten Hss. überliefert, die für die Textgestaltung allein in Frage kommen können; es sind dies 1) die Hs. n. 55 des Staatsarchivs in Lucca (A). 2) die Hss. n. 1638 und n. 2640 (B und B 1) der Biblioteca governativa di Lucca[1]. Die Hss. A und B stammen noch aus dem 14. Jh., B 1 ist eine Abschrift von B aus dem 15. Jh. Sie ist darum wichtig, weil B an vielen Stellen arg zerstört und gänzlich unleserlich ist; da B 1 sich an allen Stellen, wo B noch lesbar ist, als eine bis ins Kleinste genaue und ganz vorzügliche Abschrift erweist, kann man mit seiner Hilfe die Lücken von B ganz unbedenklich ausfüllen mit der fast absoluten Gewissheit, dadurch den Text von B, der für uns ältesten Ueberlieferung dieser Klasse, rein herzustellen.

In der Hs. A schliessen die Annalen mit der vollen Seite und mit Satzende im Jahre 1303. Ich glaube nicht, dass die Fassung A jemals weiter gereicht hat. Denn, wie unten zu beweisen sein wird, muss sie zwischen 1303 und 1306 geschrieben sein, und zwar näher an 1303 als an

---

1) Vgl. den Bericht von O. Holder-Egger a. a. O. Auf einer Reise nach Italien, die ich im Frühjahr 1906 im Auftrage der Zentraldirektion der Mon. Germ. hist. unternahm, verglich ich nochmals diese Hss. des Tholomeus in Lucca; ferner verglich ich oder schrieb erstmalig ab einige Hss. von toscanischen Chroniken, die als Ableitungen aus den Gesta Lucanorum oder Gesta Florentinorum wichtig sind.

1306, und so bleibt, falls wirklich die Hs. unvollständig sein sollte, nicht viel Zeit übrig, über die der Schluss gehandelt haben könnte. Die Hs. weist eine grosse Lücke von 16 Seiten auf; mit p. 30 bricht die alte Hand ab und es folgt bis auf p. 46 auf anderem Papier eine Einlage in der Schrift des 16. Jh. mit einem Texte, der sich als einen Auszug aus der längeren Rezension der Annalen, nicht ohne fremde, viel spätere Interpolationen darstellt und gänzlich wertlos ist. Der ursprüngliche Text von der alten Hand setzt auf p. 47 der alten Zählung wieder ein, ohne jeden Anschluss an den vorhergehenden Text von p. 46 unten. Auf diesem dem Th. durchaus fremden und ganz jungen Text beruhen viele Zweifel und Einwände, die gegen ihn oder die Authentizität seiner Quellen erhoben worden sind, und die sich durch diese Klarstellung der handschriftlichen Ueberlieferung von selbst erledigen[1]. Den Jahren nach reicht der in der Fassung A verlorene Text von 1189, wo A mitten im Satze abbricht, bis 1264, wo es mitten im Satze wieder anfängt.

Die Rezension B der Annalen reicht dem äusseren Anschein nach lückenlos bis zum Jahre 1294 und bricht dort in der Hs. B mit dem Schluss der 10. Lage unvollendet ab; es ergibt sich das mit Sicherheit aus dem Worte 'Tunc', welches als erstes der folgenden Seite auf den unteren Rand der vorhergehenden geschrieben ist; wieviel Lagen verloren sind, und bis wohin genau[2] B gereicht hat, lässt sich nicht ausmachen.

Ueber die Güte der Hss. und die Sicherheit der in ihnen enthaltenen Ueberlieferung der Annalen ist zu bemerken, dass sich namentlich gegen B manche Einwände und Zweifel erheben lassen. Zum Jahre 1272 heisst es da: 'Eodem tempore dominus Pienamonte dominium assumpsit in Mantua . . . duravitque dominium eius usque ad tempora Nicholay IIII[ti], ut infra patebit, cum agitur de infelicitate eius'. Davon steht aber nichts in B, das doch an sich über die Zeit Nikolaus' IV. hinaus erhalten ist, und wenn wir nicht annehmen wollen, dass überhaupt die

---

1) Hierher gehört z. B. die angebliche Vertreibung der Guelfen aus Lucca im Jahre 1262, an der Scheffer-Boichorst, Florentiner Studien S. 242 Anstoss nahm. Thol. B weiss nichts davon, A nur in diesem Einschub. Von den Gesta Florentinorum haben die besten Ueberlieferungen den Passus nicht, nur der sonst sehr gute Text des Simone della Tosa, der aber hier bereits den Villani ausschreibt. 2) Dass die Erzählung nicht über das Jahr 1306 hinausging, ist unten zu beweisen.

ganze Rezension nicht ganz fertig geworden ist, dass Th. selbst diese versprochene Ausführung nachzutragen vergessen hat, so müssen wir den Fehler der Hs. zur Last legen. Zum Jahre 1116 ist zu einer Stelle von anderer Hand, die den Text mehrfach und zum Teil vielleicht nach der Vorlage korrigiert hat, der Buchstabe 'b' an den Rand gesetzt; zum Jahre 1117 findet sich dann ein Zeichen, dass etwas eingesetzt werden soll und der Buchstabe 'a'; der Sinn ist offenbar, dass die durch 'b' bezeichnete Stelle zu 1117 eingereiht werden soll, dass sie nach Ansicht dieses Verbesserers falsch zu 1116 gesetzt ist. Ich glaube entschieden, dass hier eine Korrektur auf Grund der Vorlage anzunehmen ist, einfache Leser mittelalterlicher Hss. bringen eine etwaige abweichende Ansicht nicht auf solche Weise zum Ausdruck. Aber selbst wenn man dieser Korrektur gar keine Autorität zubilligen wollte, kann man sich doch die Entstehung von B, resp. seines Archetypus, nur so denken, dass Th. in eine Hs. von A — der früheren Redaktion — diejenigen Nachträge und Veränderungen eintrug, durch die sich B von A unterscheidet. Gute Beispiele eines solchen Verfahrens haben wir ja in den verschiedenen Rezensionen der Werke des Bernard Guidonis. Liegt nun eine solche zweite Redaktion nur in einer alten Hs. vor, die noch dazu an einer Stelle eine so offenkundige Auslassung aufweist wie B mit der versprochenen aber fehlenden Stelle über Pienamonte, so wird man stets mit der Möglichkeit rechnen müssen, dass die eingeschobenen Stellen und Veränderungen nicht ganz den Absichten des Autors entsprechend angebracht worden sind, und auch bei chronologischen Verschiebungen und Unrichtigkeiten, über die unten noch zu handeln ist, wird man diesen Umstand als Erklärungsmöglichkeit nicht ganz ausser Acht lassen dürfen.

Dagegen haben wir einen überraschenden Beweis für die Richtigkeit der Ueberlieferung in A, wo man ohne denselben die Hs. sicherlich für verderbt halten würde. Zum J. 1123 heisst es da: 'Herricus V^us^ . . moritur, . . cui successit Lotharius, anno videlicet Domini MCXXIII, ut infra patebit'. Dann wieder 1129: 'Lotharius dux Saxonum post Herricum IIII regnat. Hic primo inperii sui anno . .'. Der Schluss scheint zwingend, dass es an der ersten Stelle heissen muss: 'a. vid. D. MCXXVIII, ut infra patebit'. Die Verschreibung von VIII zu III und ähnliche ist ja eine der häufigsten, die vorkommen. Aber obwohl die Stelle, wie sie dasteht, sinnlos ist[1], obwohl die Verbesserung so sehr nahe liegt, hat die Hs. doch den richtigen Text, wie Th. ihn geschrieben hat. In seiner Cronica imperatorum[2] schreibt Bernard Guidonis unter Heinrich V.: 'Henricus vero imperator . . defunctus est, cui succedit Lotarius dux Saxonie anno Domini M°C°XXIII, Calixto papa presulante secundum cronicam Tholomei, melius autem dicitur secundum cronicam aliorum anno Domini M°CXXVII°'. Es folgt daraus, dass Th. hier wirklich diese scheinbar sich selbst widersprechenden und unmöglichen Dinge geschrieben hat, dass wir angesichts dieser ausdrücklichen Bestätigung derselben durch einen der ersten, durchaus zeitgenössischen Benutzer der Annalen auch an anderen ähnlichen Stellen nicht ohne weiteres zu Emendationen berechtigt sind, sondern stets versuchen müssen, ob nicht doch ein Sinn in dem Widerspruch enthalten sei, dass wir andernfalls ganz wohl dem Schriftsteller einen Lapsus zutrauen können.

Zur Ergänzung der oben angemerkten Lücken der handschriftlichen Ueberlieferung stehen uns fast gar keine Mittel zu Gebote, nur für wenige Jahre können wir etwas von dem Inhalt, nichts vom Wortlaut des verlorenen Teils von A aus der Kirchengeschichte[3] des Tholomeus herstellen und erschliessen. Es ermöglicht sich dies durch den Nachweis der Tatsache, dass die in der Kirchengeschichte von Th. mehrfach zitierten Gesta Tuscorum, über die man sich mancherlei Gedanken gemacht hat[4], gar nichts anderes gewesen sind als die eigenen Annalen

---

1) Th. erläutert in B, wo er Lothar 1124 gewählt werden lässt, seine Ansicht näher dahin, Lothar sei vorerst nur zum Könige gewählt und später erst Kaiser geworden. Indem dies in A nicht steht, erhält man unbedingt den Eindruck, dass die Hs. in sich widerspruchsvoll, bezw. verderbt, sei. 2) Nicht veröffentlicht. Ich benutzte sie in der Fassung der Hs. fonds latin n. 4980 der Bibliothèque nationale von Paris, die nach Berlin gesandt wurde. 3) Muratori, Scriptores rerum Italicarum XI. 4) Scheffer-Boichorst, Florentiner Studien S. 260 ff. O. Hartwig, Quellen und Forschungen zur ältesten Geschichte von Florenz II, 243, N. 2 'will . . nicht entscheiden, ob Tolomeo unter den Gesta Tuscorum seine eigenen Annalen von Lucca mit einbegreift', und führt daselbst N. 3 einen bestimmten Fall an, der diese Vermutung wahrscheinlich macht. Ueberhaupt muss man sagen, dass von allen bisherigen Arbeiten über Th. der Teil des Aufsatzes von Hartwig über 'die Gesta Florentinorum und deren Ableitungen und Fortsetzungen', der zur Einleitung und Grundlegung der eigentlichen Forschung sich mit Th. beschäftigt, bei weitem die verdienstlichste und beste ist. Den Resultaten seiner eigentlichen Arbeit, seinen Ansichten über die Gesta Florentinorum, kann man durchaus nicht in gleicher Weise zustimmen.

des Th., wie sich aus folgenden Erwägungen und Vergleichungen ergibt. Als Gesta Tuscorum kann Th. entweder ein unbekanntes, uns verlorenes, Werk zur Geschichte von Toscana bezeichnet haben oder unter den uns bekannten von ihm benutzten Werken die Gesta Florentinorum, die Gesta Lucanorum oder endlich seine eigenen Annalen, die diese beiden Quellen in sich aufgenommen hatten und dadurch allerdings zum grossen Teile Geschichte von Toscana enthielten. Was nun in den Gesta Lucanorum und Gesta Florentinorum gestanden hat, wissen wir zum grösseren Teile ganz genau, wie die beiden folgenden Abhandlungen ergeben werden, dem Inhalte nach ganz überwiegend, fast ausschliesslich toscanische Angelegenheiten. Auf die Gesta Tuscorum dagegen beruft sich Th. für die verschiedensten Dinge, betreffend das Kaisertum, Papsttum, auch andere Länder, wie sogar Spanien, und fast stets finden sich diese Dinge in den Annalen des Tholomeus. Zum ersten male zitiert er die Gesta Tuscorum zum Jahre 1182, zuletzt 1268. Man vergleiche:

Thol. B.	Hist. eccl. XX, 32, col. 1111.
A. D. MCLXXXII. . . . Lucius, nactione Lucanus .... Hic concessit Lucanis monetam incudendam; quam civitatem summe commendans omnibus civitatibus Tuscie et Marchie, Campanie, Apulie et Romagnole in moneta preposuit, adhuc imperante Frederico primo et regnante Heinrico filio eius. Unde dicta moneta ab illo tempore in predictis partibus magis fuit usualis. Scribitur autem in registro comunitatis prefate, quod dictus Lucius mandavit omnibus terrigenis dictarum regionum et Romipedis ac singulis peregrinis cuiuscumque civitatis vel provincie, quod illa uterentur moneta, dicto etiam imperatore Frederico in hoc pre-	A. autem D. MCLXXXII. . . . Lucius III, natione Tuscus de civitate Lucana . . . Hic, ut historie tradunt, Lucanam civitatem suam multum dignificavit, quia cum Frederico imperatore ordinavit, Henrico filio eius consentiente, . . . quod moneta Lucana sola curreret in Tuscia, Campania et Marchia et partibus Rome; unde et Romipete alia non utebantur moneta in Urbe, sicut ex ordinatione Frederici sola Papiensis currebat in Lombardia. Unde et de istis duabus monetis fit mentio in decretali Innocentii III. Extra: de censibus et procu., quia iste sole monete currebant quasi in Italia, quia in terris ecclesie moneta Lucana usque

Thol. B.	Hist. eccl. XX, 32, col. 1111.
bente favorem. Ubi attendendum, quod due monete antiquis temporibus magis cucurrerunt in Ytalia, quia in Lombardia Papiensis, favente Frederico . . ., sed in predictis partibus, ubi ecclesia magis dominabatur, moneta currebat Lucana . . . Unde de istis duabus monetis specialiter iura faciunt mentionem, ut Innocentius IIIus in sua decretali.	ad Romam et per totam Tusciam, sed in Lombardia Papiensis, ut historie Lombardorum et Tuscorum referunt.

Dass von diesen Dingen auch nur ein Wort in den Gesta Lucanorum oder Florentinorum gestanden habe, lässt sich mit grösster Bestimmtheit verneinen, dagegen stellt sich der Text der Kirchengeschichte als Auszug und freie Bearbeitung des Annalentextes dar[1], als Gesta Tuscorum können unter allen bekannten Quellen der Kirchengeschichte hier nur die Annalen des Tholomeus in Betracht kommen. Zum Jahre 1268 nennt Th. in der Kirchengeschichte die Gesta Tuscorum als Quelle für die Benennung der Schlacht, in der Konradin geschlagen wurde, nach dem Orte Tagliacozzo. In der Tat bieten seine Annalen, hier den Gesta Florentinorum folgend, diesen Namen. Die angeführten Stellen sind die einzigen, an denen für die Berufung des Th. auf die Gesta Tuscorum beide Fassungen der Annalen als Kontrolle vorhanden sind; für die weiteren Zitate von 1189 bis 1259 haben wir nur die Fassung B, und es sind daher nicht alle Stellen zum Beweise geeignet. Ich wähle die folgenden aus:

Annales B.	Hist. eccl. XXI, 25, col. 1132.
A. D. MCCXXIIII°. Rex Castelle congregat exercitum contra Cordubam et Sybiliam et Ubedam[2], que sunt civita-	A. D. MCCXXIV. et pontificatus Honorii IX., ut Gesta Tuscorum et Hispanorum tradunt, rex Castelle Fernan-

1) Was es mit den 'historie Lombardorum', auf die sich Th. ausser auf die der Tusker beruft, auf sich hat, habe ich noch nicht feststellen können. Wie es damit auch stehen mag, man kann niemals die Tatsache aus der Welt schaffen, dass die Kirchengeschichte hier, wo sie sich auch auf die Gesta Tuscorum beruft, mit den Annalen die engste Verwandtschaft aufweist. 2) 'et Syb. et Ub.' von derselben oder gleichzeitiger Hand in B am Rande nachgetragen, fehlt B 1.

Annales B.	Hist. eccl. XXI, 25, col. 1132.
tes ultra Tolletum in provincia Wandalie, unde proprie dicuntur Almogavarii, que olim vocabatur Boetia. Capta igitur Ubeda contra Cordubam vadit.	dus et Legionensis transit Toletum, ubi terminus erat Christianorum, terram Saracenorum aggreditur, capit et Cordubam, que sunt de provincia Wandalie, quam provinciam require in dicto libro (II.) Tripartite.
Eodem anno Fredericus contraxit cum ultramarina, ut Gesta Germanorum dicunt, que fuit filia regis Iohannis, cui regnum Ierosolimorum competebat.	Eodem anno Fredericus, ut Gesta Tuscorum tradunt, non obstante excommunicatione cum filia regis Iohannis, qui rex in Hierusalem, matrimonium contraxit.
	XXI, 36, col. 1138.
MCCXXXIIII. . . Eodem anno Fredericus Curradum filium suum, quem de filia regis Ierusalem genuit, uxore legiptima, regem Alamannie facit, ut Gesta Germanorum narrant.	A. D. MCCXXXIV, ut Gesta Germanorum et Tuscorum tradunt, Fredericus non obstante depositione vel excommunicatione Conradum filium suum natum de uxore ultramarina regem constituit Alamannie de facto et non de iure.
	XXII, 16, col. 1149.
Eodem anno [MCCLVIIII] Gibellini de Tuscia replent curiam Manfredi; predictus vero Manfredus ad ipsorum instantiam et domini Octaviani cardinalis de Muscello in Tusciam militiam mictit apud Senas et cum Gibellinis et Senensibus amicitiam contrahit.	A. D. MCCLIX. . . Eodem anno Gibellini de Tuscia expulsi, ut Gesta Tuscorum tradunt, coniungunt se cum Manfredo mediante domino Octaviano cardinali, in qua collegatione fuerunt Senenses.

An allen diesen Stellen der Kirchengeschichte, die mit den Annalen mehr oder weniger wörtlich übereinstimmen, während in den Gesta Lucanorum und Florentinorum nichts davon steht, beruft sich Th. entweder allein auf die Gesta Tuscorum oder auf sie in Verbindung mit einer anderen, in den verschiedenen Fällen verschiedenen Quelle, die er meist auch schon in den Annalen, dort als einzige, zitiert; der Schluss scheint mir unabweisbar, dass er in der Kirchengeschichte unter dem Titel der Gesta Tuscorum seine eigenen Annalen zitiert hat[1]. Es bliebe sonst nur noch die Annahme übrig, dass Th. neben seinen Annalen und den Gesta Lucanorum und Florentinorum noch eine vierte Quelle benutzt hätte, die von toscanischen Dingen handelte; dass diese vierte Quelle in denselben Jahren wie des Th. Annalen sich mit kastilischen, mit deutschen Angelegenheiten, mit denen Manfreds beschäftigte, in ganz gleichem Sinne wie die Annalen, wäre ein Schattenbild, dem niemand nachjagen wird.

Sind aber die Gesta Tuscorum des Th. Annalen, so bleibt für die wenigen, aber nicht ganz fehlenden Stellen, an denen der von Th. angegebene Inhalt der Gesta Tuscorum durch die uns überlieferte Fassung B der Annalen nicht gedeckt wird, nur der Schluss übrig, dass dieser von B abweichende Inhalt in dem verlorenen A gestanden hat. Hierher muss man zunächst folgende Stelle über Heinrich VI. rechnen (col. 1118 D): 'Insuper tradunt Tuscorum historie, quod transiverit in Africam regemque Tunisis fecerit tributarium ampliori tributo, quam dederit Guillielmo socero sive cognato', da B bei sonstiger Uebereinstimmung nur sagt: 'ad tributum regis Tunitii sollicitatur', nichts von einem Uebergang nach Afrika. Ferner decken sich nicht ganz Hist. eccl. col. 1120 C: 'Philippus, quem Henricus ante ducem in Tuscia fecerat, ut Tuscorum historie tradunt', und Annalen B: 'Tunc autem in Tuscia dux erat Philippus, ut quidam volunt, frater Heinrici et filius Frederici primi'. Endlich weicht durchaus von B ab oder wird gar nicht dort gefunden col. 1143 E: 'Anno autem Domini MCCXLVII., ut tradunt historie Tuscorum et Germanorum, pontificatus Innocentii anno V., imperator proprium filium primogenitum occidit' etc., was sich in B zu 1245 findet, und col. 1146 D: 'Tradunt autem alique historie ipsum Conradum a Manfredo fratre suo primo per flasconem vini in quadam venatione

1) An manchen Stellen kann er wohl die Gesta Lucanorum und Florentinorum unter diesem Namen mit einbegriffen haben, in den meisten Fällen passt aber das Zitat allein und ausschliessend auf seine Annalen.

fuisse venenatum, secundo in clisteri, quod oportuit facere propter torsiones aggravantes ex primo veneno, ut Gesta Tuscorum tradunt; et ex hoc moritur'. Davon steht in B gar nichts.

Es ist zwar nicht viel und erst recht nichts Wertvolles, was wir auf diese Weise über den Inhalt des verlorenen Stückes von A erfahren. Immerhin musste der Beweis im Interesse der Vervollständigung unseres Wissens über die Ueberlieferung der Annalen geführt werden, und es ist auch an sich nicht ohne Interesse zu wissen, dass Th. in dem späteren umfassenderen Werke der Kirchengeschichte das frühere, weniger umfangreiche Werk als Gesta Tuscorum bezeichnet und damit doch auch in gewisser Weise ein Urteil über Zweck und Inhalt des Werkes abgegeben hat.

Die Hauptfrage, die sich gegenüber den beiden Rezensionen der Annalen aufdrängt, ist die nach ihrem Verhältnis, hauptsächlich in zeitlicher Beziehung, zu einander: welche ist die frühere, welche die spätere? Der erste, der sich eingehender mit der Rezension B beschäftigte, Lucchesini, spricht in seiner Abhandlung 'Della storia letteraria del ducato Lucchese'[1] die Ansicht aus, dass B eine zweite, verbesserte und vermehrte Auflage von A sei. Zu derselben Ansicht gelangte O. Holder-Egger, der im Jahre 1885 den Text der beiden Rezensionen für die Monumenta kollationierte, resp. abschrieb und gleichfalls die reichere Fassung für die spätere erklärte[2]. In der Tat wird jeder, der beide Texte in ihrem Gesamtinhalt zu vergleichen Gelegenheit hat, denselben Eindruck erhalten, und ich stelle daher hier nur einiges zusammen, was sich zur Begründung dieser Ansicht beibringen, sowie was sich über die Abfassungszeit der beiden Rezensionen ermitteln lässt. Einen terminus ad quem, und zwar beide mal einen anderen, bieten A wie B. In A heisst es von Eduard I. von England beim Jahre 1272 anlässlich seiner Palästinafahrt: 'ac demum rediens multa in bellis strenue operatus est et adhuc senex operatur cotidie'. A, oder wenigstens A bis zu dieser Stelle, muss also vor dem Juli 1307 geschrieben

1) Memorie e documenti per . . . la storia di Lucca IX, 17 sqq. Vgl. S. 106/107. 2) N. Archiv XI, 257—259. Dagegen sprach allerdings Federigo Vincenzio di Poggio, Notizie della libreria de' padri Domenicani di S. Romano di Lucca (Lucca 1792) bei Beschreibung der Hs. B 1 (S. Romano 9) die Ansicht aus, die Rezension A sei ein Auszug aus der ihm in B 1 vorliegenden längeren Rezension.

sein[1]. In B aber sagt Th. zum Jahre 1294 von Philippine, der Tochter des Grafen von Flandern, die Philipp der Schöne von Frankreich wegen der geplanten Heirat mit Eduard II. von England in seine Gewalt gebracht hatte: 'quam adhuc hodie predictus rex detinet reclusam, eo quod . . .' Philippine von Flandern starb im Gewahrsam des französischen Königs im Mai 1306, spätestens bis damals oder kurze Zeit darauf muss also B geschrieben sein[2]. Ergibt sich auf diese Weise zufällig für B ein früherer terminus ad quem als für A, so folgt daraus natürlich nicht, dass B auch wirklich früher geschrieben ist als A. — Ein terminus a quo ist stets für ein Geschichtswerk viel schwieriger zu bestimmen, es fragt sich immer, ob ein solcher überhaupt anzusetzen ist oder ob der Autor nicht in längeren Zwischenräumen sein Material gesammelt hat, das er dann erst in kurzer Zeit zusammenhängend ausarbeitete. Die Annalen des Th. sind meines Erachtens nicht auf solche Weise entstanden. Zum Jahre 1288 sagt er:

A.	B.
Eodem anno Tripolis civitas in Terra Sancta obsidetur a soldano et capitur facta strage de Christianis ac occisis et captivatis.	Eodem anno Tripolis capitur multis ibidem Christianis captis et occisis a soldano. Alii dicunt hoc accidisse in LXXXIX°.

Wer sich in längeren Zeiträumen historische Aufzeichnungen machte und auf die geschichtlichen Ereignisse aufmerksam war, konnte wohl im Anfang des 14. Jh. wissen, ob Tripolis 1288 oder 1289 in die Hände der Sarazenen gefallen war. Man muss also schliessen, dass Th. den Stoff, den er in den späteren Teilen seiner An-

1) Dies hat bereits Hartwig a. a. O. S. 245 festgestellt. 2) Unter der Voraussetzung, dass Th. bald oder wenigstens noch im selben Jahre von dem Tode der Philippine erfuhr. Ein anderer Umstand möchte eine andere Datierung von B nahe legen. Die Stelle über die Rückkehr Eduards I. aus Palästina ist in B, das nachher als die spätere Redaktion zu erweisen ist, so verändert, dass der Satz 'et adhuc senex operatur cotidie' weggelassen ist. Es liegt nahe zu schliessen, dass A vor, B nach dem Tode Eduards I. 1307 geschrieben ist. Aber es sind noch viele andere Gründe denkbar, aus denen Th. die Fassung A über Eduard I. in B geändert haben könnte, einen zwingenden Schluss auf den bereits erfolgten Tod des Königs lässt B nicht zu. Dagegen wurde der Tod der Philippine in Frankreich viel beachtet und wird dem stets auf französische Verhältnisse aufmerksamen Th. nicht lange unbekannt geblieben sein. Vgl. Pirenne, Geschichte von Belgien I, 436.

nalen selbständig, nicht aus fremden, schriftlichen Quellen bietet, aus dem Gedächtnis erst im Anfang des 14. Jh. aufgezeichnet hat. Unter dieser allgemeinen Voraussetzung lässt sich aber der Zeitpunkt im Einzelnen noch näher bestimmen. 1280 heisst es in B: 'Vicecomites . . in Mediolano assummunt dominium, duravitque usque ad CCCIIm, ut iam[1] liquebit'. Ein gemeinsamer terminus post quem ergibt sich für A und B aus der Benutzung der Gesta Lucanorum. Dieselben reichten, wie unten zu beweisen sein wird, mindestens und sicherlich bis 1303, Th. aber benutzt sie von den ersten Jahren seiner Annalen an und zwar in der uns auch zum grossen Teil überlieferten Fassung, die von der der dem Werke zu Grunde liegenden Quellen vielfach abweicht. Er wird also das Werk als fertiges Ganzes übernommen und in seine Annalen verarbeitet haben, und dies kann nicht vor dem Jahre 1303 geschehen sein. Es ergibt sich daraus, dass er beide Rezensionen seiner Annalen in den Jahren 1303 bis 1306 resp. 1307 geschrieben hat[2].

Wirft man nun die Frage auf, welches die frühere, welches die spätere Rezension ist, so darf man, wie bemerkt, den Umstand, dass B zufällig den früheren terminus ad quem bietet, zu keinem weiteren Schlusse benutzen. Es ergibt sich vielmehr aus anderen Erwägungen — weitere einzelne Anhaltspunkte für eine bestimmte Datierung und Verhältnissetzung liegen nicht vor —, dass A die frühere, B die spätere Rezension ist. Im Allgemeinen ist B umfangreicher als A, es bietet, zumal in den späteren Teilen, beträchtlich mehr Stoff als jenes; doch hat A im Anfang manche Notizen und manchen Absatz, die in B fehlen. Auf keinen Fall ist das Verhältnis so, dass A ein einfacher Auszug aus B sein könnte[3]. A und B sind selbständige, jedesmal mit eigener Ueberlegung und Arbeit ausgeführte Werke. In beiden sind dieselben Quellen, Martin, Richard von Poitou, die Gesta Florentinorum und Lucanorum und andere jedesmal besonders benutzt, sodass

---

1) 'iā' B, B 1, vielleicht ist 'ia' (infra) zu lesen. 2) Erst nach diesen Feststellungen kann man die etwas ungefähre Angabe des Th. im Prolog verwerten, er wolle seine Annalen etwa 240 Jahre vor der Gegenwart beginnen lassen ('a ducentis solum quadraginta annis vel circa' A, 'vel circa' fehlt B). Da er tatsächlich 1063 (nach seiner Rechnung) anfängt, kommt man gleichfalls auf 1303 und erkennt die Genauigkeit der Angabe. Das Ganze ist ein neuer Beweis dafür, dass die Annalen schnell in einem Zuge und beide Fassungen kurz hintereinander geschrieben sind. 3) Wie di Poggio meinte. Vgl. oben S. 296, N. 2.

sich in A wie in B Stellen aus jenen Quellen finden, die in der anderen Rezension nicht stehen, oder wörtliche Uebereinstimmung mit den Quellen, wo die andere Rezension dieselbe Nachricht frei gestaltet hat. Aus dem Wortverhältnis zu den Quellen kann man also gar nichts schliessen, dagegen ziemlich schlüssig beweisend ist das Sachverhältnis zu ihnen. Um dieses richtig zu beurteilen, muss man das letzte und umfangreichste Werk des Th., seine Historia ecclesiastica, mit heranziehen. Er hat in dieser z. T. aus denselben Quellen wie in den Annalen, z. T. aus anderen ihm inzwischen bekannt gewordenen Werken grossenteils dieselben Dinge wie in den Annalen behandelt, ist aber in vielen Punkten zu sehr viel richtigeren Ansichten als in den Annalen gekommen. Die Annalen sind durch viele und darunter manche in ihrem Ursprunge fast unverständliche Fehler entstellt, z. T. wohl in Folge einer Flüchtigkeit des Th. beim Exzerpieren seiner Quellen, von der man ihn nicht ganz wird freisprechen können, z. T. in Folge noch nachweisbarer Fehler der ihm vorliegenden Hss. seiner Quellen, die er später, in den Besitz besserer Hss. gelangt, verbessern konnte. Auf jeden Fall: vergleicht man die früheren Annalen (in beiden Fassungen) mit der späteren Kirchengeschichte, so erkennt man Th. als einen Schriftsteller, der durch unermüdliche Vergleichung der alten und durch Heranziehung von neuen Quellen die — vielfach von ihm selbst erst geschaffenen — Fehler der historischen Ueberlieferung auszumerzen und sich der historischen Wahrheit anzunähern suchte. Nach diesem Massstabe gemessen muss aber B die spätere Rezension sein, denn es zeichnet sich fast durchweg durch die grössere Richtigkeit aus. In B sind viele ganz merkwürdige Verdrehungen und Entstellungen der Quellen in A richtig gestellt, sachlich und nach den benutzten Quellen falsche Jahreszahlen auf die Zahlen der Quellen zurückgeführt, es werden weitere Erwägungen über die Richtigkeit der überlieferten Nachrichten angestellt, die in A fehlen. Nicht uninteressant ist eine Beobachtung über die Art, wie sich die beiden Rezensionen zu den verschiedenen Quellen verhalten. In A ist Martin von Troppau mehr und ausführlicher benutzt als in B, aber seine Berichte vielfach mit leeren und hohlen Worten aufgeputzt und in die Länge gezogen, viele Nachrichten sind doppelt und dreifach angebracht. In B ist manches von diesen leeren Worten und Doppelnachrichten gestrichen, das Uebrige vielfach auf den kurzen Wortlaut des Martin zurückgeführt, in den gewonnenen Raum aber sind Abschnitte aus anderen Quellen, wie den Gesta Florentinorum oder Lucanorum, oder selbständige Bemerkungen eingefügt. Man wird mit grosser Wahrscheinlichkeit schliessen dürfen, Th. habe schon damals ein gewisses Urteil über die Quellen gewonnen und mit Bewusstsein und Absicht die allgemeinen — von ihm noch erheblich verwässerten und missverstandenen — Nachrichten des Martin durch Absätze aus den wertvolleren toscanischen Quellen ersetzt[1]. Vergleicht man also die drei Werke des Th., die Rezensionen A und B der Annalen und die Kirchengeschichte mit einander, so würde eine angenommene zeitliche Reihenfolge B. A. Kirchengeschichte den inneren Eigenschaften dieser Werke widersprechen und sachlich undenkbar sein, sachgemäss erscheint einzig die Reihenfolge A. B. Kirchengeschichte. Es ergibt sich also, dass A und B in den Jahren 1303 bis 1306, und zwar erst A, dann B geschrieben sind.

Im Anschluss an diese chronologischen Feststellungen lässt sich nunmehr eine Frage erledigen, die für die Quellenkritik der drei geschichtlichen Werke des Th. nicht unwichtig ist und speziell für die Annalen leicht zu einer anderen chronologischen Fixierung, als hier dargelegt, Anlass geben kann. Th. zitiert in beiden Rezensionen der Annalen und in der Kirchengeschichte eine Quelle, die er Gesta Francorum[2] nennt, die aber an vielen Stellen auffallende Aehnlichkeiten mit den Werken des Bernard Gui[3]

---

1) Ein ganz deutliches Urteil über Martin gibt Th. in der Kirchengeschichte (col. 920 C) ab, wo er eine Nachricht bei Paulus diaconus, Aimoin und dem Cusentinus einerseits mit einer entgegenstehenden bei Martin vergleicht; er entscheidet sich für die ersteren, 'et cum illis est standum, quia magis sunt authentice scripture'. 2) Th. hat in der Kirchengeschichte eine Reihe von französischen Quellen benutzt, die er z. T. auch Gesta Francorum nennt, z. B. Aimoin und Ademar von Chabannes. Im Folgenden wird nur auf solche Stellen Bezug genommen, in denen sich das Zitat zweifellos oder mit grösster Wahrscheinlichkeit auf das in den Annalen und der Kirchengeschichte gleichmässig benutzte, nur Gesta Francorum genannte, Werk bezieht. 3) Vgl. Léopold Delisle, Notices sur les Manuscrits de Bernard Gui. (Notices et extraits de manuscrits de la bibliothèque nationale XXVII, 169—455, Paris 1879). Da die Werke Bernards nur in Bruchstücken veröffentlicht sind, vermittelst deren man in Fragen der Quellenkritik nicht zur Klarheit kommen kann, so erhielt ich, wie erwähnt, die Hs. fonds latin n. 4980 der Pariser Nationalbibliothek freundlichst zugesandt, die die älteste bekannte Fassung von Bernards Reges Francorum enthält. Die Hs. nouvelles acquisitions n. 1171, das Originalms. der Flores cronicorum, konnte ich, eben als Original, leider nicht erhalten.

aufweist. Das erste Zitat in den Annalen findet sich zum Jahre 1153 im Zusammenhang einer Stelle, die aus Richard von Poitou stammt; doch ist Th. über ihn hinaus mit Bernard Gui verwandt:

Ricardus Pict.[1]	Thol. A.	B. Gui[3], Fl. cron.
Ludovicus autem erga omnes ita se habuit, ut merito aliis religione preferretur. Fuit autem egregius, sermone cultissimus . .[2] et Francorum nutritor. Nihil turpe gessit, nisi quod Alienor uxorem suam repudiatam a thoro suo alienavit, alia post biennium . . subrogata, filia scilicet Anfons imperatoris Hispanie. Hoc autem factum est cum consensu, ut aiunt, Eugenii pape, Bernardi Clarevallensis, Godefredi Lingonensis et aliorum.	Hunc autem Lodovicum Gesta Francorum multum commendant, excepto quod uxorem suam dominam Helienor repudiavit, accepta alia, filia[a] Anfus regis Yspanie. Tradunt tamen ystorie[b] fecisse ex certa causa, consilio[c] et assensu[d] Eugenii pape, Bernardi Claravallensis abbatis et Goddefridi Lingonensis episcopi.	Rex Francorum Ludovicus . . uxorem suam Helionor, filiam quondam Guillelmi comitis Pictavie ducisque Aquitanie, repudiat, recepta alia, filia Alfonsi regis Hyspanie. Tradunt tamen istut fecisse ex certa scientia[e] et de consilio et assensu Eugenii pape et beati Bernardi et Godofredi[f] Ligonensis episcopi.

Es ist unmöglich, das Quellenverhältnis dieser Stellen ganz zu entwirren. Urquelle ist zweifellos Richard von Poitou, die beiden anderen haben sein Werk nachweislich in Händen gehabt, berufen sich zahllose mal auf ihn.

a) 'filia videlicet' Th. B. b) 'tamen istud fec.' Th. B. c) 'et de cons.' Th. B wie B. Gui. d) 'assensu beati Bernardi et Eugenii pape ac Gottifredi Lingonensis episcopi' Th. B. e) 'scīa' die oben genannte Pariser und eine Berliner Hs. (Hamilton 527), sowie der Druck Muratori l. l. p. 439; in den Gesta regum Francorum, Bouquet XII, 231, steht auch hier 'causa'. f) 'Gofredi' die Pariser Hs.

1) Muratori, Antiquitates Italiae IV, col. 1101. 2) Hier steht eine längere sehr lobende Charakteristik Ludwigs VII. (vgl. Th. 'commendant'). 3) Nach der genannten Hs. f. 172; Muratori, SS. rer. Ital. III, 1, 488/9.

Aber sie stimmen über ihn hinaus überein. Wer ist die Quelle und was haben die von Th. zitierten Gesta Francorum damit zu tun? Als Bernard Gui seine Flores cronicorum im Jahre 1315 zuerst ausgab, auch als er seine Gesta regum Francorum, in deren erster Rezension die Stelle so nicht steht, im Jahre 1312 zuerst veröffentlichte, lag Th. A (wie auch B) längst vor, Bernard Gui selbst nennt ihn einmal und benutzt ihn viel in seiner Chronik. Man wird also schliessen, auch an dieser Stelle sei Th. die Quelle und Bernard die Ableitung. Weiterhin aber vergleiche man folgende Stellen der Kirchengeschichte und des Bernard Gui:

Thol. Hist. eccl. XX, 20, col. 1104.	Bernard Gui.
Hoc tempore Fredericus I. dictus Barbarossa, nepos Conradi, de domo et ducatu Suevie originem trahens, ut Gesta Germanorum et Francorum tradunt, et ipse Vincentius Belluacensis.	Fredericus[1] huius nominis I^{us} imperator, dux Suevorum et nepos Corradi secundi imperatoris . . .
XXI, 25, col. 1132.	
A. D. MCCXXIII. et pontificatus Honorii anno VIII., ut Gesta Francorum tradunt, ordo fratrum Minorum confirmatur, et rex Francorum Philippus moritur secundum dictas historias.	A.[2] D. MCCXXIII. Philippus rex Francie fortunatissimus obiit apud Medontam castrum . . . A. D. MCCXXIII. Honorius papa confirmavit beato Francisco regulam quam fecerat fratrum Minorum in Laterano III° Kal. Decembris pontificatus sui anno VIII°.
XXI, 26, col. 1133.	
Anno MCCXXVI. . . Quo tempore moritur rex Francie Ludovicus secundum Gesta Francorum, licet alii aliter dicant.	Preventus[3] autem rex egritudine . . presentis vite cursum complevit . . . VII. Idus Novembris anno Domini . . MCCXXVI.
XXI, 32, col. 1136.	
et a. D. MCCXXVII. ad-	Ludovicus[4] IX^{us} memorati

1) Cronica imperatorum, Paris. Bibl. nat. fonds latin n. 4980, f. CLXX^{r}. 2) Flores cronicorum l. l. f. CVII$^{r.t}$. 3) Flores cronicorum l. l. f. CVIII^{r}. 4) Reges Francorum l. l. f. CLXXXII^{r}.

Thol. Hist. eccl. XXI, 32, col. 1136.	Bernard Gui.
huc sub tutela matris sue domine Blanche . . . curam regni suscepit et XIV. anno sue etatis coronatus est Remis, ut Gesta Francorum tradunt.	Ludovici filius . . regni suscepit moderamina adhuc puer a. D. MCCXXVI, coronatus in regem dominica prima adventus Domini [Remis[1] civitate . .], anno etatis sue XIIII°.
XXII, 1, col. 1141.	
A. igitur D. MCCXLII. . . dominus Sinibaldus iam dictus et vocatus Innocentius IV. in cathedra Petri sedet, quod fuit in crastinum beati Iohannis baptiste, ut Gesta Francorum tradunt, et apud Ananiam est consecratus.	Innocencius[2] IIII^us^ . . . qui prius Senebaldus dicebatur cardinalis . . . eligitur in papam Anagnie[3] in crastino sancti Iohannis babtiste a. D. MCCXLIII., quamvis in aliquibus cronicis dicatur MCCXLII.

Es ist stark auffallend, dass Bernard Gui an allen diesen Stellen, wo Th. sich auf die Gesta Francorum beruft, einen entsprechenden Text bietet, und nur durch die Abhängigkeit des Bernard von Th. ist das nicht zu erklären. Denn Bernard bietet meist die umfangreicheren, in sich zusammenhängenden und besseren Nachrichten, die Th. entweder garnicht bringt (in den Annalen) oder von denen er nur ein Moment herausgreift (in der Kirchengeschichte). Lediglich auf Grund des Wortverhältnisses der Texte zu einander würde man daher, obwohl Bernard im Allgemeinen der spätere ist, sehr geneigt sein, das Quellenverhältnis umgekehrt aufzufassen und ihn für die Quelle zu halten; man könnte eine Hypothese, die Hartwig über das Verhältnis der Kirchengeschichte zu den Flores Cronicorum ausgesprochen hat[4], in ähnlicher Form auf die Annalen ausdehnen und vermuten, dass Th. bereits dort die Stoffsammlungen des befreundeten Ordensbruders benutzt, und dass er sie als Gesta Francorum bezeichnet habe. Es liessen sich noch eine Reihe von Momenten für diese Auffassung beibringen und manche Schwierigkeiten

1) Diese Worte fehlen in der Pariser, stehen in der Berliner Hs. Hamilton n. 527. Da Bernard Gui den Krönungsort sonst stets nennt, sind sie in der — vielfach fehlerhaften — Hs. wohl nur versehentlich ausgelassen. 2) Hs. l. l. f. 211; Bouquet XXI, 695. 3) 'Anagine' Hs. 4) Und die ich tatsächlich für die Kirchengeschichte für ganz sicher halte. Hartwig a. a. O. S. 244, N. 4.

aus dem Wege räumen, aber angesichts der dargelegten genauen Zeiten der Abfassung der Annalen des Th. erweist sie sich doch als unmöglich. Bernard Gui hat seine Sammlungen erst seit 1306 angelegt[1]; die spätere Redaktion der Annalen B, resp. eine Stelle aus einem der letzten Jahre, 1294, muss noch im Jahre 1306 geschrieben sein; so bleibt für die frühere Redaktion A der Annalen, in der auch bereits die Gesta Francorum benutzt und zitiert sind, überhaupt keine Zeit, in der sie geschrieben sein könnte. Noch andere Umstände sprechen dagegen, die Werke des Bernard Gui mit diesen Gesta Francorum geradezu zu identifizieren. Th. beruft sich auch für eine Reihe von Tatsachen auf die Gesta Francorum, die in den bekannten Rezensionen der Werke Bernards überhaupt nicht oder ganz anders stehen, vor allem weist er den Gesta Francorum eine Reihe chronologischer Fehler und Unmöglichkeiten zu, die der stets so sehr auf die Chronologie bedachte Bernard Gui schwerlich auch nur in Excerpten und vorläufigen Sammlungen je begangen hat. Ferner zitiert Th. in der Kirchengeschichte die Flores cronicorum, indem er sie als 'una . . cronica nova' bezeichnet[2]. Es ist nicht eben wahrscheinlich, dass er ein Werk, das er schon in seinen früheren Schriften den Lesern mehrfach als Gesta Francorum vorgeführt hat, nun mit anderem Titel als 'cronica nova' bezeichnet hätte. Alsdann bleibt aber nur die Möglichkeit, dass Bernard Gui neben den Annalen des Th. auch seine Quelle, die Gesta Francorum, benutzt hat. Denn er hat eine ganze Reihe von Sätzen, die Th. den Gesta Francorum zuweist, und die Bernard nicht den Werken des Th. — aus zeitlichen und sachlichen Gründen — entnommen haben kann; so muss er sie wohl den Gesta Francorum selbst entnommen haben[3].

---

1) Nach seinem eigenen Zeugnis; Delisle l. l. p. 187. 2) 'una cronica, quam ego legi' col. 1167 B, gleich Bernard Gui, Flores cronicorum, Bouquet XXI, 703; 'una tamen cronica nova' col. 1186 A, gleich Bouquet XXI, 706. 3) Das Verhältnis zwischen Th. und Bernard Gui ist einer der wichtigsten Punkte für Kenntnis und Beurteilung des Th., die genauere Erforschung desselben könnte mit am ersten zu neuen Daten über Leben und Schriftstellerei des Th. führen. Ich kann meine im Texte vorgetragenen Ansichten nur mit einer gewissen Reserve geben; Léopold Delisle a. a. O. sagt p. 197, N. 8 über die Hs. 1171 nouvelles acquisitions: 'Ce texte est à prendre en considération pour l'examen de la question qu'a soulevé le docteur Dietrich König dans sa dissertation intitulée Ptolomeus von Lucca und die Flores chronicorum des Bernardus Guidonis'. Ich konnte die Hs., wie erwähnt, nicht erhalten, und eine

In der Tat zitiert er in seinen Schriften ein solches Werk, aber nicht gerade an den Stellen, wo es auch Th. nennt, woraus sich die Identität der Quellen ergeben würde. Auch ist es merkwürdig, dass unter den bekannten Quellen zur französischen Geschichte und speziell unter den nicht wenigen herkömmlich als Gesta Francorum bezeichneten Werken nicht ein einziges, soweit mir bekannt, sich befindet, dass auch nur einen Anklang an die Zitate des Th. und Bernard Gui aufwiese. So bleibt die Quelle in völliges Dunkel gehüllt[1], was übrigens anscheinend, nach den Zitaten des Th. zu schliessen, nicht als ein unersetzlicher Verlust zu beklagen ist.

Die Frage war in unserem Zusammenhange wichtig und notwendig zu erörtern. Waren die Gesta Francorum ein Entwurf der Werke des Bernard Gui, so konnte Th. A erst 1306 und 1307 geschrieben sein, und für B müsste man dann die oben angedeutete Möglichkeit[2] annehmen, dass es erst nach 1307 entstanden sei. Da diese Identifizierung nicht durchzuführen ist, so liegt nunmehr kein Grund gegen die Annahme vor, dass Th. A und B in den Jahren 1303 bis 1306, und zwar A vor B geschrieben hat.

Zum Schluss fasse ich meine Ansicht über Th. als Geschichtschreiber zusammen. In der Litteratur, namentlich über die Gesta Florentinorum, wird häufig mit der Annahme gerechnet, in diesem oder jenem Punkte habe sich Th. wohl versehen, er habe falsch zitiert, es wird ihm vorgeworfen, dass er eine unbestimmte Zitierungsweise liebe, aus der man garnichts Bestimmtes entnehmen könne. Man kann aber sagen, dass alle diese Vorwürfe im Grossen und Ganzen unbegründet sind; das fortschreitend veröffentlichte Material, speziell an toscanischen Chroniken, hat gezeigt, dass all das, was Th. von seinen Quellen behauptet, wirklich so darin gestanden hat, und wenn einmal eins seiner Zitate mit der Quelle, wie wir sie kennen, durchaus im Widerspruch steht, so wird man stets eher annehmen können, Th. habe eine andere Fassung, eine verderbte Hs. der Quelle vor sich gehabt als er habe

---

durch die gütige Vermittelung des Herrn Prof. H. Lebègue in Paris erteilte Auskunft über einzelne Stellen konnte mir das eigene Studium der ganzen Hs. nicht ersetzen. 1) Sie müsste etwa in der Mitte bis zweiten Hälfte des 13. Jh. geschrieben sein, da sie z. B. für 1242 ein ganz genaues Datum bot, dagegen bereits für den Anfang des 13. Jh. ganz unmögliche Jahreszahlen. Nach den Zitaten des Th. und Bernard hat sie bis in die Karolingerzeit zurückgereicht. 2) Vgl. S. 297, N. 2.

sich willkürlich und ohne jeden Anhaltspunkt selbst etwas erdacht. Dagegen leidet die Geschichtschreibung des Th. an zwei Arten von Fehlern, von denen eigentlich nur die eine auf den Verfasser als Geschichtschreiber ein ungünstiges Licht wirft. Erstens bietet er eine vielfach äusserst verderbte Chronologie; dann zieht er die Worte und Nachrichten von manchen seiner Quellen ganz ungebührlich in die Länge, putzt sie mit vielen leeren und nichtssagenden Worten auf. Was den ersten Punkt betrifft, so sind zwei ganz verschiedene Ursachen zur Erklärung heranzuziehen. Einmal ist auf die oben erläuterte Tatsache zurückzuweisen, dass wir durchaus nicht sicher sind, in den Hss. der B-Klasse wirklich durchkorrigierte und zuverlässige Exemplare dieser Rezension zu besitzen, dass durch Abschreiben eingelegter Blätter an falscher Stelle und dergleichen sich gerade in die Chronologie Fehler eingeschlichen haben könnten. Zweitens aber können wir vielfach aus den Quellen, bezw. einzelnen Hss. derselben, nachweisen, wie Th. zu seinen falschen Ansätzen gekommen ist. Wenn er z. B. Heinrich III. 1067 statt 1056 sterben lässt, so ist dies offenbar darauf zurückzuführen, dass eine seiner Martin-Hss., die der von Weiland als 5 bezeichneten sehr nahe stand [1], Heinrich III. nach Martin A 1050 statt 1040 zur Regierung kommen liess, sodass er mit seinen 17 Jahren Regierung auf 1067 kam. Oder wie konnte Th. es sogleich durchschauen, wenn die Gesta Lucanorum in den 40er Jahren des 12. Jh. von grossen Schlachten Friedrichs I. mit den Lombarden erzählten, wenn Richard von Poitou als deutschen König auf dem Kreuzzug von 1147 ebenfalls Friedrich I. nennt, dass beide Quellen hier grobe Fehler hatten, dass die Gesta Lucanorum die Ereignisse der 60er Jahre um 20 Jahre versetzen und dass Richard später in sein Werk den richtigen Namen Konrad eingesetzt hat? Th. suchte die Angaben seiner Quellen, so gut er konnte, ja sogar mit heissem Eifer zu kombinieren und zu vereinigen, dass er dabei mit einem merkwürdigen Instinkte fast stets die falsche Angabe vorzog, kann man einem Manne, der nicht die modernen Regestenwerke zur Hand hatte, keineswegs zum Vorwurf machen [2]. — Schlimmer ist die Art, wie er

---

1) Die Hs. 5 befand sich im 16. Jh. im Besitze 'monasterii sancte Marie de Magiano, ordinis Carthusiensis de prope Senas', MG. SS. XXII, 386. 2) Döllinger, Das Papsttum (München 1892) S. 144 ff. wirft dem Th. und Martin von Troppau vor, systematisch im Interesse

manche seiner Quellen in die Länge zieht und aufputzt. Sagt Martin etwa, ein Papst habe ein Konzil an dem oder jenem Orte gefeiert, so schliesst Th., dass er das Konzil doch erst berufen musste; also kommt ins Vorjahr die Notiz: 'Papa N. concilium advocat in loco N.' Das Konzil musste doch einen Zweck haben, also 'advocat pro bono statu ecclesie', oder 'regni', oder 'pro recuperatione Terre Sancte'. Berichtet eine Quelle über einen Kriegszug, so sagt Th. im Vorjahre: 'dux N.' oder 'imperator N. cum sua militia parat se ad eundum'. Am schlimmsten ist es, wenn irgendwo von Verhandlungen zwischen Papst und Kaiser die Rede ist. Da lässt Th. den Kaiser einen Brief schreiben und den Papst antworten und nochmals den Kaiser und wieder den Papst seine Feder in Bewegung setzen, bis er schliesslich das Resultat mit den Worten des Martin oder sonst seiner Quelle berichtet. Alles Vorhergehende sind leere Worte, die nur aus dem einen berichteten Vorgang herausgesponnen sind, man würde nach allen jenen Briefen und Antworten in unserer sonstigen Ueberlieferung vergebens suchen. Das Verfahren ist sicherlich tadelnswert, aber was für uns wichtig ist: Th. wendet es nur auf die allgemeinen Dinge, auf Kirchen- und Reichsgeschichte an, auf Quellen wie Martin von Troppau und Richard von Poitou, deren allgemeine Darstellungen ihn zur Kombination und Auslegung anregten. Die Nachrichten der toscanischen Quellen hat er inhaltlich niemals ausgeschmückt oder verändert, das einzige, was er sich erlaubt, ist eine zeitliche Versetzung der Nachrichten in den Jahren, wenn die Kombination mit seinen anderen Quellen ihm dies zu erfordern scheint.

---

des Papsttums die Geschichte gefälscht zu haben. Die Beispiele, die er von Th. beibringt, zeigen alle nur, dass er in unhistorischer Weise seine Anschauungen über das Papsttum in die Vergangenheit übertragen hat, eine dolose Fälschung wird dadurch nirgends erwiesen. In den Annalen finde ich einen Fall, der allerdings kaum mehr anders wie als absichtliche Verfälschung bezeichnet werden kann. Richard von Poitou erzählt, Ludwig VI. von Frankreich habe seinen Sohn Philipp und nach dessen Tode den jüngeren Ludwig zum König salben und vom Papst krönen lassen. Th. schliesst sich ihm im Wortlaut ziemlich an, macht aber aus seiner Erzählung die ganz andere, Philipp sei wenige Tage nach des Vaters Tod gestorben und darauf habe Innocenz 'ad petitionem baronum Francie' Ludwig VII. zum König gekrönt. Hier kann man eine Harmlosigkeit und bona fides bei der Aenderung durchaus nicht mehr annehmen, es ist aber auch der einzige, mir bisher bekannte derartige Fall, dem zahllose andere gegenüberstehen, wo er durchaus ehrlich und aufrichtig, auch den Päpsten gegenüber, nur die Wahrheit zu erforschen sich bemüht.

Endlich aber ein Punkt, den man bei der gesamten Geschichtschreibung der Bettelbrüder in Betracht ziehen muss, ist das stete Wanderleben, das sie führen und das sich auch bei Th. nachweisen lässt. 1272/73 hält er sich in Neapel auf, 1282 in der Provence, Weihnachten 1294 war er wieder in Neapel, 1295 und 1298 ist er in Lucca nachzuweisen, 1301 und 1302 in Florenz, 1309 erst in Lucca, dann in Avignon, 1311 und 1318 in Avignon. Wenn da ein Geschichtschreiber nicht Selbsterlebtes aus eigener Erinnerung niederschrieb, wie vorwiegend der Minorit Salimbene de Adam, sondern mit so vielen und so umfangreichen schriftlichen Quellen arbeitete wie Th., so ist das überhaupt nur auf solche Weise vorstellbar, dass er sich entweder selbst an den verschiedenen Orten von den Originalchroniken Abschrift oder Excerpte nahm oder sich von anderen Abschriften fertigen und zustellen liess; auf keinen Fall konnte er dauernd mit zuverlässigen Exemplaren seiner Quellen, soweit sie nicht ganz allgemein verbreitete Werke waren, arbeiten. Eine wie grosse und unvermeidliche Fehlerquelle in solcher Arbeitsweise liegt, ist leicht einzusehen. Dennoch ergibt sich, wie bemerkt, dass Th. im Wesentlichen den Inhalt seiner Quellen getreu wiedergegeben hat, und dass sich gegen seine Methode mit Grund im Ganzen nur die beiden Einwände der schlechten Chronologie und der phrasenhaften Weitschweifigkeit in der allgemeinen Geschichte erheben lassen.

Nach diesen Feststellungen über Entstehung, Ueberlieferung und Art der Annalen gehe ich zu der Untersuchung ihres Verhältnisses zu den Gesta Lucanorum und den Gesta Florentinorum über.

II. Die Gesta Lucanorum.

Für die Geschichte der Stadt Lucca zitiert Th. häufig ein Geschichtswerk, das er die Gesta Lucanorum [1] nennt. Soweit bisher bekannt, ist uns die Quelle nicht erhalten [2], wir besitzen aber eine Reihe von Auszügen und

1) Die Ausgabe von Minutoli gebraucht fast stets die Form 'Lucenses' etc., die in den Hss. gar nicht vorkommt. A und B haben einige wenige Male 'Lucani' etc., sonst immer nur 'luc̄'. Ich löse das unter diesen Umständen stets als 'Lucani' etc. auf. 2) Cianelli in den Memorie e documenti per servire alla storia di Lucca I, 221, N. 80 sagt: 'Sebastiano Puccini, che scriveva nel 1472, nelle sue memorie di Lucca mss. dice esserci perduto un libro Gesta Lucensium e un altro detto Registro, il quale è nominato dallo statuto del 1440 (lib. 4, cap. XI) e ricordato spesse volte da Tolomeo ne' suoi annali'.

Ableitungen daraus, die uns in Stand setzen, in den Fragen nach Umfang und Inhalt des Werkes, nach der ursprünglichen Sprache, Zeit und Art der Abfassung zu ziemlich gesicherten Resultaten zu gelangen und an nicht wenigen Stellen zu dem ursprünglichen Wortlaut der Quelle vorzudringen. Diese Aufgaben, sowie die Bestimmung der Quellen des Werkes und des Wertes, den es etwa für die allgemeine Geschichte hat, sollen uns im Folgenden beschäftigen.

Was die Kenntnis und Erkenntnis des Umfanges der Quelle anlangt, so ist zunächst zu bemerken, dass Th. dafür viel ergiebiger ist, als der Druck erkennen lässt. In der B-Rezension seiner Annalen findet sich an nicht wenigen Stellen ein Satz 'ut in Gestis Lucanorum scribitur' oder ähnliche, die in den Druck nicht aufgenommen worden sind. Natürlich sind dies nur allgemeine Fingerzeige dafür, wo etwa Text der Gesten zu suchen ist, die über den genauen Umfang und Wortlaut desselben keine Auskunft geben können. Dazu muss man die neben Th. und, wie sich zeigen wird, von ihm unabhängigen Ueberlieferungen der Gesta Lucanorum heranziehen. Es sind dies folgende:

1) Unter dem Titel 'Antica Cronichetta volgare Lucchese già della biblioteca di F. M. Fiorentini Cod. VI Pluteo VIIII (doppio testo)'[1] veröffentlichte Salvatore Bongi zwei untereinander aufs engste verwandte und solchen Stellen des Th., an denen er sich auf die Gesta Lucanorum beruft, gleichfalls sehr nahestehende Chroniken in italienischer Sprache (Cron. I. Cron. II).

2) Der nicht veröffentlichte[2] cod. Palatinus n. 571 der Biblioteca nazionale von Florenz[3], eine Hs. aus der Mitte des 14. Jh., enthält 1) Cronica di Lucca, 2) Cronica di Pisa. In der Cronica di Lucca finden sich viele

1) Atti della R. accademia Lucchese di scienze, lettere ed arti, Lucca 1893, XXVI, 217—254. Potthast I, 245 führt zwei Veröffentlichungen an, Cronichetta volgare Lucchese, Lucca 1892, 8° 100 pag. und Cronichetta (antica) volgare Lucchese, aus den Atti, wie angegeben. Die erste Publikation — einige Angaben von Potthast darüber stimmen nicht — ist der Separatabdruck aus den Atti, der Sache nach genau gleich der zweiten. 2) Von mir im Frühjahr 1906 zum grösseren Teil (namentlich bis 1304) abgeschrieben. S. oben S. 288, N. 1. 3) Vgl. Indici e Cataloghi. IV. I codici Palatini della R. Biblioteca nazionale centrale di Firenze II, 138 (Roma 1890). R. Davidsohn, Geschichte von Florenz I. und Forschungen zur älteren Geschichte von Florenz hat die Hs. mehrfach benutzt und auf sie aufmerksam gemacht.

Stellen, die mit Cron. I, Cron. II und Th. aufs engste verwandt sind.

3) Gleichfalls längere Stücke desselben Textes finden sich in der bekannten Chronik des Giovanni Sercambi[1].

In der Einleitung zu seiner erwähnten Publikation beruft sich Bongi auf die Hs. des Libro di Sentenze, serie dei Capitoli n. 8 des Staatsarchivs in Lucca, in der im 16. Jh. die Rechte und Privilegien der Stadt über verschiedene der anliegenden Orte und Kastelle verzeichnet worden sind. Zwischen die Urkundenabschriften trugen die Verfasser der Hs. oft geschichtliche Notizen ein, in denen sie sich auf die 'Note delle particulari' berufen. Diese Note waren offenbar die Gesta Lucanorum oder eine Ableitung aus ihnen, die uns daraus erhaltenen Ueberreste sind aber zu spärlich und vielfach auch zu frei gehalten, als dass sie für die Herstellung des Textes der Gesta Lucanorum irgend eine Rolle spielen könnten.

In den Hss. n. 873. 927. 949 der Biblioteca governativa di Lucca findet sich eine ganze Reihe von Chroniken und Chronikenfragmenten, teils noch bis auf das 15. Jh. zurückgehend, zum grössten Teile moderne Abschriften des 17. und 18. Jh., die mit verschiedenen Variationen und Kombinationen denselben Text ein um das andere mal wiederholen; es kommt ihnen, soweit ich bei einer einmaligen Prüfung feststellen konnte, samt und sonders keine eigene Bedeutung zu, keines stellt eine eigene, alte Ueberlieferung der Gesta Lucanorum dar.

Bleiben die unter 1—3 erwähnten Ableitungen, 4 an der Zahl, mit Th. (A und B)[2] zusammen 5, eine ganz stattliche Zahl, wenn sie sich alle als unabhängig von einander und als eigene Ueberlieferungen erweisen sollten. Bevor ich jedoch an die Erörterung dieser und ähnliche Fragen gehe, möchten nähere Nachrichten und Nachweis über Cronichetta I und II und über cod. Palatinus n. 57 notwendig und erwünscht sein.

Cronichetta I und II sind, wie die meisten Werk Lucchesischer Geschichtschreibung, nur in modernen Ab schriften erhalten, von der Hand des Luccheser Gelehrte

1) Herausgegeben von Salvatore Bongi in den Fonti per la stori d'Italia, in drei Bänden. Für die folgende Untersuchung kommt nur de erste Band in Betracht. 2) B bietet zwar vielfach mehr Text aus d Gesten als A, aber niemals widersprechen sich die Rezensionen in d Inhaltsangabe der Gesten. Man kann daher beide nur als eine Ue lieferung der Gesten ansehen.

Bernardino Baroni aus dem 18. Jh., in dem von ihm selbst geschriebenen cod. 927 der Biblioteca governativa di Lucca, betitelt 'Rerum Lucensium Scriptores per me Bernardinum Baroni P. L.[1] ex variis mss^is^ codicibus eruti et collecti. Tomus primus', in gross Folio. Die im Titel der Bongischen Publikation genannten Originale sind im Jahre 1822 verbrannt. Cron. I beginnt mit einer Einleitung über die Entstehung und das Wachstum der bischöflichen Kirche des h. Martin in Lucca und geht dann mit einer Notiz über die Kaiserkrönung Otto's I. und wenigen Nachrichten über das 11. Jh. (1087. 1090) in das 12. Jh. über, wo sie von ca. 1150 an ausführlicher wird. Mit einer Unterbrechung von 1225—1255, die nach einer Bemerkung des Baroni durch den Verlust eines Blattes des Originals verursacht ist, führt sie bis zum Jahre 1304, wo sie mit einer Notiz über den Umfang der Städte Pistoia, Lucca und Pietrasanta anscheinend auch an ihrem ursprünglichen Ende angelangt ist, so dass dort nichts fehlt. Cron. II beginnt ohne Jahreszahl mit einem Text, der sich inhaltlich als ins Jahr 1164 gehörig erweist und führt bis zum Jahre 1195; dann fehlt 1196—1220, der weitere Text reicht von 1221—1260 und hört daselbst mit dem abgeschlossenen Satze auf. Baroni bemerkt aber 'Manca il resto dell' originale', es scheint also erkennbar gewesen zu sein, dass das Werk ursprünglich weiter reichte.

In den Text von Cron. I und II ist ein beidemal verschiedener, anderer Text eingefügt, der durch Klammern und an den Rand gemalte Hände, wozu vielfach noch ein absichtlich anderer Schriftcharakter kommt, durch Baroni von dem alten Text der Cronichette deutlich erkennbar unterschieden und von Bongi kursiv gedruckt worden ist. In den Originalen waren dies offenbar Randbemerkungen von anderer Hand, und Bongi glaubt als ihren Urheber den Luccheser Notar des 15. Jh. Pietro di Berto nachweisen zu können, der sich selbst geschichtschreiberisch betätigte, von dessen Chronik ein Rest noch erhalten ist. Gegenüber dem Bongischen Druck ist es hier wichtig Folgendes zu bemerken. Nach dem Jahre 1225 springt Cron. I zum Jahre 1255, und darauf folgt ein Text über die Jahre 1244—1255[2], von Bongi antiqua gedruckt, als sei es alter Text. Es muss aber von vornherein auffallen,

---

1) Dürfte 'Patricium Lucensem' zu lesen sein. 2) Das Jahr 1255 ist also zweimal in Cron. I behandelt.

dass hier die Jahreszahlen arabisch, sonst in Cron. I stets lateinisch sind; der Text ist vielfach mit lateinischen Worten und Wendungen durchsetzt und vor allem, er weist alle Fehler und Lücken von Cron. II in den gleichen Jahren auf. In der Hs. sind denn auch die Jahre 1244—1255 von Baroni in der gewöhnlichen Weise als Randnote gekennzeichnet, was Bongi nicht angegeben hat. Wenn nach der von ihm vertretenen und wohl annehmbaren Hypothese diese Randnotizen von dem Notar Pietro di Berto, und da sie offenbar in beiden Cronichette von demselben Manne herrühren, so ist anzunehmen, dass die Jahre 1244—1255 in Cron. I aus Cron. II übertragen worden sind. Wir haben also, was für die Untersuchung wichtig ist, von einander unabhängigen Text der beiden Ueberlieferungen — oder der wenigstens bis auf weiteres dafür gelten kann — nebeneinander nur für die Jahre 1164—1195, 1221—1225, 1255—1260.

Die Chronik von Lucca in dem cod. Palatinus n. 571 beginnt auf der ersten Seite mit einer historisch offenbar wertlosen Einleitung ('Erano tre fratelli') und auf S. 2 mit 'anno da principio del mondo MMMDCCXXVIII', um dann mit Notizen über die Jahre nach Christus 40, 42, 845, 960 etc. zu historischen Zeiten und brauchbarer Ueberlieferung überzugehen. Die Chronik reicht bis zum Jahre 1357 und ist in den letzten Jahren nach dem Wortlaut und Inhalt der Nachrichten offenbar gleichzeitig verfasst. Der Autor nennt sich in den von mir untersuchten Teilen bis 1304 nicht mit Namen, einmal zum Jahre 1246 tritt er persönlich mit einer Ansicht hervor, aber auch ohne sich zu nennen. Das Exemplar der Chronik im Palat. 571 ist von einer Hand des 14. Jh. von Anfang bis zu Ende geschrieben, die Ueberschriften jedes Jahres sowie der erste Buchstabe am Rande links in Rot, dann in kleinem Abstande die übrige Schrift. Auf den letzten Seiten findet sich kein Rot mehr, die Schrift macht aber doch nicht den Eindruck, als seien die Notizen nunmehr in Absätzen gleichzeitig nachgetragen; vielmehr ist auch hier an Niederschrift in einem Zuge zu denken. Es finden sich fast gar keine Rasuren, sehr wenig Korrekturen, und zwar von derselben Hand, sinnentstellende Schreib- oder Lesefehler kommen nur wenige vor. Auf einem modernen Deckblatt eingeklebt findet sich ein Stück älteren Papiers mit folgender, ganz durchstrichener, bezw. überschriebener und schwer leserlicher Inschrift[1]: 'Questa storia di Lucca e Pisa io Bernardino Baroni ne facieva dono alla libreria de' PP. Domenichani di S. Romano di Lucca questo [di . . . Novembre[2]] 1778'[3]. In der Baronischen Sammlung im cod. 927 der Biblioteca governativa findet sich als erstes Stück der Anfang derselben Chronik, aufs Wort übereinstimmend, bis zum Jahre 1169, mit folgender Randbemerkung des Baroni: 'Ricopiata questa Cronica da me Bernard° Baroni da [un][4] antico manoscritto [in][4] scrittura del XIV secolo, qual M° stà in S. Maria Cortelandini apud Io. Dominicum Mansi'. Die Verschiedenheit dieser Angaben möchte wohl nicht viel bedeuten, es könnte ja Baroni den Codex von Mansi erworben und der Bibliothek von S. Romano geschenkt haben, es wird sich also um dieselbe Hs. handeln. Auch eine wenig zuverlässige Abschrift des 16. oder 17. Jh. in dem cod. 873 der Biblioteca governativa von Lucca weist nicht solche Verschiedenheiten von cod. Palat. 571 auf, die an eine andere Vorlage glauben liessen. Man könnte also nach Ausstattung und Alter der Hs. immerhin meinen, eine Art Original, etwa die für den Autor selbst angefertigte Reinschrift, in Händen zu haben, wenn es nicht noch eine Ueberlieferung der Chronik gäbe, die, wie es scheint, auf eine andere und wenigstens in einem Punkte bessere Vorlage zurückgeht. In dem cod. 949 der Biblioteca governativa, 'Frammenti di storie di Lucca. Raccolte da me Bernard° Baroni', einem Sammelbande, findet sich eine Chronik in Schrift des 15. Jh.[5], bis 1454 reichend, die Anfangs nur eine Abschrift, teilweise eine freiere Wiedergabe unserer Chronik ist; diese Abschrift nun gibt eine Notiz, die in cod. Palat. 571 fälschlich zu 1136 gesetzt ist, richtig zu 1128. An eine Verbesserung der Vorlage auf Grund eigener Studien wird man wohl schwerlich glauben, vielmehr ein anderes, in diesem Punkte besseres Exemplar der Cronica di Lucca als Vorlage des von Baroni sogenannten Lorenzo Trenta annehmen. Es würde daraus folgen, dass cod. Palat. 571 nur eine Ab-

1) Mit einigen Lesefehlern in Indici e Cataloghi l. l. Das eingeklammerte vermochte ich nicht zu lesen und ergänze es aus den Indici; ich hatte mir notiert, an der betreffenden Stelle könnte etwa 'domenica 9' stehen. 2) '9 mbre' Indici e Cataloghi. 3) Bei Federigo Vincenzo di Poggio, Notizie della libreria de' padri Domenicani di S. Romano di Lucca (Lucca 1792) dürfte die Hs. die unter n. 27 (S. 186) beschriebene 'Cronica di Lucca e Pisa' sein. 4) Der Rand der Hs. ist beschnitten und einzelne Worte sind daher fortgefallen. 5) Ueberschrift von anderer Hand, wohl der des Baroni: 'Di Lorenzo Trenta'.

schrift, nicht das Original der Cronica di Lucca sei, immerhin aber die älteste und in den weitaus meisten Fällen beste Abschrift dieser Chronik.

Cronichetta I und II, die Chronik des codex Palatinus 571, die Chronik des Giovanni Sercambi und die Annalen des Th. sind also die Mittel, die zur Herstellung des von Th. als Gesta Lucanorum bezeichneten Quellenwerkes zur Verfügung stehen. Es ist zunächst wichtig und notwendig, das Verhältnis dieser Ableitungen zu einander und zu der verlorenen Quelle zu bestimmen.

Die wichtigsten Ableitungen, die zuerst zu untersuchen sind, sind Cronichetta I und II. Cod. Palat. 571 und Giovanni Sercambi bieten umfassende, aus vielen Bestandteilen kompilierte Chroniken, die in beträchtlich spätere Zeiten hinabreichen, als da der Verfasser der Gesta Lucanorum geschrieben haben kann, Cron. I und II sind ganz kurz, in der Art einfachster Annalen gehalten, enden schon im 13. oder Anfang des 14. Jh.[1], jedenfalls vor oder ziemlich genau zu der Zeit, da Th. schrieb, und bieten keinen Bestandteil, der sich von vornherein als den Gesten fremd, einer anderen Quelle zugehörig erwiese. Man darf also hoffen, in ihnen, zum mindesten unter den italienischen Texten, die reinste und beste Ueberlieferung der Gesta Lucanorum zu finden.

Die erste Frage dürfte wohl sein: Gehen Cron. I und II in direkter Linie auf die Gesten selbst zurück und nicht etwa durch die Vermittlung des Th.? Sie könnten doch eine Auswahl und Uebersetzung der auf Lucca bezüglichen Stellen der Annalen des Th. sein. Auf diese Frage gibt, wie mir scheint, folgende Stelle hinreichenden Aufschluss:

Thol.[2]	Cron. I.	Cron. II.
A. D. MCLXXIII. Intrante Ianuario Curradus Gayferri et filii recupera-	MCLXXIII. Die V. di Gennaio Currado Garferi e' figliuoli achatoro la	1173. A di 25. Decembre Churado Giauferri et i filliuoli achattono la

1) Es findet sich eine Bemerkung in Cron. I, gleich im ersten Satze, die auf beträchtlich spätere Zeit hinweist. Es heisst: 'In lo anno VII^{C}LII et in MXXII et in MLX et in MCCC^{C}LIII si crescette Sancto Martino di Lucca'. Die Worte 'et in MCCC^{C}LIII' sind von Baroni nicht als Randnote kenntlich gemacht, sind es aber zweifellos gewesen. Es findet sich sonst nicht die geringste Spur von der Ueberarbeitung der Chronik durch einen Späteren.

2) Ich lege den Text B zu Grunde, gebe A in den Noten.

Thol.[1]	Cron. I.	Cron. II.
nt archem Guiam, ut[2] in is Lucanorum itur. Eodem ignis accensst in Chiasso. om anno Luceperunt Chiom[3] et comerunt; et tunc[4] consul filius ndi.	rocca Guidinga. E di quel anno, die 7. Ferraio, lo die sancto Ricardo, fue lo fuoco in Chiasso; ed era l'anno consolo lo figliolo Rolandi. E preseno Ghivizano ed arserlo die XI. Giugno.	rocca Guidinga. A di 23. Gennajo, in lo die di sancto Ricchardo, fue lo fuoco in Chiasso; ed era l'anno consolo lo filliuolo Rolandi. Et preseno Ghiozano et arsello a di 20. Maggio.

Die in Cron. I und II reichlich enthaltenen, bei Th. enden Daten schliessen es aus, dass letzterer die lle der beiden ersten sei. Und schon die Verschieden- der in der eben zitierten Stelle enthaltenen Daten auf eine gewisse Unabhängigkeit der beiden Croette von einander schliessen, sicher erwiesen wird sie h den Vergleich einiger anderer Stellen mit Th.:

Thol.[1]	Cron. I.	Cron. II.
. D. MCLXX. Eodem etiam[5] Lucanus po- s renitenti-[6] inimicis in trarium, ut Gestis Lucano- scribitur, in u forti porta- nt victualia[7] arche de Cor- a.	MCLXX. Lo popolo di Luccha con grande forsa miseno la victuaglia in Corvaria in la rocca.	1170. Lo popolo di Lucca con grande vettoria, contra la volontade delli nimici suoi, mise la vettualia in Chorvaia et in della rocca.
ucani ... con- Pisanos ... uit pugna for- ma et destru- unt eis bar- ane[8] ac[9] vio-	fue grande battaglia tra Lucha e Pisa ... e li Luchesi spianoro lo fosso del campo dei Pisani, et in-	fue grande battallia tra Lucca e Pisa, e Lucca ... distrusse lo barbacane et ispianonno le fosse loro

1) Ich lege den Text B zu Grunde, gebe A in den Noten. t — habetur' fehlt A. 3) 'Chioçano' A. 4) 'et etiam' A. ehlt A. 6) 'renitentibus — manu' fehlt A, wo ein Raum für 5— orte freigelassen ist. 7) 'vittualia' A. 8) 'Barbachane' A. t' A.

Thol.	Cron. I.	Cron. II.
lenter intraverunt eorum campum.	trorvi per forza.	. . . et entrorno per forza in dello campo di Pisa.

Hier zeigt II charakteristische Wendungen des Textes des Th., die I fehlen; umgekehrt ist das Verhältnis an folgender Stelle:

Thol. B.	Cron. I.	Cron. II.
A.D.MCCXXIII. Pisani cum eorum amicis, ut in Gestis Lucanorum habetur, devincuntur a Lucanis apud Ceramsummam die XI. Martii.	MCCXXIII. Die XI. Marzo che funno sconfitti li Pisani e la loro amistà a Cerasomma.	1223. Li Pisani ella loro amistade funno isconfitti a Cerasomma a di XI. Marzo. Et in quello anno dificħòe lo comune di Lucca Rotaio.
Eodem anno in Iulio congregatus est exercitus magnus inter Lucanos et Pisanos cum eorum amicis in planitie de Filectora, sicut in dictis Gestis continetur, et fuit ibi acerrimum prelium. Tandem de consensu Lucanorum Pisani recesserunt cum vexillis plicatis in propria.	E di quel anno di Luglio feceno grande oste Lucha contra Pisa in del piano di Filettoro e di Sancta Viviana, e quine fue grande stormo, et ala fine li Luchesi fidonno li Pisani e mandodeli a casa co li gonfaloni piegati.	
Eodem anno XI. die Novembris, ut ibidem scribitur, castrum de Rotaia fuit edificatum, ut nunc est, a Lucanis.	E di quel anno a die 18. Octobre che Lucha edificoe Rotaio.	e in quello anno a di 14. Maggio lo chastello d'Anchiano etc.[1]
Eodem anno etiam factus est magnus conflictus Pisano-	E di quel anno di quaresima fue grande battaglia e	

1) Dieser Text und der weiter folgende ist in Cron. I und Thol. zum Jahre 1225 gesetzt.

Thol. B.	Cron. I.	Cron. II.
rum per Lucanos apud Cerasumam in loco qui dicitur Capo de Celle, sicut in dictis actis habetur, ubi Pisani erant cum multitudine amicorum.	grande sconfitta deli Pisani e de la loro amistà a Cerasomma sotto Chapo di . . . . .[1]	

Hier entspricht Cron. I vollkommen der Fassung des Th., während II beträchtlich abweicht. Es folgt also aus dieser abwechselnden Uebereinstimmung von Cron. I und II mit Th., bei ihrer erwiesenen Unabhängigkeit von ihm, dass sie beide unabhängig auch von einander auf die Gesten zurückgehen, deren Text bald I, bald II getreuer bewahrt hat.

Wenn nun I und II weder auf Th. noch eins auf das andere zurückgeht, ist es darum erwiesen, dass sie beide von den Gesten, der Urquelle, direkt abhängig sind? Zwar ob die alten Vorlagen von I und II direkte Abschriften aus den Gesten waren oder ob jeweils ein oder mehrere Mittelglieder anzunehmen sind, ist gar nicht festzustellen und darum nicht weiter zu erörtern, aber es könnte ja sein, und es sprechen manche Gründe dafür, dass sie auf solch ein gemeinsames Mittelglied zurückgingen, einen Auszug aus den Gesten oder ein gleiches Exemplar derselben, welches gegen das von Th. benutzte manche Auslassungen und Fehler aufwies. Für die Untersuchung dieser Frage kommen natürlich nur die Jahre 1164—1195, 1221—1225, 1255—1260 in Betracht, in denen I und II unabhängig von einander beide erhalten sind. Zunächst sind einige gemeinsame Auslassungen festzustellen. 1176 sagt Th.: 'Alii dicunt, quod XVIII annis fuit in discordia (Fredericus imperator) cum Alexandro, ut Gesta Lucanorum et Florentinorum'. Ein solcher Satz findet sich aber nur in den Ableitungen der Gesta Florentinorum, nicht in Cron. I und II. An einen Irrtum oder ein falsches Zitat des Th. braucht man hier um so weniger zu denken, als die Gesta Florentinorum oder wenigstens eine nahe verwandte Quelle, wie nachher zu beweisen sein wird, in den Gesta Lucanorum ausgeschrieben ist, und

1) 'cullasesaia', von Baroni getilgt.

daher der Satz von der 18 Jahre währenden Zwietracht sehr leicht aus dieser Quelle in unsere Gesten übergegangen sein kann. 1188 berichtet Th. über einen Bürgerkampf in Lucca nach den Gesten, auf die er sich ausdrücklich beruft ('ut in actis Lucanorum traditur'); er schliesst seinen Bericht mit dem Satze: 'postea vero per Florentinos sunt pacificati, ut in eis actis agitur'. Auch dafür findet sich nichts Entsprechendes in Cron. I noch II. Vielleicht noch auffallender sind einige gemeinsame Fehler oder Auslassungen von einzelnen Worten. 1178 heisst es in Cron. I und II[1]: 'A di 25. Novembre cadde lo ponte Vecchio di Pisa'. Es ist die oft überlieferte Notiz der Florentiner Annalistik und muss natürlich heissen: 'ponte Vecchio di Firenze'. Th. A hat richtig 'pons vetus civitatis Florentie', unter Berufung auf die Gesta Lucanorum im Zusammenhang der ganzen Notiz[2]. Ferner vergleiche man:

Thol. A.	Cron. I.	Cron. II.
MCLXXXIIII... Eodem anno fuit consul Alcherius Pagani, qui edificavit carbonarias.	MCLXXXVIII... Ed in quel anno Aldigieri fuo consolo di Lucha e i compagni, e dificorno le carbonaie, e'l ditto Pagano le compiette.	1188 . . . Et in quello anno Alchieri fue consolo di Lucca; elli due[3] compagni dificonno la Charbonaia elle mura nuove, lo dicto Alchieri le compiette.

Der zweite Name des Konsuls, den Th. hat, und der allein das sonst unverständliche 'e'l ditto Pagano' in Cron. I erklärt, fehlt anfangs gleichmässig in I und II[4]. Endlich wichtig und beachtenswert ist der Umstand, dass die Jahresteilung zwischen 1169 und 1170 bei Cron. I und II einerseits und bei Th. andererseits an ganz ver-

---

1) Einzelne orthographische Varianten lasse ich unberücksichtigt.
2) Zwar möchte man bei diesem Fehler erwägen, ob er nicht etwa auf Rechnung des modernen Abschreibers zu setzen sei, der etwa ein 'Fir̄' (Firenze) in 'Pis̄ (Pisa)' verlesen habe. Wenn man aber sieht, wie genau und zuverlässig Baroni den gar nicht so ganz leicht lesbaren cod. Palat. 571 kopiert hat, wird man eine solche Annahme für nicht sehr wahrscheinlich halten.
3) 'et' getilgt, übergeschr. 'due' Hs.
4) Quellenkritisch wird man aus der Sachlage jedenfalls schliessen dürfen, dass Th. die ursprüngliche Lesart der Gesten hat. Ob diese Lesart sachlich richtig ist, ist eine ganz andere Frage, die nachher in anderem Zusammenhange noch zu erörtern sein wird.

schiedenen Stellen liegt. Th. verlegt ihn vor den Auszug der Lucchesen mit 500 Rittern nach dem borgo Brancagliana, Cron. I und II um ein beträchtliches Stück des Textes später[1] vor den Auszug der Lucchesen nach der Burg Corvaia. Ein anderer unabhängiger Text, der cod. Palat. 571, nimmt noch eine andere Einteilung vor und setzt den Anfang von 1170 gleich nach dem Auszug der Lucchesen nach Corvaia an. Der Grund für diese eigentümliche Erscheinung möchte wohl der sein, dass der Jahreswechsel im Original der Gesten nicht deutlich bezeichnet, sondern nur die Jahreszahl 1170 an den Rand gesetzt war, die von verschiedenen Abschreibern dann verschieden bezogen wurde. Jedenfalls zeigt die Uebereinstimmung von Cron. I und II gegen die anderen Ableitungen, dass sie nicht ganz unabhängig von einander auf die Gesten zurückgehen. Nimmt man also einen Auszug aus den Gesten oder ein Exemplar derselben x an, welches die Cron. I und II gemeinsamen Eigentümlichkeiten und Fehler aufwies, so stellt sich das Verhältnis zwischen den Gesten, Th. und Cron. I und II vorläufig unter folgendem Schema dar:

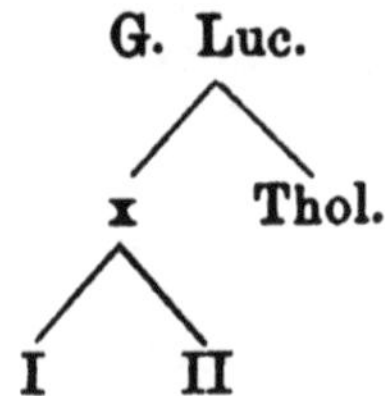

Es ist aber zu bemerken, dass dies nur eine hypothetische Darstellung des aus dem geringen Vergleichsmaterial eben erschliessbaren Tatbestandes ist, dass die Abstammung vielleicht von I und sicherlich von II noch eine beträchtlich verzweigtere und entferntere ist, wie sich das des Näheren für Cron. II weiter unten noch wird beweisen lassen.

Wenn aber auch mitten in dem Werke die eine oder die andere Notiz, von der uns Th. Kunde gibt, in Cron. I und II ausgefallen ist, so kann man doch sagen, dass uns der grösste Teil der Quelle, zumal in dem minder verstümmelten I, dem Gesamtumfang nach erhalten ist. Im Einzelnen kann dies natürlich hier nicht bewiesen werden,

1) Aber sachlich richtiger.

es wird die Gegenüberstellung des Anfangs und einer der letzten Notizen von Chron. I mit Th. genügen:

Cron. I.	Thol. B.
In lo anno VII^C^LII et in MXXII et in MLX[1] et in MCCC^C^LIII[2] si crescette Sancto Martino di Lucca, et in MLXX a die 4. d'Octobre in del tempo del veschovo Alessandro veschovo di Sancto Martino di Lucca si consecrò Sancto Martino di Lucca, e fuvi papa Ugenio et funovi di Francia et di altre provincie prelati, et fecevi grande perdono in quello die.	A. D. MLXX. . . . Eodem anno dictus Alexander cum XXIII episcopis et innumerabili multitudine cleri et populi tam Lucanorum quam aliorum . . diversarum provinciarum consecravit ecclesiam sancti Martini mangnisque indulgentiis ditat et decorat ecclesiam.

Die Gegenüberstellung erscheint hier vielleicht nicht so sehr schlagend, da wesentliche und charakteristische Angaben des Th. in Cron. I fehlen; es liegt dies, wie sich nachher bei Heranziehung des Textes von cod. Palat. 571 zeigen wird, an der Veränderung, die Cron. I mit dem Wortlaut der Quelle vorgenommen hat, die Verwandtschaft dürfte immerhin auch noch aus dieser Gegenüberstellung zu erkennen sein. Und aus der Fassung von I folgt dann weiter, dass wir hier eine Art Einleitung, den Anfang der Quelle vor uns haben, der demnach in dem von Th. benutzten Werke im Wesentlichen derselbe war wie in Cron. I.

Was den Schluss des Werkes angeht, so reicht Cron. I bis 1304, Th. A ist bis 1303 erhalten und muss bald nach diesem Jahre geschrieben sein. Ob nun die Schlussnotiz von Cron. I über den Umfang der Städte Lucca, Pistoia und Pietrasanta ursprünglich dem Werke angehörte, lässt sich mangels anderer Ueberlieferung nicht feststellen, wenn es auch nach allem Bisherigen sehr wahrscheinlich ist. Dagegen lässt sich noch für das Jahr 1302 aus der Gegenüberstellung mit Th. die Zugehörigkeit des Textes zu den Gesten beweisen.

---

1) Auf diese Nachricht nimmt Th. im Jahre 1068 Bezug, wo er sagt (B-Rezension): 'Episcopus Lucanus . . . in summum pontificem est electus, qui ante per III annos ecclesiam sancti Martini fecerat augmentari'. 2) S. oben S. 314, N. 1.

Cron. I.	Thol. A.
Die XIIII. Maggio[1] chelli Luchesi e Fiorentini co loro amista feceno oste adosso a Pistoia; e guastorla intorno e stetteno die XXXI e poscia assediono Serravalle et stetteno qu'in assedio die LXXXVI e poscia l'ebbono a pacti a die VI. Setembre.	MCCCII. . . . Eodem anno Florentini et Lucani fecerunt exercitum contra Pistorienses et devastaverunt usque ad muros civitatis. Deinde . . . remanserunt Lucani ad obsidendum Serravalle . . . Eodem anno in mense Septenbris castrum de Serravalle captum fuit, scilicet VI[a] die dicti mensis, ubi Lucani steterant in obsidione IIII[or] mensibus minus VIII diebus[2].

Man kann also zunächst einmal abschliessend folgendes von Cron. I und II feststellen. Sie stammen nachweislich von Anfang an bis nachweislich fast zum Schluss ausschliesslich aus dem von Th. als Gesta Lucanorum bezeichneten Werke, auf das sie ohne Zusätze aus anderen Quellen, selbständig, ohne Vermittelung des Th. zurückgehen. Sie sind nicht eins von dem andern direkt abhängig, gehen aber auch nicht ohne jede Berührung mit einander auf das ursprüngliche Werk selbst zurück, sondern auf einen aus diesem gemachten Auszug oder ein gleiches, nicht vollständiges und nicht fehlerfreies Exemplar.

Die Chronik des Giovanni Sercambi[3] bringt vom Jahre 1164 bis zum Jahre 1285 Textstellen, die solchen von Cron. I und II oder des Th., die aus den Gesten geschöpft sind, mehr oder weniger wörtlich entsprechen. Doch hat er für diese Zeit keineswegs nur diese Gesten benutzt, mindestens ebensoviel seines Textes hat er den Gesta Florentinorum entnommen. Ausserdem standen ihm für Lucca noch andere Quellen zu Gebote als die Gesta Lucanorum, z. B. bringt er für die Jahre 1203—1222 sehr

1) In Cron. I irrtümlich noch zum Jahre 1301, in cod. Palat. 571 zu 1302 wie bei Th. 2) Die Zahlenangaben beider Quellen stimmen nicht zu einander, doch kann man die Differenz ebensogut auf Ueberlieferungsfehler, da uns ja keines der Werke urschriftlich vorliegt, als auf eine selbständige Berechnung des Th. zurückführen, der ja in dieser Zeit die Angaben seiner Quellen hinreichend aus eigenem Wissen ergänzen und verbessern konnte. 3) Sercambi lebte von 1348 bis 1424 und schrieb seine Chronik um 1400.

umfangreiche Erzählungen, von denen kein Wort in den Gesten stand. Auch wo er diesen vorwiegend folgt, hat er doch oft eine Wendung, einen Namen mehr, bisweilen vielleicht aus eigener Kenntnis der Dinge, meist aus anderen Quellen. Textlich gibt er bisweilen mehr eine Bearbeitung als eine Abschrift der Gesten, wie sich aus der Gegenüberstellung mit Cron. I, II und Th. ergibt. Man kann also bei ihm nur das mit Sicherheit den Gesten zuschreiben, was durch mindestens eine der anderen Ableitungen gedeckt ist. Doch hat er immerhin so viele und so wörtliche Uebereinstimmungen mit jenen, dass sich sein Verhältnis zu ihnen und den Gesten ausreichend bestimmen lässt.

S. stellt danach keine eigene Ueberlieferung der Gesten dar, sondern ist von II abhängig. Er beginnt mit dem Jahre 1164 und demselben Text wie II; 1167 nennen II und S. eine Kirche 'santo Salvatore in Muro', I und Th. haben 'in Mostorio'; 1170 hat S. 'contra la volontà de' suoi nemici' nach II, in I fehlt es; 'disfecie lo barbacane' S. = 'distrusse lo barbacane' II ('destruxerunt eis barbacane' Thol.), fehlt in I; 1177 gibt S. die Zahl der in einer Schlacht Gefallenen auf 9000 an wie II, I hat 8000. Die Beispiele liessen sich ins Ungemessene vermehren, zur vollen Veranschaulichung vergleiche man den oben S. 316 angeführten Text des Jahres 1223 aus Cron. I und II mit dem von S.: 'L'anno di MCCXXIII. Li Pisani funno scomficti da' Lucchesi a Cerasomma a di XI. di Marzo. E in quell' anno Lucha hedificò Rotaio'.

Danach fahren die drei Texte fort:

Cron. I.	Cron. II.	S.
E di quel anno di quaresima fue grande battaglia e grande sconfitta deli Pisani e de la loro amistà a Cerasomma sotto Chapo di	E in quello anno a di 14. Maggio lo chastello d'Anchiano ella bicoccha fue preso per pacto. E in quello anno fue distructo Lombrici per forza, ed era potestade Branchaleone.	E in el dicto anno li Lucchesi preseno lo chastello d'Anchiano e la bichoccha per pacto. E fu distructo e guasto per li Luchesi Lombrici in Versigla.

Auf diese Weise schliesst sich S. überall eng an II an gegen I, wo I und II auseinandergehen. Abweichungen von II charakterisieren sich leicht als Aenderungen oder Missverständnisse des Sercambi. Nach dem vorwiegenden Verhältnis der Texte zu einander wird niemand zweifeln, dass S. von II abhängig ist, und es würde sich folgendes Schema für das Verhältnis von Th., Cron. I, II und S zu einander und zu den Gesten ergeben:

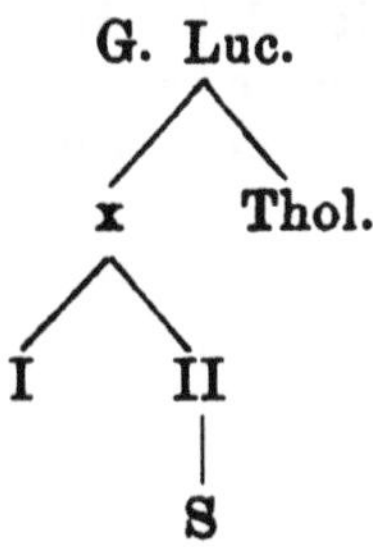

Dabei ist mit II natürlich nicht die moderne Abschrift, sondern die alte Vorlage gemeint. Für die heutigen Texte stimmt das Schema nur unter der Voraussetzung, dass das heutige II eine getreue Abschrift der Vorlage ist, und wo es das nicht ist, liegt offenbar nach dem Schema die Möglichkeit vor, das junge heutige II durch die ältere Ueberlieferung S. zu kontrollieren und zu emendieren. Darauf beruht in der Tat ein Hauptwert von S. 1169 haben I und II 'Lo Veltro da Corvara . . . fecero guerra et secta'; S. hat 'fecero jura et secta', was sich durch 'colligati et iurati' des Th. als richtig erweist. 1234 hat II 'et morittevi Lamberto . . . di Lucca', S. ergänzt 'E morictevi Lamberto Masineri, ch' era capitano de' Luchesi', entsprechend dem Th.: 'mortuus est Lambertus Mslieri[1], capud militie Lucanorum'. 1243 hat II '(lo imperadore) andòe in Pullia et liberoe', S. hat 'e ando in Puglia a Malfi. E liberò' entsprechend dem Th.: 'ivit in Apuliam apud Melfim . . . liberavitque'.

Dies alles sind kleine Fehler und Auslassungen in Cron. II, die man ohne weiteres durch S. emendieren und der jungen Ueberlieferung von II zur Last legen kann. Es gibt aber doch noch andere Fälle, die dazu nötigen, das Verhältnis der Texte zu einander noch ein wenig anders zu fassen als in dem obigen Schema geschehen. Man vergleiche die folgenden Sätze des Jahres 1249, wo ich den Text des bisher noch nicht behandelten cod. Palat. 571

1) Der Name wird fast in jeder Ueberlieferung anders geschrieben; cod. Palat. 571 hat 'Meslicri' verbessert in 'Meslieri'. In einer Urkunde vom Juli 1234 (Muratori, Antiquitates Italiae IV, col. 73 B) heisst er 'Lambertus Maineri', im Statut von 1308 'Lambertus Masnerii'.

schon hier einmal mit zur Vergleichung stelle, da er für die fragliche Stelle einiges ausmacht.

Cron. II.	Thol. B.
1249. Fue potestade di Lucca domino Borgognone Malfilliastri et andammo al Brusceto.	MCCXLVIIII. . . Eodem anno Lucani iverunt Bruscetum contra Pistorienses, qui edificabant Belvedere, existente tunc potestate Borgognone Malfiglastri de Cremona.
S.	cod. Palat. 571.
L'anno di MCCXLVIIII. . . E in quell' anno i Pistoresi hedificonno Belverde.	A. D. MCCXLVIIII°. . . e questo anno Pistoia defico Belvedere et Lucca calvaco a Scieto[1] a. D. 1249.

Sowohl Th. als S. als der cod. Palat. 571 haben neben den Gesta Lucanorum andere Luccheser Quellen benutzt, es wäre doch aber ein sehr seltsames Zusammentreffen, wenn sie alle drei unabhängig von einander gerade dieselbe Nachricht über den Bau von Belvedere aufgenommen und so eng mit dem Text der Gesten verbunden hätten, wie dies Th. und der cod. Palat. 571 tun. Näher liegt wohl die andere Annahme, dass auch diese Nachricht den Gesten entstammt und nur in II ausgelassen ist, entweder durch die Schuld des modernen Abschreibers oder weil die Nachricht schon in dem alten Exemplar von Cron. II fehlte; in diesem Falle wäre die alte Cron. II nicht als direkte Vorlage von S. aufzufassen, sondern anzunehmen, dass beide auf dieselbe Vorlage zurückgingen. Das Verhältnis der Texte stellt sich nunmehr jedenfalls unter folgendem Schema dar:

G. Luc.

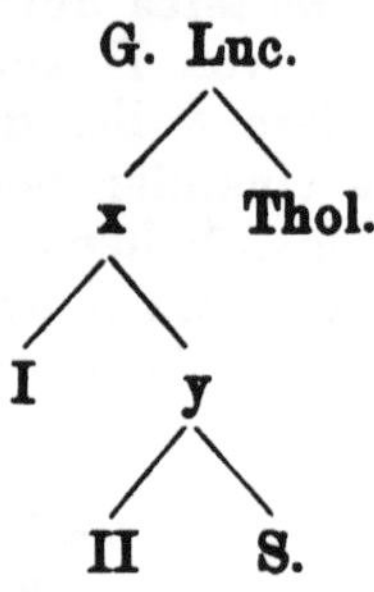

1) Verderbt aus 'Bruscieto'.

wobei man unter y entweder das alte Exemplar von Cron. II, das uns heute nur in Abschrift vorliegt, oder aber eine der Cron. II und dem Sercambi gemeinsame ältere Vorlage, eine gleiche Fassung der Gesta Lucanorum verstehen kann. Jedenfalls ist so die Möglichkeit gegeben und erklärt, dass sich Worte und kleine Sätze des Th. richtig in S. finden, in II aber fehlen oder verderbt sind.

Es bleibt nunmehr noch das Verhältnis der letzten Ableitung, des codex Palatinus n. 571 (P.), zu den übrigen Ableitungen und den Gesten zu bestimmen. Von dieser Chronik gilt dasselbe wie von der des Sercambi, weder sind die Gesta Lucanorum ihre einzige Quelle, noch sind sie, wo sie benutzt sind, immer wörtlich ausgeschrieben; namentlich in der zweiten Hälfte des 13. Jh. ist die Benutzung der Gesten sehr spärlich und ungenau. Doch zeigen sowohl P. wie Sercambi noch die mittelalterliche, mosaikartig aneinander reihende Art der Kompilation, sie verbinden nicht Sätze und Gedanken verschiedener Quellen zu einer neuen Einheit, sondern setzen sie so äusserlich nebeneinander, dass man die Bestandteile leicht und reinlich sondern kann. P. hat uns auf diese Weise ein reichliches Material für die Gesta Lucanorum neben Cron. I und II und über sie hinaus erhalten, sodass er einen wichtigen Platz in der Reihe der Ableitungen einnimmt.

Dass P. nicht von Cron. I abhängig ist, zeigt sogleich die erste Notiz im Vergleich mit Cron. I und Th. Mit dem oben S. 320 gegebenen Text dieser beiden Quellen vergleiche man den von P.: 'a. D. MLX. . . Lo duomo et la chieça di santo Martino di Luca si crescieo, essendo gia dificata in nel MXXII, a di IIII. d'Ottobre del MLXX in tenpo del veschovo Alexandro papa Ugienio con XXII[1] veschovi et arciveschovi et abatti sensa innumero et chierici et cavalieri et giudici et Luchesi et Francieschi et di molte altre provincie funo ala consecrasione della detta chieça, et dievisi grandi perdoni'. Man sieht sogleich eine Reihe von Momenten, die P. mit Th. gemeinsam hat, die in Cron. I fehlen. Ebenso hat die Chronik des Anonymus den Wortlaut der Vorlage besser als Cron. I in folgendem Falle bewahrt:

Thol. B.	P.	Cron. I.
MCLII. Eodem anno castrum dictum di Monte di	a. D. MCLIII. Monte di Crocie fue renduto al cho-	MCLIII. Che Guido conte rendeo Monte di Croce a

1) Die von P. gegebene Ziffer XXII ist richtig, da Th. selbst in der Kirchengeschichte (Muratori SS. XI, col. 1078 B) diese Ziffer hat, während in dem oben S. 320 zitierten Text der Annalen XXIII steht.

Thol. B.	P.	Cron. I.
Croce Vurnense restitutum fuit Lucanis per comitem Guidonem. Eodem anno fuit magna fames et mortalitas in partibus Tuscie, ut in Gestis Lucanorum scribitur.	mune di Lucha da Guido conte et datto in mano di Guideto Indenaiari et di Tancredi Advocatii, et ricievesi per lo comune di Lucha, et fue grande fame et mortalita a. D. MCLIII.	Guidocto Indenaiati e a Tancredi Avocati die 14. Settembre. Et di quel anno fu gran mortalità e gran fame.

Wenn aber P. nicht von I abhängig ist, so ist das Verhältnis zu II, resp. den Gesten überhaupt, nicht so leichthin einwandfrei festzustellen, und ich muss, um zu gesicherten Resultaten zu gelangen, diesen Teil der Untersuchung etwas ausführlicher halten. Die Schwierigkeit liegt in der weitgehenden Uebereinstimmung unserer Chronik mit Gio. Sercambi, eine Uebereinstimmung, die sich über den den Gesten entnommenen Text hinaus auf andere Materialien erstreckt, die beide Chronisten an gleichen Stellen mit fast gleichem Wortlaut bringen. Es drängt sich mehrfach die Frage auf, ob es möglich ist, dass zwei Autoren unabhängig von einander nur in Folge von Benutzung der gleichen Quellen so stark übereinstimmende Kompilationen herstellen können.

Durch Annahme direkter Abhängigkeit des Sercambi von cod. Palat. 571 — nur eine solche kommt nach den Zeitverhältnissen in Frage — ist das Quellenverhältnis nicht zu erklären[1]. Denn z. B. von den Gesta Lucanorum, die uns ja hier hauptsächlich interessieren, bietet Sercambi vielfach den vollen, unverkürzten Text, P. einen stark verkürzten Auszug, etwa zum Jahre 1170.

S. cap. 6.	P.
L'anno di MCLXX. . . . et in quell' anno, del mese di Ferraio Luccha andò in Garfagnana e vinse molte chastella et arsele, et in quell' anno, a di VI. Maggio Lucca andò a guastare Pedona, et a di V. Giugno guastonno Vallechia.	a. D. MCLXX. Lo popolo di Lucha intro in Gharfagnana et vinsella et molte [chastella] arse et guasto Pedona et Valechia.

1) Ich will die Möglichkeit nicht ganz ausschliessen, dass S neben den G. Luc. und anderen ihm mit P. gemeinsamen Quellen gelegentlich auch P. selbst benutzt hätte. Eine umfassende Quellenanalyse von S. ist für meinen Zweck durchaus nicht nötig. Für mich ist nur wichtig, dass S. die G. Luc. unabhängig von P. benutzt hat.

Die Probe genügt schon zum Beweis, in gleicher Weise ist die unmittelbar anschliessende Schilderung der Schlacht des 29. November bei Sercambi reicher, in P. kürzer. Also müssen beide Chroniken, um vorläufig ganz allgemein zu reden, auf gleiche Quellen zurückgehen. Ueber die nähere Beschaffenheit dieser gleichen Quelle oder Quellen scheinen aber folgende Stellen ganz bestimmte Vermutungen recht nahe zu legen:

S. cap. 9.	P.
L'anno di 1173 Curado[1] figluolo Afferri aquistò la Roccha, et in quell' anno fu lo fuoco in Chiasso, lo dì di san Ricardo; e Turchio Malere co' figluoli Orlandi, comsoli di Luccha, presero Chuoza e arsela; e simile lo populo di Luccha arse la cipta Ciliana. Siena, Pistoia, Firenza e Luccha insieme col conte Guido e'l conte Aldobrandino e'l conte Ardingho dispuoseno li Pisani di sul poggio d'Onzo, in nel quale poggio li Pisani faceano hedificare uno chastello, et come scomficti si partirono.	A. D. MCLXXII.[2] . . . Churado Giaferi aquisto la rocha Guidingha, et fu lo fuocho in Chiaso di Lucha. Et Turcheo Malere[3] cho figliuoli Orlandi corseno Lucha, puoseno et arsela. Ello populo di Lucha arse la cita Ciliana. Et Siena et Pistoia et Lucha e'l conte Guido da una parte dispuoseno li Pisani et el conte Aldibrandino et el conte Ardincho et Firense co loro di su il pogio d'Onso, ove faceano su uno castello. Luchesi preseno Chioçano et arsello a. D. MCLXXII.

S. cap. 59.	P.
L'anno di MCCXLII. Luccha andò in Versigla e disfecie Gombitelli, Monte Magno e soctopuoseno li capitani di Versigla e fecero Pietrasanta. E cosi le puosero nome, perch' era podestà di Lucha mess. Guiscardo da Pietrasanta di Lombardia . . . . E in el dicto anno li Pisani presero	A. D. MCCXLII. Luchesi andono in Versiglia et disfeceno Comitelli et Monte Magno et sottomiseno li cattani tuti di Versiglia. E feceno Pietrasanta, esendo podesta di Lucha messer Guischardo da Pietrasanta. Et fue lo fuocho in Luca a Santo Piero Cicoli et a Santo Giovanni lo dì di santa Iustina. Et in questo

1) Das petit Gedruckte stammt aus den Gesten (vgl. Thol., Cron. I, II oben S. 314 f.). 2) S. hat die richtige Jahreszahl. P. ist in diesem Absatz, wie man leicht sieht, mehrfach verderbt, bietet manchen Satz aber auch wieder besser als S. 3) Sachlich bemerke ich zu diesem Einschub, dass das unten S. 331, N. 2 genannte Aktenstück aufgesetzt wird 'In presentia . . . . . . Turkii Malarre'.

Thol. B.	P.	Cron. I.
Croce Vurnense restitutum fuit Lucanus per comitem Guidonem. Eodem anno fuit magna fames et mortalitas in partibus Tuscie, ut in Gestis Lucanorum scribitur.	mune di Lucha da Guido conte et datto in mano di Guideto Indenaiari et di Tancredi Advocatii, et ricievesi per lo comune di Lucha, et fue grande fame et mortalita a. D. MCLIII.	Guidocto Indenaiati e a Tancredi Avocati die 14. Settembre. Et di quel anno fu gran mortalita e gran fame.

Wenn aber P. nicht von I abhängig ist, so ist das Verhältnis zu II. resp. den Gesten überhaupt nicht so leichthin einwandfrei festzustellen, und ich muss, um zu gesicherten Resultaten zu gelangen, diesen Teil der Untersuchung etwas ausführlicher halten. Die Schwierigkeit liegt in der weitgehenden Uebereinstimmung unserer Chronik mit Gio. Sercambi, eine Uebereinstimmung, die sich über den den Gesten entnommenen Text hinaus auf andere Materialien erstreckt, die beide Chronisten an gleichen Stellen mit fast gleichem Wortlaut bringen. Es drängt sich mehrfach die Frage auf, ob es möglich ist, dass zwei Autoren unabhängig von einander nur in Folge von Benutzung der gleichen Quellen so stark übereinstimmende Kompilationen herstellen können.

Durch Annahme direkter Abhängigkeit des Sercambi von cod. Palat. 571 — nur eine solche kommt nach den Zeitverhältnissen in Frage — ist das Quellenverhältnis nicht zu erklären[1]. Denn z. B. von den Gesta Lucanorum, die uns ja hier hauptsächlich interessieren, bietet Sercambi vielfach den vollen unverkürzten Text, P. einen stark verkürzten Auszug, etwa zum Jahre [illegible].

S. cap. 8	P.
l anno di MCLXX ... et in quell anno, del mese di [illegible] Lucha andò in Garfagnana [illegible] molte chastella [illegible], et in quell anno, a dì VI Maggio Lucca andò a guastare Pedona, et a dì V [illegible] guastonno Vallecchia.	a. D. MCLXX. Lo popolo di Lucha intrò in Gharfagnana et [illegible] et molte chastella arse et guastò Pedona et Vallecchia.

[1] [illegible] will die Möglichkeit nicht ganz [illegible] [illegible] mit P. [illegible] [illegible] hätte. [illegible] [illegible] durchaus [illegible] [illegible] unabhängig [illegible]

S. cap. 59.	P.
galee XVIII alla Meloria presso a Porto Pisano *etc.* E in quell' anno funno in Luccha du grandi fuochi, l'uno a Santo Johanni Magiore, e l'altro a Sampierocigoli, lo dì di santa Luscina.	anno li Pisani a pidisione dello inperadore preseno XXV ghalee *etc.*

S. und P. haben die gleichen Abweichungen von dem durch Th., Cron. I und II repräsentierten Text der Gesten (z. B. 'Turcheo Malere'); sie gehen an denselben Stellen von den Gesten zu einem gleichen, fremden Text oder von einem gleichen fremden Text zu den Gesten über. Sie haben beide eine fast gleiche, auffallende Lücke im Texte der Gesten, S. von 1226—1234, P. zu 1230. 1231. 1233. Was scheint näher zu liegen als der Schluss, dass sie nicht selbständig jeder für sich die Gesten und das übrige Material zu ihren Werken kompiliert, sondern sie in einer bereits vollzogenen Kompilation vorgefunden und benutzt haben, dass sie beide das umfassendere Werk eines etwa zwischen 1310 und 1340 tätigen Kompilators jeweilig mehr oder minder vollständig wiedergeben? Und doch kann dieser Schluss, wenigstens in solcher Allgemeinheit, nicht richtig sein, S. und P. müssen, wenn auch nicht an allen Stellen, wo sie Text der Gesten bieten, so doch an vielen durchaus unabhängig von einander auf die Gesten zurückgehen. Denn Sercambi folgt, wie oben gezeigt, überall der Fassung von Cron. II, P. aber schliesst sich z. B. in dem Bericht zum J. 1223 charakteristisch an Cron. I an, den wir aus Cron. I und II und Sercambi schon oben S. 316 f. und 322 angeführt haben. Mit diesen Texten bitten wir den Leser zu vergleichen den von P: 'a. D. MCCXXIII. . . . Li Pisani e Luchesi s'asenbro insieme a Filetoro et a Santa Viviana, et funo li Pisani isconfitti et iscacciati infine a Pisa. E poi ancho funo isconfitti sotto Capo di Cole. Et in questo anno li Luchesi dificono Rotaio a. D. MCCXXIII'.

In Cron. II und S. fehlt folgende Stelle, die Cron. I und P haben:

Cron. I.	P.
MCCXXV. . . . fue tradita e abandonata la rocha di Montebello.	A. D. MCCXXV. Fu tradetta et abandonata la rocha di Montebello.

Dies wäre unmöglich, wenn P. durch eine solche vorausgesetzte Kompilation auf die Gesten zurückginge, in welchem Falle er eben auch die Fassung von Cron. II repräsentieren müsste. Ja er ist sogar von x, auf welches Cron. I und II zurückgehen, unabhängig. Denn das Jahr 1170, das Cron. I und II von Th. abweichend in gleicher Weise an bestimmter Stelle anfangen lassen, beginnt er von allen dreien abweichend an noch anderer, dritter Stelle, wie oben S. 319 bemerkt. Vergleicht man dann etwa noch das Jahr 1222, in dem Cron. I und II gleichfalls stark auseinandergehen, und sieht, dass P. hier wiederum eine dritte, vielfach abweichende Fassung bringt, die aber in manchen Punkten durch Th. über Cron. I und II hinaus bestätigt wird, so kann man nur den Schluss ziehen, dass P. von allen anderen bekannten Ableitungen unabhängig auf die Gesten selbst zurückgeht. Die Uebereinstimmung mit Sercambi über die Gesten hinaus ist dann doch so zu erklären, dass beide Kompilatoren ein durchaus gleiches Quellenmaterial vor sich hatten — viel anderes wird es voraussichtlich in Lucca im 14. und 15. Jh. nicht gegeben haben —, das sie naturgemäss in gleicher oder ähnlicher Weise verbanden[1]. Nennt man diese neben den Gesten in S und P verwerteten Quellen A, so ergibt sich folgendes Gesamtschema für das Verhältnis der Ableitungen der Gesten zu einander und zu der ursprünglichen Quelle

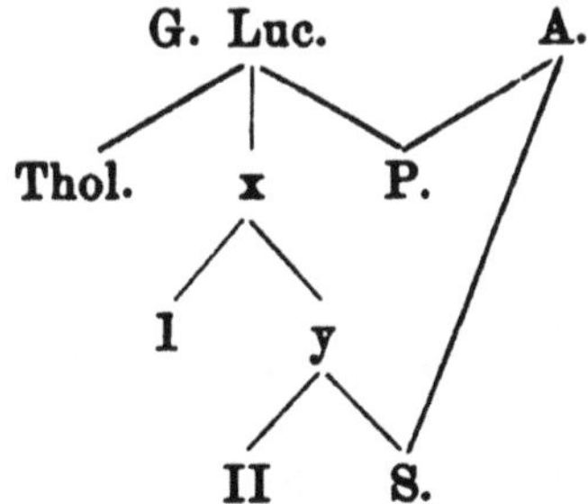

Der bisherigen Untersuchung diente als feste Grundlage in erster Linie immer der Text des Th. Durch Ver-

1) Auch die gleichen Abweichungen von dem Text der Gesten selbst, die S. und P. bieten, sind auf diese Weise zu erklären, wenn man folgendes berücksichtigt. Die Gesten sind in eine grosse Reihe von Kompilationen zur Geschichte von Lucca übergegangen und dabei naturgemäss vielfach verändert worden. S. und P. können ja in solcher Weise geänderten Gestentext — nur nicht ihren gesamten Gestentext — aus derartigen anderen Quellen haben, die bereits etwas von den Gesten in sich aufgenommen hatten. Gemeinsame Abweichungen im Gestentext von S. und P. gegen Th., Cron. I und II sind also im Schema durch die anderen Quellen A, nicht durch die G. Luc. zu erklären.

gleichung mit ihm. durch seine Zitate ergab sich, zu welchen Jahren Text der Gesta Lucanorum zu suchen sei, welcher Wert den italienischen Ableitungen zukomme. Wir haben aber nunmehr an diesen italienischen Ableitungen ein so reichliches und gesichertes Vergleichsmaterial gewonnen. dass wir umgekehrt daran gehen können und müssen, die Ueberlieferung der Gesten bei Th. durch die italienischen Ableitungen zu kontrollieren, an ihnen zu messen. um zu einem richtigen und vollständigen Urteil über alle unsere Ableitungen zu kommen. Gegen seinen Text ist danach kaum irgend etwas einzuwenden, er stellt im Ganzen die vollständigste und beste Ueberlieferung der Gesten, wenn auch in anderer Sprache als alle übrigen, dar. Diese bieten sehr oft abwechselnd jede nur ein oder mehrere Momente des Textes des Th., decken ihn erst in ihrer Gesamtheit vollständig, oft genug auch dann noch nicht. Cron. I, in höherem Grade noch Cron. II und P. bieten mehr einen Auszug aus den Gesten und eine Bearbeitung derselben als die Gesten selbst. Allerdings hat auch Th. manche Notizen der Gesten nicht in seine Annalen aufgenommen[1], die durch die Uebereinstimmung von Cron. I, II und P. als Eigentum der Gesten erwiesen werden. Und, was für die Kritik der Annalen wichtiger ist, Th. hat in mehreren Fällen eine von allen italienischen Ableitungen, die in sich übereinstimmen, abweichende Chronologie. Ich erörterte in der einleitenden Studie bereits die allgemeineren Gründe, die die vielfach verderbte Zeitrechnung des Th. verschuldet haben. Hier ist nur noch an einigen Beispielen durch sachliche Untersuchung der Nachweis zu führen, dass auch bei der Ueberlieferung der Gesta Lucanorum die übrigen Ableitungen dem Th. in chronologischer Hinsicht vorzuziehen sind.

Ueber den Bau des borgo San Genesio berichtet Th. unter Berufung auf die Gesten zu 1184, alle italienischen Ableitungen übereinstimmend zu 1188:

Thol. B. 1184.	Cron. I.
Eodem anno, ut in Gestis Lucanorum scribitur, Lucani edificaverunt burgum Sancti	MCLXXXVIII. . . . E di quel anno di Giugno Luca levoe lo borgo San Giniegi

1) Meist rein lokalgeschichtliche, die ihm wohl der Wiedergabe nicht wert schienen, aber charakteristischer Weise auch den Bericht über einen Konflikt von Lucca mit dem Papste 1221/22. Dafür versichert er des öfteren, dass Lucca stets und von Alters her dem Römischen Stuhle ganz besonders ergeben gewesen sei.

Thol. B. 1184.	Cron. I.
Genesii contra voluntatem Sancti Miniatis[1].	contra la volonta di Sancto Miniato.

Sicherlich hat hier die italienische Ueberlieferung mit ihrem Zeitansatz Recht gegen Th., wie sich am besten aus den Namen des Konsuls beweisen lässt. 1184 sind die Namen der leitenden Konsuln in Lucca aus dem Vertrage zwischen Lucca und Florenz[2] vom 21. Juli bekannt, ein Name Alcherius Pagani oder auch nur ein entfernt ähnlicher kommt nicht darunter vor. Im Jahre 1188 aber wurde in Lucca auf Betreiben Clemens' III. der Friede zwischen Pisa und Genua[3] geschlossen 'in curia domini episcopi Lucensis, presentibus . . . Alcherio Vechii Lucense potestate . . et Salomoncello et Ildebrandino filio Malpilii . . . egregiis Lucensibus consulibus'. Darf man den Podestà Alcherius Vechii und den Konsul Alcherius Pagano für dieselbe Person halten? Ohne weiteres wohl kaum. Alcherius Vecchii ist eine in der Luccheser Geschichte seit den 60er Jahren des 12. Jh. vielgenannte Persönlichkeit, sein Name steht ganz unzweifelhaft fest, ich finde ihn sonst niemals als Alcherius Pagani bezeichnet. Aber es kann doch sehr leicht eine Verderbnis in den Gesten vorliegen, die hier noch längst nicht aus erster Hand überliefernde Quelle sind[4], ihr Jahr 1188 bietet jedenfalls viel eher die Möglichkeit den Konsul oder Podestà Alcherius Pagani unterzubringen als das Jahr 1184 des Th. Wir können in diesem Falle auch mit ziemlicher Wahrscheinlichkeit mutmassen, warum Th. die Nachricht aus 1188 zu 1184 versetzt hat. Der betreffende Jahresbericht der Gesten fängt nämlich mit der Erzählung des Kreuzzugs Friedrichs I. an, die er hintereinander bis zum Tode des Kaisers führt. Th. hat Kreuzzug und Tod 1183 erzählt; wenn er sich aber berechnete, dass der Kreuzzug zu Lande doch mindestens ein Jahr dauern mochte, so konnte er wohl 1184 als das Todesjahr des Kaisers ansehen und aus diesem Grunde die in den Gesta

1) Das in Th. A und Cron. I folgende siehe oben S. 318. 2) Santini, Documenti dell' antica costituzione del comune di Firenze (Fir. 1895), n. XIV, p. 20 sqq. 3) Migne, Patrol. Latina CCIV, col. (1407—12) 1410. 4) Der Podestà des folgenden Jahres 1189 hiess Pagano Ronsini. Dass der Name Alcherius Pagani aus einer Vermischung der Namen des Alcherius Vechii und des Pagano Ronsini entstanden sei, wird man um so eher vermuten dürfen, als Cron. I sagt: 'e'l ditto Pagano le compiette', was ursprünglich zum J. 1189 gehört haben wird. Vgl. oben S. 318, N. 4.

Lucanorum 1188 nach dem Tode Friedrichs I. berichteten Ereignisse zu 1184 setzen.

Eine weitere Differenz betrifft eine Stelle, die Th. zu 1188, alle übrigen Ableitungen zu 1195 bringen. Aus bestimmtem Grunde[1] setze ich die Stelle in extenso her:

Thol. B.	Cron. I.
A. D. MCLXXXVIII. . . . Eodem anno, ut in Gestis Lucanorum traditur, fuit discordia inter portam Sancti Frediani et illos de burgo in Lucana civitate; porta autem Sancti Donati favebat uni parti, porta Sancti Gervasii et porta Sancti Petri favebant alteri. Et sturmum maximum sive bellum factum est alla Fracta; postea vero per Florentinos sunt pacificati, ut in eis actis agitur.	MCLXXXXV. . . . E di quell' anno fue discordia intra porta Sancti Fridiani et tenea insieme col borgo, et con porta Sancti Donati era l'una parte, et porta Sancti Cervagi e porta San Pieri dal' altra parte, e fu lo stormo ala Fracta. E fue in tempo di Albertino Soffreducci.

Th. hat, wie man ihm glauben mag, allein den letzten Satz der Gesten bewahrt, wonach die Florentiner die Unruhen in Lucca beigelegt hätten[2]; dafür hat er den Namen des Stadtoberhaupts, sei er nun Konsul oder Podestà gewesen, den die italienischen Ableitungen bringen, ausgelassen. Dass Albertino Soffreducci 1188 keine leitende Stelle eingenommen hat, geht aus der oben herangezogenen Urkunde hervor, dagegen ist die Urkunde Herzog Philipps von Tuscien[3] von 1195 Juni 13 ausgestellt in Lucca 'coram . . . Armanno Catena et . . . . . . Albertino Soffreducci, Ugelino primicerio . . . . . . Lucensibus'. Danach sind offenbar Cron. I und II und P. im Recht, die das Ereignis

1) Die Gegenüberstellung ergibt wohl schlagend, dass man es nur mit einer Nachricht zu tun hat und nicht zwei daraus machen darf, wie es Davidsohn, Geschichte von Florenz I, 585. 604 tut. Wenn er ebendort beidemal Kämpfe gegen das Kastell Ripafratta stattfinden lässt, so ist zu bemerken, dass unter dem in allen Texten gleich überlieferten Namen 'alla Fracta' oder 'alla Fratta' dem Wortlaut und Sinn nach die in der Stadt Lucca nahe bei San Frediano gelegene Via della Fratta, nicht das einige Stunden entfernte Kastell Ripafratta zu verstehen ist. 2) Oder sollte er mit dem 'postea' auf die Ereignisse des Jahres 1203 anspielen, wo auch Cron. I von der Vermittelung der 'capitani di Toschana' berichtet? 3) Regesta imperii V, n. 1; Winkelmann, Acta imperii inedita saec. XIII. I, 1.

zu 1195 setzen. Es gibt noch einen weiteren Beweis dafür. In seiner Abhandlung 'Duchi della Toscana dal tempo di Ottone il Grande fino alla morte di Arrigo Sesto' sagt Cianelli zum Jahre 1195[1]: 'Al di lui corte (Philipps von Tuscien) ci troviamo un Pandolfo Cenami, che mandato in Lucca ad exigendos fiscos[2] potè spegnere con la sua eloquenza tumultuanti discordie nate tra cittadini'. Der einheimische Historiker, der mit dem Kursivdruck deutlich auf eine offenbar urkundliche — mir nicht bekannte — Quelle hinweist, erklärt sich also hier gegen die zeitliche Ansetzung des Th., dem er sonst, wie wohl zu bemerken ist, bei Differenzen mit anderem ihm bekannten Material stets den Vorzug gibt. Wir können also mit Sicherheit sagen, dass Cron. I. II und P. auch hier das Jahr der Gesten richtig überliefert haben, während bei Th. ihre Chronologie verwirrt ist.

Ein drittes mal hat Th. zweifellos Unrecht mit einer Notiz, die er zu 1220, Cron. I und II sowie P. zu 1221 setzen mit dem Zusatz: 'Era quel anno Parenzo Parente di Roma potestade di Lucca'. Das Jahr von dessen Podestarie ist aber durch den Konflikt, den unter seiner Leitung Lucca mit dem Papste hatte, hinlänglich als 1221 bekannt, und da nun die 3 resp. 2 von einander unabhängigen Ableitungen der Gesten in gleicher Weise die von Th. zu 1220 gesetzte Nachricht über den Einsturz einer Kapelle in Lucca unter die Podestarie des Parenzo setzen, so ist die Richtigkeit ihres Datums 1221 gegenüber dem des Th. damit bewiesen.

Diesen Teil der Untersuchung abschliessend können wir nunmehr folgendes über die Ableitungen der Gesten und ihr Verhältnis zu der Quelle feststellen: 1) Durch die Hinweise des Th. auf die Gesten als Quelle und durch seine Uebereinstimmung mit Cron. I. II (S.) und P., resp. die Uebereinstimmung dieser Texte untereinander, ist uns ziemlich der gesamte Umfang und Inhalt des verlorenen Werkes bekannt. 2) Den Inhalt der Gesten hat uns in den weitaus meisten Fällen am getreuesten Th. bewahrt, der allerdings auch manche Notizen derselben aus verschiedenen Gründen nicht in seine Annalen aufgenommen hat, die wir durch die Uebereinstimmung der von einander unabhängigen italienischen Ableitungen als Eigentum der Gesten erkennen. 3) Wenn Th. an dem Text der Gesten,

1) Memorie e documenti I, 180. 2) Von Cianelli kursiv gedruckt.

soweit er ihn bringt, keine grösseren Veränderungen vorgenommen hat, so hat er doch, seiner eigentümlichen Methode gemäss, die Chronologie vielfach verändert, hier wie stets nicht zum Vorteil der Sache; die übrigen Ableitungen haben ihm gegenüber meist die richtige oder wenigstens die ursprüngliche Chronologie der Gesten bewahrt.

Von Wichtigkeit für die Kenntnis und Beurteilung des Werkes sind nunmehr noch die Fragen 1) nach der Sprache, in dem es abgefasst war, 2) nach den Quellen und 3) nach der Bedeutung der neuen Quelle, dem Wert, der ihr speziell etwa für die Reichsgeschichte zukommt. Dass die ursprüngliche Sprache des Werkes die italienische gewesen sei, scheint Th. an einer Stelle selbst anzudeuten. Zum Jahre 1232 sagt er: 'Lucani vadunt contra Bargam et ad obsidionem faciendam machinas portant cum temptoriis et padilionibus, et vulgariter dicitur, quod Lucani dimiserunt ibi plumbum, hoc est graviter fuerunt lesi vel dimiserunt plumbum machinarum ad gravandum archas machinarum'. Cron. I aber sagt ganz kurz: 'andammo a Barga et guastammo lo paese, colli trabucchi, et lassamòvi lo piombo'. Hier spielt Th. deutlich auf die italienische Quelle an (vulgariter dicitur) und erklärt mit langen lateinischen Sätzen, was jene als selbstverständlich in ihrer Sprache ganz kurz ausdrückt. Ausserdem ist an nicht wenigen Stellen die wörtliche Uebereinstimmung zwischen Cron. I und II einerseits, P. andererseits trotz mancher Abweichungen immer noch so gross, dass die Annahme, diese von einander unabhängigen Ableitungen seien gleichmässig Uebersetzungen aus einer lateinischen Vorlage und dabei zu einer solchen Gleichheit des Ausdrucks gelangt, wenig wahrscheinlich ist.

An Quellen hat der Verfasser der Gesten sowohl solche aus anderen Städten, Pisa, Florenz und wahrscheinlich Cremona, als auch ältere schriftliche Aufzeichnungen aus Lucca vor sich gehabt und benutzt. Ich behandle zunächst die nicht lucchesischen Quellen. Pisa ist in älterer Zeit durchaus das Vorbild für Lucca auf allen Gebieten der Kultur. Sehr nahe bei einander gelegen stiessen die Städte in ihren politischen und wirtschaftlichen Interessen vielfach auf einander, sodass sie fast ununterbrochen in bitterem Zwist miteinander lebten. Dennoch empfing Lucca viele kulturelle Anregungen von der fortgeschritteneren Seestadt[1]. Demgemäss steht denn auch die ältere Geschichtschreibung Luccas ganz unter dem Einfluss von Pisa. Die ältesten bekannten Annalen aus Lucca[2] sind bis 1100 fast nur eine Abschrift der Pisaner Annalen, und erst von 1104 beginnen dann eigene Luccheser Aufzeichnungen. Ebenso enthalten die Gesten zumal in der älteren Zeit bis 1100 Nachrichten Pisaner Ursprungs; es ist bei der Vergleichung zu berücksichtigen, dass in den Gesten fast alle Nachrichten aus fremden Quellen zeitlich stark verschoben, oft um 10, 20, ja selbst einmal um 90 Jahre falsch angesetzt sind; im Hinblick auf diese ganz allgemeine Eigentümlichkeit der Quelle kann man wohl an der Herkunft folgender Nachrichten nicht zweifeln:

Cron. I.	Annales Pisani[3].
In MLXXXVII. . . . La contessa Beatrice mori in Pisa.	MLXXVII. . . . Eodem anno comitissa Beatrix obiit 4 Kal. Madii.
MLXXXX. Tutta Chinsicha arse die II. di Maggio.	MXCIX. . . . Quo anno concremata est pene[4] tota Kintika.
MCV. Si cominciò guerra tra Luca e Pisa e duroe anni V la guerra.	A. D. MCV. incepta est lis inter Pisanos et Lucenses.

1) Wie man das Verhältnis wenigstens auf Seiten von Pisa zu Anfang des 12. Jh. empfand, lehrt hübsch der Liber Maiolichinus (Fonti per la storia d'Italia, Rom 1904). Als unter den die Pisaner nach Maiorca begleitenden Lucchesen eine Unzufriedenheit und der Wunsch nach Heimkehr entsteht, hält der Lucchese Fralmus, offenbar der Führer des Kontingents, eine Rede des Inhalts, Leute, die gewohnt seien, regelmässig mit den Jahreszeiten hinter dem Pfluge einherzugehen und zu säen, die möchten jetzt nach der Heimkehr jammern; sie sollten doch edleren Schlages sein (v. 390/94—400 [416]). Für den Augenblick hilft die Ermahnung, schliesslich trennt sich doch der grösste Teil der Lucchesen vom Heere; sie können die Seefahrt nicht vertragen und wollen ihre gewohnte Bequemlichkeit nicht missen (v. 619—21). Heimkehrend aber verbreiten sie die grössten Verleumdungen über die Seeleute, und voller Spott über die Schifferlieder und -märchen, die sich der Seemann auf Deck zu erzählen pflegt, zieht die bäurische Schaar ('rustica turba') von dannen (v. 694—98). Hier atmet jedes Wort das Bewusstsein der Ueberlegenheit und fortgeschrittenen Kultur. 2) Zuletzt herausgegeben von O. Hartwig, Quellen und Forschungen zur ältesten Geschichte von Florenz II, 48 ff. 3) MG. SS. XIX, 239. 4) Dem 'pene tota' der Annales Pisani entsprechend hat Th. mit Berufung auf die Gesten 'tota quasi' ('quasi' italienisch = 'pene'). Es ist auffallend, dass 'quasi' in Cron. I und in P. fehlt, doch ist diese Uebereinstimmung so gering und wenig bedeutend, dass es nicht lohnt, ihretwegen das Ableitungsschema weiter zu verzweigen als oben geschehen.

Wird man die ersten beiden Notizen schon wegen der Erwähnung von Pisa mit Ereignissen, die Lucca gar nicht näher angingen — hierher gehört auch noch 'MC. . . . e di quell' anno li Pisani riebbono Jerusalem' — auf Pisaner Annalistik zurückführen, so liegt für die Notiz des Jahres 1105, die ja inhaltlich über die entsprechende Pisaner Aufzeichnung hinausgeht, noch ein besonderer Grund vor: sie ist nach Pisaner Zeitrechnung angesetzt. Der Krieg zwischen Lucca und Pisa begann 1104, und zu diesem Jahre haben auch Cron. I und P. einen Bericht über die Kämpfe nach Luccheser Quelle. Wenn sie unmittelbar darauf und in vollem Widerspruch dazu sagen 'si comincio guerra', so ist klar, dass die Gesten hier einer anderen Quelle folgen als 1104 und zwar einer Pisaner Quelle, die sie ganz mechanisch an den Bericht der Luccheser Quelle anreihen. Vielleicht geht noch folgende in P. überlieferte Notiz, die wohl die Vorlage für die entsprechende Nachricht der Gesten ist, auf Pisaner Annalistik zurück:

P.	Cron. I[1].
A. D. MCXIII. Maioricha et Minoricha fu' presa con grande vetoria la prima volta a di VI. di Feraio et la seconda a di XXL di Feraio et la tersa a di V. di Marso ella quarta a di X. di Marso da' Pisani et da altre città a Saracini.	MCXIII. Fue presa Maiorica tra quattro volte.

Dass einige Angaben der Gesta Lucanorum direkt oder durch irgend welche Vermittelung auf Cremoneser Annalen zurückgehen, möchte man vermuten, wenn man liest: 'MCXL. Che lo imperador Federigo ebbe Crema vel Cremona' Cron. I, resp. P.: 'a. D. MCXL . . e Gremona si rendeo in mano dello inperadore Federicho'. Desgleichen Cron. I: 'MCXLII. . . Et di quel anno, die V. d'Aprile, che lo imperadore Federigo introrno per forza in Melano co quelli da Cremona et arselo et disfecelo', resp. P.: 'a. D. MCXLI. . . . et poi se ne ando a Milano et con aiuto del populo di Cremona et delli uscitti[2] di Melano intro in Melano et arsello'. Allerdings ist die zweimalige, für einen Lucchesen ganz unmotivierte Nennung von Cremona fast

1) Vgl. Th. B: 'A. D. MCXIII . . . Maiorica quater capta fuit in uno anno'. 2) 'istitti' Hs.

der einzige Grund für eine solche Vermutung, inhaltlich ist die Berührung mit der uns erhaltenen Cremoneser Annalistik äusserst gering. Unsere Notizen sind in jeder Beziehung vollkommen verderbt und verwirrt, sie bieten weder quellenkritisch noch sachlich irgend einen Gewinn; ein näheres Eingehen auf sie ist daher überflüssig, und es mag genügen, auf die Tatsache der wahrscheinlichen Cremoneser Herkunft hingewiesen zu haben.

Schliesslich sind in die Gesta Lucanorum Florentiner Nachrichten übergegangen, und zwar aus einer Quelle, die mit den Gesta Florentinorum nahe verwandt war, aber nicht diese Gesten selber; ein Vergleich mit den Annales Florentini II. und den Gesten, resp. deren Ableitungen, ergibt Uebereinstimmung bald mit dieser, bald mit jener Quelle und endlich Angaben, die über beide hinausgehen:

Cron. I.	Ann. Flor. II.	Gesta Florent.
MCVII. Fiorenza distrusse chastello Gualandi.	MCVII. Castrum montis Gualandi destructum fuit a Florentinis.	MCVII.[1] I Fiorentini disfecono Monte Orlandi.

Cron. I.	Gesta Florent.
MCXV. Fiorenza arse la maggior parte, et del dito fuoco chade la contessa Matelda, et vi morittero persone più di MM. Sappiate che in Fiorenza rimase poca gente.	MCXV.[2] del mese di Maggio s'aprese fuocho . . e arse allora la maggiore parte della citta. E di questo anno mori la contessa Matelda . . . MCXVII. S'aprese il fuocho in Firenze e arse, che pocho ne rimase.

Eine Florentiner Nachricht, die sich überhaupt nur in den Ableitungen der Gesta Lucanorum findet[3], ist folgende: 'MCLXXX. Fiorenze vinse Grosimichano chastello'[4]. Man wird als wahrscheinlich annehmen, dass alle diese Florentiner Nachrichten zusammen aus einer Florentiner Quelle in die Gesta Lucanorum übernommen sind und zwar entsprechend der Tatsache, dass der Einfluss von

1) Nach der Fassung des Simone della Tosa bei Manni, Cronichette antiche (Firenze 1733). 2) Nach der Fassung des cod. Magl. XXV, 505 bei Santini, Quesiti e ricerche di storiographia Fiorentina (Firenze 1903). 3) Vgl. Davidsohn, Geschichte von Florenz I, 564, N. 3. 4) So Cron. I; 'Grosignano' Cron. II; 'Grosomicario' (nicht 'Grosim.') P.

Florenz auf Lucca den von Pisa erst im späteren 13. Jh. ablöste, erst ziemlich spät. Sehr nahe gelegt wird diese letzte Vermutung durch folgende, auch von Th. übernommene und dadurch als Eigentum der Gesten gesicherte Notiz: 'MCI. Lo imperador Federigo[1] concedette e diede Toscanella a li Romani et fece pace co li Romani. Et da quel anno lo imperadore fece oste sopra Napoli et assediollo'[2]. Es ist die auch in die Gesta Florentinorum übergegangene, dort um die Behauptung von dem Tode der Konstanze erweiterte, Nachricht von der Uebergabe Tusculums an die Römer und der Belagerung Neapels durch Heinrich VI. im Jahre 1191. Nur ein ganz unwissender Späterer konnte sie durch ein Versehen in den Jahreszahlen um volle 90 Jahre zurückschieben.

Wenden wir uns nunmehr den Lucchesischen Quellen der Gesta Lucanorum zu, so sind solche zu unterscheiden, die sich durch Vergleich mit anderer schriftlicher Ueberlieferung gewinnen oder erkennen lassen und solche, die nur durch Analyse der Gesten selbst ohne weiteres Vergleichsmaterial zu erschliessen sind. Mit den oben erwähnten, ältesten erhaltenen lateinischen Annalen aus Lucca[3] zeigen die Gesten zum Jahre 1104 nahe Berührung:

Ann. Lucenses.	Cron. I.
A. D. MCIIII. Kal. Augusti orta est guerra inter Lucenses et Pisanos, et prius quidem castrum Ripafractam Pisanorum ceperunt.	MCIIII. Li Pisani funo sconfitti d'Agosto a Riprafatta, e Lucca disfece Riprafatta
Eodem anno IIII. Id. Decembris castrum Vecclanum ...... Lucenses impugnaverunt, expugnaverunt, destruxerunt, et in orea Pisanorum castellanos omnes una fune ligatos Lucam duxerunt.	e piglioe li chastellani[4] menandoli legati a Luca.

Da die Gesten von den weiteren ausführlichen Nachrichten der lateinischen Annalen für das 12. Jh. fast nichts haben, so ist wohl zu bezweifeln, dass sie diese Annalen

1) Th. hat das in 'Henricus' geändert. 2) So Cron. I; P.: 'a. D. MCI. Federicho inperadore diede Toschanella a Romani et fecieno pacie, et puose oste a Napoli'. 3) Hartwig a. a. O. S. 51. 4) Die Unrichtigkeit, die an dieser Stelle bei Th. hervortritt (Hartwig a. a. O. S. 51, N. 2), geht also schon auf seine Quelle, die Gesten, zurück.

direkt benutzt haben. Eine weitere Lucchesische Quelle, die Annalen der Kirche San Frediano gewesen sein dürften, ergibt sich aus der Vergleichung der Gesten mit einigen Notizen des cod. Palat. 571:

P.	Cron. I.
A. D. MXL. Fue lo primo fuoco in nel borcho di Santo Friano di Lucha a. D. MXL.	
... et in del MCIII. fu lo secondo fuoco in borcho Santi Friani di Lucha, [et ancio fu lo istuolo sopra Africha[1]].	MCIII. Fue lo stuolo ad Africa; et di quel anno fue lo primo fuoco in borgo Sancti Frediani di Lucca.
A. D. MCXII. L'ispeta di Santo Friano di Luca comincio di quaresima [et funo grandi tremotti[1]] a. D. 1112.	MCXII. Furo grandi tremuoti.
A. D. MCXL. Lo terso fuocho di borcho Santi Friani di Lucha fu a di IIII° di Magio.	MCXL. . . . et di quel anno fue lo 2° fuoco in borgo Sancti Frediani.

Wie es kommt, dass der Verfasser der Gesten, und mit ihm Th., einen Brand weniger zählt als P., ist natürlich nicht zu ermitteln, die Existenz älterer Aufzeichnungen bei der Kirche San Frediano, von denen uns P. mehr erhalten hat als die Gesten, wird jedenfalls durch die Gegenüberstellung erwiesen. Auch sonst hat P. noch älteres annalistisches Material aus Lucca neben den Gesten benutzt, das nicht in die Gesten übergegangen ist.

Abgesehen von diesen durch den Vergleich mit anderer Ueberlieferung zu bestimmenden Quellen muss der um 1300 schreibende Verfasser der Gesten noch anderen Quellenstoff für die Geschichte Luccas im 12. und 13. Jh. gehabt haben. Es lässt sich dieser, da sonst keine erhaltenen schriftlichen Quellen zur Vergleichung zu Gebote stehen, nur aus dem Umfang und der Genauigkeit der in den Gesten überlieferten Nachrichten erschliessen. Diese zerfallen äusserlich in vier Gruppen, die je durch längere Zwischenräume, in denen sich keine oder nur spärliche Nachrichten

---

1) Das Eingeklammerte könnte P. ebensowohl den Gesten selbst, die er ja auch benutzt hat, als den Aufzeichnungen von San Frediano entnommen haben; eine genaue Bestimmung des Quellenverhältnisses ist nicht möglich.

finden, getrennt sind. Sie umfassen die Jahre 1) 1168—ca. 1173. 2) ca. 1221—1248 (oder 1252). 3) ca. 1263—1276. 4) 1297—1304. In dem Autor von 1297—1304 wird man wohl mit grösstem Rechte den Kompilator des ganzen Werkes sehen dürfen, sein Stil ist dadurch charakterisiert, dass er niemals die erste Person anwendet. Da diese dagegen in den drei anderen Gruppen häufig auftritt, wird man schliessen dürfen, dass der Kompilator sie dort in seinen Quellen bereits vorfand. Für die beiden ersten Nachrichtengruppen kann man auch einen ganz bestimmten schriftstellerischen Charakter und die Gesichtspunkte der Autoren feststellen. Es tritt die Persönlichkeit eines Erzählers hervor, der rein äusserlich die Kämpfe von Lucca mit Pisa um 1170 schildert und die eines anderen, der von ca. 1221 (oder schon 1217) bis ca. 1250 mit erheblich weiterem Gesichtskreis nicht nur Lucca berührende Ereignisse, sondern auch einiges über das übrige Italien, Papst- und Kaisertum mitzuteilen trachtet. Die Erzählungen des Lucchesen, der offenbar an den Kämpfen von 1168—1172 Teil genommen hat [1], sind durch genaue Daten ausgezeichnet und würden für die Zeit von grossem Wert sein, wenn wir nicht durch die Annales Pisani und Oberti Annales Ianuenses bereits viel genauer und eingehender über die betreffenden Dinge unterrichtet wären. Immerhin ergibt der Vergleich mit diesen Quellen die volle Genauigkeit und Glaubwürdigkeit — wo nicht etwa die Daten verderbt sind — der Luccheser Aufzeichnungen, die auch über diese Quellen hinaus einiges Tatsächliche zur Zeitgeschichte — ich nenne die Einzelheiten des Kriegszuges gegen die Kapitäne der Garfagnana Anfang 1169, den Kriegszug in die Ebene von Fillungo und Versiglia August 1169, die Züge der Lucchesen vom Februar bis Juni 1170 — beibringen. Der Standpunkt des Erzählers ist aber der eines ganz unglaublich beschränkten Lokalpatrioten. Niederlagen von Lucca werden zwar nicht durchaus verschwiegen, Siege aber ganz übermässig aufgebauscht, wie etwa der vom 5. Dezember 1170, der nach den eigenen Angaben des Erzählers und im Hinblick auf die Nachrichten der Annales Pisani und Ianuenses doch nicht mehr als ein vorübergehender Vorteil in einem kleinen Scharmützel gewesen sein kann [2]. Von dem weiteren Hinter-

1) 1169 heisst es: 'li Pisani . . . si partiro per nostra paura . . . e per nostra paura lassono li edifici'. 2) Allerdings kann auch die Niederlage von Lucca vom 26. November — auf diesen Tag setzen sie die Annales Pisani, auf den 29. die Ableitungen der Gesten — nicht von

grunde, auf dem sich die Ereignisse abspielen, hat der Verfasser gar keine Ahnung. Nicht ein Wort verlautet über das Eingreifen Christians von Mainz, später Friedrichs I. in diese Kämpfe, er weiss von gar nichts zu erzählen als von dem Hin und Her der Schlachten und dem Niederbrennen von Burgen. Die Quelle reichte, wie es scheint, bis 1173, es folgen Notizen aus Florentiner Geschichtschreibung bis 1180, dann wieder meist lokale Luccheser Nachrichten bis 1209. Nach einer Lücke bis 1217 — dazwischen ist nur der Name des Podestà von 1215 eingetragen — setzen neue, bald umfänglicher werdende Aufzeichnungen ein. Ziemlich ununterbrochen reichen grössere Jahresnotizen von 1221 bis 1248, dann überwiegen kurze Bemerkungen bis ca. 1260, von wo an dann wieder ein ausführlicherer Charakter der Erzählung wahrzunehmen ist. Zunächst in den 20er Jahren stehen allerdings durchaus noch lokale Ereignisse im Vordergrunde. Die Fehden von Lucca mit Pisa, die Kriegszüge in die Garfagnana und Versiglia werden zu 1222. 1223. 1225[1]—1227 mit vielen genauen Daten erzählt, deren volle Richtigkeit aber aus verschiedenen Gründen durchaus nicht zu verbürgen ist, und die bis ins Einzelne zu untersuchen auch kaum der Mühe lohnt. Eine falsche Ueberlieferung lässt sich leicht mit Sicherheit feststellen bei dem Bericht über die Schlacht von Castell del Bosco (Monte Moreccio) 1222, die auf 'die XI. d'Ogosto' in Cron. I und II angesetzt wird, während es heissen muss 'die XXII. Luglio' ('XI. Kal. Augusti'). Das falsche Datum ist also hier offenbar schon auf den Bearbeiter der Gesten selbst zurückzuführen, während bei anderen Ereignissen in Folge der in diesen Jahren gänzlich auseinandergehenden Fassung der verschiedenen Ueberlieferungen nicht einmal mit Sicherheit festzustellen ist, was denn eigentlich ursprünglich in den Gesten gestanden hat. Ein Gewinn zum Jahre 1221 mag indessen hier noch vermerkt werden, wo uns allein die Gesten die Ursache des heftigen Konflikts von Lucca mit dem Papste von

---

der entscheidenden Bedeutung gewesen sein, die die Ann. Pisani ihr beilegen wollen, wenn Lucca bereits am 5. Dezember wieder einen, wenn auch geringen, Vorteil über Pisa davonzutragen vermochte. Man muss eben bei den Schilderungen italienischer Annalisten von den Siegen ihrer Vaterstadt stets $^{3}/_{4}$ von ihren Behauptungen abziehen, um zur Wahrheit zu kommen, wie schon der Magister Boncampagnus erkannte (Winkelmann, Philipp von Schwaben S. 547, N. 5; Iohannis Codagnelli Ann. Placentini ed. Holder-Egger, Praefatio p. XIV). 1) Die betreffende Notiz gehört aber zu 1224.

1221—22 melden. Eine Brücke über den Arno war eingestürzt, und Lucca zog den Klerus zur Besteuerung zwecks Wiederaufbau heran. Zu höheren Gesichtspunkten erhebt sich die Darstellung in den 30er und 40er Jahren. Lucca war damals an den Kämpfen des Kaisers mit dem Papst und den Lombarden durchaus auf kaiserlicher Seite beteiligt, und die Gesten haben uns manche Angaben des damaligen Luccheser Chronisten überliefert, die nicht nur zur Bestätigung, sondern auch zur Ergänzung der Angaben anderer Quellen der Reichsgeschichte dienen können. So erfahren wir zum Jahre 1234, dass bei dem im Herbst vom Kaiser gegen die Römer zur Unterstützung des Papstes unternommenen Feldzuge [1] noch im Oktober ein für den Kaiser siegreiches Gefecht bei Viterbo stattfand, in dem der Führer der Lucchesischen Milizen fiel. Das Jahr 1239 ist fast ausschliesslich der Reichsgeschichte gewidmet. Nach der Schilderung der Schlacht bei Cortenuova, die offenbar durch Versehen des späten Kompilators hierher geraten ist, erzählt der Chronist richtig die Belagerung der Brücke bei Piacenza durch den Kaiser, sowie den erzwungenen Aufbruch in Folge der Ueberschwemmung, 'et fue tenuto a grande miracolo'. Dann meldet er als einzige Quelle den in das Itinerar des Kaisers durchaus passenden Aufenthalt in Lucca [2], sodann in Uebereinstimmung mit der Cronica di Bologna und Salimbene die Niederlage der Bolognesen bei Vignola [3], die er ebenso wie die Cronica di Bologna auf den 2. Oktober ansetzt. Die Jahre 1240 und 1241 bieten fast gar keinen Text [4], die Jahre 1242 und 1243 beschäftigen sich wieder fast ausschliesslich mit Reichsgeschichte, nicht ohne manche Irrtümer. Die Schilderung der Seeschlacht [5] am 3. Mai 1241, in der die zum Konzil fahrenden Prälaten gefangen wurden, ist wohl durch den Irrtum eines Späteren — dessen überarbeitende Tätigkeit sich schon durch den Zusatz 'alla Melora, dove poi (nämlich 1284) essi Pisani furono sconfitti e presi dalli Genovesi' verrät — ins Jahr 1242 geraten, auch ist die Ortsangabe 'alla Melora' und die Behauptung, der Kardinalbischof von Ostia habe sich unter den Gefangenen befunden, nicht richtig. Zum Jahre 1243 schildert der Chronist den Verwüstungszug des Kaisers gegen Rom [6], dessen Dauer er auf 2 Monate an-

1) Vgl. Regesta Imperii V, n. 2059a. b. 2) Reg. Imp. V, n. 2645a. 3) MG. SS. XXXII, 165. 4) Was Th zu 1240 mit Berufung auf die Gesten berichtet, bietet keine der anderen Ableitungen. 5) Reg. Imp. V, n. 3201a. 13371a. 6) Ib. n. 3363a.

setzt, lässt dann den Kaiser nach Melfi in Apulien gehen und dort Mitte Mai selbst die gefangenen Prälaten, unter Darreichung vieler kostbarer Geschenke, befreien. Der Zeitansatz Mitte Mai möchte richtig sein, doch war der Kaiser damals noch im Römischen Gebiet und befahl nur die Freilassung, ohne selbst zugegen zu sein. Ob die Angabe, er sei dann nach Melfi gegangen, eine Bestätigung für Reg. Imperii V, n. 3373a ist oder auf den späteren Aufenthalt des Kaisers in Melfi im August zu beziehen ist, ist bei der Kürze und summarischen Ausdrucksweise der Chronik kaum zu entscheiden. Weiterhin finden sich nur noch ganz kurze und bedeutungslose Angaben zur Reichsgeschichte, die keinen Gewinn ergeben. Ausführlicherer, aber überwiegend lokalgeschichtlicher Text reicht noch bis 1248, ob er aber von dem kaiserlich gesinnten Chronisten der 30er und 40er Jahre herrührt, muss dahingestellt bleiben.

Von 1250—1304 bieten die Gesten abwechselnd bald ganz inhaltlose Partieen, die fast nur die Namen der Podestà enthalten, bald auch etwas umfänglichere Jahresnotizen, sehr oft mit genauen Daten, aber fast nur lokalgeschichtlichen Inhalts. Bestimmte schriftstellerische Individualitäten oder Quellen lassen sich hier nicht mehr erkennen, eine eingehendere inhaltliche Prüfung und Kritik der Quelle vornehmen hiesse die Geschichte von Lucca und Toscana für die betreffende Zeit behandeln, was nicht in den Rahmen meiner Aufgabe fällt. Die Ziele dieser Untersuchung sind vielmehr im Wesentlichen erreicht. Ich suchte festzustellen, welche Ueberlieferungen wir von der von Th. als Gesta Lucanorum bezeichneten Quelle haben, in welchem Verhältnis diese Ueberlieferungen zu einander stehen, und welcher Wert ihnen für die Herstellung des Textes zuzusprechen ist, welche Quellen zu erkennen sind und wie die Entstehung und Zusammensetzung des Werkes zu denken ist. Es ist damit, wie ich hoffe, die kritische Grundlage für die praktische Verwertung des Werkchens im Einzelnen, hauptsächlich zur Geschichte von Lucca und Toscana, gelegt[1].

---

1) Der Text von P., soweit er aus den Gesten stammt, folgt im nächsten Heft.

VIII.

Die Sammelprivilegien Karls IV. für die Erzbischöfe von Trier.

Von

Reinhard Lüdicke.

Vorbemerkungen.

Beinahe fünf Jahrzehnte hat Balduin von Lützelburg an der Spitze des Erzbistums Trier gestanden und in dieser Zeit unter drei deutschen Königen eine bedeutsame Rolle in der Reichspolitik gespielt[1]. Den Höhepunkt seiner Machtstellung aber bildet die Regierungszeit des dritten, seines Grossneffen Karls IV., der in erster Linie Balduins rastloser Tätigkeit die Wahl und den endlichen Sieg über alle Gegner verdankte. Ein Zeugnis dafür wie auch für die Dankbarkeit des jungen Königs sind die überaus zahlreichen Urkunden, welche dieser in den ersten Jahren seiner Regierung bis zu Balduins Tode im Jahre 1354 dem Erzbischof von Trier ausgestellt hat. Neben den Verpfändungs- und Schuldurkunden, den Vollmachten u. dgl., die den tätigen Anteil Balduins an der Finanziierung des neuen Herrschers und an der Leitung der Reichsgeschäfte zeigen, erscheint die Bestätigung, Erweiterung und Vermehrung der königlichen Privilegien und Verleihungen als ein glänzender Abschluss seines an Erfolgen reichen Lebens. Eine besondere Bedeutung beansprucht unter diesen Urkunden ein ausserordentlich umfangreiches Privileg, dessen Eigenart, wohl in Folge der knappen Form der Verzeichnung in den Huberschen Regesten, noch wenig beachtet ist, so dass manche wichtige Bestimmungen darin fast ganz übersehen wurden. Die von Karl IV. am 25. November 1346, am Tage vor seiner Krönung, zu Bonn ausgestellte Urkunde[2] wiederholt, nicht in Form eines Transsumptes oder einer ähnlichen Aufführung der einzelnen Privilegien, sondern in einheitlich geschlossener Stilisierung die Verleihungen früherer Zeiten, teils unverändert, teils erweitert,

---

1) Vgl. Dominicus, Baldewin von Lützelburg, Erzbischof und Kurfürst von Trier, Koblenz 1862; D. hat das archivalische Material in ausgiebigster Weise benutzt. 2) B.-Huber 270. Original im Staatsarchiv Koblenz. Die irrige Datierung Hubers beruht auf dem auch sonst vielfach ungenauen Druck bei Hontheim. Dieser schiebt sogar gelegentlich ganze Sätze ein, die sich erst in späteren Ausfertigungen finden!

und fügt wesentliche neue Gnadenerweisungen hinzu, ohne jedoch irgendwie genauer oder im einzelnen anzugeben, ob und welche Vorurkunden zu Grunde liegen. Eine solche Zusammenfassung ist weder unter Karl IV. noch unter seinen Vorgängern für einen anderen Empfänger bekannt. Dagegen sind für Balduin schon früher unter Ludwig IV. aus den Jahren 1332 und 1339 zwei ganz ähnliche Urkunden überliefert[1], und ebenso hat Karl IV. den beiden Nachfolgern seines Grossoheims, Boemund von Saarbrücken und Kuno von Falkenstein, in den Jahren 1356 und 1376 je eine derartige Urkunde ausgestellt[2]. Balduin hat sich daneben noch für die Mehrzahl der in dem Sammelprivileg von 1346 enthaltenen Einzelbestimmungen besondere Urkunden ausfertigen lassen.

Der äussere Zusammenhang zwischen all diesen Sammel- und Einzelprivilegien, der Ursprung ihrer einzelnen Teile und die Veränderungen, welche diese im Laufe der Zeiten erfahren haben, soll hier in einer Uebersicht veranschaulicht werden, da im Rahmen der demnächstigen Publikation in den Constitutiones die verwickelten Beziehungen sich nicht würden wiedergeben lassen. Ein Eingehen auf die sachliche Bedeutung der Wandlungen der verschiedenen Privilegien, das an sich nicht ohne Reiz sein würde, ist absichtlich vermieden, ohne aber darum auf alle Hinweise zu verzichten, wenn sich Verwandtes im Laufe der Bearbeitung fand[3].

Auf die formalen Ergebnisse wird zum Schluss noch kurz eingegangen werden.

Für die folgende Zusammenstellung sind die fünf grossen Sammelprivilegien von 1332, 1339, 1346, 1356 und 1376, die der Kürze halber mit L 32, L 39, K 46, K 56 und K 76 bezeichnet werden, in Hauptabschnitte eingeteilt worden (I, II u. s. w.), die z. T. in Unterabteilungen zerfallen (1, 2 u. s. w.). Bei der Anordnung in der Behandlung der einzelnen Hauptabschnitte ist die Reihen-

1) 1332 August 23 (Böhmer 1489) und 1339 März 2 (Böhmer 3432). Originale im Staatsarchiv zu Koblenz. Die Urkunde von 1332 liegt in doppelter Ausfertigung vor, die von 1339 in einer sehr schönen Prunkausfertigung unter Goldbulle; letztere ist nicht erhalten. 2) 1356 Januar 5 (B.-Huber 6861) und 1376 Mai 31 (B.-Huber 5588), beide nur in Abschriften des 14. Jh. in dem Kopiar A I 1a des Staatsarchiv Koblenz erhalten; die verlorenen Originale waren unter Goldbulle ausgestellt. 3) Ueber den Zusammenhang einzelner Teile der 'Goldenen Bulle' mit den Trierer Privilegien vgl. K. Zeumer, 'Die goldene Bulle'. Weimar 1908.

folge in K 46 zu Grunde gelegt; die wenigen späteren darin nicht enthaltenen Bestimmungen sind, soweit sie nicht als Erweiterung älterer Hauptabschnitte anzusehen und demgemäss diesen als neue Unterabteilungen anzugliedern waren, vor dem Schlussabsatz eingeschoben worden. Im Einzelnen ist in folgender Weise verfahren worden: Nach einer kurzen Ueberschrift, die jedesmal den hauptsächlichen Inhalt andeutet, folgt der vollständige Abdruck des fraglichen Hauptabschnittes von K 46; etwas eingerückt werden darunter die Vorurkunden mit Angabe der hauptsächlichsten Abweichungen angeführt, wobei jedoch solche, die nur in sachlichem, nicht aber unmittelbarem stilistischem Zusammenhang damit stehen, in die Anmerkungen verwiesen sind. Darauf werden nacheinander in chronologischer Folge die Wiederholungen, sei es in Einzelausfertigungen, sei es in den Sammelprivilegien wiedergegeben [1]. Das wörtlich mit der letztvorhergehenden Urkunde Uebereinstimmende ist jedesmal durch Petitdruck gekennzeichnet, innerhalb dessen abweichende Wortteile und an Stelle anderer gleichbedeutender getretene neue Ausdrücke gesperrt sind [2]; wo es sich dabei um mehr als zwei Worte handelt, sind die zwischen dem Anfangs- und Schlussworte stehenden in der Regel nur durch Punkte angedeutet worden [3]. Auf Auslassungen wird durch einen * aufmerksam gemacht.

Für alle angeführten Urkunden seit der Wahl Ludwigs IV. sind die Originale (bei K 56 und K 76 das Koblenzer Kopiar) von mir für den Apparat der Monumenta Germaniae abgeschrieben bezw. neu verglichen worden; bei den früheren habe ich mich auf Benutzung der vorliegenden Drucke beschränkt [4].

---

1) Bei den Einzelausfertigungen ist nur der eigentliche Text berücksichtigt unter Fortlassung der Ueberschrift und Arenga sowie des Siegelvermerks und der Datierung. 2) Bei K 46 dagegen liegt stets K 32 zu Grunde (nicht K 39!). Wo sonst einmal nicht die letztvorhergehende Urkunde Vorlage und damit für den Petitdruck massgebend gewesen ist, wird besonders darauf hingewiesen. 3) Kleine, unwesentliche Abweichungen sind in diesem Falle unberücksichtigt geblieben. 4) Vgl. über diese die Angaben in den Böhmerschen Regesten, deren Nummern stets mitgeteilt werden; wo mir ein dort nicht verzeichneter neuerer Druck vorlag, ist auch dieser noch angeführt worden. — Winkelmann II = 'Acta imperii seculi XIII. et XIV. Urkunden und Briefe zur Geschichte des Kaiserreichs und des Königreichs Sizilien in den Jahren 1200 bis 1400'. Her. v. Ed. Winkelmann. Innsbruck 1885.

Bisher ungedruckte Stücke sind durch einen vorgesetzten * gekennzeichnet. Der textkritische Apparat bleibt der Ausgabe in den Konstitutionen Ludwigs IV. und Karls IV. vorbehalten.

Einen Ueberblick über die ganze Entwickelung wie auch ein leichteres Aufsuchen der einzelnen Bestimmungen soll die Tabelle im Anhang ermöglichen.

Textzusammenstellung.

I. Einleitung.
Rechtsverleihung für die Städte u. s. w. des Stifts; Besitzbestätigung betr. Kochem u. s. w.

K 46 I: Karolus dei gracia Romanorum rex, semper augustus. Ad perpetuam rei memoriam. Dudum Romanorum imperatores et reges sanctam Treverensem ecclesiam et ipsius antistites ex multiplicibus affectionum amplexibus, quas ad ipsos iugiter habuerunt propter larga ipsorum antistitum merita, quibus ipsi se et sua ad publicam utilitatem imperii exposuerunt, cum libertatibus, privilegiis, donariis, munificenciis aliisque concessionibus graciosis tum mere pieque liberalitatis tum remuneracionis seu recompensacionis tytulo, quibus iidem antistites per exposicionem rerum et corporum ad publicam utilitatem imperii et imperatorum seu regum meruerunt attolli, iuste consideracionis intuitu decorarunt. Nos igitur piis eorum vestigiis inherendo non tantum, que per eos facta sunt beneficia stabilire, sed eadem extendere et potioribus extensa favoribus ampliare debemus, presertim venerabilis principis nostri Baldewini, sancte Treverensis ecclesie archiepiscopi, sacri imperii per regnum Arelatense et Galliam archicancellarii, patrui nostri carissimi, respectu, qui semper pro iuribus et honoribus regni et imperii conservandis tam in partibus Gallie et Ytalie quam Germanie magnifice laboravit et potenter exposuit se et sua, adinstar predecessorum nostrorum et ex proprii nostri motus arbitrio discrecionis, que mater est omnium virtutum, instinctu fulcito ex certa scientia

(1) civitatem, opida, villas, valles, castra et fortalicia sua et ecclesie sue predicte, scilicet Treverim, Sarbůrch, Vreudemberch, Marcetum, Grimberch, Swartzemberch, Boszelstein, Palaciolum, Rumsteyn, Pilliche, Kylburg, Malberch, Manderscheit, Vreudenstein, Litche, Yranc, Witlich, Novum-castrum, Berncastel, Baldenowe, Baldenecke, Symeren, Cellis in Hammone, Cochme, Clottene, Esch, Trijs, Baldeneltz, Carden, Alkene, Thuron, Meyene, Monasterium, Kerliche, Confluen(ciam), Capellen cum castro Stoltzinfels, Ehrembrethstein, Nydernlainstein, Sterremberch, Baldenstein, Lympůrch, Vilmar, Schadecke, Monthabur, Grensoye, Hartenvels, Dyrdorf, Hoyngen et Ludenstorf, Treverensis dyocesis, sancti Wendelini, Lyvem-

berch et castrum de castris, Metensis, Smydeburg ac sente Iohannesberch, Mogunt(inensis), castrum Cop, Coloniensis dyocesum, et quemlibet dictorum locorum libertamus et libertatum confirmamus et eandem libertatem et emunitatem ipsis concedimus et donamus, quibus imperatores et reges Romanorum municiones libertare consueverunt, indulgentes et concedentes eisdem locis et cuilibet eorumdem ac civibus, burgensibus, opidanis et incolis eorumdem, ut omni iure, honore et honesta consuetudine, quibus opidum Frankenford est munitum, gaudeant et utantur; ita tamen, quod ex hoc eidem archiepiscopo suisque successoribus et ecclesie Treverensi nullum preiudicium generetur; quodque idem archiepiscopus suique successores plenam et liberam habeant potestatem per se, alium vel alios, in facinorosos homines et omnes delinquentes ipsorum locorum seu territorium animadvertendi et scelera puniendi necnon tam meri quam mixti imperii iusticias exercendi et execucioni debite demandandi.

(2) Item castra et municiones Cocheme, Kenplon et Clottene, cum fidelibus, castrensibus, vasallis et ministerialibus ac subditis seu quibuscumque aliis, cuiuscumque status aut condicionis existant, villis, dominiis, theloneis, moneta, iurisdictionibus ac iuribus et pertinenciis universis, que ad ipsas municiones a retroactis temporibus spectare consueverunt, quocumque nomine censeantur, eisdem ecclesie, archiepiscopo suisque successoribus innovamus, concedimus et ex certa sciencia ac motu proprio iure proprietatis et possessionis tenenda et possidenda perpetuo confirmamus; quodque villas Kynheim, Cróue, Ryle, Bengol, Kynheinerburen, nemus dictum Contel et quecumque bona, iurisdictiones, villas, curias, dominia, iura, redditus et proventus a predictis castris ab antiquo dependentes, quibuscumque personis pignori obligatos redimere valeant et redempta tenere cum ceteris bonis ad castra pertinentibus antedicta, permittimus graciose.

(1) Rudolf I.: 1291 Mai 29 (B.-Redlich 2468) für Erzbischof Boemund von Trier: 'oppidum suum in Meyene ex plenitudine regie potestatis libenter et liberaliter libertamus et eidem loco omnem immunitatem concedimus, qua imperatores et reges Romanorum, predecessores nostri dive memorie, munitiones consueverant liberare, indulgentes et concedentes eidem loco et civibus eiusdem necnon ceteris personis quorumcumque locorum ad dictum locum se transferre volentibus, ut omni iure, honore et honesta consuetudine, quibus cetera nostra et imperii oppida muniuntur, gaudeant et utantur. Ex hoc damus predicto archiepiscopo et suis successoribus, ad quos dictum oppidum devolvi contigerit, plenam et liberam potestatem per se vel vicarium animadvertendi in facinorosos et punire scelera necnon iustitias altas exercere, salva

iustitia et iurisdictione in predicto oppido iure vel consuetudine competente'.

Gleichlautend die am gleichen Tage ausgestellten Urkunden betr. Bernkastel, Billich und Saarburg (B.-Redlich 2465—67); betr. Montabaur und Wittlich vgl. die Angaben B.-R. 2468.

Heinrich VII.: *1310 Juni 26 (Böhmer 247): betr. Montabaur.

*1310 Juli 14 (Böhmer 251): Bestätigung der Verleihungen Rudolfs I. betr. Saarburg, Billich, Bernkastel, Meien und Montabaur.

Ludwig IV.: 1314 Dez. 2 (Böhmer 16) I u. VI: Bestätigung betr. die eben genannten fünf Orte, noch in den gleichen Ausdrücken wie oben.

L 32 I 1 } *L 39 I 1 } Erweiterung der in den Vorurkunden gegebenen Form zu einer Fassung, die in K 46 nur die wenigen durch den Druck hervorgehobenen Zusätze erhalten hat.

(2)[1] Ludwig IV.: L 32 I 2 } *L 39 I 2 } schon fast gleichlautend mit K 46 I2; L 39 fügt hinzu hinter 'nomine censeantur': 'et que a nobis et imperio cum dictis suis pertinenciis condescendunt tytulo feodali', und zieht die Bestätigungsformel etwas zusammen.

*1346 Dez. 2 (B.-Huber 286 B)[2]: wiederholt nur § 2.

Cum igitur castra et municiones Cocheme, Kemplon et Clottene cum eorum pertinenciis per nostros predecessores dicto archiepiscopo et sue ecclesie liberaliter iure proprio tradita fuerint et donate, nos easdem **castra et municiones Cocheme . . . permittimus graciose.**

---

1) Ueber die Erwerbung von Kochem, das durch König Adolf an den Trierer Erzbischof verpfändet, durch Albrecht I. ihm als Eigentum überlassen wurde, wie auch über die Bestätigungen durch Heinrich VII. und Ludwig IV. vgl. Böhmer: Adolf 402. 204. 205. Albrecht I. 6. Heinrich VII. 16. 160 (vgl. MG. Const. III, n. 486. IV, n. 23. 274. 314). Ludwig IV. 16, IV. 190. Ueber das Recht zur Einlösung verpfändeter Zubehöre vgl. Böhmer, Heinrich VII.: Addit. II, p. XXXIV. 181. 159. Ludwig IV. 16, V. 190; vgl. unten S. 354, N. 1. 2) B.-Huber 286 fasst irrtümlich zwei verschiedene Einzelurkunden zusammen, die oben mit 286 A und 286 B bezeichnet werden. 286 A s. u. bei XIX—XXI. — Ausser der obigen kurzen, durch einen Dorsualvermerk der Trierer Kanzlei schon als 'confirmatio . . minor' bezeichneten Urkunde, hatte Balduin auch kurz vorher (am 26. Nov., B.-Huber 271) eine sehr ausführliche Bestätigungsurkunde erhalten, die ebenso als 'confirmatio . . maior' bezeichnet ist und mit den oben N. 1 aufgeführten Urkunden zusammenhängt.

*1354 Jan. 8 (B.-Huber 1742) in Anlehnung an K 46.
Karolus . . augustus et Boemie rex[1]. Ad perpetuam . . . tantum ea, que . . . sciencia

(1) civitatem, opida, villas * castra . . . Treverim cum advocatia Sarburg, Sarstein, Marcetum . . Grymberg * Pilliche . . . Manderscheid * Coppe, Litche, Iranc, Palczil, Witlich, Novum-castrum, Entsch, Berenkastil . . . Baldeneltz, Ruszimberg, Carden, Alken et castrum Thuron, Couern, Ochtinding, Meyen . . . Capellen et castrum Stoltzinfels . . . Monthabur * Hartinfels . . . sancti Wendelini * et Castil Metensis . . . Moguntinensis * dyocesum . . . . confirmamus dictasque civitatem, opida, castra et villas cum advocatiis, iurisdictionibus altis et bassis, dominiis, iuribus, bonis et aliis eorum pertinentiis universis et singulis ipsius ecclesie Treverensis fuisse et esse decernimus et declaramus et eandem . . . emunitatem predictis civitati, opidis, castris et villis concedimus, tribuimus et donamus . . . gaudeant libere et utantur; ita . . . locorum, territoriorum seu in eisdem animadvertendi . . . demandandi.

(2) Item . . . graciose.

Nulli[2] . . . nostre concessionis declarationis, indulgencie, libertationis et donationis paginam . . . penam centum librarum . . . incurrisse.

*K 56 I: In nomine sancte et individue trinitatis feliciter amen. Karolus quartus divina favente clemencia Romanorum imperator, semper augustus . . . memoriam. Etsi celeberrime memorie divi Romanorum principes salubribus inducti studiis votivum statum et felix augmentum sancte Treverensis ecclesie multiplicibus affectionum amplexibus, quas ad ipsam Treverensem ecclesiam et ipsius antistites iugiter habuerunt, diversis libertatibus, privilegiis, donariis, munificenciis, beneficiis aliisque concessionibus graciosis et favoribus specialiter illustrarunt, nostre tamen maiestatis celsitudo preclara, ad imperialem reducens memoriam inpensa servicia, quibus iidem antistites pro tempore per exposicionem rerum et corporum suorum ad laudem et honorem sacri Romani imperii et nostri nominis gloriosum triumphum ac utilitatem tocius rei publice singulari fulgore splendidius coruscarunt, non solum prefata, que impensa sunt, beneficia stabilire, sed eadem extendere et extensa gratissimis favoribus ampliare decrevit, presertim venerabilis Boe-

---

1) Ueber die Auslassung des Böhmischen Königstitels in den Urkunden aus den Krönungstagen von 1346 vgl. B.-Huber 280. 2) Pönformel A; über die verschiedenen Pönformeln vgl. unten die Anmerkung zu Ba XXV 5.

mundi sancte Treverensis . . . archicancellarii principis et devoti nostri carissimi, delectabili intuitu, qui semper pro iuribus et honoribus imperii et regni Romani conservandis eciam in minori dignitate constitutus potenter exposuit se et sua, predecessorum nostrorum vestigia insequentes motu proprio et ex certa nostra sciencia debita cause cognicione premissa ac omnibus et singulis sollempnitatibus, que de iure seu consuetudine in talibus requiruntur sana maturitate premissis,

(1) civitatem . . . Baldenecke * Cellis . . . Baldeneltz * Carden . . . Covern * Meyen, Monasterium - Meynvelt, Kerlich . . . Capellen cum castro Stoltzenvels . . . Lympurg * Monthabur . . . Hartenvels * et Ludenstorf . . . ac Smedeburg * Moguntinensis . . . dominiis directis et utilibus iuribus . . . . . scelera legitime aut iuxta eorum arbitrium puniendi . . . demandandi.

(2) Item . . . condicionis maioris vel minoris, libere vel servilis existant, villis, villicariis, prediis, rusticis et urbanis dominiis directis seu utilibus, theloniis, monetis, iurisdictionibus altis et bassis ac iuribus, obvencionibus et pertinenciis . . . municiones et castra a retroactis . . . proprietatis seu quasi possessionis seu quasi tenenda . . . confirmamus[1].

K 76 I: In nomine . . . Karolus . . . . Etsi . . . . . venerabilis Cůnonis sancte . . . principis consanguinei et devoti . . . conservandis * potenter . . . premissis.

(1) civitatem . . . Sarburg, Moncler, Sarstein . . . Manderscheid * Litiche . . . Novum castrum, Esch prope Witlich, Entsche . . . Hammone, sente Marienburg, Arraz, Bilstein, Bridail, Cochme . . . Sternemberg, Welniche castrum et vallem Baldenstein . . . Hartenfels, Molsberg, Nyderenbrechen, Cůnenengers, Valender, Arenfels, Hoyngen, Eůmtze et Ludenstorff . . . . dyocesum necnon Důne, Ulmen et Hillesheim Coloniensis dyocesis et quemlibet . . . civibus, burgensibus * et incolis . . . successores et ecclesia Treverensis habeant merum et mixtum imperium, insuper et iurisdictionem necnon plenam . . potestatem huiusmodi merum et mixtum imperium delegandi et committendi ac per se . . . . execucioni * demandandi.

(2) Item . . . . confirmamus.

II. Münzrecht betr.

K 46 II: Item prefato archiepiscopo sueque ecclesie, qui monetam fabricari seu cudi facere consueverunt a longis temporibus retroactis, indulgemus, ut in civitate Treverensi et extra in opidis, castris, villis et

1) Zu der Auslassung vgl. Deutsche Reichstagsakten I, 17 (n. 8 § 9) und Engelmann in Ledeburs Allgem. Archiv f. Geschichtsk. d. Preuss. Staates XIV (1834), 8 ff.

locis quibuscumque sui dominii vel districtus monetam, prout eis expedire videbitur, fabricari faciant atque cudi nec in hoc per nos aut quemvis alium debebunt quomodolibet inpediri; volentes, ut in terra vel dominio suo, ubi moneta cudetur, nec mercemonia nec victualia emantur vel vendantur alia pecunia preterquam illis denariis ibi, ut premittitur, fabricatis, nisi de suo consensu processerit speciali[1].

Heinrich VII.: 1310 Juni 26 (Böhmer 246): bestätigt schon in ähnlichen Ausdrücken wie später das hergebrachte Recht der Münzprägung[2].

Ludwig IV.: 1314 Dez. 2 (Böhmer 16) VII: Bestätigung der Urkunde Heinrichs.

L 32 II und *L 39 II: unter Benutzung der Vorurkunden hergestellt liegt der gleiche Text wie in der ersten Hälfte von K 46 II vor, doch heisst es: 'prout moris est et eis expedire videbitur'.

*1354 Januar 8 (B.-Huber 1737):

Quam ob rem prefato ... ecclesie, quia monetam ... in civitate Treverensi, ubi voluerint, et extra ... monetam auream et argenteam fabricari, cudi atque mutari faciant, tociens et quociens voluerint et prout ... videbitur necnon in hoc ... speciali. Nulli[3] ... nostre indulgencie paginam ... penam viginti librarum ... incurrisse.

*K 56 II: Item prefato ... ecclesie, qui eciam monetam ... ubi talis moneta cudetur ... de suo vel eius successorum pro tempore consensu processerit speciali.

K 76 II: (1) Item ... indulgemus, ymmo a longissimis retro temporibus indultum fore pocius declaramus, ut ... mutari libere facere possint, tociens ... speciali.

(2) non obstantibus quibuscumque privilegiis, libertatibus, consuetudinibus seu usibus quacumque nostra seu predecessorum nostrorum concessione, indulto, confirmacione seu eciam quanticumque temporis prescripcione vallatis, per que civitas Treverensis pretendit seu pretendere posset, quod moneta, quam archiepiscopus Treverensis pro tempore aut ecclesia Treverensis in ipsa civitate cudi seu fabricari faceret de ipsius civitatis scitu, voluntate, connivencia seu

---

1) Am gleichen Tage (B.-H. 264 §§ 16 u. 17) erhält der Erzbischof Vollmacht und Auftrag gegen die Falschmünzer einzuschreiten und das Recht königliche (bezw. später kaiserliche) Gold- und Silbermünzen prägen zu lassen. 2) Vgl. hierzu § 2 in Friedrichs II. 'Privilegium in favorem principum ecclesiasticorum' von 1220 April 26 (MG. Const. II, 86, n. 73), bestätigt und transsumiert durch Rudolf I. 1275 März 13 (ib. III, 70, n. 82). 3) Pönformel A.

consensu debeat cudi seu eciam fabricari, privilegiaque, libertates, consuetudines ac usus huiusmodi revocavimus et annullavimus ac presentibus revocamus, annullamus, abrogamus et viribus penitus vacuamus[1].

(3) Concedimus eciam ipsis archiepiscopo, suis successoribus et ecclesie, ut falsarios monetarum quarumlibet ac eos, qui eosdem falsarios in castris, fortaliciis, villis, domibus vel terris suis suscipiunt aut morari permittunt, penis possint subicere legalibus et punire[2].

III. Rhein- und Moselzölle betr.[3]

K 46 III: Item eidem archiepiscopo suisque successoribus thelonea super alveum Reni et Moselle in Confluencia et alibi, superius aut inferius, sibi vel ecclesie sue predicte concessa aut per ipsos habita et possessa innovamus, approbamus, concedimus et ex certa sciencia confirmamus; indulgentes eisdem, quod omnia thelonea sua huiusmodi levare possint coniunctim vel divisim in dominio aut conductu suo, ubi magis viderint expedire.

L 32 III: schon wie K 46 mit den oben ersichtlichen Auslassungen[4].

*L 39 III: gleichlautend mit dem Zusatze hinter 'thelonea': per nos predecessores nostros Romanorum imperatores vel reges.

---

1) Ueber den Streit mit der Stadt Trier vgl. Fr. Ferdinand, Kuno von Falkenstein als Erzbischof von Trier, Koadjutor und Administrator von Köln bis zur Beendigung seiner Streitigkeiten mit der Stadt Trier 1377' S. 41 ff.; vgl. unten S. 383, N. 3. 2) 1357 hatte Boemund von Trier bereits eine ähnliche Vollmacht erhalten (B.-Huber 7406), von der wir aber nur ein kurzes Regest in einem alten Kurtrierischen Repertorium besitzen; vgl. auch S. 355, N. 1. 3) Auf die Zollberechtigungen u. a. im einzelnen beziehen sich noch die folgenden Urkunden: Heinrich VII. v. 1309 Febr. 6 und 1311 Febr. 3 (Const. IV, n. 276 u. 569) betr. 2 Turnose auf dem Rhein bei Koblenz für alle Zeiten; 1309 Sept. 26 (Dominicus S. 77 f) betr. 4 Turnose daselbst auf Zeit. — Ludwig IV., Versprechen v. 1314 Sept. 20 (Winkelmann II, 776 Z. 2—7), eingelöst 1314 Dez. 3 (Böhmer 19 I und eine bisher unbekannte Urkunde), ändert den bisherigen Zustand dahin, dass 4 Turn. für alle Zeiten und 2 Turn., solange Balduin lebt, erhoben werden sollen; 1314 Dez. 3 (Böhmer 19 VI), gleichfalls in Erfüllung des Versprechens vom Sept. 20 (Winkelmann S. 776 Z. 27—30) betr. Nichterhebung neuer Zölle, die nicht schon unter Rudolf I. erhoben sind, in einem bestimmten Gebiete. — Karl IV. v. 1346 Nov. 25 (B.-Huber 264 §§ 1 und 6) betr. Aufhebung aller seit Heinrichs VII. Tode neu errichteten Zölle u. s. w. und Befreiung der Stiftsuntertanen; 1347 Sept. 30 (B.-H. 359) Vollmacht und Auftrag betr. die übermässigen Zölle; 1356 Jan. 10, 1359 Apr. 13, 1365 Aug. 9 und 1372 Juli 8 (B.-H. 6864. 2941. 2942. 6991. 7174 u. 7351) betr. einzelne Verleihungen u. dgl. 4) Vgl. § 2 des 'Priv. in fav.' von 1220.

*1354 Januar 8 (B.-Huber 1735=6740)[1].

(1) Hiis igitur favorabiliter attentis predicto archiepiscopo . . . sciencia motu proprio confirmamus; . . . expedire[2].

*K 56 III: (1) Item eidem archiepiscopo . . . theolenum super alveos Reni et Moselle ac alios in Confluencia . . . expedire[2].

K 76 III: (1) Item . . . theolonia super . . . expedire[2].

IV. betr. Leinpfad, Geleits- u. ä. Rechte; Grundruhrverbot.

K 46 IV: (1) Item conductum et iurisdictionem super fluvium Moselle una cum strata super alveum eiusdem Moselle utrobique, que dicitur wlgariter Lynpat, a ripa dicta Dilmerbach prope villam Remiche descensive usque ad fluvium Reni necnon conductum super fluvium et alveum Reni a rivulo dicto Duberbach inter Brye et Rense usque in ripam Nette prope Andernacum, prout prefatus archiepiscopus, sui predecessores et eorum ecclesia Treverensis huiusmodi conductus et stratas hactenus et antiquitus habuerunt, approbamus et tenore presencium et ex certa nostra sciencia confirmamus et huiusmodi eorum conductus necnon alios eorum conductus per terram et per aquas aut districtus eorum per nos vel nostros non impediemus nec infringi ab aliquo patiemur.

(2) Ceterum cum intellexerimus nonnullos presertim super alveum Reni sibi hactenus vendicasse et adhuc vendicare ius quoddam se intromittendi de bonis, rebus ac mercibus eorum, qui naufragium paciuntur, quod 'Gruntrůre' wlgariter nuncupatur, et etiam eorum, qui bona vel merces aliquas per terras in bigis vel currubus veheunt (!) sive ducunt, si bige vel currus huiusmodi labantur sive cadant vel confringantur vel etiam si bige sic cadentes seu, dum franguntur, eorum propriis ductoribus vel aliis aliquod corporis inferant nocumentum, bona, res et merces huiusmodi animo sibi retinendi temere occupando. Cum igitur huiusmodi iuris seu pocius iniurie vendicacio sit contra omnem equitatem et naturalem etiam racionem, dictantem quem duplici afflictione et incommodo affligi non debere, volumus et districtius inhibemus, ne quis, cuiuscumque status vel condicionis fuerit, bona res vel merces qualescumque naufragium patientium, potissime in dicto alveo Reni, vel etiam per terram occasione bigarum vel curruum cadentium vel confractarum

1) Am gleichen Tage erhielt Balduin ein besonderes Privileg über seine Zollberechtigungen, das bisher nur im Auszug bekannt ist; abgedruckt im Anhang n. IV. 2) § 2 s. u. bei VII.

vel etiam aliquod nocumentum corporale, ut premittitur, inferentium animo sibi retinendi quoquomodo presumant vel audeant occupare seu se intromittere de eisdem, non obstante aliqua consuetudine seu potius abusione, si qua a quoquam in contrarium hactenus de facto fuerit observata, quam quidem consuetudinem, si sic dici meretur, tamquam erroneam et nulla ratione fulcitam cassamus et irritamus, ymmo cassam, reprobam et irritam presentibus nunciamus.

*Ludwig IV.: 1339 März 9 (Böhmer 2830): enthält schon, vielfach gleichlautend[1], das Verbot der Grundruhr.

1354 Januar 8 (B.-Huber 1726).

Karolus . . . scientia[2]

(1) memorato patruo et principi nostro, suis successoribus et ecclesie Treverensi conductum . . . Lympat . . . antiquitus habuerunt; insuper conductus et forestas in Spurckemberg prope Monthabûr in Lysura, Kyle et Sure fluviis necnon a fluvio dicto die Bremze usque ad rivulum dictum Trone intra, supra, infra et circa eos seu eas cum eorum seu earum iuribus, attinentiis et pertinentiis universis et singulis, prout predicto nostro patruo et principi huiusmodi conductus et foreste adiudicantur et hucusque ab antiquo adiudicati seu adiudicate fuerunt, necnon stratam super Saram utrobique, que wlgariter dicitur Lympat, a dicto fluvio Bremze descensive usque ad Mosellam, approbamus . . . conductus et forestas necnon . . . conductus et forestas per . . . eorum conductus (!) cum eorum pertinentiis et attinentiis universis et singulis * non impediemus nec ab aliquo volumus impediri; inhibentes nichilominus, ut nullus, cuiuscumque status aut conditionis fuerit, predictos conductus aut aliquem eorumdem per thelonii receptionem, captionem seu arrestationem personarum seu rerum quorumlibet etiam guerrarum tempore infringere seu quovis modo impedire aut perturbare presumat.

2) Ceterum . . . hactenus * fuerit . . . nunciamus.

Nulli[3] nostre approbationis, confirmationis et inhibitionis paginam . . . penam quinquaginta librarum . . . incurrisse[4].

*K 56 IV: (1) Item eidem archiepiscopo suisque successoribus . . . hactenus * habuerunt . . . nostro * principi . . . non impediemus nec in aliquo volumus per alium vel alios, cuiuscum-

---

1) Vgl. Anhang n. II. — Betr. frühere Grundruhrverbote vgl. Const. III, 545, N. 2. 2) Eingang der Urkunde bis hierher wie in I. 1354. 3) Pönformel A. 4) 1356 Dez. 13 (B.-H. 6904): Verleihung von Geleitsrechten am Var und an der Mosel.

que status aut condicionis fuerint, quomodolibet impediri; inhibentes . . . presumat.

(2) Ceterum . . . bige aut currus sic cadentes . . . afflictione * affligi . . . nunciamus.

K 76 IV: (1) Item eidem . . . pertinenciis universis et singulis, quia predictis archiepiscopo, eius predecessoribus et ecclesie huiusmodi conductus et foreste * hucusque ab antiquo . . . per aquas et quoslibet eorum conductus . . . singulis quodque aliquem conductum seu aliquam forestam premissos non impediemus . . . presumat. Non obstantibus quibuscumque privilegiis, graciis seu libertatibus a nobis seu predecessoribus aut eciam successoribus nostris sub quocumque verborum tenore datis vel concessis, dandis vel concedendis imposterum, eciam si de presentis nostre gracie et concessionis tota ac de verbo ad verbum serie ac continencia plenam et integram faciant mencionem[1].

(2) Ceterum . . . alveos Reni, Moselle et alibi sibi hactenus . . . Cum igitur vendicatio huiusmodi iuris, quod pocius violencia iniuriosa censetur, sit contra . . . in dictis alveis Reni et Moselle vel eciam . . . nunciamus.

V. Hof- und Heerfahrt betr.

K 46 V: Volumus etiam et de speciali gracia eidem archiepiscopo concedimus, ut ipse archiepiscopus et sui successores nec ultra montes nec citra ad perlamentum vel expedicionem nostram seu imperii publicam vel privatam, nisi alii omnes * electores imperii ad hoc fuerint evocati et negotium tantum sit, quod merito simul conveniant, ire teneantur nec propter hoc offensam vel indignacionem nostram vel imperii incurrere valeant ullo modo.

Ludwig IV.: 1314 Sept. 20 (Böhmer-Reichss. 398): Versprechen vor der Wahl[2].

1314 Dez. 3 (Böhmer 19 IV): Einlösung des Versprechens in den gleichen Ausdrücken[3].

L 32 IV: Wörtliche Wiederholung, der sich K 46 V eng anschliesst.

---

1) Hontheim II, 177 schiebt diesen Zusatz fälschlich schon bei der Urkunde von 1354 ein. 2) Winkelmann II, n. 1115, S. 776 Z. 20 ff. 3) Der Druck der Urkunde Böhmer 19 bei Hontheim II, 92 ist unvollständig; es fehlen die Bestimmungen betr. Rudolf von der Pfalz (in der Vorurkunde Winkelmann II, 775 Z. 19—23), die S. 93 Sp. 2 vor 'Nulli ergo' einzufügen sind, auch enthält das Original im Koblenzer Archiv eine Erweiterung der Strafandrohung durch Festsetzung der Summe von 100 Pfund Gold. Es kann aber in diesem Falle angenommen werden, dass Hontheim eine zweite, zweifellos vorhanden gewesene Ausfertigung benutzt hat. Derartige Abweichungen zwischen den verschiedenen Ausfertigungen derselben Urkunde kommen unter Ludwig IV. mehrfach vor.

*1354 Jan. 8 (B.-Huber 1736).

Quam ob rem de speciali ... concedimus, quod ipse ... ullo modo.

*K 56 VIII: Item de speciali ... ipse * et sui ... ullo modo.

K 76 VIII: (1) Item ... ullo modo.

(2) Volumus tamen, si archiepiscopum Treverensem pro tempore in casum, quo alios omnes electores principes ad nos contigerit evocari, vel eciam ipse ex alia quacumque racione vel causa ad nos duxerit veniendum vel eciam suos nuncios transmittendum, quod pro tunc archiepiscopus Treverensis pro tempore ac sui nuncii supradicti per nostras ac quorumcumque nobis et sacri imperii fidelium subditorum terras, dominia seu districtus eundo stando et redeundo securis libertate gaudeant et conductu nosque huiusmodi conductum et libertatem prefato archiepiscopo, eius successoribus et ecclesie Treverensi hiis litteris perpetuis temporibus indulgemus.

VI. Privilegium de non evocando.

K 46 VI: Item speciali privilegio ipsis archiepiscopo suisque successoribus concedimus, ut nemo vasallorum, ministerialium, castrensium civium, opidanorum hominum aut subditorum suorum, ecclesiasticorum vel secularium ad iuditium regalis vel imperialis curie vel alterius cuiuscumque super quacumque causa criminali vel civili trahi possit invitus, sed conquerentes de ipsis coram prefato archiepiscopo eiusque successoribus vel eorum iudicibus suam iusticiam prosequantur, nisi fortassis contingeret, per ipsos archiepiscopos et eorum iudices dictis conquerentibus iusticiam denegari vel eorumdem archiepiscoporum homines aut subditi ipsis non parerent aut recusarent stare iuri et iusticie coram ipsis*.

Heinrich VII.: 1309 Dez. 31 (Böhmer 197. MG. Const. IV, n. 332) enthält schon die Befreiung der Stiftsuntertanen vom Kgl. Hofgericht.

Ludwig IV.: 1314 Sept. 20 (Böhmer Reichss. 398): Versprechen vor der Wahl[1].

1314 Dez. 2 (Böhmer 15 II) Verleihung in fast den gleichen Ausdrücken.

1314 Dez. 2 (Böhmer 17): Gleichlautende Einzelausfertigung mit dem Zusatz am Schluss: 'decernentes ex nunc irritum et inane quicquid contra premissa vel aliquod premissorum ullo umquam tempore fuerit attemptatum'. — Für diese

1) Winkelmann II, 776 Z. 30—36.

Urkunden Ludwigs ist die Heinrichs nicht Vorlage gewesen; dagegen möglicherweise bei der folgenden:

L 32 V, wo der Wortlaut von K 46 VI schon im Wesentlichen vorliegt, jedoch mit einem Zusatz am Schlusse, der sich inhaltlich mit dem die Texte von 1314 einleitenden Schutzversprechen deckt: 'quos archiepiscopos et suos subditos in ipsorum iure tam in personis quam rebus eorum per nos, officiatos et subditos sacri imperii quoscumque specialiter perpetuo defendi volumus et tueri'.

*L 39 IV: mit geringen Abweichungen, die in K 46 VI aber ebensowenig aufgenommen sind, wie der hinter 'secularium' eingefügte Satz: 'qui in dyocesi Treverensi resederint vel moram traxerint, nec eciam alibi residentes vel moram trahentes, qui dicte ecclesie ab antiquo attinuerunt'.

*1346 Dez. 2 (B.-Huber 285).

Hiis ergo attentis predicto archiepiscopo, suis successoribus et ecclesie speciali privilegio concedimus, ut . . . . . . coram ipsis.

*1354 Jan. 8 (B.-Huber 1732) folgt K 46!

Quamobrem de speciali privilegio . . . opidanorum * aut . . . secularium, etiamsi ministerialis aut alias vasallus noster seu imperii foret, ad iudicium . . . ., sed conquerens de ipsis coram predicto archiepiscopo . . . iusticiam consequatur . . . ipsis. Nulli[1] . . . hanc concessionis nostre et permissionis paginam . . . penam viginti librarum . . . incurrisse.

*K 56 V: Item de speciali privilegio ipsi archiepiscopo . . . causa criminali, civili vel mixta trahi . . . iusticiam prosequatur . . . * conquerenti iusticiam . . . ipsis.

K 76 V: Item . . ., sed conquerens de ipsis vel aliquo eorumdem coram . . . successoribus et ecclesie Treverensi huiusmodi suos adversarios antedictos teneatur et debeat convenire, nisi * eorumdem archiepiscoporum et ecclesie homines . . . ipsis.

VII. Zollfreiheit für den Erzbischof und seinen Klerus.

K 46 VII: Item indulgemus et volumus, quod idem archiepiscopus et sui successores ecclesiasticeque persone civitatis vel dyocesis Treverensis de rebus suis propriis, quas non negociandi causa deferunt, thelonea, pedagium, vectigal aut exactionem aliquam ordinariam vel extraordi-

1) Pönformel A.

nariam, quocumque nomine nuncupetur, nobis vel quibusvis aliis nullo modo solvere teneantur, sed ab omnibus oneribus tributorum ac theloneorum seu pedagiorum huiusmodi sint perpetuo liberi penitus et immunes.

L 32 VI und *L 39 V: gleichlautend, abgesehen von den kleinen Auslassungen am Schluss.

*1354 Jan. 8 (B.-Huber 1735 = 6740).

(2)[1] Indulgemus etiam et volumus ... nuncupentur ... immunes. Nulli[2] ... nostre innovationis, approbationis, concessionis, confirmationis, indulgentie et voluntatis paginam ... necnon quinquaginta librarum ... incurrisse.

*K 56 III: (2)[1] Indulgemus ... deferunt * pedagium ... immunes.

K 76 III: (2)[1] gleichlautend mit dem Vorigen.

VIII. Geistliche Gerichtsbarkeit betr.

K 46 VIII: Item causas ecclesiasticas et alias, que de iure vel de consuetudine in predicti archiepiscopi foro ecclesiastico decidi consueverunt, nullo modo alibi, nisi coram ipso archiepiscopo suisve successoribus aut eorum commissariis vel officialibus tractari volumus seu decidi. Personas etiam ecclesiasticas dictarum civitatis et diocesis Treverensis pro quacumque causa non nisi coram dictis archiepiscopo et eius successoribus vel suis officialibus seu iudicibus ecclesiasticis permittemus aut sustinebimus conveniri seu etiam iudicari.

L 32 VII und *L 39 VI: gleichlautend, mit den oben ersichtlichen Auslassungen und einer kleinen Umstellung.

IX. Erzkanzleramt[3].

K 46 IX: Item declarando et innovando volumus et confirmamus, quod, quocienscumque contigerit nos aut successores nostros imperatores vel reges Romanorum intrare terminos archicancellarie archiepiscoporum Treverensium, videlicet terminos regni Arelatensis aut Gallie, quod ipsi archiepiscopi, qui pro tempore fuerint, vel sui iurati ad eorum mandatum speciale custodiam sigillorum nostrorum, iura, redditus et proventus archicancellarie predicte necnon, sive dictos terminos intraverimus sive non, iura quecumque, que de

1) § 1 s. oben bei III. 2) Pönformel B 1. 3) Vgl. hierzu Bresslau, Handbuch der Urkundenlehre I (Leipzig 1889), 383 ff.; Seeliger, Erzkanzler und Reichskanzlei (Innsbruck 1889) S. 46 ff. und 55 ff., und Richel, Uebergang des Arelat. Erzkanzleramts auf den Erzbischof von Trier (Hall. Diss. 1891).

curia imperiali seu regia in eisdem terminis intuitu eiusdem cancellarie cedent vel cedere consueverunt, percipere et habere debeant cum omnibus insigniis huiusmodi dignitatis et specialiter in cancellario, prothonotariis et notariis instituendis et destituendis, quando et quociens voluerint, in aula imperiali seu regali, qui dictis archiepiscopis loco et vice nostri pro reverencia, obediencia et fidelitate debita observandis facient iuramentum; decernentes archiepiscopum et ecclesiam Treverensem ab olim nunc et imposterum iura pretacte archicancellarie potuisse, debere et posse in dictis terminis exercere.

Ludwig IV: 1314 Sept. 20 (Böhmer Reichss. 398): Versprechen vor der Wahl[1].

1314 Dez. 3 (Böhmer 19) III: Verleihung in gleichen Ausdrücken.

L 32 VIII und

*L 39 VII, wo abgesehen von geringen Lücken übereinstimmend schon die Fassung von K 46 IX vorliegt; doch steht an Stelle des allgemeinen 'iura quecumque' die Aufzählung: 'decimam de sturis, exactionibus et obventionibus Iudeorum ac alia' und am Schluss sind die Worte zugefügt: 'in quibus vel premissorum aliquo seu etiam in aliis suis iuribus sibi, successoribus suis aut ecclesie Treverensi nullum unquam impedimentum quomodolibet faciemus nec fieri volumus per nos aut alios clam vel palam directe vel indirecte aut ab aliis fieri permittemus'.

1354 Jan. 8 (B.-Huber 1729).

Igitur declarando .... decernentes ipsum archiepiscopum ... exercere. Nulli[2] ... nostre declaracionis, innovacionis et confirmacionis paginam ... incurrisse.

*K 56 IX[3]: Item declarando ... custodiam sigillorum imperialium seu regalium, iura, obvenciones ac proventus ... quociens voluerit in aula ... exercere.

K 76 IX: Item declarando ... exercere, nec hoc alicui alteri competere in dictis terminis sive regnis.

X. Recht der ersten Stimme.

K 46 X: Item cum inter cetera meritorum prerogativam merito conferencia antiquitas seu veneranda vetustas

1) Winkelmann II, 776 Z. 13 ff. 2) Pönformel B 2. 3) B.-Huber 2392 ist zu streichen, da es sich, wie ein Vergleich des als Quelle angeführten Drucks bei Würdtwein zeigte, bei diesem nur um einen Auszug aus K 56 handelt. Die abweichende Datierung beruht auf falscher Auflösung.

prefatam ecclesiam Treverensem pre ceteris Germanie ecclesiis insigniverit et decoret, nos omnem prerogativam, quam dictus archiepiscopus eiusque predecessores ex hoc tam in prima voce in electione Romanorum regis quam aliis imperii negociis per principes electores communiter pertractandis hactenus habuerunt, et prout hactenus eadem prerogativa usi et gavisi sunt, ex certa nostra sciencia approbamus et confirmamus, volentes, quod dictus archiepiscopus et sui successores pretacta prerogativa prime vocis tam in electione Romanorum regis quam aliis negociis imperii per principes electores, ut prefertur, communiter pertractandis, prout retroactis temporibus ea usi sunt, ita inantea perfruantur et gaudeant perpetuis temporibus successivis.

*1354 Jan. 8 (B.-Huber 1739).

Cum igitur inter cetera . . . vetustas sanctam Treverensem ecclesiam pre . . . quam venerabilis Baldewinus archiepiscopus Treverensis, princeps et patruus noster karissimus, eiusque . . . regis futuri imperatoris quam . . . hactenus procul dubio habuerunt . . . regis futuri imperatoris quam . . . inantea pacifice perfruantur et libere gaudeant . . . successivis.

Nulli[1] . . . nostre approbacionis et confirmacionis paginam . . . penam centum librarum . . . incurrisse.

K 56 X: Item cum inter . . . ceteris Alamanie ecclesiis . . . venerabilis Boemundus archiepiscopus, princeps et devotus noster predictus, eius v e predecessores . . . . . successivis.

K 76 X: Item cum . . . venerabilis Cůno archiepiscopus Treverensis, princeps et devotus noster, * eiusve . . . et * hactenus . . . pertractandis, quia retroactis . . . sunt, * inantea . . . successivis.

XI. Erwerb veräusserter Reichsgüter.

K 46 XI: (1) Concedimus etiam ipsis archiepiscopo suisque successoribus et permittimus graciose, quod ipsi omnia bona et feoda imperii sive regni, ubicumque reperiantur obligata, alienata sive vendita, in quibuscumque rebus consistant aut quibuscumque nominibus nuncupentur, ac imperii feoda possint coniunctim vel divisim * redimere, reemere aut emere ac ea eodem iure seu tytulo tenere et habere, quo ea possessores huiusmodi possederunt.

(2) Et si prefatus archiepiscopus iam aliqua de huiusmodi bonis vel feodis imperii sive regni redemit, reemit vel redemit seu etiam alias conquisivit, huiusmodi redemp-

---

1) Pönformel A.

cionem, empcionem, reempcionem et conquisicionem sic iam factas et specialiter empcionem opidi Lympurg per predictum archiepiscopum factam approbamus, ratificamus et ex certa nostra sciencia confirmamus.

Ludwig IV.: 1314 Sept. 20 (Böhmer Rs. 398): Versprechen vor der Wahl[1].

1314 Dez. 8 (Böhmer 19) II: damit wörtlich übereinstimmend: 'Similiter permittimus et concedimus eidem, quod omnia bona imperii, ubicumque in sua dyocesi reperiantur obligata, coniunctim vel divisim eo precio, modo et forma, quibus sunt obligata, redimere valeat ac eo iure tenere'[2].

L 32 X und *L 39 IX: schon im Wesentlichen in der Fassung von K 46 XI; doch ist hinter 'divisim' noch die Bestimmung von früher übernommen 'eo pretio — obligata, detenta sive vendita', während die lokale Beschränkung fortgelassen wurde.

1354 Jan. 8 (B.-Huber 1727).

(1) Universis . . . volumus esse notum, quod . . . eidem archiepiscopo suisque successoribus concedimus et permittimus graciose, quod * omnia . . . vendita seu distracta in . . . nuncupentur, * possint . . . emere aut recuperare ac ea . . . possiderunt.

(2) Et si . . . regni redemit, emit, reemit, recuperavit seu eciam . . . reempcionem, recuperacionem et conquisicionem . . . empciones opidi Lympurg, castrorum de Coverna et dominii eiusdem cum ipsorum pertinenciis et attinenciis universis et singulis per dictum archiepiscopum factas . . . sciencia motu eciam proprio confirmamus.

Nulli[3] . . . nostre concessionis et permissionis paginam . . . penam viginti librarum . . . incurrisse.

*K 56 XIII: (1) Item eidem . . . regni Romani ubicumque . . . possiderunt.

(2) Et si prefatus archiepiscopus suique predecessores iam . . . feodis sacri imperii . . . singulis per felicis memorie Balde-

---

1) Winkelmann II, 776 Z. 11—13. 2) Den gleichen Gegenstand behandeln ausführlicher die Urkunden Ludwigs IV. von 1316 März 9 (Böhmer 2621) und 1321 Aug. 19 (Böhmer 450); vgl. auch 1321 Apr. 30 (Böhmer 440). Die Rechte des Erzbischofs in den ihm verpfändeten Reichsbesitzungen betreffen die Urkunden Ludwigs IV. von 1321 Apr. 30 (Böhmer 440) und Karls IV. von 1346 Nov. 26 (B.-Huber 272 u. 274). 3) Pönformel A.

winum archiepiscopum Treverensem, pro tempore principem et patruum nostrum carissimum, factas . . . confirmamus.

K 76 XIII: ganz gleichlautend.

XII. Freiengerichte.

K 46 XII: Item conferimus et concedimus in perpetuum eidem archiepiscopo suisque successoribus et ecclesie Treverensi in augmentacionem feodorum suorum, que ab imperio tenent, merum et mixtum imperium et plenam iurisdictionem in Crampûrch et in omnibus et singulis iurisdictionibus, villis et earum hominibus dyocesis Treverensis, ubi homines seu villani iudicia reddere et exequi in causis criminalibus, civilibus et mixtis hactenus consueverunt, que iurisdictiones fryheimgerede wlgariter nuncupantur; inhibentes omnibus nostris subditis, cuiuscumque status vel condicionis fuerint, ne quis prefatum archiepiscopum eiusve successores in dictis suis iurisdictionibus et earum libero exercicio necnon iuribus ad easdem iurisdictiones pertinentibus presumat vel audeat perturbare seu quomodolibet impedire.

Ludwig IV.: 1314 Sept. 20 (Böhmer Rs. 398): Versprechen vor der Wahl[1].

1314 Dez. 2 (Böhmer 15) IV } abgesehen von
1314 Dez. 4 (Böhmer 22) } einigen Umstellungen gleichlautende Wiederholungen; doch ist am 4. eine Aufforderung an die betroffenen Untertanen nebst Strafandrohung beigefügt.

L 32 XI und *L 39 X: miteinander übereinstimmend unter Benutzung der früheren Urkunden, schon wörtlich gleichlautend mit dem eigentlichen Texte von K 46 XII.

1354 Jan. 8 (B.-Huber 1724).

. . . . Universis . . . volumus esse notum, quod . . . conferimus . . . Crampurg, Poliche et in omnibus . . . Frihengerede . . . impedire.

Nulli[2] . . . nostre collationis, concessionis et inhibitionis paginam . . . penam viginti librarum . . . incurrisse.

K 76 XX[3]: Ipsis eciam conferimus . . . in perpetuum, ymmo dudum a nobis ac predecessoribus nostris divis Romanorum imperatoribus collata et concessa decernimus,

---

1) Winkelmann II, 776 Z. 36 ff. 2) Pönformel A. 3) Vgl. 1356 Dez. 18 (B.-Huber 2540): Karl IV. bestätigt dem Erzbischof Boemund das schon früher an Balduin verliehene Freiengericht zu Polch; in deutscher Sprache.

* merum . . . imperium ac * iurisdictionem * in omnibus . . . Treverensis, * que iurisdictiones . . . omnibus et singulis, * cuiuscumque . . . ne prefatos archiepiscopum, eius successores et ecclesiam in dictis mero et mixto imperio ac iurisdictione eorumque libero . . . iuribus et attinenciis universis ad easdem iurisdictiones pertinentibus perturbare vel quovis modo impedire presumant.

XIII. Hofgerichtsverfahren.

K 46 XIII: (1) Item volumus et in perpetuum concedimus eidem Baldewino archiepiscopo Treverensi et suis successoribus, quod de nobilibus, vasallis, castrensibus, ministerialibus et subditis eiusdem ecclesie Treverensis et de eorum feodis simplicibus, ligiis vel castrensibus necnon super bonis ac questionibus ecclesiam Treverensem aut eius subditos tangentibus secundum iura, modum et consuetudinem iudicii aule imperialis vel regie citare, terminos statuere, iudicare et sentenciare ac alios actus iudiciarios exercere per se et suos fideles habeant atque possint, * cum expediat, quod membra secundaria suo principali membro, hoc est suo capiti, se conforment, nostris et imperii iuribus semper salvis.

(2) Eo specialiter observando circa citaciones faciendas, quod prima die notificata alii dies seu termini per se et ex consequenti veniant, ita quod super aliis terminis seu diebus post primam aliqua notificacione speciali seu insinuacione non sit opus.

(3) Item ut lites et iudicia eo celeriorem finem, prout rationi et iuri congruit, sorciantur, volumus, statuimus et ordinamus: cum aliqua causa seu questio coram dicto archiepiscopo vel suis successoribus et eorum vasallis seu fidelibus fuerit ventilanda, sive hoc sit inter ipsos archiepiscopum et eius successores pro una parte et aliquem vel aliquos de vasallis ex altera sive inter vasallos mutuo et pro utraque parte, quod quilibet vasalli dictorum archiepiscopi et successorum eius et ipsorum ecclesie Treverensis possint esse citantes, iudices et prolocutores seu advocati, etiam si causa vel questio huiusmodi liberos seu ingenuos wlgariter dictos fryen respiciat vel contingat; quodque archidyaconi et alii prelati vel clerici feodum a prefato archiepiscopo vel eius successoribus obtinentes preterquam in causis sanguinum ac etiam castrenses et ministeriales una cum aliis vasallis ipsius ecclesie Treverensis sentenciare seu sentencias super quesitis dicere valeant et proferre, cum de ipsorum et specialiter dictorum prelatorum et clericorum fidei puritate et, quod nil aliud, quam quod iustum et rationi consonum fuerit, proferre debeant, sit pre ceteris merito presumendum; et quod super sentenciis

24*

quibuscumque coram dicto archiepiscopo vel suis successoribus et eorum vasallis prolatis stetur litteris iudicum vel iudicis cum inscriptione aliquorum fidelium ipsius ecclesie, qui sentencie vel sentenciarum prolacioni interfuerint, cum huiusmodi veritas merito subsistat, que tam iudicum seu iudicis quam fidelium litteris testimonio roboratur.

(4) Item statuimus et presentibus ordinamus, quod in omnibus et singulis causis seu questionibus super feodis vel retrofeodis a predicta ecclesia Treverensi dependentibus, exortis ac etiam oriundis, ubi aliqua partium se gravatam senserit, hec ad memoratum archiepiscopum vel eius successores pro tempore existentes tamquam ad superiores dicti feodi dominos possit legittime appellare. Et si in aliqua causa coram dicto archiepiscopo vel eius successoribus et eorum vasallis ventilanda vasallos sentencias proferentes discordes esse contigerit, etiam si maior pars in unam sentenciam concordaverit, volumus similiter, quod prefatus archiepiscopus et eius successores, ubi ius vel equitas vel alie cause rationabiles eos moverint, super causa huiusmodi seu super prolacionibus sentenciarum sic in discordiis prolatarum ad curiam regalem vel imperialem valeant provocare ita, quod dicti archiepiscopus et eius successores causam huiusmodi introducere possint ad imperialem vel regalem curiam prenotatam.

L 32 XIII und *L 39 XII: enthalten schon miteinander übereinstimmend den § 1 mit den oben ersichtlichen Auslassungen und dem Zusatze hinter 'possint': 'et etiam si inter ipsos nobiles, vasallos et ministeriales dicte ecclesie Treverensis et per ipsos super aliquibus bonis seu questionibus ipsam ecclesiam Treverensem tangentibus et, de quibus ipsi cognoscere et iudicare de iure vel consuetudine poterunt et debebunt, proferende sint sentencie, quod consimiliter iuxta eosdem imperialis et regalis aule iura, modum et consuetudinem proferantur'.

1354 Jan. 8 (B.-H. 1725).

(1) Unde ad venerabilis Baldewini . . . precelsa merita dirigentes intuitum nostre mentis sibi suisque successoribus imperpetuum duximus concedendum, quod de . . . subditis suis et de . . . bonis accionibus ac questionibus . . . iura, formulas, modum . . . regie iudicare et ipsos citare eisque terminos statuere et sentenciare . . . possint.*

(2) Et circa citaciones faciendas specialiter volumus observari, quod prima citacionis die . . . insinuacione alia non sit opus.

(3) Item ut . . . vasallos mutuo * sive inter vasallum ipsorum et alium, quod quilibet vasalli, maiores et minores, nobiles et ignobiles, dictorum . . . fryen dicte Treverensis ecclesie vasallos, contra quos seu inter quos sentenciandum fuerit[1], respiciat . . . sentenciare et diffinire seu sentencias super causis et quesitis . . . nil aliud proferant, quam quod . . . fuerit *, sit . . . sentenciis et actibus quibuscumque . . . prolatis aut gestis stetur . . . prolacioni aut dictis iudicialibus actibus interfuerint . . . litteris et testimonio roboratur.

(4) Item statuimus . . . successores per se alium vel alios, ubi . . . eos in contrarium moverint . . . in discordia prolatarum . . . successores introducere possint ad imperialem vel regalem curiam causam et discordiam prenotatam. Nulli[2] . . . nostrorum concessionis, statuti et ordinacionis paginam . . . necnon quinquaginta librarum . . . incurrisse.

*K 56 VI: (1) Item volumus et in perpetuum concedimus eidem archiepiscopo suisque successoribus, quod de . . . modum, mores, usus, observancias et consuetudines iudicii . . . regie tam circa processum iudiciarium quam decisionem et diffinicionem causarum huiusmodi iudicare . . . et eciam diffinitive sentenciare . . . possint.

(2) Et circa . . . diebus * aliqua . . . opus.

(3) Item ut . . . . . roboratur.

(4) Item statuimus . . . hec pars ad memoratum . . . provocare seu appellare ita . . . prenotatam.

K 76 VI: (1) Item volumus . . . successoribus et ecclesie Treverensi, quod de . . . fideles valeant atque possint.

(2) Et circa citaciones faciendas ea specialiter gaudeant libertate, quod . . . citacionis in edicto citatorio notificata . . . veniant, ac si dicti consequentes termini specialiter et expressim designati fuissent, ita quod super eisdem aliis . . . opus.

(3) Item ut . . . dictos vryen aut eciam spectabiles seu illustres dicte Treverensis . . . causis et questionibus dicere . . . iudicum * cum inscripcione . . . roboratur.

(4) Volumus tamen, quod archiepiscopus Treverensis, eius successores et ecclesia Treverensis super quibuscunque questionibus, causis seu litibus racione rerum seu bonorum feodalium vel eciam quarumcumque aliarum coram paribus

---

1) 'dicte — fuerit' druckt Hontheim schon bei K 46! 2) Pönformel B 1.

seu feodalibus aut aliis quibuslibet iudicibus ordinariis nobis inferioribus iuri stare aut coram eisdem respondere, nisi id de liberis voluntate et consensu suis duxerint faciendum, nullatenus teneantur.

(5) Item statuimus . . . prenotatam.

XIV. Aechtung der Gebannten.

K 46 XIV: Item volumus et concedimus eidem archiepiscopo suisque successoribus et ecclesie Treverensi, quod omnes et singuli excommunicati et excommunicandi ab eisdem archiepiscopo suisve subditis ultra annum et diem in eadem excommunicacione pertinaciter perseverantes ad ipsorum requisicionem, ad quorum instanciam excommunicati fuerint, proscribantur et in banno regali, quod wlgariter dicitur 'dûn in die achte', ponantur et stricte teneantur, donec redierint ad ecclesie unitatem.

Adolf: 1292 Juli 7 (Böhmer 402. — Const. III, n. 486) § 5: etwas kürzer, aber in den gleichen Ausdrücken [1].

Albrecht I.: 1298 Aug. 25 (Böhmer 6. — Const. IV, n. 23) § 3: wörtlich gleichlautend, mit einer Abweichung.

Heinrich VII.: 1309 Jan. 17 (Böhmer 16. — Const. IV, n. 274) Transsumpt und Bestätigung der Urkunde Albrechts I.

1309 Sept. 16 (Böhmer 160. — Const. IV, n. 314) Transsumpt und Bestätigung der Urkunde Adolfs.

Ludwig IV.: 1314 Dez. 2 (Böhmer 16) II: Bestätigung der Urkunden Adolfs u. Albrechts I., wobei der Wortlaut der letzteren wiederholt wird.

L 32 XIV und *L 39 XIII: In beiden Urkunden liegt gleichlautend der Text von K 46 XIV abgesehen von der oben ersichtlichen Auslassung schon vor.

*1354 Jan. 7 (B.-Huber 1731).

. . . . Cum nonnumquam materialis gladius eo, quod in corpore plus timeri solet, in subsidium spiritualis gladii [2], ne censura vilescat ecclesiastica, consueverit exerceri, igitur venerabili Baldewino archiepiscopo Treverensi, sacri imperii

1) Die Urkunde ist nur eine Wiederholung einer von Adolf 1292 Mai 14 ausgestellten Urkunde (vgl. Görz, Mittelrhein. Regesten IV, n. 2017 und 2042). — Vgl. § 6 und 7 des 'Priv. in fav. etc.' von 1220 Apr. 24; § 7 ist die eigentliche Vorlage. 2) Vgl. die Einleitung zu § 7 des 'Priv. in fav. etc.'.

per regnum Arelatense et Galliam archicancellario, patruo et principi nostro karissimo, suisque successoribus et ecclesie Treverensi graciose concedimus in hiis scriptis volentes et statuentes, quod omnes . . . suisve officialibus et iudicibus sibi subditis . . . . ad illorum requisicionem . . . unitatem, inhibentes universis et singulis nostris et sacri imperii fidelibus, ne quis taliter excommunicatis et proscriptis quovis communionis genere participet ullo modo, ut hominum suffragio ipsis subtracto celerius ad sancte matris ecclesie gremium et nostram ac sacri imperii graciam redire festinent. Nulli[1] . . . nostrarum concessionis, statuti, voluntatis et inhibitionis paginam . . . necnon quinquaginta marcarum . . . incurrisse.

K 56 XII: Item eidem archiepiscopo suisque successoribus . . . suisve successoribus seu eorum officialibus . . . fuerint, per ipsos archiepiscopos vel magistros curie eorumdem pro tempore proscribantur . . banno imperiali, quod vulgariter dicitur ' in dŷ' . . . subtracto eo celerius . . . festinent.

K 76 XII: Item eidem . . . dicitur '* die achte' . . . festinent.

XV. Lehnrechtsstatut.

K 46 XV: (1) Item statuto perpetuo sanctimus, ut dicte Treverensis ecclesie vasalli, cuiuscumque status vel preeminentie extiterint, feoda sua infra annum et diem a dicte ecclesie archiepiscopo ipso in sua provincia existente legittime recipere teneantur, et quod nullus vasallorum huiusmodi absque expresso consensu ipsius archiepiscopi feoda ab ipso et Treverensi ecclesia descendencia titulo pignoris aut alio quovis modo presumat alienare in aliumve transferre; alioquin tam non suscipiens infra annum, ut prefertur, quam alienans et alienatum recipiens a iure feodi cadant et feodum ad dominum ipso facto libere revertatur.

(2) Item iuxta communes observantias seu consuetudines imperii super feodis hactenus communiter observatas statuimus et ordinamus, quod omnia feoda sive simplicia sive castrensia a predicto archiepiscopo et eius ecclesia dependencia, si ea obtinentes sine heredibus legittimis decesserint, ad ipsum et predictam suam ecclesiam tamquam vacancia libere devolvantur, quodque huiusmodi feoda tamquam dicte ecclesie vacancia dictus

---

1) Pönformel B 1.

archiepiscopus suique successores sibi et ipsi ecclesie Treverensi applicare pleno iure valeant, reclamacione seu contradictione femellarum, agnatorum vel cognatorum decedentis huiusmodi qualibet non obstante, nisi dicti agnati seu cognati vel femelle per litteras evidentes vel aliis modis legittimis ostenderint, quod huiusmodi feoda ad ipsos sint pociori vel speciali iure merito devolvenda.

(3) Item proprietates vel feoda dicti archiepiscopi suorumque successorum vel ipsorum subditorum quacumque occasione vel causa absque ipsorum consensu per aliquem nolumus occupari et restitui precipimus taliter occupata; et cum ipsis feoda aliquo pretactorum modorum seu alio quolibet vacaverint vel ad ipsos devoluta fuerint seu cum ea evicerint, indulgemus et volumus, quod ipsi per se et suos auctoritate propria et sine ulteriori cuiusquam requisicione feoda huiusmodi apprehendere et se modis et viis, quibus voluerint, intromittere valeant de eisdem et per consequens de feodis huiusmodi disponere possint et debeant pro sue beneplacito voluntatis.

(4) Item volumus et predicto archiepiscopo et suis successoribus concedimus graciose, quod quocienscumque aliquem patrem familias infra dominium seu palas dicte Treverensis ecclesie commorantem seu residentem relictis liberis inpuberibus decedere contingat, tutela testamentaria vel agnatorum legittima deficiente prefatus archiepiscopus eiusque successores de tutela dictorum inpuberum se intromittere possint ac amministracionem bonorum et rerum ipsorum sibi assumere sine tamen iuramentorum prestacione et aliarum solempnitatum, que in assumendis tutoribus requiruntur. Et huiusmodi etiam nostram concessionem ad feoda dicti archiepiscopi et sue ecclesie ubicumque sita, si ea obtinentes relictis liberis inpuberibus huiusmodi feoda capacibus decesserint, videlicet, quod dictus archiepiscopus et sui successores tutelam dictorum inpuberum seu amministracionem, quo ad ipsa feoda habeant, extendendam duximus et extendimus per presentes[1].

---

1) Dem § 1 des Lehnrechtstatuts entsprechen, wörtlich miteinander übereinstimmend, L 32 XV und *L 39 XIV: 'Item sententiam latam Bopardie et approbatam sententialiter ab omnibus principibus, magnatibus, baronibus, nobilibus et fidelibus sacri imperii tunc presentibus coram felicis recordacionis Rodolfo Romanorum rege, predecessore nostro, de feodo non recepto infra annum et diem ac de feodi alienatione confirmatam per ipsum Rudolfum et deinde per dive recordationis Henricum imperatorem septimum, tunc Romanorum regem, predecessorem nostrum, confirmamus, approbamus et iuxta omnem ipsius modum et continentiam

*1354 Januar 3 (B.-Huber 1741).

(1) Perpetuo igitur statuto sanccimus, ut ... feoda sua et investituram de ipsis infra ... legittime petere et recipere ... ad archiepiscopum et ecclesiam Treverensem ipso ... revertatur.

(2) Item iuxta ... castrensia magna et parva a predicto ... heredibus masculis legittimis ... vacancia et ad ipsam ecclesiam devoluta dictus ... iure libere valeant ... devolvenda.

(3) Item proprietates ... occupari nec eciam occultari et restitui ac revelari precipimus ... cuiusquam vocacione seu requisicione ... voluntatis.

(4) Item volumus ... palas aut terminos dicte ... sollempnitatum observancia que in ... presentes. Nulli[1] ... nostrorum statutorum, concessionum, ordinacionum et voluntatum paginam ... necnon quinquaginta librarum ... incurrisse.

K 56 VII: (1) u. (2) wiederholt wörtlich die §§ 1 u. 3 von 1354.

*K 76 VII[2]: (1) Item perpetuo ... diem a tempore mortis eius vasalli, per quem ad se ipsa feoda devoluta pretendunt, necnon a tempore creacionis cuiuslibet archiepiscopi pro tempore ecclesie Treverensis predicte continue numerandos a dicte ... titulo vendicionis, pignoris, libelli, infeodacionis vel vasallagii, usus, usufructus seu precarii vel emphyteosis aut alio quovis modo vel nomine presumat ... alioquin * non ... prefertur * alienans vero quocumque tytulo et eciam alienatum ... cadant ipso facto et feodum huiusmodi ad ... Treverensem eo ipso libere revertatur.

(2) Item ... voluntatis.

*K 76 XIX[3]: Ipsis insuper archiepiscopo, suis successoribus et ecclesie Treverensi indulgemus, ymmo a nobis ac a divis Romanorum imperatoribus, predecessoribus nostris, indultum et concessum fore verius declaramus, quod omnia feoda tam simplicia quam eciam castrensia omnibus viis, modis et condicionibus ad eosdem archiepiscopum, suos successores et ecclesiam libere devolvantur, quibus huiusmodi feoda de iure ad nos ac Romanum imperium devolvuntur, quodque feoda

---

habere volumus roboris firmitatem'. Die erwähnte Sentenz Rudolfs I. (1276 März 29) und die Bestätigung (Transsumpt) durch Heinrich VII. (1309 März 13) s. Const. III, n. 109 und IV, n. 313. Vgl. dazu auch § 3 der Urkunde Adolfs 1292 Juli 7 (Const. III, n. 486), von Heinrich VII. ebenfalls durch Transsumpt bestätigt 1309 Sept. 16 (Const. IV, n. 340). — Zu § 2 des Lehnrechtstatuts vgl. die Sentenzen Albrechts I. von 1299 Febr. 20 und Juni 5 (Const. IV, n. 59. 60).

1) Pönformel B 1.

2) Erweiterung von K 56 VII.

3) Umstilisierung von § 2 der Einzelurkunde von 1354.

ipsa decedencium vasallorum, que ab ecclesia Treverensi dependent, ad eorumdem prolem femineam nullomodo perveniant, ipsaque proles in eisdem nulla racione succedat, nisi de privilegio ipsi ab archiepiscopo pro tempore rite concesso plene docuerit, tali videlicet, quod eidem proli feminee ad successionem huiusmodi legitime debeat suffragari.

*K 76 XXI 1: Item eidem archiepiscopo, suis successoribus et ecclesie Treverensi indulgemus et indultum per nostrum ac predecessorum nostrorum Romanorum imperatorum privilegia declaramus, quod quocienscumque aliquem * infra dominium vel palas * ecclesie Treverensis commorantem seu residentem feoda quecumque ab ecclesia Treverensi tenentem relictis liberis impuberibus feodorum huiusmodi capacibus decedere contingat, tutelam ac administracionem huiusmodi impuberum, quo ad feoda premissa, iidem archiepiscopus, sui successores et ecclesia possint et valeant sibi assumere et habere, si et in quantum eis hoc videbitur expedire, omnesque tutelas, testamentariam, legitimam et dativam, quo ad presens nostrum privilegium decernimus esse nullas ac viribus penitus vacuatas.

XVI. Verbot des Burgenbaus betr.

K 46 XVI: Item firmiter inhibemus *, ne quisquam aliqua fortalicia * castra vel opida in fundo Treverensis ecclesie vel aliarum ecclesiarum seu monasteriorum Treverensis civitatis et dyocesis vel in ipsius ecclesie Treverensis iurisdictionibus aut districtibus etiam ratione alicuius proprietatis, allodii aut feodi, advocatie seu alio quoquam pretextu vel infra unam leucam a locis iurisdictionis aut districtus * pretacte ecclesie Treverensis, quam, quia alias ecclesias venerande senectutis prerogativa, ut et supra premittitur, precellit, decrevimus huiusmodi privilegio specialiter decorari, sine expresso consensu suo erigere, collocare, construere vel facere valeat seu audeat in futurum, et id ipsum nobis et nostris successoribus esse volumus interdictum; volentes, quod, si quisquam in hoc contraire presumpserit, quod * ultra penas infrascriptas per archiepiscopum et ecclesiam predictos suosque fautores sine iuris iniuria impugnari et edificium dirimi valeat et repelli.

L 32 XVI: Item firmiter inhibemus et iniungimus universis et singulis tam regni quam imperii fidelibus et sub-

1) Umstilisierung von § 4 der Einzelurkunde von 1354.

ditis presentibus et futuris sub debito fidelitatis, homagii et subiectionis cuiusvis, quibus nobis, regno vel imperio sunt astricti, ne quisquam aliqua fortalitia, munitiones aut castra infra leucam unam a locis iurisdictionis aut districtus archiepiscopi et ecclesie Treverensis, quam prerogativa venerande senectutis merito precellentem pre ceteris decernimus huiusmodi privilegio decorari, sine expresso consensu suo erigere, collocare vel facere valeat seu audeat in futurum, volentes, quod, si quisquam contraire presumpserit, cum hoc, quod etiam indignacionem nostram et imperii incunctanter incurrit, per archiepiscopum et ecclesiam predictos suosque fautores sine iuris iniuria impugnari valeat et repelli[1].

*L 39 XV: wörtlich wie vorher, jedoch unter Auslassung von 'sub debito — astricti'.

*1346 Dez. 2 (B.-Huber 284).

Hiis igitur favorabiliter attentis prefato archiepiscopo et sue ecclesie infrascriptam duximus graciam faciendam, omnibus sacri imperii fidelibus et subiectis firmiter inhibentes, ne . . . prerogativa * precellit . . . consensu dicti archiepiscopi vel successorum eius erigere . . . presumpserit, quod * per archiepiscopum eius successores et ecclesiam . . . fautores super hoc sine . . . repelli.

*1354 Januar 8 (B.-Huber 1738)[2].

Hinc itaque firmiter inhibemus, ne . . . venerande vetustatis prerogativa . . . consensu suo vel successorum suorum erigere . . . facere vel constructa aut erecta tenere valeat seu attemptet * et id . . . archiepiscopum * et ecclesiam predictos eorumque amicos ac fautores * sine . . . repelli et nichilominus gravem nostram et sacri imperii indignationem et penam quinquaginta librarum auri puri se ipso facto noverit incurrisse, medietate eiusdem fisco regio et reliqua dicte Treverensi ecclesie eiusque presuli applicanda.

*K 56 XI: Item firmiter . . . . . fisco imperiali seu regio et reliqua Treverensi archiepiscopo existenti pro tempore applicanda.

---

1) Vgl. § 9 des 'Priv. in fav. etc.'. 2) Vorher war schon 1352 Sept. 20 (B.-Huber 1510) ein allgemeines Mandat seitens des Königs in deutscher Sprache erlassen worden.

K 76 XI: (1) Item firmiter . . . . . archiepiscopo predicto eiusque successoribus applicanda.

(2) Prohibemus insuper sub pena banni nostri imperialis, quod contrarium facientes incurrere volumus ipso facto, ne quis, cuiuscumque status, condicionis vel eminencie fuerit, ecclesias, monasteria, capellas seu eciam quelibet alia pia loca divino cultui deputata in Treverensi dyocesi constituta incastellare quovis modo audeat vel presumat absque archiepiscopi et suorum successorum predictorum licencia litteratoria speciali.

XVII. Betr. geistliche Benefizien und Spolienrecht.

K 46 XVII: (1) Item volumus et declarando adicimus, quod ad omnia beneficia ecclesiastica, curata vel non curata, quecumque sint, sive prelature sive alia, que nos et nostri successores Romanorum reges vel imperatores ratione regni Romani vel imperii conferre vel ad ea presentare, dum vacant, in dyocesi Treverensi habuerimus, et quorum collacio seu presentacio ad nos vel nostros predecessores Romanorum reges vel imperatores in dicta dyocesi hactenus pertinuisse dinoscitur aut imposterum pertinebit, quociens dicta beneficia vacare contigerit, ad ea personas ydoneas prefato archiepiscopo suisque successoribus presentare debebimus et tenebimur pro institucione seu investitura beneficiorum huiusmodi optinenda, cum beneficia ecclesiastica sine institucione canonica, per quam ius confertur in eisdem, et que per prelatos ecclesiasticos fieri habebit, non possint licite retineri.

(2) Ceterum bona post obitum archiepiscoporum dicte Treverensis ecclesie per eos relicta, in quibuscumque rebus consistant, semper successori proximo debebunt integraliter cedere et servari nec ea fisco nostro aut cuiusvis alterius usui vendicabimus nec sustinebimus vendicari; sed si de eis aliquod testamentum fecerint, id volumus esse ratum [1].

*1354 Jan. 8 (B.-Huber 1780): (1) Cupientes itaque, ut persone idonee ad laudem altissimi ecclesiasticis preficiantur beneficiis, memorato archiepiscopo suisque successoribus duximus concedendum sacris nos in hac parte canonibus conformando, quod nos nostrique successores ad omnia beneficia . . . . . presentare volumus debebimus . . . retineri.

---

1) Vgl. hierzu § 1 des 'Priv. in fav. etc.'.

(2) Ceterum . . . consistant, pro tranquillo statu sancte Treverensis ecclesie et fidelium subditorum eiusdem semper . . . vendicabimus nec recipiemus nec per quempiam sustinebimus vendicari aut recipi quovis modo; sed si . . . testamentum seu quamlibet aliam racionabilem sue ultime voluntatis ordinacionem fecerint, id et illam habere volumus roboris firmitatem et fideli execucioni mandari.

K 76 XXII wiederholt nur § 1 unter erheblicher Umstilisierung; die einleitenten Worte wie in K 46 XVII: 'Item volumus et declarando adicimus, quod nos et nostri successores Romanorum imperatores ac reges ad omnes et singulas dignitates personatus quoscumque, officia et quecumque alia beneficia ecclesiastica constituta infra civitatem seu dyocesim Treverensem vacancia vel in posterum vacatura, quorum collacio, presentacio vel quevis alia disposicio ad nos spectat vel ad nos aut eosdem successores pertinuerit in futurum, eidem archiepiscopo, suis successoribus et ecclesie Treverensi tamquam loci dyocesanis personas ydoneas legitime presentare debebimus et tenebimur pro institucione canonica obtinenda iuxta canonicas sancciones'.

XVIII. Landeshoheit, Berg- und Schatzregal betr.

K 46 XVIII: (1) Item inhibemus, ne quis officiatorum nostrorum in civitatibus, opidis aut villis eorumdem archiepiscopi suorumque successorum ius seu iurisdictionem aliquam sibi vendicet, nec nos ipsi nobis vendicabimus, sed ipsi archiepiscopus eiusque successores in eis plena gaudeant potestate[1].

(2) Preterea ius omnium argentariarum sive aliarum minerarum in dominio seu districtu Treverensis ecclesie vel in ipsius dyocesi repertarum et reperiendarum necnon thesauros sub terra absconditos et in dictis terris inventos seu inveniendos ad prefatum archiepiscopum et ipsius successores volumus perpetuo pertinere ita, quod ipsi huiusmodi argentarias et minerias et thesauros sibi vendicare valeant et suis et ecclesie Treverensis utilitatibus applicare; et si aliquod ius in pretactis argentariis, mineriis seu thesauris nobis vel imperio competeret, ius huiusmodi in prenotatum archiepiscopum et dictam suam ecclesiam in recompensam obsequiorum per ipsum archiepiscopum nobis

1) Vgl. § 10 des 'Priv. in fav. etc'.

et imperio hactenus sepius sumptuose impensorum transferendum plene duximus et transferimus per presentes.

*1354 Jan. 8 (B.-Huber 1733).

. . . . Vestra noscat universitas, quod nos . . . ., (1) edicto perpetuo inhibemus . . . potestate quodque nobis lic[ere non p]atimur, nostris successoribus indicamus.

(2) Preterea ius dominium et receptionem omnium . . . dictis terminis inventos . . . vendicare et assumere valeant . . . in aliqualem recompensam obsequiorum, expensarum et laborum pretactorum * plene transferendum . . . presentes. Nulli ergo[1] . . . nostre inhibitionis, voluntatis et translationis paginam . . . penam quinquaginta librarum . . . applicanda.

K 56 XIV, wiederholt nur § 2 (jedoch unter Fortlassung des letzten Teiles): 'Preterea . . . Treverensis usibus applicare'.

K 76 XIV: Preterea . . . applicare; non obstantibus quibuslibet legibus, statutis, privilegiis, consuetudinibus sive usibus per nos, nostros antecessores vel quoscumque alios factis et eciam introductis, per quas et que nostro presenti privilegio posset in aliquo derogari.

XIX. Herbergsrecht.

K 46 XIX: (1) Item volumus et predicto archiepiscopo et suis successoribus de speciali gracia et ex plenitudine potestatis nostre celsitudinis concedimus et indulgemus, quod, quando et quocienscumque ipsi pro nostris et imperii negociis aut eorum ecclesie in expedicione publica fuerint, in quocumque loco, ad quem declinaverint, hospicia cum singulis suis necessariis sicuti nos seu imperium licite cum sua comitiva recipere valeant, cuiusvis contradictione non obstante;

(2) adicientes et ipsis de speciali gracia similiter concedentes, quod, quocienscumque eosdem archiepiscopum vel suos successores ad nos vel nostros successores Romanorum imperatores vel reges pro quibuscumque negociis venire contigerit, quod ipsi cum eorum comitiva gaudeant et fruantur illo eodem taxu seu estimacione circa victualia comparanda, quo ratione Romani regni vel imperii nos utimur et gaudemus et prout nobis et nostris predecessoribus Romanorum imperatoribus vel regibus hactenus fieri

---

1) Pönformel B 3.

est consuetum, et quod circa huiusmodi taxum et estimacionem rerum ad victum pertinentium vendentes res huiusmodi predictis archiepiscopo eiusque successoribus [vendere] teneantur, quemadmodum nobis et nostris successoribus tenentur et tenebuntur et prout nobis etiam et nostris predecessoribus circa ipsius taxus seu estimacionis observantiam ab antiquis retroactis temporibus tenebantur.

Ludwig IV.: *1339 März 9 (Böhmer 3431) ist wohl Vorlage für § 1 gewesen, weicht aber in dem sehr viel ausführlicheren Texte mannigfach, auch sachlich, ab[1].

*1346 Dez. 2 (B.-Huber 286 A)[2] I:

. . . . Hiis ergo attentis prefato archiepiscopo et sue ecclesie infrascriptam duximus graciam faciendam (1) volentes, quod dictus archiepiscopus, sui successores et ecclesia, quando et quociens pro . . . eorum et dicte ecclesie . . . contradictione in aliquo non obstante.

(2) quodque habeant forum rerum venalium ac eodem foro, quo ad estimacionem dictarum rerum venalium et quo ad alia utantur et fruantur, sicuti nos uti et frui poterimus et quemadmodum nostri predecessores Romanorum reges vel imperatores uti ab antiqnis temporibus consueverunt.

*1354 Jan. 8 (B.-Huber 1734), folgt dem Texte von K 46:

(1) Hinc est, quod . . . ipsi archiepiscopo . . . nostre regie celsitudinis concedimus et perpetuo indulgemus . . . nostris ac sacri imperii aut sue Treverensis ecclesie negotiis in . . . contradictione in hoc non obstante;

(2) adicientes . . . tenebuntur. Nulli ergo[3] . . . nostrarum concessionum et indulgentie paginam . . . penam quinquaginta librarum . . . applicanda.

K 76 XVIII enthält eine Erweiterung und Umstilisierung von § 1; an Stelle von § 2 ist eine neue Bestimmung zugefügt.

(1) Volumus insuper, quod dictus archiepiscopus, sui successores et ecclesia Treverensis, quando et quotiens pro nostri * sacri Romani imperii aut eorumdem et ecclesie sue predicte negociis in expedicione * fuerint per se ipsos aut etiam suos capitaneos vel marscalcos, in quemcumque locum * ipsi archiepiscopus, sui successores et ecclesia seu eorumdem capitanei vel marscalci cum gentibus et comitiva sua

---

1) Abgedruckt im Anhang n. III. 2) Vgl. oben S. 352, N. 2, II und III s. u. bei XX und XXI. 3) Pönformel B 3.

diverterint seu declinaverint, iidem archiepiscopus, sui successores et ecclesia necnon capitaneus seu marscalcus victualia hospicia * ac alia necessaria pro se, dictis gentibus et * comitiva omni iuri et modo, sicut et nos ac sacrum imperium antedictum, possint et valeant licite, libere ac propria auctoritate recipere, non obstante contradiccione seu rebellione cuiusvis.

(2) Quodque archiepiscopus, sui successores et ecclesia Treverensis predicti ad dampna aut aliquod interesse ex premissis seu eorum occasione qualitercumque proveniencia sive facta vel facienda quibuscumque personis, cuiuscumque eciam status, condicionis vel eminencie fuerint, minime teneantur.

XX. Oeffnungsrecht in Wiltberg und anderen Reichsburgen.

K 46 XX: Item recepciones et detenciones per fideles imperii ac nostros in Wiltperg et aliis quibuscumque fortaliciis et municionibus ab ipso regno vel imperio seu aliis dependentibus de prefato archiepiscopo suisque predecessoribus et etiam successoribus et ecclesia Treverensi * pro iuvando se et suos contra suos adversarios et inimicos quoscumque necnon convenciones, promissiones sub quibuscumque formis verborum de voluntate huiusmodi receptantium et retentantium factas et imposterum faciendas approbamus et confirmamus, indulgentes etiam, quod de cetero fieri valeant hinc et inde, cum sibi viderint expedire, dum tamen idem archiepiscopus suique successores ex huiusmodi receptacionibus contra nos vel bona propria imperii se non iuvent.

Ludwig IV.: *1321 Sept. 17 (Böhmer 2648) ist wohl Vorlage für die späteren Texte, weicht aber in der ganzen Stilisierung vielfach ab[1].

L 32 IX und *L 39 VIII: bieten in ihren fast wörtlich übereinstimmenden Fassungen, abgesehen von geringen Auslassungen, schon den Text von K 46; beide fügen hinzu 'in futurum' (vor 'pro iuvando'), nur L. 39 'et dicti receptantes' (vor 'ex huiusmodi receptacionibus').

*1346 Dez. 2 (B.-Huber 286 A) II: gleichlautend.

*1354 Jan. 8 (B.-Huber 1740 = 6742).

Quamobrem recepciones . . . dependentibus de venerabili Baldewino sancte Tveverensis ecclesie archiepiscopo, principe et patruo nostro karissimo, suisque predecessoribus . . . huiusmodi recipiencium et retentancium . . . et liberaliter ex certa sciencia confirmamus . . . iuvent quovismodo. Nulli[2] . . . nostre

1) Abgedruckt im Anhang als n. I. 2) Pönformel B 1.

approbacionis seu confirmacionis paginam . . . necnon viginti librarum . . . incurrisse.

XXI. Schutz der Kirchen.

K 46 XXI: Preterea inhibemus, ne quis ecclesias aut personas ecclesiasticas ipsis archiepiscopo et sue ecclesie subditas in bonis aut rebus suis occasione advocatie aut alias dampnificet vel molestet[1].

*1246 Dez. 2 (B.-Huber 286 A) III.

Preterea . . . molestet seu dampnificari vel molestari per alios faciat quomodolibet vel procuret, quod si quisquam dei et nostri timore postposito secus fecerit, contra talem penis et remediis oportunis necnon cohercionibus regalibus districcius procedemus et nichilominus sentencias, mulctas et penas, quas prefatus archiepiscopus, sui successores et ecclesia contra excedentem in hiis protulerint, ratas et gratas habebimus et eas extunc prout exnunc auctoritate regia confirmamus.

XXII. Kirchenzehnte betr.

K 46 XXII: Item cum decime ecclesiastice a laicalibus personis detineri non valeant, nisi ipsis laicis ab antiquo in feodum ab ecclesiis et pro earum defensione sint concesse, volumus seu pocius declaramus, si que decime in terminis dyocesis Treverensis a laicis sint detente, cum presumatur et merito presumi debeat dictas decimas a prefato archiepiscopo et sua Treverensi ecclesia dependere, quod ipsi laici tales decimas ab ipso archiepiscopo et iam dicta sua ecclesia recipere teneantur et quod ad hoc faciendum per prefatum archiepiscopum et eius successores coartari valeant et compelli, nisi dicti laici legittime docere possint, quod huiusmodi decimas ab aliis dominis in feodum teneant vel quod eas ab aliis dominis debeant legitime optinere.

XXIII. Hoheitsrechte in den Städten u. s. w. betr.

K 46 XXIII: Item eidem archiepiscopo suisque successoribus concedimus, ut ipsi in civitatibus, opidis et villis suis communitates, societates, fraternitates, statuta, precepta, ordinaciones, consilia et rectores, quibuscumque

1) Vgl. § 4 des 'Priv in fav. &c' von 1220 Apr. 24. Die Lesart 'advocatie' statt 'advocati' hat dort nur die Trierer Ueberlieferung!

censeantur nominibus, absque beneplacito archiepiscoporum statutos vel statuendos, ordinatos vel ordinandos, quando et quociens ipsis expedire visum fuerit, deponere valeat(!) et cassare. Volumus insuper ordinacionem ac disposicionem civitatum, opidorum et bonorum omnium predicti archiepiscopi et sue ecclesie tam in personis quam in rebus apud ipsum archiepiscopum suosque successores inviolabiliter permanere[1].

*K 56 XV: Item eidem ... valeant ... disposicionem civitatis opidorum ... permanere.

K 76 XV: Item eidem ... nominibus * statutos ... disposicionem civitatum opidorum ... permanere.

XXIV. Pfahlbürgerverbot und ähnliche Beschränkungen betr.

K 46 XXIV: (1) Item volumus et firmiter inhebemus[2], ne qui homines ecclesie Treverensis aut subditorum ipsius in cives seu opidanos, qui wlgariter Palburgere vel Muntlude nuncupantur, aut quis terre ipsorum dampnosus vel ab ipsis eorumve iudicibus dampnatus, excommunicatus aut proscriptus scienter in nostris civitatibus vel opidis aut aliis [locis] quibuscumque admittantur, volentes, ut recepti taliter illico expellantur; nos enim admissionem seu recepcionem huiusmodi exnunc non valere decernimus ipso facto.

(2) Item similiter inhibemus, ne homines seu subditi dicti archiepiscopi suorumque successorum utriusque sexus, quocumque genere servitutis vel condicionis ipsis astricti, vel pueri eorum in nostris seu ipsorum aut quorumlibet aliorum civitatibus sive opidis absque pretactorum archiepiscoporum licencia expressa recipiantur vel quomodolibet admittantur, sed si quos taliter recipi contigerit vel admitti, huiusmodi recepcionem et admissionem cassamus et irritamus seu pocius cassas et irritas nunciamus, volentes, ut taliter receptos vel admissos infra annum ipsi archiepiscopi in statum pristinum sine cuiusquam contradictione valeant revocare.

---

1) Vgl. hierzu die Urkunde Karls IV. von 1346 Nov. 26 (B.-Huber 276, II: Winkelmann II, 415 Z. 24—38), womit § 4 der Urkunde von 1346 Nov. 25 (B.-Huber 264) in etwas gekürzter Form übereinstimmt. — Vgl. auch Friedrichs II. 'Edictum contra communia civium et societates artificum' von 1231 Dez. und 1232 Mai (MG., Const. II, 191, n. 156), bestätigt und transsumiert durch Rudolf I. 1275 März 12 (ib. III, 69, n. 81). 2) So!

L 32 XII und *L 39 XI: völlig mit einander übereinstimmend: 'Item volumus, quod nulli homines ecclesie Treverensis in civitatibus et opidis imperialibus recipiantur in cives seu opidanos, qui wlgariter Palburgere nuncupantur, quomodolibet in futurum, et si recipiuntur, quod illa receptio nulla sit penitus ipso facto, et quam receptionem ex nunc decernimus non valere'[1].

1346 Nov. 26 (B.-Huber 276) I[2].

(1) Mit erheblicher Umstilisierung; 'vel Muntlude' fehlt hier wieder.

(2) Mit geringen Aenderungen, darunter: 'infra annum a tempore recepcionis seu admissionis talium computandum ... sine .. contradictione vel reclamacione'.

*K 56 XVI: gleichlautend mit K 46 XXIV.

K 76 XVI: (1) Item volumus . . . Muntlude seu eciam al(ias) quomodolibet nuncupantur . . . proscriptus * in nostris . . . facto.

(2) Item similiter . . . archiepiscoporum et ecclesie Treverensis licencia . . . admissos * ipsi . . . revocare.

XXIVa. Recht der Kriegführung.

K 76 XVII: Item dicto archiepiscopo, suis successoribus et ecclesie Treverensi de imperialis amplitudine potestatis ex certa sciencia concedimus et presentibus in perpetuum indulgemus, ut quibuslibet sibi iniuriantibus et eciam adversantibus iustum possint et valeant bellum indicere omnibusque iuribus, privilegiis, libertatibus et utilitatibus iidem archiepiscopus, sui successores et ecclesia Treverensis ex huiusmodi belli indiccione libere gaudeant et fruantur, quibus nos et sacrum Romanum imperium exinde de iure, consuetudine vel alio quoquomodo fruimur et potimur.

XXIVb. Hoheit über die Stadt Trier betr.

K 76 XXIII: Sententiam[3] insuper alias per nos pro tribunali sedentes diffinitive prolatam infra archiepiscopum

---

1) Vgl. zu K 46 XXIV 2 den § 8 des 'Priv. in fav. &c' von 1220 Apr. 26. 2) Winkelmann II, 415, Z. 5—24. 3) 1364 Dez. 28 (B.-Huber 4100): Hontheim II, 233—235. Ausser der oben erwähnten

supradictum ex una ac civitatem Treverensem prefatam parte ex altera, per quam civitatem ipsam Treverensem, eiusdem dominium directum et utile, advocaciam ibidem cum mero et mixto imperio ac iurisdictione tam ecclesiastica quam eciam seculari ad eosdem archiepiscopum et ecclesiam pertinuisse et pertinere eorumque fuisse et esse pronunciavimus, declaravimus et decrevimus, ex certa sciencia plena cause cognicione premissa ratificamus, approbamus et tenore presentium confirmamus.

XXV. Bestätigung aller Rechte und Freiheiten; Schluss.

K 46 XXV: (1) Item omnia et singula privilegia, indulgentias, sententias, concessiones, declarationes, exemptiones, libertates, donaciones, promissiones, litteras seu gracias premissas et alias quascumque ecclesie Treverensi vel ipsius archiepiscopis aut monasteriis seu ecclesiis eorum subditis quibuscumque tam a nobis quam ab aliis Romanorum imperatoribus aut regibus generaliter et specialiter sub quacumque verborum forma seu tenore concessas, insuper monetas, Iudeos, dominia, iurisdictiones, forestarias dictas Wiltpant, districtus, thelonia, stratas publicas, conductus per terram et aquas, ius navigandi, piscarias, aquarum decursus, ripas et littora in dominio, potestate vel districtu dicti archiepiscopi et ecclesie sue consistentes ac omnia feoda, iura, consuetudines, libertates, servitutes, proventus, redditus, bona sua mobilia et immobilia universasque possessiones vel quasi possessiones, quas nunc tenent et possident *, et specialiter feoda de Coverna castri superioris et inferioris, proprietatem seu possessionem seu quasi monasterii sancti Maximini extra muros Treverenses, advocatiam monasterii de Wadegusse et de Sprenkirbach aliarumque ecclesiarum et monasteriorum suorum necnon proprietatem et possessionem opidi sui Monasterii in Meynefeld et castri Thuron cum eorum pertinenciis universis eidem archiepiscopo et sue ecclesie Treverensi innovamus, approbamus, concedimus et presentibus ex certa sciencia et motu proprio confirmamus.

(2) Et ut premisse donaciones, concessiones, indulgencie, voluntates et confirmaciones omnes et singule ex decreto principum per nos pro nobis ac nostris successoribus indulte, facte et concesse, quas perpetuas esse volumus, cunctis temporibus inconvulse permaneant, omnia et singula privilegia et litteras a nobis vel nostris predecessori-

---

Entscheidung, die den in deutscher Sprache verfassten Urteilsspruch eröffnet, enthält dieser u. a. Bestätigungen der Rechte des Erzbischofs betr. den Leinpfad auf der Mosel (vgl. oben IV), betr. Korporationen und Verfassung der Städte (vgl. oben XXIII).

bus cuiuscumque persone, loco vel universitati concessas necnon consuetudines quaslibet premissis quomodolibet obviantes, inquantum contra premissa forent, tollimus, revocamus, cassamus, irrita et inania penitus iudicamus, promittentes pro nobis et nostris successoribus, quod nos dictum archiepiscopum suosque successores in premissis libertatibus, iuribus et graciosis concessionibus, in quibus omnibus latissimam interpretacionem fieri volumus, et in aliis suis iuribus tam in personis quam rebus ipsorum ac eorum subditorum fovere et conservare per nos, nostros ac imperii subditos quoscumque volumus et tueri nec ipsis in premissis aut aliis suis iuribus et libertatibus ullum umquam impedimentum quomodolibet faciemus nec ab aliquo clam vel palam fieri patiemur; firmiter inhibentes, ne ullus umquam hominum ipsos infuturum super eis vel aliquibus eorumdem molestare, inquietare vel aliquam coram nobis nostrisve successoribus aut vicariis, potestatibus, iudicibus aut subditis quibuscumque vel alia quavis occasione movere audeat questionem, ut, quod nobis licere non patimur, aliis fortius vetitum censeantur (!).

(3) Et si penas aliquas vel sentencias contra rebelles in premissis vel aliquorum (!) eorumdem prefatus archiepiscopus eiusque successores protulerint vel aliquas penas seu mulctas regales vel imperiales ipsis inflixerint, super quibus etiam infligendis plenam potestatem et auctoritatem eisdem archiepiscopo et eius successoribus per presentes concedimus, huiusmodi penas, sentencias et mulctas ratas habebimus et eas extunc prout exnunc presentibus etiam confirmamus.

(4) Item si fortassis in premissis nostris nostrorumque predecessorum concessionibus gratiosis vel aliis concessionibus quibuscumque, infeodacionibus vel impignoracionibus per nos vel nostros predecessores Romanorum reges vel imperatores seu alios nomine imperii predicto archiepiscopo vel ipsius predecessoribus et eorum ecclesie factis defectus aliqui reperirentur aut aliquid de solempnitatibus, que in talibus requiruntur de iure vel de consuetudine, sit omissum, huiusmodi defectus de nostre regalis plenitudine potestatis tollimus et id, quod defuerit vel omissum fuerit, supplemus et haberi volumus pro adiecto.

(5) Nulli ergo omnino hominum liceat hanc nostre donationis, innovacionis, approbacionis, ratificacionis et confirmacionis paginam infringere vel ei ausu temerario contraire. Si quis autem hoc attemptare presumpserit, preter indignacionem nostram et imperii, quam ipsum incurrere volumus ipso facto, penam centum librarum auri puri, quarum medietatem fisco, id est nostre regali camere, reliquam vero archi-

episcopo Treverensi pro tempore existenti applicari volumus, se ipso facto noverit incurrisse[1].

In cuius rei testimonium presentes conscribi et nostre maiestatis sigillo iussimus communiri. Datum Bunne VII° kalendas Decembris, anno domini M°CCC°XL sexto, regnorum nostrorum anno primo.

L 32 XVII und *L 39 XVI: im Wesentlichen miteinander übereinstimmend, etwas kürzer, indem die oben in Korpus gedruckten Stellen noch fehlen; der Rest von § 2 wird eingeleitet: 'volentes et districte precipiendo mandantes, ut apud eos inconcussa permaneant et illibata consistant nec . . .'; in § 4 heisst es: 'reliquam vero iniuriam passis applicari'[2].

*K 56 XVII: (1) Item omnia . . . concessas, eciam si de illis esset in presentibus litteris facienda mencio specialis et expressa, insuper . . . possident, vel quasi possident, et specialiter . . . proprietatem * seu quasi monasterii . . . advocaciam monasteriorum de Wadigasse . . . ex certa sciencia de imperatorie nostre potestatis plenitudine * confirmamus.

(2) Et ut premisse . . . singule * per nos, ut premittitur, indulte . . . concesse alias eciam sub titulo et sigillo regiis sigillate et conscripte et alie quecumque, quas perpetuas . . . predecessoribus quibuscumque personis loco vel universitati com-

---

1) In den Einzelausfertigungen vom Januar 1354 finden sich die folgenden Pönformeln angewandt, die sich mehr oder weniger eng an die oben wiedergegebene anschliessen:

Pönformel A: 'Nulli . . . nostre n. n. paginam . . . temerario quomodolibet contraire. Si . . . penam n. n. librarum . . . reliquam * archiepiscopo . . . incurrisse'.

Pönformel B 1: 'Nulli . . . nostre n. n. paginam . . . presumpserit * indignationem nostram et sacri imperii necnon n. n. librarum auri puri penam, eius medietate fisco regio et reliqua archiepiscopo Treverensi et sue ecclesie applicanda, se ipso facto noverit incurrisse'.

Davon abgeleitet unter Fortlassung der besonderen Straffestsetzung:

Pönformel B 2: 'Nulli . . . nostre n. n. paginam . . . temerario quomodolibet contraire . . . imperii ** se ipso facto noverit incurrisse'.

Unter stärkerer Umstilisierung von B 1 gebildet:

Pönformel B 3: 'Nulli . . . nostre n. n. paginam . . . presumpserit, gravem nostram et sacri imperii indignacionem et penam n. n. librarum auri puri se ipso facto noverit incurrisse, medietate eiusdem fisco regio et reliqua dicte Treverensi ecclesie eiusque presuli applicanda'.

2) Die §§ 1 und 2 klingen an die allerdings sehr viel kürzere allgemeine Privilegienbestätigung an, die Ludwigs IV. Urkunde von 1314 Dez. 2 (Böhmer 15) eröffnet und ihrerseits wieder eine Verschmelzung dieser beiden Absätze des Versprechens vor der Wahl von 1314 Sept. 20 (Böhmer, Reichss. 398, Winkelmann II, 775) darstellt. Vgl. auch den Schluss der Urkunden Adolfs und Albrechts I. (Const. III, n. 486 § 7 und IV, n. 28 § 5).

munitati vel civitatibus vel opidis, cuiuscumque status vel preeminencie existant, concessas necnon statuta, usus, observancias et consuetudines . . . premissis vel eorum aliquo quomodolibet . . . cassamus ac eciam irrita . . . successores et ecclesiam Treverensem in premissis . . . vetitum censeatur.

(3) Et si penas . . . successoribus et ecclesie Treverensi concedimus per presentes huiusmodi . . . confirmamus.

(4) Item si fortassis . . . nostre imperialis plenitudine . . . adiecto.

(5) Volumus eciam, quod hec presens nostra pagina absque quacumque alia probacione facienda sit per se sufficiens ad probandum tam in iudiciis quam extra omnia et singula superius expressa quomodolibet et conscripta nec circa illa alicuius alterius probacionis adminiculum a quoquam necessario exigatur.

(6) Nulli ergo hominum penitus liceat . . nostre * concessionis, approbacionis, ratificacionis, innovacionis, consensus, decreti, declaracionis, inhibicionis, confirmacionis, cassacionis, irritacionis et penarum inflictionis paginam infringere vel ei quovis ausu temerario contraire. Si quis . . . presumpserit * indignacionem nostram et imperii * ac penam . . . puri * medietate fisco nostro et imperii reliqua vero parte dicti archiepiscopi successorum suorum et ecclesie Treverensis usibus applicanda, se * noverit incursurum.

Signum serenissimi principis ac domini Karoli quarti Romanorum imperatoris invictissimi et gloriosissimi, Boemie regis. Testes huius rei sunt: venerabiles Gerlacus Moguntinensis, sacri imperii per Germaniam, Wilhelmus Coloniensis, sacri imperii per Italiam archicancellarii, ecclesiarum archiepiscopi, illustres Rupertus senior comes palatinus Reni, eiusdem imperii archidapifer et dux Bavarie, Lodowicus dictus Romanus marchio Brandenburgensis et Lusacie, archicamerarius, Rodulfus Saxonie dux, archimarescallus, eiusdem imperii et principes electores, Rupertus iunior comes palatinus Reni et dux Bavarie, Bolko Falkenbergensis, Bolko Opulensis et Iohannes Opavie duces ac spectabiles Iohannes Nůrenburgensis, Bukardus (!) Madeburgensis (!), magister curie imperialis, burggravii et alii quam plures nostri et imperii principes et fideles. Presencium sub bulla aurea typario nostre maiestatis impressa testimonio litterarum. Datum Nůrenberg anno domini millesimo · CCC° · L · sexto, indictione · IX^{a} ·, nonis Ianuarii, regnorum nostrorum anno decimo imperii vero primo. Ego Iohannes dei gracia Luthomuschlensis episcopus, sacre imperialis aule cancellarius, vice reverendissimi in Christo patris domini Gerlaci Moguntinensis archiepiscopi, sacri imperii per Germaniam archicancellarii, recognovi.

K 76 XXIV: (1) Item omnia . . . confirmamus.

(2) Et ut premisse . . . sub titulis et sigillis imperialibus et regiis . . . censeatur.

(3) Et si penas . . . confirmamus.

(4) Item si fortassis . . . adiecto.

(5) Volumus . . . adminiculum volumus exigi vel requiri.

(6) Nulli . . . incursurum.

Signum . . . regis. Testes . . . sunt: illustris Wentzeslaus rex Boemie, Brandenburgensis marchio et Silesie dux; venerabilis Ludowicus archiepiscopus Moguntinensis, sacri imperii per Germaniam archicancellarius; illustres Rupertus senior comes palantinus Reni, sacri imperii archidapifer et dux Bavarie, Wentzeslaus Saxonie et Lunenburgensis dux, sacri imperii archimariscallus, Sigismundus marchio Brandenburgensis, sacri imperii archicamerarius, principes electores; venerabiles Iohannes archiepiscopus Pragensis, apostolice sedis legatus, et Eckardus episcopus Wormaciensis; illustres Iodocus marchio Moravie, Henricus Brigensis, Buntzlaus Lignicensis et Iohannes Opavie duces; nobiles Petrus de Wartemberg, imperialis curie nostre magister, Thimo de Coldicz et alii quam plures nostri et imperii sacri principes, nobiles et fideles. Presencium . . . litterarum. Datum Bacherach anno domini millesimo trecentesimo septuagesimo sexto, indictione quarta decima, pridie kalendas Iunii, regnorum nostrorum anno tricesimo, imperii vero vicesimo secundo. Et ego Nycolaus Camericensis prepositus vice et nomine reverendissimi in Christo patris et domini domini Cůnonis archiepiscopi Treverensis, sacri Romani imperii per Galliam et regnum Arelatense archicancellarii, imperialis aule prothonotarius, recognovi.

Schlussbemerkungen.

Als Ergebnis der vorstehenden Zusammenstellung[1] lässt sich nun auch ein ungefähres Bild gewinnen, wie und wann diese neuartige Form der Sammelprivilegien entstanden ist.

Als erste Ansätze erscheinen die von den Königen Adolf und Albrecht I. ausgestellten Urkunden von 1292 und 1298[2], denen die Urkunde Ludwigs IV. von 1314 Dez. 2 (Böhmer 16), allerdings unter erheblicher Er-

1) Vgl. auch die Uebersicht im Anhang n. V. 2) Vgl. oben S. 370 unter Abschn. XIV und N. 1.

weiterung durch Einfügung anderer Verleihungen, entspricht. Von Heinrich VII. ist uns nur je ein Transsumpt der eben erwähnten Urkunden seiner beiden Vorgänger erhalten; ob die Privilegienbestätigung, auf welche sich der Willebrief der Pfalzgrafen Rudolf und Ludwig von 1308 Nov. 28 bezieht[1], mehr als allgemeine Wendungen enthielt, ist leider nicht festzustellen, da sich kein Text davon hat ermitteln lassen. Bei Adolf und Albrecht I. tritt noch deutlich hervor, dass es sich um Wahlversprechungen handelt, die allerdings erst nach der Wahl beurkundet sind, während Ludwig IV. nacheinander in den Ausdrücken der Vorurkunden berichtet, welche Freiheiten u. s. w. die letzten vier Herrscher den Trierer Erzbischöfen verliehen, bezw. wiederholt haben, um dann alles auf Bitte und Vortrag Balduins zu bestätigen[2].

Erheblich näher in der Form steht schon den eigentlichen Sammelprivilegien die Urkunde, die Ludwig IV. vor seiner Wahl am 20. Sept. 1314 ausstellte, in der ohne Erwähnung des Ursprungs der einzelnen Rechte alles zusammengefasst wird, was jener im Falle seiner Wahl dem Erzbischof bestätigen, bezw. neu verleihen wollte. Seine Zusage erfüllte der König sodann in einer Reihe von Urkunden aus den ersten Tagen des Dezember[3], von denen zwei (Böhmer 15 und 19) ebenfalls mehrere verschiedenartige Bestimmungen in ähnlicher Weise wie die erwähnte Vorurkunde vereinigen. Doch enthalten diese und das Wahlversprechen noch einiges von mehr vorübergehender Bedeutung[4], was in den späteren eigentlichen Sammelprivilegien nicht mehr der Fall ist; auch deren charakteristische Eingangs- und Schlussabschnitte finden sich im J. 1314 noch nicht[5].

---

1) Vgl. Dominicus S. 69. — Pfalzgrafenregesten n. 1595. 2) In den Urkunden Adolfs und Albrechts kommen als Vorlagen für entsprechende Bestimmungen der späteren Sammelprivilegien nur die betr. die Aechtung der Gebannten und die allgemeine Privilegienbestätigung in Frage, wozu dann bei Ludwig IV. noch die Rechtsverleihung an fünf Orte und das Münzprivileg treten. 3) Drei vom 2. (Böhmer 15, 14 u. 17), zwei vom 3. (Böhmer 19 und eine nicht verzeichnete) und eine vom 4. (Böhmer 22). 4) Als solches anzusehen sind u. a. die Zusagen betr. den Pfalzgrafen Rudolf, betr. das Recht der ersten Bitten u. a. 5) Vgl. jedoch oben S. 386, N. 2. — Von später in die eigentlichen Sammelprivilegien aufgenommenen Bestimmungen finden sich in dem Wahlversprechen schon fünf, nämlich die betr. Hof- und Heerfahrt, Privilegium de non evocando, Erzkanzleramt, Erwerb veräusserter Reichsgüter, Freiengerichte; von diesen ist nur das Priv. de non evoc. nicht neu.

Erst im Jahre 1332 erhält Balduin vom Kaiser, offenbar als Lohn für seine Verdienste um die Aussöhnung des letzteren mit König Johann von Böhmen[1], das erste grosse Sammelprivileg, das in nunmehr gleichbleibendem Rahmen schon den grösseren Teil des Inhalts der späteren einschliesst: nach der allgemeinen Einleitung und der daran anschliessenden Rechtsverleihung an die aufgezählten Orte des Erzstifts folgen die ohne eine erkennbare Disposition aneinandergereihten sonstigen Einzelbestimmungen mit der allgemeinen Bestätigung aller Rechte und Freiheiten und einigen formellen und Strafbestimmungen als Schlussabschnitt.

Die Prunkausfertigung von 1339 ist eine, abgesehen von der wohl zufälligen Auslassung des Privilegs betr. Hof- und Heerfahrt und von wenigen geringen Aenderungen, wörtliche Wiederholung der früheren Urkunde. Auch hier scheint der Anlass eine (erneute) Aussöhnung zwischen dem Kaiser und Johann von Böhmen gewesen zu sein[2].

Bei dem hervorragenden Anteil, den Balduin an der Erhebung Karls IV. hatte, ist es natürlich, dass dieser dem ihm auch verwandtschaftlich so nahe stehenden Erzbischof die weitestgehenden Zugeständnisse machte. Vor und nach der Wahl gab er ihm umfangreiche Zusicherungen über die verschiedensten Gegenstände; doch berühren alle diese im Frühjahr und Sommer 1346 ausgestellten Urkunden[3] die Privilegierung des Erzstifts nur insofern, als der König verspricht, alle Vorrechte u. dgl. zu bestätigen und nach Wunsch zu erweitern, auch für Willebriefe seitens der Kurfürsten zu sorgen. Die Krönung Karls IV. zu Bonn wurde als Anlass genommen, um in zahlreichen Verbriefungen die früheren Zusagen zu erfüllen. Dem grossen Sammelprivileg vom 25. Nov.[4] liegt, wie schon erwähnt, durchweg die Fassung von 1332 zu Grunde; doch sind, abgesehen von Erweiterungen und

---

1) Vgl. Dominicus S. 304 ff. und E. Vogt, Reichspolitik des Erzbischofs Balduin von Trier in den Jahren 1328—34 (Gotha 1901) Abschn. II, vornehmlich S. 58. 2) Vgl. Dominicus S. 378 ff. 3) Vom 16. März, 22. Mai und 29. Juli (B.-Huber 227, 233 und 237); in der letzten Urkunde ist die Rede von durch Balduin übergebenen 'cedulis seu cartis papireis per nos seu nostro sigillo secreto signatis', deren feierliche Bestätigung bei der Krönung versprochen wird. 4) Hier wird nicht berücksichtigt die zweite Urkunde vom 25. Nov. (B.-Huber 264), die anderer Art ist als die oben behandelten eigentlichen Sammelprivilegien. Die einzelnen Bestimmungen sind doch trotz mancher sachlicher Beziehungen ohne direkten Zusammenhang mit K 46, auch fehlt die oben skizzierte typische äussere Anordnung.

Aenderungen im Einzelnen, mehrere wichtige neue Bestimmungen hinzugekommen; auch hat vielfach eine Umstellung der Abschnitte stattgefunden. Einige der letzteren wurden noch in demselben Jahre in Einzelausfertigungen wiederholt. Warum das geschah, ist nicht ersichtlich; denn Aenderungen weisen diese Urkunden nur in geringem Masse auf. Als Grund wäre allenfalls denkbar der Wunsch des Erzbischofs, bei Streitfällen u. dgl. statt des kostbaren und immer nur im Ganzen und an einer Stelle verwendbaren Sammelprivilegs diese Einzelurkunden vorbringen zu können. Vielleicht liesse sich so auch die Auswahl der einzelnen Stücke erklären[1].

Weit umfassender als die eben erwähnte ist die Gruppe der Einzelausfertigungen, die der König im Januar 1354 nach der Beendigung des Mainzer Bistumstreites für Balduin ausstellte. Unter alleiniger Auslassung des (überhaupt nicht mehr wiederholten) Absatzes über die geistliche Gerichtsbarkeit (K 46 VIII) und unter Vereinigung der sachlich zusammenhängenden Bestimmungen über die Zölle und die Zollfreiheit des Klerus (K 46 III u. VII) wiederholen diese 18 Urkunden die ersten zwanzig Abschnitte des Sammelprivilegs von 1346. Die Geschlossenheit dieser Gruppe gegenüber den wenigen anderen Urkunden für Kurtrier aus diesen Tagen wird noch dadurch verstärkt, dass nur die ihr zugehörigen Originale rechts auf dem Bug neben der Unterfertigung des Notars Heinrich von Wesel von dessen Hand mit fortlaufenden arabischen Ziffern bezeichnet sind[2]. Irgend ein System

1) Es handelt sich um 5 Urkunden, eine vom 26. Nov. (B.-Huber 276; Winkelmann II, 414, n. 680), worin K 46 XXIV mit geringen Aenderungen wiederholt, ein K 46 XXIII ähnlicher Absatz enthalten und einige verwandte Bestimmungen (betr. Huldigung der Stiftsuntertanen und Verpflichtung der Stiftsbeamten gegenüber dem Erzbischof) zugefügt sind; und vier vom 2. Dez. (B.-H. 286 B = K 46 I 2, B.-H. 285 = K 46 VI, B.-H. 284 = K 46 XVI und B.-H. 286 A = K 46 XIX—XXI), von denen die drei ersten ihren Vorlagen so gut wie wörtlich folgen, die vierte insofern davon abweicht, als K 46 XIX 2 durch eine ähnliche viel kürzere Bestimmung und K 46 XXI durch eine allgemein gehaltene Strafandrohung ersetzt ist.

2) Die Zählung geht nur bis 17; 14 fehlt, 18 dagegen ist zweimal vorhanden. Die fehlende Zahl 14 (oder 18?) dürfte auf dem Bug der Urkunde B.-H. 1726 gestanden haben, deren rechte Seite abgerissen ist. Vgl. auch Lindner, Urkundenwesen Karls IV. und seiner Nachfolger S. 121, der irrtümlich angibt, dass alle 19 Urkunden für Balduin vom 7. und 8. Jan. die Zählung hätten. Ausser bei der obenerwähnten, die ja jedenfalls ursprünglich numeriert war, fehlt die Zahl aber auch bei B.-H. 1728 = 6743 (vgl. den Text im Anhang n. IV), was sich eben dadurch erklärt, dass diese letzte Urkunde nicht zu

ist bei der Zählung in keiner Weise erkennbar. Man wird daher wohl annehmen müssen, dass irgend welche Aeusserlichkeiten des Geschäftsganges dafür massgebend gewesen sind; etwa dass der erwähnte Notar nach der Reihenfolge, in der sie von den Abschreibern in Reinschrift ihm wieder eingeliefert sind oder in der er sie dem Empfänger aushändigte, die einzelnen Stücke mit ihren Nummern versah. Auch ein Zusammenhang mit einem Verzeichnis der von Balduin erbetenen Urkunden wäre denkbar. Was die Textgestaltung angeht, so schliesst sich etwa der dritte Teil wörtlich an K 46 an — die Einzelausfertigungen von 1346 haben offenbar nirgends als Vorlage gedient —, bei dem Rest sind überall Erweiterungen von teilweise erheblicher Bedeutung zu bemerken; bei allen wurde am Schluss für Zuwiderhandelnde u. dgl. eine bestimmte Strafe festgesetzt. Da aus dem oben (S. 391, N. 2) über die Zählung gesagten mit ziemlicher Sicherheit zu schliessen ist, dass uns diese Gruppe lückenlos erhalten ist, liegt die Frage nahe, warum die wenigen nicht wiederholten Bestimmungen von K 46 fortgelassen wurden, und da darf vielleicht darauf hingewiesen werden, dass von diesen K 46 VIII, XXI und XXII kirchliche Verhältnisse betreffen, während K XXIII und XXIV schon in die Urkunde über die landesherrlichen Rechte vom 26. Nov. 1346 (vgl. S. 391, N. 1) aufgenommen worden sind; für K 46 XXV kam eine Wiederholung in einer Einzelurkunde wohl überhaupt nicht in Frage.

Kaum 2 Wochen nach diesem letzten Erfolge starb Balduin. Sein Nachfolger Boemund von Saarbrücken liess sich zwei Jahre später auf dem Reichstage zu Nürnberg vom Kaiser ein neues Sammelprivileg ausstellen. Die Reihenfolge der einzelnen Teile wurde gegen K 46 wiederum verschoben, auch vielfach sonstige Aenderungen vorgenommen; doch sind keine ganz neuen Bestimmungen mehr hinzugekommen, wohl aber einige ältere fortgefallen. Der Ausfertigung unter Goldbulle[1] entspricht die feierlichere Gestaltung des Eschatokolls, wie auch die Arenga stark erweitert ist.

---

den Wiederholungen aus K 46 gehört. Aus dem gleichen Grunde weisen auch B.-H. 1742—46 die Zählung nicht auf. — Ueber die eigenhändige Unterschrift Karls IV. unter allen 28 Urkunden für Kurtrier vom 7.—9. Jan. 1354 vgl. Lindner a. a. O. S. 97 f. 1) Ueber die Kosten dieser Urkunde berichtet Peter Maier im Huldigungsbuch: 'pro bulla aurea, que adhuc habetur in Erembreitstein XXV f.'. Die Spenden und Vergütungen, die nach den Angaben an gleicher Stelle Erzbischof Boemund den Beamten der kaiserlichen Kanzlei auf dem Reichstag zu Nürnberg

Erst spät hat Kuno von Falkenstein, der, schon seit 1360 Koadjutor, nach Boemunds Verzicht im Jahre 1362 die Regierung des Erzstifts endgültig übernahm, sein Sammelprivileg erhalten.

Einleitungs- und Schlussabschnitt der ebenfalls unter Goldbulle am 31. Mai 1376 ausgestellten Urkunde sind fast wörtlich aus der Vorurkunde von 1356 übernommen, die andern Abschnitte z. T. etwas erweitert in gleicher Reihenfolge; vor dem Schlussabschnitt sind einige Bestimmungen eingefügt, die, abgesehen von zwei ganz neuen, mehrere 1356 fortgelassene Bestandteile des Privilegs von 1346 in freier Stilisierung wieder aufnehmen.

Wiederholungen im Einzelnen haben sich die beiden Nachfolger Balduins nicht mehr ausstellen lassen. Aber auch neue Sammelprivilegien haben die Trierer Erzbischöfe nach 1376 anscheinend nicht mehr erhalten; wenigstens transsumiert Sigismund in seiner Privilegienbestätigung vom 12. Aug. 1414 (Altmann 1141) nur Karls IV. letzte grosse Urkunde von 1376.

Erscheinen nach dem eben dargelegten Entwickelungsgang als Hauptwurzeln für Form und Inhalt der Sammelprivilegien die Wahlversprechungen der deutschen Könige seit Adolf von Nassau für die Trierer Erzbischöfe und insbesondere das Ludwigs IV. vom 20. Sept. 1314, so findet sich doch noch eine Anknüpfung nach anderer Richtung in den oben bei der Textzusammenstellung mehrfach vermerkten Beziehungen zu den Privilegien zu Gunsten der Fürsten unter Friedrich II., vor allem zu dem 'Privilegium in favorem principum ecclesiasticorum' von 1220; bei einigen Bestimmungen ist der unmittelbare Zusammenhang ganz unzweifelhaft (vgl. z. B. n. XXI)[1]. Da das 'Privilegium in fav.' von 1220 aus dem Trierischen Archiv uns nur in einer Abschrift erhalten ist, die vermutlich während der Verwaltung des Erzbistums Mainz durch Balduin nach einer dortigen Ueberlieferung angefertigt worden ist[2], und auch sonst die wichtigeren Privilegien der späteren Stauferzeit

---

zukommen liess, sind z. T. auch durch andere Urkundenausfertigungen veranlasst; vgl. den nächstfolgenden Aufsatz in diesem Hefte von Salomon.

1) Eine genauere Durchsicht der Urkunden der späteren Stauferzeit dürfte noch mehr hierüber ergeben. Ich habe mich auf wenige Hinweise beschränkt, da ich sonst genötigt worden wäre, auf den sachlichen Inhalt der einzelnen Bestimmungen zu weit einzugehen. 2) Vgl. Const. II, 88 Z. 12 ff.

zeit sich in den Kopiarien Balduins finden[1], so ist es nicht unwahrscheinlich, dass die im Auftrage des Erzbischofs und unter seiner tätigen Anteilnahme entstandenen Sammlungen von Urkundentexten auf die Abfassung der Sammelprivilegien unter Ludwig IV. und Karl IV., bei der Balduin sicherlich ebenfalls mitgewirkt hat[2], von Einfluss gewesen sind.

Anhang.

I. Ludwig IV. bestätigt die Vereinbarungen Erzbischof Balduins von Trier mit den Mannen in Wiltberg und anderen Reichsburgen betr. das Oeffnungsrecht[3].

1321 Sept. 17. — Böhmer Reg. 2648. — Orig. im Staatsarchiv Koblenz.

Nos Ludowicus dei gr(ati)a Romanorum rex semper augustus. Universis sacri imperii fidelibus et subiectis cupimus fore notum, quod recepciones per fideles imperii et nostros in Wiltperg et alia quecumque castra, fortalicia et municiones a nobis et imperio dependentia de venerabili Baldewino Treveren(si) archiepiscopo, principe nostro karissimo, eius predecessoribus et successoribus imperpetuum pro iuvando se et suos contra suos adversarios et inimicos et alias retenciones ipsorum archiepiscoporum in eisdem, convenciones et promissiones quascumque sub quibuscumque formis et tenoribus verborum de voluntate huiusmodi receptantium, retentantium, convenientium et promittentium factas et in futurum faciendas approbamus, ratificamus et eas tenore presentium confirmamus, dummodo prefatus archiepiscopus et eius successores per prefatas recepciones, retenciones, convenciones et promissiones se non iuvent contra nos et imperium quoquomodo. Precipientes vobis et cuilibet vestrum sub obtentu gr(ati)e nostre et amissionis feodorum vestrorum pena, quatenus prefatas recepciones, retenciones, convenciones et promissiones eidem archiepiscopo et suis successoribus imperpetuum iuxta modos et condiciones appositos, quando et quociens ex parte ipsorum requisitum fueritis, indilate et, inquantum ad vos et quemlibet vestrum pertinuerit, integraliter impleatis et fideliter observetis. Dat(um) Bacheraci XV° kl. Octobris, anno

---

1) Ueber die sog. Balduineen vgl. Dominicus S. 8 ff.; Irmer, Romfahrt Kaiser Heinrichs VII., Vorrede, und Lamprecht, Deutsches Wirtschaftsleben II, 682 ff. 2) Vgl. S. 390, N. 2. 3) Vgl. das Mandat von gleichem Datum (Böhmer 2646).

domini M°CCC^mo vicesimo primo, regni vero nostri anno septimo.

Siegel und Pressel fehlen.

Auf der Rückseite der Urkunde Vermerke der Empfängerkanzlei.

II. Ludwig IV. verbietet die Ausübung der Grundruhr am Rhein.

1339 März 9. — Böhmer Reg. 2830. — Orig. im Staatsarchiv Koblenz.

Ludowicus dei gr(atia) Romanorum imperator semper augustus. Universis sacri Romani imperii fidelibus, quibus presentes exhibite fuerint, gr(ati)am suam et omne bonum. Ad nostre celsitudinis noticiam non sine gravibus multorum querimoniis est deductum, quod nonnulli presertim super alveum Reni sibi hactenus vendicaverint et vendicent ius se intromittendi de bonis, rebus et mercibus eorum, qui naufragium paciuntur, eadem bona, res et merces animo sibi retinendi occupando et de eis pro suo libito disponendo. Cum igitur huius iuris vendicacio seu usurpacio sit contra omnem equitatem ac naturalem quoddammodo racionem dictantem quem duplici affliccione et incommodo affligi non debere, nos vestigiis predecessorum nostrorum inherentes omnibus nobis et dicto sacro Romano imperio subditis, cuiuscumque status vel condicionis extiterint, interdicimus et penitus inhibemus, ne quis bona, res et merces qualescumque naufragium in dicto alveo Reni paciencium animo sibi retinendi quoquomodo presumant vel audeant (!) occupare seu se intromittere de eisdem vel alias dictis naufragium pacientibus iniurias seu molestias aliquas ingerere vel inferre, non obstante aliqua consuetudine seu pocius abusione, si qua a quoquam in contrarium de facto fuerit observata, quam quidem consuetudinem, si sic dici meretur, tamquam corruptelam et erroneam ac nulla racione fulcitam reprobamus, cassamus et anullamus, immo cassam, invalidam et reprobam fore tenore presencium declaramus. In cuius rei testimonium presentes conscribi et nostre maiestatis sigillo iussimus communiri.

Dat(um) Franchenfurt feria tercia post dominicam Letare proxima, anno domini millesimo trecentesimo tricesimo nono, regni nostri anno vicesimo quinto, imperii vero duodecimo.

Beschädigtes Siegel am Pressel.

Auf der Rückseite der Urkunde: R^a; im Uebrigen Vermerke der Empfängerkanzlei.

III. Ludwig IV. verleiht dem Erzbischof Balduin von Trier das Recht der freien Herberge für Lebenszeit.

1339 März 9. — Böhmer Reg. 3431. — Orig. im Staatsarchiv Koblenz.

Ludowicus dei gr(ati)a Romanorum imperator semper augustus. Notum facimus universis, quod ad grata obsequia per venerabilem Baldewinum archiepiscopum Treveren(sem), principem nostrum dilectum, nobis et sacro Romano imperio sepius fideliter impensa favorabiliter respicientes eidem . . archyepiscopo hanc gr(ati)am ad tempus vite ipsius duraturam duximus faciendam et tenore presentium de nostre maiestatis excellentia facimus specialem sibi, quam diu vixerit, plenarie indulgendo, quod, quando et quociens eundem archiepiscopum pro dicti imperii vel dicte sue ecclesie necessitatibus et iuribus vel eorum occasione in expeditione cum suis hominibus armatis per loca aliqua contigerit proficisci, quod idem . . archyepiscopus pro se et suis hominibus secum in expeditione huiusmodi existentibus in locis, per que ipsum transire et in quibus eum cum dictis suis hominibus moram aliquam trahere contingerit, hospitare ac hospitia capere sine cuiusquam reclamatione possit ac alia dicta hec facere, que talis adventitie necessitatis sarcina repentina exigit et requirit, sicut nos ipsi de imperiali excellentia facere possemus, si nostri nominis expeditionem nos contingeret exercere; inhibentes omnibus nostris et imperii subditis, ne prefatum archyepiscopum et suos ea occasione molestent aliqualiter vel perturbent; et si memoratus . . archyepiscopus retroactis temporibus pro dicti imperii seu predicte ecclesie sue necessitatibus et iuribus vel eorum occasione in expeditione cum armatis existens apud aliquos hospitavit et sibi ac suis de hospitiis providit vel provideri fecit aliaque circa hec exercuit, eundem . . archyepiscopum ab omnibus impetitionibus et offensis, si quas exinde contraxit, habere volumus et presentibus habemus ex nostra imperiali mansuetudine supportatum; inhibentes ut supra omnibus nostris et dicti imperii subditis, ne quis dictum . . archiepiscopum premissorum occasione impetat quomodolibet vel molestet. Harum testimonio litterarum. Dat(um) Franchenfurt IX° die mensis Marcii anno domini M°CCC° tricesimo nono, regni nostri anno vicesimoquinto, imperii vero duodecimo.

Beschädigtes Siegel am Pressel.

Auf der Rückseite der Urkunde: ℞ª; im Uebrigen Vermerke der Empfängerkanzlei.

IV. Karl IV. bestätigt dem Erzbischof Balduin von Trier seine Zölle an Rhein, Mosel und Saar.

1354 Jan. 8. — B.-Huber 1728 = 6743. — Orig. im Staatsarchiv Koblenz.

Karolus dei gracia Romanorum rex semper augustus et Boem(ie) rex universis et singulis suis et sacri imperii fidelibus graciam suam et omne bonum. Grata obsequia per venerabilem Baldewinum archiepiscopum Trev(er)en(sem), principem et patruum nostrum karissimum, nobis et dive memorie Henrico Roman(orum) imperatori augusto septimo, avo et predecessori nostro, necnon sacro imperio sepius sumptuose et utiliter prestita hoc exposcunt, ut ad ea, que dicto nostro patruo et ecclesie sue Trev(er)en(si) sunt accommoda, nostre maiestatis dexteram liberalius extendamus et ut ipsum nostrum patruum et ecclesiam suam pretactam pre ceteris specialibus favorum graciis prosequamur. Hiis igitur favorabiliter attentis predicto . . archiepiscopo suisque successoribus graciose concessimus et concedimus per presentes, ut super alveum Moselle in Confluencia et alibi, prout eis placuerit, duodecim grossos antiquos de qualibet carrata vini et aliis rebus et mercibus proporcionabiliter, prout fieri est consuetum, per ascensum et descensum eiusdem Moselle imperpetuum recipere valeant libere et levare. Insuper memorato . . archiepiscopo suisque successoribus archiepiscopis Treveren(sibus) thelonia super alveum Reni in Confluencia et Bopardia necnon thelonium super alveum Moselle in Cochme ac thelonium super Saram in Sarburg, prout hactenus in dictis locis sunt recepta, innovamus et ex certa nostra sciencia motu nostro proprio confirmamus. Indulgentes eisdem archiepiscopo et suis successoribus et cuilibet eorumdem, quod thelonia sua predicta coniu[n]ctim et divisim in dominio aut districtu suo, ubicumque voluerint, levare et recipere valeant pro ipsorum beneplacito voluntatis. Nulli ergo omnino hominum liceat hanc nostre concessionis, innovacionis, confirmacionis et indulgencie paginam infringere vel ei ausu temerario quomodolibet contraire. Si quis autem hoc attemptare presumpserit, preter indignacionem nostram et imperii, quam ipsum incurrere volumus ipso facto, penam quinquaginta librarum auri puri, quarum medietatem fisco, id est nostre regali camere, reliquam . . ar(chi)episcopo Trev(er)en(si) pro tempore existenti applicari volumus, se ipso facto noverit incurrisse. Presencium sub nostre maiestatis sigillo testimonio litterarum . . Datum Moguncie anno domini millesimo CCC° quinquagesimo quarto, indiccione VII^a^, sexto idus Ianuarii, regnorum nostrorum anno octavo.

Unter dem Bug zwischen den Siegelschnüren: 'aprobamus'; rechts auf dem Bug: 'Wesalieñ'.

Siegelbruchstücke an grünroter Seidenschnur.

Auf der Rückseite der Urkunde dicht am unteren Rande links und rechts von den Siegelschnüren: 'appb̄' und 'rꝭ', im Uebrigen Vermerke der Empfängerkanzlei.

IX.

Ein Rechnungs- und Reisetagebuch vom Hofe Erzbischof Boemunds II. von Trier.

1354—1357.

Von

Richard Salomon.

Kalkulatorische Quellen zur Verwaltungs- und Wirtschaftsgeschichte des Erzbistums Trier sind aus dem 14. Jh. verhältnismässig zahlreich in guter Ueberlieferung erhalten und seit längerer Zeit auch publiziert [1]. Auch die Quellenschrift, die ich in den folgenden Blättern zum Abdruck bringe, ist nicht mehr gänzlich unbekannt.

Im Jahre 1838 edierte H. Beyer [2] aus einer dem Coblenzer Archiv angehörenden Hs. des 16. Jh., dem sogenannten Erbämterbuch des kurtrierischen Sekretärs Peter Maier († 1542), einen kurzen, von Maier offenbar einer älteren Quelle entlehnten Bericht über die Reisen Erzbischof Boemunds II. von Trier zu den Reichstagen von Nürnberg und Metz 1355 und 1356. Genau zur gleichen Zeit druckten Wyttenbach und Müller in ihren Gesta Trevirorum [3] denselben Text, jedoch wesentlich schlechter, nach einer ziemlich mangelhaften Abschrift des Erbämterbuches in der Trierer Stadtbibliothek [4].

Trotz der Publikation an zwei Stellen hat der Bericht in der Literatur nicht die gebührende Beachtung erfahren. Weder seine wertvollen Angaben zur Geschichte der beiden Reichstage, auf denen Karls IV. Goldene Bulle entstand, noch seine Notizen über Hofhaltungskosten, Unterkunft und Verpflegung sind ausreichend verwertet worden. Die Kaiserregesten zitieren ihn einigemal [5], ohne seinen Inhalt

---

1) K. Lamprecht, Deutsches Wirtschaftsleben im Mittelalter III (1886), 405, n. 288 ff. Vgl. II, 691 f. 2) Peter Maier von Regensburg und seine Schriften, in Meyer und Erhards Zeitschrift für vaterländische Geschichte und Altertumskunde I (Münster 1838), 102 ff. Nicht fehlerfrei. Einzelne Randnotizen der Hs. fehlen in der Edition, andererseits ist die Ueberschrift 'Itinerarium' Zutat Beyers. Der auf die Metzer Reise bezügliche Teil schon vorher bei J. J. Moser, Staats-Recht des Chur-Fürstlichen Erz-Stiffts Trier (1740) S. 49 f., jedoch ohne Nennung Maiers. Danach zitiert bei Nerger, Die goldene Bulle nach ihrem Ursprung und reichsrechtlichen Inhalt (Diss. Göttingen 1877) S. 30. 3) Vol. II, Animadv. crit. p. 18—20. Zur Beurteilung der Edition vgl. Böhmer-Huber, Regesten Karls IV., n. 2593a. 4) Script. rer. Trev. tom. III n. 1370 (42.); Richter, Trier. Arch. H. VIII S. 68, Anm. 1. 5) B.-H. n. 2358a, 2555a, 2593a.

zu erschöpfen, Harnack[1] geriet bei gelegentlicher Benutzung auf falsche Fährte, indem er gerade einen der eigenen Zusätze Peter Maiers als der alten Quelle angehörig ansah[2], Lindner wies Harnacks Irrtum nach[3], ohne jedoch den wirklichen Wert der Quelle erkennbar zu machen.

Mit den Vorarbeiten zur Herausgabe der Constitutiones Karls IV. und zu seinem Buche 'Die Goldene Bulle Kaiser Karls IV'[4] beschäftigt, hielt Herr Professor Zeumer ein genaueres Eingehen auf den wenig benutzten Bericht für erforderlich und erbat, um für eine eventuelle spätere Neuausgabe des Textes in den Constitutiones die Grundlage schaffen zu können, von der Königlichen Archivdirektion in Coblenz die Uebersendung der Hs. nach Berlin. Mit der Bearbeitung wurde ich beauftragt. Die Königliche Archivdirektion hatte die Liebenswürdigkeit, bei der Zusendung des Codex auf P. Richters vor einiger Zeit erschienene Monographie über Peter Maier[5] aufmerksam zu machen. Ihr entnahmen wir die Angabe[6], dass eine ausführlichere Fassung des durch das Aemterbuch bekannten Berichts in einer anderen, bisher unbekannten Hs. Peter Maiers, dem ebenfalls im Coblenzer Staatsarchiv aufbewahrten Huldigungsbuche[7] enthalten sei. Wir erbaten daraufhin die Zusendung auch dieser Hs. und die Direktion entsprach unserer Bitte in entgegenkommendster Weise.

Das Huldigungsbuch ist älter als das Erbämterbuch. Der Abschluss fällt in das Jahr 1533, jüngeren Datums sind nur einige Nachträge[8]. Den Hauptinhalt deutet der weitschweifige Titel an:

'(f. 1). Folgende ertzbischoven zu Trier, nemlichenn:
her Heinrich der II. von Vinstingen,
her Dieter von Nassauwe,
her Baldewin von Lutzelnburg,
her Boemund von Sarbrucken,
her Coene } von Falckenstein,
her Wernher }
her Otto von Ziegenhan,

1) Kurfürstenkollegium S. 170, N. 1. 174. 2) Der Nachweis dafür in Zeumers gleich zu nennendem Buche S. 5 f. 3) Mitt. d. Inst. f. Oesterr. Geschichtsf. V (1884), 112. Er hat eine Stelle des Berichtes dann noch einmal benutzt, Archival. Zeitschr. IX, 187. 4) Quellen und Studien zur Verfassungsgeschichte des deutschen Reiches in Mittelalter und Neuzeit Bd. II, Weimar 1908. 5) Der kurtrierische Sekretär Peter Maier von Regensburg (1481—1542). Sein Leben und seine Schriften. Trierisches Archiv VIII, 1905, 53—82. 6) S. 66. 7) Ms. Coblenz Staatsarchiv A I 1 n. 108. 8) Richter S. 64.

her Raban von Helmstatt,
her Jacob der I. von Sircke,
her Johann der II. }
her Jacob der II. } von Baden,
her Reichartt Greiffenclae von Volrats,
her Johann der III. von Meitzenhusenn,
haben vonn den nachbenantten iren und yres ertzstiffts Trier stetten, pflegen, flecken und undertanen huldonge und pflicht entfangen.

Verte et invenies.

(f. 2). Diss hernach geschrieben bueche saigt von ettlichen ertzbischoven zu Trier, so von des ertzstiffts Trier stetten, flecken, pflegenn, ampten, lantschafften und dorfferen truwe, pflicht, eide und huldonge genommen und entfangen, und wie und wellicher maissen dieselben ertzbischove inen den stetten, pflegen, ampten, lantschafften, flecken und dorfferenn dargegen versprochen haben und zugesaigt, sie by iren friheiten, guten gewoenheiten und altem herkomen bliben zulassen etc. Soviel man des ufs alten schrifften und buecheren inn erfaronge hait kommen moegen. Wellich bueche geteilt wirdet inn viere underscheideliche buechere', u. s. w.

Eine genaue Angabe und Würdigung des Inhalts und eine Beschreibung der Hs. findet sich bei Richter S. 61 ff., so dass wir hier auf eine Besprechung des ganzen Werkes verzichten und uns auf einige kurze Bemerkungen beschränken können.

Im Anschluss an die sehr ausführlich gehaltene Inhaltsübersicht, die den Anfang des stattlichen Bandes bildet, beginnt die Darstellung f. 25 [1] mit einer deutschen Paraphrase eines Instruments von 1283, welches Versprechungen der Stadt Coblenz für Erzbischof Heinrich von Vinstingen enthält [2]. Eine Quelle gibt Maier hier nicht an, dagegen bezeichnet er bei den nun (f. 27—27') folgenden, auf Erzbischof Diether bezüglichen Notizen ausdrücklich ein Balduineum als seine Vorlage. Ohne Quellenangabe reiht sich ihnen f. 28 ein deutscher Auszug der jetzt bei Hontheim II, 25, n. 589 gedruckten Urkunde der Stadt Coblenz für denselben Erzbischof an. Nach einer kurzen 'ex cronica Trevirorum' [3] geschöpften Notiz

1) Der neuen Zählung. Die Seitenzahlen im folgenden beziehen sich stets auf diese. 2) Gedruckt bei Hontheim, Historia Trevirensis I, 819. 3) Vgl. darüber Richter S. 77.

f. 28′ folgt ein Auszug aus der 'Conventio' Balduins mit Trier vom Jahre 1308[1] (f. 29), sodann die Abschrift einer längeren, eine Huldigung von 1341 betreffenden Urkunde aus einem der Balduineen (f. 31—33[2]).

Auf f. 35, mit dem Beginn des Berichtes über die dem Erzbischof Boemund II. im Jahre 1354 geleisteten Huldigungen, ändert die Darstellung plötzlich ihren Charakter. An Stelle der Urkundenauszüge und -Abschriften findet sich ein genaues Itinerar der Huldigungsreise des Erzbischofs durch sein Territorium mit Angaben über die jeweilige Anzahl der Begleiter Boemunds, über Kosten der Verpflegung, über die Huldigungsspenden der Untertanen.

Fast acht Seiten (f. 35—38′) nimmt dieser allerdings mit Raumverschwendung geschriebene Bericht ein. Er beginnt mit einer Notiz über die am 9. Juli 1354 in Wittlich geleistete Huldigung und gibt dann von Tag zu Tag die Stationen der Reise an. Sie ging über Kochem (10. Juli), Münstermaifeld (11.), Kobern (12.) nach Coblenz (13.); am 14. unternahm Boemund von hier aus einen Ausflug nach Andernach, um den kranken Erzbischof Wilhelm von Köln zu besuchen; am 15. kehrte er nach Coblenz zurück, begab sich in den nächsten Tagen in die rechtsrheinischen Städte Montabaur und Limburg und wandte sich dann über Boppard, Münstermaifeld und Hillesheim in die Trierer Gegend zurück. Mit dem Bericht über die am 28. Juli in Kilburg geleistete Huldigung schliesst Maiers Darstellung (f. 38′).

Hier folgt nun nicht unmittelbar, wie man erwarten sollte, die Schilderung der dem Nachfolger Boemunds, Erzbischof Cuno von Falkenstein, geleisteten Huldigungen. Es schliesst sich vielmehr (f. 39) eingeleitet mit den Worten: 'Expense domini Boemundi in eundo ad imperatorem Karolum quartum et redeundo ab eodem extra terram suam facte' eine ausführlichere Fassung des zum Teil bereits aus dem Erbämterbuch bekannten Berichts über Boemunds Reise zum grossen Nürnberger Reichstage 1355/56 an. Die Anordnung und der Charakter seiner Angaben entsprechen denen des Itinerars von 1354: wieder finden sich detaillierte Notizen über die Reisebegleiter des Erzbischofs, seine Tischgäste, die Kosten der Hofhaltung u. s. w. Der Bericht beginnt (f. 39) mit der Ausreise von Limburg am

---

1) Hontheim II, 85, n. 602. 2) F. 30—30′, 33′, 34—34′ sind leer gelassen.

14. Dez. 1355 und schliesst (f. 43') mit der Rückkehr dorthin am 20. Januar 1356; anhangsweise ist auf f. 44 eine Uebersicht der 'ausserordentlichen' Ausgaben und eine Abrechnung über die Gesamtkosten der Reise beigefügt.

Ganz in demselben Stil gehalten, stellenweise jedoch etwas breiter, folgen schliesslich (f. 45—48') die ebenfalls aus dem Erbämterbuch in kürzerer Fassung bereits bekannten Notizen über Boemunds Reise nach Metz zu dem zweiten grossten Reichstage von 1356. Die Aufzeichnungen reichen diesmal vom 15. Nov. 1356 bis zum 10. Januar 1357. Wieder bilden Angaben über Verpflegung sowie Kostenrechnungen ihre Hauptbestandteile.

Erst auf f. 49 kehrt Maier wieder zu seinem Thema, den Huldigungen, zurück. Ueber Erzbischof Boemund hat er nichts mehr zu berichten; er geht sogleich zu den Huldigungen für Cuno von Falkenstein über, für welche er wieder wie im Anfang seines Buches Urkunden als Quellen verwendet.

Die Berichte über Boemunds Huldigungsfahrt und seine beiden Reisen stehen also als ein völlig eigenartiges Kapitel in ihrer Umgebung. Offenbar konnte Maier hier Quellen ganz anderer Art benutzen als für die Geschichte der übrigen Huldigungen des 14. Jh.

In der Nennung seiner Vorlagen im allgemeinen nicht sparsam [1], hat Maier leider gerade für diese Partie nirgends eine Quelle angegeben. Wir sind also zunächst auf die allgemeine Bemerkung im Titel des Buches angewiesen, nach welcher er aus 'alten schrifften und buecheren' schöpft. Doch führt eine Betrachtung der Darstellung selbst alsbald weiter. Unzweifelhaft liegen ihr Rechnungen und Notizen eines Beamten der erzbischöflichen Kassen- und Küchenverwaltung zu Grunde.

Die Persönlichkeit dieses Beamten ist nicht mit Gewissheit festzustellen, doch möchte ich eine Vermutung darüber nicht unausgesprochen lassen. Ihrem Hauptinhalt nach gehören die Aufzeichnungen in den Geschäftsbereich des erzbischöflichen Küchenmeisters. Ueber den Umfang seines Ressorts im 14. Jh. sind wir durch Lamprechts Untersuchungen unterrichtet [2]: es erstreckte sich auf coquina, parva coquina, butticlaria und panetaria. Von den Abrechnungen, die der Küchenmeister über die Wirtschaft derselben auszustellen hatte, sind bisher nur geringe Bruch-

1) Vgl. Richter S. 61. 2) Vgl. I, 1471.

stücke bekannt geworden[1], und über die Persönlichkeiten der einzelnen magistri coquine sind wir daher meist nicht orientiert. Wir wissen, dass bis zum Jahre 1338 Thielmann von Rodemacher das Amt bekleidete; für die nächste Zeit ist kein Name überliefert. Erst eine am 26. März 1357 ausgestellte Urkunde Erzbischof Boemunds[2] erwähnt wieder einen erzbischöflichen Küchenmeister und zwar den Schöffen Johann Walrav von Trier. Nun aber verzeichnet unser Bericht unter den Begleitern Boemunds auf der Nürnberger Reise einen Joannem Walramum de Treveri. Es ist nicht ausgeschlossen, dass er schon einige Zeit vor der eben zitierten urkundlichen Erwähnung das Küchenmeisteramt innegehabt hat, und dann dürfen wir in ihm vielleicht den Verfasser wenigstens des Nürnberger Teiles der Rechnungen vermuten. —

Gefunden hat Maier seine Vorlage jedenfalls im kurerzkanzlerischen Archiv, das er als alter Beamter in einer bedeutenden Vertrauensstellung nach Belieben benutzen konnte. Ursprünglich beabsichtigte er eine Verwertung des Materials wohl nur für den eigentlichen Zweck seines Buches, die Geschichte der Huldigungen, wofür also nur die Rechnungen von 1354 in Betracht kamen. Wie aber kam Maier auf den Gedanken, daran die Geschichte der beiden anderen Reisen anzuschliessen, die doch mit seinem Thema in gar keinem Zusammenhang standen? Wir können nur annehmen, dass er bei der Bearbeitung der Rechnungen von 1354 auf die von 1355—1357 gestossen ist. In richtigem Verständnis erkannte er deren historischen Wert und nahm sie, obwohl nicht zu seinem Gegenstande gehörig, in sein Werk mit auf, als 'kurtzwilig und der gedechtnisse wirdig zulesen'[3].

Die Rechnungen waren also, ihrer sachlichen und zeitlichen Zusammengehörigkeit entsprechend, im Archiv zusammengeordnet, vielleicht auch in äussere feste Verbindung gebracht. Mehr wird sich über die Form der von Maier vorgefundenen Ueberlieferung nicht mit Gewissheit sagen lassen. Die Bezeichnung Rechnungs**buch**, die ich der von Maier benutzten Vorlage gegeben und trotz späterer Bedenken beibehalten habe, ist hier nicht im modernen technischen Sinne zu verstehen. Ich beabsichtigte damit nicht, etwas Bestimmtes über die Gestalt der Quelle

---

1) Verzeichnet bei Lamprecht I, 147, N. 7. 2) Görz, Regesten der Erzbischöfe von Trier S. 93. 3) So bezeichnet eine Notiz in der Inhaltsübersicht f. 6' den Bericht über die Nürnberger Reise.

auszusagen. Die gebräuchlichere Form für Rechnungen dieser Art war im 14. Jh. noch die Aufzeichnung auf Rotuli oder einzelnen losen Blättern. Unter den von Lamprecht[1] publizierten kalkulatorischen Quellen der Zeit finden sich nur ausnahmsweise solche in Heft- oder Buchform[2]; die Rolle[3] oder die häufig aus mehreren Stücken zusammengehefteten, meist einseitig beschriebenen, losen Blätter[4] überwiegen. Ebenso findet sich die Rollenform z. B. in einer der Quelle Maiers ähnlichen brandenburgischen Hofhaltungsrechnung von 1316, welche kürzlich H. Spangenberg[5] publiziert hat.

Man wird daher wohl geneigt sein anzunehmen, dass auch die vorliegenden Rechnungen für jede Reise besonders auf einzelnen Blättern ausgefertigt wurden. Die Bezeichnung 'Buch' wird aber für derartige Aufzeichnungen in den Akten der trierischen Verwaltung selbst gebraucht[6].

Den Wortlaut der Quelle hat Maier nicht unverändert wiedergegeben. Zunächst darf als sicher angenommen werden, dass die Vorlage nicht in dem Gemisch von Deutsch und Latein abgefasst war wie Maiers Darstellung. Die erhaltenen Trierer Originalrechnungen des 14. Jh. sind ausschliesslich lateinisch, und der deutsche Ausdruck in den vorliegenden Berichten entspricht, wie eine Vergleichung mit beliebigen anderen Partien des Huldigungsbuches erweist, durchaus Maiers persönlichem Stil. Die Vorlage also war durchweg lateinisch.

Natürlich soll damit nicht geleugnet werden, dass hie und da ein deutscher terminus technicus ihr bereits angehört haben kann — etwa die Worte 'vor stallmutt' f. 36′ —, denn dergleichen findet sich auch in den Trierer Originalrechnungen[7].

Doch war die Uebersetzung nicht die einzige Veränderung, die Maier an seiner Vorlage vornahm. An verschiedenen Stellen hat er nachweislich selbständige Zusätze und Bemerkungen gemacht. Wenn z. B. f. 38 am Rande bemerkt ist: 'Manderscheit hat ertzbischoff Albero zum stiffte bracht', so wird man nicht annehmen können, dass diese rein historische Notiz bereits in der Original-

---

1) Deutsches Wirtschaftsleben III, 317 ff. 2) Ebda. n. 291. 296. 3) Ebda. n. 289. 293—295. 4) Ebda. n. 285. 286. 288. 290—292. 5) Hof- und Zentralverwaltung der Mark Brandenburg im Mittelalter (1908) S. 518 ff. Or. Berlin Geh. St.-Archiv. 6) Vgl. den liber amicorum domini bei Lamprecht III, 416. 7) Vgl. z. B. 'item pro strenge et silin pro equis trahentibus navem' bei Lamprecht III, 438, 10.

rechnung gestanden habe, bei deren Abfassung gewiss keinerlei historisches Interesse obwaltete. Dasselbe gilt von der einleitenden Randnotiz f. 35: 'Boemundus de Saraponte archidiaconus per capittulum Treverense domini Baldewini, dum vixit, consilio concorditer elatus'. Ganz selbstverständlich ist die Verfasserschaft Maiers in den Bemerkungen über die Erwerbung von Kempenich etc. f. 37' und über die Mittwochsfasten zur Zeit Erzbischof Johanns von Baden (1456—1503). Ebenso gehören zu seinen eigenen Zutaten wie Zeumer bereits nachgewiesen hat, alle Stellen des Berichtes, an welchen ausdrücklich von der Goldenen Bulle die Rede ist: also erstens die deutsche Notiz über die Publikation der Nürnberger Gesetze auf f. 42, zweitens in der Kostenrechnung für Ausfertigung von Privilegien f. 44 die zu 'bulla aurea' gemachte Bemerkung 'que adhuc habetur in Erembreitstein'. In Maiers Vorlage bezeichneten — das sei hier nochmals kurz bemerkt — die Worte 'aurea bulla' natürlich nicht das grosse Reichsgesetz vom 10. Januar 1356, für welches diese Bezeichnung erst seit ca. 1400 aufkommt, sondern ein wirkliches goldenes Siegel, nämlich die bulla der für Boemund am 5. Januar ausgestellten Urkunde Böhmer-Huber n. 6861. Der dritte Zusatz dieser Art ist schliesslich der von Zeumer ausführlich besprochene Vermerk über die Publikation des Metzer Teiles der Gesetze (f. 47'): 'Illo die sunt promulgate leges auree bulle annexe' u. s. w. Wichtig sind diese drei Stellen für die Erkenntnis der Arbeitsweise Maiers; sie zeigen, dass er für die Ausarbeitung seiner Darstellung die Goldene Bulle mit heranzog. Jedoch benutzte er nicht das kurtrierische Original-Exemplar des Gesetzes, wie Zeumer nachgewiesen hat, sondern aller Wahrscheinlichkeit nach einen gedruckten Text[1], sicher aber eine sekundäre Ueberlieferung.

Nachteiliger als die verhältnismässig leicht kenntlichen Zusätze haben die Auslassungen und Kürzungen gewirkt, die Maier bei der Bearbeitung seiner Quelle vornahm. Sie erklären sich freilich aus dem Zweck, den er verfolgte: die Rechnung von 1354 benutzte er, um über den Gang der Huldigungsfahrt Klarheit zu gewinnen, um gewisse Einzelheiten vom Hergang der Huldigungen mitteilen zu können, die beiden anderen Rechnungen schrieb er nur um ihrer antiquarischen Merkwürdigkeit willen ab. In beiden Fällen ist es begreiflich, dass ihn die Einzelheiten der Rechnungs-

1) Ueber Drucke der Goldenen Bulle vgl. Harnack S. 185 ff.

legung kaum interessierten und dass er hier energisch kürzte.

Unter diesen Kürzungen aber hat zunächst der wirtschafts- und geldgeschichtliche Wert der Quelle bedeutend gelitten. Eine rechnerische Nachprüfung und somit auch ein eindringendes Verständnis der einzelnen Rechnungspositionen ist fast überall unmöglich gemacht. Es bleibt z. B. unklar, wie die Summe von 140 lb. 13 s. 4 hl. auf f. 39′ zu stande kommt; das Gleiche gilt von der Gesamtsumme der Ausgaben vom 14.—21. Dez. 1355 (f. 40′) und vom 22. Dez. 1355 — 2. Januar 1356 (f. 41′). Ebenso sind die Rechnungsabschlüsse von Nürnberg (f. 44) und Metz (f. 48) unkontrollierbar. Nur in Ausnahmefällen ist die Entstehung der Summen nachzuweisen, und auch hier stimmen die Ergebnisse der Nachprüfung meist nicht ganz genau mit den von Maier gegebenen Endzahlen überein, vielleicht in Folge von Fehlern, die sich durch Maiers sorgloses Abschreiben seiner Vorlage eingeschlichen haben.

Ferner liegt offenbar eine Auslassung vor in der folgenden Notiz des Metzer Berichtes: 'Cancellario pro rata domini pro baculo argenteo 12 mar. argenti, in quo portavit dominus Boemundus sigilla imperatoris ad curiam imperialem, de curia iterum ad hospicium domini'.

Der silberne Stab, an welchem der Erzkanzler in dessen Archikanzellariat ein feierlicher Hoftag gehalten wird, zunächst im Festzuge allein, nachher beim Festmahle gemeinschaftlich mit den beiden anderen Erzkanzlern die kaiserlichen oder königlichen Siegel trägt[1], soll nach Massgabe der Goldenen Bulle 12 Mark schwer sein. Jeder der drei Erzkanzler hat ein Drittel der Kosten dafür zu tragen[2]. Die 'rata domini' betrug also, da alle drei Erzkanzler anwesend waren, 4 Mark, und mit '12 mar.' kann nur der Gesamtwert des Stabes gemeint sein, so dass die Kürzung mit '12 mar(carum)' aufgelöst werden muss. Die wirklich ausgegebene Summe von 4 Mark aber ist ausgelassen.

Was Maier sonst noch übergangen haben mag, entzieht sich der Beurteilung. Immerhin ist es wenig wahrscheinlich, dass das Original des Rechnungsbuchs eine so stattliche Reihe ganz leerer Rubriken — blosse Datenangaben — enthalten haben soll wie Maiers Darstellung

1) Goldene Bulle cap. 26, § 1. 27, § 2. 2) 'Baculus . . . esse debebit argenteus, duodecim marcas argenti habens in pondere, cuius tam argenti quam precii partem terciam unusquisque archiepiscoporum ipsorum persolvet'.

vom 21.—23. Nov., vom 27. Nov. — 1. Dez. (f. 46), vom 6.—8. Dez. Es ist eher anzunehmen, dass hier Notizen standen, die Maier nicht für wert hielt, der Nachwelt aufbewahrt zu werden.

Wie willkürlich er unter Umständen mit seiner Vorlage schaltete, geht am besten aus einer Stelle seines bereits mehrfach genannten jüngeren Werkes, des Erbämterbuches (E), in Verbindung mit einer entsprechenden Stelle unseres Huldigungsbuches (H) hervor. E verzeichnet in seinem Bericht über den Nürnberger Tag f. 19′ folgendes: 'Wes ertzbischove Boemundt an dene keiserlichen hoiffe hait gegebenn etc.:

Cancellario	20 marcas argenti,
magistro curie	10 marcas,
marscallo et aliis officiis . .	30 marcas,
domino Io(hanni) cancellario .	100 fl.' u. s. w. (folgt

eine Reihe von Trinkgeldern und Gebühren).

In H aber findet sich an der entsprechenden Stelle (f. 44) die folgende Angabe: 'Wes usserthalb der obgemelten zerongen uss ist gegeben, das genennet wirdet extraordinarie.

Cancellario et aliis officiis imperialis aule pro iure concessionis feodorum domino per imperatorem pro 63 marcis uno fertone argent(i) 300 fl. 16 fl. $4^1/_2$ s. h.; pro qualibet marca 5 fl.

Cancellario	20 mar(cas),
magistro curie	10 mar(cas),
marscalco et aliis officiis . .	30 mar(cas),
preposito Aquensi	3 mar(cas),
campanario	1 fertonem,
domino Iohanni cancellario .	100 fl.' u. s. w. (folgt

die gleiche Reihe von Trinkgeldern und Gebühren wie in E).

Ohne schon hier auf das Verhältnis der beiden Fassungen zu einander einzugehen, können wir feststellen, dass Maier in E den Text durch Kürzungen und Auslassungen derartig verstümmelt hat, dass die eigentliche Bedeutung der Stelle nicht mehr zu erkennen ist. Und in der Tat ist auf Grund des bisher allein bekannten Textes E auch niemand auf den Gedanken gekommen, in diesen Notizen die Fragmente einer Abrechnung über die Zahlung der Lehnstaxe zu sehen. Dass eine solche Abrechnung hier wirklich vorliegt, zeigt H in aller Deutlichkeit; aber H lässt auch gleichzeitig erkennen, wie rücksichtslos Maier bei der Redaktion von E zu Werke ging: nicht allein die am Anfang stehende Gesamtnotierung der $63^1/_4$ Mark liess er weg, sondern er überging auch in der Aufzählung der einzelnen Posten gerade die charakteristischen Summen von 3 Mark und von 1 ferto[1]. Und wenn auch H überall ausführlicher gehalten ist und mehr ins Detail geht als E, so ist eine derartige Beobachtung doch nicht gerade geeignet, ein besonderes Vertrauen zu der redaktionellen Tätigkeit Maiers auch bei der Abfassung von H zu erwecken.

Mit einem blossen getreuen Abdruck von H wird sich die Edition nicht begnügen dürfen. Die Aufgabe geht vielmehr dahin, von dem vorhandenen Text, soweit dies möglich ist, zum ursprünglichen Texte der Quelle zu gelangen. Dabei erhebt sich sogleich die Frage, ob und in wie weit die jüngere Fassung E zur Herstellung des ursprünglichen Quellentextes (R) mit herangezogen werden darf. Um dies festzustellen, muss das Verhältnis von R, H und E einer eingehenderen Prüfung unterzogen werden.

Da die Reihenfolge der Entstehung feststeht: R, H, E, so ergeben sich folgende Möglichkeiten: Bei der Abfassung von E ging Maier entweder nur auf R zurück, oder er begnügte sich, H in verkürzter und teilweis veränderter Form abzuschreiben, oder er benutzte bei seiner Neubearbeitung beide, R und H, gemeinschaftlich als Vorlage.

Wir hatten oben gesehen, dass R durchweg lateinisch abgefasst war. Schon die wörtliche Uebereinstimmung des deutschen Ausdrucks an zahlreichen Stellen in H und E[2] beweist also, dass H zum mindesten mit als Vorlage für E gedient hat, da man nicht annehmen kann, dass Maier, ohne sein früheres Werk zu benutzen, mehrere Jahre später auf wörtlich dieselben Uebersetzungen für die lateinischen Ausdrücke der Quelle verfallen sein sollte. Der Umstand, dass er an anderen, vielleicht noch zahlreicheren, Stellen in E vom deutschen Ausdruck in H abwich, kann dagegen nichts beweisen. Die erste Möglichkeit erledigt sich damit; alleinige Quelle für E ist R keinenfalls. Es bleibt nun zu untersuchen, ob R vielleicht gemeinschaftlich mit

1) Ueber die Lehnstaxe überhaupt und speziell über den vorliegenden Fall handelt eingehend Zeumer S. 99 ff. 2) Vgl. z. B. den Satz: 'der bischoff hait stallmutt, bette' u. s. w. in H f. 39 mit seiner bis auf eine Kleinigkeit buchstäblichen Wiederholung in E f. 18—18 (Beyer a. a. O. S. 103). Ebenso lässt beispielsweise trotz einiger Verschiedenheit im Ausdruck die Notiz über die Publikation der Nürnberger Gesetze in E (Beyer a. a. O. S. 104/5) deutlich H (f. 42) als Vorlage erkennen.

H als Vorlage für E gedient hat. Wir prüfen zu diesem Zweck die wenigen Stellen, an denen der Text E inhaltlich über H hinausgeht.

Die erste findet sich in E f. 17'. Der in H nur 'dominus in Limpurg' (f. 39) genannte Begleiter des Erzbischofs wird hier als 'Johann her zu Limpurg' bezeichnet. Auf erneute Benutzung von H wird man diese Vervollständigung aber nicht zurückführen können. Hätte in R der Name Johann gestanden, so wäre garnicht abzusehen, weshalb ihn Maier bei der Abfassung von H nicht schon mit übernommen haben sollte. Viel näher scheint mir die Annahme zu liegen, dass R den Vornamen nicht nannte, und dass Maier sich erst bei der Ausarbeitung von E anderweitig über ihn unterrichtete, oder dass der Sachverhalt durch ein Versehen Maiers, nämlich durch irrtümliche Uebernahme des in der nächsten Zeile folgenden Vornamens, zu erklären ist.

Zweitens gehört hierher die bei Beyer nicht mit abgedruckte Randnotiz in E f. 18 zu dem Namen 'Johann Walramen von Trier'. Maier bemerkt hier: 'des ertzbischoffs erbschencke. Von deme ist es an die von Schmidburg kommen'. Dass dieser Zusatz nicht auf R zurückgeht, braucht nicht erst bewiesen zu werden.

Drittens kommt hier die Notiz über die Publikation der Nürnberger Gesetze in Betracht. Zu diesem, wie oben angedeutet, von Maier selbst herrührenden Vermerk ist in E (f. 18') die Randnotiz hinzugefügt: 'Ire ma(jeste)t ist der VII. curfurste, wie er das in den wortten anzeigt: "sane cum ex officio, quo cesarea dignitate potimur, futuris divisionum et dissensionum periculis inter electores ipsos, de quorum numero ut rex Bohemie esse dinoscimur, racione duplici tam ex imperio quam electionis iure, quo fungimur, occurrere teneamur, infrascriptas leges" etc.'. Der Satz ist wörtlich aus dem Proömium der Goldenen Bulle abgeschrieben, welche Maier also bei der Abfassung von E aufs neue benutzt hat.

Einen weiteren Beweis dafür bietet die bei Beyer fehlende Randnotiz in E f. 20' zu den Worten si quis: 'et est (sc. cap. 24 der Goldenen Bulle) de factiosis in electores imperii'.

Diese Tatsache der erneuten Benutzung des Gesetzes ist von Wichtigkeit für die Beurteilung der letzten Stelle, an welcher der Text E mehr bietet als H. Sie gehört der Schilderung des Metzer Tages an.

Von dem im wesentlichen mit H übereinstimmenden Bericht über den Einzug am 17. Nov. geht E nach einer kurzen Notiz betr. den 23. Dez.[1] sofort auf die Feierlichkeiten am Weihnachtstage über. Dem Satze: 'ubi principes electores eorum quilibet officium suum, quod habet ab imperio, exercuit illa die', der sich wörtlich ebenso schon in H fand, folgt hier eine verhältnismässig lange Ausführung, wie Erzbischof Boemund sein Erzamt ausgeübt habe:

'Ipsa die nativitatis Christi Karolo IV. Romanorum imperatore semper augusto curiam suam primam imperialem Metis, ut supra, in presencia electorum imperii, domini cardinalis ac delphini predictorum plurimorumque principum, magnatum ac statuum imperii etc. solempniter celebrante, Boemundus Treverensis archiepiscopus officium archicancellarie sue regni Arelatensis et Gallie predicte primo cum Moguntinensi et Coloniensi archiepiscopis coniunctim et deinde solus in collo suo in deferendo, custodiendo et transmittendo ad curiam imperialem sigillis imperialibus(!) ac omnia alia et similia iuxta tenorem privilegiorum imperialium ac regalium predictorum, prout moris est, instituendo etc. cum ea qua decuit reverencia fideliter, diligenter atque legaliter exercuit et instituit'.

Schon die Berufung auf die 'vorgenannten' königlichen und kaiserlichen Privilegien lässt erkennen, dass die Schilderung wenigstens nicht vollständig in der Form, wie sie hier vorliegt, aus R übernommen sein kann. Mit den Privilegien können in diesem Zusammenhang nur die beiden im Texte des Erbämterbuches den Reiseberichten ziemlich unmittelbar vorausgehenden Urkunden Karls für das Erzbistum Trier, Böhmer-Huber n. 1729 und 6861, gemeint sein, die in R überhaupt nicht erwähnt waren. Ob aber die übrigen Teile dieser Schilderung eine Vorlage in R hatten, erscheint ebenfalls fraglich. Wir haben eben zwei Fälle kennen gelernt, in denen Maier die Goldene Bulle zur Ausarbeitung von E heranzog. Nun ergibt aber eine Vergleichung der hier zitierten Stelle mit Kapitel 26 und 27 des Gesetzes Verwandtschaft in Gedankengang und Ausdruck. Dazu kommt ferner der Umstand, dass die Schilderung mit ihrem Wortschwall und dem unnötigen Prunken in der Aufzählung der anwesenden Würdenträger von der sonstigen Darstellungsweise des Textes R völlig abweicht. Ausser-

1) Diese Notiz: 'feria sexta 23. Decembris comedit dominus Boemundus cum imperatore, qui festivavit in domo' fehlt in Beyers Edition.

dem aber ist noch zu beachten, dass Maier schon in H an der betreffenden Stelle schüchterne Versuche zur Ausgestaltung des Textes gemacht hat, wie wir unten sehen werden[1]. Nach alledem ist der Schluss nicht abzuweisen, dass die in E gegebene Schilderung nicht aus R stammen kann. Hätte diese Darstellung, in der der Trierer Erzkanzler eine so bedeutende Rolle spielt, schon in R gestanden, so hätte sie Maier bei der Abfassung von H, schon hier bemüht, dem Trierer Erzbischof eine möglichst ehrenvolle Stellung zu geben, nicht übergangen. Die Entstehung der Schilderung in E ist vielmehr so zu denken: Maier wusste, dass Metz zum Trierer Archikanzellariat gehörte[2], und bestimmte daraufhin mit Hülfe der Kapitel 26 und 27 der Goldenen Bulle, welche Funktionen dem Erzbischof Boemund bei der Feierlichkeit am 25. Dez. zugefallen sein mussten. Er stellte das, was er so theoretisch ermittelt hatte, als wirklich geschehen dar. Die ganze Schilderung soll nur dazu dienen, den vorangegangenen Satz über die Ausübung der Erzämter durch alle Kurfürsten zu illustrieren und dabei die Fürstenherrlichkeit des Trierers ins rechte Licht zu setzen. Nahm doch Maier, wie er ausdrücklich sagt, den Bericht über den Nürnberger wie den Metzer Tag hauptsächlich 'zu lobe und eren dem ertzbischove und der kirchen zu Trier' in E auf.

All die Stellen also, an denen E inhaltlich über H hinausgeht, basieren nicht auf R. Wir können danach mit Sicherheit sagen, dass Maier R für die Herstellung von E nicht mit benutzt hat. Hätte er es getan, so müssten irgend welche Spuren davon erkennbar sein. Das ist aber nicht der Fall. Für den Zweck, den Maier bei der Abfassung des Textes verfolgte, war eine erneute Heranziehung von R auch durchaus entbehrlich, dafür genügten schon die in H enthaltenen Angaben.

Zur Herstellung des ursprünglichen Textes R kann nach dem eben Gesagten der Text E nicht mit herangezogen werden. Ihm kommt bei der vorzüglichen Erhaltung von H ein selbständiger Ueberlieferungswert nicht zu. Der Edition durfte also allein H als Grundlage dienen.

An eine vollständige Rekonstruktion des Textes R war bei diesen Ueberlieferungsverhältnissen nicht zu denken. Ich musste mich darauf beschränken, alles, was mit Sicherheit als Zusatz des Bearbeiters zu erkennen war,

---

1) Vgl. S. 432, N. 3. 2) Vgl. dazu Bresslau, Urkundenlehre S. 385 sowie Zeumer S. 256.

aus dem Texte auszusondern und in die Noten zu verweisen. Wo die Zugehörigkeit zur Vorlage oder zur Bearbeitung nicht mit Sicherheit zu entscheiden war, habe ich die fraglichen Worte im Text stehen lassen und in den Noten auf den Sachverhalt hingewiesen. All die zahlreichen Stellen aber, an denen Maier Form und Ausdruck seiner Vorlage verändert hat oder verändert haben kann, besonders kenntlich zu machen, schien mir zwecklos. Es sei hier nur nochmals daran erinnert, dass den deutschen Stellen des Textes überall ein lateinischer Originaltext zu Grunde gelegen hat. Zur Edition habe ich noch zu bemerken, dass die Zahlen, abgesehen von den wenigen Stellen, an welchen sie in H in Worten ausgeschrieben waren, durchweg in arabischen Ziffern wiedergegeben sind. Maier selbst wechselt in seinem ganzen Buche, nicht nur an der hier abgedruckten Stelle, mit einer gewissen Absichtlichkeit zwischen römischen und arabischen Ziffern. Es kann mit Sicherheit angenommen werden, dass eine solche willkürliche Abwechslung zwischen beiden sich in R noch nicht fand. Ich lasse nun den Text folgen.

Huldigungsbuch des Peter Maier f. 35—48'.

(Ms. Coblenz Staatsarchiv A I 1 n. 108).

(f. 35) Ertzbischoff [1] Boemund zu Trier, von Sarbrucken geborn [2], hait im ertzstifft Trier huldung entfangen.

Anno 1354, 9. Iulii 4ta feria

von denen von Wittlich, qui propinaverunt domino 4 amas vini, 10 maldra avene [3].

Dominus habuit 205 equos.

1) In H am Rande die einleitende Notiz: 'Boemundus de Saraponte archidiaconus per capittulum Treverense domini Baldewini, dum vixit, consilio concorditer elatus 1354', offenbar von Maier herrührend. Die Quelle für diese Angabe kann ich nicht nachweisen. Weder die erzählenden Quellen noch die auf die Wahl Boemunds sich beziehenden Aktenstücke, die ich Dank dem freundlichen Entgegenkommen der Coblenzer Archivdirektion hier in Berlin benutzen konnte, — sie sind grösstenteils bei Görz S. 90 f. verzeichnet — wissen etwas von einem derartigen Vorschlage Balduins. — Im folgenden verzeichnet H jeden im Texte vorkommenden Ortsnamen nochmals am Rande. Darauf ist in der Edition keine Rücksicht genommen, ebenso auch nicht auf die Buch- und Kapitelzählung Maiers. 2) Wegen der Herkunft Boemunds vgl. Kremer, Gesch. des Ardennengeschlechts S. 216. 3) 'avenene' H.

10. Iulii 5ta feria

von denen von Cochme, qui propinaverunt domino 5 amas vini, 24 maldra avene.

Dominus habuit 230 equos.

11. Iulii feria sexta

von den von Monstermeinfelt, qui propinaverunt domino duo vasa vini conti[1] 9 amas, in avena 50 maldra.

Capittulum ibidem[2] $4^1/_2$ amas vini.

Dominus habuit 225 equos et secum abbatem Wizzenburgensem[3] et plures nobiles.

(f. 35') 12. Iulii sabbato

von den von Covern, qui propinaverunt domino in vino 4 amas, in avena 10 maldra.

Habuit 216 equos.

Dominica 13. Iulii

von den von Covelents, qui propinaverunt in 4 vasis 9 amas vini, 4 boves, 25 maldra avene.

Carthusienses sancti Beati[4] 2 amas vini.

D(omini) Teutonici vas vini.

Canonici[5] S. Castoris et Florini 50 maldra avene.

Dominus[6] venit navigio Confluentiam, equi manserunt in Coverna.

Coquina[7] in Confluentia:

5 boves
17 muto[8] } a Cochme et Cell(a), 6 porcos, 1 vitulum, 127 pullos, in pane albo[9] $4^1/_2$ maldra, in pane domus[9] 4 maldra, in vino 7 amas[7].

---

1) Wohl 'vinum conditum', Würzwein; vgl. M. Heyne, Fünf Bücher deutscher Hausaltertümer II, 368. 2) Kollegiatstift St. Martin und Severus; vgl. Brower et Masenius, Metropolis eccles. Trever. ed. Ch. von Stramberg I (1853), 248. Künftig zitiert als Brower-Str. Vgl. auch Lamprecht II, 766. 3) Abt Eberhard (1337—1381). Er erscheint im folgenden als ständiger Begleiter des Erzbischofs. 4) Karthäuser auf dem Beatusberge seit 1331. Vgl. Balduins Urkunde von 1331 Aug. 18 bei Brower-Str. II, 337. 5) 'Canoni' H. 6) 'Dominus — Coverna' in H am Rande eingetragen, jedoch zweifellos der Quelle entnommen. 7) 'Coquina — amas' in H am Rande eingetragen. 8) So H. Diese Form statt 'mutones' im folgenden nicht selten, öfter auch in den Trierer Originalrechnungen bei Lamprecht III; z. B. S. 409, 1. 9) 'panis albus', Weizenbrot, 'Herrenbrot', im Gegensatz zum 'panis domus, panis cibarius, rückenprodt, rockenbrot . . burgerbrot, hausbrot', Roggenbrot; vgl. M. Heyne, Fünf Bücher deutscher Hausaltertümer II, 271, 46.

Dominus propinavit operariis murorum Confluen(tie) prope domum Teutonicorum 4 grossos aureos[1].

14ta Iulii feria 2.

ivit dominus navigio versus Andernacum ad visitandum dominum Coloniensem[2] lesum in crure, cum multis.

Coquina: 3 boves de Mon.[3], 8 mutones, 4 porcos, 40 pullos, 200 ova etc.[4].

Opidum Andernacense propinavit domino 4 amas vini.

(f. 36) Moniales ibidem[5] 20 maldra avene.

Abbas Lacensis[6] 20 maldra avene.

Feria 3. 15. Iulii

rediit dominus navigio Confluentiam, comedit mane in navi et sero Confluentie.

Coquina: 4 boves de Meien, 12 mutones, 3 porcos, 6 porcellos, 1 vitulum, 55 pullos, 13 anetas, aves pro 2 s., 1 leporem, 2 salmones, 200 ova, in pane albo 4 maldra, in pane domus 2 maldra, in vino unam carratam.

Feria quarta 16. Iulii

von den von Montabur, qui propinaverunt 2 carratas vini, 30 maldra avene.

Dominus habuit 364 equos, abbatem Wizzeburgensem, Io(hannem) comitem in Nassauwe, dominos de Westerburg[7], Gerlacum dominum in Isenburg[8] et plures nobiles.

Coquina: 8 boves, 5 mutones, 8 anseres et 100 pulli[9] de terra[10], (f. 36') 6 porcos, 3 vitulos, 8 mutones, 600 ova, in pane albo 3½ maldra, in pane domus 4 maldra; in vino 7 amas 9 quartalia; in pabulo 43½ modios.

Feria quinta 17. Iulii

von den von Limpurg[11], qui propinaverunt 1 carratam vini, 20 maldra avene.

---

1) Bauarbeiter werden auf dieser Reise mehrfach mit Trinkgeldern bedacht. S. unten S. 418. 420. 2) Erzbischof Wilhelm (1349—1362). 3) So H. Auflösung nicht mit Sicherheit zu geben. 4) Der grösste Teil dieser Küchenrechnung in H auf Rasur; an einzelnen nach dem Radieren freigebliebenen Stellen ist noch deutlich zu erkennen, dass Maier hier zuerst irrtümlich die zum folgenden Tage gehörende Rechnung abgeschrieben hatte. 5) Wohl von St. Thomas bei Andernach; Brower-Str. I, 316 ff. 6) Abt Wigand I. (1335—1356); Brower-Str. I, 491; Wegeler, Kloster Laach S. 36. 7) Vgl. Görz, Regesten S. 91. 8) In Betracht kommen Gerlach II. († 1354 oder 1355) und dessen Sohn Gerlach III. von Isenburg-Limburg; vgl. über beide Limburger Chronik, MG. Deutsche Chron. IV, 1 passim; ferner Simon, Gesch. des Hauses Ysenburg und Büdingen II, 134. 9) So H. 10) Vgl. Lamprecht III, 408, 25. 409. 416 ff. 11) Vgl. Baldewins Urkunde 1344 Mai 26, Görz S. 84.

Canonici[1] 3 amas vini.

Dominus habuit secum 401 equos, abbatem Wizzenburgensem, comitem Iohannem de Nassaw, Gerlacum / Philippum[2] } dominos in Isenburg, d(ominum) de Limpurg[3] et plures nobiles.

Coquina: 8 boves, 7 porcos, 17 muto, in carne vituli 38 s., 140 pullos, in pane albo 4½ maldra, in pane domus 4 maldra; in vino 7 amas 16 quartal(ia), in pabulo 29 maldra 1½ oct(alia).

Vor stallmutt extra hospicium domini pro 391 equis, de quolibet 8 hl., facit 13 lb. 8 hl.[4].

Familie[5] d(omini) in Limpurg 6 lb. hallen.

(f. 37) Feria sexta 18. Iulii

von den von Bopart, qui propinaverunt 2 vasa vini conti[6] 10½ amas, 2 boves.

D.[7] de S. Goare duos salmones.

Dominus habuit 288 equos.

Sabbato 19. Iulii

von den von Monstermeinfelt[8].

Dominus habuit 244 equos.

Dominica 20. Iulii

von den von Meyen, qui propinaverunt 4 amas vini, 2 boves, 12 maldra avene.

Dominus habuit 280 equos, abbatem Wizzeburgensem, comitem Virnenburgensem[9], G(erlacum) dominum in Isenburg, comitem de Nuwenar[10].

Coquina: 6 boves, 16 muto, 6 porcos, 89 pullos, in pane albo spelte[11] 5 maldra, in pane domus 4½ maldra, in pane albo empto 14 s. d., in vino 7 amas, in pabulo 28½ maldra avene.

Lapicidis murantibus muros opidi Meyen 1 fl.[12].

---

1) Vgl. Brower-Str. I, 263 ff. 2) Stifter der älteren Linie Isenburg-Grenzau; vgl. Fischer, Geschlechtsregister der Häuser Isenburg etc. (1778) § 536. 550; Limburger Chronik a. a. O. IV, 1, 49 f. 3) Apposition zu Gerlacum? 4) Richtig. 5) 'Familie — hallen' in H am Rande nachgetragen. Vgl. oben S. 416, N. 6. 6) Vgl. oben S. 416, N. 1. 7) Wohl 'decanus'. Vgl. Brower-Str. I, 281. 8) Danach Rasur in H. Noch zu erkennen: 'qui pro i'. Eine Huldigungsspende war in Münstermaifeld schon am 11. Juli dargebracht worden. 9) Wohl Graf Gerhard, der 1355 als des Erzbischofs Getreuer und heimlicher Rat genannt wird; Günther, Cod. Rheno-Mosell. III, 618. 10) Vgl. Schannat-Bärsch, Eiflia illustrata I, 1, 138 ff. 11) Heyne II, 271. 12) Vgl. oben S. 417, N. 1.

(f. 37') Feria secunda 21. Iulii

von den von Hilliszheim, qui propinaverunt 12 maldra avene.

Habuit dominus 267 equos, abbatem ut s(upra), dominum Gerhardum de Blanckenheim[1], fratrem suum prepositum[2], dominum de Iunckenrode[3], dominum de Kempenich[4] etc.

Coquina: 3 boves, 7 muto, 3 porcos, 4 porcellos, 3 vitulos, 67 pullos, 150 ova, in pane albo 4 maldra, in pane domus 3 maldra, in vino 5 amas, in pabulo 21½ maldra[5].

(f. 38) Feria tertia 22. Iulii in die Marie Magdalene

mane comedit dominus Castelberg[6] cum domino de Blanckenheim, qui solvit expensas.

---

1) Vgl. Schannat-Bärsch I, 1, 254 ff.; Töpfer, UB. der Vögte von Hunolstein I, 327 f. 2) Robert, Bruder Boemunds, 1331 Domherr in Trier, als Kantor genannt seit 1349; vgl. W. Kisky, Die Domkapitel der geistlichen Kurfürsten (= Quellen und Studien herausg. von Zeumer I, Heft 3) S. 187, n. 276; Propst von St. Paulin, vgl. Brower-Str. I, 208; später Dompropst, vgl. Kisky a. a. O. Vgl. ferner Görz, Regesten S. 92 zu 1356 Aug. 25; Böhmer-Huber n. 6892a. 3) Vgl. Schannat-Bärsch III, 2, 1, 130. 4) Vgl. Görz S. 85. Simon, Gesch. des Hauses Ysenburg II, 108. 5) In H folgt Zusatz Maiers: 'Nota. Zu dieser zit hat der stiffte von Trier nit gehabt Kempenich, Dune, Schoneck, Schonenberg, sonder darnach zum stifft kommen: Kempenich tempore domini Ottonis, Dune tempore Cunonis et Wernheri, Schoneck Eiffiie Cuno (!) tempore, Schonenberg im Oszling hait ertzbischoff Wernher mit dem schwert genommen'. Die Eroberung von Kempenich durch Erzbischof Otto (1424) berichten die Gesta Trev., Wyttenb. u. Müller II, 316; vgl. Görz S 154. Die Angabe betr. Daun ist nicht zutreffend; vgl. Görz S. 89. 93. 113. 125; B.-H. n. 6867. Ueber die Erwerbung von Schöneck vgl. Erzb. Cunos Urkunde von 1384 Nov. 22, Görz S. 118; ferner Holtz, Der Konflikt zwischen dem Erzstift Trier und der Reichsstadt Boppard (Diss. Greifswald 1888) S. 17. Ueber die Einnahme von Schönberg auf der Eifel durch Werner vgl. die Zusammenstellungen bei Schannat-Bärsch III, 1, 1, (1852), S. 42 f. Wegen des Namens Oszling (Isling) ebda. III, 1, 2 (1852), S. 384. 6) Heute Ruine Kasselburg bei Pelm an der Kyll, unweit Gerolstein, damals Besitz Gerhards von Blankenheim; vgl. Schannat-Bärsch III, 2, 1, S. 147. Im Widerspruch zur Angabe dieses Aufenthaltsortes für den 22. Juli 1354 steht die Datierung der von Görz zum gleichen Datum angeführten Urkunde Boemunds für Hillesheim: 'gegeben .. zu Triere na Cristus geburde dusent druhondert ind dar na in dem vier ind funfftzigisten jare, up sent Marien Magdalenen dag der heiliger jouffrauwen'. Die Zuverlässigkeit der Angabe unserer Quelle wird dadurch nicht in Frage gestellt. Die Urkunde ist übrigens nicht, wie Görz angibt, im Original, sondern in einem Transsumpt von 1437 erhalten. Trotzdem ist eine Verderbnis der Ueberlieferung kaum anzunehmen, da der Inhalt der Urkunde die Gegenleistung für die am Tage vorher erfolgte Huldigung bildet. Die nächstliegende Lösung ist wohl die Annahme nicht einheitlicher Datierung in Folge nachträglicher Ausfertigung der Urkunde in der von Bresslau, Urkundenlehre S. 862 geschilderten Weise.

Eodem gegen den abendt
von denen von Manderscheit[1].
Habuit 199 equos.
Abbas Hymerodensis[2] propinavit 4 amas vini.
Coquina: 2 boves, 8 muto, 50 pullos, 2 porcos, 150 ova, in pane albo empto 16 s., in pane domus 3 maldra, in vino . . . [in pabulo] 16 maldra $1^1/_2$ f(ercellas)[3].
Dominus[4] propinavit portenario et familie in inferiori Manderscheit[5] 3 fl.

Feria quarta 23. Iulii
venit dominus per Keile[6] ad Kilburg mane und alda huldonge entfangen; qui propinaverunt 1 bovem.
Abbatissa S. Thome[7] $3^1/_2$ amas vini,
piscatores pisces et canceres,
canonici in Kilburg[8] 5 maldra avene.
Dominus habuit 217 equos.
Coquina: 2 boves, 45 pullos, 6 mutones, 2 porcos, 8 porcellos, (f. 38') in pane albo 5 maldra, in pane domus $1^1/_2$ maldra, in vino 4 amas 5 sexta(rios), in pabulo 20 maldra.
In Keile mane domino ibidem offante familie et lapicidis ibidem 2 fl.

(f. 39) Expense domini Boemundi in eundo ad imperatorem Karolum quartum versus Nurembergam et redeundo ab eodem extra terram suam facte a feria 2. 14. Decembris, qua mane exivit Limpurg, usque in feriam 4. 20. Ianuarii anni 1356, qua reversus est ibidem tarde, cum 126 equis, habens secum:

	Equi
abbatem Wizzenburgensem	6
Comitem Wilhelmum de Catzenelnbogen	10
dominum in Limpurg[9]	5

---

1) In H am Rande Zusatz Maiers: 'Manderscheit hat ertzbischoff Albero zum stifft bracht'. Die Notiz entnahm M. den Gesta Trev.: 'Manderseeat castrum natura loci munitissimum cepit et usque ad obitum suum retinuit', Gesta Alberonis auct. Balderico, MG. SS. VIII, 253, 40, vgl. S. 254, 20. 2) Kloster Himmerode. Abt Walther. Vgl. Brower-Str. II, 130; Lamprecht II, 744 ff. 3) 'in vino 16 maldra $1^1/_2$ f.' H. 4) 'Dominus — 3 fl.' in H am Rande. 5) Die Niederburg bei Manderscheid. 6) Ober-Kail. 7) St. Thomas an der Kyll. Aebtissin Elisabeth II. (?) Brower-Str. II, 177. 8) Kollegiatkirche S. Maria. Brower-Str. I, 259. 9) Vgl. oben S. 412.

	Equi
Ioannem dominum in Furpach[1] . .	12
filium ipsius	
Io. de Hoeneck	
Gerlacum de Wunnenberg[2]	
Petrum de Eiche marscalcum . . .	4
Ioannem de Lapide	4
Henricum Baurum de Bopardia[3] . .	4
Henricum Muyle de Novocastro[4] . .	3
Ioannem Walramum de Treveri[5] . .	4
Danielem de Langenau[6]	4
Fridericum Waltboden	4
Walramum de Diedenhoffen[7] . . .	2
Zwen thorwartten	7
Ioannem de Duna[8]	2

(f. 39') Feria 2. 14ta mensis Decembris venit dominus sero ad Franckfordiam.

Coquina: in carne bovina $2^1/_2$ lb. h., 4 muto, 1 vitulum, 1 porcum, 4 lepores, 9 pullos etc., in pane 3 lb., in vino pro 48 quartalibus 12 lb. 11 s. hl.

Feria 3. 15ta Decembris mansit dominus Franckfordie propter dominum Coloniensem, qui eciam mansit ibidem.

Coquina: 2 boves, 2 vitulos, 4 mutones, 2 porcos, 26 pullos, in pane albo et mixto 6 lb. hlln., in vino 3 amas $16^1/_2$ lb. hl.

Summa der 2 tage zu Franckfurt 140 lb. 13 s. 4 hl., machen 140 fl. 13 s. 4 hl. und dan 4 clipeos aureos.

Von Franckfurt ghen Bubenhusen[9] syn 4 mylen[10].

Den mittwoch 16. Decembris ghen Bubenhusen zu deme von Hanaw[11]. Uff den tag was froenfast.

---

1) Johann von Aspremont, Gemahl der Margareta von Vorpach; vgl. Beyer in der Zeitschr. f. vaterl. Gesch. u. Altertumsk. I (1838), 284; Toe fer, UB. der Vögte von Hunolstein I, 281 ff. 2) Identisch mit dem 1376 genannten? Görz S. 111. 3) Beier von Boppard; vgl. die bei Lamprecht III, 540 angegebenen Stellen und die an diesen zitierte Litteratur. 4) Heinrich Mule von der Nuwerburg, erzbischöflicher Amtmann zu Wittlich; vgl. Lamprecht III, 220. 235. 238. 5) Erzbischöflicher Schenk seit 1349, vgl. oben S. 412 und Beyer S. 269; als erzbischöflicher Küchenmeister genannt 1357, vgl. oben S. 406. 6) Zu seinen Gunsten erliess Karl IV. auf dem Nürnberger Tage die Urkunde B.-H. n. 2365. 7) Vgl. unten den Bericht zu 1356 Nov. 15. 8) Als erzbischöflicher 'Pförtner' genannt in Urkunde Boemunds 1356 Juli 4; Reg. Görz S. 92. 9) Babenhausen a. d. Gersprenz (Hessen). 10) Die Bestimmung der Entfernungen hier wie im folgenden sehr ungenau. 11) Ulrich III. von Hanau, Landvogt in der Wetterau. Er mag sich

Von Bubenhusen ghen Miltenberg syn 5 mylen. Dahin ist ertzbischoff Boemunde kommen den donrstag 17. Decembris.

Daselbst ist uffgangen 45 fl. vier schilling heller.

Der ertzbischoff zu Mentze hat geschenkt[1] (f. 40) an wyne 1 ame, haber und hauwe in hospicio domini vor 72 pferde.

Uff fritage den 18. tag Decembris ghen Wertheim; lygt 3 mylen von Miltenberg.

Da ist uffgangen 47 fl. 8 s. 9 hlr.

Uff samstage den 19. Decembris ghen Wurtzburg; lygt 4 mylen von Wertheim.

Und haben by dem ertzbischoff gessen Catzenelnbogen, Hanaw, Trimperg[2] etc.

Der bischoff[3] hat geschenkt 6 hechte, 1 karpen, 10 groisser barben, fische vor das gesinde, 1000 eyer, 300 hering, wiltbrat, butteren, 300 schusselen, 12 kese; brot / habern } sovil man des bedorfft, 2 fasse mit virnem wyne gut 2 amen, 1 fasse mit wyne pro domino et amicis suis ½ ame, 1 fasse mit wyne pro familia ½ fuder.

Der bischoff hat stallmutt, bette und wes von not in den herbergen ussgericht.

Der doemprobst, des bischoffs bruder[4], hait fische geschenckt.

Ussgeben zu Würtzburg 27 fl. 34 d. Herbi(polenses) 16 gross(i) anti(qui).

(f. 40') Uff sontage den 20. tag Decembris ist man komen ghen Iphoven; lyget 4 mylen von Wurtzburg.

17 s. hlr. machen 1 fl.

Daselbst hat der bischove allen costen getan. Daruber ist uffgangen 21 fl. 7 s. 2 hl. 3 grossos antiquos.

---

dem Erzbischof zur Reise nach Nürnberg angeschlossen haben, denn am 19. Dez. in Würzburg erscheint er unter dessen Tischgästen. Auch in den Rechnungen aus Nürnberg wird er genannt; s. unten S. 424.

1) Gerlach war aber nicht persönlich anwesend, sondern weilte bereits in Nürnberg; Zeumer S. 112. 2) Auch in den Nürnberger Rechnungen als Gast des Erzbischofs genannt. S. unten S. 424. Wohl identisch mit Konrad von Trimperg, der während des Nürnberger Tages mehrere kaiserliche Privilegien erhielt: B.-H. n. 2371. 2378. 2399. 3) Albrecht von Hohenlohe. 4) Heinrich von Hohenlohe; vgl. Ussermann, Episcopatus Wirceburgensis p. 178.

Uff montage[1] den 21. tag Decembris ist man kommen in der Nuwenstatt[2]; lyget 4 mylen von Iphoeven.

17½ s. hl. pro fl. | Da ist uffgangen 57 fl. 28 hl.

Summarum was die nesthieoben acht tage[3] uff ist gangen: 4 clipei aurei 347 fl. 7 s. 9 h. 31 gross(i) anti(qui).

Wievil tage ertzbischoff Boemund gelegen hat zu Nurenberg[4].

1 tage. Uff dinstage den 22. tag Decembris umb vesperzit ist ertzbischoff Boemund ghen Nurenberg inkommen.
fl. 18 s. hlr.

2 tage. Den mittwoch zumorgen 23. Decembris hat ertzbischoff Boemund mit[5] dem ertzbischoff von Mentze gessen.

3 tage. Den donrstage zumorgen 24. Decembris uff Cristabendt hat ertzbischoff Boemund mit dem ertzbischoff zu Collen gessen.

(f. 41) Fritages den 25. tage Decembris uff Cristage zumorgen hat by dem keiser ertzbischoff Boemund gessen.

---

1) 'm' korr. aus 's' H. 2) Neustadt a. d. Aisch. 3) 'achttage' H. 4) Ob diese Ueberschrift der Quelle entstammt oder Zutat Maiers ist, vermag ich nicht zu entscheiden. Die Tageszählung mag wohl der Quelle angehören; darauf deutet die Erwähnung der '12 dies predicti' zum 2. Januar, an einer Stelle, an welcher Maier wohl den Wortlaut seiner Vorlage unverändert wiedergibt. Die deutsche Ueberschrift der Zählung wiederholt Maier mit leichten sprachlichen Abänderungen am Kopfe fast jeder Seite. Für die Zwecke der Edition schien es genügend, sie einmal abzudrucken. 5) 'mit jemandem essen' bedeutet ebenso wie 'comedere cum aliquo' in dieser Darstellung 'bei jem. zu Gaste sein'. Vgl. unten zu Dez. 27: 'abermals .. by dem keiser', nachdem zum 26. gesagt war: 'mit dem keiser'. Die nachfolgenden Aufzeichnungen lassen demnach erkennen, dass Boemund selten in seiner Herberge speiste und meist bei anderen Fürsten zu Tische geladen war. Die erst durch das kaiserliche Verbot vom 6. Januar — s. unten — untersagte Sitte verlangte die 'invitatae generales': jeder Kurfürst musste während des Reichstages alle übrigen ein- oder mehrmals bewirten. Als solche invitatae generales sind die Einladungen beim Sachsenherzog (Jan. 3) und beim Pfalzgrafen (Jan. 6) durch den Zusatz 'cum principibus' resp. 'cum principibus electoribus' gekennzeichnet. Boemund selbst genügte seiner Verpflichtung am 30. Dez. Wir dürfen annehmen, dass auch unter den übrigen Einladungen, von denen unser Bericht nichts weiter meldet, sich manche invitata generalis befunden haben mag. Auf dem Metzer Tage hielt man sich streng an das kaiserliche Verbot; von invitatae generales weiss der Bericht nichts.

Zum nachtmal hait ertzbischoff Boemund zu gasst gehabt hern Coenen [1] von Falckenstein, synen bruder [2], Hanaw [3], Trimperg [4].

5 Samstags 26. Decembris, Steffani, zu mittage asse ertzbischoff Boemund allein mit dem keiser.

Sontags 27. Decembris, Iohannis Ewangeliste, hait abermals des morgens ertzbischoff Boemund by dem keiser gessen.

Montages 28. Decembris, Innocentum, hait ertzbischoff Boemund zum nachtessen gehabt den bischoff zu Straiszberg, synen cantzler [5] und anderen.

8 Dinstags 29. Decembris hat ertzbischoff Boemund zu mittage alleyne by deme von Collen gessen.

9 Uff mittwoch penultima Decembris haben zu morgen by ertzbischoff Boemund gessen: Ro(misch) keiser, Ments, Collen, Ruprecht der elter, Ruprecht der jonger, pfaltzgraven, Rudolff hertzog zu Sachsen, Ludwig marggrave zu Brandenburg, zu Wurtzburg, zu Straisburg, zu Osnabruck bischove, (f. 41') abt zu Fulda, und viele hertzogen, graven, freihern und edelen.

Coquina habuit 4 boves, 7 porcos, 6 porcellos ad schaley [6], 13 vitulos, 12 porcellos, pisces pro 31 lb. 10 s., 106 pullos, 140 perdices, 38 perdices, carnes ferinas pro $7^1/_2$ lb. h., volucres pro 36 s. hl., 700 ova; 4 quartas mellis, poma pro 7 s., granata 8 s. 4 d., 6 talenta piperis, 4 talenta zinziberis, 1 talentum florum musc(ate), 2 talenta amydum, 40 talenta amigdul(arum), 15 talenta risi, 16 talenta rosinorum mari [7].

Summarum istius diei preter vinum 157 lb. 17 s. 10 hl.

---

1) 'der nachfolgens syn coadiutor worden' Randbemerkung Maiers in H. Es ist der spätere Erzbischof Cuno II. 2) S. oben S. 419. 3) Der oben erwähnte Landvogt Ulrich III. von Hanau. In Urkunden vom Nürnberger Tage mehrmals als Zeuge: B.-H. n. 2381. 2385, als Empfänger: B.-H. n. 2395. 4) S. oben S. 422. 5) Wegen der Trierer Kanzler s. Lamprecht II, 1482 ff. 6) Vielleicht gelée? (Diese von Herrn Prof. Zeumer ausgesprochene Vermutung teilt auch Herr Prof. Max Rödiger). 'Gelée de . . . cochon' bei Littré nach einer Quelle des 14. Jh. 7) Vielleicht rosmarinorum?

10 Feria 5ta ultima Decembris comedit dominus mane cum domino Moguntino.

11 Feria 6ta prima Ianuarii comedit dominus cum domino Argentinensi.

12 Sabbato 2. Ianuarii comedit dominus solus cum imperatore.

Summa 12 dierum predictorum in Nurenberg preter vinum, cameram, fabricam et expensas extra hospitium domini 425 lb. 19 s. 10 h.

13 (f. 42) Dominica 3. Ianuarii mane comedit dominus cum duce Saxonie, cum principibus. Et tunc comederunt cum amicis domini Io(hannes) co(mes) in Nassauwe et plures[1].

14 Feria 2. quarta Ianuarii comedit dominus cum burggravio de Nurenberg et sero in hospitio suo.

15 Feria tertia 5. Ianuarii mane comedit dominus cum marchione Brandenburgense.

16 Feria quarta 6. Ianuarii comedit dominus cum Ruperto duce Bavarie, cum principibus electoribus. Nota[2]. Deinceps noluit imperator, quod principes festivarent[3].

17 Feria quinta 7. Ianuarii comedit dominus mane cum cancellario imperatoris private et fuerunt sibi apportata ciboria.

18 Feria 6. octavo Ianuarii comedit dominus in suo hospicio et cum eo multi.

19 Sabbato[4] nona Ianuarii comedit dominus in aula cum suis.

20 Dominica 10. Ianuarii comederunt cum domino comes Sareponten(sis)[5], Galterus frater d(omini) Meten(sis)[6], dominus de Blaumont[7], primicerius

1) Die Notiz ist nach dem oben S. 423, N. 5 Gesagten so zu verstehen, dass Boemund selbst beim Herzog von Sachsen eingeladen war, die amici des Erzbischofs aber in seiner Herberge Tafel hielten. 2) Dieses Wort in H am Rande. Zusatz Maiers? 3) Ueber diese Notiz und ihre Bedeutung für die Entstehungsgeschichte der Goldenen Bulle vgl. Zeumer S. 66 f. 4) In H steht S auf Rasur: 'fer.' 5) Wohl Johann. Vgl. B.-H. n. 2588. 6) Bischof von Metz war Ademar von Monteil. Ein Galterus, Kanzler der Metzer Kirche, ist Zeuge in dem Notariatsinstrument über die Annahme der Erzbischofswahl durch Boemund 1354 März 7, Or. Coblenz Staatsarch. 7) Auf dem Nürnberger Tage zum Reichsvikar in Lothringen ernannt. Vgl. B.-H. n. 2414.

Meten(sis), cives Metenses et Virdunenses cum multis[1].

21 (f. 42') Feria secunda undecima Ianuarii mansit dominus in hospicio.

22 Feria tertia 12. Ianuarii premiserat dominus zur Nuwenstatt, ubi intendebat pernoctare. Sed imperator invitabat eum mane, et mansit tota die et mane sequente.

23 Feria quarta 13. Ianuarii comedit dominus offam mane et recessit a Nurenberg et venit hora vesperarum ad Nuwenstat.

Summa: 23 tag hait er zu Nurenberg gelegen[2].

Die vorgemelt 23 tag ist zu Nuremberg uffgangen an gelde, ussgescheiden den wyne, 745 lib. 4 hl. Man hait gehabt an wyne: Reynfal suess[3], franckisch – franconici, elsesser – alsatici, frantzosich – gallicani, brunsten – brunstinici[4].

Zu Nurenberg ist uffgangen mit allem dinge 1569 fl. 12 s. 5 hl. 26 gross(i) ant(iqui).

(f. 43) Wie obsteet ob, ist ertzbischoff Boemundt uff mittwochen den 13. Ianuarii umb vesperzit zur Nuwenstatt komen[5].

Summa 50 fl. 9 s. hl. florenus 18 s.

Feria 5. 14. Ianuarii venit dominus Iphoven. Ibi dominus Herbipolensis ministravit domino necessaria coquine: panem, vinum, pabulum et fenum recipere volentibus laute et alia omnia. Summa 19 fl. 12 s. 4 hl.

Feria sexta, 15. Ianuarii mane venit dominus Herbipolim et mansit illo die ibidem ad tractandum de con-

---

1) Zusatz in H: 'Uff diesen tage hait der romisch keiser in maiestate gesessen und by ime die sehss curfursten sambt andern fursten etc.; daselbst die gulden bulle ussgangen etc.'. Vgl. Zeumer S. 8. 2) Vgl. oben S. 420, N. 4. 3) Wahrscheinlich vino di Rivoli nach Heyne, Hausaltertümer II, 373. Daselbst mehrere Quellenbelege. Vgl. auch Schultz, Häusliches Leben S. 321. 4) ? 5) In H folgt Zusatz: 'nota: die zyt ist der gebruyche am hoiffe gewest, das ettlichen am mittwochen nit fleische gessen, wie auch by ertzbischoff Johans von Baden gezyten', in dieser Form sicher von Maier herrührend, aber vielleicht auf einer von ihm nicht wiedergegebenen Notiz der Quelle beruhend.

cordia inter dominum Herbipolensem et civitatem suam[1]. Dominus Herbipolensis propinavit pisces, panem, vinum, pabulum, fenum et alia etc.

Sabbato mane fuit dominus pransus cum episcopo in Marienberg[2].

Prepositus ibidem, frater episcopi[3], propinavit domino Boemundo pisces et vinum.

Civitas pisces et vinum.

Dominus pernoctavit apud abbatem S. Steffani[4]: familie 3 fl., portenario et vigilibus castri 4 fl. Summa 23 fl. 17 s. 2 hl.

Sabbato 16. Ianuarii sero venit dominus Wertheym.

(f. 43') Summa 75 fl. minus 25 hl.

Die[5] Francken wolten boese stucke dryben.

Uff sontage den 17. Ianuarii hora vesperarum venit dominus Miltenberg.

Der ertzbischoff zu Ments hait habern und wyne geschenckt.

Summa wes zu Miltenberg etc. uff gangen und vor gleide: $84^1/_2$ fl. 5 s. 2 alter grossen.

Den montage den 18. tag Ianuarii hora vesperarum venit dominus Franckfordiam. flo(renus) pro 20 s. hl.

Den dinstage 19. Ianuarii da blieben.

Summa 125 fl. 8 s. 10 hl. 6 grossi antiqui.

den mittwochen 20. Ianuarii ghen Limpurg widderkommen.

Summa a Nurenberg usque Limpurg revertendo exclusive de 7 diebus: 389 fl. 26 hl. 5 s. 8 gross(i) ant(iqui)[6].

(f. 44) Wes usserthalb der obgemelten zerongen uss ist gegeben, das genant wirdet extraordinarie:

Cancellarie[7] et aliis officiis imperialis aule pro iure concessionis feodorum domino per imperatorem pro 63 marcis

1) Ueber den erst 1357 durch den Kaiser geschlichteten Streit zwischen dem Bischof von Würzburg und der Stadt vgl. Gramich, Verfassung und Verwaltung der Stadt Würzburg vom 13.—15. Jh. (Diss. Würzburg 1882) S. 17. B.-H. n. 2697. 2698. 2) Residenz des Bischofs. 3) Vgl. oben S. 422, N. 4. 4) Abt Hermann II.; vgl. Ussermann, Episc. Wirceb. p. 274. 5) 'Die — dryben' in H am Rande. Ueber den Inhalt der Notiz, die, wenn auch in anderer Gestalt, in R gestanden haben muss, war nichts zu ermitteln. 6) Die Summe ist ungefähr richtig. 7) Ueber die hier folgende Lehnstaxe vgl. oben S. 410 f.; Zeumer S. 100 f.

uno fertone argent(i): 300 fl. 16 fl. $4^1/_2$ s. hl.; pro qualibet marca 5 fl.

Cancellario	20 marc(as)
magistro curie	10 marc(as)
marscalco et aliis officiis	30 marc(as)
preposito Aquensi	3 marc(as)
campanario	1 fertonem.

D(omino) Io(hanni) cancellario	100 fl.
familie cancellarii et scriptoribus suis	10 fl.
Hertwico scriptori ingrossanti privilegia domini[1] .	4 fl.
apponenti sigillum imperiale ad 2 litteras privilegiorum domini . . . . :	2 fl.
pro serico glauco[2] et nigro	$40^1/_2$ s. hl.
pro bulla aurea[3]	25 fl.
magistro curie de propina	100 fl.
hostiariis imperatoris	20 fl.
hostiariis imperatricis	10 fl.

Summa mitt dem obg(enanten) und wes extraordinarie uss ist geben: 13 clip(ei) aur(ei) 688 fl. 6 s. $1^1/_2$ hl.

S(umma)summarum 17 clip(ei) aurei 2994 fl. 10 s. 9 hl. 16 gross(i) anti(qui) etc.

(f. 45)[4] Ertzbischoff Boemund ist im jare 1356 mit keiser Karlen dem viertten ghen Metze gezogen und gehabt 109 pferde.

Habuit secum d(ominum) Ro(bertum) prepositum S. Paulini[5], Reymb(oldum) fratrem suum[6], Theodericum de Honcheringen[7], Theo. de Lapide[8], Henricum Beyer[9], Nicolaum de Hunoltstein[10].

---

1) Vgl. z. B. B.-H. n. 6862. 2) Dass 'glauco' für 'flavo' verlesen sei, (Lindner, Archival. Zeitschr. IX, 187) ist kaum anzunehmen. Der Rechnungsführer konnte allerdings nur schwarzgelbe Schnur meinen, mag sich aber in der Wahl des lateinischen Ausdrucks geirrt haben. 3) Zusatz in H: 'que adhuc habetur in Erembreitstein'. Vgl. oben S. 408. 4) f. 44' ist freigelassen. 5) Bruder des Erzbischofs, s. oben S. 419, N. 2. 6) Vgl. die von Boemund auf dem Metzer Tage ausgestellte Urkunde 1357 Jan. 3., durch welche er seinen Bruder Reinbold von Saarbrücken und seinen Familiaren Magister Thomas von St. Johann zu Gubernatoren des lothr. Landfriedens ernennt. Hontheim, Hist. II, 198; Görz S. 93. 7) Vgl. Hontheim, Hist. II, 189. 8) Einen Dietrich vom Stein kann ich für diese Zeit nicht nachweisen. Vielleicht ist der Schmidtburger Amtmann Tilman vom Stein gemeint; vgl. Lamprecht III, 229; Toepfer, UB. der Vögte von Hunolstein I, 362 f. 9) Beier von Boppard, s. oben S. 421, N. 3. 10) Toepfer, UB. I passim.

Tage[1].

1 (f. 45') Anno 1356. feria tertia 15. Novembris domino Boemundo tendente Metim cum imperatore Carolo quarto pernoctavit apud dominum Walramum zur Schuyren[2] apud Theonis-villam. Et imperator, imperatrix et alii principes in Theonis-villa.

2 Feria quarta 16. Novembris mansit imperator etc. in Theonis-villa et dominus Boemundus zur Schuyren cum 109 equis.

Summa expositorum zur Schuren: 48 fl., 26 lb. 5 s. 2 d. Meten(ses), quorum 13 s. valent 1 fl.: facit 42 fl. 2 d. Met(enses); toto in fl.: 85 fl. 2 d. Me(tenses).

3 Feria 5ta 17. Novembris circa horam vesperarum intravit dominus civitatem Metensem cum imperatore et imperatrice; quibus obviaverunt cives Metenses cum magna multitudine usque in pontem Ornam, ubi imperatori tradiderunt claves civitatis, et prope civitatem ad dimidium miliare occurrerunt ei prelati religiosi et clerus civitatis cum processione et honorifice in civitatem adduxerunt etc.[3].

Dominus habuit 79 equos.

Feria 6. 18. Novembris comederunt cum domino abbas Wissembergen(sis), Arnoldus de Blanckenheim dominus in Geroltst(ein)[4].

5 Sabbato 19. Novembris comedit abbas predictus cum domino.

6 Dominica 20. Novembris comederunt cum domino abbas de Wissenberg, Io(hannes) de Furpach[5], Isembard de Rulding(en) etc.

---

1) Zur Zählung der Tage vgl. oben S. 423, N. 4. Die Zählung ist hier übrigens nicht durchweg richtig. 2) Scheuern (Lagrange) unweit Diedenhofen an der Eisenbahn nach Luxemburg. 3) Vgl. die hiermit übereinstimmende Schilderung des Einzuges bei Benes, Fontes rerum Bohemicarum IV (1884), 526. Noch ausführlicher schildert den Einzug Huguenin, Les Chroniques de la ville de Metz (1838) p. 97 sq. Als Huguenins Gewährsmann für diese Stelle wird in der Litteratur meist Philippe de Vigneulles genannt; doch ist das nicht sicher. Leider ist auch mit Heranziehung des Aufsatzes von A. Prost, Notice sur les chroniques de Metz (Mémoires de l'académie nationale de Metz XXXII [1850—51], 208 sqq.) nicht mit Gewissheit anzugeben, wem Huguenins Kompilation hier folgt. Vgl. bes. S. 252. Aufklärung werden die von der lothring. hist. Kommission angekündigten Einzelausgaben der Quellen Huguenins bringen. Vgl. Quellen z. lothr. Gesch. Bd. IV, S. X. 4) Vgl. Boemunds Urkunde 1355 Aug. 17, Görz S. 91; ferner Töpfer, UB. der Vögte von Hunolstein I, 325 ff. 5) Vgl. oben S. 421, N. 1.

7 (f. 46) Feria secunda 21. Novembris.

8 Feria tertia 22. Novembris.

9 Feria quarta 23. Novembris.

10 Feria quinta 24. Novembris comedit abbas ut-s(upra) cum domino, tres sorores domini, tres fratres domini et plures.

11 Feria sexta 25. Novembris comedit cum domino Sy(mon) dominus in Lichtenberg et plures. 81 equos.

12 Sabbato 26. Novembris.

Summa 10 dierum in Mete precedentium {
Pecunie coquine 46 lb. 15 d. Met.
pane albo $40^1/_2$ quart.
pane domus 43 quart.
vini
pabuli 44 mal(dra) 7 f(ercelle) facit circa 155 [1] quart. avene.

13 Dominica 27. Novembris.

14 Feria 2. 28. Novembris.

15 Feria tertia 29. Novembris, vigilia Andree.

16 Feria quarta ultima 9^bris^.

17 Feria quinta prima mensis Decembris.

18 Feria sexta 2. Decembris comedit dominus cum archiepiscopo Coloniensi solus.

Sabbato 3. Decembris [2] 85 equos.

Summa ebdo(madis) {
pecunie coquine 19 lb. 7 s. 3 d. Met.
pane albo $27^1/_2$ quart.
pane domus $27^1/_2$ quart.
vini
pabuli $91^1/_2$ quart.

19 [3] (f. 46') Dominica 4. Decembris abbas Wissenbergen(sis) comedit cum domino. 86 equos.

20 Feria 2. quinta Decembris comederunt cum domino episcopus Argentinensis, comes Veldencie [4] et quamplures.

21 Feria 3. sexta Decembris.

---

1) Diese Zahl, übrigens undeutlich geschrieben, ist sicher nicht richtig. Vgl. Lamprecht II, 498, N. 7. 2) Die Tageszählung am Rande fehlt H. 3) So H. 4) Vgl. B.-H. n. 2558. 2561.

22 Feria quarta 7. Decembris.
23 Feria quinta 8. Decembris.

24 Feria sexta 9. Decembris comederunt cum domino dominus Ioannes de Merenberg, comes de Nassau[1], abbas Wizzen(burgensis) et plures.

25 Sabbato 10. Decembris abbas Wizzen(burgensis).

Summa ebd(omadis)
- pecunie coquine 35 lb. 2 s. 1 d. Met.
- pane albo 34 quart. cum dimidia
- pane domus 31 quart.
- vini
- pabuli 95$^1/_2$ quart.

26 Dominica 11. Decembris comederunt cum domino archiepiscopus Coloniensis, abbas Wissen(burgensis) et plures . . . . 40 equos.

27 Feria 2. 12. Decembris . . . . . . 41 equos.
28 Feria 3. 13. Decembris . . . . . . 39 equos.
29 Feria 4. 14. Decembris quatuor temporum . . . . 42 equos.
30 Feria 5. 15. Decembris . . . . . . 38 equos.
31 Feria 6. 16. Decembris . . . . . . 38 equos.
Sabbato[2] 17. Decembris . . . . . . 38 equos.

Summa ebd(omadis)
- pecunie coquine 28 lb. 15 s. 5$^1/_2$ d. Met.
- pane albo 26 quart.
- pane domus 25 quart.
- vini
- pabuli 47 quart.

32[3] (f. 47) Dominica 18. Decembris . . . 39 equos.
33 Feria 2. 19. Decembris . . . . . . 39 equos.
34 Feria 3. 20. Decembris . . . . . . 39 equos.
35 Feria 4. 21. Decembris comedit dominus cum cardinale[3] Petragoricensi[4] . . . . . 39 equos.

36 Feria quinta 22. Decembris mane comedit dominus cum delphino, cum imperatore et aliis principibus . . . . 39 equos.

37 Feria sexta 23. Decembris comedit dominus cum imperatore, qui festivavit in domo consulari civitatis . . . . 43 equos.

---

1) Vgl. B.-H. n. 2526—2528. 2533. 2537. 2) Die Tageszählung fehlt. 3) So H. 4) In H diese beiden Worte auf Rasur. Darunter noch erkennbar: 'cum delphino cum imperatore et aliis principibus'. — Der Kardinal ist der auch in der Goldenen Bulle genannte Talayrandus von Périgord.

38 Sabbato 24. Decembris comederunt cum domino plures militares . . . . 43 equos.

Summa ebd(omadis) { pecunie coquine 23 lb. 4 s. 5 d.
pane albo 23 1/2 quart.
pane domus 25 1/2 quart.
vini
pabuli 46 1/2 quart.

39 Dominica die nativitatis Christi festivavit imperator in habitaculo facto Champasailhe[1] curiam suam solempniter exercendo. Ubi comedit cum eo imperatrix, cardinalis, delphinus, septem principes electores et alii principes, barones et nobiles multi valde. Ubi principes electores eorum quilibet officium suum, quod habet ab imperio, exercuit illa die.

Cancellario pro rata domini pro baculo argenteo 12 mar(carum) argenti, in quo portavit dominus Boemundus sigilla imperatoris ad curiam imperialem, de curia iterum ad hospicium domini [4 marcas][2].

(f. 47') Dominus Treverensis celebravit illo die in maiori ecclesia Metensi missam[3].

---

1) Es ist der grosse Champ-à-Seille im Süden der Stadt, an dem heute zugeschütteten Seillekanal gelegen. Auf den mir bekannten Stadtplänen findet sich der freie Platz und der Name zum letzten Male um 1716 (in Bodenehr, Force d'Europe). 1788 (Homannsche Karte) steht an dieser Stelle ein Häuserviereck: Casernes de Coislin, heute die K. Ludwigs-Kaserne. Vgl. übrigens Chabert, Vocabulaire topographique de Metz (1863) p. 16. 2) Fehlt H. S. oben S. 409. 3) Zusatz Maiers in H: 'Illo die sunt promulgate leges auree bulle annexe, que incipiunt: si quis cum principibus etc. et est 31. capittulum auree bulle'. Vgl. Zeumer S. 7. Die irrtümliche Nennung des 31. Kapitels ist vielleicht so zu erklären, dass Maier entsprechend dem Zitat aus dem Anfang der Metzer Gesetze auch den Schluss derselben anführen wollte, dieses Zitat aber versehentlich ausliess. — Auch von der vorangehenden Schilderung der curia dürfte nicht alles der Quelle entnommen sein, doch ist die Grenze zwischen Wiedergabe der Vorlage und Zutat des Bearbeiters hier nicht mit Sicherheit zu ziehen. Auffällig ist zunächst das zweimalige Vorkommen des Ausdrucks 'illo (illa) die', der in der Originalrechnung schwerlich gestanden haben kann. Ferner spricht H von 'septem electores', während es in Wahrheit nur sechs waren, und mit der Angabe, dass der Trierer die Messe gelesen habe, steht die Erzählung Benes' im Widerspruch: 'dominus cardinalis coram imperatore cantavit primam missam . . . deinde summam missam illius diei cantavit archiepiscopus Coloniensis'. Fontes rer. Bohem. IV, 526. Jedenfalls hat Maier auch hier mit Hülfe der Goldenen Bulle den Text erweitert. Der Satz 'Ubi comedit' etc. könnte wohl auf der Einleitung der Metzer Gesetze und auf cap. 28 beruhen. Der an der ersten Stelle gebrauchte Ausdruck 'omnes electores' kann den Bearbeiter leicht zur Verwendung des irrigen 'septem' veranlasst haben. Auf die Goldene Bulle geht dann

40 Feria 2. 26. Decembris comedit cum domino domicellus de Westerburg . . . . 33 eq.

41 Feria 3. 27. Decembris . . . . 39 eq.
42 Feria 4. 28. Decembris . . . . 30 eq.
43 Feria 5. 29.[1] Decembris . . . . 30 eq.
44 Feria 6. penultima Decembris comedit dominus cum imperatore . . . . 30 eq.

45 Sabbato ultima Decembris . . . . 76 eq.
52 equi de Treveri fuerunt readducti.

Summa ebdo(madis):
- pecunie coquine 13 lb. 12 s. 4 d. Met.
- pane albo 25 quart.
- pane domus 25½ quart.
- vini
- pabuli 48½ quart.

Anno 1357.

46 Dominica[2] 1. Ianuarii . . . . 79 eq.
47 Feria 2. 2. Ianuarii . . . . 75 eq.
48 Feria 3. 3. Ianuarii . . . . 73 eq.

49 Feria 4. 4. Ianuarii comedit cum domino abbas S. Arnoldi Metensis[3] et plures . . . . 69 eq.
Abbas[4] S. Arnoldi propinavit domino 100 maldra avene.

50 (f. 48) Feria 5. quinta Ianuarii . . . . . 70 eq.
51 Feria 6. sexta Ianuarii, die epiphanie . . 70 eq.

52 Sabbato 7. Ianuarii mane comedit dominus et facto prandeo venit navigio[5] Theonis-villam cum imperatore sero, equis per terram precedentibus, et pernoctavit penes Walramum in der Schure.

Summa ebd(omadis):
- pecunie coquine 19 lb. 13 s. 2 d.
- pane albo 19 quart.
- pane domus 20 quart.
- vini
- pabuli

auch wohl der erläuternde, übrigens inhaltlich nicht genaue Relativsatz betr. den Siegelstab zurück. — In welcher Weise Maier den Text der Stelle dann bei der Abfassung von E noch weiter ausgestaltet hat, ist oben S. 413 f. gezeigt. 1) 'XIX.' H. 2) 'Domica' H. 3) Wohl Abt Rainald von S. Arnulf. 4) 'Abbas — avene' in H am Rande. 5) Vgl. Zeumer S. 183.

Tota summa expensarum Metis habitarum.
- pecunie coquine 185 lb. 15 s. Met.[1]
- pane albo 196 quart.[2]
- pane domus 198 quart.[3]
- vini
- pabuli

53 Dominica 8. Ianuarii prandio facto equitavit dominus Lutzelnburg.

54 Feria 2. 9. Ianuarii . . . . 72 eq.

55 Feria 3. 10. Ianuarii recessit Boemundus ab Lutzelnburg et rediit ad propria.

Propinata.

Ianitori imperatoris filio celebrante missam 4. Decembris . . . . 6 fl.
Eidem ianitori pro se et suis subianitoribus 2. Ianuarii . . . . 6 fl.
2 portenariis exterioribus . . . . 4 fl. die Innoc(entum).
Portenario exteriori curie imperatoris retro versus curiam imperatricis. . . . . . 4 s. Meten.
(f. 48') Scriptoribus in cancellaria . . . . 6 fl.

An wyne 25 modios 14 sextaria. Tut an gelde 54 lib. 5 s. $7^1/_2$ d. Meten.

In frumento 196 quarte. Tut an gelde $64^1/_2$ lb. $3^1/_2$ d. Met.

In siligine 198 quart. Tut an gelde 41 lb. 9 s. $4^1/_2$ d. Meten.

Summa summarum an gelde uszgeben in 52 tagen: 1273 lb. 2 s. Meten.

---

1) Fast richtig (185 lb. 15 s. $11^1/_2$ d.). 2) Richtig. 3) Ungefähr richtig ($197^1/_2$).

X.

Beiträge
zur Münzgeschichte im Frankenreich.

I.

Von

A. Luschin von Ebengreuth.

Der Münzfund von Ilanz.

Die steigende Beachtung, die man jetzt Münzen als den unmittelbaren Zeugen wirtschaftlicher Zustände der Vergangenheit zuwendet, veranlasst mich zu einer Besprechung des in der Ueberschrift genannten merkwürdigen Münzschatzes.

In der Osterwoche 1904 stiessen italienische Taglöhner bei Sprengung einer den Bau der Kommunalstrasse Ilanz - Ruschein behindernden Felsplatte unterhalb der Ruine Grüneck auf eine kleine mit Erde ausgefüllte Felsspalte, die Goldschmuck und viele Gold- und Silbermünzen enthielt. Der ganze Schatz wurde vom rätischen Museum in Chur erworben und vom Konservator dieses Museums, Herrn Fritz Jecklin, im 25. Jahrgang der Mitteilungen der bayerischen numismatischen Gesellschaft (München 1906) unter Beigabe von Abbildungen auf 6 Tafeln veröffentlicht. Ich entnehme dieser Beschreibung jene Nachrichten, die für den Geschichtsforscher vor allem Wert haben dürften, und reihe daran meine eigenen Schlussfolgerungen. Die Fundstelle liegt 'in der Gruob', d. h. in dem Talkessel beim Zusammenfluss von Rhein und Glenner in einer früh im Mittelalter besiedelten Gegend Graubündens. Schon im 8. Jh. gab es hier eine Menge von Ortschaften: Caestris, Ruschein, Valendas, Luvis u. s. w. Zu Ilanz selbst sass damals ein gewisser Leontius als Oberkämmerer des Bischofs von Chur. Weiter aufwärts im wilden Tal des Vorderrheins lag, von einem Schüler des irischen Glaubensboten Kolumban gegründet das uralte Kloster Disentis, das zum Ausgangspunkt der Strasse über den Lukmanier wurde. Sichere Nachrichten über den Verkehr, der durch diesen Pass zwischen Allemanien und Italien vermittelt wurde, beginnen um die Mitte des 8. Jh. Im J. 757 kam beispielsweise Graf Guido von Lomello auf diesem Wege nach Disentis, wo er erkrankte und dem Kloster seinen reichen Besitz in Oberitalien verschrieb, 781 besuchte Karl d. Grosse mit seiner Gemahlin das Kloster auf einem Ritte durch Rätien und beschenkte es königlich u. s. w. Zum Schutz der Reisenden dienten auf den Pässen die Berghäuser und Hospize, zur Sicherung der Strassenzüge Burgen und Wachtürme. Es ist nicht unmöglich, dass auch Schloss Grüneck, in dessen Nähe der Münzfund gemacht wurde, auf fränkische Gründung zurückreicht, zumal unterhalb der Burg die uralte Reichsstrasse aus Graubünden über den Lukmanier ging. Sicher ist ferner, dass von dieser abzweigend ein Fussweg zwischen dem zerklüfteten Gestein des Burgfelsens zum Schlosse emporführte, der sich unmittelbar über der etwa 10 m tiefer gelegenen Fundstelle zu einem kleinen Rasenflecke erweitert, und der Lage nach ist zu vermuten, dass gerade von diesem Plätzchen die Münzen und der Schmuck samt der Erde in die Felsspalte herabgeschwemmt wurden, in der man sie 1904 gefunden hat. Es scheint somit der Münzschatz und dessen Bergung eine gewisse Beziehung zum Schlosse zu haben, und diese Vermutung gewinnt an Wahrscheinlichkeit dadurch, dass hier schon früher ein Münzfund aus der Karolingerzeit gemacht wurde. Bei Felssprengungen, die man 1811 unter der Ruine Grüneck vornahm, stiess man nämlich auf zwei sonderbar gestaltete Hörner, die über 50 Lot meist vortrefflich erhaltener Silbermünzen mit Prägen der Spätkarolinger Karlmann und Karl III., von König Berengar von Italien und dessen Gegner Lambert u. s. w. enthielten.

Der jüngere Fund von Ilanz (1904), mit dem wir uns beschäftigen wollen, bestand nun aus zwei goldenen Ohrgehängen und 7 Schmuckringen mit Oesen, zwei Goldklümpchen, 71 Golddritteln und einigen Bruchstücken, sowie aus 53 Silbermünzen. Von den Golddritteln gehörten 37 Stück langobardischen Königen an. Drei ältere Gepräge mit dem h. Michael hatten unleserliche Umschriften und wogen 0.881; 1.119 und 1.169 zusammen also 3.169 g. oder im Durchschnitt 1.056 g. Die übrigen 34 Stück trugen sämtlich den Namen des letzten Langobardenkönigs Desiderius (757—774) und verteilten sich auf folgende Münzstätten.

a) Mailand (n. 4—8, 10), 6 Stempel, 8 Stück, wogen 0.848; 0.925; 0.929; 0.929; 0.937; 0.940; 0.948; 1.003 g., zusammen also = 7.459 g. oder im Durchschnitt 0.932 g.

b) Pavia (n. 9, 11—14), 5 Stempel, 7 Stück, wogen 0.784; 0.883; 0.886; 0.930; 0.971; 1.015; 1.091 g., zusammen = 6.560 g., im Durchschnitt also = 0.939 g.

c) Castel Seprio (n. 15—21), 8 Stempel, 8 Stück, wogen 0.918; 1.028; 1.030; 1.031; 1.041; 1.046; 1.056; 1.075 g., zusammen 8.225 g., im Durchschnitt also = 1.028 g.

d) Treviso (n. 22—26), 5 Stempel, 5 Stück, wogen 0.965; 0.972; 0.993; 1.032; 1.069, zusammen 5.031 g., im Durchschnitt also = 1.006 g.

e) Vicenza (n. 27—29), 3 Stempel, 3 Stück, wogen 0.709; 0.888; 1.050 g., zusammen = 2.647 g., im Durchschnitt also = 0.882 g.

f) Vercelli (n. 31), 1 Stempel, 1 Stück, wog 1.037 g.

g) Unbestimmte Münzstätten (n. 30, 32), 2 Stempel, 2 Stück, wogen 0.869; 1.037 g., zusammen 1.906 g., im Durchschnitt also 0.953 g.

Die 34 Drittelstücke des Desiderius wogen insgesamt 31.049 g., im Durchschnitt also 0.950 g.

Die 34 Drittelstücke, die sich ausserdem im Funde befanden, trugen sämtlich den Namen Karls des Grossen und verteilten sich auf folgende Münzstätten:

a) Mailand (n. 33—53), 22 Stempel und 24 Stück, wogen 0.846 (ausgebrochen); 0.883; 0.896; 0.900; 0.908; 0.915; 0.927; 0.938; 0.945; 0.963; 0.968; 0.968; 0.974; 0.974; 0.980; 0.985; 0.990; 0.990; 0.996; 1.003; 1.004; 1.016; 1.039; 1.052, zusammen 23.060 g., im Durchschnitt also = 0.961 g. oder nach Ausscheidung des schadhaften Stücks = 22.214 g., im Durchschnitt = 0.966 g.

b) Bergamo (n. 55—60), 6 Stempel, 6 Stück, wogen: 0.835 (ausgebrochen); 0.941; 0.944; 0.952; 0.971; 0.984, zusammen 5.627 g., nach Ausscheidung des schadhaften Stücks 4.792 oder im Durchschnitt = 0.958 g.

c) Lucca (n. 61), 1 Stück, wog 1.048 g.

d) Castel Seprio (n. 62), 1 Stück (ausgebrochen), wog 0.847 g.

e) Pavia (n. 63), 1 Stück, wog 0.961 g.

f) Chur (n. 54), 1 Stück, wog = 1.030 g.,

also 34 Trientes Karls d. Gr. im Gesamtgewicht von 32.573 g. Nach Ausscheidung der drei ausgebrochenen Stücke von 0.835; 0.846; 0.883 g. wogen die übrigen 30.045 g. oder durchschnittlich 0.969 g.

Von den Silberpfennigen gehörten 9 Stück noch König Pippin zu (752—768). Darunter befanden sich 7 Stempel (n. 64—70) mit dem Münzmeister-Namen Auttramno (so Prou, Catalogue des Monnaies Françaises, Monnaies Carolingiennes, Paris 1896, p. 1, n. 2—4, während Gariel und mit ihm Jecklin die Stücke nach Entrains legen), diese wogen einzeln 0.729; 0.831; 0.871; 1.024; 1.179; 1.217 und 1.282 g., zusammen also 7.133 g. oder im Durchschnitt 1.019 g. Dazu kamen noch ein Stück von Quentovic (n. 71) mit 1.137 g. und ein anderes von

Strassburg (n. 72) mit 1.236 g. Gewicht. Die Gesamtschwere der 9 Pippinspfennige im Funde von Ilanz betrug also 9.506 g., das Durchschnittsgewicht 1.056 g.

39 Stück, die ebensoviel Stempeln entsprachen, waren Gepräge Karls d. Gr. (768—814). Von diesen entfielen

2 Stück (n. 73, 74) auf Arles, sie wogen 1.215; 1.276 g.
1 „ (n. 75) auf Chartres, wog 1.220 g.
1 „ (n. 76) auf Lyon, wog 1.317 g.
1 „ (n. 77) auf Mailand, wog 1.268 g.
1 „ (n. 78) s. Maria (? Reims), wog 1.183 g.
1 „ (n. 79) Parma, wog 1.160 g.
1 „ (n. 80) Pavia, wog 1.577 g.
1 „ (n. 81) Reims, wog 1.351 g.
1 „ (n. 82) Mainz, wog 1.024 g.
1 „ (n. 83) Worms, wog 1.262 g.
3 „ (n. 84—86) Treviso, wogen 1.271; 1.310; 1.322 g.
19 „ (n. 87—105) unbestimmt Norditalien, darunter zwei Bruchstücke von 0.819 und 0.946 g. Schwere. Die übrigen 17 Stück wogen einzeln: 0.921; 0.995; 1.012; 1.020; 1.049; 1.054; 1.059; 1.120; 1.188; 1.209; 1.257; 1.264; 1.266; 1.281; 1.283; 1.348; 1.349 g., zusammen also 17.670 g. oder im Durchschnitt 1.040 g.
1 Stück (n. 106) Dorestat, wog 1.192 g.
1 „ (n. 107) St. Martin de Tours, wog 1.276 g.
3 „ (n. 108—110) mit Odalricus, wogen 1.142; 1.236; 1.331 g.
1 „ (n. 111) mit Roland, wog 1.351 g.

Nach Ausscheidung der zwei Bruchstücke hatten die 37 ganzen Pfennige Karls d. Gr. ein Gesamtgewicht von 42.952 g. oder ein Durchschnittsgewicht von 1.160 g.

Der Fund enthielt ferner 3 angelsächsische Pfennige der Könige Offa von Mercia (757—796, n. 112, 113, wogen 1.259 und 1.300 g.) und Egcberht von Kent (765—791, n. 114, wog 1.232 g) und 2 Dirhems der arabischen Chalifen al Mahdi und Harûn ar-Raschîd (n. 115, 116, im Gewichte von 2.463 und 2.552 g.)

Ueber die Art, wie der Schatz seinerzeit verloren ging, hat Herr Jecklin die Ansicht geäussert, dass jemand die Reichsstrasse vom oberen Oberland herabkommend verliess, den Fussweg zur Burg Grüneck einschlug und unter einem nicht mehr bestimmbaren Einfluss die Münzen samt Goldschmuck auf dem erwähnten Rasenplätzchen ablegte. In der Folgezeit seien dann diese Schätze durch die unter dem Grasboden vorhandenen Felsspalten in die Tiefe an die Stelle gerutscht, wo sie jetzt durch einen glücklichen Zufall wieder zu Tage gefördert wurden.

Dieser Erklärungsversuch hat manches für sich, dagegen sind die Vermutungen, die über den Zeitpunkt der Bergung des Schatzes vorgebracht werden, unhaltbar. Verführt durch die grosse Anzahl der Desiderius-Gepräge im Funde und durch Brambilla's Bemerkung, dass nach der Eroberung Pavia's der langobardische Kriegsschatz den Siegern hingegeben wurde, hält Jecklin diese Stücke für einen Teil der zu Pavia gemachten Kriegsbeute und die nach langobardischer Art ausgebrachten Drittelstücke Karls d. Gr., die vermutlich gleich nach der Besiegung des Desiderius gemünzt wurden, für Kriegssold. Beide Gattungen, schliesst er, sind so tadellos erhalten, zeigen sogar noch Stempelglanz, dass angenommen werden muss, sie seien direkt der Kriegskasse entnommen, also nie eigentlich in Umlauf gesetzt worden. 'So drängt sich uns die Vermutung auf, Angehörige, vielleicht Truppenführer Karls d. Gr. seien willens gewesen auf ihrer Rückkehr aus Italien nach Niederwerfung des Langobardenkönigs Desiderius, also ca. 775, die Burg Grüneck etwa eines Nachtquartiers wegen aufzusuchen, hätten zu diesem Zweck die Reichsstrasse verlassend den schmalen in Felsen unter der Burg durchführenden Fussweg betreten und das kleine Rasenplätzchen erreicht. Dort muss der Schatz durch irgend eine unbekannte Ursache (Absicht des Besitzers oder äussere Gewalt) in die vorhandenen Felsspalten gefallen und im Laufe der Zeit an seinen jetzigen Fundort geraten sein'.

Wenn diese Schlussfolgerungen richtig wären, so würde uns der Fund von Ilanz einen wichtigen Aufschluss über die zeitliche Entstehung der Pfenniggepräge Karls d. Gr. ergeben, die bekanntlich in zwei Hauptformen entweder den Namen des Königs in zwei Zeilen, oder sein Monogramm zeigen. Dass die erst erwähnten die älteren Münzen sind, wird allgemein angenommen und ist auch richtig, da sie sich sowohl was das Münzbild, als was die rohe Ausführung betrifft, an die Gepräge König Pippins anschliessen, es fragt sich nur, wie lange Zeit hat man sie geprägt? Wenn die Annahme Jecklins, dass der Münzschatz von Ilanz ums Jahr 775 in die Erde gelangte, zutreffen würde, so müsste die Prägung der Pfennige mit dem ausgeschriebenen Namen auch um diese Zeit geendet haben, weil im Funde schon die jüngere Form durch Stücke vertreten ist, die sogar zweierlei Gestalt des Monogramms zeigen.

Die eben ausgeführten Folgerungen dürfen indessen nicht gezogen werden, weil die Zeitbestimmung der Vergrabung auf etwa 775 irrig ist. Nicht über die Münzverhältnisse im ersten Jahrzehnt der Regierung Karls des Grossen, sondern über jene in den letzten Lebensjahren des Kaisers gibt uns der Schatz von Ilanz Aufschluss. Herr Jeckel hat nämlich bei seiner Zeitbestimmung die Abbâsiden-Münzen ausser acht gelassen, von welchen nach Lesung meines Freundes des Herrn Hofrats Prof. Josef Ritter von Karabacek das Stück des Al Mahdi wahrscheinlich ins Jahr 166 d. H. = 782/3, jenes des Harûn ar-Raschîd jedoch sicher ins Jahr 193 der Hedschra gehört, das mit dem 25. Oktober 808 unserer Zeitrechnung begann und am 14. Oktober 809 endete. Da nun Harûn ar-Raschîd am 23. März 809 gestorben ist, so fällt zwar die Entstehung seines Dirhems spätestens ins Frühjahr 809, man wird jedoch noch einige Zeit hinzuzuschlagen haben, die da vergangen ist, ehe das Stückchen von Tunis, wo es entstand, nach Graubünden gelangte. Man wird daher die Bergung des Schatzes zu Ilanz kaum vor 810 ansetzen dürfen. Dass er zumeist Münzen enthält, die von der Ferne, vor allem aus Italien, kamen, zeigt ein Blick auf seine Zusammensetzung, er ist daher unter die s. g. Auslandsfunde einzureihen und kann als solcher nicht ohne weiteres als Zeugnis für die in Graubünden zu Anfang des 9. Jh. herrschenden Münzzustände verwertet werden. Näherliegend sind die Aufschlüsse, die wir daraus über die Münzzustände in Italien unter Karl d. Grossen und vor allem über die Fortdauer der Goldmünzung nach dem Sturze des Langobardenreichs erhalten.

Man hat bisher allgemein angenommen — eine Zusammenstellung dieser Ansichten bietet de Jonghe, La frappe de l'or sous les Carlovingiens in den Abhandlungen des internationalen Numismatikerkongresses zu Brüssel 1891, S. 209 ff. —, dass König Pippin durch ein (verlorenes) Kapitular den Uebergang von der Gold- zur Silberwährung im Frankenreiche anordnete, und dass sich Karl d. Gr. daran gehalten habe. In der Tat waren an Goldprägungen dieses Herrschers ausser einem durch Lelewel veröffentlichten Stück aus Uzés in Südfrankreich nur ein Golddrittel von Lucca und die Beneventer Prägungen Grimoalds bekannt, auf welchen vertragsmässig der Name Karls d. Gr. stehen sollte. Man dachte sich nun, dass nach dem Sturze des Königs Desiderius die Goldprägung in Nord- und Mittelitalien ganz aufhörte und nur in Süditalien, wo sich langobardische Herzoge zu Benevent und Salerno in halber Abhängigkeit vom Frankenreich erhielten, noch eine Zeit lang fortdauerte. Nur zu Lucca, einer seiner südlichsten Münzstätten in Italien, habe Karl d. Gr. im Anschluss an langobardische Muster die Goldprägung kurze Zeit fortgesetzt, im übrigen habe er in Nord- und Mittelitalien ausschliessend Silber vermünzt.

Diese und ähnliche Ansichten erscheinen durch den Münzfund von Ilanz widerlegt. Wir wissen jetzt, dass die Prägung der Golddrittel unter Karl d. Gr. in Ober- und Mittelitalien in wenigstens fünf Münzstätten, Mailand, Pavia, Bergamo, Castel Seprio, Lucca in grösserem Umfang und durch längere Zeit fortgesetzt wurde[1]. Dies ergibt sich einerseits aus dem stempelfrischen Zustand der Golddrittel, andererseits aus der grossen Zahl der verwendeten Münzeisen, da fast keine stempelgleichen Stücke vorkamen. Zugegeben, dass der Stempelverbrauch in jener Zeit, in der man vielleicht das Härten der Eisen noch nicht kannte, weit grösser war als heute, so spricht doch die Tatsache, dass unter 24 Golddritteln aus der Mailänder Münzstätte, die sich im Funde befanden, nicht weniger als 22 verschiedene Stempel vorhanden waren, sowohl für eine gewisse Reichlichkeit als für die Dauer dieser Goldmünzung Karls d. Gr.

Vielleicht noch wichtiger ist der Nachweis, dass auch diesseits der Alpen unter Karl d. Gr. vereinzelte Goldmünzungen vorkamen. Mag nun das unter n. 54 verzeichnete Golddrittel mit den Aufschriften: † DOMN : S CAROLVS im Münzfelde R · F und ein liegendes ∞, sowie † FLAVIA CVRI · AM und inmitten CIVI von Punkten umgeben, wie ich glaube, nach Chur, oder anders wohin gehören, sicher ist in beiden Fällen, dass es nicht italisch ist. Es hat zwar die Mache der Golddrittel aus den italienischen Münzstätten, allein es weicht ab von den hier unter Karl d. Gr. ständig wiederkehrenden Münzbildern: Kreuz und Stern, und der Titel Rex Francorum weist auf seinen Ursprung innerhalb des eigentlichen Frankenreichs.

Sehr dankenswert sind nun die durch Prof. Nussberger aus den Bruchstücken der Goldmünzen ermittelten

1) Den Namen einer 6. Münzstätte Karls d. Gr., Flavia Pisa, nennt ein Triens, der 1901 zu Telti auf Sardinien ausgegraben wurde. Vgl. Ommaggio al congresso internazionale di scienze storiche in Roma, Milano 1902, 146 (Gabe der società numismatica Italiana).

[illegible — lines 1–19 of the page are too smeared to read] … Möglichkeit, die nicht ausgeschlossen ist —, wird man also die durch den Münzfund von Ilanz für den Münzfuss der langobardischen und karolingischen Goldmünzen vermittelten Angaben ungefähr so zusammenfassen können: die Goldtriente des Königs Desiderius und Karls d. Gr. haben vielleicht gleiches Schrot, die letztgenannten haben indessen bessern Feingehalt. Rechnet man den Kupferzusatz, der beidemal [illegible] ausmacht, dem Silber zu, da man ja damals chemisch reines Silber nicht herstellen konnte, so war unter König Desiderius eine Mischung von 1/3 Gold und 2/3 Silber, unter Karl d. Gr. eine solche von 2/3 Gold und 1/3 Silber beabsichtigt.

Wir gewinnen indessen auch sehr beachtenswerte Ergebnisse über den Umlauf und die Gewichtsverhältnisse der karolingischen Silbermünzen. Vor allem zeigt es sich, dass durch die Münzverrufungen, für welche man das capitulare Mantuanum von 781 als Beispiel anführt, keineswegs die älteren Gepräge aus dem Verkehr entfernt wurden, da in dem um 810 vergrabenen Schatze von Ilanz unter 48 fränkischen Denaren noch 9 Pfennige = nahezu 19%, König Pippin, also der Zeit vor mehr als 42 Jahren, angehörten. Ich möchte darum für die Bestimmung des Frankfurter Kapitulars von 794: 'De denariis autem certissime sciatis nostrum edictum, quod in omni loco, in omni civitate et in omni empturio similiter vadant isti novi denarii et accipiantur ab omnibus. Si autem nominis nostri nomisma habent et mero sunt argento pleniter pensantes, si quis contradicit eos in ullo loco' u. s. w. eine neue Auslegung vorschlagen und dabei das Hauptgewicht nicht auf 'novi denarii', sondern auf 'nominis nostri nomisma habent' legen. Die Verordnung würde dann dahin auszudeuten sein, dass nur den Pfennigen mit dem Namen oder Namenszug des Königs, diesen aber ohne Unterschied, ob sie jüngerer oder älterer Ausgabe sind, das Recht der Währung zukomme, sobald sie 'de mero argento et pleniter pensantes' sind. Nur solche Stücke ist jedermann bei Strafe anzunehmen schuldig, den Münzen älterer Frankenherrscher und fremden Geprägen wird unter gleicher Voraussetzung der Umlauf belassen, aber nur Handelswert zugestanden. Unter dieser Voraussetzung hätten im Jahre 810 von den im Ilanzer Funde vorhandenen Silbermünzen nur die 39 Pfennige mit dem Namen oder Namenszug Karls d. Gr. Währungsrecht gehabt, während den Pfennigen König Pippins, sowie den angelsächsischen und arabischen Geprägen nur die Eigenschaft von Handelsmünzen und daher nicht gesetzlicher, sondern Kurswert zukam. Im täglichen Verkehr dürfte dieser rechtliche Unterschied damals weniger beachtet worden sein, d. h. es dürfte wohl Pfennig für Pfennig genommen worden sein, wenn die Schwere stimmte oder entsprechende Aufgabe geleistet wurde. Legen wir die Gewichtsverhältnisse des Ilanzer Münzfundes der Rechnung zu Grunde, so mögen die 9 Pippins-Pfennige = 9,506 g. für 8 Karlspfennige von durchschnittlich 1,160 g. = 9,28 g. genommen worden sein, die angelsächsischen Münzen von 1,232, 1,259, 1,300 g. mögen je einen, die arabischen Dirhems von 2,468 und 2,252 g. je 2 Karlspfennige im täglichen Verkehr gegolten haben.

Bei dieser Berechnung wurden nicht die Einzel-, sondern die Durchschnittsgewichte der Münzen Karls des Grossen verwendet. Damit stelle ich mich allerdings in Gegensatz zu der verbreiteten Meinung, welche eine Justierung der einzelnen Karolinger-Pfennige annimt und sich dabei auf die in den Kapitularien wiederholt hervorgehobene Voraussetzung: 'si pensantes', auch 'pleniter pensantes . . fuerint' stützt. Angesichts der Gewichtsverhältnisse im Ilanzer Münzfund lässt sich indessen diese Meinung nicht länger aufrecht halten. Gleichförmigkeit des Gewichts wurde nicht einmal bei den Goldstücken beobachtet. Unter 31 Drittelstücken Karls d. Gr., die nach Jecklins Versicherung stempelfrisch aussahen, finden wir Gewichtsabweichungen von 0,883 bis 1,052 g. oder Schwankungen um 0,169 g., was ungefähr bei den leichtesten ein Fünftel, bei den schwersten ein Sechstel ihres Gewichts ausmacht und bei dem damaligen Wertverhältnis der Edelmetalle von 1 : 12 dem Betrag von 2 g. Silber entsprach. Nun könnte man einwenden, dass hier die Erzeugnisse von sechs Münzstätten durcheinander geworfen seien, allein das Ergebnis wird nicht wesentlich anders, wenn man sich auf eine einzige Münzstätte beschränkt. Unter 23 tadellos erhaltenen Mailänder Dritteln wogen drei Pare je 0.968, 0.974 und 0.990 g., ein viertes Par mit Abweichung um ein Milligramm 1.003 und 1.004 g. Die übrigen schwankten zwischen 0.883—1.052 g., so dass sich fürs Stück ein Durchschnittsgewicht von 0.966 g. ergab.

Nun ist wohl sicher, dass die karolingischen Wagen und Gewichte nicht fein genug waren, um den Unterschied von Milligrammen anzugeben; immerhin war jedoch die erzielbare Genauigkeit grösser, als man gemeiniglich annimmt, man behalf sich eben, wo die Eichung versagte, in anderer Weise. Seebohm hat in seinem Aufsatz 'on the early currencies of the German tribes' (Vierteljahresschrift für Sozial- und Wirtschaftsgeschichte, 1903, S. 179) bei Besprechung der Beigaben eines Münzergrabes aus dem frühen Mittelalter darauf hingewiesen, dass die mitgefundenen Gewichtsstücke von sehr ungleicher Schwere durch abwechselnde Verteilung und Vereinigung auf den Wagschalen zur Ermittelung selbst kleiner Unterschiede — er meint bis zum Troy-Grain (= 0.0648 g.) — herunter ausgereicht haben. Durch den Ausschlag des Wagbalkens liess sich vielleicht ein noch kleineres Ueber- oder Untergewicht erkennen. Wir wollen daher die 23 tadellosen Mailänder Goldgepräge Karls d. Gr. nach ihrem Gewicht in Troy-Grains in Gruppen zusammenziehen und erhalten nun folgendes Bild:

13 Troy-Grains = 0.8424 g., 3 Stück: 0.883; 0.896; 0.900 g.
14 „ „ = 0.9072 g., 8 Stück: 0.908; 0.915; 0.927; 0.938; 0.945; 0.963; 0.968; 0.968 g.
15 „ „ = 0.9720 g., 10 Stück: 0.974; 0.974; 0.980; 0.985; 0.990; 0.990; 0.996; 1.003; 1.004; 1.016 g.
16 „ „ = 1.0368 g., 2 Stück: 1.039; 1.052 g.

Man sieht die Schwankungen im Gewicht bleiben, selbst wenn man die Genauigkeit auf Troy-Grains einschränkt, die ein vielfaches von nahezu 65 Milligramm sind. (13—16 Troy-Grains!) Es zeigt sich aber auch eine gewisse Ausgleichung, die den Münzfuss erraten lässt: Drei Viertel der Mailänder Goldstücke entfallen auf die beiden Mittelgruppen zu 14 und 15 Troy-Grains; diesen gegenüber erscheinen nur 3 Stück zu 13 Troy-Grains als unter- und 2 zu 16 Troy-Grains als überwichtig. Das Durchschnittsgewicht der 23 Stücke aber 0.963 fällt in die Gruppe zu 14 Troy-Grains.

Ziehen wir nun auch die übrigen Goldstücke Karls des Grossen aus dem Ilanzer Fund in Rechnung, die bisher ausser Betracht geblieben waren, es sind dies 10 Stück, die sich auf die Münzstätten Bergamo (6 Stück), Castel Seprio, Lucca, Pavia und Chur (je 1 Stück) verteilen, so erhalten wir

12 Troy-Grains	= 0.7776 g.,	1 Stück:	0.835 g. } beide
13 " "	= 0.8424 g.,	1 Stück:	0.847 g. } beschädigt.
14 " "	= 0.9072 g.,	5 Stück:	0.941; 0.944; 0.952; 0.961; 0.971 g.
15 " "	= 0.9720 g.,	2 Stück:	0.984; 1.030 g.
16 " "	= 1.0368 g.,	1 Stück:	1.048 g.

Auch hier gehört die weit überwiegende Anzahl (7 Stück) den Mittelgruppen zu 14 und 15 Troy-Grains an, 2 Stück sind unterwichtig, 1 Stück überwichtig. Das durchschnittliche Gewicht aber fällt, mag man die 6 Prägen von Bergamo herausgreifen (0.953) oder alle 10 Stück berücksichtigen (0.951), abermals in die Gruppe zu 14 Troy-Grains.

Ziehen wir zum Schlusse nur die 31 gut erhaltenen Drittelstücke Karls d. Gr. aus dem Funde heran:

	verschiedene Münzstätten	Mailand	zusammen
12 Troy-Grains	— Stück;	— Stück	— Stück
13 " "	— "	3 "	3 "
14 " "	5 "	8 "	13 "
15 " "	2 "	10 "	12 "
16 " "	1 "	2 "	3 "

so gelangen wir abermals zum Ergebnis, dass den 25 Stücken der Mittelgruppen, die mehr als $^3/_4$ der Gesamtzahl ausmachen, nur drei unterwichtige und drei überwichtige Stücke gegenüberstehen. Das allgemeine Durchschnittsgewicht (0.969 g.) fällt wieder in die Gruppe zu 14 Troy-Grains und nähert sich dem Durchschnitt der Mailänder Prägen (0.966 g.), aber auch der Stufe von 15 Troy-Grains bis auf wenige Milligramm.

Berücksichtigt man nun die Wirkung der s. g. Seigerung, d. i. des Herausklaubens der überwichtigen Stücke, eine Erscheinung, die im Verkehre immer eintritt, sobald die umlaufenden Münzen von unregelmässigem Einzelgewicht (Schrot) sind, so wird man annehmen müssen, dass das mittlere Gewicht dieser karolingischen Golddrittel bei ihrer Ausgabe auf 15 Troy-Grains, oder mindestens auf 0.972 g. angeschlagen war. Damit gelangen wir nun zu einem einfachen und eben darum wahrscheinlichen Münzfuss, dessen Unterteilungen ohne Bruch aufgehen. 28 Stück von durchschnittlich 0.972 g. oder 15 Troy-Grains erreichen 27.216 g. oder das Gewicht der römischen Unze (= 27.288 g.), zwölf solcher Unzen oder 28 × 12 = 336 Stück, ebenso 326.592 g. oder ein römisches Pfund von 327.453 g. Schwere, das unter Karl d. Gr. lange Zeit, wo nicht durchaus, als Münzgewicht verwendet wurde. Damit hätten wir den Münzfuss nach dem Rauhgewicht ermittelt, ebenso einfach gestaltet sich aber auch die Berechnung auf das Pfund Feingold. Es wurde schon oben erwähnt, dass nach den Feinhaltsproben die Drittelstücke Karls d. Gr. zu $^2/_5$ aus Gold, zu $^3/_5$ aus Silber bestanden. Jeder Triens enthielt sonach bei einem durchschnittlichen Gewicht von 15 Troy-Grains: 6 Troy-Grains Gold (= 0.3888 g.) und 9 Troy-Grains Silber (= 0.5832 g.). Siebzig solcher Trientes enthielten 0.3888 g. × 70 = 27.216 g. oder eine römische Unze Feingold, zwölf mal 70 oder 840 Stück: 326.592 g. oder ein römisches Pfund Feingold. Bei dem einfachen Mischungsverhältnis von $^2/_5$ und $^3/_5$, das vorgeschrieben war, genügten also 1 römisches Pfund oder 12 Unzen Feingold = 326.592 g. und 18 Unzen Feinsilber = 489.88 g. (zusammen zwei einhalb Pfund oder 816.48 g.) zur Herstellung von 840 Trientes zu 0.972 g. Rauhgewicht (840 × 0.972 = 816.48 g.).

Ausser den 40 % oder 0.3888 g Goldinhalt muss bei den karolingischen Trientes auch der Wert des zur Legierung verwendeten Feinsilbers in Rechnung gezogen werden, der volle 60 % des Rauhgewichts oder 0.5832 g. im Stücke ausmachte. Legt man in Ermangelung besserer Nachrichten das Wertverhältnis der Edelmetalle 1 : 12 zu Grunde, das durch c. 24 des Edictum Pistense im Jahre 864 fürs Frankenreich festgesetzt wurde, so kann man den Wert der Silberlegierung im einzelnen Triens auf $\frac{0.5832 \text{ g.}}{12} = 0.0486$ g. Feingold veranschlagen und daher den Gesamtmetallwert auf 0.3888 + 0.0486 g. = 0.4374 g. Feingold bestimmen.

Dies ermöglicht eine lehrreiche Vergleichung der karolingischen Goldprägungen mit den älteren Goldsolidi, die in konstantinischer Zeit zu 72, im 6. Jh. zu 84 Stück aus einem römischen Pfunde (= 326.592 g.) Feingold geschlagen wurden. Rechnet man dabei, da das Feingewicht der Goldsolidi Karls d. Gr. nicht bekannt ist, 3 Drittelstücke auf den Solidus, so erhält man

	Konstantinischer Solidus zu 72	Solidus im 6. Jh. zu 84 Stück aufs Pfund	Karolingische Goldprägung
1 Solidus . .	= 4.53 g. Gold	3.888 g. Gold	1.3122 g. Gold
1 Drittelstück	= 1.51 g.	1.296 g.	0.4374 g.

Es erreichte somit ein Goldsolidus karolingischer Prägung (= 1.3122 g.) kaum den Wert eines Drittelstückes (= 1.296 g.) vom erleichterten Münzfuss des 6. Jh. und blieb hinter jenem der tremissa aus konstantinischer Zeit (= 1.51 g.) sogar erheblich zurück.

Der Fund von Ilanz hat uns gezeigt, dass die Stückelung der Goldmünze in den karolingischen Prägestätten weit hinter jener Genauigkeit zurückblieb, die man, auf Ausdrücke in den Kapitularien gestützt, für die Silberpfennige angenommen hat. Eine Justierung in unserm Sinne, die dafür sorgt, dass die Abweichungen im Gewicht der einzelnen Stücke innerhalb eines kleinen Spielraums verbleiben, hat es damals bei der Goldmünzung offensichtlich nicht gegeben. Man begnügte sich mit der s. g. al marco-Justierung, die auch im späteren Mittelalter vorherrschte, mit andern Worten, man achtete nicht auf das Einzelgewicht, sondern gab sich zufrieden, sobald eine gewisse grössere Zahl Stücke ein bestimmtes Gewicht erreichte. Wo diese al marco-Justierung üblich war, dort gab es unter den Münzen schon im Augenblick der Ausgabe, abgesehen von einer gewissen Anzahl, die sich dem vorgeschriebenen Durchschnitt näherte, immer einige entschieden unterwichtige und ebenso auch überwichtige Stücke, und damit war der Anreiz zur schon erwähnten Seigerung gegeben, welche durch das Heraussuchen der schwersten Stücke allmählich das mittlere Gewicht herabdrückte. Auf dieser tieferen Stufe zeigt sich dann wieder eine gewisse Beständigkeit des Durchschnittsgewichtes, die sich darin offenbart, dass eine grössere Zahl Stücke, aus einem Vorrat wahllos herausgesucht, bei aller Verschiedenheit der Einzelgewichte ungefähr gleiche mittlere Schwere hat. Die Gewichtsverhältnisse der Karolinger Golddrittel im Ilanzer Funde ergeben darum, sei es, dass man die Gepräge nach den Münzstätten sondert, sei es, dass man sie zu einer einzigen Gruppe zusammenfasst, wie schon gezeigt wurde, immer ein mittleres Gewicht, das zwischen 14 und 15 Troy-Grains liegt (0.951, 0.958, 0.966, 0.969 g.).

Wenden wir uns nun zu den karolingischen Silberpfennigen dieses Fundes, so kann es nach den früheren Ausführungen nicht überraschen, dass wir hier auf noch grössere Gewichtsschwankungen stossen. Die 9 Pfennige König Pippins wiegen zwischen 11—19 Troy-Grains, davon entfallen zwei auf die Stufe von 17 und 3 auf jene von 19 Troy-Grains, die übrigen 4 Stücke wiegen vereinzelt 11, 12, 13 und 15 Troy-Grains; auf 15 Troy-Grains stellt sich auch ihr durchschnittliches Gewicht, wenn wir die 7 Gepräge mit dem Namen Auttramno allein nehmen (= 1.019 g.), auf 16 Troy-Grains, wenn wir auch noch die zwei Stücke von Quentovic und Strassburg hinzuschlagen (= 1.056 g.).

Unter den Pfennigen Karls des Grossen greifen wir zunächst die einheitliche Gruppe von 17 Stücken einer norditalischen Prägestätte heraus:

14 Troy-Grains	= 0.9072 g.	— 1 Stück: 0.921 g.
15 „ „	= 0.9720 g.	— 3 Stück: 0.995; 1.012; 1.020 g.
16 „ „	= 1.0368 g.	— 3 Stück: 1.049; 1.054; 1.059 g.
17 „ „	= 1.1016 g.	— 1 Stück: 1.120 g.
18 „ „	= 1.1664 g.	— 2 Stück: 1.188; 1.209 g.
19 „ „	= 1.2312 g.	— 5 Stück: 1.257; 1.264; 1.266; 1.281; 1.283 g.
20 „ „	= 1.2960 g.	— 2 Stück: 1.343; 1.349 g.

Das Gesamtgewicht dieser 17 Stücke belief sich auf 17.67 g., was ein mittleres Gewicht von 1.040 g. oder 16 Troy-Grains für den Pfennig ergibt.

Die übrigen 20 Pfennige Karls d. Gr., die im Ilanzer Funde vorkamen, verteilen sich auf 15 verschiedene Prägestätten; eine Aussonderung nach kleineren Gruppen wäre für die Ermittelung des Durchschnittsgewichts unzweckmässig, ich fasse daher alle diese Stücke in folgende Uebersicht zusammen:

15 Troy-Grains	= 0.9720 g.	1 Stück	(Mainz) = 1.024 g.
16 „ „	= 1.0368 g.	—	— —
17 „ „	= 1.1016 g.	2 „	(Odalricus) = 1.142; Parma = 1.160 g.;
18 „ „	= 1.1664 g.	4 „	Reims = 1.183; Dorestat 1.192; Arles = 1.215; Chartres: 1.220 g.;

19 Troy-Grains	= 1.2312 g.	6 Stück	Odalricus = 1.236; Worms = 1.262; Mailand = 1.268; Treviso = 1.271; Arles = 1.276; s. Martin de Tours = 1.276 g.
20 „ „	= 1.2960 g.	6 „	Treviso = 1.310; Lyon 1.317; Treviso = 1.322; Odalricus = 1.331; Reims = 1.351; Roland = 1.351 g.
21 „ „	= 1.3608 g.	—	— —
22 „ „	= 1.4356 g.	—	— —
23 „ „	= 1.4904 g.	—	— —
24 „ „	= 1.5552 g.	1 „	Pavia 1.577 g.

Diese zwanzig Pfennige Karls d. Gr. wogen zusammen 25.282 g., es entfiel demnach auf das Stück ein Durchschnittsgewicht von 1.264 g. oder 19 Troy-Grains.

Vereinigt man nun beide Reihen, um einen Ueberblick über das Gewicht der Pfennige Karls d. Grossen nach dem Stande des Ilanzer Fundes zu erhalten, so ergibt sich folgendes Bild. Ich bezeichne dabei die 17 Gepräge der unbekannten norditalischen Prägestätte mit I, jene der 15 andern Münzstätten mit II.

	I		II		zusammen	
14 Troy-Grains	1	Stück	—	Stück;	1	Stück
15 „ „	3	„	1	„	4	„
16 „ „	3	„	—		3	„
17 „ „	1	„	2		3	„
18 „ „	2	„	4		6	„
19 „ „	5	„	6		11	„
20 „ „	2	„	6	„	8	„
24 „ „	—	„	1	„	1	„

Das Gewicht der 37 Stücke zusammen erreicht 42.952 g., was einem durchschnittlichen Gewicht von 1.161 g. oder fast genau 18 Troy-Grains entspricht.

Die Ableitung des Münzfusses der Pfennige Karls d. Gr. aus vorliegenden Gewichtsverhältnissen ist viel unsicherer als im früheren Falle, weil die Schwankungen in der Schwere sich innerhalb der weiten Grenze von 14—24 Troy-Grains bewegen. Immerhin zeigt sich auch hier, dass die grosse Mehrzahl der Stücke (25 von 37) auf die mittleren Gruppen von 18—20 Troy-Grains entfällt, ausserdem nähert sich das mittlere Gewicht bis auf $^{1}/_{10}$ Troy-Grain der Stufe von 18 Troy-Grains. Wir dürfen daher die 8 Stücke von 14—16 Troy-Grains wohl als unterwichtig, den Pfennig zu 24 Troy-Grains als überwichtig ansprechen. Mit Wahrscheinlichkeit kann man ferner behaupten, dass die Pfennige gerade so wie die Golddrittel vom Zeitpunkt ihrer Ausgabe bis zur Bergung des Schatzes von Ilanz durch die Seigerung schon einen merklichen Verlust am mittleren Gewicht erlitten hatten. Ich vermute, dass sie auf ein anfängliches Durchschnittsgewicht von 21 Troy-Grains = 1.3608 g. gemünzt waren, das würde auch einem einfachen und verständlichen Münzfuss entsprechen, denn 20 Pfennige zu 21 Troy-Grains wiegen (20 × 1.3608 =) 27.216 g. oder eine römische Unze und 240 Stück 326.592 g. zwölf Unzen oder ein römisches Pfund. Da das Silber ohne absichtlichen Zusatz vermünzt werden sollte, so würde hier der Münzfuss nach der rauhen — oder Münzmark wegfallen, den wir bei den Golddritteln berücksichtigen mussten.

Bei einem vergleichenden Blick auf die Schwere der Pippins-Denare (11—19 Troy-Grains, mittlerer Durchschnitt 15 Troy-Grains) sieht man, um wie viel besser die Gewichtsverhältnisse der Karlspfennige im Ilanzer Funde sind. Sicherlich hat zur Verschlechterung des Gewichts der Pippins-Münzen der Umstand beigetragen, dass sie länger im Umlauf waren als die Münzen seines Nachfolgers; zur vollen Aufklärung ist dies aber nicht ausreichend, denn bis auf 3 Stücke mit dem Monogramm haben alle übrigen Pfennige den ausgeschriebenen Namen 'Carolus', der die älteren Gepräge dieses Herrschers kennzeichnet. Pfennige zu 11, 12 oder 13 Troy-Grains fehlen trotz der vierfach grösseren Zahl gänzlich, offenbar darum, weil unter Karl d. Grossen so leichte Stücke nicht mehr in Umlauf gesetzt werden durften. Mit anderen Worten: die ungeregelte al marco Prägung, die nach den Ergebnissen des Ilanzer Fundes unter König Pippin geherrscht haben muss, hatte seither gewisse Einschränkungen erfahren und gerade in der Einführung dieser bestand der wesentliche Fortschritt im Münzwesen unter Karl d. Grossen. Die Erzielung eines mittleren Pfenniggewichts ist nämlich möglich, sowohl wenn man einen grossen als auch, wenn man einen kleineren Spielraum den Abweichungen belässt, und es liegt auf der Hand, dass sich die al marco-Prägung um so mehr der Einzeljustierung nähert, je kleineres Unter- oder Uebergewicht erlaubt wird.

Das Wesen solch einer eingeschränkten al marco-Prägung sowie ihr Unterschied von einer Ausmünzung, bei welcher die einzelnen Stücke justiert werden, lernen wir aus den Verfügungen Heinrichs VII. für die Mailänder Münzstätte vom Jahre 1311 kennen (MG. Constitutiones IV, 1, S. 671). Für die besseren Münzgattungen war Justierung jedes einzelnen Stückes vorgeschrieben und zwar so: 'quod nullus de predictis denariis erit fortior vel debilior suo iusto pondere', und nun folgt die Angabe der erlaubten Fehlergrenze, die für die 'moneta grossa argenti' durch die Worte 'ultra granum', für die Goldstücke mit 'ultra dimidium granum' festgesetzt wird. Für die schwächere Münzgattung der Imperialen wurde dagegen eine beschränkte al marco-Prägung zugelassen und den Münzarbeitern, welche die Stückelung der Zaine besorgten, befohlen: 'debent taliare monetas predictas tali modo, quod in duabus unziis non sint plures quam tres denarii fortes ac tres debiles, et si plures adessent, eos non recipere tenentur magistri, donec ipsi operarii emendaverint et eos posuerint ad suum rectum punctum, et ibi debet esse tantum de fortibus, quantum de debilibus et debent recipere ad punctum et reddere ad punctum'. Mit anderen Worten: die obersten Münzbeamten, welche das Münzmetall erst zur Herstellung der Zaine, dann zur Stückelung und endlich zur Prägung den zuständigen Münzarbeitern mit der Wage überantworteten und in gleicher Weise rückübernahmen, hatten darauf zu sehen, dass die Schrotmeister möglichst gleichmässig arbeiteten. Bei der Uebernahme der Schrötlinge, die, wie erwähnt, mit der Wage geschah, hatten sie eine Gewichtsprobe einzuschalten und sich zu überzeugen, dass in je 2 Unzen höchstens sechs vom vorgeschriebenen Gewicht abweichende Stücke u. z. drei unter- und drei überwichtige Imperialen vorkamen. Stellte sich das Verhältniss ungünstiger, so war die Uebernahme zu verweigern, bis die Schrotmeister Schrötlinge vorgeschriebener Art vorlegen konnten.

Aehnliche Vorschriften muss man nach den Gewichtsverhältnissen des Ilanzer Fundes für die Ausmünzung unter Karl d. Gr. annehmen. Wohl sind sowohl die Pfennige als die Goldmünzen durch die Seigerung schon unter das angeordnete Durchschnittsgewicht herabgedrückt, allein die Ausgleichung des Untergewichts der leichteren Stücke durch die über das Durchschnittsgewicht hinausgehende Schwere anderer ist noch jetzt erkennbar. Greifen wir aus der oben mitgeteilten Zusammenstellung der karolingischen Drittelstücke die fünf als unterwichtig bezeichneten Stücke zu 12 und 13 Troy-Grains heraus, die einzeln 0.835, 0.846, 0.847, 0.896 und 0.900 g., zusammen also 4.324 g. wogen, so ergibt sich gegenüber dem fünffachen Durchschnittsgewicht (0.969 × 5 = 4.845 g.) ein Abgang von 0.521 g., der jedoch durch die grössere Schwere der drei als überwichtig bezeichneten Stücke zu 16 Troy-Grains: 1.030, 1.039, 1.052 g., zusammen 3.221 g., fast ausgeglichen wird, da das 3fache Durchschnittsgewicht (0.969 × 3 = 2.907 g.) um 0.314 g. zurückbleibt, so dass sich der schliessliche Abgang trotz der ungleichen Zahl auf 0.521 — 0.314 g. = 0.207 g. vermindert. Berücksichtigt man indessen nur das Gewicht jener unterwichtigen Stücke, die nicht ausgebrochen sind (0.896, 0.900), so bleiben diese gegenüber dem Durchschnittsgewicht nur um 0.142 g. zurück, ein Abgang, der durch das Uebergewicht der drei Stücke zu 16 Troy-Grains mehr als ausgeglichen wird.

Noch zu erörtern ist die Frage, ob der Fund von Ilanz nach seiner Beschaffenheit unter die s. g. Schatz- oder unter die Geldfunde einzureihen ist. Von der richtigen Antwort hängt es eben ab, ob die einzelnen Stücke in der Gegend, wo sie geborgen wurden, zur Zeit, da dies geschah, nur als Edelmetall gewertet wurden oder ob ihnen noch Geldeigenschaft zukam. Herr Jecklin hat sich in seiner Beschreibung auf diese Frage nicht eingelassen, er vertritt nur die Ansicht, dass diese Münzen aus Italien über den Lukmanierpass nach Graubünden gebracht wurden. Das trifft bei den langobardischen Golddritteln und bei den vielen goldenen wie silbernen Geprägen Karls d. Gr. aus italienischen Münzstätten wahrscheinlich zu, offen bleibt aber die Frage, ob diese Stücke, wie Herr Jecklin annimmt, unmittelbar aus Italien an die Fundstelle gebracht wurden, oder ob sie früher in den Geldumlauf von Graubünden eingedrungen waren und aus diesem nach Ilanz gekommen sind. Mir scheint letzteres für einen Teil der Fundstücke erwiesen, für den Rest aber das Wahrscheinlichere zu sein. Die 9 Pippinspfennige, die ein Sechstel der im Funde vorhandenen fränkischen Gepräge ausmachen, waren niemals Landesmünze in Italien, von den 39 Karlspfennigen entfällt ein volles Drittel auf Erzeugnisse neustrischer und austrasischer Münzstätten (Arles, Chartres, Lyon, Reims, St.-Martin de Tours, Dürstadt, Mainz, Worms, Odalricus, Roland), und da ist doch eher anzunehmen, dass diese Münzen von Westen und Norden nach Graubünden gelangt sind, als auf dem Umwege über Italien; gleiches gilt von den angelsächsischen Pfennigen und selbst für die arabischen Dirhems kommt in Betracht, dass Einzelfunde solcher in der Schweiz, namentlich in der Umgebung des kleinen St. Bernhard, schon von früher bekannt sind. Vor allem wichtig ist aber das nach italischem Vorbild diesseits der Alpen, zu Chur geschlagene Golddrittel. Wird durch dieses die Goldmünzung in dem romanischen Graubünden unter Karl dem Grossen erwiesen, so muss man auch auf die Fortdauer des Goldumlaufs in diesen Gegenden schliessen, und dann kann man das Vorkommen der übrigen Golddrittel aus italienischen Münzstätten im Funde von Ilanz ohne künstliche Auslegung verstehen.

Fassen wir nun die Hauptergebnisse der Untersuchung des Ilanzer Münzfundes zusammen, so dürfen wir

1) annehmen, dass er uns über die in Graubünden um das Jahr 810 herrschenden Geldverhältnisse belehrt. Der Goldverkehr hatte damals hier noch nicht aufgehört, da noch Golddrittel mit dem Königstitel Karls des Grossen zu Chur geschlagen wurden; weil aber deren Zahl kaum gross gewesen sein wird, so deckte der Verkehr seinen Goldbedarf vor allem durch Heranziehung von Goldmünzen aus italienischen Münzstätten. Auch die in Graubünden neben dem Golde benutzten Silbermünzen stammten grossenteils aus Italien, doch waren daneben auch Erzeugnisse neustrischer und austrasischer Münzorte und selbst ausländische — angelsächsische, arabische — Münzen im Umlauf. Spätestens unter Ludwig dem Frommen (814—840) wurde dann die Silberprägung auch in Chur begonnen.

2) Die Goldprägung in Ober- und Mittelitalien hat keineswegs mit dem Sturze der Langobardenherrschaft aufgehört, sondern wurde hier unter Karl dem Grossen bis gegen das Jahr 800 fortgesetzt. Die Zahl der Münzstätten (6) und die grosse Menge von Stempelverschiedenheiten unter den Golddritteln lässt darauf schliessen, dass diese karolingische Goldmünzung in Italien nicht unbedeutend war. Ins Gewicht fällt überdies, dass in Anlehnung daran vereinzelt auch im Frankenreiche (Uzés, Chur) unter Karl d. Gr. Gold gemünzt wurde.

3) Diese Ausprägung erfolgte jedoch nicht mit sorgfältiger Gewichtsprüfung (Justierung) jedes einzelnen Stückes, sondern war eine Art beschränkter al marco-Münzung, d. h. es genügte, wenn die Mehrzahl der Goldmünzen im Augenblick der Ausgabe ungefähr das vorgeschriebene Gewicht erreichte; ausserdem war die Beigabe einer gewissen Zahl unterwichtiger Stücke gestattet, deren Gewichtsabgang durch überwichtige Münzen gedeckt werden musste.

4) Das mittlere Gewicht der karolingischen Golddrittel war wahrscheinlich auf 15 Troy-Grains = 0.972 g. fest-

gesetzt. Es gingen dann [illegible] Stück auf die Unze von [illegible] g und [illegible] auf ein römisches Pfund von [illegible] g Schwere, dies der Münzfuss auf das rauhe oder Münzpfund gerechnet, da die Goldmünzen aus einem Gemisch hergestellt wurden, das zu $\frac{1}{3}$ Gold, zu $\frac{2}{3}$ Silber enthielt. Eine Unze Feingold war demnach erst in [illegible], ein römisches Pfund Feingold in [illegible] Stücken enthalten, was eine ungeheure Verschlechterung gegenüber dem Konstantinischen Fusse und selbst gegenüber dem leichteren Goldsolidus aus dem 6. Jh. bedeutete. Denn von jenen wurden 72 Stück, von diesen 84 Stück aus dem Pfunde Feingold ausgebracht, in karolingischen Drittelstücken zu 3 auf den Solidus gerechnet kamen hingegen 112 Stück schon auf das rauhe und [illegible] auf das Pfund Feingold. Mit anderen Worten: ein karolingischer Goldsolidus enthielt nicht einmal [illegible] des Metallinhalts seines Konstantinischen Vorgängers, oder noch anders ausgedrückt, der karolingische Goldsolidus hatte fast genau den Goldinhalt eines Triens aus dem 6. Jh.

5) Die karolingischen Silbermünzen sind gleichfalls nur al marco, also ohne Justierung der einzelnen Pfennige ausgebracht worden. Es zeigt sich indessen ein Fortschritt in der Ausmünzung unter Karl d. Gr. darin, dass die Gewichtsabweichungen in engere Grenzen fallen, offenbar weil allzuleichte Stücke nicht mehr wie zu König Pippins Zeiten in den Verkehr gebracht werden durften. Die Pfennige Karls d. Gr., die im Funde von Ilanz vorkamen, waren wahrscheinlich auf ein anfängliches Durchschnittsgewicht von 21 Troy-Grains = 1.36 g. gemünzt, so dass gerade 20 Stück auf die römische Unze und 240 Stück aufs römische Pfund gingen. Sie dürften ohne absichtlichen Kupferzusatz, also ganz fein ausgeprägt worden sein, doch fehlen noch Untersuchungen darüber.

6) Durch den Nachweis, dass die Silbermünzung unter Karl d. Gr. al marco erfolgte, scheint mir der von Prou unternommene Versuch, das Gewicht der schwersten Stücke zum Aufbau des Münzfusses zu verwenden, in seiner Grundlage erschüttert, ebenso auch die von P. Guilhiermoz im 67. Bande der Bibliothèque de l'école des chartes (1906, S. 225) gemachte Ableitung der Schwere des Pariser Pfundes, die Prou's Ergebnisse benutzt.

7) Der oben gelieferte Nachweis, dass das Feingewicht der Goldmünzen unter Karl d. Gr. ungefähr auf ein Drittel des im 6. Jh. üblichen Münzfusses gesunken war, ermöglicht eine neue Erklärung der rätselhaften Einteilung des Solidus zu 40 und 12 Denaren. Die genauere Be-

gründung meiner Ansicht muss ich allerdings Untersuchungen vorbehalten, die ich dem Münzwesen unter den Merowingern noch widmen will, einen hohen Grad von Wahrscheinlichkeit hoffe ich indessen durch die nachfolgende Darlegung schon heute zu erzielen.

Festzuhalten ist, dass die denarii des 6. Jh. von jenen aus karolingischer Zeit begrifflich zu trennen sind, obwohl die denarii der Lex Salica als römische Halbsiliquen zu rund 1.3644 g. das von mir mit 21 Troy-Grains = 1.3608 vermutete Durchschnittsgewicht der älteren Pfennige Karls d. Gr. tatsächlich erreichen sollten.

Bekanntlich rechnet nun die Lex Salica in den erhaltenen Fassungen den Solidus zu 40 Denaren. Es herrscht kein Zweifel, dass dieser Solidus, den wir der Kürze wegen den neustrischen Solidus nennen wollen, eine effektive Goldmünze war, und dass die denarii gleichfalls effektive Münze und zwar Silberstücke waren. Naheliegend ist es auch diesen Solidus in Beziehung zur gleichnamigen Goldmünze zu bringen, die seit der konstantinischen Münzreform im Römerreich im Umlauf war, nur will die Zahl der Denare nicht stimmen, da nicht 40, sondern 48 Halbsiliquen auf den konstantinischen Goldsolidus gingen. Es gab indessen in Neustrien während des 6. Jh. auch einen leichteren Goldsolidus zu 3.888 g., den man von dem konstantinischen zu 4.53 oder, wie andere wollen, 4.5481 g. Schwere als solidus Galliarum unterschied, und der nur 21 Siliquen oder 42 Halbsiliquen wert war. Gerade diesen hatte eine ältere uns nicht mehr erhaltene Fassung der Lex Salica im Auge, wie sich aus der Wolfenbütteler Hs. ergibt, welche im Tit. IV, 1 der Busse des Schafdiebstahls 'Malb. lammi hoc est VII dinarios' noch den Zusatz 'qui faciunt medio trianti' folgen lässt, in welchem übereinstimmend mit dem solidus Galliarum der Triens zu 14, der Solidus also zu 42 Denaren veranschlagt wird. Im Laufe des 7. Jh. ist zweifellos eine weitere Verschlechterung des Münzfusses eingetreten. Die Einzelheiten harren noch der Untersuchung, der Ausgaug indessen liegt uns in den Goldprägungen Karls d. Gr. vor, dessen Goldsolidus, wie wir gesehen haben, kaum mehr den Goldinhalt (Feingewicht) eines gallischen Triens vom 6. Jh. erreichte. Ob aber diese Stücke dem Tiefpunkt der fränkischen Goldprägung entsprechen, das möchte ich bezweifeln. Nach den Ergebnissen des Ilanzer Fundes werden die Golddrittel des letzten Langobardenkönigs von den gleichen Münzen Karls d. Gr. sowohl im Schrot als im Korn übertroffen und es scheint mir nicht ausgeschlossen, dass der grosse Frankenherrscher zum mindesten in Italien noch einen letzten Versuch machte, durch Besserung des Münzfusses den Verfall der Goldwährung aufzuhalten. Es ist nun klar, dass mit dem Sinken des Goldsolidus auch sein Teilstück, der auf $^1/_{40}$ dieses angesetzte Denar, an Wert einbüssen musste; späteren Untersuchungen bleibt es vorbehalten zu ermitteln, ob der in der Halbsiliqua erkannte neustrische Denar an seinem ursprünglichen Feingewicht gleichfalls Einbusse erlitt oder nicht. Geschah ersteres, so müsste es im Laufe der Zeit zur Ausprägung immer kleinerer Denare gekommen sein und vielleicht finden auf diese Weise gewisse auf Friedhöfen aus der Merowingerzeit zu Villedomange, Herpés, Éprave bei Namur usw. gefundene Münzchen ihre Erklärung, die meist ein Gewicht von 0.25—0.35 g. oder weniger haben. Im zweiten Falle musste mit der Zeit der Denar des Goldsolidus seine Verkörperung in einem bestimmten Geldstück verlieren und zur blossen Rechnungsmünze werden.

Setzen wir nun für die 1.3122 g. Feingold, die der Goldsolidus unter Karl d. Gr. noch enthielt, nach dem oben angenommenen Wertverhältnis der Edelmetalle 1 : 12 den Silberwert ein, so entsprechen diesen 1.3122 g. Feingold 15.7464 g. Feinsilber, welche auf 40 Stücke verteilt 0.39366 g. Silber als Feingewicht des neustrischen Denars ergeben. Andererseits entsprechen obigen 15.7464 g. Feinsilber auch 12 Silberpfennige zu 1.3122 g., die sich in ihrer Schwere den Denaren Karls d. Gr. bis auf 5 Zentigramm nähern. Anders ausgedrückt: der Goldsolidus zu 40 neustrischen Denaren war ums Jahr 800 so tief gesunken, dass er nicht einmal den vollen Wert von zwölf Silberpfennigen Karls d. Gr. (= 16.3296 g.) erreichte. Aehnliche, wenn nicht noch ärgere Münzzustände müssen schon zu Zeiten König Pippins geherrscht haben. Da begreift man es, dass die verlotterte Goldprägung schliesslich aufgegeben wurde, um die notwendige Besserung der Münze auf neuer Grundlage zu versuchen. Als solche diente die austrasische Silberwährung, die von alters her einen Solidus zu 12 Denaren als Rechnungsmünze kannte. Das geht aus dem letzten Absatz von Tit. 36 der Lex Ribuaria hervor: 'si cum argento solvere contigerit, pro solido duodecim denarios sicut antiquitus est constitutum', der ungeachtet der Interpolation in karolingischer Zeit in dieser Frage voll beweisend ist. Indem nun König Pippin an die zu seiner Zeit herrschenden Münzzustände anknüpfte, konnte er den damaligen Goldsolidus zu 40 neustrischen Denaren ohne weiters durch den Silbersolidus zu 12 seiner Denare ersetzen, der tatsächlich keine geringere Wertgrösse war, ja vielleicht den Goldsolidus aus der Zeit der letzten Merowinger sogar übertraf. Da jedoch die Bestimmungen der Lex Salica auf solidi zu 40 Denaren lauteten, die leichten neustrischen Silbergepräge aber nach und nach aus dem Umlauf schwanden, so mag es öfter vorgekommen sein, dass die auf neustrische Pfennige lautenden Ansätze in schweren Karolinger-Denaren eingefordert wurden. Die Bitte der 813 auf dem Konzil zu Reims, also an der Grenze von Austrasien und Neustrien, versammelten Bischöfe: 'ut domnus imperator secundum statutum bonae memoriae domni Pippini misericordiam faciat, ne solidi, qui in lege habentur, per quadragenos denarios discurrant, quoniam propter eos multa periuria multaque falsa testimonia repperiuntur' erfährt durch die dargelegten Umstände eine einfache und, wie ich glaube, einleuchtende Lösung.

8) Der Münzfund von Ilanz bot uns manche wichtige Aufklärung, allein er gibt uns noch keine abschliessenden Ergebnisse. Seine Angaben müssen vielmehr durch entsprechende Bearbeitung anderer Karolinger Münzfunde, die ich folgen lassen will, ergänzt, gesichert oder berichtigt werden. Dabei ist von dem Gedanken auszugehen, dass jeder Münzschatz eigene Gewichtsverhältnisse hat, die von den Umständen abhängen, ob er entwertete oder unmittelbar aus dem Umlauf genommene Münzen enthält, ob diese erst kurz, oder ob sie schon lange im Verkehr gewesen, ob sie durch Seigerung und anderen Münzverlust mehr oder weniger an ihrem ursprünglichen Gewicht eingebüsst hatten, wie denn z. B. das Durchschnittsgewicht der Pfennige König Pippins mit 'Auttramno' im Ilanzer Funde nur 1.019 g., bei dem ums J. 780 vergrabenen Münzschatz von Imphy jedoch 1.247 g. betrug. Nur durch Häufung solcher in wissenschaftlicher Weise gewonnener Ergebnisse dürfen wir hoffen, schliesslich das angestrebte Ziel mit Sicherheit zu erreichen.

XI.

Die Porträts deutscher Kaiser und Könige bis auf Rudolf von Habsburg.

Von

Max Kemmerich.

Eine Geschichte des Porträts besitzen wir so wenig, wie eine kritische Zusammenstellung der Porträts der deutschen Herrscher; überhaupt sind unsere Ansichten von der Porträtfähigkeit, d. h. dem Vermögen des Mittelalters, eine Person nach ihrer wirklichen Erscheinung wiederzugeben, teils irrig, teils lückenhaft. Denjenigen, die in jedem mit einem bestimmten Namen bezeichneten Bilde ein authentisches Porträt erkennen wollen, stehen schroff die andern gegenüber, die dem Mittelalter — wenigstens bis zum Ausgang des XIV. Jh. — jede Porträtabsicht und Fähigkeit absprechen. Bei dieser Sachlage und der nicht mehr von der Hand zu weisenden Forderung, die alten deutschen Herrscher nach ihrer körperlichen Erscheinung zu fixieren, ist die zu stellende Aufgabe eine doppelte: zunächst gilt es auf Grund von Vergleichung eines sehr umfangreichen Materiales und vor allem aller von derselben Persönlichkeit erhaltenen zeitgenössischen Bilder festzustellen, inwieweit das Mittelalter die Absicht, dann das Können der individuellen Wiedergabe besass. Diese Aufgabe habe ich gelöst[1] und gefunden, dass in vielen Fällen, in denen wir eine Porträtabsicht des Künstlers voraussetzten, eine solche nicht bestand. Während wir es für selbstverständlich halten, dass ein Maler z. B. den König David oder einen Arminius als freies Phantasiegebilde schafft, d. h. während wir die zeitliche Distanz als zureichenden Grund ansehen, um den Künstler von der Verpflichtung, ein authentisches Porträt zu schaffen, zu entbinden, konzedierte das Mittelalter mit Rücksicht auf seine schlechten Verkehrsverhältnisse diese Freiheit auch häufig bei entsprechender räumlicher Distanz. Mit anderen Worten: auch der gleichzeitige Herrscher wird manchmal nach der Phantasie gebildet, wenn der Künstler ihn nicht kannte oder an einem entlegenen Orte schuf. Das gilt besonders von Münzen. Wir werden daher niemals wissen, ob wir selbst ein inschriftlich beglaubigtes Bild für authentisch halten dürfen, wenn es nicht mit anderen von anderen Künstlern oder an anderem Orte geschaffenen in wesentlichen Merkmalen über-

1) Max Kemmerich, Die frühmittelalterliche Porträtmalerei in Deutschland, München 1907.

einstimmt oder durch literarische Belege erhärtet wird. Besitzen wir aber nur ein einziges Bild, dann werden wir ihm nur dann Glauben schenken dürfen, wenn es an einem Orte, an dem der betreffende Herrscher bekannt war, entstand. Denn selbstverständlich war in diesem Falle dem Künstler eine Phantasieschöpfung nicht gestattet, sondern nur dann, wenn etwa der Kaiser in Italien weilte, während er in Bremen, wohin der Herrscher nie gekommen war, malte, also bei g r o s s e n Distanzen.

Was die zweite Frage nach der Fähigkeit zur individuellen Wiedergabe einer bestimmten Person betrifft, so ist sie zweifellos in weit höherem Masse vorhanden, als man bisher anzunehmen geneigt war. Zweck des Porträts ist die Aehnlichkeit. Diese besteht in der Uebereinstimmung in Merkmalen; je grösser deren Zahl und Bedeutung ist, desto ähnlicher wird ein Porträt ausfallen. Aus diesem relativen Charakter des Porträts ergibt sich, dass die Fragestellung: wann tritt das erste Porträt auf? so unrichtig ist, als die Frage: wie viel Körner bilden einen Haufen? Es wird vielmehr die Aufgabe gewissenhafter Forschung sein, in jedem Zeitalter und — bei reiferer Kunst — bei jedem Künstler festzustellen, welche Merkmale auf Grund individueller Beobachtung regelmässig wiedergegeben werden, welche aber teils nach Idealen, teils nach handwerksmässigen Praktiken gebildet werden. Denn es ist klar, dass eine sogenannte Porträtsammlung völlig wertlos ist, wenn wir nicht den in ihr waltenden Wirklichkeitssinn zu bestimmen vermögen, denn dann ganz allein sind wir im Stande festzustellen, wie die dargestellten Personen wirklich aussahen. Nun habe ich konstatieren können — wegen der Details und Beweisführung muss ich auf mein zitiertes Werkchen verweisen —, dass das ganze frühe Mittelalter die Farbe der Augen, die der Haut, die Form von Augen, Ohren, Händen und — zumeist — Mund nicht individuell berücksichtigte, ebenso sich um Körperbau und Form der Stirn wenig gekümmert zu haben scheint, hingegen nachstehende Partieen porträtmässig behandelte: Barttracht, Frisur und Tonsur, Form von Gesicht und Nase, teilweise die Modellierung des Gesichtes, also tiefe Runzeln, Backenknochen, Grübchen und endlich die ungefähre Haarfarbe. Diese teils zunehmenden, teils abnehmenden Wirklichkeitssinn und technisches Geschick verratenden Teile, die hier ja nur ganz ungefähr namhaft gemacht werden konnten und in der Plastik mehr, in den schwierigeren Techniken, wie etwa in der Emailmalerei, weniger Porträtmerkmale aufweisen[1], genügen in der überwiegenden Mehrheit der Fälle vollkommen zur Identifizierung eines Herrschers. Denn um ein Bild als Porträt gelten zu lassen, braucht es durchaus nicht sämtliche Merkmale einer Person zu enthalten — das tun unsere modernsten Werke noch keineswegs, ja sie korrigieren in viel mehr Punkten, als zumeist bekannt ist, die Wirklichkeit nach Schönheitsidealen —, vielmehr ist es hinreichend, wenn es von einer Person so viele Merkmale der Wirklichkeit entsprechend festhält, dass diese dadurch von den zur Verwechslung in Betracht kommenden Personen sich unterscheiden lässt. Dass auch das frühe Mittelalter ein Porträt in diesem Sinne, d. h. ein unvollständiges, bezw. lückenhaftes, besass, kann keinem Zweifel mehr unterliegen.

Nachdem nunmehr festgestellt ist, dass eine Sammlung mittelalterlicher Porträts keineswegs wertlos ist, vielmehr den körperlichen Habitus der dargestellten Personen — worauf es allein ankommen kann — ziemlich genau, wenn auch nicht vollständig, zu rekonstruieren erlaubt, galt es, eine solche für die deutschen Herrscher anzulegen.

Schon Gustav Beckmann hat — wenn auch durchaus nicht als erster, so doch am nachdrücklichsten — auf die Notwendigkeit, in einem Porträtwerk die erhaltenen Darstellungen zu sammeln, hingewiesen[2]; die hohen Kosten und das geringe Interesse, das der äusseren Erscheinung von Aebten etc. entgegengebracht wird, liessen seine Anregungen leider nicht zur Ausführung kommen. Andererseits ist allerdings auch zu berücksichtigen, dass die einzelne Porträtdarstellung für uns in erster Linie nur insofern Wert besitzt, als sie uns zum Vergleichmaterial dient, um so die Porträtfähigkeit einer Epoche festzustellen. Darüber hinaus sind nur diejenigen grösseren Interesses sicher, die entweder als bedeutende Kunstwerke Geltung bean-

1) Darüber wird unter dem Titel 'Die frühmittelalterliche Porträtplastik in Deutschland' im Frühjahr 1908 ein Werkchen von mir erscheinen.
2) 'Ein Porträtwerk für das Mittelalter', Beilage zur Münchener Allgemeinen Zeitung 1903 n. 181 f. Die erste Sammlung von frühmittelalterlichen Porträts veröffentlichte ich im Repertorium für Kunstwissenschaft XXIX, 532—552 unter dem Titel 'Malerische Porträts aus dem frühen deutschen Mittelalter vom VIII. bis etwa zur Mitte des XIII. Jh.' Dieselbe Sammlung stark vermehrt bildet den Anhang meiner frühm. Porträtmalerei. Eine Zusammenstellung von plastischen Porträts derselben Zeit wird den Anhang meiner Porträtplastik bilden. Eine Ergänzung der malerischen Porträts folgt im XXXI. Bde. des Repertorium. Unter dem Titel 'Eine deutsche Kaiserikonographie' gab ich in n. 196 der Beilage z. M. Allgem. Ztg. 1907 Winke zur Anlegung einer solchen.

sprechen können — und diese sind zum grossen Teile schon längst in Kunstgeschichten publiziert — oder die die Züge grosser Männer festhalten. Dass hier die Kaiser in vorderster Reihe stehen, bedarf keiner Begründung. Mit andern Worten: Beckmanns Plan war zu umfangreich, um in absehbarer Zeit ausführbar zu sein.

Daraufhin stand ich mit mehreren grossen Verlagsanstalten in Unterhandlungen, die bezweckten, die Porträts deutscher Herrscher in einem monumentalen Tafelwerk herauszugeben. In erster Linie waren es kunsthistorische Erwägungen, die mich hier leiteten — ein besseres Vergleichmaterial und ein besserer Massstab zur Beurteilung der Porträtfähigkeit einer Zeit und der grösseren oder geringeren Entwickelung einer bestimmten Technik, als ihn diese zahlreichen von derselben Person erhaltenen Porträts bieten würden, existiert nicht —, dann sollte damit dem Historiker, dem Anthropologen und endlich dem Kostümforscher gedient sein. Allein die Unterhandlungen scheiterten am Kostenpunkt. Inzwischen hat Karl Brunner in einer fleissigen Arbeit den körperlichen Habitus von einer Reihe deutscher Herrscher festgestellt[1]. Leider erschien das Schriftchen ohne Abbildungen, und des Verfassers geringe Kenntnis der anderweitigen gleichzeitigen Erzeugnisse der Malerei liessen ihn die Porträtfähigkeit des Mittelalters und damit den ikonographischen Wert der einzelnen Bildner nicht immer richtig einschätzen.

Durch diese Schrift wurde ich an Herrn Prof. Albert Werminghoff verwiesen und ihm verdanke ich die Anregung zu nachstehender Materialsammlung. Nicht sowohl, dass er mir sein ganzes Material bereitwilligst zur Verfügung stellte, war für mich wertvoll — mir waren fast alle Porträts bereits bekannt —, sondern durch seine mannigfachen Anregungen, Literatur- und Quellennachweise, die er mir in entgegenkommendster Weise zukommen liess, hat er meinen Versuch wesentlich gefördert, vor allem aber mir den Mut gegeben, mit etwas Unvollkommenem vor die Oeffentlichkeit zu treten[2]. Denn nicht

---

1) Das deutsche Herrscherbildnis von Konrad II. bis Lothar von Sachsen. Diss. Borna-Leipzig 1905. Wertvoll, wenn auch nicht fehlerfrei, ist der Aufsatz von Max Bach, Deutsche Kaiserbilder des frühen Mittelalters, Beilage des Buchanzeigers für Württemberg 1905 S. 127 ff. Ich schrieb ausser den genannten Arbeiten 'Der körperliche Habitus deutscher mittelalterlicher Herrscher', Politisch-anthropologische Revue 1907, 5. Heft.

2) Vgl. auch A. Werminghoff, Neues Archiv XXVI, 82, N. 2 über die bildnerischen Darstellungen von Königs- und Kaiserkrönungen, die in

etwas Abgeschlossenes, nur eine Vorarbeit für das oben berührte monumentale Kaiserporträtwerk soll die nachstehende Sammlung sein.

Zwei Gesichtspunkte wären zur Anlegung einer solchen Sammlung möglich: Entweder die Aufführung aller durch Namen oder sonstige Hinweise beglaubigten Herrscherbilder, oder aber nur solcher, die einen grösseren oder geringeren Porträtwert beanspruchen können.

Wie ich in meiner 'frühmittelalterlichen Porträtmalerei' und an anderer Stelle[1] ausgeführt habe, ist im Mittelalter, aber auch in der Folgezeit, ein scharfer und grundsätzlicher Unterschied zu machen zwischen denjenigen Darstellungen, durch die der Künstler eine Person in ihrer authentischen Erscheinung wiedergeben wollte, also wie sie wirklich aussah, und denjenigen, in denen er ohne Rücksicht darauf ein Phantasiegebilde, entsprechend den Personen unserer illustrierten Bibeln, schuf. Erstere nenne ich Porträts, letztere Bildnisse[2]. Bildnisse wurden, wie wir sahen, vereinzelt sogar von noch lebenden Herrschern geschaffen, immer aber von verstorbenen, es sei denn, dass mehr oder weniger zufällig ein Künstler einen Codex mitsamt dem darin enthaltenen authentischen Porträt kopiert hätte, oder dass dadurch, dass das Idealbild durch Zufall die Züge des Herrschers trug, der Glaube erweckt wird, hier sei absichtlich die Porträttreue gewahrt worden; das trifft vereinzelt bei Heinrich II. zu, jedoch so wenig konsequent, dass ein grosses Bild von ihm von 1630 aus dem Bamberger Dom, jetzt im Nationalmuseum zu München, keineswegs den authentischen Porträts gleicht, wiewohl gerade in seiner Lieblingsschöpfung Bamberg eine Reihe guter Porträts das ganze Mittelalter hindurch be-

---

Westermanns Illustrierten Deutschen Monatsheften XCII (1902), 790 ff. reproduziert sind. Das Florentiner Relief stellt nach dem Repertorium für Kunstwissenschaft XXVI (1903), 262 f. nicht die Krönung Karls d. Gr., sondern diejenige Ferdinands von Aragonien 1459 durch den Kardinal Orsini zu Barletta dar. Reiches Material an Krönungsdarstellungen enthält die Petersburger Hs. der Grandes chroniques de St.-Denis, geschrieben für Philipp den Guten von Burgund, u. a. die Karls d. Gr., Karls des Kahlen und andere mehr; vgl. S. Reinach, Gazette des Beaux Arts XXXIX (1903), 276. XXX (1904), 378; ein Gemälde im Germanischen Nationalmuseum zu Nürnberg, die Kaiserkrönung Friedrichs III. darstellend und vielleicht um 1460 aus der Schule Dirk Bouts hervorgegangen, ist reproduziert in den Mitteilungen des Germ. Museums 1895, Tafel III zu S. 53 ff.

1) 'Ein Beitrag zur Frage vom Wert der Persönlichkeit im Mittelalter' in der Monatsschrift 'Deutschland' 1906/07 S. 337 ff.

2) Nach der von Alfred Lehmann, Das Bildnis bei den altdeutschen Meistern bis auf Dürer (Leipzig 1900) geschaffenen Terminologie.

wahrt wurden und dem suchenden Künstler mit Leichtigkeit zugänglich gewesen wären.

Man kann daher sagen, dass man sich um die authentische Erscheinung verstorbener Herrscher fast ausnahmslos keinen Deut kümmerte, bisweilen sogar dann nicht, wenn der Künstler den Herrscher gekannt hatte oder doch mit Leichtigkeit Informationen über dessen Aeusseres hätte einholen können. So ist z. B. Heinrich IV. in der bekannten Vatikanischen Hs. von Donizos Leben der Markgräfin Mathilde, die in Canossa wenige Jahre nach des Kaisers Tode geschrieben wurde, keineswegs porträtmässig wiedergegeben[1]. Ja sogar historische Beinamen berücksichtigte man nicht in illustrierten Werken, die ja fast ausschliesslich dem Unterhaltungs- und Kunstbedürfnis dienten. So wird Ludwig das Kind ohne weiteres als Greis mit Vollbart[2], Friedrich Barbarossa bartlos dargestellt[3]. Auch genau dieselbe Physiognomie wurde — selbst noch in Holzschnitten des XV. Jh. — unter verschiedenen Namen wiederholt verwandt. Da nun der Zweck dieser Sammlung, wie ich ihn auffasse, ganz ausschliesslich der ist, festzustellen, wie unsere alten Herrscher wirklich aussahen, so sind Bildnisse für uns völlig wertlos. Zudem würde bei deren ganz ungeheuer grosser Anzahl eine solche Sammlung ins Uferlose anschwellen und, m. E., die darauf verwandte Mühe in keiner Weise lohnen. Deshalb werden von mir ausschliesslich Porträts berücksichtigt werden.

Nun hat aber Herr Prof. Albert Werminghoff, desgleichen mein hochverehrter Lehrer Geheimrat Prof. Karl Lamprecht darauf hingewiesen, dass es nicht ohne Interesse sei, festzustellen, in welcher Gestalt die Herrscher in der Phantasie des Volkes fortlebten, bezw. ob sich für einzelne ein Typus nachweisen lasse. Nachdem ich nun trotz Clemens[4] gegenteiliger Behauptung die Ueberzeugung ge-

1) Farbige Abb. in MG. SS. XII, tab. III, bei L. Stacke, Deutsche Geschichte I, Tafel bei S. 372 und in O. Jägers Weltgesch. II, Tafel bei S. 180. 2) Im Codex 38 der Stadtbibl. zu Bremen. Vgl. Paul Clemen, Die Porträtdarstellungen Karls des Grossen, Aachen 1890, S. 227. 3) In der Gothaer Hs. der Sächs. Weltchronik. Farb. Abb. in Helmolts Weltgesch. VI, Leipzig 1906, Tafel bei S. 394. Ferner auf seinen sämtlichen Münzen mit einer einzigen Ausnahme. Natürlich lässt sich die Zahl dieser Inkongruenzen in infinitum vermehren. 4) Was Clemens Typus von Karl dem Grossen anlangt, so ist dieser nicht nur von der authentischen Erscheinung durchaus verschieden, sondern differiert auch nach Zeit und Ort, ist also **nicht** konstant, was doch erstes Erfordernis wäre. Allerdings stellt die grosse Mehrheit der Bilder ihn bärtig dar. Vgl. auch meine Bemerkungen bei Karl dem Grossen.

wonnen habe, dass sich ein solcher von keinem einzigen Herrscher, auch nicht von Karl dem Grossen, aufstellen lässt, vielmehr jeder Künstler die Figur, die ihm gerade einfiel, bisweilen ja wohl durch dichterische Ideale in gewissen Zügen beeinflusst, modellierte und zeichnete und sie dann beliebig taufte, so werde ich doch diejenigen Bildnisse und Handschriften mit Reihen solcher, die mir zufällig bekannt sind, wenigstens zum Teil berücksichtigen, desgleichen diejenigen, die ich dem Material des Herrn Prof. Werminghoff entnehme. Jedoch, wie ich ausdrücklich betone, ohne im entferntesten Vollständigkeit zu erstreben.

Trotzdem werden sich gegen meinen Willen unter die Porträts vielleicht manchmal Bildnisse einschleichen, und zwar deshalb, weil nur eine Vergleichung des gesamten für eine Person existierenden Porträtmaterials Schlüsse darauf zulässt, ob Porträtzüge sich finden, oder ob es sich nur um gleichzeitige Bildnisse handelt. Da nun solche Monographien ausser von Brunner und mir nicht existieren[1], so wird vielleicht in einzelnen Fällen unsere Sammlung nur Rohmaterial ohne kritische Sichtung enthalten. Hier muss bemerkt werden, dass eine solche nur auf Grund der Originale oder sehr guter Photographien möglich ist, denn die Reproduktionen vor Erfindung der mechanischen Verfahren lassen die erforderliche Genauigkeit durchgehends vermissen und sind als Grundlage zu weiteren Schlüssen ungeeignet.

Somit wird unsere Sammlung in erster Linie Porträts, also zeitgenössische Darstellungen von Künstlern, die die Herrscher persönlich oder mindestens nach Hörensagen kannten, enthalten. Und zwar natürlich nur solche, die heute noch existieren oder die in zuverlässigen Abbildungen erhalten sind. Bildnisse — ausser als Appendix — versehentlich in den Fällen, in denen eine kritische Sichtung noch nicht vorgenommen werden konnte. Hier war es bei dem Bestreben nach möglichster Vollständigkeit besser, zu viel als zu wenig Material herbeizuschaffen. Dass trotzdem von Vollständigkeit kaum die Rede sein kann, wird jeder verstehen, der die einem solchen ersten Versuche entgegenstehenden Schwierigkeiten kennt. Hoffentlich wird das Bestreben, die bessernde Hand anzulegen, eine intensive Durchforschung unserer Bibliotheken, Archive, Kirchen, Grabsteine[2] und Sammlungen veranlassen.

---

1) In meiner frühmittelalterlichen Porträtplastik werde ich noch einige Kaiser ikonographisch behandeln. 2) Eine Zusammenstellung

Von den literarischen Porträts sind ausschliesslich die glaubwürdigen zeitgenössischen Schilderungen berücksichtigt, während solche von späteren, besonders Dichtern, prinzipiell ausgeschlossen blieben.

Wo anthropometrische Notizen zu erlangen waren, habe ich sie als wertvollste Ergänzungen des künstlerischen und literarischen Materiales aufgeführt. Leider sind die Ausgrabungen unserer Herrschergräber im Speierer Dom, ungeachtet der sieben Jahre, die seitdem vergingen, immer noch nicht der Wissenschaft zugänglich gemacht worden[1].

Von den Abbildungen führte ich diejenigen auf, die ich für die besten hielt, manchmal die einzige mir bekannte. Einen vollständigen Nachweis aller Publikationen musste ich schon deshalb unversucht lassen, weil einige der bekanntesten Kaiserporträts zum eisernen Bestande jeder Kunstgeschichte gehören.

Theoderich der Grosse, geb. 454, König der Ostgoten 475, König von Italien 493, gest. 526, Grabmal ohne Porträt in Ravenna. Abbild. im Aufsatz von Dunn in der Zeitschrift für bildende Kunst N. F. XVII (1906), 245 ff., und Henne am Rhyn, Kulturgeschichte des deutschen Volkes, I, 2. Aufl., Berlin 1892, S. 59. Münzporträt mit Kopf, in Italien geschlagen. Vgl. Dannenberg, Grund-

---

der Gräber unserer mittelalterlichen Kaiser und ihrer Angehörigen fehlt leider, da diejenige bei W. Weitzel, Die deutschen Kaiserpfalzen und Königshöfe (Halle a. S. 1905) S. 123 ff. nicht diesen Namen verdient; Einzelangaben finden sich natürlich in den Regesta imperii bezw. in den Jahrbüchern der deutschen Geschichte. 1) Das einzige, was bisher darüber publiziert wurde, ist zu finden im Aufsatz von H. Grauert, Die Kaisergräber im Dome zu Speier, SB. der k. b. Akademie der Wissensch., Phil.-hist. Klasse 1900 S. 539—618 und bei Schwartzenberger, Der Dom zu Speier, Neustadt a. d. Haardt 1903, II, S. 51 ff. und 396. — Wiewohl ich jahrelang im Seminar des Prof. Johannes Ranke, der mit Dr. Birkner und Dr. Wolfgang Schmid die Ausgrabungsarbeiten leitete und die Vermessungen vornahm, arbeitete, waren nähere Angaben nicht erhältlich. Hingegen erfuhr ich von anderer Seite, dass ein behördlicher Wunsch die Mitteilung weiterer Daten bis zum, hoffentlich nicht ad Calendas Graecas vertagten, Erscheinen der offiziellen Publikation untersagt habe. — Es ist dringend zu wünschen, dass von den Behörden endlich die nötigen Mittel zur Publikation gewährt werden und die Beamten die erforderliche Zeit erhalten, um die Resultatè der Ausgrabungen nicht länger der Wissenschaft vorzuenthalten. Was die anthropolgischen Ergebnisse anlangt, so sind sie schon längst druckfertig abgeliefert worden. Die gegenwärtige Geheimnistuerei scheint zwar bei Gewehrmodellen angezeigt, nicht aber im vorliegenden Falle. — Hier sei auf meinen längeren Aufsatz über die Lebensdauer, Geburtenhäufigkeit, Todesursachen etc. etc. der deutschen Herrscherfamilien verwiesen, der im Laufe dieses Jahres im Werke 'Saluti senectutis' von Alfred von Lindheim und gleichzeitig als Sonderabdruck erscheinen wird.

züge der Münzkunde, in Webers illustrierten Katechismen Taf. VI, n. 43.

Alarich, geb. c. 370. gest. 410. Porträt auf einem Saphir nach H. Knackfuss, Deutsche Kunstgeschichte, Leipzig 1888, I, 6.

Klodwig (Chlodowech) I., geb. 465, König 481, gest. 511, begraben in der Kirche der hl. Genoveva zu Paris. Aelteste Bildnisse: 1) auf einem Elfenbeindiptychon in Amiens, 2) in der Kirche Ste.-Geneviève, Skulptur, 3) am Portal von Notre Dame du Mans, 4) am Portal von St.-Germain-des-Prés, 5) am Portal von Notre Dame zu Paris, 6) am Portal der alten Kirche zu Corbeil. Diese Zusammenstellung nach Clemens Porträtdarstellungen S. 2 mit Literaturnachweis. Da Clemen nicht immer zuverlässig zitiert und manchmal sich auf Werke beruft, die bibliographisch weder auf der Staatsbibliothek in München und der Kgl. Bibliothek zu Berlin, noch im Katalog des British Museum festzustellen waren, so dürfte es sich empfehlen, diese Bildnisse zunächst zu suchen bei: Montfaucon, Monuments de la monarchie françoise I, Paris 1729; ferner bei Agincourt, Denkmäler der Skulptur, Berlin; Lacroix, Les arts au moyen âge I, Paris 1869; de Witt, Les Chroniqueurs de l'histoire de France I, Les premiers rois de France, Paris 1895, mit guten Abbildungen, allerdings zumeist nach Montfaucon; Vitry et Brière, Documents de sculpture française du moyen âge, Paris 1904. Auch die anderen Könige, die weiter unten genannt sind, und mehrere nicht aufgeführte Herrscher und Herrscherinnen sind in den genannten Werken abgebildet. Zeitgenössisch scheint allein der Grabstein Fredegundes mit völlig zerstörtem Gesicht zu sein. 7) Auf der Tapisserie von St.-Remi zu Reims, XV. Jh., farb. Abbild. bei Lacroix und Seré, Le moyen âge II, Paris 1849, 'la tapisserie', Tafel am Schluss.

Chlotilde, ehemals am Portal der Kirche St.-Germain-des-Prés, Abbild. Montfaucon Monuments I, pl. VII, und Agincourt, Denkmäler, Tafel XXIX, n. 8.

Childebert I., König 511, gest. 558. Aelteste Bildnisse: 1) im Chor von St.-Germain-des-Prés, 2) im Refektorium ebenda, 3) in der Unterkirche von St.-Médard zu Soissons, 4) im Chor von Notre Dame zu Paris, 5) am Portal von St.-Denis, 6) am Portal von St.-Germain-d'Auxerrois, 7) am Portal der Kathedrale von Bourges. Sämtlich nach Clemen, Porträtdarstellungen S. 2.

Chilperich (I.?). Bildnis auf seinem nach Agincourt frühestens im XI. Jh. wiederhergestellten Grabmal in St.-Germain-des-Près zu Paris. Abb. Agincourt, Denkmäler XXIX, n. 30, Text S. 25; Montfaucon, Monuments I, pl. XII.

Childebert II.[1], geb. 571, gest. 596. Porträtsiegel. Abb. bei de Witt, Les chroniqueurs de l'histoire de France, Paris 1895, I, 181.

Dagobert I., König 628, gest. 638. Porträtsiegel. Abb. bei de Witt I, 159. Aelteste Bildnisse: 1) in der Hs. der Vita S. Audomari in der Stadtbibliothek zu St.-Omer. Abb. Hefner-Alteneck, Trachten und Gerätschaften des christlichen Mittelalters I, 2, 27. 2) Figur am Hauptportal der Eingangsfaçade von St.-Denis. Abb. Montfaucon I, pl. XVII; Agincourt Tafel XXIX, n. 13. 3) Sitzende Figur im Chor von St.-Denis. Abb. Montfaucon I, pl. XII; Agincourt Taf. XXIX, n. 12. 4) Reiterstatue am Strassburger Münster; vgl. Franz X. Kraus, Kunst und Altertum im Unterelsass S. 366 und 469. 5) Im Tympanon der Florentiuskirche zu Niederhaslach. Kraus a. a. O. S. 147. 6) Grosses Grabmal in St.-Denis. Abb. Montfaucon I, pl. XIV. — Die Zusammenstellung teilweise nach Clemen, Porträtdarstellungen S. 3.

Fredegunde. Porträt auf ihrer Grabplatte, die nach Eckhard, Commentarii de rebus Franciae orientalis (Paris 1729) das einzige Ueberbleibsel von Grabmalen merovingischer Könige ist. Das Gesicht völlig zerstört. Abb. Eckhard I, 159; Ruinart, Gregorii episcopi Turonensis opera, Paris 1699, p. 1375.

Merovingische Münzen mit Köpfen von Theodebert, Childebert II., Chlotar II., Dagobert, Chlodwig II., Sigebert II. von Austrasien und Childerich, zumeist erschreckend roh, besonders in der späteren Zeit. Abb. bei Henne am Rhyn, Kulturgeschichte, I², S. 89, und bei de Witt I, passim. Vgl. auch A. de Belfort, Description générale des monnaies Mérovingiennes, Paris 1892—1895; 5 Bände mit Reproduktionen sämtlicher bekannter Münzen.

Childerich II., gest. 673. Siegelring, wohl mit authentischem Porträtkopf, aus seinem Grabe bei Doornik. Abb. bei Henne am Rhyn, I, 77.

Chilperich II., gest. 720. Porträt auf seinem Siegelring. Abb. bei de Witt I, 182.

---

1) de Witt nennt ihn III., was wohl irrtümlich sein dürfte.

Bildnisse der langobardischen Könige Ratchis, Rotharis, Aistulf und des Herzogs Arechis im Cod. D. 117 der Kgl. Bibliothek zu Madrid. Farb. Abb. dieser sehr rohen Miniaturen bei Baudi a Vesme, Edicta regum Langobardorum (Monumenta hist. patr.) Tab. p. 21. 153. 165 und 201. Vgl. Clemen, Porträtdarstellungen S. 75. Dieselben im Codex des Klosters S. Trinità della Cava im Fürstentum Salerno, nach Clemen, Porträtdarstellungen S. 76.

König Agilulf (590—616). 1) Gleichzeitiges Bild, vielleicht Porträt, und dann das älteste — von Münzbildern und merovingischen Siegeln abgesehen —, das wir von einem germanischen Herrscher besitzen, auf einer Kupferplakette im Nationalmuseum zu Florenz, seine Krönung darstellend aus dem VII. Jh. Abb. bei Venturi, Storia dell' arte Italiana II, Mailand 1902, p. 84. Text p. 665 sq.

Zwei Bildnisse der Langobardenkönigin Theudelinde, Relief am Eingang des von ihr 595 gestifteten Domes zu Monza, jetzt über der Haupttür des Domes, sie mit zwei Prinzessinnen darstellend. Mangelhafte Abb. bei Knackfuss, Deutsche Kunstgeschichte, Bielefeld 1888, I, 12. Vortrefflich reprod. bei Max Gg. Zimmermann, Oberitalienische Plastikp im frühen und hohen Mittelalter, Leipzig 1897, S. 10. Die Skulpturen dürften zweifellos erst um 1200 entstanden sein.

König Ratchis, Bildnis nach einem Codex des Edictus regum Langobardorum, Abb. bei H. Bergner, Handbuch der bürgerlichen Kunstaltertümer, Leipzig 1906, S. 505.

Zu obiger Zusammenstellung sei bemerkt, dass es sich fast ausschliesslich um Bildnisse handelt, und dass die frühen Abbildungen ein wenig zuverlässiges Vergleichsmaterial gewähren. Die Liste liesse sich ohne Mühe an Hand der genannten Werke vervollständigen, doch scheint mir das nutzlos. Dass die merovingische Kunst in gewissem Sinne die Porträtfähigkeit besass, ist im Hinblick auf die Siegel, von denen einige in meiner Porträtplastik reproduziert werden, wahrscheinlich, da aber alle Originalskulpturen vernichtet sind, nicht nachweisbar.

Auch von Pippin (geb. c. 715, König 751, gest. 24. Sept. 768 zu Paris) scheinen weder Porträts noch literarische Schilderungen zu existieren.

Bildnisse: 1) Siegel. Abb. bei de Witt, Les Chroniqueurs p. 204. Im Gegensatz zu einigen der Merovinger wohl ohne jeden Porträtwert. 2) Auf einem Kapitel der Unterkirche von St.-Denis. 3) Basrelief an der Façade von Sainte-Croix zu Bordeaux. Abb. bei de Witt, Les Chroniqueurs I, p. 19. 4) Grabmal in St.-Denis. 5) In der Galerie des roix an Notre Dame zu Paris, 1793 zerstört. 6) In St. Maria am Kapitol zu Köln. 7) Reliefbildnis in Fulda. 8) Miniatur im Codex Aureus der herzogl. Bibliothek zu Gotha. 9) In einer Hs. der herzogl. Bibliothek zu Wolfenbüttel. 10) Am Suitbertuschrein zu Kaiserswert. Abb. bei E. aus'm Weerth, Kunstdenkmäler des christlichen Mittelalters aus den Rheinlanden II, 44, Taf. XXX, 2. 11) Im Codex 84 der herzogl. Bibliothek zu Gotha. Abb. in meiner Frühmittelalterlichen Porträtmalerei S. 21. 12) Im Codex Cavensis. 13) Im Codex Ord. 1, 2 im Archiv des Domkapitels zu Modena. Vorstehende Zusammenstellung zumeist nach Clemen, Porträtdarstellungen, zitiert. 14) Im Registrum Prumiense des Staatsarchivs zu Coblenz. Abb. bei St. Beissel in der Zeitschrift für christliche Kunst XIX, 1906, S. 41.

Das Grabdenkmal der Plectrudis, Gemahlin Pippins von Heristal, aus dem XII. Jh. befindet sich in der Kirche St. Maria auf dem Kapitol zu Köln.

Karl der Grosse, gest. 28. Januar 814, bestattet im Münster zu Aachen.

A. Literarische Porträts: 1) Einhard, Vita Karoli c. 22: 'Corpore fuit amplo atque robusto, statura eminenti, quae tamen iustam non excederet — nam septem suorum pedum proceritatem eius constat habuisse mensuram —, apice capitis rotundo, oculis praegrandibus ac vegetis, naso paululum mediocritatem excedenti, canitie pulchra, facie laeta et hilari. Unde formae auctoritas ac dignitas tam stanti quam sedenti plurima adquirebatur. Quamquam cervix obesa et brevior, venterque proiectior videretur: tamen haec caeterorum membrorum celabat aequalitas. Incessu firmo, totaque corporis habitudine virili, voce clara quidem, sed quae minus corporis formae conveniret: valetudine prospera, praeter quod, antequam decederet, per quatuor annos crebro febribus corripiebatur, ad extremum etiam uno pede claudicaret'. 2) Poeta Saxo V, v. 333 ff., Poetae Carol. IV, 63. Umschreibung der Stelle Einhards. 3) Theodulf in seinem Gedicht über den Avarensieg 796, v. 13—19, Poetae Carol. I, 483. 4) Angilbert in seinem Epos 'Carolus Magnus et Leo papa', Poetae Carol. I, 366. 5) Hadrian, Poetae Latini I, 90. Die drei letztgenannten geben keine eigentliche Körperschilderung, ebensowenig die anderen, über welche Clemen, Porträtdarstellungen S. 18 ff. zu vergleichen ist.

B. Ikonographische Porträts, bezw. etwa zeitgenössische Bildnisse: 1) Bleibulle gelegentlich der Kaiserkrönung geschlagen, im Cabinet des antiques zu Paris. Abb. bei Clemen, Porträtdarstellungen S. 24. Vgl. Text S. 24 ff. Die Authentizität ist nicht einwandfrei. 2) Eine weitere Bleibulle mit bartlosem Gesicht (Jugendporträt?) in der Bibl. Nationale zu Paris. Abb. bei Henne am Rhyn Taf. bei S. 178, n. 1 und de Witt, Les chroniqueurs I, 251. 3) Reiterstatuette im Musée Carnavalet zu Paris. Abb. bei Clemen S. 46, besser bei Wolfram, Die Reiterstatuette Karls des Grossen aus der Kathedrale von Metz, Strassburg 1890, ferner in meiner Porträtplastik. Der Literatur bei Clemen, Porträtdarstellungen S. 45—64 ist ausser Wolframs zitierter Monographie noch nachzutragen: Clemen, Merovingische und Karolingische Plastik, Jahrbuch des Vereins für Altertumsfreunde im Rheinlande 1892 S. 142 ff.; dagegen C. Wolfram in der Zeitschrift für bildende Kunst 1894 S. 164 und derselbe im Bericht über die 7. Versammlung deutscher Historiker zu Heidelberg 14—18. April 1903 S. 19 ff. Nach Wolfram wäre sie ein Werk der Renaissance. M. E. ist dies hinsichtlich des Pferdes richtig, der Reiter scheint jedoch karolingisch zu sein und zwar ein Porträt Karls des Kahlen. Vgl. auch Revue Archéologique, Januar-Februar 1901 und die Ausführungen in meiner Porträtplastik. 4) Mosaik im Triklinium des Lateran, wiederholt stark restauriert. Farb. Abb. bei O. Jäger, Weltgeschichte, 2. Aufl. Bielefeld 1890, II, Tafel bei S. 74, ferner bei Graevenitz, Deutsche in Rom, Leipzig 1902, S. 23 und Clemen S. 41. Vgl. dazu Seymour de Ricci, La Barbe de Charlemagne, Revue Archéologique XXXVIII, 245 sq. 5) Miniatur im Cod. 2 der Klosterbibl. von St. Paul in Kärnten, angeblich Karl mit Gemahlin darstellend. Abb. in Helmolts Weltgeschichte VI, Tafel bei S. 78. Vgl. Clemen S. 67 ff. Nach K. v. Amira stellt das Bild vielleicht eine Verkündigung dar. Die männliche Figur wäre dann der Engel, die weibliche Maria. Keinesfalls besitzt das Bild, so wenig wie die anderen von Clemen herangezogenen Miniaturen, Porträtwert und es besteht keinerlei Veranlassung, es auf Karl zu deuten. Vgl. dazu R. Eisler, Beschreibendes Verzeichnis der illuminierten Hss. in Oesterreich III, Kärnten, S. 101 mit weiterer Literatur. 6) Ueber die weiteren sehr strittigen Porträts vgl. Clemen S. 69 ff. und meinen Versuch einer Widerlegung in der Frühmittelalterl. Porträtmalerei S. 20 ff. mit Abbildungen. Vielleicht ist das bei St. Beissel, Geschichte der Evangelienbücher, Freiburg i. B. 1906,

S. 194, N. 2 erwähnte Bild mit der Legende 'David imperator' im Evangeliar Lothars aus Prüm noch hier zu nennen. M. E. besitzen wir von Karl ausser Münzbildern und — eventuell — der Reiterstatuette kein einziges zweifellos beglaubigtes und unberührtes zeitgenössisches Porträt, womit natürlich keineswegs gesagt ist, dass solche nicht ehedem existierten. Vgl. darüber v. Schlosser, Beiträge zur Kunstgeschichte in den SB. der kgl. Akademie der Wissenschaften, Phil.-hist. Klasse CXXII, Wien 1890, S. 121 ff. und Fr. Leitschuh, Geschichte der karolingischen Malerei, Berlin 1894, S. 241 f. Porträtsiegel gibt es ebenfalls nicht. Ueber die Münzbilder vgl. die Literatur bei Clemen S. 25 f. und meine Porträtplastik. Abb. 1 Münze mit Schnurrbart aus Trier bei L. Stacke, Deutsche Geschichte I, 2. Aufl., S. 186. Abb. von drei Denaren bei Henne am Rhyn I, Tafel bei S. 210, n. 1, 2 und 3. Die bei Dannenberg, Die deutschen Münzen der sächsischen und fränkischen Kaiserzeit, n. 295—305 abgebildeten Münzen sind bartlos. Der erste Versuch einer Ikonographie Karls mit Abb. stammt von J. G. Eccard, Dissertatio de imaginibus Caroli Magni et Carlomanni, regum Francorum, in gemma et nummo Iudaico repertis, Lüneburg 1719. Unkritisch, aber interessant.

Anthropometrische Daten: Bei der Eröffnung des Grabes 1843 und 1861 fand man ein vollständiges Skelett mit Ausnahme des Schädels. Durch diese Untersuchung ward zur Gewissheit erhoben, dass Karl in der Tat von ganz ungewöhnlicher Grösse und Stärke gewesen, die Schlüsselbeine sind auffallend lang, der Brustkorb geräumig, die wiederholt durch die Aerzte Dr. Monheim und Dr. Lauffs vorgenommene Vermessung ergab die bedeutende Grösse von 1,92 m. Der vom Skelett abgesondert in der Schatzkammer aufbewahrte Schädel, in eine vergoldete Büste gefasst, zeigt grossen Umfang, stark ausgeprägte Stirnhöcker, die Stirn steigt fast senkrecht empor, das os parietale zeigt hinter der sutura frontalis zwei bedeutende Erhöhungen, die nach den squamae zu sich verlaufen[1].

1) Die von Clemen zitierten Aufsätze in der Aachener Zeitung 1861 n. 64 und im Echo der Gegenwart 1861 1. und 2. März waren mir nicht zugänglich. Desgleichen ist mir nicht bekannt, ob die vermessenden Aerzte, was doch zu vermuten ist, an anderer Stelle über ihre Befunde eingehender berichtet haben. — Vgl. Clemen S. 16 und 17, N. 1. Die hier zitierte Stelle im Bd. XVI. der Jahrbücher ist völlig belanglos. Das bei Bock,

Posthume Bildnisse: Von der zahllosen Menge seien ausser den von Clemen mit grossem Fleisse zusammengestellten noch folgende genannt: 1) Oelgemälde von Albrecht Dürer. Abb. u. a. bei Henne am Rhyn I, 107; de Witt, Les chroniqueurs p. 278. 2) Zeichnung von Dürer in der Albertina in Wien. Facsimile in Handzeichnungen von Albrecht Dürer aus der Albertina in Wien, Nürnberg 1906, Tafel 48. Dieses Bild ist bartlos! Ein zwingender Beweis dafür, dass Dürer keineswegs an einen Typus gebunden war, sondern vielmehr aus der Phantasie schuf. Der Kopf seines Freundes Stabeus fand eben nur mehr Anklang als der bartlose. 3) Relief im Dom zu Fulda. Abb. bei G. Richter, Beiträge zur Geschichte der Grabeskirche des hl. Bonifatius. Festgabe zum Bonifatiusjubiläum 1905 S. LXII. 4) Zeichnung von Holbein. Abb. bei Knackfuss, Holbein (Künstlermonographien n. 17) S. 41. 5) Statue am Portal zu Neustadt am Main. Erwähnt bei Bode, Geschichte der deutschen Plastik S. 69. 6) Zeichnung von 1462 als Titelbild bei C. Wolff, Der Kaiserdom in Frankfurt am Main, 1892. 7) Broncerelief am Rathaus zu Lübeck. 14. Jh. Vgl. Hasse, Kaiser Friedrichs I. Freibrief für Lübeck. 8) Im Registrum Prumiense zu Coblenz. Abb. bei St. Beissel, Zeitschrift für christliche Kunst XIX, 43. 9) Statue am Römer zu Frankfurt. 16. Jh. 10) Medaillonbild im Welfenstammbaum im Cod. D. 11 der Bibliothek zu Fulda f. 13^b. mit ganz kurzem Spitzbart und stark gekrümmter schmaler Nase! 12. Jh. Ex.[1] Schon ein Vergleich der genannten Bildnisse wird ergeben, dass die von Clemen für Karl aufgestellten Typen nur eine sehr beschränkte Geltung besitzen. Solche hat das Mittelalter von keinem einzigen Herrscher geschaffen; Karl bildet nur in zeitlicher und örtlicher Begrenzung eine Ausnahme.

Ludwig der Fromme, gest. 840, bestattet in der Kirche des hl. Arnulf zu Metz (seit 1552 zerstört).

Gleichzeitige Bildnisse, vielleicht auch Porträts darunter: 1) Siegel. Abb. bei de Witt I, 343. 2) In dem von Hrabanus stammenden, etwa gleichzeitigen,

---

Karls des Grossen Pfalzkapelle und ihre Kunstschätze S. 110 abgedruckte Eröffnungsprotokoll vom 27. II. 1861 kann, da hier die Namen der assistierenden Aerzte genannt sind, vielleicht auf die Spur der anthropologischen Literatur führen. 1) Grabdenkmal des Sachsenführers Widukind (saec. XII) in der Kirche zu Engern in Westfalen.

Cod. 652, olim Theol. 39, der Hofbibl. zu Wien. Abb. in von Schlossers Aufsatz im Jahrbuch der kunsthistorischen Sammlungen des a. h. Kaiserhauses XIII, Wien 1892, S. 9. 2) Miniatur, sehr ähnlich der vorigen, bartlos, also nur für die Jugend des Kaisers in Frage kommend und ebenfalls etwa gleichzeitig — ich halte beide für gleichzeitige Bildnisse — im Ms. 233 der Bibl. von Amiens. Abb. bei A. Boinet, Notices sur deux manuscrits, in der Bibliothèque de l'école des chartes LXV, Taf. II. 3) Verschollene Miniatur aus einem Codex der Bibl. National in Paris. Zuerst von Paulus Petavius in seinem 1610 zu Paris erschienenen Werk, In Francorum curia consilia Antiquariae supellectilis portiuncula, sicher ganz ungenau, und danach sehr oft reproduziert. Bärtig. Bei de Witt p. 341 richtig als Ludwig bezeichnet, während Clemen, Petavius folgend, es für Karl hält und trotz der Bärtigkeit zu seiner Ikonographie verwendet![1] 4) und 5) zwei sehr schlechte Münzen. Abb. bei Henne am Rhyn I, Tafel bei S. 210, n. 6 und 7. 6) Eine ganz schöne, antikisierende, jedoch unbärtige und daher nur bildnismässige Münze. Abb. bei Stacke, Deutsche Geschichte I[2], 206. 7) Vielleicht ist der bärtige Herrscher auf dem Adelochus-Sarkophag in der St. Thomaskirche zu Strassburg ein Porträt Ludwigs. Es befindet sich auf der Schmalseite des Kopfendes. Vgl. Fr. X. Kraus, 'Kunst und Altertum in Elsass-Lothringen' I, 535 f. mit mangelhaften Abb. Vgl. dazu meine Ausführungen in der 'Porträtplastik'.

Literarische Porträts: 1) Theodulf, Carmen XXV, v. 71 sq., Poetae Carol. I, 485. 2) Thegan, Vita

1) Clemen hält das Bild für ein Porträt Karls des Grossen, Porträtdarstellungen S. 72, mit Angabe früherer Reproduktionen, wiewohl es dem von ihm festgestellten körperlichen Habitus des Kaisers ganz und gar nicht entspricht und z. B. vollbärtig ist, während Karl nur Schnurrbart trug. Die aus ikonographischem Material gewonnene Körperbeschreibung Karls ist mit Rücksicht auf dessen Bestrittenheit als durchaus verfehlt zu betrachten, trotzdem ist Clemens Facit richtig, da er Einhard mehr Glauben schenkt als den bildlichen Darstellungen. Jedenfalls ist zu unserer Sammlung karolingischer Bildnisse Clemen zu Rate zu ziehen. — Nach de Witt, Les chroniqueurs I (Abb. p. 341) soll das von uns für Ludwig erklärte Bild aus dem Ms. Lat. 5927 der Pariser Nat. Bibl. stammen. Nachprüfung war mir nicht möglich, doch bezweifle ich die Angabe, da der Catalogus codicum manuscriptorum Bibl. regiae, Paris 1744, III, 177 in diesem dem 11. Jh. zugeschriebenen Werke keine Miniaturen erwähnt und überdies alle das Porträt erwähnenden Autoren feststellen, dass das Original verschollen sei. — Die einzige Münze, der ich vielleicht Porträtwert beimessen möchte, ist eine bärtige unpublizierte im Kgl. Münzkabinett in München.

Hludowici imp. c. 19, MG. SS. II, 594 sq.: 'Erat enim statura mediocri, oculis magnis et claris, vultu lucido, naso longo et recto, labiis non nimis densis nec nimis tenuis, forti pectore, scapulis latis, brachiis fortissimis, ita ut nullus ei in arcu vel lancea sagittando aequiperare poterat: manibus longis, digitis rectis, tibiis longis et ad mensuram graciles, pedibus longis, voce virili ...... dentes candidos'. Folgt eine eingehende Beschreibung der Gewohnheiten.

Bildnisse: 1) Ludwigs Kirchenbusse in Compiègne aus der Chronik von St.-Denis, 14. Jh. Vgl. Gazette des beaux arts 1903, XXIX, 273. 2) Im Codex Cavensis fol. 233. Vgl. Clemen, Porträtdarstellungen S. 77.

Seine Gemahlin Kaiserin Judith: Porträt(?) im Cod. ms. Lat. 22 fol. 5 der Bibliothèque publique in Genf. Abb. von Schlosser im Jahrbuch des a. h. Kaiserhauses XIII, 4.

Lothar I., Kaiser 823, gest. 855 in Prüm, daselbst begraben. Seine Gebeine 1860 aufgefunden.

Porträts: 1) Jugendbild im Psalter von Ms. Ellis und White in London aus der Abtei St. Hubert in den Ardennen stammend. Abb. in Palaeographical Society III, Tafel 93 (London 1873—83). 2) In seinem Psalter in der Nationalbibl. zu Paris Ms. Lat. 266, vorzügl. reprod. bei Graf Auguste de Bastard, Peintures et Ornements des manuscrits, Paris 1832—1869, IV, fol. 116 (des Münchener Exemplars), danach oft, z. B. Lehmann, Das Bildnis bei den altdeutschen Meistern bis auf Dürer (Leipzig 1900) S. 22, wiederholt. 3) Gemme in Bergkristall auf seinem Kreuz im Münsterschatz zu Aachen, soll von seinem Siegelring stammen. Vgl. Fr. Bock, Der Reliquienschatz des Liebfrauenmünsters zu Aachen, Abb. p. 67 (sehr klein) und besser bei Bock, Karls des Grossen Pfalzkapelle S. 35, sowie in meiner Porträtplastik. 4) Siegel an einer Urkunde von 841 im Archiv zu Fulda. Abb. bei Carl Heffner, Die deutschen Kaiser- und Königssiegel nebst denen der Kaiserinnen und Königinnen und Reichsverweser, Würzburg 1875, Tafel I, n. 3; vgl. auch Text S. 2 (wohl antik).

Bildnisse: 1) 'Lodhari rex, dux Alamannorum' im Cod. Lat. 4404 der Bibl. Nationale zu Paris aus dem Anfang des 9. Jh. Nach Clemen, Porträtdarstellungen S. 74. Da das Bild mir nicht näher bekannt ist, weiss ich weder, ob dieser Lothar mit dem Kaiser identisch ist, noch ob es sich um Bildnis oder Porträt handelt. 2) Im Codex Cavensis fol. 255. Nach Clemen, Porträtdarstellungen S. 77. 3) Im Registrum Prumiense des Staatsarchivs zu Coblenz. Abb. von Beissel in der Zeitschrift für christliche Kunst XIX, 45 aus dem 13. Jh.

Ein fränkischer Fürst. Porträt cod. Lat. 1141 der Nationalbibl. zu Paris. Vgl. meine Porträtmalerei S. 33, Anm. 35. Abb. bei Janitschek, Geschichte der Malerei S. 35; Henne am Rhyn I, 129.

Karl der Kahle[1], Kaiser 875, gest. 877 in Nantua, wo ein einst von Richerius, Chronicon Senoniense III, 17, SS. XXV, 296 beschriebenes Grabmal stand.

Porträts: 1) in seinem Gebetbuch in der Kgl. Schatzkammer zu München, 2) in seiner Bibel, Viviansbibel in der Pariser Nationalbibl. ms. Lat. 1, mit zwei Prinzen, 3) in seinem Psalter in der Pariser Nationalbibl. ms. Lat. 1152, 4) im Codex Aureus Cod. lat. 14000 (Cim. 55) der Hof- und Staatsbibl. in München, gemalt 870 in Corbie an der Somme, 5) in der Bibel von San Calisto im Kloster San Paolo fuori le mura bei Rom. Abb. der genannten Miniaturen in meinem Aufsatz 'Die Anfänge der deutschen Porträtmalerei; die Porträts Kaiser Karls des Kahlen', Zeitschrift für bildende Kunst N. F. X (1906), S. 147—160 und 'Frühmittelalterliche Porträtmalerei' S. 31 f. 6) Reiterstatuette im Musée Carnavalet. Siehe unter Karl dem Grossen. Auch Leitschuh, Geschichte der karolingischen Malerei, hält das Werk für ein Porträt Karls des Kahlen (S. 242, N. 2), was ich fand, nachdem ich selbständig zum gleichen Resultat gekommen war. 7) Bei Montfaucon I, Text p. 306 ist ein kupfernes Grabrelief von seinem Grabe in St.-Denis, Abteikirche, nach dem Porträt in der Calistobibel wohl im 11. Jh. angefertigt, beschrieben. Was Montfaucon p. 301 sq., Abb. Taf. XXVI sq., über die Porträts Lothars und Karls des Kahlen ausführt, ist bemerkenswert als erster ikonographischer Versuch.

Bildnisse: 1) Auf seinem Siegel. Abb. bei de Witt I, 381. Bartlos und den Miniaturen unähnlich, mit üppigem Haarwuchs, vielleicht ein Jugendporträt. 2) Im Prümer Liber Aureus. Nach Lamprecht, Wirtschaftsgeschichte II, 741. Da

1) Der Beiname 'der Kahle' ist nach Ernst Dümmler, Geschichte des ostfränkischen Reichs II², 55 und N. 68 schon vom Zeitgenossen Hucbald von St. Amand, der dem Kaiser sein Gedicht in laudem calvorum widmete (Poetae Carol. IV, 265 sqq.) gebraucht. Dass er gegen Ende des Lebens — das Gedicht ist nach Wattenbach, Deutschlands Geschichtsquellen I⁷, 335 erst um 876 verfasst — kahl war, scheint danach festzustehen und lässt sich, da auf den späteren Porträts der Scheitel stets von der Krone bedeckt ist, mit ihnen auch vereinigen; in der Jugend war er aber, wie die Porträts beweisen, nicht kahl. Der Beiname kann daher auch von seinem kurzen Haarschnitt kommen. — Richer und Liudprand sind die ersten Geschichtschreiber, die seinen Beinamen gebrauchen.

mir das Bild nicht näher bekannt ist, könnte es, als etwa gleichzeitig, vielleicht Porträtwert besitzen. 3) Krönungsbild aus der Chronik von St.-Denis. 15. Jh. Gazette des Beaux Arts 1903, XXIX, 276. 4) Ein Traum des Kaisers ebenda XXX. 5) Vgl. Comte de Loisne, Miniatures du cartulaire de Marchienne saec. XII, im Bulletin archéologique du comité des travaux historiques et scientifiques, Paris 1903.

Kaiserin Richilda. Porträts: 1) in der Bibel von San Calisto. Abb. im zitierten Aufsatz in der Zeitschrift f. bild. Kunst und in Frühm. Porträtmalerei S. 35. 2) Ein sehr schönes Medaillon. Porträt? Antik? Abb. bei de Witt I, 383 nach Montfaucon.

Königin Irmentrude in der französischen Bibel Karls des Kahlen. Abb. bei H. Bergner, Handbuch der bürgerlichen Kunstaltertümer S. 506.

Ludwig der Deutsche, gest. 876, begraben in Lorsch.

Porträts: 1) wahrscheinlich in seinem Psalter in Berlin, Kgl. Bibl., Ms. Theol. fol. 58, Blatt 120. Abb. bei von Schlosser, Jahrbuch der Kunstsammlungen XIII, 21. 2) Siegel, wohl antik, Abb. bei Heffner, Die deutschen Kaiser- und Königssiegel, Tafel I, n. 4.

Literarisches Porträt: Nithard III, 6: 'Erat quidem utrisque (Ludwig und Karl dem Kahlen) forma mediocris cum omni decore pulchra et omni exercitio apta'. Vgl. Dümmler, Geschichte des ostfränkischen Reiches I², 850 mit weiteren Daten.

Das Grabmal seiner Gemahlin in St. Emmeram in Regensburg, abg. in 'Wandern und Reisen' 1903 S. 584.

Karl III., der Dicke, Kaiser, gest. 888, begraben in der Klosterkirche auf der Reichenau.

Porträt: Siegel von 882 im Archiv zu Frankfurt a. M. Abb. Heffner, Taf. I, n. 6, Text S. 3. Wohl das erste in Deutschland geschnittene Porträtsiegel ohne unmittelbare Anlehnung an die Antike.

Ueber Karlmann, König von Bayern 876, König von Italien 879, gest. 880, begraben in Altötting, vgl. Dümmler a. a. O. II², 140, N. 76.

Arnulf, Kaiser 896, gest. 899, begraben in St. Emmeram in Regensburg.

Porträts: 1) Siegel von einer Urkunde von 889 im Archiv zu Fulda. Abb. bei Heffner Taf. I, n. 7. 2) Siegel von einer Urkunde des Klosters Metten von 893.

Abb. Monumenta Boica XI, Taf. II, n. 9. 3) Siegel von einer Urkunde von 898. Abb. in Mon. Boica XI, Taf. II, n. 10. 4) Siegel von einer Urkunde des Klosters Ebersperg von 888. Vgl. zu diesen Siegeln Heffner S. 3.

Bildnis: Angebliche Statue Arnulfs am alten Kaiserbrunnen im Hof der Thurn und Taxis'schen Residenz zu Regensburg.

Bildnis der Irmengard in Erstein. Abb. bei de Witt I, 315. Vgl. Scheffer-Boichorst, Zur Geschichte des XII. und XIII. Jh. und Mitteilungen der Gesellschaft zur Erhaltung der Geschichtl. Denkmäler im Elsass S. 19.

Ludwig das Kind, König 900, gest. 911, begraben zu St. Emmeram in Regensburg.

Porträts: Siegel, Abb. bei Heffner Taf. I, n. 8. Zu den Siegeln der Karolinger vgl. E. Geib, Siegel deutscher Könige und Kaiser von Karl dem Grossen bis Friedrich I. im Allgemeinen Reichsarchiv, Archivalische Zeitschrift N. F. II, München 1891, S. 144 ff. und III, 9—13.

Konrad I., 911 deutscher König, gest. 918, begraben in Fulda.

Porträts: 1) Siegel vom 10. Nov. 911. 2) Siegel von 912. 3) Siegel von 912—918. Abb. Heffner, Taf. I, n. 10. 4) Siegel von 912—918. Abb. Heffner Taf. I, n. 9. Vgl. dazu Foltz, Die Siegel der deutschen Könige und Kaiser aus dem sächsischen Hause von 911—1024 im N. Archiv III, 27 f. und Geib S. 161 ff. Der Grad der Porträtähnlichkeit ist näher zu prüfen.

Bildnisse: 1) Glasgemälde im Strassburger Münster. 2) Glasgemälde im Chor des Domes zu Goslar von 1512.

Sächsische Herrscher.

Heinrich I., deutscher König 919, gest. 936, bestattet mit seiner Gemahlin Mathilde in der Schlosskirche zu Quedlinburg. Abb. bei Knackfuss, Deutsche Kunstgeschichte S. 72.

Porträts: 1) Siegel, unbärtig. Vgl. Römer-Büchner, Die Siegel der deutschen Kaiser und Könige, Frankfurt a. M. 1851, n. 14. Abb. bei Henne am Rhyn I[2], Tafel bei S. 178, n. 6. Nachweisbar von 920—925. 2) Siegel, unbärtig, von einer Urkunde im Grossh. Badischen Landesarchiv in Karlsruhe. Abb. Heffner Taf. I, n. 11. Von 920—935 nachweisbar, seit 926 im ausschliesslichen Gebrauch. Vgl. Foltz, l. c. S. 29. 3) Bleibulle, bärtig, nach Heffner n. 17.

4) Eine Medaille vom Lastruper Münzfunde soll sich im Kgl. Münzkabinett zu Berlin befinden. Andere Münzbilder existieren nicht. Vgl. auch Geib S. 163. Die Ikonographie stösst auf Schwierigkeiten.

Literarische Porträts: 1) Ekkehard, Casus S. Galli, MG. SS. II, 104: 'grandi quidem viro'. 2) Widukind I, c. 39: 'accessit et moles corporis'.

Bildnisse: 1) Reiterstatue bei Mauerkirchen. Abb. bei La Croix, Vie militaire et réligieuse au moyen âge, Paris 1873. Das Denkmal, das übrigens in Folge des verdeckten Gesichtes keinerlei Porträtwert besitzt, soll 948 errichtet sein. Die Abb. veranschaulicht eine jetzt ebenfalls zerstörte Kopie. 2) In einem Pariser Evangeliar sollen sich nach Knackfuss I, 85 zwei Miniaturen mit seinem Namen befinden. 3) Angebliches Bild Heinrichs am Thurm auf dem Watmarkt zu Regensburg.

Otto I. der Grosse, König 936, Kaiser 962, gest. 973, bestattet im Dom zu Magdeburg, wo das Grab noch unberührt steht.

Porträts: 1) Unbärtiges Königssiegel von 936—962 nachweisbar. Abb. Heffner Taf. I, n. 12. 2) Kaisersiegel von 972—973, auch von Otto II. verwandt. Abb. Heffner Taf. II, n. 15; Foltz n. 6. 7. 3) Kaisersiegel von 962. 4) Kaisersiegel von 964—965. Abb. Heffner Taf. II, n. 13. 5) Ringsiegel aus der Königszeit, aber bärtig. Abb. Heffner Taf. I, n. 14 und Henne am Rhyn I, 159. Zu den Siegeln vgl. Foltz l. c. S. 30 ff. Ausser obigen Siegeln sind hier unter n. 4 ein von 965—970, unter n. 5 ein von 965—972 nachweisbarer Typ angeführt. Ob n. 6, von Heffner als Otto II. bezeichnet und von diesem Kaiser auch gebraucht, nicht ihn selbst, sondern Otto I. darstellt, scheint mir nicht ohne weiteres feststellbar zu sein. Heffners Exemplar ist zu bestimmter Entscheidung zu unklar. 6) Elfenbeintafel im Besitz des Marchese Trivulzio in Mailand. Abb. bei Bode, Geschichte der deutschen Plastik S. 12, besser in meiner Porträtplastik. 7) Vielleicht: Basrelief auf dem 3. Pfeiler, welcher das nordöstliche Seitenschiff vom Hauptschiff trennt, im Grossmünster zu Zürich. Abb. im Aufsatz von S. Vögelin, Der Grossmünster in Zürich I, Taf. 2, Text S. 11 f. im I. Bd. der Mitteilungen der antiquarischen Gesellschaft in Zürich, Zürich 1841. 8) Münzen. Vgl. Dannenberg, Die deutschen Münzen der sächsischen und fränkischen Kaiserzeit, I. Tafelband n. 906, 930 und 1155[1].

1) Die Münzen des deutschen frühen Mittelalters können nur in den seltensten Fällen auf Porträtwert Anspruch erheben. Zunächst gilt

Literarische Porträts: 1) Widukind II, c. 36: 'Accessit ad haec et moles corporis, omnem regiam ostendens dignitatem, capite cano sparsus capillo, oculi rutilantes et in modum fulguris cita repercussione splendorem quendam emittentes; facies rubicunda et prolixior barba, et haec contra morem antiquum. Pectus leoninis quibusdam sparsum iubis; venter commodus; incessus quondam citus, modo gravior; habitus patrius, et qui numquam sit peregrino usus'. Ueberdies schlief er wenig und sprach im Schlaf. 2) Liudprand, Legatio Constantinop. c. 40: 'Francorum rex contra pulchre tonsus'.

Bildnisse: 1) Reiterstatue zu Magdeburg auf dem alten Markt. Abb. von Fr. Quast in der Zeitschrift für christl. Archaeologie und Kunst, 1856, I, 108—124. 2) Statue im Dom zu Magdeburg. Henne am Rhyn I, 162 mit Kaiserin Edith. 3) Statue am Dom zu Magdeburg. Bode S. 101. Vgl. Quast, Zeitschrift für christliche Archäologie und Kunst 1856 S. 108. 4) Bildnis von Dürer mit Hrothsuitha Stacke I[5], 321. 5) Otto mit Gemahlin im Dom zu Meissen. Erwähnt Bode S. 60. 6) Ueber weitere Bildnisse vgl. K. Paulsieck, Otto der Grosse in der bildenden Kunst, Festschrift zur 25jährigen Jubelfeier des Magdeburger Geschichtsvereins 1891 S. 59 ff. (mir nicht zugänglich).

Stehende Statue der Kaiserin Edith, 15. Jh., im Dom zu Braunschweig.

---

hier in verstärktem Masse das in der Einleitung gesagte, dass nämlich räumliche Entfernung von der Verpflichtung der Porträtähnlichkeit entbindet. Dann sind die Produkte auch derselben Werkstatt ausserordentlich ungleichwertig, endlich wechseln Münzen mit und ohne Porträtabsicht ab. Schliesslich sind gerade bei den Ottonen manche Stücke nicht mit der nötigen Sicherheit zuzuteilen. Z. B. ist 222, eine bartlose Münze aus Huy, wahrscheinlich unter Otto II. geprägt; 890 und 890a, zwischen 936 und 948 in Breisach geprägt, haben zwar Andeutung eines Bartes, sind aber so primitiv, dass sich bis auf die Tatsache der Bärtigkeit aus ihnen nichts für das Aeussere des Kaisers gewinnen lässt. 907, ebenso wie 906 in Strassburg geprägt, scheint bartlos zu sein, 908, aus derselben Münzstätte, ist jugendlich und bartlos; also sind im selben Atelier drei verschiedene Typen vorhanden! 929, als 4. Strassburger Typus, hat nur lockigen, schmalen Backenbart. Als Porträtmünzen, d. h. Münzen, die wenigstens Porträtzüge aufweisen, nannte ich oben drei bärtige. Absolute Vollständigkeit ist nicht erstrebt. Den Massstab für den Porträtwert ergab ein Vergleich der oben genannten Porträts. Auch im folgenden werden bei den Herrschern, die durch ikonographische und literarische Porträts bekannt sind, nur diejenigen Münzen berücksichtigt, die Porträtzüge aufweisen, z. B. bei nachgewiesenermassen stets bärtigen Herrschern nur die bärtigen Münzen.

Kaiserin Adelheid, Tochter König Rudolfs II. von Burgund, vermählt mit Otto I. 951, gest. 999 im Kloster Selz im Elsass[1]. Porträt auf der Mailänder Elfenbeintafel. Abb. Bode S. 12 und meine Porträtplastik.

Otto II., König 961, Kaiser 967, gest. 983, begraben in der Peterskirche zu Rom, jetzt in den Vatikanischen Grotten. Vgl. Carl Maria Kaufmann, Das Kaisergrab in den Vatikanischen Grotten, München 1902.

Porträts: 1) Siegel von 961—964. 2) Siegel von 968. 3) Siegel von 970—972. 4) Kaisersiegel von 982. Abb. Heffner Taf. II, n. 15, von Foltz für Otto I. in Anspruch genommen. Vgl. dort S. 34 ff., n. 4 und 5. Da Otto II. auch die Siegel seines Vaters verwandte und kaum ein schöner Abdruck ausser dem bei Heffner reproduzierten erhalten ist, so stösst die Ikonographie auf Schwierigkeiten. Die grosse Verwandtschaft dieses Siegels jedoch mit dem Pariser Elfenbeinporträt lässt mit grösster Wahrscheinlichkeit die Ansicht von Foltz irrig erscheinen. 5) Jugendbild auf der Elfenbeintafel im Besitz des Marchese Trivulzio in Mailand. Abb. Bode S. 12 und meine Porträtplastik. 6) Elfenbeintafel im Musée de Cluny zu Paris n. 387. Abb. bei Louandre, Les arts somptuaires, Paris 1858, I, Tafel 41, danach sehr oft, genauer in O. Jägers Weltgeschichte II[2], 123. 7) Vielleicht Jugendbild im Evangeliar Kaiser Ottos im Aachener Münsterschatz. Vgl. meinen Aufsatz in der 'Christlichen Kunst' III. Jahrg., München 1907, S. 200 ff. Abb. S. 209. Ich halte die Miniatur eher für ein Jugendbild Ottos III. 8) Münzporträts sind mir nicht bekannt.

Literarisches Porträt: Ein solches existiert nicht, nur vereinzelte Bemerkungen, vor allem der Beiname 'der Rote', was sich nicht auf die Haar-, sondern auf die Gesichtsfarbe bezieht. Vgl. K. Uhlirz, Jahrbücher des deutschen Reiches unter Otto II. und Otto III. I, 209 ff.

Anthropologische Daten: Bei der Eröffnung des Grabes im Anfang des 17. Jh. wurde die Angabe des Johannes Canaparius von seiner Kleinheit bestätigt gefunden. Vgl. Uhlirz l. c. und F. Gregorovius, Geschichte der Stadt Rom im Mittelalter III[2], 404 f. mit Daten über das Grabmal.

Theophanu, seine Gemahlin, griechische Prinzessin, gest. 991 zu Nimwegen.

Porträts: 1) auf der Elfenbeintafel im Musée de Cluny. Abb. bei Louandre l. c., 2) auf dem Einbanddeckel

1) Ueber sogenannte Adelheidmünzen vgl. Dannenberg I, 450 ff., 832 ff. und 958 ff. und Menadier, Deutsche Münzen S. 170 ff.

des Echternacher Evangeliars im Grossherzogl. Museum zu Gotha. Zwischen 985 und 991 gefertigt. Farbige Abb. bei Henne am Rhyn, Tafel bei S. 152.

Literarische Porträts scheinen nicht zu existieren.

Otto III., König 983, Kaiser 996, gest. 1002 in Paterno, bestattet im Münster zu Aachen. Das Grab wurde 1803 beseitigt. Vgl. W. v. Giesebrecht, Geschichte der deutschen Kaiserzeit I^4, 761.

Porträts: 1) Königssiegel von 984. 2) Königssiegel von einer Urkunde in Karlsruhe. Abb. Heffner Taf. II, n. 16. 3) und 4) Kaisersiegel. Abb. Heffner Taf. III, n. 17. Das bei Foltz unter n. 3 genannte, von 996—997 nachweisbare, soll dem bei Heffner abgebildeten sehr ähneln. 5) Siegel von 997 und 998. 6) Bleibulle, hinsichtlich ihres Porträtwertes mir nicht unverdächtig, von antikem Vorbild beeinflusst? Von einer Urkunde vom 11. April 999 im Kgl. Würtembergischen Staatsarchiv in Stuttgart. Abb. Heffner Taf. I, n. 18a und 18b. Die bei Foltz unter n. 7 und 8 genannten Bullen sollen dieser sehr ähnlich sein, n. 9 ist roh und bartlos. Vgl. Foltz S. 36—41. Zu den Siegeln der Ottonen ist auch Geib II, 164 ff. und III, 18 f. zu vergleichen. Dass einzelne Schnitte Porträtwert besitzen, ist nicht zu bezweifeln, aber die Differenzen zwischen einzelnen Siegeln sind nicht gering, andererseits benutzt der Nachfolger auch Siegel seines Vorgängers, endlich sind tadellose Abdrücke wohl kaum erhalten, so dass es schwieriger ist, allein aus den Siegeln eine Ikonographie der Ottonen zu gewinnen, als es auf den ersten Blick den Anschein hat. Zudem sind längst nicht alle Exemplare publiziert. 7) Auf einem Einzelblatt in Chantilly, Musée Condé n. 15654. 8) Widmungsbild im Bamberger Codex Ed. III, 16, Klassiker 79. 9) Im Cod. Lat. 4453 (Cim. 58) der Münchener Hof- und Staatsbibl. Die Literatur bei Wilh. Vöge, Eine deutsche Malerschule um die Wende des ersten Jahrtausends, Trier 1891, S. 13 ff. 10) In der Bamberger Bibelhandschrift 140, A. II. 42. 11) Im Codex 86 der Biblioteca Capitolare zu Ivrea. 12) Vielleicht ein Jugendbild Ottos II. im Evangeliar in Aachen. Abb. bei St. Beissel, Die Bilder der Handschrift des Kaisers Otto im Münster zu Aachen, Tafel 4, farbig bei Henne am Rhyn I, Tafel bei S. 158. Die anderen Porträtminiaturen in Originalgrösse — nur n. 8 verkleinert — abgebildet in meinem Aufsatz 'Wie sah Kaiser Otto III. aus?' in der 'Christlichen Kunst', München 1907, S. 200—218, und in meiner Frühm. Porträtmalerei. 13) Auf dem

Deckel des Echternacher Evangeliars. Abb. Henne am Rhyn I, Tafel bei S. 152. 14) Am Aachener Vas lustrale. Abb. in meinem Aufsatz S. 208. Trotz der Inschrift ist es nicht ausgeschlossen, dass dieses kleine Elfenbein unbildnismässig ist. Vgl. dazu meine Porträtplastik. 15) Marmorrelief in der Kirche S. Bartolomeo in Rom. Vgl. Mitteilungen des Inst. für Oesterreich. Geschichtsf. XI, 523. Nach Vöge soll dies Porträt bei Casimiro, Memorie istoriche delle chiese... de' frati Minori, Roma 1764, abgebildet sein. 16) Auf dem Kruzifix des Speierer Königschors. Nach Sighart, Geschichte der bildenden Kunst in Bayern S. 128. 17) Münzen: Die Zahl der mit seinem Kopf existierenden ist gross. Bis auf 339 — die Zahlen sind ein für alle mal nach Dannenberg gegeben — einer Kölner und 560 einer Deventer Prägung sind alle bartlos, nämlich: 192 und 193 von Lüttich, 223 und 224 von Huy — letztere sehr schön —, ähnlich der Maestricher schönen Münze 239, 267 von Viset, 338, 340 und 341 von Köln, 856a von Würzburg (Tafel 116), 934—942 von Strassburg zwischen 991 und 999 geprägt, teilweise mit kleinem Schnurrbart, davon 938 schön, 943, zwischen 999 und 1001 in Strassburg geprägt, scheint ebenfalls porträtähnlich. 954 von Villingen hat geradezu Negerzüge. Ob die Adelheidmünzen 1164 und 1165 Otto oder seine Grossmutter darstellen, lässt sich bei ihrer Minderwertigkeit nicht erkennen. Näheres über die Münzen wird in meiner Frühmittelalterlichen Porträtplastik enthalten sein. Die besten können eventuell zur Ergänzung der aus den teilweise vortrefflichen Miniaturen gewonnenen Ikonographie herangezogen werden.

Ein literarisches Porträt von Otto scheint nicht zu existieren. Eine diesbezügliche Anfrage bei Professor Uhlirz, dem ich meine Ikonographie Ottos eingesandt hatte, führte zu keinem Resultate.

Bildnis: 1) Auf dem Reliquienschrein des hl. Heribert in der Abteikirche zu Deutz. Abb. Aus'm Weerth, Kunstdenkmäler des christlichen Mittelalters in den Rheinlanden, Taf. XLIV, Fig. 1a. Von c. 1150.

Heinrich II., König 1002, Kaiser 1014, gest. 1024. Grabmal von Tillmann Riemenschneider im Dom zu Bamberg.

Porträts: 1) Königssiegel von 1002. 2) Königssiegel von 1002—1013 in Gebrauch. Abb. Heffner Taf. II, n. 19 und 20. 3) Königssiegel fast wie n. 2. 4) Königsbulle. 5) Kaisersiegel. Vgl. Römer-Büchner n. 24. Bei Foltz ist unter n. 4 ein von 1003—1007 nachweisbares Siegel genannt. 6) Kaiserbulle von 1014—1023 nachweisbar. Zu den Siegeln vgl. Foltz S. 41 ff. und Geib II, 170—172 und III, 15—17. Mir scheint die Frage nicht völlig geklärt zu sein, was auch kaum möglich ist, bevor nicht alle Siegel in guten Reproduktionen vorliegen. 7) Miniatur im Cod. Lat. 4452 (Cim. 57) der Münchener Hof- und Staatsbibl. 8) Im Cod. B. IV. 11, Bibelhs. 84, der Kgl. Bibl. zu Bamberg. 9) Im Cod. A. II, 46, Bibelhs. 95, ebenda. 10) und 11) Zwei Porträts im Cod. Lat. 4456 (Cim. 60) der Münchener Hof- und Staatsbibl. 12) Im Cod. Liturg. 53, Ed. III. 12 zu Bamberg. Sämtliche Miniaturen abgeb. in meiner Frühmittelalterlichen Porträtmalerei S. 74 ff. Dort auch eine Ikonographie des Kaisers, von dessen Aeusserem wir besser als von allen anderen Herrschern orientiert sind; vgl. auch die Abb. bei H. Günter, Heinrich II. der Heilige, Kempten und München 1904. 13) Im Cod. Vaticanus Ottob. Lat. 74. Abb. bei St. Beissel, Vaticanische Miniaturen, Tafel XVIII. 14) Auf dem Baaler Altarvorsatz im Cluny-Museum zu Paris, in getriebenem Golde. Abb. in meiner Porträtplastik. 15) Münzen von Heinrich II. existieren in sehr grosser Zahl. Während die Regensburger, mit Rücksicht auf seine dortige Residenz, sämtlich bärtig und teilweise gut sind, sind die in anderen Münzstätten teilweise ohne jeden Porträtwert. Zu letzteren gehören: 93 und 94 von Lüttich ('an Rohheit schwer zu übertreffen') von Verdun; 194—198 von Lüttich; 225—228 von Huy; 243—247 von Maestricht; vgl. Dannenberg S. 127; 346, 347, 353 und 354 von Köln; 539 von Utrecht; 564 von Deventer; 577—581 von Thiel; 722—724 von Bremen; 733 von Corvey; 746—749; 751—753 von Dortmund; 916—919 nach römischem Vorbild geprägt, 920 alle von Strassburg; 951 Esslingen; 957 Villingen; 1000 Zürich; 1113 Constanz; 1138 und 1139 Salzburg; 1178—1180, 1183a, 1184, 1193 und 1193a von unbekannter Prägestätte. Die Liste ist nicht vollständig, aber völlig ausreichend zur Konstatierung, dass man im Norden, wo Heinrich nicht oder nur wenig bekannt war, nur ein Bildnis gab. Bei Kaisern, deren äussere Erscheinung so gut bekannt ist wie die Heinrichs, sind wir berechtigt, die Münzen mit Porträtwert von den anderen auszusondern. Porträtwert, verschieden nach der Tüchtigkeit des Stempelschneiders und seiner Bekanntheit mit dem Kaiser, haben u. a. vielleicht 355 von Köln; 462 von Trier; 541 von Utrecht — vgl. dazu Dannenberg S. 212 f. —; 953 von Esslingen; 1031 ist zwar bartlos, aber als Herzogs-, d. h. Jugendmünze, vielleicht doch relativ ähnlich, desgleichen die anderen bärtigen

Augsburger Stücke 1032—1035; die Regensburger Münzen 1075—1089 sind teilweise gut; 1103 ebenda roh, aber nicht wertlos; 1142—1144 von Salzburg bärtig, aber sehr roh; 1181—1183 von unbekannter Münzstätte, vielleicht relativ ähnlich, desgleichen 1188 und 1189; 788 von Mainz ist byzantinisierend. Vgl. dazu auch meine Porträtplastik mit Abb. 16) Vielleicht befindet sich noch ein Medaillon-Porträt Heinrichs auf einem Pallium im Bamberger Domschatz, vielleicht gibt es dort auch noch eine Casula mit Porträt. Das Pallium ist ikonographisch wertlos. Bei weitem die besten Porträts sind die gemalten. — Vgl. E. Maas, Zeitschrift für christliche Kunst XII, 321 ff. mit Abb.

Literarische Porträts sind mir nicht bekannt. Vgl. Giesebrecht II[4], 600. Dass er gehinkt habe und andere Angaben stammen von nicht zeitgenössischen Autoren.

Bildnisse sind ausserordentlich zahlreich und hier stellenweise ein porträtähnlicher Typus nachweisbar. 1) Im Cod. E. III. 25 zu Bamberg. Abb. bei Chroust, Monumenta palaeographica, XXI. Lief., Tafel 8. 2) Im dortigen Graduale Cod. E. III, 6. 3) In der Gurker 'Vita' im Archiv des Kärtner Geschichtsvereines in Klagenfurt. 4) Gottesurteil der hl. Kunigunde, das kaiserliche Paar zwei mal, Abb. bei Henne am Rhyn I, 184. 5) Standbilder Heinrichs und Kunigundens am Bamberger Dom, am Fürstenportal im Georgenchor. Abb. Henne am Rhyn I, 166 f. 6) Statue Heinrichs und Kunigundens in der Sebalduskirche zu Nürnberg. Erwähnt bei Bode S. 92. 7) Statuen des kaiserlichen Paares im Bamberger Dom, Ostportal. 8) Reliquiar im Louvre, nach 1150. Abb. bei Falke, Deutsche Schmelzarbeiten des Mittelalters, Frankfurt a. O. 1904, Taf. 104. Ebenda auch seine Gemahlin. 9) Holzstatue Heinrichs II. und seiner Gemahlin am Chorgestühl im Dom zu Merseburg von 1446. 10) Holzstatue des Kaisers von c. 1480/90 im Saal 33 des Germanischen Museums in Nürnberg. 11) Krönungsdarstellung in der Wolfgangskapelle zu Rothenburg a. d. Tauber, Gemälde von 1515. 12) Sitzende Figur mit Reichsapfel und Scepter, Quelle nicht genannt, abgeb. bei H. Bergner, Handbuch der bürgerlichen Kunstaltertümer S. 520. 13) Statuen Heinrichs und Kunigundens im Regensburger Dom. Ciborienaltar im N. Seitenschiffe. Abb. bei O. Aufleger, Mittelalterliche Bauten Regensburgs, München 1896, Taf. 22, XIV. Jh. 14) Glasmalereien im Strassburger Münster. 15) Am Portal in Moosburg bei München, XII. Jh. Abb. bei Sighart, Gesch. d. bildenden Künste in Bayern I, 180.

16) Holzskulptur von 1630 aus dem Bamberger Dom im Nationalmuseum in München. Ich möchte hier bemerken, dass mein obiges Urteil, dass ein annähernd porträtähnlicher Typus von Heinrich II. im Gegensatz zu anderen Herrschern bei denen — trotz Clemens m. E. in den Hauptpunkten verfehlten Werkes — sich überhaupt keine Typen, geschweige denn porträtähnliche aufstellen lassen, auf Grund eines sehr umfangreichen Materiales gewonnen wurde. Nachdem ich aber mein spezielles Augenmerk auf Porträts richte, habe ich nur in den seltensten Fällen die Bildnisse notiert. Daher möchte ich meinem Urteil mehr Bedeutung zugemessen wissen, als das dürftige Material, auf das es sich aufzubauen scheint, ihm auf den ersten Blick konzediert.

Kaiserin Kunigunde, seine Gemahlin, gest. 1039, begraben im Dom zu Bamberg, kanonisiert 1200. Porträt: 1) Im Cod. Lat. 4452 (Cim. 57) f. 2 der Hof- und Staatsbibl. zu München. Abb. bei von Kobell, Kunstvolle Miniaturen, Tafel 13. 2) Auf dem Basler Altarvorsatz im Cluny-Museum. Abb. In meiner Porträtplastik.

Konrad II., König 1024, Kaiser 1027, gest. 1039 in Utrecht, begraben im Dom zu Speier.

Porträts: 1) Königssiegel. Da dieser Typ sich schon auf Urkunden, die wenige Tage nach der Königswahl datiert sind, findet, so dürften sie erst nachträglich gesiegelt worden sein; ein Hinweis darauf, die Siegel nicht immer für gleichalterig mit den Urkunden anzusehen. Vgl. darüber Bresslau S. 552 f. Für dieses und die nachgenannten Siegel ist einschlägig: H. Bresslau im N. Archiv VI, 541 ff. mit genauer Beschreibung der einzelnen Typen und H. Brunner S. 14 ff. Dort weitere Literatur. Eine Abb. des 1. Königssiegels, das bis 1025 nachweisbar ist, scheint nicht zu existieren. 2) 2 Königssiegel — nach der Numerierung von Bresslau a. a. O. S. 559 und Die Kanzlei Konrads II., Berlin 1869, S. 84 ff. — nach Bresslau ungenau abgebildet bei Schannat, Vindem. dipl. I, 11. Ein ganz ähnliches Siegel, Bresslau n. 2b, an einer Passauer Urkunde. 3) 1. Kaisersiegel (Bresslau n. 3). Abb. bei Meichelbeck, Historia Frisingensis, Augusta Vindel. 1724, I, 224 (Bresslau zitiert irrtümlich II, 227). 4) 2 Kaisersiegel (Bresslau n. 4) im Gebrauch vom 2. Juni 1029 — 7. Mai 1030. Abb. bei Stacke, Deutsche Geschichte I², 318. 5) 3 Kaisersiegel (Bresslau n. 5) in Gebrauch vom 6. Juni 1035 — 1. Mai 1039. Abb. bei Heffner Taf. I, n. 21. 6) 4 Kaisersiegel (Bresslau n. 6). Abb. Bresslau, N. Archiv VI, Taf. I. bei S. 562. Nachweisbar 1038. Zu den Siegeln vgl. Geib l. c. II, 172—104. 7) Kaiserbulle, von Blei, nachweisbar 1028 nur an St. 1980 im Herzogl. Staatsarchiv in Zerbst. Abb. bei Beckmann, Historie des Fürstentum Anhalt, Zerbst 1710, Tab. I. 9 und 10 (nach Brunner, der nach Photographie beschreibt). Bresslau n. 7. Auf der Rückseite Heinrich III. 8) 2. Kaiserbulle. Konrad mit Heinrich III. (Bresslau n. 8) von Gold. Nachweisbar 1033—1038. Abb. (nach Heffner) im Codex probationum diplomaticus in octo sectiones distinctus. Bamberg contra Fürth n. 23, einem mir nicht zugänglichen, aber bibliographisch feststellbarem seltenem Kupfertafelwerk. — Zu den Bullen vgl. Geib l. c. III, 17 f. 9) Im Codex Aureus des Escorial. Vgl. Brunner S. 21 ff. Wird in einer event. notwendig werdenden 2. Aufl. meiner Porträtmalerei erstmalig reproduziert werden. 10) Auf einem Fresco im Dome zu Aquileja. Farb. Abb. bei Graf Lanckoronski, Der Dom von Aquileja, 1906, Tafel XIV. 11) Münzen: Sicher nicht porträtmässig: Dannenberg 230 von Huy; 248 und 251 Maestricht; 263 Thuin; 540 und 543 Utrecht; 356 Köln; 566 b Deventer; 582 und 584 Thiel; 754—756 Dortmund; 792 Mainz; 921 Strassburg; 1197—1199 von unbekannter Prägstätte. Porträtwert, verschieden nach der Tüchtigkeit und Bekanntschaft des Stempelschneiders, können beanspruchen: 229 von Huy; 311—313 von Duisburg (schön!); 357 von Köln; 380 ebenda, 435 Andernach; 467 Trier (gut); 495 Friesland; 707 Hildesheim; 804 Mainz (gut); 829 mit Heinrich III. Speier (Porträt?); 922, 923, 924b Strassburg; 1114 Freising; 1372 und 1372a Köln (vortrefflich!). Vgl. Dannenberg S. 499; 1373 Mainz. Vgl. Dannenberg S. 500, endlich 1781 von Aquileja. H. Bresslau, Jahrbücher des deutschen Reiches unter Konrad II. II, 339, n. 2 will an diesem bartlosen Kopf eine 'offenbar individuelle Bildung der Nase' erkennen. Davon kann natürlich ebensowenig die Rede sein wie bei 918 und 919, Münzen, die noch dazu Heinrich II. gehören, aber römische Prägungen nachahmen. Es kann nicht genug davor gewarnt werden, aus beliebigen Münzen nach Gutdünken eine 'individuelle' herauszugreifen, ohne vorher durch anderweitige Vergleichungen die Ikonographie, die bei Konrad II. einwandfrei festzustellen ist, gewonnen zu haben. Andernfalls nimmt man gewöhnlich irrig die schönste Prägung für die porträtmässigste. Da die Münzen ihren Wert als Geld ohne jede Rücksicht auf das Münzbild besitzen, das so gut wie es einen Kopf darstellt, auch nur Inschrift oder Kreuz oder sonst etwas zeigen kann, so sind sie, unbeschadet mancher vortrefflichen Porträtleistung, doch als ikonographische Quelle sekundärer Art zu betrachten. Vgl.

darüber meine Ausführungen in der 'Porträtplastik'. Uebrigens steht das frühmittelalterliche Münzporträt von Heinrich II. — Heinrich III. im Zenith.

Literarische Porträts: 1) Wipo, Vita Chuonradi imp. II, 3, SS. rer. Germ.: 'et sicut de Saule agitur, quasi ab umero sursum cunctis altior ibat', 2) Benzo, SS. XI, 661: 'Chuonradus . . . dives sensu, fortis manu vultuque angelicus'. Vgl. auch Breslau II, 338. Grabfund: Bei der Ausgrabung seines unberührten Grabes in Speier bestätigte sich die Angabe von seiner stattlichen Grösse. Vgl. H. Grauert, Die Kaisergräber im Dome zu Speier, SB. der Münchener Akad. d. Wiss., Phil.-hist. Klasse 1900 I, 577.

Bildnisse: 1) In der Havelberger Hs. der Weltchronik des Ekkehard von Aura. Vgl. Riedel, Hs. des Ekkehard von Aura im Serapeum I (1840), 185, dazu Tafel 2—5. 2) Im Codex Aureus von Prüm in der Stadtbibl. zu Trier. Abb. im Aufsatz von K. Lamprecht im 'Museum' III. Jahrg., S. 22. 3) Statue im Dom zu Limburg. Erwähnt bei H. Bergner, Kirchliche Kunstaltertümer in Deutschland (Leipzig 1906) S. 11; mir nicht weiter bekannt. 4) In der Vorhalle des Domes zu Goslar ist die Skulptur eines deutschen Kaisers mit Gemahlin in Stuck. Vgl. Bode, Gesch. der deutschen Plastik S. 30. Mir nicht näher bekannt, nach Brunner dem 12. Jh. angehörend. 5) Im Kloster Limburg a. Haardt, 14. Jh., mit abgeschlagenem Kopf. Vgl. Manchol, Kloster Limburg S. 68 f. 97 ff. Mitteilung des Herrn Prof. Dr. Bergner.

Kaiserin Gisela, seine Gemahlin seit 1016, gest. 1043, bestattet im Dom zu Speier.

Porträts: 1) Im Codex Aureus des Escorial f. 2v. Vgl. Brunner S. 21 ff., unpubliziert und in der ev. 2. Aufl. meiner Porträtmalerei abgebildet. 2) Auf dem Fresko im Dome zu Aquileja. Abb. bei Lanckoronski, Taf. XIV. 3) Im Bremer Evangeliar Heinrichs III. f. 5, unpubliziert. 4) Die Königin Gisela am Giselakreuz in der Reichen Kapelle der Residenz in München, als Stifterin abgebildet, ist mutmasslich ebenfalls mit dieser Gisela identisch. Abb. in den Kunstdenkmalen des Königreichs Baiern I, Oberbayern I, Taf. 186. Dass die Kaiserin sehr schön war, geht ausser aus zeitgenössischen Berichten auch aus ihrer dreimaligen Verheiratung hervor; weitere Angaben scheinen zu fehlen.

Grabbefund: Ihre Gebeine in Speier waren 'nahezu vollständig in sich zerfallen und vermodert', Grauert l. c. S. 562.

Heinrich III., regiert seit 1039, Kaiser 1046, gest. 1056, begraben im Dome zu Speier.

P o r t r ä t s : 1) Königssiegel von einer Fuldaer Urkunde von 1043. Abb. Heffner Taf. II, n. 22, schon einer Urkunde von 1039 aufgedruckt. 2) Königssiegel von einer Urkunde von 1046 im Kgl. Staatsarchiv zu Dresden. Abb. Heffner Taf. II, n. 23[1]. 3) Eine Bulle an einer Urkunde von 1041. Abb. bei Lacomblet, UB. des Niederrheins Tab. I, n. 3. 4) 1. Kaisersiegel von 1047 bis zum Tode in Gebrauch. Bresslau n. 4. Abb. unbekannt. 5) 2. Kaisersiegel. Abb. bei Bresslau Taf. 2 bei S. 566. Vgl. zu den Siegeln E. Geib l. c. S. 174 f. 6) Goldene Bulle von einer Urkunde von 1053. Nach Heffner S. 8, n. 33 abgeb. bei Harenberg, Hist. eccl. Gandersheimensis Taf. XVI, n. 6. Nachweisbar von 1053—1056. 7) und 8) Auf den beiden bei Konrad genannten Kaiserbullen (N. Archiv VI, 363 n. 7 und 8). Vgl. Brunner S. 17 f. und 26 und Geib l. c. III, 18 f. Vgl. zu obigem Brunner S. 26 ff. und Bresslau S. 565 ff. Da verschiedene Siegel hier genannt sind, deren Identität ich mangels Abbildungen nicht feststellen konnte, scheint mir die Frage einer näheren Prüfung zu bedürfen; auch Brunner scheint nicht immer scharf auseinandergehalten zu haben. 9) Jugendbild auf dem Fresko im Dom zu Aquileja, farbige Abb. bei Graf Lanckoronski, Der Dom von Aquileja, Wien 1906, Taf. XIV. 10) und 11) Miniaturen in seinem Evangeliar in Upsala. Abb. bei St. Beissel, Das Evangelienbuch Heinrichs III. aus dem Dom zu Goslar. Das Widmungsbild als Tafel, das zweite stark verkleinert auf S. 7 und in der Zeitschrift für christliche Kunst XIII. 12) Im Codex Aureus des Escorial. Abb. farbig im Aufsatz von Escudero de la Peña im Museo Espagnol de Antiguedades V, Tafel bei S. 503. Vor 1046 gemalt. Vgl. Text S. 503—513. 13) Derselbe ebenda als Medaillon. Wird erstmalig in der 2. Aufl. meiner Porträtmalerei publiziert, desgleichen das vorgenannte. 14) und 15) Jugendbilder in seinem Evangeliar in der städt. Bibl. zu Bremen. Abb. in meiner Porträtmalerei S. 93. Für alle Miniaturen ist Brunner S. 29—39 und meine Frühm. Porträtmalerei zu vergleichen. 16) Münzen: Keinen Porträtwert können beanspruchen: n. 185 von Celles — die Zahlen ein für allemal nach Dannenberg, die Tafeln sind aus Raumersparnis und, weil die

---

1) Das von Heffner Taf. II, n. 24 abgebildete Siegel ist irrtümlich, wie Bresslau S. 572, N. 1 konstatiert und Brunner S. 44 annimmt, für Heinrich III. reklamiert. Wie ein flüchtiger Blick schon lehrt, ist dieser nur mit Schnurrbart statt mit üppigem Vollbart versehene Kopf der Heinrichs IV.

Zahlangabe in der Regel zur Auffindung genügt, nicht angegeben — 315 von Duisburg; 367 und 368 von Köln; 541 von Utrecht (in der Zuweisung nicht einwandfrei. Vgl. D. S. 212); 925 und 926 Strassburg; 1102 Regensburg; 1201 und 1202 von unbekannter Münzstätte. Grösseren oder geringeren Porträtwert haben folgende Münzen, von denen einige sehr schön sind: 816 und 317, 1510 (Taf. 70) von Duisburg; 666—668a Goslar (gut); 698, 701 und 702 ebenda; 709 Hildesheim; 726 und 727 Minden (gut); 757—759 Dortmund (sehr schön); 793 und 794 Mainz (gut), 805—810 und 1628 (Taf. 80) ebenda; 830—835, 830 b, 830 c, 830 d und 833 a (Taf. 81) Speier (die drei letzten sehr schön); 846 Worms (Jugendbild?); 847, 848, 851b, 848 d (Taf. 106) ebenda; 883 Erfurt (gut); 1099, 1101a, 1102a Regensburg (roh); 1204 und 1205 vielleicht Duisburg (schön); 1101c und 1101d, 1710a Regensburg (Taf. 107); 2055 Speier (Taf. 115); 2115 Arnstadt (Taf. 118). Sehr schön ist der 'Mindener' Silberdenar, Abb. Stacke S. 330, dessen Identität ich bei Dannenberg nicht feststellen konnte, bemerkenswert auch die Prägung von Pavia, Abb. ebenda S. 340. Auch diese Liste, wie alle Münzzusammenstellungen macht auf absolute Vollständigkeit keinen Anspruch.

Literarische Porträts: 1) Lampert, Inst. Herveld., SS. rer. Germ. p. 351: 'Heinricus velut alter Karolus in regno successit, virtuosus et pius. Nigro erat, sed venusto aspectu, statura procerus. Nam ab humero et sursum eminebat super omnem populum'. Vgl. dazu Ewald, Beiträge zur Kulturgesch. der Farben II, Preussische Jahrbücher XXVIII, 1904, Heft II, S. 281—296. 2) Ekkehard Chron., SS. VI, 197: 'corpore formosus, statura procerus'. 3) Er sah seinem Vater, was auch die Porträts bestätigen ähnlich. Vgl. Ewald, N. Archiv III, 331, Brief eines Lorscher Klerikers: 'dominumve meum imperatorem in hoc carissimo speculo viderem'.

Grabfunde: Seine unberührten Gebeine waren bei der Ausgrabung in Speier 1900 stark zerfallen und vermodert, die Körpergrösse war beträchtlich. Vgl. Grauert l. c. S. 562 und 577.

Bildnisse: 1) Glasgemälde im Chor des Domes zu Goslar von 1572. 2) Statue aus Stuck am Dom zu Goslar. Nach Brunner aus dem 12. Jh. Abb. bei Wolff, Die Kunstdenkmäler der Provinz Hannover, II. Regierungsbezirk Hildesheim, 1 u. 2, Fig. 55. 3) Lebensgrosses Bildnis auf seinem Grabstein in der Ulrichskapelle in Goslar, Mitte 13. Jh.

Kaiserin Agnes von Poitou, seine Gemahlin, Reichsregentin 1056—1062, gest. in Rom 1077, begraben bei St. Peter. Vgl. C. Maria Kaufmann S. 26.

Porträts: 1) Im Codex Aureus des Escorial. Abb. bei Escudero de la Peña im Museo Espagnol de Antiguedades V, Tafel bei S. 503. 2) Im Evangelienbuch aus dem Dom von Goslar in Upsala. Abb. bei St. Beissel, Das Evangelienbuch aus dem Dome von Goslar, als Tafel. Der Aufsatz — hier ist der erweiterte Sonderabdruck zitiert — war zuerst in der Zeitschrift für christliche Kunst XIII. erschienen. Ueber das Fragment einer weiblichen Statue, gefunden in Regensburg, mit der — hier ergänzten — Inschrift auf der Rückseite: 'Agnes imperatrix augusta', sodass zweifelhaft bleibt, ob die Kaiserin dargestellt ist oder nur bezeichnet als Dedikation der Statue vgl. G. Steinmetz, Korrespondenzblatt der Westdeutschen Zeitschrift XXIV (1905), Sp. 2 f.; Endres, Augsburger Postzeitung 1905 n. 28; G. Meyer von Knonau, N. Archiv XXX, 771.

Heinrich IV., König 1054, Kaiser 1084, gest. 1106, begraben in Speier.

Porträts: 1) 1. Königssiegel (Bresslau, N. Archiv S. 571 n. 1), wenige Monate nach Heinrichs III. Tode nachweisbar. 1060. Abb. bei Sickel, Kaiserurkunden in Abbildungen, Lief. II, Taf. 17. 18; Heffner Taf. II, n. 25. 2) 2. Königssiegel (Bresslau n. 2) von 1060—1066 in Gebrauch. Abb. bei Sickel Lief. II, Taf. 10; Heffner Taf. III, n. 26. 3) Königssiegel (Bresslau n. 3) 1067—1081. 4) Königsbulle 1065 (Bresslau n. 4) in Gold. Abb. bei Wilmans-Philippi Taf. II, n. 18. 5) 1. Kaisersiegel 1084—1091 (Bresslau n. 5). Abb. Heffner Taf. II, n. 24 (hier als Heinrich III. bezeichnet). 6) 2. Kaisersiegel (Bresslau n. 6) 1091—1101. Abb. Sickel Lief. II, Taf. 27. 7) 3. Kaisersiegel 1093—1105. Abb. Heffner Taf. III, n. 27 und Sickel Lief. IV, Taf. 21. Da von Brunner einige dieser Siegel anders identifiziert sind als von Bresslau — allerdings ohne Angabe von Gründen —, so dürfte auch hier eine Nachprüfung angezeigt sein. Vgl. auch E. Geib l. c. V, 175—177. 8) Minderwertiges Jugendbild im Cod. Lat. 13001 der Münchener Hof- und Staatsbibl. Nach Georg Swarzenski, Die Regensburger Buchmalerei des 10. und 11. Jh., Leipzig 1901, S. 176 in Italien gemalt. Unpubliziert. 9) 10) und 11) Wahrscheinlich der im Cod. n. 2490 der Gräfl. Schönbornschen Bibliothek zu Pommersfelde bei Bamberg fol. 8a, 26b und 37b abgebildete junge Herrscher. Vgl. Endres und Ebner in der Festschrift zum 1100jährigen Jubiläum des deutschen Campo Santo in Rom, Freiburg i. B. 1897, S. 296 ff. Das erste Porträt reproduziert auf S. 301. 12) Vielleicht der König des Widmungsbildes in der Evangelienhs. n. 3 des Kgl. Kupferstichkabinetts in Berlin. 13) und 14) Im Evangelienbuch aus St. Emmeram bei Regensburg in der Dombibl. zu Krakau. Nach Thausing und Rieger, Mitteilungen der k. k. Zentralkommission 1887, N. F. XIII — hier auch Taf. 3 abgebildet — wurde das Porträt etwa 1099, nach Brunner etwa 1110, nach Swarzenski vor 1092 gemalt. St. Beissel, Gesch. der Evangelienbücher, Freiburg i. B. 1906, S. 267 lässt es nach 1084 und vor 1095 gemalt sein. M. E. zwischen 1106 und 1111 entstanden und, da bärtig, ohne Porträtwert. Vgl. unten bei Heinrich V. 15) Federzeichnung in der Hs. der Chronik des Ekkehard von Aura im Christ-College zu Cambridge. Abb. MG. SS. VI, Taf. 2 und in Jägers Weltgeschichte II. Bd. S. 185. Bald nach des Kaisers Tode entstanden, doch jedenfalls von recht dürftigem Porträtwert. Das Lob Brunners S. 46 f. scheint mir stark übertrieben. Abb. auch bei Stacke I², 379. 16) In Donizos Vita Mathildis, bald nach Heinrichs Tode entstanden. Abb. MG. SS. XII, Taf. III und — ebenfalls farbig — Oskar Jägers Weltgeschichte II, Tafel bei S. 180, wohl ohne jede Spur von Porträtwert. 17) In der Havelberger Ekkehardhs. vor 1114 gemalt. Abb. im Serapeum 1840 I, 185 und Taf. 3, wohl ebenfalls ohne jede Spur von Porträtwert. 18) Im Prümer Codex Aureus der Stadtbibl. zu Trier, ebenfalls vor 1114 gemalt und ohne Porträtwert. 19) Münzen: Da die Ikonographie Heinrichs auf grosse Schwierigkeiten zu stossen scheint, wenigstens ist mir sein Bild im Gegensatz zu dem der Ottonen, Heinrichs II., Konrads II. und Heinrichs III. nicht klar, seien hier alle bei Dannenberg von ihm verzeichneten Münzen, soweit sie einen Kopf zeigen, notiert: 318[1]—327, 1515 Taf. 70 und 326 auf Taf. 101 Duisburg, nach Dannenberg S. 147 f. relativ schön und porträtähnlich; 551 und 551a Utrecht; 669—674 Goslar, 674a auf Taf. 104; 760—768 Dortmund; 796, 797 und 811 Mainz; 850 Worms; 1206, 1207, 1209, 1211, 1233, 1275. Ferner 1899 auf Taf. 104 von Gitelde; 1911 auf Taf. 105 von Mainz; 2134 und 2135 auf Taf. 119 von Regensburg. Da Heinrich vielleicht eine

1) 318 und 319, ein unbärtiges Köpfchen aus der Königszeit, vielleicht Porträt des Rheinvogtes, eines Grafen von Berg, und nicht des jugendlichen Königs.

Zeit lang Vollbart, sonst Schnurrbart trug, ist die ikonographische Bestimmung der kleinen und oft sehr mangelhaften Münzbilder um so schwerer, als manche Stempelschneider sicher auch Köpfe seines Vorgängers benutzten. — 807, 809 und 810, von Brunner als Beweis für die Vollbärtigkeit Heinrichs IV. herangezogen, stellen seinen Vater dar. 807 ist überhaupt schon vor 1059 geprägt. Es ist aber durchaus erforderlich, Einzelikonographie mit genauen Abbildungen einem definitiven Urteil vorangehen zu lassen.

Literarische Porträts: 1) Vita Heinrici imp. c. 12, SS. rer. Germ. ed. 3 p. 12: 'In cuius vultum aciem oculorum suorum fixisset, eius animi motus perspiciebat videbatque tamquam linceis oculis . . . . . . in turba procerum caeteris eminentior et maior se ipso videbatur . . . in vultu terribile quoddam decus praeferebat, unde intuitus aspicientium tamquam fulmine reverberaret, cum inter domesticos suos et raram turbam vultu placidus et statura aequalis appareret'. 2) Ekkehard, Chronik 1106, SS. VI, 239: 'Pluribus autem testibus comprobare poterimus, quod nemo nostris temporibus natu, ingenio, fortitudine et audacia, statura etiam totaque corporis elegantia videretur fascibus imperialibus ipso aptior, si tamen in conflictu vitiorum homo non degeneraret vel succumberet interior'.

Grabbefund. Nach Grauert l. c. S. 579 f. war sein Schädel vollständig erhalten mit Resten eines Schnurrbartes. An den defekten Zähnen liess sich erkennen, dass er zwischen 50 und 60 stand. Sein Grab war unberührt. 'Der Schädel Heinrichs IV. lässt auf den schönen Gesichtsausdruck schliessen, der dem Kaiser im Leben eignete. Da uns in einer Cambridger Hs. des Ekkehard von Aura eine in gewissem Sinne porträtähnliche Federzeichnung von Heinrich IV. überliefert ist, und auch die Siegel dem mit einem Schnurrbart gezierten Antlitz des Kaisers gewisse individuelle Züge geben, so wird man mit Benutzung dieser Zeugnisse und des Schädels dazu gelangen können, das Porträt Heinrichs IV. genauer und schärfer als bisher festzustellen'. Das ist zweifellos richtig, wie man aber aus einem Schädel auf schönen Gesichtsausdruck schliessen will, ist mir rätselhaft. Spruchreif wird die Frage erst, wenn alles Porträtmaterial in tadellosen Abbildungen, die bisher nicht existieren, vorliegen wird.

Bildnis: Heinrich IV. im Kampf mit Heinrich V. aus der Jenaer Hs. Abb. E. Heyck, Gesch. der Kreuzzüge S. 54.

Bertha, seine Gemahlin seit 1066, gest. 1087. Porträts existieren anscheinend nicht. Ihre Gebeine in Speier waren 'nahezu vollständig in sich zerfallen und vermodert', Grauert l. c. S. 562.

Rudolf von Rheinfelden, 1057 Herzog von Schwaben, König 1077, gest. 1080 in Merseburg, begraben im dortigen Dom.

Porträts: 1) Siegel, sehr schlecht erhalten. Abb. Heffner Taf. IV, n. 28. 2) Eherne Grabplatte im Dom zu Merseburg. Erstes Monumentalporträt eines deutschen Herrschers. Abb. Henne am Rhyn I, 168, besser: O. Jäger, Weltgeschichte II², 182 f. Ein genauer Abguss befindet sich im Germanischen Museum zu Nürnberg. Vgl. Brunner S. 52 ff. Literarische Notizen fehlen.

Hermann von Luxemburg, 1081—1086. Porträts fehlen, nur die Münzen Dannenberg n. 675 und 676 aus Goslar mit bärtigem Brustbild und nicht festzustellendem Porträtwert sind von ihm erhalten, desgleichen existiert keine literarische Beschreibung.

Heinrich V., römischer König 1098, Kaiserkrönung 1111, gest. 1125 in Utrecht, bestattet in Speier.

Porträts: 1) 1. Königssiegel (Bresslau n. 1), 1107—1109 in Gebrauch. 2) 1. Kaisersiegel (Bresslau n. 2), Heffner Taf. III, n. 29, von 1111—1116 nachweisbar. 3) 2. Kaisersiegel (Bresslau n. 3). 1120—1125 in Gebrauch. Abb. Wilmans-Philippi II, Taf. II, n. 21. 4) Ein Reliefbild s. Z. am Hauptportal des Speierer Domes, erhalten in einer Zeichnung des 18. Jh. Abb. bei F. X. Kraus, Die altchristlichen Inschriften der Rheinlande, Freiburg 1893, II, 68 f. Wahrscheinlich nach dem 1. Kaisersiegel angefertigt. Vgl. Brunner S. 58 f. 5) und 6) Miniatur in der Ekkehardhs. zu Cambridge als Krönungsbild und mit seiner Gemahlin beim Hochzeitsmahl. Abb. des 1. in O. Jägers Weltgeschichte II, 219, des 2. in MG. SS. VI, Taf. 2. Der Porträtwert ist höchst zweifelhaft. Vgl. Brunner S. 60. 7) und 8) In der Havelberger Hs. der Ekkehardchronik ist ein Fürst einem anderen einen Reichsapfel und Diadem überreichend dargestellt. Vielleicht Heinrich IV. und Heinrich V. Im Stammbaum der Salier ebenda Heinrich V. Abb. im Serapeum 1840 (n. 12) Taf. III. und IV. Vgl. Brunner S. 61. 9) Im Codex Aureus von Prüm in Coblenz. Abb. von K. Lamprecht im 3. Jahrg. des Museum S. 22. Vgl. Brunner S. 61. 10) und 11) Wahrscheinlich zweimal im Evangeliar in der Dombibl. zu Krakau. Abb. in den Mitteilungen der

k. k. Zentralkommission N. F. XIII, Taf. I. farbig und Taf. III. Vgl. Brunner S. 61 ff. 12) Im Gebetbuch in der Gräfl. Schönbornschen Bibl. zu Pommersfelde bei Bamberg. Der hier dreimal abgebildete Herrscher kann auch Heinrich IV. sein (vgl. dort n. 9). 13) Wandmalerei in der Klosterkirche von Prüfening[1]. Abb. von J. A. Endres in 'Die christliche Kunst', München 1906, S. 169. 14) Münzen: Dannenberg n. 59 von Metz, 250 Maestricht, 468 Trier, 680—684 Goslar, 798 und 799 Mainz. — Die Ikonographie Heinrichs V. scheint mir auch nach Brunners verdienstvollem Versuch recht zweifelhaft zu sein. Es war eine Zeit künstlerischen Tiefstandes.

Literarische Porträts existieren nicht.

Grabbefund: An seinem Skelett in Speier fehlte der Kopf, die erhaltenen Teile des Knochengerüstes liessen ihn aber als einen grossen und stattlichen Mann erkennen. Der Unterkiefer und ein Zahn des Oberkiefers, die gefunden wurden, wiesen ein Gebiss von beneidenswerter Festigkeit auf und bestätigten sein Alter von 43 Jahren. Vgl. Grauert l. c. S. 579.

Kaiserin Mathilde, vermählt 1114, in zweiter Ehe mit Gottfried Plantagenet 1127, gest. 1167 in Rouen.

---

1) Heinrich IV. ist bärtig dargestellt, während wir aus dem Grabfunde wissen, dass er am Ende seines Lebens nur Schnurrbart trug. Das spricht für eine Entstehung des Krakauer Evangeliar nach seinem Tode 1106. Ein zwingender Beweis ist es allerdings nicht, da ja auch bei noch lebenden Herrschern — vor allem allerdings auf Münzen — Bildnisse vorkommen. Wohl aber ist die Erwägung geradezu zwingend, dass Heinrich V., der ja erst 1081 geboren wurde, vor 1095 keinen Schnurrbart haben konnte, mithin Beissels Annahme fortfällt, ebenso wie die auch sonst unplausible Swarzenskis (vgl. Brunner S. 63), so dass wir 1106 als Terminus post, 1111, das Jahr der Kaiserkrönung, als Terminus ante quem erhalten. Dass Heinrich V. Schnurrbart trug, geht aus seinem Kaisersiegel hervor. Im Krakauer Evangeliar ist er kastanienbraun — vgl. Thausing S. 8 — und schwach. Nun zeigt das grosse Fresco in Prüfening einen Kaiser mit schwachem blondem Schnurrbart und jugendlichen Zügen. Lothar war damals schon alt und den Altersbezeichnungen in der frühmittelalterlichen Kunst dürfen wir einigen Glauben schenken, überdies unbärtig, so dass auch dieses Bild ein Porträt Heinrichs V. sein dürfte. Und zwar ein ganz gutes, während das Krakauer recht ausdruckslos ist. Betreffend die Schnurrbartfarbe ist zu bemerken, dass Heinrich V. jedenfalls blond war. Dem widerspricht das Krakauer Bild nur scheinbar, denn zunächst ist es nicht schwarz, und dann dürfte es wohl auch nach Hörensagen vor dem Erscheinen Heinrichs im Jahre 1110 auf dem Reichstage zu Regensburg gemalt sein, während das in Prüfening die dort gewonnenen Eindrücke verwertete. Mithin halte ich sowohl die beiden Krakauer als die Prüfeninger Malereien für Porträts Heinrichs V., Heinrich IV. ebenda aber und Konrad — wiewohl er auch bei Donizo bartlos ist — nur für Bildnisse; Lothar scheidet aus.

Porträts: 1) Siegel. Da die Königin damals ein Kind war, kann wohl von Porträtwert kaum die Rede sein. 2) In der Cambridger Hs. des Ekkehard von Aura. Abb. MG. SS. VI, Taf. 2. Literarisches Porträt scheint nicht zu existieren, doch vgl. O. Rössler, Kaiserin Mathilde (Berlin 1897) S. 16.

König Konrad, älterer Bruder Heinrichs V., König von 1087—1093, gest. 1101.

Porträts: Im Krakauer Evangeliar. Abb. in den Mitteilungen der k. k. Zentralkommission N. F. XIII, Taf. III. In der Hs. der Vita Mathildis von Donizo. Abb. in O. Jägers Weltgesch. II, 188. 3) Im Salierstammbaum der Havelberger Ekkehardhs. Abb. Serapeum XII (1840), Taf. III. Der Porträtwert aller dieser Bilder ist höchst zweifelhaft, zumal Konrad die grösste Zeit seines Lebens in Italien zubrachte. Literarische Porträts existieren nicht.

Lothar von Supplinburg, Herzog von Sachsen 1106, König 1125, Kaiser 1133, gest. 1137 zu Breitenwang bei Reutte, begraben in Königslutter.

Porträts: 1) Königssiegel. Abb. bei Heffner Taf. III, n. 30. 2) Kaisersiegel. Abb. bei Heffner Taf. V, n. 31; vgl. auch Geib l. c. II, 178—180. 3) Kaiserbulle von Gold. Original verloren. Abb. bei Muratori, SS. rer. Italic. IV, 97. 98. Vgl. Brunner S. 66—69. 4) Münzen: 687 und 687a von Goslar. Da Lothar bartlos war, diese aber einen bärtigen Kopf zeigen, besitzen sie keinen Porträtwert. 5) Etwa gleichzeitig: in einer mir nicht näher bekannten Hs. der Stuttgarter Kgl. Bibl. nach Janitschek, Geschichte der deutschen Malerei S. 104. 6) In einer mir nicht näher bekannten Hs. der Kgl. Bibl. zu Brüssel. 7) Vielleicht eine der 4 Königsfiguren in der Chornische der Patroklikirche zu Soest nach Knackfuss I, 169. Wahrscheinlicher ist, dass diese, wie alle anderen frühmittelalterlichen Königsfiguren, die nicht durch Inschriften beglaubigt sind, einen alttestamentlichen König darstellt.

Ein literarisches Porträt existiert nicht.

Grabbefund: Sein Grab in Königslutter, wo er mit seiner Gemahlin Königin Richenza und Heinrich dem Stolzen ruht, wurde 1618 und 1620 eröffnet, natürlich ohne dass für uns brauchbare Angaben über den Befund niedergelegt wurden. Sein Grabmal wurde 1692 oder 1693 durch das einstürzende Kirchendach zerstört, 1708 wieder hergestellt. Vgl. W. Bernhardi, Lothar von Supplinburg, Jahrb. S. 789 und Giesebrecht, Kaiserzeit IV, 150.

Bildnis: Auf einer gestickten Fahne im Rathaus zu Staffelstein in Bayern, 18. Jh.

Konrad III., König 1138, gest. 1152 in Bamberg, begraben ebenda.

Porträts: 1) Königssiegel. Abb. Heffner Taf. III, n. 32. Vgl. Geib S. 180. 2) Vielleicht in der Unterkirche von Schwarzrheindorf von etwa 1151 im östlichen Gurtbogen, der das Gewölbe der mittleren Vierung vom Kreuzarm trennt. Bei ihm 4 unbekannte weltliche Würdenträger. Abb. bei aus'm Weerth, Kunstdenkmale der Rheinprovinz Taf. XVIII f., vgl. P. Clemen, Kunstdenkmale des Kreises Bonn. 3) Ein schöner Brakteat. Abb. bei Henne am Rhyn I, Tafel bei S. 210 n. 26.

Literarisches Porträt: 1) Gesta episc. Halberstat., MG. SS. XXIII, 106: 'Conradus . . . fortis viribus, moribus et aspectu serenus'. Vgl. W. Bernhardi, Konrad III., Jahrb. II, 929.

Bildnisse: 1) Reiterstatue im Bamberger Dom, 13. Jh. Abb. in O. Jägers Weltgeschichte II, 238; Dehio, Kunstgeschichte in Bildern II., Leipzig 1902, Taf. 79 mit der Bezeichnung 'König Stephan der Heilige'. Vgl. Artur Weese, Der Dom zu Bamberg, München 1898, Taf. 43 und 60. 2) Konrad III. auf dem Kreuzzuge, wiederholt in De passagiis in terram sanctam saec. XIV. in., Venedig 1879. Abb. bei B. Kugler, Geschichte der Kreuzzüge, in Onckens Allgemeiner Gesch. II, 5, S. 136. 138. 3) Auf dem Armreliquiar Karls des Grossen im Louvre von Godefroid von St.-Claire etwa 1160 angefertigt. Abb. bei Falke, Deutsche Schmelzarbeiten des Mittelalters, Frankfurt a. M. 1904, Taf. 115. Unmöglich ist nicht, dass hier ein posthumes Porträt vorliegt, nachdem Godefroid am Hofe des Kaisers gearbeitet hat und ihn jedenfalls von Ansehen kannte. Andererseits ist er auf Siegeln und den unter n. 3 genannten Münzen bartlos.

Friedrich I., König 1152, Kaiser 1155, gest. 1190. Bestattung des Fleisches in Antiochia, der Gebeine in Tyrus. Vgl. Scheffer-Boichorst, Gesammelte Schriften II, 154 ff., Berlin 1905; R. Röhricht, Zeitschrift des deutschen Palaestinavereins XX, 56.

Porträts: 1) Bartloses Königssiegel. 2) Kaisersiegel. Abb. Heffner Taf. V, n. 33. Vgl. Geib l. c. II, 180 ff. 3) Königsbulle. 4) Goldene Kaiserbulle. Abb. Heffner Taf. V, n. 34. Von 1168. Zu den Bullen vgl. Geib III, 19 f. 5) Mit König Heinrich (VI.) und Herzog Friedrich im Cod. D. 11 der Bibl. zu Fulda aus Kloster Weingarten. Sehr mangelhafte Abb. bei Baumann, Gesch. des Allgäus I, 246. Gute Abb. in meinem Aufsatz in der Zeitschrift für Bücherfreunde 1908. 6) Vom Jahre 1188 im Cod. Vatican. 2001. Farbige Abb. in O. Jägers Weltgeschichte II, Tafel bei S. 264. 7) Im Freisinger Kopialbuch 3c, Cod. 238 des Münchener Reichsarchives, schlecht erhalten, wohl erst 15 Jahre nach seinem Tode angefertigt. 8) Porträtbüste vom Kloster Kappenberg, nach Simonsfeld I, 37 c. 1150 entstanden. Abb. bei Falke und Frauberger, Taf. 119; vgl. auch meine Porträtplastik. 9) Am Portal des Freisinger Domes. Abb. in Jägers Weltgeschichte II, 239 und in meiner Porträtplastik. Wohl im 14. Jh. überarbeitet. 10) Auf einer Steinplatte des Klosters St. Zeno bei Reichenhall. Abb. Jägers Weltgeschichte II, 257. 11) Sandsteinplatte im Garten von St. Georg zu Hagenau. Vgl. H. Lempfrid, Ein Bild Kaiser Friedrich Rotbarts, Strassburg 1906, Jahrbuch des Vogesenklubs XXII, 9 ff. Vgl. dazu Leitschuh in der Deutschen Literaturzeitung 1907 S. 739 f. Porträt? 12) Auf dem Armreliquiar Karls des Grossen im Louvre von c. 1160 von Godefroid von St.-Claire. Abb. bei Falke, Taf. 115. 13) Auf der silbernen Taufschüssel in Weimar. Vgl. N. Archiv III, 464 und IV, 272 mit Abb. und Picks Monatsschrift für die Gesch. Westdeutschlands IV, 351, endlich Max Bach, Friedrich Barbarossas Persönlichkeit und Charakter, Besondere Beilage des Staatsanzeigers für Württemberg 1906 n. 7 und 8. 14) Reliefbild an der ehemaligen Porta Romana zu Mailand, jetzt im Sforzamuseum daselbst. Vgl. F. Gueterbock, Ancora Legnano, Milano 1901, p. 27 sq. und Abb. als 2. Tafel. Es scheint sich hier nicht um ein Spottbild, sondern um ein zeitgenössisches Porträt des Kaisers zu handeln, wahrscheinlich von 1171, mithin von beträchtlichem ikonographischem Wert. 15) Die Hs. des Petrus de Ebulo in der Berner Stadtbibl. enthält eine Reihe von Darstellungen Friedrichs. Sie sind zwar nicht genau gleichzeitig, weshalb der Porträtwert gering ist, da aber der Verfasser mutmasslich den Kaiser kannte, wie er seinem Sohne nahestand, so seien sie hier genannt. Vortreffliche Abb. bei G. B. Siracusa, Liber ad honorem Augusti di Pietro de Eboli, in den Fonti per la storia d'Italia, Roma 1905, Taf. II, XIII, XIII bis, XLIX. 16) Der Kopf an der Ruine des Kaiserpalastes zu Gelnhausen soll nach der kaum zutreffenden Tradition ein Porträt Barbarossas sein. Ich halte ihn lediglich für eine Maske zu dekorativen Zwecken. Auf der von Prof. Werminghoff mir gütigst zur Verfügung gestellten Photographie kann ich nur starken Schnurrbart, aber keinen kurzen Vollbart erkennen. Abb. in den Bau- und Kunstdenkm. I, Regierungsbezirk Cassel I, Taf. 32. Der Kopf erinnert an den in der Unterkapelle der Burg zu Nürnberg, der als der des Burggeistlichen bezeichnet zu werden pflegt. 17) Wahrscheinlich Porträt, jedoch erst nach seinem Tode gefertigt, auf dem Sarkophag Karls des Grossen in Aachen. Getriebenes Silber. Abb. bei Falke, Deutsche Zellenschmelzarbeiten, Taf. 94. Etwa von 1200. Ebenda Bildnisse von 12 früheren deutschen Herrschern. 18) Von Porträtmünzen ist mir nur der Brakteat aus der Sammlung Dannenberg, Abb. in O. Jägers Weltgeschichte II, 265, bekannt. Es dürfte die einzige Münze sein, die den Kaiser mit Bart darstellt, also wenigstens in diesem einen Merkmal Aehnlichkeit beanspruchen kann. Das ikonographische Material verbunden mit den literarischen Quellen geben ein sehr klares Bild von der Erscheinung Friedrichs. In meiner Porträtplastik wird die Ikonographie des Kaisers eingehende Behandlung finden.

Literarische Porträts: 1) vom Jahre 1160, Rahewin, Gesta Friderici IV, c. 86, ed. Waitz S. 274: 'Forma corporis decenter exacta; statura longissimis brevior, procerior eminentiorque mediocribus; flava cesaries, paululum a vertice frontis crispata; aures vix superiacentibus crinibus operiuntur, tonsore pro reverentia imperii pilos capitis et genarum assidua succisione curtante. Orbes oculorum acuti et perspicaces, nasus venustus, barba subrufa, labra subtilia nec dilatati oris angulis ampliata, totaque facies laeta et hylaris. Dentium series ordinata niveum colorem representant; gutturis et colli non obesi, sed parumper succulenti lactea cutis et quae iuvenili rubore suffundatur. Eumque illi crebro colorem non ira, sed verecundia facit. Humeri paulisper prominentes; in succinctis ilibus vigor. Crura suris fulta turgentibus, honorabilia et bene mascula. Incessus firmus et constans; vox clara totaque corporis habitudo virilis'. 2) Von etwa 1164, Acerbus Morena, MG. SS. XVIII, p. 640: 'Imperator . . . de nobilissima prosapie ortus, erat mediocriter longus, pulcre stature, recta et bene composita membra habens, alba facie rubeo colore suffusa, capillis quasi flavis et crispis; illari vultu, ut sempe. velle ridere putaretur; dentibus candidis, pulcerrimis manibus, ore venusto; bellicosissimus, tardus ad iracondiam, audax et intrepidus, velox, facundus'. 3) Burchard von Ursperg, zwar nicht zeitgenössisch, aber wahrscheinlich aus dem zeitgenössischen Johannes von Cremona schöpfend, SS. rer. Germ. p. 21: 'Erat quoque statura mediocris, magis tamen longa quam brevi, pectore plenus et, ut dictum est, corpore robustus, facie satis eleganti, barba et capillo rufo'. 4) Aus den letzten Lebensjahren des Kaisers beim Londoner Ricardus, MG. SS. XXVII, 204: 'Vir quidem inclitus, cuius statura mediocriter eminens, crines rutili, barba rubens, utrimque interfusa canicies, supercilia prominent, ignescunt oculi, gena brevior in amplum extenditur, pectus et humeri diffunduntur; sed et cetera descriptio corporis in virum consurgit. In illo itaque, quod de Socrate legitur, insigne quiddam ac stupendum enituit; nam constantiam animi exprimebat vultus, semper idem et immobilis permanens, nec dolore obscurior, nec ira contractus, nec dissolutus leticia'[1].

Bildnis: Glasmalerei im Strassburger Münster.

Beatrix, Kaiserin, Tochter Heinrichs von Burgund, vermählt 1156, gest. 1189, begraben im Dom zu Speier.

Porträts: 1) Am Freisinger Dom. Abb. O. Jägers Weltgeschichte II, 245 vom Jahre 1161 und in meiner Porträtplastik. 2) Auf dem Armreliquiar im Louvre von etwa 1160. Abb. bei Falke Taf. 115. 3) Das sogenannte Spottbildnis, eine obscöne Frauengestalt in Steinrelief von der Porta Tosa zu Mailand, jetzt im dortigen Museum Sforza, ist nach den Ausführungen von Güterbock l. c. p. 29 sp. weder gleichzeitig, noch stellt es die Kaiserin dar. Abb. ebenda auf Taf. 1. 4) In der Berner Hs. des Petrus von Eboli, Ausgabe von Siracusa II. Wohl ohne Porträtwert.

Literarische Porträts: 1) Acerbus Morena, MG. SS. XVIII, 640: 'Beatrix . . ., coniuncx ipsius imperatoris, fuit et ipsa nobili genere orta de provincia Burgundie, mediocris stature, capillis fulgens ut aurum, facie pulcerrima, dentibus candidis et bene compositis, erectam habens staturam, ore pusillo, vultu modesto, oculis claris, suavibus et blandis; sermonibus pudica, pulcerrima manibus, gracilis et corpore'. 2) Gesta Friderici v. 1110—1115 in Fonti per la storia d'Italia I, 44, Roma 1887, p. 44. Vgl. Simonsfeld a. a. O. I, 432 f.

---

1) Die Kenntnis dieser Stelle verdanke ich der Liebenswürdigkeit des Herrn Prof. Simonsfeld, der mir einen Einblick in die Korrekturbogen des I. Bandes der Jahrbücher des deutschen Reichs unter Friedrich Rotbart gewährte. S. 85 ff. enthält eine eingehende und treffende Würdigung der Erscheinung Friedrichs.

Heinrich VI., König 1169, Alleinherrscher 1190, Kaiser 1191, gest. 1197, bestattet im Dom zu Palermo. Abb. des Grabmals in Westermanns Illustrierten Monatsheften XLVIII, 1903, S. 255.

Porträts: 1) Jugendbild in der Weingartner Hs. in Fulda D. 11. Abgeb. in meinem Aufsatz in der Zeitschrift für Bücherfreunde. 2) Siegel. Abb. bei Heffner Taf. IV, n. 37. 3) Siegel. Abb. bei Heffner Taf. IV, n. 38, besser in Jägers Weltgeschichte II, 273. 4) Grosse Goldbulle für Palermo nach Toeche. 5) Sehr oft in der Hs. des Petrus de Ebulo in der Stadtbibl. zu Bern. Abb. in der Ausgabe von Siracusa Taf. II, XI, XII, XIII bis, XIV, XX, XXXV, XXXVII, XXXVIII, XXXIX, XL, XLIII, XLV, LII und LIII. Einige dieser Porträts sehr charakteristisch. Der Verfasser stand Heinrich persönlich nahe und überreichte ihm auch das Werk. Auf einigen Tafeln befinden sich mehrere Porträts. 6) Auf dem Schrein Karls des Grossen im Münsterschatz zu Aachen von etwa 1200, also Porträtwert nicht ohne weiteres einwandfrei. 7) Münzen-Porträts sind mir nicht bekannt; vgl. Friedländer, Unedirte Münzen Kaiser Heinrichs VI. und König Friedrichs II. bei Pinder und Friedländer, Beiträge zur älteren Münzkunde I, 1 und 2, S. 227.

Literarische Porträts: 1) Chronicon Urspergense, SS. rer. Germ. p. 70: 'Erat autem imperator Heinricus prudens ingenio, facundus eloquio, facie satis decora, plus tamen macilenta, statura mediocris, corpore tenuis et debilis, acer animo'. 2) Weitere weniger wichtige bei Th. Toeche, Kaiser Friedrich VI., Jahrb. S. 501 ff. mit guter Personalbeschreibung auf S. 497 f. Zusammenstellung der Textstellen bei Otto Abel, König Philipp von Schwaben, Berlin 1852, S. 300 ff.

Grabbefund: Der Sarg wurde 1491 und 1781 eröffnet. Der Kaiser war bis auf das Nasenbein vollständig erhalten, auf dem Kopf befanden sich noch Haare. Vgl. Toeche S. 471, N. 6. Genaue Beschreibung bei Daniele, I regali sepolcri del duomo di Palermo, 1859, p. 41 sq. Mir nicht zugänglich. Vgl. auch P. Beck, Die Hohenstaufengräber im Dom zu Palermo, Diözesanarchiv von Schwaben XXI.

Bildnisse: 1) In einer Weissenauer Hs. von c. 1232 in der Vadianischen Bibl. zu St. Gallen. Abb. bei Baumann, Geschichte des Allgäus I, 310. 2) Glasmalerei im Strassburger Münster.

Konstanze, Tochter Rogers II. von Sizilien, vermählt mit Heinrich VI. 1186, gest. 1197.

Porträts: 1) Kaiserinsiegel. Abb. Heffner Taf. VI, n. 39. 2) Mehrere Porträts in der Hs. des Petrus von Ebulo, Taf. XXX, XXXI, XXXII, XLIV.

Philipp von Schwaben, König 1198, gest. 1208, begraben im Dom zu Speier.

Porträts: 1) Siegel. Abb. bei Heffner Taf. IV, n. 40. 2) In der Hs. des Petrus de Ebulo in der Stadtbibl. zu Bern von 1195, 1196. Abb. in der Ausgabe von Siracusa Taf. XLIX. 3) Im Freisinger Kopialbuch 3c, Cod. 238 fol. 122 des Münchener Reichsarchivs, flüchtige bärtige Federzeichnung. 4) Sitzende Statuette auf der Steinernen Brücke zu Regensburg. Vgl. Ch. H. Kleinstäuben, Gesch. und Beschreibung der altberühmten steinernen Brücke zu Regensburg, Verhandlungen des historischen Vereins von Oberpfalz XXXIII, S. 216 (1878), Taf. 1, Fig. 3. Der Porträtwert ist zweifelhaft. Die Kaiserin Irene ebenda Fig. 2. 5) Brakteaten, Abb. in Jägers Weltgesch. II, 278 und Stacke I, 483.

Literarische Porträts: 1) Burchardi Urspergensis Chronicon, SS. rer. Germ. p. 85: 'Erat autem Philippus animo lenis, mente mitis . . . . . debilis quidem corpore, sed satis virilis in quantum confidere poterat de viribus suorum, facie venusta et decora, capillo flavo, statura mediocri, magis tenui quam grossa'. 2) Ueber die weiteren Stellen vgl. Ed. Winkelmann, Philipp von Schwaben S. 470.

Grabbefund: 'Philipp von Schwaben dagegen (d. h. im Gegensatz zu den Saliern) konnte aus seinen Gebeinen als ein Mann von zartem, schwächlichem Körperbau agnosciert werden. An einem Armknochen demonstrierte Prof. Dr. Johannes Ranke, dass der Träger desselben ein Mann von grazilen, nahezu frauenhaften Formen gewesen sein müsse', Grauert l. c. S. 576.

'Sein Schädel ist vollständig erhalten mit Resten von Schnurrbart und Haupthaar, das allerdings nicht mehr hellblond war, sondern die allgemeine braune Moderfarbe angenommen hat. Sehr interessant ist auch der Bestand der Kiefer, ... Philipp von Schwaben konnte aus ihm als ein Mann agnosciert werden, der bei seinem Tode am Anfang der 30er Jahre stand . . . Tatsächlich ist Philipp im Alter von nahezu 31 Jahren . . . . . gestorben . . . . bei Philipp liess ein hohler und ein vermorschter Zahn auf heftige Zahnschmerzen schliessen, von denen der Herrscher im Leben geplagt gewesen sein muss', Grauert l. c. S. 579.

Otto IV., König 1198, Kaiser 1209, gest. 1218, begraben in St. Blasien zu Braunschweig.

P o r t r ä t s : 1) Siegel. Abb. bei Heffner Taf. V, n. 41. Sehr schön. 2) Auf der Stirnseite des Dreikönigschreins im Dom zu Köln. Abb. bei Franz Bock, Der Kunst- und Reliquienschatz des Kölner Domes, Taf. I. Da Otto, als 'rex' bezeichnet, 1198 in Köln war, ebenso 1205, beruht das zwischen 1198 und 1210 angefertigte Porträt auf Autopsie. Abb. auch bei Falke, Deutsche Zellenschmelzarbeiten, Taf. 63. 3) Auf dem Sarkophag Karls des Grossen in Aachen. Abb. bei Falke Taf. 95. 4) Statue auf der alten Brücke in Regensburg, angeblich von 1205. Vgl. Gf. Walderdorff, Regensburg in seiner Vergangenheit und Gegenwart, 4. Aufl., 1896, S. 574. Abb. in den Verh. d. hist. V. v. Oberpfalz und Regensburg XXXIII, Taf. Fig. 1. 5) Brakteat. Abb. in Jägers Weltgeschichte II, 283.

Literarische Porträts sind mir nicht bekannt. Vgl. Abel S. 324, wo bemerkt ist, dass er gross und stark war.

M a r i a von Lothringen und Brabant, seine Gemahlin und Wittwe. 1) Kaiserinsiegel. Abb. Heffner Taf. VIII, n. 42. Die Reproduktion dürfte stark modernisiert sein. 2) Kaiserinsiegel. Abb. Heffner Taf. VII, n. 43. Zu Pferde.

Ueber die Hohenstaufischen Kaisergräber in Lorch vgl. den Aufsatz von Max Bach in den Württembergischen Vierteljahrsheften für Landesgeschichte, N. F. XII, 1903, S. 192 ff.

Ferner J. v. Pflugk-Harttung, Deutsche Kaisergräber in Italien, Westermanns illustrierte Monatshefte 1903/4, XCV, 251 ff.

F r i e d r i c h II., König von Sizilien 1197, Kaiser 1220, gest. 1250, bestattet im Dom zu Palermo. Abb. des Grabmals in Jägers Weltgeschichte II, 313 und bei Stacke I[2], 513. Ueber Grab und Grabbefund dürfte bei Daniele, I reali sepolcri, eingehend gehandelt sein. Hier auch eine Abbildung der Leiche Friedrichs in ihrem Zustande am Ende des 18. Jh.

P o r t r ä t s : 1) Königssiegel. Abb. Heffner Taf. IV, n. 45. 2) Königssiegel. Abb. bei Heffner Taf. VI, n. 46. Viel schöner bei Jäger, Weltgeschichte II, 294 nach einem Abdruck in rotem Wachs im städtischen Archiv zu Frankfurt. 3) Kaiser, Heffner n. 60. 4) Kaiser und König von Jerusalem, Heffner Taf. VI, n. 47, sehr schön. 5) Wie voriges nur kleiner, Heffner n. 62. 6) Goldene Königsbulle, Heffner Taf. V, n. 48. 7) Goldene Kaiserbulle, Heffner Taf. VI, n. 51. Vgl. zu den Siegeln Dieterich, Zeitschrift für bildende Kunst N. F. XIV, 246 ff. 8) Im

Freisinger Kopialbuch 3 c des Reichsarchives in München fol. 121 b, flüchtige Federzeichnung. 9) Auf dem Schrein Karls des Grossen im Münsterschatz zu Aachen, Langseite. Abb. in Zeitschrift für bildende Kunst N. F. XIV, 249. Jedenfalls authentisch, da Friedrich 1215 daselbst weilte und das Werk eigenhändig vollendete. 10) In einer Weissenauer Hs. von c. 1232 in St. Gallen. Abb. bei Baumann, Gesch. des Allgäus, Kempten 1881, I, 431. Dank der in diesem Buche üblichen Art des Zitierens war mir eine Identifizierung der Hs. nicht möglich. Vielleicht ist es die Weltchronik des Rudolf von Hohenems, Cod. 302 der Vadianischen Bibl. Vgl. Bartsch, Karl der Grosse v. d. Stricker, Quedlinburg und Leipzig 1857, S. XXXVI. 10a) Codex Vaticanus Urbinas 164, saec. XIV, fol. 375; vgl. Stornajolo, Cod.Vat. Urbin. I, 170 (Bildnis). 11) Im Tractatus de arte venandi fol. I des Cod. Vaticanus Palat. Lat. 1071. Abb. bei St. Beissel, Vatikanische Miniaturen, Taf. XX B. Vgl. auch E. Charavay, Revue des documents historiques, 1873/74, I, 60 sq. 12) Friedrich mit Familie, Relief an der Kanzel des Domes zu Bitonto. Abb. bei Haseloff, Hohenstaufische Erinnerungen in Apulien, Westermanns Monatshefte C, 1906, S. 100 und Zeitschrift für christliche Kunst XIII, Sp. 201 f. Ueber die Büste auf dem Dachfirst der Kathedrale von Acerenza in Süditalien S. 17 ff. Delbrück in der Zeitschrift für bildende Kunst N. F. XIV, 1 (1902) farbig bei Stacke I[2], Tafel bei S. 514. Dazu F. Philippi ebenda 1903 S. 86, der die Authentizität des Porträts S. 246 ff. mit Recht bestreitet. Darauf J. R. Dieterich, ebenda XIV, 10 mit vorzüglichen Siegelreproduktionen. Sehr wichtig! — Herr Dr. Beckmann hatte die Freundlichkeit, mich auf Büste und Literatur aufmerksam zu machen. Dieterich dürfte die Frage nach dem Aeusseren Friedrich II. gelöst haben; die Büste in Acerenza ist vielleicht ein Porträt des Kaisers Julian Apostata. Vgl. Salomon Reinach, Revue Archéologique XXXVIII, 1901, p. 337—359, Taf. IX—XI. 13) Statue im Museum von Capua. Delbrück, Zeitschrift f. bildende Kunst N. F. XIV, 1, dazu Alb. Werminghoff in der Historischen Zeitschrift XC, 354 f. Abb. Zeitschrift für bildende Kunst N. F. XIV, 250. 14) Vgl. hinsichtlich der herrlichen Porträtmünzen Sizilianischer Prägung Winkelmanns Abhandlung über die Augustalen Friedrichs II. im XV. Bd. der Mitteilungen des Inst. für Oesterreich. Geschichtsf. 15) Nach einer Notiz von K. Brunner ist bei Giac. di Marzo,

Storia dell' arte eine sitzende Statue an einem Tor in Catania erwähnt.

Literarische Porträts: Eine zusammenfassende Körperschilderung des grossen Kaisers scheint zu fehlen. Dagegen sind einzelne Züge zahlreich überliefert: 1) Notizen über sein Aussehen in der Kindheit in einem Briefe eines Zeitgenossen, abgedruckt von K. Hampe im XXII. Bd. der Mitteilungen des Inst. für Oesterreich. Geschichtsf. S. 597 f. Vgl. auch K. Hampe, Kaiser Friedrich II., Historische Zeitschrift LXXXIII, 9 f. 2) Riccobald von Ferrara, Pomerium, Muratori, Rerum Italic. SS. IX, 122. 'Fuit autem Fridericus non procerus, obeso corpore, subrufus, super homines prudens'. 3) Yafei nach Michaud, Bibliothèque des croisades, Paris 1829, IV, 481: Der Kaiser war rot und kahlköpfig, er hatte ein schwaches Sehvermögen. Wäre er ein Sklave gewesen, dann hätte man keine 200 Drachmen für ihn gegeben. 4) Salimbene, MG. SS. XXXII, 349: 'pulcher homo et bene formatus, sed medie stature fuit'. 5) Ausserdem finden sich bei Benvenutus von Imola, Villani, Antonino und Collenuccio noch vereinzelte Angaben, doch dürften sie keinen selbständigen Wert beanspruchen. Vgl. F. Güterbock, Eine zeitgenössische Biographie Friedrichs II., Das verlorene Geschichtswerk Mainardinos, N. A. XXX, 73.

Konstanze von Aragonien, seit 1209 seine Gemahlin, zuerst an König Emerich von Ungarn verheiratet, gest. 1223, Mutter Heinrichs VII. Porträt (?) am Portal der Westseite der Cisterzienserkirche Tisnowic bei Brünn. Abb. bei Wocel, Die Kirche des ehemaligen Cisterzienser-Nonnenklosters Porta Coeli, Mitteilungen der k. k. Centralkommission 1859, Taf. IV.

Heinrich (VII.), König 1220, gest. 1242, begraben in Cosenza.

Porträt: 1) Siegel. Abb. Heffner Taf. IX, n. 52. 2) Ein 2. Siegel Heffner n. 67.

Seine Gemahlin Margarete. Porträtsiegel. Abb. bei Heffner Taf. VIII, n. 53.

Konrad IV., römischer König 1237, gest. 1254. Porträtsiegel: Abb. Heffner Taf. V, n. 54.

Seine Gemahlin Elisabeth, vermählt 1246.

Porträt: soll sich als Büste im Kreuzgang der Karmeliterkirche zu Neapel befinden. Gleichzeitig? Abb. bei Agincourt Taf. XXX, n. 4. Nach Dehio, Die Königsbilder im Strassburger Münster, in der Zeitschrift f. d.

Gesch. des Oberrheins XXXII, 1907, S. 471 ff. stellt in dieser zwischen 1275 und 1298 entstandenen Reihe von 29 deutschen Herrschern das mit Konrads II. Namen versehene Konrad IV. und Konradin vor. Da die Glasmalereien sehr häufig beschädigt und restauriert wurden, so ist weder auf die Benennungen Verlass, noch dürfte der Porträtwert bedeutend sein, selbst wenn Dehio Recht hätte und die beiden Porträts von Künstlern ausgeführt wurden, die die Herrscher gekannt hatten.

Heinrich Raspe, Gegenkönig 1246, gest. 1247.

Porträt: 1) Siegel. Abb. bei Heffner Taf. VI, n. 55. 2) Auf dem Grabstein Friedrichs von Eppstein. Abb. Jäger a. a. O.

Wilhelm von Holland, König 1247, gest. 1256, begraben in Middelburg.

Porträt: 1) Siegel bei Heffner Taf. VI, n. 56. 2) Auf dem Grabstein Friedrichs von Eppstein in Mainz. Farb. Abb. Jäger, Weltgeschichte II, Taf. bei S. 308.

Richard von Cornwall, König 1257, gest. 1272.

Porträt: Siegel. Abb. Heffner Taf. VII, n. 57. Sehr schön!

Alfons von Kastilien, König 1257, gest. 1284, war nie in Deutschland.

Porträt: 1) Siegel. Abb. Heffner Taf. VIII, n. 58. 2) Votivstatue in der Kathedrale zu Toledo. Abb. Jägers Weltgeschichte II, 353.

Rudolf von Habsburg, König 1273, gest. 1291, begraben im Dom zu Speier.

Porträts (vgl. E. von Sacken, Ueber die authentischen Porträts Rudolfs von Habsburg, Festschrift zur Feier der Gesamtbelehnung, Wien 1882, S. 117 ff.): 1) Siegel. Abb. bei Heffner Taf. VII, n. 59. 2) Siegel. Abb. ebd. VII, n. 60. 3) Goldene Bulle. Abb. ebd. n. 61. 4) Thronsiegel und Typar. Abb. bei v. Schlosser, Jahrbuch der kunsthistorischen Sammlungen des allerhöchsten Kaiserhauses XIII (Wien 1892), Taf. II und S. 41. 5) Grabmal in Speier. Abb. bei O. Jäger, Weltgeschichte II, 367 und Titelbild von O. Redlich, König Rudolf v. H., Innsbruck 1903. Vgl. dazu die Reimchronik Ottokars von Steier v. 39125 ff., MG. D. Chr. V, 508 ff. 6) Reiterdenkmal am Strassburger Münster, Kopie eines während der französischen Revolution zerstörten. Abb. bei Jäger a. a. O. II, 362. 7) Sitzende Statue im Basler Seidenhaus nach Bode S. 28.

8) Ohne Porträtwert ist die bei Jäger a. a. O. II, S. 365 abgebildete Münze[1].

Bildnisse: 1) In: De passagiis in terram sanctam ex cod. Lat. CCCXCIX der Marciana in Venedig, Venedig 1879, aus dem 13. und 14. Jh.; ebd. zahlreiche Bildnisse früherer Herrscher. 2) Bei Nagl-Zedler, Deutsch-österreichische Literaturgeschichte (Wien 1899) S. 210.

Literarisches Porträt: Chron. Colmar., SS. XVII, 240: 'Erat hic vir longus corpore, habens in longitudine septem pedes, gracilis, parvum habens caput, pallidam faciem atque longum nasum, paucos habebat crines, extremitates vero habebat parvulas atque longas'.

Grabbefund: 'Die Skeletteile lassen Rudolf als einen Mann von bedeutender Körpergrösse erscheinen, wie er das auch nach anderen geschichtlichen Zeugnissen im Leben tatsächlich war. Die Unterschenkelknochen weisen . . . Altersdeformationen auf, welche auf gichtige Erkrankung des 70jährigen Herrschers schliessen lassen', Grauert, a. a. O. S. 581. Der Schädel konnte wieder zusammengesetzt werden[2].

Bildnisse, aber vereinzelt sicher auch Porträts, von deutschen Herrschern befinden sich in nachstehend genannten, zum Teil nach Clemen, Porträtdarstellungen S. 224 ff. zitierten Hss. und Malereien, die genauer zu prüfen und mit den beglaubigten Porträts zu vergleichen wären: 1) In der Chronica regia Coloniensis von etwa 1250, Cod. 467 der Bibl. zu Brüssel, Kaiserbilder und Stammbaum enthaltend. 2) In der Hs. der Sächsischen Weltchronik in der Bibl. zu Bremen. Heinrich III. hat hier abweichend von den anderen Herrschern richtiger Weise Vollbart. Vielleicht in bewusster Anlehnung an die dortigen authentischen Porträts, doch könnte es auch zufällig sein. 3) In der Chronica regia Coloniensis, Cod. 74, 3 ms. Aug. zu Wolfenbüttel. 4) In der Chronik von

---

1) Das sog. Grabmal des Dichters Heinrich Frauenlob im Kreuzgang des Mainzer Domes stellt nach einer Vermutung von A. Werminghoff, die ich hinsichtlich der Identifizierung nicht teile, Rudolf von Habsburg dar; Umschrift und der untere Teil der Grabplatte scheinen spätere Zutat zu sein. 2) Nach Bode S. 82 befindet sich im Basler Dom das Grabmal der ersten, 1281 gestorbenen, Gemahlin Rudolfs und ihres Sohnes. — Ein mir nicht näher bekanntes Steinrelief findet sich im oberfränkischen Luckau. — Nach Bode S. 51 findet sich in der Vorhalle des Domes zu Münster eine kolossale Steinfigur, wohl Porträt eines Kaisers aus dem 13. Jh., im Dom zu Goslar die Steinfigur einer Kaiserin aus demselben Jh.

St. Pantaleon in der Landesbibl. zu Düsseldorf, Cod. A. 28. 5) In den Acta ecclesiae S. Petri in Augia, Cod. 321 der Vadianischen Bibl. in St. Gallen. 6) Im Cod. Lat. 26 des Corpus Christi College zu Cambridge. 7) Im Cod. 73 der Stadtbibl. zu Bern. 8) Im Cod. 1099 der Kgl. Bibl. im Haag. 9) Im Kopialbuch von Prüm. 10) Im Kopialbuch von Echternach, 'Goldenes Buch', in Gotha. Vgl. den Aufsatz von St. Beissel in den Stimmen aus Maria Laach LXVII, 1904, 177 mit Abb. 11) In der Weltchronik des Rudolf von Hohenems Cod. 302 der Vadianischen Bibl. zu St. Gallen. 12) In einem bei Baumann, Gesch. des Allgäu, mangelhaft zitierten und teilweise abgebildeten Codex von 1282 in derselben Bibl. Mit vorigem identisch? 13) Die Reste von Kaiserfiguren am ersten Pfeiler des Langhauses im Dom zu Braunschweig aus dem 13. Jh. oder noch älter haben vielleicht auch Porträtwert. Vgl. R. Borrmann, H. Kolb und O. Vorländer, Aufnahmen mittelalterlicher Wand- und Deckenmalereien in Deutschland, Heft 3, S. 4. 14) Im Wallraf-Richartz-Museum in Köln befindet sich eine Wandmalerei des 13. Jh., einen König und eine Königin darstellend. Abb. bei Clemen, Romanische Wandmalereien, Tafel 57. Farbige Porträts? Vielleicht ist auch in dieser oder jener Krönungsdarstellung ein Porträt überliefert. Vgl. A. Werminghoff, Westermanns Monatshefte 1902; N. Archiv XXVI, 32, N. 2 und S. Reinach, Gazette des Beaux Arts 1903. 15) Auf dem Deckel des Kartulars von Prüm in der Stadtbibl. zu Trier, Gravierungen. Abb. bei Aus'm Weerth, Kunstdenkmäler des christl. Mittelalters in den Rheinlanden, Tafel LXI, 10 (XI. Jh.). 16) Eine schöne einen König darstellende Onyx-Kamée am Reliquienkreuz im Domschatz zu Prag. Abb. in Topographie der historischen und Kunstdenkmäler im Königr. Böhmen II, 1, Der Domschatz in Prag S. 38, Text 42. Ebenda sind 2 gekrönte Gestalten, Abb. S. 37 d. 17) Bei Puttrich, Denkmal der mittelalterlichen Baukunst, Sachsen, II, 1. Lief. 3, 4. Tafel 7 bildet auf Stein gemalte Bildnisse (und Porträts?) sächsischer Kaiser und Kaiserinnen ab, die einst die Pfeiler der Klosterkirche in Memleben schmückten. XI. Jh.? 18) An der Donaubrücke in Regensburg befindliche Steinreliefs von 1146. 19) Endlich seien die Reihen von Herrscherbildern im Rathaus zu Lüneburg von der ältesten Zeit bis Rudolf II. (mit Angabe der Abstammung, Sterbejahr und Begräbnisstätte) genannt, desgleichen die im Römer zu Frankfurt a. M. von 1711. 20) Keine Porträts befinden sich auf der Universitätsbibl. in Breslau, nach gütiger Mitteilung des

Herrn Dr. Molsdorf; auf der Stadtbibl. daselbst, nach einer Mitteilung von Herrn Dr. Hippe und auf der Stadtbibl. zu Braunschweig nach Angabe des Herrn Dr. Baeseke.

Vorstehende Liste ist natürlich kaum vollständig. Immerhin wird vielleicht die Durcharbeitung des genannten Materiales nicht erfolglos sein. Für Mitteilung weiteren Materials bin ich um so dankbarer, als nach einer mündlichen Zusage des Geheimrat Bode die von der neu begründeten deutschen Kunstgesellschaft projektierte Kaiserikonographie wohl mir übertragen werden wird. Zugleich sei bemerkt, dass ich in meiner Porträtplastik noch zahlreiche Abbildungen wiedergeben werde, deren Aufzählung noch nicht in jedem Falle möglich war; auch eine ev. 2. Auflage meiner Porträtmalerei wird neues Abbildungsmaterial enthalten.

Nachtrag.

Zu Karl d. Grossen ist noch heranzuziehen: G. Buchkremer, Das Grab Karls d. Gr. in der Zeitschrift des Aachener Geschichtsvereins XXIX (1907), 68 ff. mit Abb.

Wie Herr Prof. Simonsfeld mir mitzuteilen die Güte hat, befindet sich eine Friedrich Barbarossa darstellende Skulptur von etwa 1201 am Dom in Foligno. Abb. bei M. Faloci Pulignani, 'Foligno' (erschienen als n. 35 der Sammlung 'Italia artistica'), Bergamo 1907, p. 31.

XII.

Miscellen.

Willibrordiana.

Von Wilhelm Levison.

Keine der beiden folgenden kleinen Untersuchungen hat die Geschichte Willibrords zum Gegenstande; wenn ich dennoch den Namen des Friesenapostels an die Spitze setze und zwei an sich nicht zusammengehörige Fragen unter diesem Zeichen vereinige, so deshalb, weil beide nicht nur zur Tätigkeit der Angelsächsischen Glaubensboten in Deutschland bei Lebzeiten Willibrords in Beziehung stehen, sondern weil seine Geschichte auch neue Gesichtspunkte zur Lösung der mehrfach erörterten Fragen abgeben soll, mit denen sich diese Zeilen beschäftigen.

1.

Bischof Theutbert von Wijk bij Duurstede.

Der kürzlich erschienene elfte Band der prächtigen Nachbildungen von Hss., die S. De Vries im Verlag von A. W. Sijthoff in Leyden herausgibt[1], lenkt die Aufmerksamkeit wieder auf ein kleines Problem, das schon öfter behandelt worden ist, ohne bisher eine befriedigende Lösung gefunden zu haben. Der neue Band der Sammlung ist der berühmten Wiener Uncialhs. des Livius gewidmet, der wir allein die Kenntnis der halben fünften Dekade verdanken; Carl Wessely hat eine Einleitung hinzugefügt, die sich vor allem mit dem Text der Hs. befasst. Ueber die ältere Geschichte des Codex, den man 1527 im Kloster Lorsch aufgefunden hat, unterrichtet allein eine Bemerkung, die auf dem letzten Blatte (fol. 193') inmitten der Unterschrift des 45. Buches im achten Jh. eingetragen worden ist und nicht geringe Schwierigkeiten bereitet hat:

---

1) Codices Graeci et Latini photographice depicti duce Scatone De Vries, Tom. XI: Livius, Codex Vindobonensis Lat. 15 phototypice editus. Praefatus est Carolus Wessely, Lugduni Batavorum 1907.

'Iste codex est Theutberti ep(iscop)i de Dorostat'[1]. Dass es sich bei dem letzten Worte um Wijk bij Duurstede am Lek im Südosten von Utrecht handelt, darüber konnte und kann kein Zweifel sein; dagegen liegt kein Zeugnis vor, dass der Ort jemals Sitz eines Bischofs gewesen ist. In doppelter Weise hat man die Schwierigkeit zu heben gesucht. Jaffé[2] verwies auf eine Urkunde Karls des Grossen von 777, in der die Lage Utrechts durch die von Duurstede näher bestimmt wird[3]: 'ad basilicam sancti Martini, quae est constructa Traiecto Veteri subtus Dorestato'; er hielt es daher für wahrscheinlich, dass Theutbert in der Reihe der Bischöfe von Utrecht selbst zu suchen sei, und schlug vor, seinen Namen einzusetzen für den des Bischofs Theodard oder Thiaterd, der in den Utrechter Bischofslisten[4] als Nachfolger Alberichs († 784) begegnet und sechs Jahre Bischof gewesen sein soll. Nun beginnt die Ueberlieferung dieser Bischofskataloge erst im 14. Jh.[5], ist also recht jung; aber Thiaterd durch Thiatbert, Utrecht durch Duurstede zu ersetzen, ist dennoch ein gewagter und bedenklicher Ausweg[6]. Wie 753, 769, 777[7], so erscheint St. Martin in Utrecht wieder vom Jahre 815 an, dem die nächste erhaltene Urkunde angehört[8], als Sitz des Leiters der Diözese; für die Zwischenzeit eine Aenderung zu Gunsten von Duurstede, dann wieder eine Rückkehr nach Utrecht oder ein Schwanken in der Bezeichnung des Bischofsitzes anzunehmen, möchte man sich nur ungern entschliessen, um so weniger, als die Namen Thiaterd-Theodard und Thiatbert-Theutbert eben nicht identisch sind. Eine andere Erklärung versuchte daher Gitlbauer,

---

1) Ueber die Eintragung, die jetzt teilweise unleserlich ist, vgl. Wessely S. VII; eine ältere Nachbildung geben Mommsen und Studemund, Analecta Liviana, 1878, Tafel IV. Dazu M. Gitlbauer, De codice Liviano vetustissimo Vindobonensi, 1876, p. 2—21, der 'Theatberti' las; vgl. auch E. Chatelain, Paléographie des classiques latins II, 8. Die ältere Lesung 'Sutberti' und die Deutung auf Willibrords Gefährten Suidberct, den Gründer von Kaiserswerth († 713), bedürfen keiner Erörterung mehr trotz der Ausführungen von Van Hooff (Analecta Bollandiana VI, 1887, p. 73—76), der 'Suithberti' vermutete (vgl. Holder-Egger, N. A. XIII, 397). 2) Bei Mommsen und Studemund a. a. O. S. 5. 3) MG. Dipl. Karol. I, 164, n. 117. 4) S. Muller, Bijdragen en Mededeelingen XI, 1888, S. 485 (= SS. XIII, 295) und 487; ferner das wohl alte Bruchstück, das Holder-Egger, SS. XV, 79, N. 4 aus den Anmerkungen des Buchelius (1643) zu Wilhelm Hedas Historia episcoporum Ultraiectensium p. 46 wiederholt hat. 5) Doch vgl. Anm. 4. 6) Mit einem 'vielleicht' schliesst sich A. Hauck, Kirchengeschichte Deutschlands II[2], 355, Anm. 5, Jaffé an. 7) MG. Dipl. Karol. I, n. 4. 5. 56. 117. 8) Mühlbacher, Regesten I[2], n. 578.

indem er bei der Bischofswürde Theutberts einsetzte und sie hinwegdeutete oder vielmehr umdeutete. Er erinnert an den Abt und Presbyter Gregor von Utrecht, der nach dem Tode seines Lehrers Bonifatius die Diözese viele Jahre hindurch leitete, ohne die Bischofsweihe zu empfangen, indem er zur Verrichtung der bischöflichen Handlungen 767 den Angelsachsen Aluberht zum Chorbischof weihen liess[1]. Gitlbauer glaubt danach unterscheiden zu können zwischen 'episcopos veros, qui munera non solum omnia episcopi obibant, sed etiam gradum acceperant episcopalem', und 'presbyteros, qui quamvis perseverarent in gradu presbyterii, nonnullis tamen fungebantur muneribus episcopalibus, inprimis iis, quae theologi iurisdictionis nomine comprehendunt, quique eam ob causam aliqua ex parte episcopi vocabantur'. Nun begegnet im 8. Jh. im Utrechter Sprengel ein Presbyter Thiadbraht[2], der unter Bischof Alberich in den Wintermonaten das Utrechter Kloster leitete[3]; in ihm sieht Gitlbauer den Besitzer der Livius-Hs.: er sei vermutlich Vorsteher der Kirche von Duurstede gewesen und habe, indem er einen Teil bischöflicher Geschäfte besorgte, schon als Presbyter den Namen eines Bischofs führen können. Aber gerade für die wesentliche Behauptung: 'id generis doctores vel rectores ecclesiae passim adnumerari episcopis', ist Gitlbauer den Beweis durchaus schuldig geblieben[4]; dass ein Presbyter im 8. Jh. Bischof genannt worden ist, wider-

---

1) Vgl. Rettberg, Kirchengeschichte Deutschlands II, 532 f.; Gitlbauer S. 12 f.; Holder-Egger, SS. XV, 75, Anm. 2. Auch die sonst unbedenkliche Urkunde Karls d. Gr. von 769 (MG. Dipl. I, 82, n. 56) beweist gegenüber den anderen Zeugen nichts für Gregors Bischofswürde; die Ueberlieferung reicht nicht über das 11. Jh. zurück, in dem man bereits begonnen hatte, Gregor fälschlich als Bischof zu bezeichnen (vgl. Otlohs Vita Bonifatii I, 43, ed. Levison p. 157). 2) Auf ihn hatte bereits Müllenhoff bei Mommsen und Studemund S. 5 hingewiesen. 3) Altfrids Vita Liudgeri I, 17 (Diekamp, Geschichtsquellen des Bisthums Münster IV, 1881, S. 21). 4) Wenn er sich für Abt Gregor auf eine Stelle Altfrids berief (V. Liudgeri I, 10, eb. S. 15), nach der Gregor Aluberht aufforderte, 'ut sibi coepiscopus fieret', so ist das Zeugnis durch Diekamps Ausgabe beseitigt, die dafür 'corepiscopus' hergestellt hat. Ebensowenig ist eine Lorscher Urkunde von 763 (SS. XXI, 342) beweiskräftig, die ein 'Albericus episcopus' unterzeichnet. Nach Altfrid I, 17 (S. 21) liess der Nachfolger Gregors sich erst nach dessen Tod (775) zum Bischof weihen, er heisst noch in der angeführten Urkunde Karls von 777 'Albricus presbiter atque electus rector'; danach ist der 763 genannte Bischof von ihm zu unterscheiden, nicht aber ohne weiteres die Identität zu behaupten, aus der dann Schlüsse über die Verwendung des Bischoftitels gezogen werden.

spricht so sehr dem aus allen sicheren Quellen sich ergebenden regelmässigen Brauche, dass bereits Diekamp mit Recht Einspruch erhoben hat[1]. Nur das Beispiel Willehads, des ersten Bischofs von Bremen (787—789), vermag ich als Ausnahme von dieser Regel zu nennen, der während seiner Wirksamkeit in Sachsen schon Jahre vor dem Empfang der bischöflichen Weihe Bischof genannt wurde[2]; aber der Fall ist meines Wissens vereinzelt, und es erscheint mir richtiger, die Ausnahme erst dann zur Erklärung heranzuziehen, wenn die Regel eine solche durchaus nicht zulässt.

Ich möchte hier eine andere Erklärung vorschlagen, die gestattet, die Eintragung Theutberts im ganzen Umfange aufrecht zu erhalten, ohne einen Teil umdeuten oder die Utrechter Bischofsliste ändern zu müssen. Ist es so sicher, dass Duurstede niemals neben Utrecht Sitz eines Bischofs gewesen ist? Als Pippin 695 Willibrord nach Rom sandte, damit er von Papst Sergius I. die bischöfliche Weihe empfinge, da ist er nach Pippins Wunsch nicht zum einfachen Bischof geweiht worden, sondern zum Erzbischof: 'ut eidem Fresonum genti a r c h i episcopus ordinaretur', sagt sein Zeitgenosse und Landsmann Beda[3], der sonst ausschliesslich Metropoliten (von Arles, Lyon, Canterbury) oder Bischöfe, die Metropoliten werden sollten, wie Augustin von Canterbury oder Paulinus von York, so nennt und in der Bezeichnung offenbar mehr sieht als einen blossen Ehrentitel, indem er mehrfach von 'gradus archi-

---

1) A. a. O. S. 21, Anm. 3. Wattenbach (GQ. I^{7}, 294, Anm. 2) hat sich Gitlbauer angeschlossen. Auch Wessely S. VII stimmt zu, indem er mit Berufung auf seine Prolegomena ad papyrorum Graecorum novam collectionem edendam, 1883, p. 16 betont, dass auch sonst in jener Zeit öfter Männern ein über ihre Stellung hinausgehender Titel beigelegt worden sei; aber seine Beispiele sind sämtlich Griechischen Papyrusurkunden des 6. und 7. Jh. aus Aegypten entnommen und beweisen nichts für das Abendland, zumal es sich dabei nur um Rangtitel wie ἐνδοξότατος handelt, nicht um Bezeichnungen, die zugleich Befugnisse in sich schliessen.

2) V. Willehadi c. 8 (SS. II, 383): 'Septem annis prius in eadem presbiter est demoratus parrochia, vocatus temen episcopus et secundum quod poterat cuncta potestate praesidentis ordinans'. Vgl. G. Dehio, Geschichte des Erzbistums Hamburg-Bremen I, 19. — Wenn Bischof Ratold von Strassburg vor seiner Weihe 840 sich 'Ratoldus presbiter vocatus episcopus' nennt (MG. SS. XIII, 474; Capitularia II, 112), ebenso 845 'Hincmari presbyteri et vocati archiepiscopi' Erwähnung geschieht (ebd. S. 387), so bedarf der Unterschied gegenüber dem einfachen 'episcopus' Theutberts keiner Hervorhebung. Die 'vocati episcopi' des 8. und 9. Jh. (vgl. J. Friedrich, Münchener SB., Phil.-hist. Klasse 1882, I, 318 ff.; Krusch, N. A. XXVIII, 584 ff.) gehören um so weniger in diesen Zusammenhang, als bei Theutbert eben der Zusatz 'vocatus' fehlt.

3) Hist. eccl. V, 11; vgl. III, 13 (ed. Plummer I, 302. 152) und Alcvins Vita Willibrordi I, 7 (Jaffé, Bibliotheca VI, 46).

episcopatus' redet[1], und ganz entsprechend stellt der Biograph von Papst Sergius die Erhebung Willlibrords mit der Berctwalds von Canterbury in eine Reihe[2]. Und wenn etwa die erzbischöfliche Würde des Paulinus ein leerer Titel geblieben und York erst nach einem vollen Jahrhundert 735 Haupt einer Kirchenprovinz geworden ist, so ist für Friesland die Absicht, neben und unter dem Erzbischof Suffraganbischöfe zu bestellen, auch zur Ausführung gelangt. Nicht nur war bereits vor Willibrord 692/3 auch Suidberct zum Bischof 'in Fresiam' geweiht worden, das er freilich bald darauf verlassen hat, und Willibrord selbst hat nicht nur erst im Alter zu seiner Unterstützung einen Chorbischof geweiht[3], nachdem Bonifaz es abgelehnt hatte, ihm als Bischof an die Seite zu treten[4]; bereits kurze Zeit nachdem er als Erzbischof aus Rom zurückgekehrt war und Pippin ihm Utrecht als Bischofsitz angewiesen hatte, hat er nach Bedas Zeugnis[5] andere Bischöfe geweiht, von denen einige bereits gestorben waren, als dieser 731 seine Kirchengeschichte der Angelsachsen beendete:

'Nam non multo post alios quoque illis in regionibus ipse constituit antistites ex eorum numero fratrum, qui vel secum vel post se illo ad praedicandum venerant; ex quibus aliquanti iam dormierunt in Domino'.

'Antistes' oder, wie man im frühen Mittelalter oft schrieb, 'antestes' und 'antestis', der 'Vorsteher', ist gewiss eine sehr unbestimmte Bezeichnung, die an sich für den Leiter jeder grösseren und kleineren kirchlichen Gemeinschaft gebraucht werden konnte und gebraucht worden ist, für Bischöfe, Aebte, Pfarrer[6]; aber wenigstens in älterer Zeit werden, soviel ich sehe, weit überwiegend Bischöfe so genannt[7], und vollends Beda bezeichnet so in seinen ge-

1) Hist. eccl. III, 29. V, 19 und Ueberschrift von V, 8 (a. a. O. S. 196. 294. 323). 2) Liber Pontificalis c. 86 (ed. Mommsen p. 216): 'Hic ordinavit (vgl. Duchesne I, 381) Bertoaldum Britanniae archiepiscopum atque Clementem (= Willibrord, vgl. den 2. Abschnitt) in gentem Frisonum'. — Wenn Willibrord in der Folge in den Urkunden dennoch einfach 'episcopus' oder 'pontifex' genannt wird, so entspricht dies dem Sprachgebrauch der Zeit und besagt nichts gegen die angeführten Zeugnisse; einmal heisst er übrigens 723 in einer Urkunde Karl Martells Erzbischof (MG. Dipl. Merov. p. 99; Mühlbacher, Regesten I[2], n. 34). 3) Epist. Bonifatii 109 (MG. Epist. III, 395). 4) Willibald, Vita Bonifatii c. 5 (ed. Levison p. 24). 5) Hist. eccl. V, 11 (p. 303). — Alcvins vielleicht von Beda abhängige Worte, V. Willibrordi I, 5: 'aliqui vero episcopatus ordinem accipientes' lasse ich bei Seite, weil darin die Beziehung auf Willibrords Sprengel fehlt. 6) Vgl. die Bemerkung der Benediktiner zu Du Cange (ed. Henschel I, 306). 7) Vgl. z. B. Thesaurus linguae Latinae II, 185: 'inprimis de gradibus amplioribus, praecipue de episcopis'.

schichtlichen Schriften, wenn ich nicht sehr irre, ausschliesslich Bischöfe, niemals Aebte oder Presbyter[1]. Ausser in dem angeführten Satze begegnet das Wort in der grösseren Weltchronik, der Kirchengeschichte, den Lebensbeschreibungen der Aebte von Wearmouth und Jarrow und denen von Cudberct, endlich in dem inhaltreichen Schreiben an Ecgberct von York an mehr als 150 Stellen, von denen nur ein geringer Bruchteil nachweisbar aus anderen Quellen übernommen und für den eigenen Sprachgebrauch Bedas ohne Bedeutung ist; an all diesen Stellen handelt es sich um Bischöfe — einfache Diözesanbischöfe wie Metropoliten und Päpste — und manche Stellen zeigen geradezu, dass das Wort für Beda die technische Bedeutung von Bischof angenommen hat[2]. Danach ist denn auch jener Bericht über Willibrord zu beurteilen; dieser hat nach Beda bei den Friesen mehrere Bischöfe geweiht[3], und es liegt kein Grund vor, an der Richtigkeit der Nachricht zu zweifeln.

Man verfolgte in Northumbrien die Wirksamkeit des Landsmannes mit liebevollem Interesse; fehlen uns auch leider Briefe, wie sie ein so anschauliches Bild von Bonifatius' Verkehr mit der Heimat gewähren, so weist doch so manche Spur in dieselbe Richtung. Stephan, der Biograph Wilfrids I. von York, in dessen Kloster Ripon Willibrord seine Jugend verbracht hatte, gedenkt (zwischen 711 und 731) mit Wärme seiner mühevollen Missionsarbeit[4]. Beda rühmt 725 seine Erfolge im Kampf mit dem Heidentum[5], weiss 731 von der Lebensmüdigkeit des Greises, der nach den Mühen des Lebens den himmlischen Lohn ersehnt[6]. Gelegentlich hören wir von einem Geistlichen aus Willibrords Umgebung, der über das Meer nach Northumbrien kommt (698/705)[7]; 704 hat Wilfrid auf seiner

---

1) Vgl. z. B. die Gegenüberstellung in der prosaischen Vita Cudberci c. 6, 11 (Stevenson, Bedae Opera historica minora p. 60): 'Eata, tunc presbytero et abbate monasterii ipsius (Mailros), postea Lindisfarnensis ecclesiae, simul et eiusdem loci antistite'. 2) Vgl. z. B. den Brief an Ecgberct c. 7 (Plummer I, 410): 'nec solum talibus locis desit antistes, qui manus impositione baptizatos confirmet, verum etiam omnis doctor, qui eos vel fidei veritatem vel discretionem bonae ac malae actionis edoceat, absit'. 3) So hat auch Hauck I[3], 445 Bedas Worte verstanden; eine frühere Erklärung im gleichen Sinne hat Alberdingk Thijm, Der heilige Willibrord (Deutsch von Tross), 1863, S. 105, N. 2 mit Unrecht bekämpft. 4) Vita Wilfridi c. 26 (Raine, The historians of the church of York I, 87). 5) Chronica maiora c. 566 (Auct. ant. XIII, 316). 6) Hist. eccl. V, 11 (S. 303). 7) Die anonyme Vita Cudbercti IV, 45 (Stevenson a. a. O. S. 283); vgl. desselben prosaische Vita von Beda c. 44 (eb. S. 132).

etzten Romreise bei seinem Schüler geweilt, und sein Begleiter Acca, der Beda persönlich so nahestehende spätere Bischof von Hexham (710—731), berichtete noch nach vielen Jahren von den Erzählungen des Friesenapostels[1]. Bedas Kreis wird mithin über Willibrords Tätigkeit im grossen und ganzen recht gut unterrichtet gewesen sein[2], und man muss seiner Angabe über die von diesem eingesetzten 'antistites' durchaus Glauben schenken.

Ist dem aber so, so findet, wie mir scheint, unter ihnen Theutbert am besten seinen Platz. Duurstede, wo etwa 689 Franken und Friesen eine Schlacht geschlagen hatten[3], das auch als Münzstätte bereits in Merowingischer Zeit hervortritt, nahm schon im 8. Jh. als Handelsplatz und Mittelpunkt des Verkehrs eine bedeutende Stellung ein. Für Liudger, den Biographen Gregors von Utrecht, ist es ein 'vicus famosus'[4]; wie Bonifaz hier 716 auf der Fahrt von London das Schiff verliess, um seine Wirksamkeit auf dem Festland zu beginnen[5], so wird der Ort 779 unter den bedeutendsten Zollstätten des Frankenreiches genannt[6], und es erscheint so keineswegs unwahrscheinlich, dass auch hier einer jener Gehilfen Willibrords seinen Sitz genommen hat. An die Bildung genau umschriebener, fester Diözesen darf man freilich für diese Zeit nicht denken[7], da sich die Friesische Kirche noch im Zustand des Werdens befand, und das Bistum Duurstede hat keinen Bestand gehabt[8]: Zum Wirkungskreis von Abt Gregor gehörte nicht nur Utrecht, sondern auch jener Ort[9], und wenn unter seinem Nachfolger Alberich Karl d. Gr. der Utrechter Kirche 777 eine Kirche oberhalb von Duurstede schenkt[10],

---

1) Beda, Hist. eccl. III, 13 (S. 152). 2) Ueber einen Irrtum in einer Einzelheit, einer Zeitangabe, vgl. S. 528, N. 3. 3) Cont. Fredegarii c. 6 (SS. R. Merov. II, 172). 4) Vita Gregorii c. 5 (SS. XV, 71). 5) Willibald, Vita Bonifatii c. 4 (S. 16). 6) MG. Dipl. Karol. I, 171, n. 122. Ueber die Bedeutung Duurstedes in der Karolingerzeit vgl. z. B. Chr. J. Klumker, Der friesische Tuchhandel zur Zeit Karls d. Gr. (Jahrbuch der Gesellschaft für bildende Kunst zu Emden XIII, 1899, S. 50 ff.); W. Vogel, Die Normannen und das Fränkische Reich (Heidelberger Abhandlungen zur Geschichte 14), 1906, S. 66 ff. 7) So mit Recht Hauck I³, 445. 8) Man darf vielleicht zum Vergleich an die dem nächsten Menschenalter angehörenden Bistümer Buraburg und Erfurt mit ihrem kurzen Dasein erinnern, auch daran, dass selbst der Bestand des Bistums Utrecht nach Willibrords Tod eine Zeit lang in Frage gestellt war (vgl. Hauck I³, 588; M. Tangl, Das Todesjahr des Bonifatius, Zeitschrift des Vereins für hessische Geschichte und Landeskunde, N. F. XXVII, 234 f.). 9) Liudgers Vita Gregorii (a. a. O. S. 71). 10) MG. Dipl. Karol. I, 163, n. 117.

so legt ein Blick auf die Karte die Annahme nahe, dass auch Duurstede selbst wie unter Gregor, so unter Alberich zum Utrechter Sprengel gehörte. Besser als in die Zeit grösserer Befestigung der kirchlichen Verhältnisse in Friesland, wie wir sie für die Regierung Karls d. Gr. trotz mancher Wechselfälle annehmen dürfen[1], scheint mir ein Bischof von Duurstede in das Menschenalter vor Abt Gregor zu passen; unter jenen im übrigen verschollenen 'antistites' Willibrords im ersten Drittel des 8. Jh. möchte ich Theutbert seinen Platz anweisen.

Gegen diese Annahme, die bei dem Stande der Quellen nur eine Vermutung sein kann und nicht mehr sein will, aber mir die einfachste Lösung zu bieten scheint, liegen freilich gewisse Bedenken vor. Die Namensform Theutbert ist nicht Angelsächsisch, und die Schriftzüge sind die eines festländischen Schreibers. Aber einmal braucht der Bischof die Eintragung ja nicht eigenhändig geschrieben zu haben, und ferner ist es keineswegs sicher, dass die Heimat von all jenen 'antistites' jenseits des Meeres lag. Dies gilt sogar von den elf Gefährten, mit denen Willibrord 690 aus Irland in das Frankenreich kam (Bedas 'qui vel secum — venerant'); dass auch unter ihnen etwa ein Franke gewesen sein kann, lehrt das Beispiel Agilberts, der im 7. Jh. nicht geringe Zeit bei Irischen Lehrern in deren Heimat verbracht hat, um dann Bischof von Wessex zu werden und schliesslich (nach 673) als Bischof von Paris zu enden[2]. Und erst recht darf man mit dieser Möglichkeit rechnen für die Gehilfen, die sich später Willibrord in Friesland angeschlossen haben ('post se'); Theutbert könnte sehr wohl vom Fränkischen Reiche her in seinen Kreis eingetreten sein[3].

Aber noch ein anderes Bedenken muss erwähnt werden. Kann die Eintragung nach ihrem Schriftcharakter über-

1) Vgl. Hauck II², 352 ff. 2) Vgl. besonders Beda, Hist. eccl. III, 7. 25. 28. IV, 1. 12. V, 19. 3) Von der Verwertung einer so trüben Quelle wie der Lebensbeschreibung des Bischofs Vulframn von Sens sehe ich natürlich ab (vgl. meine Ausführungen N. A. XXV, 600 ff.). Wohl aber darf man vielleicht auf Beziehungen zu den Kreisen der Fränkischen Mission aus der Tatsache schliessen, dass die älteste bekannte Urkunde für Willibrord, die Schenkung des Rauching von 692/3, eine von Amandus (vgl. über ihn Hauck I³, 322 ff. und demnächst Krusch, SS. R. Merov. V) erbaute Kirche in Antwerpen betrifft; vgl. den Auszug in Theoderichs Echternacher Chronik, SS. XXIII, 55, und die dem Wortlaut nach mitgeteilte Neuausfertigung von 726, eb. S. 63 f. (die Schenkung ist auch erwähnt in Willibrords sogenanntem Testament, ed. Poncelet, Analecta Bollandiana XXV, 167).

haupt der ersten Hälfte des 8. Jh. zugewiesen werden? Bisher hat man sie meist ohne nähere Bestimmung in das 8. Jh. gesetzt; dass man auch dessen Anfang nicht für ausgeschlossen hielt, zeigt die frühere falsche Zurückführung auf Suidberct († 713)[1]. Doch jüngst hat ein so ausgezeichneter Kenner frühmittelalterlicher Schriftentwicklung wie Ludwig Traube in einer seiner letzten Arbeiten die Inschrift Theutberts der Wende vom 8. zum 9. Jh. zugeschrieben und daran Vermutungen über die Geschichte der Hs. geknüpft[2]. Jedoch ist es mir zweifelhaft, ob er dabei von paläographischen Erwägungen ausgegangen ist und nicht vielmehr unter dem Einflusse Jaffés steht, indem auch er bemerkt, dass mit dem Sprengel Dorostat wohl Utrecht gemeint sei[3]. Die Schrift ist eine kräftige und regelmässige Bücherschrift, die allerdings in ihrem Gesamtcharakter an die Karolingische Minuskel erinnert und von der meist begegnenden, unter dem Einfluss der Urkundenschrift stehenden Merowingischen Bücherschrift[4] recht verschieden ist, aber doch auch altertümliche Züge aufweist, die mir eine Ansetzung auf das erste Drittel des 8. Jh. sehr wohl zu gestatten scheinen[5]. So glaube ich meine Vermutung über die Zeit Theutberts von Duurstede auch in dieser Hinsicht aufrecht erhalten zu können.

2.

Wann und weshalb wurde Wynfreth Bonifatius genannt?

Ueber die Fragen, wann, von wem und weshalb Wynfreth den Namen Bonifatius erhalten hat, liegt eine kleine Litteratur vor, ohne dass sie zu einer Einigung geführt hätte[6]. Einig ist man nur darüber, dass die Darstellung Willibalds, des ältesten Biographen, nicht richtig sein kann,

---

1) Vgl. S. 518, N. 1. 2) Traube, Palaeographische Forschungen IV (Abhandlungen der histor. Klasse der Münchener Akademie XXIV, 1, 1906, S. 17 f.). 3) Vgl. oben S. 518. 4) Vgl. z. B. Chroust, Monumenta palaeographica V, 4. 5) Man beachte die Buchstabenverbindung 'erti' im Namen des Bischofs, das d in 'de', dessen senkrechter Strich unter den Bogen hinabragt, das unter die Zeile reichende r in 'Dorostat', die Form des e in 'epi' und 'de'. Leider ist die erste Hälfte der Eintragung heute fast ganz verblichen. 6) Für die frühere Litteratur verweise ich auf Aug. Jos. Nürnberger, Die Namen Vynfreth-Bonifatius (Sonderabdruck aus dem 28. Bericht der wissenschaftlichen Gesellschaft Philomathie zu Neisse), Breslau 1896. Vgl. auch die zusammenfassenden Bemerkungen von Hauck I², 458, Anm. 1 und in meiner Ausgabe der Vitae Bonifatii S. 29, Anm. 2.

der erzählt, Papst Gregor II. habe jenem bei der Weihe zum Bischof (am 30. November 722 oder 723) den neuen Namen gegeben[1]. Dass die Nachricht nicht zutrifft, lehrt der Briefwechsel des Bonifatius: bereits in dem Schreiben, durch das Gregor am 15. Mai 719 dem von der ewigen Stadt scheidenden Presbyter auf seiner ersten Romfahrt den Auftrag zur Predigt bei den Heiden gibt, bezeichnet er ihn mit dem Namen Bonifatius[2]; zwei Briefe der Jahre 719—722, die Englische Freundinnen an den in der Fremde weilenden Landsmann richten, kennen den Lateinischen Namen neben dem Deutschen. Die wenigen erhaltenen Briefe aus der Zeit vor 719, dabei das Empfehlungsschreiben des Bischofs Daniel von Winchester von 718, in dem man vor allem eine vollständige Benennung des Empfohlenen zu finden erwartet, geben nur den Namen Wynfreth; bei Ereignissen des Jahres 717 bemerkt Willibald von seinem Helden[3]: 'qui illo dicitur in tempore Wynfrith', was doch nur bedeuten kann, dass er damals den Namen Bonifatius noch nicht geführt hat. Nach 719 heisst er in den meisten Schreiben, dabei sämtlichen der Päpste, ausschliesslich so; nur in fünf Briefen, die an Engländer oder von Engländern geschrieben sind, findet sich der einheimische Name neben dem anderen, ohne diesen nur in einem ebenfalls an einen Angelsachsen gerichteten Gedicht. Man hat daher den naheliegenden Schluss gezogen, dass Wynfreth den Namen Bonifatius noch nicht in England geführt hat, das er 718 endgültig verliess, und dass Willibald, da der Name zum ersten Mal 719 beim Abschied von Rom auftaucht, zwar über den Zeitpunkt und die Gelegenheit der Namengebung geirrt hat, aber nicht über den Ort und den Urheber, dass Gregor II. ihm also den Namen auf der ersten Romreise 718/19, nicht auf der zweiten 722 (723) beigelegt hat. Diese Auffassung, die namentlich F. Loofs mit Geschick vertreten hat[4] und die mir schon früher die grösste Wahrscheinlichkeit zu besitzen schien[5], hat zwar am meisten Anklang gefunden, ist aber doch nicht zur allgemeinen Anerkennung gelangt; Nürnberger hat eingehend die Möglichkeit eines früheren Ursprungs verfochten, so dass dann Gregor 719 den schon in England aufgekommenen Beinamen nur 'rezipiert' hätte, um ihm schliesslich bei der Bischofsweihe gleichsam

1) Willibalds Vita Bonifatii c. 6 (ed. Levison p. 29). 2) Epist. Bonifatii 12 (MG. Epist. III, 258). 3) Vita Bonifatii c. 5 (a. a. O. S. 19). 4) Zeitschrift für Kirchengeschichte V, 1882, S. 628 ff. 5) A. a. O. S. 29, Anm. 2.

einen 'offiziellen Charakter' zu geben. Ich glaube dennoch, dass man von dieser Möglichkeit absehen darf; ein Gesichtspunkt, der meines Wissens bisher nicht beachtet worden ist, gibt, wenn ich nicht irre, eine entscheidende Bestätigung der Annahme, dass der zweite Name Wynfreth 719 in Rom vom Papste gegeben worden ist.

Man ist wiederholt der Frage nach der Bedeutung nachgegangen, die der Name Bonifatius besessen oder wenigstens Gregor II. bei der Verleihung mit dem Namen verbunden habe. Dass die Schreibweise Bonifacius nicht ursprünglich und die Deutung 'Wohltäter' abzulehnen ist, kann heute als anerkannt gelten; daneben haben die Ableitungen von 'fari' and 'fatum' Verteidiger gefunden. Nürnberger meinte, Gregor habe überhaupt über den Sinn des Wortes nicht nachgedacht, sondern Wynfreth den Namen gegeben, weil er ihn als Beinamen, der zugleich ein Heiligenname war, aus England mitgebracht habe. Dass er ihn schon vor der Romreise geführt hat, vermag ich nicht zuzugeben; im übrigen liegt jedoch der Auffassung Nürnbergers ein richtiger Gedanke zu Grunde.

Im allgemeinen pflegt man in geschichtlicher Zeit nur selten neue Namen zu bilden, in der Regel verwendet man bereits vorhandene, indem die verschiedensten Ursachen dazu bestimmen können, z. B. die Rücksicht auf verwandtschaftliche Beziehungen, gelegentlich auch die Bedeutung des Namens, wie wenn die Mönche von Wearmouth Hwätberct ob seiner 'pietas' den Beinamen Eusebius gaben[1]. Für christliche Zeiten ist der Gebrauch von 'Kalendernamen' nicht zu vergessen; gleichwie die Angehörigen der katholischen Kirche noch heute in grossem Umfang die Namen im Hinblick auf heilige Träger derselben wählen, so hat dieser Gesichtspunkt unzweifelhaft schon im frühen Mittelalter wenigstens in geistlichen Kreisen eine Rolle gespielt.

Der Fall Wynfreths ist nicht der einzige einer um die Wende des 7. und 8. Jh. in Rom vorgenommenen Namenänderung. 689 erhielt König Caedwalla von Wessex, der Reich und Heimat verlassen hatte, um am Grabe des Apostelfürsten die Taufe zu empfangen, dabei von Papst Sergius den Namen Petrus. Hier ist der Anlass zur Wahl des neuen Namens offenbar; allem irdischen Glanze hatte der König entsagt,

1) Beda, In Samuelem prophetam allegorica expositio IV, prol. (Opera ed. Giles VIII, 162). Vgl. Nürnberger a. a. O. S. 66 f.

'Ut Petrum sedemque Petri rex cerneret hospes',
wie die Grabschrift meldet[1]:
'Barbaricam rabiem, nomen et inde suum
Conversus convertit ovans, Petrumque vocari
Sergius antistes iussit',
und Beda hat sicherlich richtig den Zusammenhang zwischen dem Namen und den Wünschen des fürstlichen Rompilgers erkannt: 'Cui etiam tempore baptismatis papa memoratus Petri nomen inposuerat, ut beatissimo apostolorum principi, ad cuius sacratissimum corpus a finibus terrae pio ductus amore venerat, etiam nominis ipsius consortio iungeretur'. Berühmter ist ein zweiter Fall aus der Zeit desselben Papstes Sergius; als er Willibrord 695 zum Erzbischof der Friesen weihte, gab er ihm den Namen Clemens, ein Vorgang, den man mit Recht mehrfach mit der Namenerteilung an Wynfreth in Vergleich gesetzt hat. Auch hier kann man, glaube ich, wenigstens mit grosser Wahrscheinlichkeit erkennen, weshalb Willibrord gerade Clemens genannt worden ist. Man mag nebenbei an die Bedeutung des Wortes gedacht haben, vielleicht auch daran, dass die — geschichtlich wertlose — Legende des Römischen Bischofs Clemens[2] gerade die massvolle und verständige Weise hervorhebt, in der er Juden und Heiden das Evangelium verkündet habe, und auch von entsprechenden Erfolgen des Mannes in der Verbannung bei Cherson zu erzählen weiss, so dass sein Name gerade bei einem Heidenmissionar recht angemessen erscheinen konnte. Aber die eigentliche Ursache für die Wahl des Namens dürfte dennoch eine andere und recht einfache gewesen sein. Willibrords Weihe fand am 21. November 695 statt[3]; der 23. November ist der Tag des h. Clemens[4]. Schon andere haben dieses Zusammentreffen bemerkt und geradezu die Frage aufgeworfen, ob Willibrords

---

1) Beda, Hist. eccl. V, 7 (S. 293). 2) Bibl. hag. Lat. n. 1848. 3) Beda (Hist. eccl. V, 11, S. 303) nennt den 22. November 696; doch ist den Eintragungen in dem aus Willibrords Besitz stammenden Echternacher Kalendar (Arndt, N. A. II, 293) um so mehr der Vorzug zu geben, als der 21. November 695 ein Sonntag war, wie Duchesne (Liber Pontificalis I, 382) mit Recht bemerkt hat. 4) Im Martyrologium Hieronymianum ist Clemens übrigens am 21. und am 23. November verzeichnet (AA. SS. Nov. II, 1, p. [145/6]), eine der so zahlreichen Doppeleintragungen (vgl. H. Achelis, Die Martyrologien, Abhandlungen der Göttinger Gesellschaft der Wissenschaften, Neue Folge III, 3, 1900, S. 193 ff.), wie für Clemens schon Lightfoot, The apostolic fathers I, 1, 1890, p. 99 festgestellt hat. Vgl. auch A. Urbain, Ein Martyrologium der christlichen Gemeinde zu Rom (v. Gebhardt und Harnack, Texte und Untersuchungen, Neue Folge VI, 3), 1901, S. 208.

Weihe etwa am Clemenstage selbst, am 23. und nicht am 21. erfolgt ist, eine Vermutung, die zu weit geht und unnötig ist. Da der 21. keinen namhaften Römischen Heiligen darbot, der 22. mit dem Fest der h. Caecilia natürlich nicht in Betracht kam, so hat man den Namen des zunächst und in einem Abstand von nur zwei Tagen folgenden Römischen Heiligen zur Benennung des neuen Bischofs gewählt; denn an ein zufälliges Zusammentreffen von Namen und Heiligentag mit so geringem Abstand wird man schwer glauben können.

Ist diese Auffassung richtig, so ergibt sich damit ein neuer Gesichtspunkt für die Beurteilung der Bonifatius-Frage. Auch Wynfreths zweiter Name war der Name eines älteren Heiligen, dessen Kult in Rom seit geraumer Zeit Eingang gefunden hatte; auf dem Aventin an der Stelle des heutigen S. Alessio stand bereits vor der Mitte des 7. Jh. eine Kirche, die seinen Namen trug[1] und in der man seinen Leichnam zu besitzen glaubte, wenigstens seit dem 8. Jh. eine Diakonie[2]. Seine aus dem Griechischen übersetzte und im Mittelalter vielgelesene Legende[3], deren Wertlosigkeit heute feststeht, lässt ihn 290 in Tarsos den Märtyrertod erleiden und seine Reste von dort nach Rom gebracht werden; der 14. Mai war seinem Andenken geweiht[4]. Und nun beachte man, wann Wynfreth der Name nachweisbar zum ersten Mal beigelegt wird: 719 am 15. Mai in dem Schreiben, durch das ihm Papst Gregor den Auftrag zur Heidenpredigt erteilt, in dem Schreiben, mit dem der Beginn seiner Wirksamkeit im Dienste Roms und im Bunde mit Rom gleichsam seinen amtlichen Ausdruck findet. Wer bei Willibrord-Clemens nicht an einen Zufall zu glauben vermag, wird ebensowenig bei Bonifatius einen solchen annehmen können; wie Willibrord am 21. November den

1) Vgl. die Litteratur-Zusammenstellung bei H. Marucchi, Éléments d'archéologie chrétienne III, 1902, p. 196 und namentlich P. Kehr, Italia pontificia I, 115. 2) Vgl. Duchesne a. a. O. II, 39, Anm. 42. 3) Bibl. hag. Lat. n. 1413. Vgl. Duchesne, Notes sur la topographie de Rome au Moyen Age VII (Mélanges d'archéologie et d'histoire X, 1890) p. 225—234; A. Dufourcq, Étude sur les Gesta martyrum romains (Bibliothèque des Écoles françaises d'Athènes et de Rome 83), 1900, p. 166. 318; Pio Franchi de' Cavalieri, Dove fu scritta la leggenda di S. Bonifazio? (Nuovo Bulletino di archeologia cristiana VI, 1900, p. 205—234). — Von anderen gleichnamigen Heiligen kann hier abgesehen werden; vgl. die Zusammenstellung von Nürnberger S. 17 ff. 4) Erst später ist durch Verwechslung mit Wynfreth der 5. Juni auf den Märtyrer von Tarsos übertragen worden; vgl. z. B. jüngst H. Quentin, Les martyrologes historiques, 1908, S. 496.

Namen eines zwei Tage später gefeierten Heiligen empfing, so erhielt Wynfreth am 15. Mai die päpstliche Ermächtigung zur Wirksamkeit bei den Heiden unter einem Namen, zu dessen Wahl ebenfalls der Kalender den Anstoss gegeben hatte. Der Abstand von einem Tage hat kein grösseres Gewicht als der von zwei Tagen bei Willibrord; der 15. Mai selbst erinnerte an keinen angeseheneren Römischen Heiligen. Zudem liegt der Gedanke nahe, dass die Erteilung des päpstlichen Segens[1] samt der Aenderung des Namens und dem mündlichen Auftrag zur Heidenmission wirklich am Bonifatius-Tage erfolgt ist, gleichwie 722/3 die Bischofsweihe am 30. November stattgefunden hat[2], während die Empfehlungsschreiben Gregors für den neuen Bischof vom folgenden Tage datiert sind[3]; doch ist eine solche Annahme natürlich ebensowenig notwendig wie bei Willibrord.

Geht meine Auffassung nicht irre, so ist damit die Frage nach Ort, Zeit und Urheber der neuen Benennung in gleicher Weise entschieden wie die nach dem Sinne, den der Papst mit dem Namen verband; es war einfach der Name eines Römischen Heiligen gleich den Namen Petrus und Clemens, mit denen Caedwalla und Willibrord ausgestattet wurden. Die vorgeschlagene Erklärung scheint mir die einfachste Lösung der Frage zu ergeben; trifft sie zu, so hat Willibald zwar die erste Romreise mit der zweiten verwechselt, aber Ort und Urheber der Benennung richtig angegeben, wie man schon längst vermutet hat. Das Zusammentreffen des Heiligentages mit dem ersten Auftreten des Namens — und dem Auftreten gerade in j e n e m Papstbriefe! — dürfte eine wesentliche Bestätigung für die Richtigkeit dieser Anschauung darstellen.

---

1) Willibalds Vita Bonifatii c. 5 (p. 22). 2) Eb. c. 6 (S. 29). 3) Epist. Bonifatii 17. 18 (S. 266 ff.). — Vielleicht verdient auch der Umstand einen Hinweis, dass der 14. Mai 719 ein Sonntag war.

Ein Führer durch Canossa.

Von H. Bresslau.

Das Büchlein, das der Professor Naborre Campanini unter dem Titel 'Canossa, Guida storica illustrata' in der Verlagsbuchhandlung von L. Bassi zu Reggio nell' Emilia herausgegeben hat, ist schon im Jahre 1894 erschienen. Mehrere Fachgenossen, die den Ort besucht haben, kennen es; in der deutschen Litteratur aber ist es, soviel ich sehe, nirgends erwähnt worden, und es werden deshalb ein paar Worte darüber an dieser Stelle dem und jenem willkommen sein [1].

Die Schrift ist in 11 Abschnitte eingeteilt, von denen der erste (chronologische Uebersicht über die Geschichte der Burg bis zu ihrem Ankauf durch den Staat 1878) und zweite (Beschreibung der Wege von Reggio nach Canossa) hier nicht weiter besprochen zu werden brauchen. Die Abschnitte 3—8, zu deren Erläuterung eine Anzahl von Abbildungen dienen, geben eine Beschreibung des Felsens und der Ruinen der Burg, sowie der Ergebnisse der seit 1877 vorgenommenen Ausgrabungen, die von der Sektion Enza des italienischen Alpenklubs angeregt, vom Staate unterstützt und zuletzt von dem Herausgeber unseres Büchleins geleitet wurden. Von Interesse sind darin insbesondere die Angaben über die Abmessungen der Bergkuppe, auf dem die Burg lag: sie sind noch kleiner, als ich wenigstens sie mir nach den Mitteilungen Meyers von Knonau [2] vorgestellt hatte: die grösste Längenausdehnung der Fläche von Nord nach Süd beträgt 80, die grösste Breite von Ost nach West 30, der Umfang nicht mehr als 200 Meter und der Flächeninhalt der ganzen Kuppe wird auf wenig über 2000 Quadratmeter geschätzt. Doch bemerkt der Verfasser, der sich dafür auch auf eine topographische Karte

---

1) Ich verdanke seine Kenntnis der Freundlichkeit des Herrn Oberlehrer Dr. M. Eimer in Strassburg. 2) Jahrbücher Heinrichs IV. II, 757, N. 21.

aus der ersten Hälfte des 16. Jh. beruft, dass die Oberfläche des Felsens im Mittelalter die dreifache Grösse der heutigen gehabt habe und dass sie erst seit dem 13. Jh. durch eine Anzahl von Abstürzen und Abrutschungen, deren letzte 1846 erfolgte, so klein wie heute geworden sei. Auf der beigegebenen Tafel VI (vgl. auch Tafel II) versucht Campanini den Grundriss der Burg in den verschiedenen Phasen ihrer Geschichte, in denen sie mehrmals zerstört und wieder aufgebaut wurde, bis zur Mathildinischen Zeit zurück zu rekonstruieren. Besonders beachtenswert ist, dass er (S. 61 ff.) auf Grund der Ergebnisse der Ausgrabungen ausdrücklich für die Glaubwürdigkeit der Angabe Lamperts eintritt, dass die Burg mit einer dreifachen Ummauerung (triplici muro) befestigt gewesen sei; den äussersten Mauerkreis will er an den Fuss des Berges verlegen und er soll die 'borghi', die im 15. Jh. erwähnt werden, mit umfasst haben, den Verlauf des zweiten Kreises setzt er ungefähr in die Mitte des Bergabhanges und nur den dritten lässt er auf der Kuppe des Felsens selbst sich erstrecken. Von den Ruinen der Burg ist die Krypta der Kirche des h. Apollonius (abgebildet auf T. IX) am besten erhalten; kleinere Fundstücke sind mit mancherlei Abbildungen, Plänen u. s. w. in dem inmitten der Ruinen errichteten Museum vereinigt, das der 11. Abschnitt beschreibt.

Historischen Inhalts sind der 9. und 10. Abschnitt, deren erster eine hier nicht weiter zu besprechende Uebersicht über den Verlauf des Investiturstreites gibt, während der zweite die Begegnung von Canossa selbst behandelt. Die Auffassung, die Campanini hier vertritt, ist hinsichtlich eines besonders wichtigen Punktes neu und von allen bisherigen Darstellungen abweichend. Bekanntlich erzählt Donizo II, v. 85 ff. von dreitägigen Verhandlungen zwischen Heinrich IV. und dem Papste, die der Absolution vorangingen. Als sie erfolglos blieben und Heinrich schon im Begriffe war umzukehren, kam es in einer Besprechung, die zwischen dem Könige, dem Abt Hugo von Cluny und der Gräfin Mathilde in der 'cappella sancti Nicholai' stattfand, dahin, dass Mathilde sich dazu verstand, in entscheidender Weise bei Gregor für Heinrich einzutreten und demnächst den Papst zum Abschluss der Verständigung bewog. Wann und wo sich diese Szene zugetragen hat, ist strittig. Während Holder-Egger[1] die drei Tage der Verhandlungen

1) Neues Archiv XIX, 551 ff.

mit dem in dem Briefe Gregors VII. an die deutschen Fürsten erwähnten 'triduum' des Aufenthalts Heinrichs vor dem Burgtore von Canossa identifiziert und demgemäss der Meinung ist, dass die Nikolauskapelle innerhalb der Burg lag, hat Meyer v. Knonau[1] die von Donizo v. 85—99 berichteten Verhandlungen — indem er es dahingestellt liess, ob die Erstreckung auf drei Tage nicht irrtümlich hierher gezogen sei — in die Zeit vor dem Erscheinen des Königs in Canossa verlegt; er lässt Heinrich sich an einen zwischen Canossa und seinem bisherigen Aufenthaltsort, d. i. wahrscheinlich Reggio, belegenen Ort begeben und sucht die Nikolauskapelle 'unterhalb der Burg', oder, wie er später sagt, 'am Fusse von Canossa'[2].

Es ist nicht meine Absicht, hier meine eigene Stellung zu dieser für das Verständnis des ganzen Geschehnisses recht wichtigen Frage eingehender darzulegen und zu begründen[3]. Ich will nur berichten und beurteilen, was Campanini darüber vorträgt. Er nimmt an, dass während der dreitägigen Verhandlungen, die Donizo erwähnt, Heinrich mit Mathildens Genehmigung in Bianello — einem der Quattro Castella —, Mathilde aber und Hugo von Cluny in dem benachbarten Castell Montegiovanni (heute Montezane) sich aufgehalten hätten und dass die Nikolauskapelle in dem letzteren gelegen habe, wohin Heinrich, um einen letzten Versuch zur Verständigung zu machen, am dritten Tage gekommen sei. Erst als Mathilde den Papst zur Nachgiebigkeit bestimmt habe, sei Heinrich nach Canossa gegangen. Was er dann weiter über die dreitägige Busse in Canossa selbst ausführt, die er in der früher herkömmlichen Weise vor sich gehen lässt, braucht uns nicht mehr zu beschäftigen; und ich würde auf seine Erörterungen ausführ-

---

1) Jahrbücher Heinrichs IV. II, 758 und Zeitschrift für Deutsche Geschichtswissenschaft XI, 359 ff. 2) Otto, Mitteilungen des Instit. für österreich. Geschichtsforschung XVIII, 615 ff. nimmt ebenfalls an, dass der König am Fusse des Burgfelsens Quartier bezogen habe, und dass hier auch die Nikolauskapelle gewesen sei, verwirft aber Meyers v. Knonau Annahme, dass die dreitägigen Verhandlungen Donizos von ihm zu früh hereingezogen seien. Haller, Neue Jahrb. f. d. klass. Altertum, Geschichte u. s. w. XVII, 132, N. 3 bezeichnet die Annahme Meyers von Knonau als ein 'Versehen' und scheint die Kapelle oben in der Burg zu suchen; wenigstens spricht er S. 133 von der 'Burgkapelle', lässt (wenn ich ihn recht verstehe) Heinrich nach der Begegnung mit Mathilde in der Kapelle bleiben, dort die Schuhe ablegen und das härene Gewand anziehen, worauf er sich, als die Audienz beim Papste bewilligt ist, auf kurzem Gange (über die Steinfliesen einer Treppe, sollen wir denken) hinauf in das päpstliche Gemach begibt. 3) Im wesentlichen stimme ich der Auffassung Ottos zu.

licher einzugehen nicht für nötig gehalten haben, obwohl in ihnen diese und jene zutreffende Bemerkung enthalten ist, wenn er sich nicht für die Verlegung der Nikolauskapelle in die Burg Montezane auf urkundliche Zeugnisse berüfe, indem er erklärt, dass in zahlreichen Urkunden die 'cappella s. Nicholai de Montezane' oder 'de Canuxia' oder die 'ecclesia ruralis s. Nicholai de Canossa in castro Montis Zani' erwähnt werde, wie sie denn auch bei Salimbene zum Jahre 1285 [1] begegnet. Obwohl nun seine Hypothese schon deswegen unannehmbar erscheint, weil Donizos 'Ipsaque . . . exit ascendens sursum' doch nicht mit einem: 'essa e l'abbate . . ., risaliti i monti, ritornarono a Canossa' wiedergegeben werden kann, habe ich es doch für nützlich gehalten den Nachrichten über jene Nikolauskirche von Montezane näher nachzugehen. Ich habe mich deshalb an den Direktor des Staatsarchivs in Reggio, Sig. Dallari, gewandt, und ich verdanke es seiner grossen Freundlichkeit, dass ich darüber hier kurz berichten kann. Im Staatsarchiv ist nur eine Urkunde vom Jahre 1352 vorhanden, in der die 'ecclesia s. Nicolay de Montezagno' erwähnt wird. Aber auch in den Materialien über ihre Geschichte, die der Canonicus G. Saccani in Reggio gesammelt hat und auf die sich Campanini beruft, findet sich keine Notiz darüber, die älter wäre als die Erwähnung bei Salimbene, so dass also nicht der geringste Anhaltspunkt für die Annahme, dass die Kirche schon im 11. Jh. existiert hätte, vorhanden ist. Auch wird in diesem Material die Kirche niemals als 'cappella s. Nicholai de Montezane' oder 'de Canuxia' bezeichnet, wie Campanini angibt, und die Urkunde in der sie 'ecclesia ruralis s. Nicholai de Canossa in castro Montis Zani' heisst, stammt erst aus dem Jahre 1575. Ist es danach um die zuletzt erwähnte Hypothese Campaninis noch schlechter bestellt, als man von vornherein annehmen konnte, so schien mir doch ein Hinweis auf seine Schrift wegen der Aufschlüsse, die sie in Bild und Schrift über die Topographie von Canossa gibt, nicht unnützlich.

---

1) SS. XXXII, 594.

Ein Brief Friedrichs des Freidigen an König Enzio vom J. 1270.

Von Jacob Werner.

Die zeitgenössischen Annales Placentini Gibellini (MG. SS. XVIII, 536 ff.) berichten ziemlich ausführlich über die Hoffnungen und Pläne des jungen Friedrich in Bezug auf sein vermeintliches Erbland Sizilien[1]. Eine Ergänzung der dort überlieferten Korrespondenz bietet die Sammelhs. der Basler Universitätsbibliothek D. IV. 4, auf die ich von Herrn Prof. Dr. O. Holder-Egger aufmerksam gemacht wurde. In demjenigen Teile, den ein Basler Kleriker gegen das Ende des XIII. Jh.[2] aus fremdem und eigenem Gute zusammenstellte, findet sich fol. 75^{rI}—75^{vI} ein Brief Friedrichs, der sich zugleich als Antwort auf eine Zuschrift Enzios darstellt. Man darf wohl den Schluss ziehen, dass auch Enzio, wie die Ghibellinen in Italien überhaupt, von Friedrich Grosses erwarteten. So versteht man auch leichter, warum Friedrich vor seinen Brüdern in Enzios Testament[3] bedacht wurde. Es ist kaum denkbar, dass unser Brief eine Fälschung oder ein Schulexercitium sei, wenn ihm auch ein genaueres Datum und der Ort der Ausstellung fehlen. Eine Ungenauigkeit, die vielleicht als Flüchtigkeit oder Versehen des Kopisten anzusehen ist, besteht darin,

---

1) Vgl. Franz X. Wegele, Friedrich der Freidige (1870) S. 60 und besonders S. 361—369; Arn. Busson, Friedrich d. Fr. als Prätendent der sizil. Krone . . . in Hist. Aufsätze dem Andenken v. G. Waitz gewidmet (1886) S. 269 ff.; Herm. Grauert, Zur deutschen Kaisersage in Hist. Jahrbuch der Görres-Ges. XIII (1892), 112 ff.; Herm. Grauert, Zur Vorgesch. der Wahl Rudolfs v. Habsburg, das. XIII, 200; J. Kempf, Gesch. des deutschen Reiches während des gr. Interregnums (1893) S. 254. 2) Ausser einem Epitaph auf Hartmann, König Rudolfs Sohn, der am 20. Dez. 1280 im Rheine bei Breisach ertrank (vgl. z. B. MG. SS. XVII, 284. 302):

Non ego rege satus fueram patre rege beatus . . .

enthält die Hs. noch einige Begrüssungsverse, die an den Bischof v. Basel Peter Reich (1286—1296) gerichtet sind. 3) S. Wegele, Friedrich der Fr. S. 361, N. 1.

dass der Markgraf von Brandenburg als Oheim bezeichnet wird, während dessen Schwiegersohn, der Markgraf Dietrich v. Landsberg, Friedrichs Oheim ist; doch wird in den Ann. Placent. der Markgraf von Brandenburg unter den Fürsten genannt, die sich verpflichtet hatten, Friedrich nach Italien Zuzug zu leisten. Leider bietet die schwülstige Sprache des Schriftstückes, die z. T. auf Rechnung des 'cursus velox' zu setzen ist, dem Verständnis manche Schwierigkeiten.

Unmittelbar vor dem Briefe stehen einige der Verse, die in der Chronik des Erfurter Minoriten (SS. R. G., Mon. Erphesfurt. ed. O. Holder-Egger p. 680) in Bezug auf die Verhandlungen vor der Wahl Gregors X. dem Kardinal bischof von Porto zugeschrieben sind[1], hier aber als Erzeugnis des Kardinalbischofs von Albano bezeichnet werden.

Hii sunt versus, quos composuit card. Albanensis, dum existeret in collegio card[inalium] habendo tractatum cum eis de electione futuri pape:

Versus: Non concordamus nec concordare putamus, (= 1)
Et tamen hic stamus, cum nil pietatis agamus, (= 2)
Ac non curamus de fama, quam lapidamus, (= 4)
Sponsum condamus, quem sponse preficiamus, (= 9)
Et, quem speramus, occasum preveniamus. (= 8).

Item hec est epistula, quam misit dominus Frider[icus] langravius Turingie nuper nepoti suo regi Henr[ico] de Sardinia Bononie incarcerato.

Fridericus tercius dei gratia Ierusalem et Sicilie rex, dux Suevie, langravius Turingie et comes Saxonie palatinus, salutem et salutis munera expectare.

Illud preter epistulam notandum, quod subticet nomen, cui scribitur, in hac et aliis omnibus epistulis suis, ne incidat periculum.

§ Orbis princeps, quos a progenie in progeniem[2] dextera domini exaltavit, sevire[3] in medio in filios consuevit et percussit in gladio reges fortes[4], ut nulla sub celo transeat potentia inconcussa, et recordentur et in manu eius se sentiant omnes fines terre[5], et quod altitudines montium ipse respicit, et quod rex magnus est iudicans super omnes.

Sed qui regnantes constituit ad populum gubernandum et plantavit vicarios suos iustitie defensores, ulciscendo in

1) Vgl. Busson a. a. O. S. 335, N. 1. 2) Luc. 1, 50: 'a progenie in progenies'. 3) 'senire' Hs. 4) Ps. 135. 17. 18: 'Qui percussit reges magnos . . . Et occidit reges fortes'. 5) Ps. 94, 4 u. 5: 'Quia in manu eius sunt omnes fines terrae, et altitudines montium ipsius sunt'.

eos nititur extirpare, ut propago vel surculus non supersit, in quem successio exaltationis pateat. Sed post iram infusam preteritis superstitem reformavit.

Sic igitur post parentum meorum memorie celebris in regni sceptro felicitatis tempora in filiorum filios prorogata et sublimitatis[1] in titulum eminentem imperialis fastigii successura in generatione ipsorum gratia consecuta ultra duorum augustorum terminos aliorum, qui antea imperaverant, ampliata ex alto in genus nostrum gravitatem iudicii, quam in priores nobis proximos percussio edidit, in conpensationem concesse glorie retroacte de throno potentis iudicis toleramus.

Cuius conversa dextera ad solite benignitatis sinum[2] nos electum de stirpe palmitem ad restaurationem turbati solatii reservavit et ad derivatum ad nos clamantem titulum restaurandum occupantis nequicia spoliata ultore in eum gladio nobis a deo dato, qui ipsum permisit in aliquo non offensum duorum protervo brachio in sanguinem exerceri.

Et ecce venit redemptor et erexit dominus cornu salutis[3] de domo cesarea in puerum omnibus expectantibus speratum[4], ut qui privati diucius salute, iam longa affecti penuria, senuerunt sub umbra et arido derelicti, eis succurrat resurgens arbor, qui [!] suis eos ramis et frondibus ampliata convertat ad gaudia iuventutis.

Et ut tuis litteris, quas ex parte tua magestati nostre lator presentium noviter presentavit, diligenti animo respondentes de[5] felici processu nostro devocionis tue desideria inpleremus[6], per nostros[7] rescribimus apices seriatim, quod nuper apud civitatem Quirine[8] super tractatu exaltationis nostre sollempni curia celebrata per illustres principes mar[chionem] Missenensem et Orientalem[9], langravium Turingie et comitem palatinum[10] et marchionem de Brandenburg, karissimos nostros avum, patrem et patruum, nec non excellentem regem Boemie[11], nostrum socerum[12] reverendum, per suum specialem nuncium et sollempnem, nostri honoris et nominis unanimiter promotores, sedente preclara principum et magnatum Germanie comitiva, qui cum eis ad cause nostre presidium convenerunt, ex habundanti animo in promotione nostra accensis propositis, iuramento predicti[13]

---

1) 'sublitatis' Hs. 2) 'signum sinum' Hs., das erste durchstr. 3) Luc. 1, 68. 69: 'Benedictus Dominus, quia ... fecit redemtionem plebis suae et erexit cornu salutis nobis in domo David'. 4) 'speratam' zu 'preparatam' korr. Hs. 5) 'et de' Hs. 6) 'inploramus' Hs. 7) 'nras' Hs. 8) Querfurt. 9) Heinrich der Erlauchte. 10) Albrecht. 11) Ottokar II. 12) 'socrum' Hs. 13) 'patris' muss ergänzt werden.

nostri in eorum verbo irrevocabiliter est firmatum, quod idem pater, in totum paternis honus assumens humeris filiale, dux nostre potentie et suis actibus, viribus[1] et illustrium predictorum abreviato termino, quantum natura permittit aeris et facultas conferre temporis castra metantibus regibus consuevit, usque ad primo futurum festum beati Iohannis Baptiste, eductis signis victricibus aquile et leonis, idem erit in Ytaliam sub felici nostri fortuna nominis aggressurus deo favente et propicio iustis armis ad placandos errores latius antiquatos; et ad recuperationem hereditatis nostre[2], regni Sicilie, cuius infusa superbia solium inclinavit, ante prefatum terminum nichilominus capitaneum premittendo cum armorum honorabili quantitate ad reformationem nostrorum previa devotorum.

Datum anno domini M⁰CC⁰LXX⁰ mense Februario[3].

---

1) Oder 'iuribus' Hs. 2) 'nr̄i' Hs. 3) In einem jüngern Fragment (s. XIV. ex.) dieser Sammelhs. (fol. 113 v I — 114 r I) steht eine etwas abweichende Fassung des von R. Röhricht im N. A. XI, 575—577 herausgegebenen Briefes von Saladin an den Kaiser Friedrich; auch hier fehlt die Jahrzahl. Wie im Wiener Codex ist (S. 576, 32) 'cum mīa' geschrieben, das nicht mit dem Berol. 'cum misericordia' gelesen werden darf, eher mit Woelfflin (Caecilii Balbi de nugis philosophorum p. 32) etwa durch 'cum memoria' wiederzugeben ist. Besonders an einer Stelle scheint die Basler Hs. das Richtigere zu bieten (S. 577, 11 und 12):

Bas.	Berol.	Vindob.
Inde est quod fidelem legatum nostrum, id est archiepiscopum Acharium, virum utique prudentem, veracem, providum et in lege sua	Inde est, quod legatum vestrum,	Inde quoque fidelem nostrum,
pariter de medio sapientum nostrorum consulte		sapientem quidem et multitudine
elegimus, Acharium quidem, sapientiam et pulcritudinem legis, butahir esmair, ad vos transmittimus . . .	Arcarium quidem, sapientiam et pulchritudinem legis, butair esmair videlicet, et ad vos ipsum transmittimus . . .	legum butair esmair imbutum ad vos transmittimus . . .

Ludwig Traube.

Ein Nachruf von H. Bresslau.

Den beiden Männern, denen er in dem kleinen Kreise der Monumenta Germaniae am nächsten gestanden hatte, Ernst Dümmler und Theodor Mommsen, ist Ludwig Traube nach kurzer Zeit im Tode gefolgt. Wir hatten ihn schon vorher verloren, und der Verlust, den wir in jener unglücklichen Stunde erlitten haben, da er sich entschloss, aus unserer Zentraldirektion zu scheiden, ist heute noch nicht ersetzt, wird vielleicht niemals ganz ersetzt werden. Nun ist auch die letzte schwache Hoffnung begraben, er werde noch einmal zu den Arbeiten und Aufgaben zurückkehren, von denen er sich schweren Herzens getrennt hatte, und uns bleibt nur die Erinnerung an das, was wir ihm verdanken, und die Pflicht uns klar zu machen, was sein Wirken für uns bedeutet hat.

Ludwig Traube ist am 19. Juni 1861 in Berlin geboren, das jüngste Kind und der einzige Sohn des gleichnamigen genialen Klinikers, dem das Jahr 1848 die Habilitation an der Berliner Universität ermöglicht hatte, und der schon längst zu ihren glänzendsten Zierden gehörte, als der Wechsel im preussischen Kultusministerium 1872 die konfessionellen Bedenken zurücktreten liess, die bis dahin seine Ernennung zum Ordinarius verhindert hatten. Er liess seinen Sohn bis zum vollendeten zehnten Lebensjahre in seinem Hause unterrichten und war aufrichtig betrübt, dass der Knabe nur geringe geistige Anlagen zu verraten schien. Das änderte sich völlig, als Traube in das Wilhelmsgymnasium eintrat; seine hervorragende Begabung wurde von dem Direktor der Anstalt bald erkannt und wandte sich früh und leidenschaftlich den philologischen Studien zu — nicht zu voller Freude des Vaters, der freilich zu seiner Erholung in den Stunden der Musse gern griechische und römische Klassiker mit dem Sohne las, aber noch auf seinem Sterbebette bedauerte, dass dieser, der damals 14 Jahre zählte, nicht gleich ihm sich den Naturwissenschaften widmen werde. Wenige Wochen nach dem Vater verlor Traube auch die Mutter, und der verwaiste Knabe, der in das Haus der Grossmutter übersiedelte, schloss sich um so inniger an die Schwestern an. Schon auf dem Gymnasium aber ging er seine eigenen Wege, und ein guter Schüler in landläufigem Sinne ist er wohl überhaupt nicht gewesen; seine Schwester erzählt, wie er einmal zu ihr gekommen sei, um ihr zu sagen, er habe sich entschlossen, das Gymnasium sofort zu verlassen, weil er durch die albernen Schularbeiten in seinen Studien gehindert würde, und wie sie ihn durch ein griechisches Wort zur Aufgabe dieses Entschlusses vermocht habe. Als aber ihm, der sich mit der Mathematik nicht befreunden mochte, die Versetzung in die Oberprima versagt wurde, verliess Traube Berlin und verbrachte sein letztes Schuljahr in Neuwied im Hause des Philologen Carl Bardt, der damals das dortige Gymnasium leitete. Ihm hat er als Geburtstagsgeschenk im Jahre 1879 ungedruckt gebliebene Emendationen zu Tacitus' Dialogus gewidmet; schon vorher aber hat der Primaner auch seine erste Arbeit aus dem Gebiet der mittelalterlichen Philologie geschrieben, eine Rezension über Dümmlers erste Ausgabe der Gesta Apollonii, die im Literarischen Zentralblatt (1878 S. 883) gedruckt wurde: kurz, doch inhaltreich, mit dem Nachweis der Handschriftenklasse, zu der das von dem Dichter benutzte Exemplar des Apolloniusromans gehört hatte, mit einer beachtenswerten Vermutung über den fehlenden Schluss des Gedichts und mit einem Dutzend Emendationen zum Text, was alles Dümmler, als er 1884 die Ausgabe für unsere Monumenta wiederholte, sorgfältig zu benutzen nicht unterlassen hat.

Kein Wunder danach, dass das Abiturientenzeugnis Traubes (1880) ihm bezeugt, dass seine Kenntnisse in den alten Sprachen 'den Kreis der Schule weit überragten'. Er bezog die Universität München, der er treu blieb; nur ein Semester — den Sommer 1881 — verbrachte er in Greifswald; und schon nach sechs Semestern promovierte er (8. März 1883). Von seinen Lehrern hat wohl nur Rudolf Schöll einen grösseren Einfluss auf ihn gehabt; auch auf der Universität verdankte er das beste seinen eigenen freien Studien und der eifrigsten Beschäftigung mit den reichen Schätzen der Münchener Bibliothek. Am 28. November 1888 habilitierte er sich in München und begann im Sommer 1889 seine Lehrtätigkeit mit einem zweistündigen Kolleg über die Geschichte der klassischen Philologie seit Bentham und palaeographisch-kritischen Uebungen an lateinischen Texten des Mittelalters. Einen festen Turnus von Vorlesungen hat er nie gehabt, und auch als akademischer Lehrer schlug er neue Wege ein; wenn man in den Münchener Lektionskatalogen seine nahezu zwanzigjährige Tätigkeit verfolgt, staunt man über den vielfachen Wechsel in den Gegenständen seiner Vorlesungen und mehr noch in ihrer Abgrenzung und Bezeichnung. Da erscheint neben der Geschichte der klassischen Philologie eine encyklopädische Einleitungsvorlesung in diese Wissenschaft, Quellenkunde der römischen und der griechischen Geschichte sowie Geschichte der römischen Dichtung; Catull, Catilina, Sueton, Plinius, Ammianus Marcellinus werden interpretiert. Immer mehr aber tritt das Mittelalter in den Vordergrund: Ueberlieferungsgeschichte der römischen Literatur im Mittelalter, Geschichte der lateinischen Literatur des Mittelalters oder von Cassiodor bis Dante, Einleitung in die lateinische Philologie des Mittelalters (Schrift, Sprache, Ueberlieferungs- und Literaturgeschichte), griechische und lateinische Palaeographie, Handschriftenkunde werden gelesen, mittelalterliche Gedichte und Geschichtswerke, gelegentlich auch Dante's Schrift De vulgari eloquio, werden interpretiert, und palaeographische und kritische Uebungen an Hss. deutschen und italienischen Ursprungs, auf die er das Hauptgewicht legte, gehen nebenher. Sie fanden zuletzt in einem kleinen, einstöckigen, grünumwachsenen Häuschen neben dem Wohnhause in Schwabing statt, in das Traube sich 1894 mit seiner gewaltigen Bibliothek und seinem wundervollen Apparat von Photographien zurückgezogen hatte, und in das er im Jahre 1900 seine junge Gattin einführte. Wie er hier gewirkt, welchen Einfluss er auf seine immer zahlreicheren Schüler gewonnen hat, die mit begeisterter Liebe und Verehrung an dem Lehrer hingen, das haben nach seinem Tode viele von ihnen mit Worten ergreifender Trauer und rührender Dankbarkeit bezeugt.

Das musste ihn für die kränkende Zurücksetzung entschädigen, die ihm von oben her widerfuhr. Als er auf eine zehnjährige Tätigkeit als Privatdozent zurückblicken konnte, wurde endlich im Jahre 1900 die Errichtung eines etatsmässigen Extraordinariats für Philologie beschlossen; die Fakultät hatte Traubes Ernennung beantragt und die Welt erwartete sie, aber das Amt wurde einem Kollegen verliehen, der noch dazu an Lebensalter und als Dozent jünger war als er. Als im nächsten Jahre die Regierung dem von der Fakultät wiederholten Antrag aus Rücksicht auf die Kammermehrheit nicht einmal im Etatsentwurfe Rechnung trug, verlor Traube die Geduld, und in begreiflicher Erbitterung trug er sich mit dem Gedanken, auf die Venia legendi zu verzichten und der Münchener Universität den Rücken zu kehren. Mit Mühe gelang es seinen Freunden, ihn zur Aufgabe dieses Entschlusses und zur Annahme des ihm von der Regierung verliehenen Professortitels zu bewegen; aber erst im Sommer 1902, als das hessische Ministerium Traube als Nachfolger Gundermanns nach Giessen berief, entschloss man sich in München zu ernsthaften Bemühungen, um den Gelehrten, dessen Ruf längst die Grenzen Baierns und Deutschlands überschritten hatte, zu halten. Die Regierung ernannte ihn, ohne vorher die Kammer zu fragen, zum ordentlichen Professor und versprach, das Gehalt, das sie ihm ohne deren Bewilligung nicht auswerfen konnte, in das nächste Budget einzustellen: im Jahre 1903 wurde dies Versprechen eingelöst, und in der Kammersitzung vom 18. Mai 1904 wurde der Antrag auf Errichtung einer neuen Professur für lateinische Philologie des Mittelalters ohne Debatte angenommen.

War Traube so zu fünfjährigen, höchst widerwärtigen Kämpfen um die Sicherung seiner akademischen Existenz genötigt, so hatte es ihm auf der anderen Seite an ehrenvollen Zeugnissen, wie hoch man seine wissenschaftliche Tätigkeit schätze, nicht gefehlt. Schon 1894 hatte ihn die Göttinger gelehrte Gesellschaft zum Korrespondenten gewählt; der Münchener Akademie gehörte er seit 1896 als ausserordentliches, seit 1899 als ordentliches Mitglied der historischen Klasse an. Im Jahre 1902 wurde ihm die seltene Auszeichnung der Wahl zum auswärtigen Mitgliede der römischen Accademia dei Lincei zu Teil; zum Mitglied endlich unserer Zentraldirektion war er auf Mommsens Antrag schon im April 1897 gewählt worden und hat sieben Jahre lang an ihren Beratungen Anteil genommen, zuletzt als Leiter zweier Abteilungen, der Auctores antiquissimi und der Antiquitates.

Eine allseitige und erschöpfende Würdigung seiner literarischen Tätigkeit, deren Eigenart sein Schüler und Freund Franz Boll so treffend und liebevoll geschildert hat[1], dass ich nichts weiteres darüber zu sagen weiss, geht

1) Beilage zur Allgemeinen Zeitung. 24. und 25. September 1907.

über den Rahmen dieses Aufsatzes und über meine Kompetenz hinaus. Traubes Arbeiten auf dem Gebiet der klassischen Philologie müssen hier ganz unberücksichtigt bleiben, und nur derer, die mit den mittelalterlichen Studien und den Aufgaben unserer Gesellschaft unmittelbar zusammenhängen, kann in aller Kürze gedacht werden.

Ich weiss nichts näheres darüber, aber es scheint mir nicht unmöglich zu sein, dass jene Primanerrezension über die Gesta Apollonii, von der ich oben sprach, den Anlass zu der Anknüpfung näherer Beziehungen Traubes zu Dümmler und damit zu unseren Monumenta gegeben hat. Jedenfalls hat sie zu lebhaftem Briefwechsel zwischen beiden geführt, als Dümmler in dem 1884 erschienenen zweiten Band der Poetae Latini die Ausgabe des Gedichtes erneuerte. Traube selbst hatte eine neue Edition davon vorbereitet und die Genter Hs. zu diesem Behufe abermals verglichen, überliess nun aber Dümmler zu grossem Gewinn des Textes die Verwertung der von ihm gewonnenen Ergebnisse, mit der selbstlosen Uneigennützigkeit, die jeder Zeit ein Grundzug seines Wesens war. Dümmler gewann ihn dann für die Mitarbeit an den Monumenta, und es war ein Zeichen des grossen Vertrauens, das er und Waitz auf den jungen, eben erst promovierten Philologen setzten, dass ihm die selbständige Bearbeitung erst einer Anzahl von Autoren, dann überhaupt des dritten Bandes der Poetae übertragen wurde. Er selbst hatte freilich gedacht, als er schon nach zwei Jahren den ersten Teil dieses Bandes herausgeben konnte, seine Vollendung Harster zu überlassen und sich selbst anderen Aufgaben zuzuwenden, aber die Arbeit liess ihn nicht wieder los, und schliesslich hat er sich doch dazu verstehen müssen, die Fertigstellung des auf über hundert Druckbogen angeschwollenen Bandes zu übernehmen, dessen zweiter und dritter Teil 1892 und 1896 erschienen. Die Gedichte des Audradus Modicus, des Sedulius Scottus, der Poeten von St.-Riquier, Heirics von Auxerre, des Johannes Scottus, des Godescalcus, Milos von St.-Amand sind die Hauptstücke des Bandes, der durch die Vorzüge einer methodisch geschulten, ungemein scharfsinnigen Textkritik die beiden von Dümmler edierten Bände weitaus übertrifft, aber auch in seinen von umfassendster Gelehrsamkeit zeugenden Einleitungen eine Fülle wichtiger historischer und literarhistorischer Aufschlüsse bietet.

Abgesehen von dieser grossen Leistung, die für das Verständnis der geistigen Bewegung im Zeitalter Karls des

Kahlen eine der wichtigsten Quellen geworden ist, hat Traube in jenen Jahren auch durch die Unterstützung der Arbeiten Dümmlers und Mommsens sich um die Monumenta bleibende Verdienste erworben. Diesem hat er für den Cassiodorband die Ausgabe der panegyrischen Fragmente und den ganz vortrefflichen Index rerum et verborum beigesteuert, der auch eine Anzahl wertvoller, leider an dieser Stelle leicht übersehbarer Konjekturen zum Texte birgt, und er hat ihn auch bei der Edition der Chronica minora vielfach beraten; jener hat sich bei der Bearbeitung des 3. und 4. Bandes der Epistolae Karolinae seiner unausgesetzten Unterstützung zu erfreuen gehabt. Was Traube später als Abteilungsleiter für die Arbeiten von Winterfelds und Vollmers, ja selbst für die seinen sonstigen Studien so fernliegenden Necrologien Baumanns getan hat, das haben diese Männer selbst ausgesprochen, mit Worten, die von einer über den landläufigen Ausdruck pflichtmässiger Danksagung weit hinausgehenden Wärme der Empfindung zeugen. Die letzte grössere Arbeit, die Traube uns verheissen hatte, die Edition der vandalischen Gedichte des Codex Salmasianus, hat dann leider der Abbruch seiner Beziehungen zu den Monumenta vereitelt.

Im unmittelbaren Zusammenhang mit Traubes Tätigkeit für die Poetae steht seine Habilitationsschrift vom J. 1888: 'Karolingische Dichtungen', eine Frucht seiner eifrigen Korrespondenz mit Dümmler, ihm gewidmet und grossen Teils aus Briefen an ihn erwachsen. Sie bietet eine Fülle feinster und einleuchtender Verbesserungen, Erklärungen und Ergänzungen zu metrischen und rhythmischen Gedichten insbesondere des ersten Bandes der Poetae Karolini; voran geht ihr eine sehr bemerkenswerte Vorrede, die freilich in etwas doktrinärer, fast scholastischer Sprache und in scharfer, aber nicht unberechtigter Kritik älterer Monumenta-Ausgaben von den Aufgaben der mittelalterlichen Philologie und Geschichtswissenschaft handelt — ein Thema, das Traube stets lebhaft beschäftigt hat und später noch wiederholt von ihm angeschlagen wird. Gleichfalls dem Gebiete der mittelalterlichen Dichtung sind die meisten der mit Recht als glänzend bezeichneten Untersuchungen gewidmet, die 1891 unter dem Titel 'O Roma nobilis' vereinigt sind und diesen Titel nach dem ersten Abschnitt führen, in dem die Gedichte 'O Roma nobilis' und 'O venerabile Veneris ydolum', die ihr Entdecker Niebuhr dem ausgehenden Altertum zugewiesen hatte, als mittelalterliche Produkte nachgewiesen und mit hoher Wahrscheinlichkeit für das 10. Jh. und für Verona in Anspruch genommen werden. Die wichtigsten der in diesem Heft zusammengestellten Untersuchungen, die von Leben und Werken des Sedulius Scottus und von Audradus Modicus handeln, sind höchst wertvolle Ergänzungen zu der Ausgabe ihrer Gedichte im dritten Poetae-Bande[1]. Einheitlicheren Charakters als diese Schrift ist die im Jahre 1898 veröffentlichte Abhandlung über die Textgeschichte der Regula S. Benedicti, eine insbesondere vom Gesichtspunkt der Methode aus, aber auch in Rücksicht auf ihre tief eingreifenden Ergebnisse, wodurch die der letzten Ausgabe der Regel zu Grunde gelegte Auffassung völlig umgestürzt wurde, gleich rühmenswerte Musterleistung philologischer und historischer Kritik, ebenso ausgezeichnet durch Scharfsinn und Belesenheit wie durch Umsicht des Urteils und Durchsichtigkeit und Klarkeit der Darstellung. Die zahlreichen in Zeitschriften veröffentlichten Abhandlungen Traubes zur mittelalterlichen Literaturgeschichte, die sich den drei eben erwähnten grösseren Arbeiten anreihen, im einzelnen aufzuzählen kann ich an dieser Stelle unterlassen; die meisten davon, die er unserem Neuen Archiv zugewandt hat, sind in den Gesamtregistern zu Bd. 20 und 30 dieser Zeitschrift verzeichnet, in die freilich die wertvollen Beiträge zu den Nachrichten, die er geliefert hat, nicht mit aufgenommen sind: dankbar und nicht ohne Reue erinnert sich bei ihrer Erwähnung der einstige Herausgeber des Neuen Archivs der steten Hilfsbereitschaft des vielbeschäftigten Mannes, die er so oft in Anspruch genommen hat.

Eben so sehr aber, ja noch in höherem Masse als der Kritik mittelalterlicher Texte und der Geschichte der mittelalterlichen Literatur, der Traube auch durch die von ihm übernommene Vollendung der 7. Auflage des ersten Bandes von Wattenbachs Geschichtsquellen aufopferungsvoll gedient hat, ist seine literarische Tätigkeit der Palaeographie zu

1) Es ist eine Eigentümlichkeit aller Schriften Traubes, dass in Exkursen und Anmerkungen Beobachtungen und Ausführungen niedergelegt sind, die bisweilen mit dem eigentlichen Thema nur in losestem Zusammenhange stehen und daher nur zu leicht übersehen werden. So hat, um nur ein Beispiel zu geben, Mühlbacher in der neuen Ausgabe der Regesten S. 478 den Saracenensieg Ludwigs II. ins Jahr 852 gesetzt, ohne die Bemerkungen Traubes, O Roma nobilis S. 359 (63) zu beachten, die ein neues und vielleicht entscheidendes Argument für die von Dümmler bevorzugte Ansetzung zu 847/48 beibringen. Ein Schüler Traubes, der eine Art von Gesamtindex zu seinen Schriften verfasste, würde sich ein erhebliches Verdienst erwerben!

statten gekommen, die er auf ganz neue Wege geführt hat. Seit der Mitte des 19. Jh., da Diplomatik und Palaeographie, die bis dahin regelmässig verbunden waren, sich von einander getrennt hatten, hatte die Wissenschaft der Urkundenlehre die grössten Fortschritte gemacht und eine völlige Umgestaltung erfahren, dagegen war die Schriftkunde zwar in einzelnen Erkenntnissen, aber nicht in ihrem eigentlichen Wesen vervollkomnet worden. Sie blieb immer mehr Technik als eigentliche Wissenschaft, insofern ihre Hauptaufgabe darin zu bestehen schien, die Schriftwerke der Vorzeit lesen und ihrer Entstehungszeit oder ihrem Entstehungsorte nach bestimmen zu lehren; diesem Zwecke diente auch die Systematik der Schriftarten und eine bald mehr, bald minder ausgesponnene, eigentlich dem Gebiet der Antiquitäten angehörende Darstellung der für die Herstellung der Schriftwerke gebrauchten Hilfsmittel (Schreibstoffe, Schreibwerkzeuge u. a. m.). Indem Traube mehr als einer seiner Vorgänger die geschichtliche Entwickelung der Schrift verfolgt hat, hat er zugleich den Charakter der Palaeographie als der um ihrer selbst willen zu betreibenden Lehre von der Geschichte der Schrift, d. h. eines Teiles der Geschichtswissenschaft überhaupt, bestimmter ausgeprägt und die praktischen Dienste, die sie als eine Hilfswissenschaft der Geschichte und der Philologie zu leisten vermag, gefördert und vermehrt[1]. So hat er, um nur die Hauptrichtungen seiner Forschung zu bezeichnen, womit freilich seinen Verdiensten um die Palaeographie keineswegs Genüge geschieht, die Systematik der Schriftarten erheblich umgestaltet, den Gegensatz zwischen insularer und kontinentaler Schrift schärfer ausgebildet, den unglückseligen Sammelnamen der Scriptura Langobardica und damit eine Quelle zahlreicher Unklarheiten und Irrtümer endgültig beseitigt, die lokale Unterscheidung der Schriftprovinzen innerhalb der kontinen-

1) Die wichtigsten seiner hier einschlagenden Arbeiten (zu denen manche Bemerkungen in den früher besprochenen Abhandlungen hinzukommen) zähle ich kurz auf: Das Alter des Codex Romanus des Virgil (in den Strena Helbigiana 1900); Perrona Scotorum (in den Münchener Sitzungsberichten 1900); Palaeographische Anzeigen (Neues Archiv XXVI. XXVII. 1901 und 1902); Hieronymi codicis Floriacensis fragmenta Leidensia (1902); Palaeographische Forschungen (dritter und vierter Teil in den Münchener Abhandlungen 1904); Nomina sacra (1907). Auf eine eingehende Analyse des letzteren Buches, des palaeographischen Hauptwerkes Traubes, verzichte ich, da eine solche kürzlich in vortrefflicher Weise von Krumbacher (Allgemeine Zeitung, Beilage vom 18. und 19. Dezember 1907) geliefert ist.

talen Schrift in der Zeit vor der karolingischen Minuskel wesentlich gefördert, endlich für die Geschichte der Entstehung und Ausbildung dieser Schriftreform wertvolle Gesichtspunkte aufgezeigt. Vor allem aber, und hier knüpft er nicht an irgendwelche Vorgänger an, sondern weist ganz neue Ziele: er hat als erster die Geschichte der Abkürzungen wirklich wissenschaftlich bearbeitet und damit nicht nur den unmittelbar praktischen Zwecken der Palaeographie — zeitliche und örtliche Bestimmung der Schriftwerke — die grössten Dienste geleistet, sondern uns damit auch in bisher ganz unbekannte Vorstellungen der Menschen und in bisher kaum beachtete Kulturzusammenhänge der Völker des ausgehenden Altertums und des Mittelalters einen ebenso anziehenden wie lehrreichen Einblick eröffnet.

Diesen Studien vor allem hat Traube in den zwei letzten Jahren seines Lebens die Stunden der Arbeit gewidmet, die er seiner Todeskrankheit abringen konnte. Die Geschichte der Halbunciale, für die er jahrelang gesammelt und vorgearbeitet hatte, ist nicht vollendet, die Geschichte der lateinischen Literatur des Mittelalters, die man von ihm als die reife Frucht seiner Lebensarbeit erwartete, ist überhaupt nicht begonnen worden. Grosse und berechtigte Hoffnungen sind so am 20. Mai 1907 mit dem erst sechsundvierzigjährigen Forscher gestorben. Die aber, denen das Glück zu Teil geworden ist, ihm persönlich näher treten zu dürfen, trauern nicht nur um den grossen Gelehrten, der der Wissenschaft vor der Zeit entrissen ist, sondern auch um den treuen Freund, den edlen Menschen, der allezeit reinen Herzens und geraden Sinnes, aufrecht und stark durch das ihm oft so feindliche Leben gegangen ist.

Nachrichten.

172. Herr Professor Dr. Albert Werminghoff ist am 1. November 1907 als ordentlicher Professor nach Königsberg gegangen und hat somit seine feste Stellung bei der Zentraldirektion aufgegeben, behielt aber die Leitung der Abteilung Epistolae. — Herr Dr. Reinhard Lüdicke, der zu der Mitarbeit an den MG. beurlaubt war, ist am 1. Januar 1908 als Archivassistent an das Königl. Geheime Staatsarchiv in Berlin zurückberufen.

173. In den Scriptores rerum Germanicarum erschien ein Band mit dem Titel: Annales Marbacenses qui dicuntur (Cronica Hohenburgensis cum Continuatione et additamentis Neoburgensibus). Recoguovit Hermannus Bloch. Accedunt Annales Alsatici breviores. Mit einer Hs.-Tafel des Jenenser Codex der Ann. Marbac.

174. Die zweite Bearbeitung des Repertoire des sources historiques du moyen âge, Bio-Bibliographie von Ulysse Chevalier ist mit der neunten Lieferung jetzt (im Sept. 1907) zu Ende geführt und damit ein Werk des staunenswerten Fleisses dieses rastlosen Sammlers (bis auf ein wohl noch folgendes Ergänzungs-Heft) vollendet. Ueber den Plan und Aufbau des Werks, die ich nach der ersten Auflage als bekannt voraussetze, schweige ich, obwohl sich recht viel darüber sagen liesse, namentlich über das was aufgenommen, was weggelassen ist. Es wird zweifellos in zahllosen Fällen dem Benutzer sehr erspriessliche Dienste leisten, aber verlassen soll er sich nimmer darauf. Solch ein Riesenwerk kann nur von dem Standpunkt des Bibliographen oder Bibliothekars, nicht von dem des Geschichtsforschers aus bearbeitet werden. Die Folge ist, dass eine grosse Menge von Zitatenspreu da ist, die vollkommen wertlos ist, dass aber sehr oft das allerwichtigste fehlt, namentlich wenn an den Titeln der Schriften sich nicht ersehen liess,

über welche für das Werk in Betracht kommenden Personen darin gehandelt ist. Oft steht in den Vorreden zu Ausgaben von Werken das allerbedeutendste über deren Verfasser, aber diese werden höchst selten erwähnt. Um ein Beispiel anzuführen, das mir besonders nahe liegt: unter Sicard B. von Cremona fehlen meine umfangreiche Vorrede zu dessen Chronik aus SS. XXXI und meine beiden Aufsätze im N. A. XXVI und XXIX. Unter Martin von Troppau fehlt der grundlegende Aufsatz von L. Weiland aus Archiv XII. Das Verzeichnis solcher Desiderata würde viele Seiten füllen. Fehler finden sich natürlich auch in grosser Menge. Am unerfreulichsten kann es für den Benutzer sein, wenn dieselbe Person an zwei verschiedenen Stellen unter verschiedenen Bezeichnungen aufgeführt ist, was nicht selten vorkommt, und nun ein Teil der Literatur bei dem einen, der andere bei dem andern genannt ist. Solche Handbücher wie das von Wattenbach, GQ. sind durchweg nach älteren Auflagen (das genannte z. B. nach der dritten von 1873/4 statt nach der sechsten und siebenten) aufgeführt, was in der Vorrede freilich entschuldigt wird, doch aber als ganz unzulässig bezeichnet werden muss. Wer alle Mängel aufführen wollte, könnte wohl ein Werk schreiben, das nahezu so gross ist wie das Besprochene von 4832 enggedruckten Kolumnen, aber eine heldenhafte Leistung bleibt es deshalb doch. Es gehört schon Mut dazu, so etwas zu unternehmen. O. H.-E.

175. Die Bände XII und XIII der Inventari dei manoscritti delle biblioteche d'Italia von Giuseppe Mazzatinti, von denen der erste die Druckjahre 1902—3 trägt, aber uns erst kürzlich zugekommen ist, der andere in den Jahren 1905—6 gedruckt, aber erst 1907, mehr als ein Jahr nach dem Tode des hochverdienten Herausgebers, erschienen ist, enthalten die Fortsetzung der Hss. der Biblioteca Nazionale zu Florenz. Die grosse Masse der hier beschriebenen Hss. ist jung, wenige sind älter als 15. Jh., für die Geschichte des Mittelalters ist fast nichts darunter, viel für Kultur der Renaissance, die meisten Hss. sind in italienischer Sprache. Von dem wichtigen Fondo Magliabechiano sind hier die ersten sieben Klassen der Hss. beschrieben, wichtiger für uns wird die Fortsetzung werden, welche die historischen Abteilungen dieser Sammlung bringen wird, denn, wie S. Morpurgo im Vorwort zu Bd. XIII verspricht, wird der Katalog der Hss. der Bibl. Nazionale möglichst schnell fortgesetzt werden. O. H.-E.

176. In den Mitteilungen der Vereinigung für Gothaische Geschichte und Altertumsforschung 1907 S. 63—73 weist R. Ehwald drei Hss. nach und beschreibt sie, die aus der 1525 verbrannten Reinhardsbrunner Bibliothek gerettet sind. Aus der ehemals diesem Kloster angehörigen Koburger Hs. des Lebens des Landgrafen Ludwigs IV., das dort ursprünglich lateinisch verfasst (aber verloren) und übersetzt ist, gab er einige Wunder des h. Ludwig in deutscher Sprache aus den Jahren 1444 und 1446 heraus. O. H.-E.

177. Von der Bibliografia storica degli stati . . di Savoia (Bibl. stor. Italiana III) herausg. von A. Manno ist der VIII. Band, umfassend die Ortsnamen Genoud — Kyrie (Bibliogr. n. 29444—32562), erschienen. H. W.

178. Eine neue, von E. Brandenburg und G. Seeliger herausgegebene 'Quellensammlung zur Deutschen Geschichte' will vor allem als Grundlage für Uebungen historischer Seminare dienen und wird unzweifelhaft in dieser Hinsicht gute Dienste leisten, indem sie dem bei einer grösseren Zahl von Studierenden nicht seltenen Mangel einer ausreichenden Zahl von Texten für die gemeinsame Behandlung einzelner bedeutenderer Probleme abhilft. Von den bisher erschienenen Teilen (Leipzig, Teubner 1907) betreffen zwei das Mittelalter, bei denen man entsprechend dem Zweck der Sammlung auf neue Vorarbeiten verzichten und sich auf die Auswahl der vollständig oder im Auszug aufgenommenen Stücke auf Grund der besten Ausgaben beschränken konnte, so dass hier ein kurzer Hinweis genügt. J. Haller stellt 'die Quellen zur Geschichte der Entstehung des Kirchenstaates' zusammen, E. Bernheim gibt zwei Hefte mit 'Quellen zur Geschichte des Investiturstreites'. Haller verbessert dabei einige Stellen des aus MG. Epist. III grossenteils abgedruckten Codex Carolinus; statt des Chronicon Moissiacense hätte die neue Ausgabe der Annales Mettenses von B. v. Simson benutzt werden sollen, für das Römische Konzil von 769 wäre besser auf MG. Concilia II von A. Werminghoff verwiesen worden als auf Mansi[1]. W. L.

---

1) Erwünscht wäre die Aufnahme der Urkunde über die Reichsteilung von 806 und des Ottonianum gewesen, dafür hätte einiges aus dem Codex Carolinus wegbleiben können. Die Redaktion.

179. Wir möchten nicht unterlassen, hier auf das neuerschienene Heft von L. Schmidts Geschichte der deutschen Stämme bis zum Ausgange der Völkerwanderung (des ganzen Werkes Bd. I, 283—366; a. u. d. T.: Quellen und Forschungen zur alten Geschichte und Geographie, herausg. von W. Sieglin. Heft 12. Berlin, Weidmann 1907) hinzuweisen. Geschildert werden zunächst das Tolosanische Reich der Westgoten und in gedrängtem Ueberblick seine Ordnungen, darauf die Geschichte der Gepiden, Trifalen, Rugier, Heruler, Turkilingen und Skiren, endlich die der Lugier. Die nüchterne Darlegung des Wissensmöglichen hält sich mit gutem Grunde fern von gewagten Hypothesen; die stete Anführung der Quellen und der Litteratur ist überaus willkommen. Lückenhaft muss bei dem Zustande der Ueberlieferung jeder Versuch einer inneren Geschichte des Tolosanischen Reiches ausfallen (S. 278 ff.), aber wir möchten glauben, dass Schmidt hier in allzugrosser Behutsamkeit Rückschlüsse aus der späteren, durch K. Zeumer zugänglich gemachten und zugleich erläuterten Westgotischen Gesetzgebung vermieden hat. Immerhin bleibt das Verdienst gerade dieses Abschnitts bestehen; zu S. 294, N. 4 sei auf einen uns leider unzugänglichen Aufsatz von C. Barrière-Flavy über die Tracht und Bewaffnung der Westgoten im 5. und 6. Jh. hingewiesen (Revue des Pyrénées XIV). A. W.

180. Eine ausführliche Besprechung des Buches von K. Rübel, 'Die Franken, ihr Eroberungs- und Siedelungssystem im deutschen Volkslande' durch K. Brandi (Götting. gel. Anzeigen 1908 S. 1—51) gestaltet sich zu einer wuchtigen Abfuhr der Methode und Ergebnisse Rübels. Es wäre nur zu wünschen, dass die Stimmen der Warner, an denen es auch bisher nicht fehlte, damit endgiltig die Oberhand gewönnen. M. T.

181. Eine inhaltreiche Abhandlung von Paul Höfer 'Die Frankenherrschaft in den Harzlandschaften', welche als Vortrag vor der Hauptversammlung des Harzvereins für Geschichte und Altertumskunde 1906 gehalten wurde, bringt die Zeitschrift dieses Vereins im 40. Jahrgang (1907) S. 115—179. E. P.

182. L. Duchesne, Fastes épiscopaux de l'ancienne Gaule, I. Bd., Paris 1907, erscheint nach 18 Jahren in zweiter Auflage unter Verwertung der neueren Literatur, wenn auch neben den neuen Ausgaben noch ganz veraltete

Zitate bei der Revision stehen geblieben sind. Zu einer Arena der Kontroversen hat der Verf. sein Buch nicht machen wollen, und noch weniger kann bei einer kurzen Anzeige in solche Erörterungen eingetreten werden. Erwähnung verdient, dass auch die Untersuchung der Vienner Bischofsnachrichten in der Chronik Ados zu ähnlichen Ergebnissen geführt hat, wie die von Ados Martyrolog (unten n. 186), dass der Verf. ein Fälscher war, und es wäre jetzt eine dankbare Aufgabe, von diesem Gesichtspunkt aus der gesamten literarischen Tätigkeit des Autors in einer Monographie eine zusammenfassende Darstellung zu widmen. B. Kr.

183. Nach langjährigen Vorbereitungen beginnt H. Simonsfeld jetzt mit der Veröffentlichung der Jahrbücher des deutschen Reiches unter Friedrich I. (I. Band: 1152—1158, Leipzig 1908). Da die Regesten Friedrichs I. bisher noch ausstehen — ihre Bearbeitung ruht zur Zeit in Wien —, so ist die Herausgabe der Jahrbücher doppelt willkommen, und das Werk, dessen Anfang hier vorliegt, kann auf eine wohlwollende Beurteilung Anspruch erheben. Aber selbst bei grosser Nachsicht bleibt in diesem Fall wenig zu loben; denn der Verf. zeigt sich seiner Aufgabe nicht gewachsen. Auf eine künstlerische Gestaltung des Stoffes verzichtet er von vornherein durch die starre Einhaltung der Jahrbucheinteilung. Das Material, das bereits von Giesebrecht gesammelt und gesichtet war, sucht er allerdings gewissenhaft nachzuprüfen, bezw. zu ergänzen; und obgleich er nichts wesentlich Neues zu Tage fördert, verdient doch volle Anerkennung, wie er mit Bienenfleiss auch Geringfügiges zusammenträgt und zu jeder Quellennachricht die oft entlegene Literatur beibringt. Aber einen Nutzen weiss er aus dem Material nicht zu ziehen: in Kritik und Darstellung haftet er immer nur an der Oberfläche, indem er die Kernfragen nicht berührt oder in der Schwebe lässt. Dazu eine Breite in allem Detail; Ereignisse von $6^1/_2$ Jahren behandelt er auf mehr als 700 Seiten. In der Forschung, die einen grossen Teil des Raumes einnimmt, redet er viel um die Sachen herum und hört mit seinen Erörterungen da auf, wo er hätte beginnen sollen: so untersucht er aufs ausführlichste unwichtige Episoden, bespricht Berichte nicht zeitgenössischer Quellen, widerlegt Meinungen von Historikern, die bisher keiner ernst nahm, oder polemisiert gegen Ansichten anderer, die er selbst missverstanden hat (z. B. in Exkurs IV gegen Giesebrecht, der

hier nach Simonsfeld kaum 'einen kleinen Anlauf' zu einer Untersuchung genommen, der aber in Wirklichkeit kurz und bündig schon die Auffassung vertreten hat, zu der sich Simonsfeld erst nach seitenlangen Auseinandersetzungen durchringt). Das positive Resultat der 8 Exkurse und der zahlreichen Anmerkungen ist auch bei milder Beurteilung allzugering, und die geringen Ergebnisse sind noch zum Teil falsch oder anfechtbar. Der wissenschaftliche Wert des Buches ist darin zu erblicken, dass es eine immerhin dankenswerte Materialsammlung enthält, eine freilich nicht weitreichende Vorarbeit für die Edition der Urkunden Friedrichs I. und namentlich für die Fortführung der Böhmerschen Regesten, die, schon seit lange eine der dringendsten Aufgaben der mittelalterlichen Geschichtsforschung, jetzt endlich in Angriff genommen werden sollte. Den Jahrbüchern Friedrichs I. kann man aber auf dem hier betretenen Wege keine Fortsetzung wünschen.

F. Güterbock.

184. Eine gründliche Studie über König Albrecht II. (1437—1438) von W. Wostry liegt vor im 12. Heft (1905) der Prager Studien aus dem Gebiete der Geschichtswissenschaft, herausg. von Dr. A. Bachmann, die im nächsten noch festgesetzt werden wird. Vorläufig behandelt der Verf.: 1) Albrechts Nachfolge in Ungarn, 2) Albrechts Wahl zum deutschen König und 3) Albrechts Nachfolge in Böhmen. B. B.

185. In einer kleinen Studie, betitelt 'Aus der Geschichte K. Sigmunds', veröffentlicht im Jahresbericht der k. k. Staats-Oberrealschule in Prossnitz, behandelt K. Janiczek mit guter Benutzung der Literatur und Quellenpublikationen 1) Sigmunds Wahl und Krönung, 2) Sigmund auf dem Konstanzer Konzil und 3) Sigmunds Persönlichkeit und Bedeutung. B. B.

---

186. Dom Henri Quentin, Les Martyrologes historiques du moyen âge, étude sur la formation du martyrologe Romain, Paris 1908, ist eine quellenkritische Untersuchung von hervorragender Bedeutung. Der Verf. behandelt als Vorarbeit für eine Ausgabe auf Grund umfassender handschriftlicher Studien und einer minutiösen Quellen-Analyse die gangbaren historischen Martyrologien von Beda bis Ado nach Umfang, Ort und Zeit ihrer Entstehung und, soweit möglich, unter Feststellung ihrer Verfasser und bringt so Klarheit in eine Literatur, für die

seit den Tagen der alten Bollandisten nichts mehr geschehen war. Beda hat durch Einfügung historischer Zusätze aus den Passionen und anderen Quellen dem Martyrolog zuerst eine ansprechendere Form gegeben, als es in den nackten Namenreihen des Mart. Hieron. hatte. Seine Abschreiber setzten diese Tätigkeit der Vervollständigung des Textes durch Zusätze fort und füllten besonders die freigelassenen Tage aus, so dass die Zahl der kurzen Notizen sich in der zweiten Hss.-Klasse fast um das Doppelte vermehrt. Doch auch schon die erste verrät durch eine Stelle über das Martyrium des Bonifaz und seiner Gefährten die Hand des Interpolators. Wenn Q. wegen zweier Umstellungen die Entlehnung der sonst ganz identischen Namen aus Willibald bestreiten möchte, so dürfte doch der angegebene Umstand zur Annahme der Selbständigkeit der Quelle nicht hinreichen. Die Notiz des Bedanum über Lupus von Troyes erscheint wegen der Zitierung eines Hymnus mir auch jetzt noch nicht ganz unbedenklich, wie ich sie früher für eine Interpolation hielt (SS. rer. Merov. III, 119). Das unter Bedas Namen gehende poetische Martyrolog gedenkt des Bischofs Wilfrid II. von York 744/5 und zeigt örtliche Beziehungen zu der Kirche von York und dem Kloster Ripon, muss mithin einen anderen und späteren Verf. haben. Ein Florus von Lyon zugeschriebenes Martyrolog ist vielmehr in St.-Quentin entstanden und hat ebensowenig wie Hraban auf die spätere Entwickelung der Literatur Einfluss geübt. Dagegen ist von grosser Bedeutung für die Kritik ein neu aufgefundenes Lyoner Martyrolog, dessen lokale Zusätze auf den Velay weisen. Es enthält eine wesentliche Bereicherung der 2. Hss.-Klasse Bedas, dessen Name an der Spitze steht, und für die historischen Zusätze wird die Abhängigkeit von spanischen Passionarien nachgewiesen. Das Mart. Hier. ist in einer dem gallischen Bernensis ähnlichen Rezension benutzt, während Beda eine dem insularen Eptern. ähnliche Hs. vor sich hatte. Das Lyoner Martyrolog bildet nach Q.'s Untersuchung die Quelle des Florus von Lyon, dessen handschriftliche Ueberlieferung leider nicht das 11./12. Jh. übersteigt. Auch Florus liegt wie Beda in zwei Rezensionen vor, M und ET. Die Entstehung seiner Schrift fällt in das erste Drittel des 9. Jh. Wandalbert hat sich 848 von ihm Martyrologien-Hss. geborgt und schreibt die Rezension M aus, ohne eine Ahnung von dem Verf. zu haben. Florus scheint den poetischen Titulus eines dem Altar der Stephanskirche in Lyon dargebrachten Buches (Poetae II, 542/4) seinem Werke als Vorrede vorangestellt zu haben. Von dem Mart. Hier., das ihm ebenfalls in der Rezension der Berner Hs. vorlag, macht er einen sehr bedenklichen Gebrauch, indem er undatierte Heilige an solchen Tagen einreiht, an denen darin andere Personen gleichen Namens verzeichnet standen. Ado stellt sich dann wiederum als eine Erweiterung des Florus dar und zwar der Rezension ET. Wenn er die Passionen überall zusammengesucht haben will, so ist dies eitel Uebertreibung, denn nach der Untersuchung Q.'s ist seine Hauptquelle eine dem Weingartener Passionarium (Stuttgart, Hofbibliothek XIV) ähnliche Sammlung der Passionen der römischen Märtyrer, und zwar schreibt er die Texte wörtlich aus. Er bezweckt die Ausfüllung der Lücken des Florus und die Berichtigung der in den Kalendarien verwirrten Daten, und hierzu dient ihm eine ganz neue Quelle, zu der er unter ziemlich romanhaften Umständen bei einem Aufenthalt in Ravenna gekommen sein will, ein uraltes römisches Martyrolog. Das von ihm an die Spitze seines Werkes gestellte Vetus oder Parvum Romanum berücksichtigt vorwiegend italienische und besonders römische Heilige, und wenn er seine Korrektheit rühmt, so finden sich allerdings in ihm zahlreiche Datumsänderungen. Q. zeigt aber mit grossem Scharfsinn und unfehlbarer Sicherheit den verdächtigen Charakter dieser neuen Ueberlieferung, der künstlich ein archaisches Gepräge gegeben ist, während es sich im Grunde nur als eine Ableitung aus der Rezension ET des Martyrologs des Florus erweist, also erst nach 848 entstanden sein kann. Kommt er so zu dem Ergebnis, dass die Schrift eine Fälschung ist, so lässt er auch über die Person des Fälschers keinen Zweifel und zieht mit unbeugsamer Wahrheitsliebe seinen Schluss, dass es Ado selbst gewesen sein muss, der für seine Neuerungen einer Unterlage bedurfte. Wie Hinkmar für seine grosse V. Remigii hat sich also auch sein Kollege Ado die quellenmässigen Beläge für sein Werk selbst fabriziert. Dass das Parvum Romanum nicht in die alte Ueberlieferung hineinpasst, war auch mir nicht entgangen und auch andere waren gegen dasselbe bereits misstrauisch geworden. Der jetzt von Q. gelieferte Beweis darf getrost als eine Glanzleistung der wissenschaftlichen Quellenkritik hingestellt werden. Jede Abweichung von den bekannten Quellen im Parvum Romanum und bei Ado muss a priori als verdächtig gelten. Die Erfindungen Ados sind durch Usuard in das Mart. Romanum gelangt, durch welches sie noch heute nachwirken, und mit Spannung darf man den angekündigten Untersuchungen Q.'s über dieses entgegensehen. Usuard will Florus und ein zweites Buch desselben benutzt haben, aber tatsächlich war dies ein Ado-Exemplar, und eine erste Ausgabe von Ados Martyrolog mit Bevorzugung der Lyoner Kirchenfeste scheint anonym noch vor seiner Erhebung auf den Bischofsstuhl von Vienne 860 veröffentlicht zu sein, während die zweite durch eine Translation von 865 zeitlich bestimmt wird. In die Zwischenzeit fällt die Entstehung des Parvum Romanum. Wie das handschriftliche Material beherrscht der Verf. auch die Literatur in meisterhafter Weise, und in seinem starken Buche habe ich kaum etwas zu verbessern gefunden (aber für Wohlfard von Herrieden ist überall Wolfhard zu schreiben). Seine Forschungen sind von einschneidender Bedeutung für die Kritik des heutigen Festcyklus, in gewisser Hinsicht aber auch für die des M. H. und die ältere Zeit. Waren die neuesten Herausgeber des M. H. einst von der Ansicht ausgegangen, dass die in einzelnen Hss. interpolierten Passionsgeschichten den ursprünglichen Zustand darstellen, und hatte de Rossi sogar die Zusätze Hrabans und Notkers aus einem vollständigeren Codex des M. H. herleiten wollen, so bedeutet das vorliegende Buch den vollständigen Zusammenbruch dieses Systems, gegen welches sich einst meine Kritik gewandt hatte (N. A. XXIV, 299). B. Kr.

187. Im Hinblick auf die Bedeutung, die den an sich den MG. fernliegenden Römischen Märtyrergeschichten als Quellen so mancher mittelalterlicher Werke zukommt, sei auch hier auf die Fortsetzung hingewiesen, die Albert Dufourcq seiner 1900 veröffentlichten Doktorthese: Étude sur les Gesta martyrum romains (= Bibliothèque des Écoles françaises d'Athènes et de Rome 83) hat folgen lassen, die fortan als erster Teil eines sechs Bände umfassenden grösseren Werkes zu gelten hat, von dem kürzlich der zweite und dritte Band erschienen sind (Paris, Fontemoing 1907). Wer sich in Zukunft mit jenen Texten beschäftigen muss, wird an den ausführlichen Darlegungen des Verfassers nicht ohne weiteres vorbeigehen können, der zum ersten Mal die Entstehung des genannten Legendenkreises in seiner Gesamtheit und im Zusammenhang mit den geistigen Strömungen des ausgehenden Altertums und frühen Mittelalters auf-

zuweisen versucht hat; welche Abschnitte dieser Entwicklung nach seiner Auffassung die beiden neuen Bände behandeln sollen, zeigen die Untertitel: 'Le mouvement légendaire lérinien' (II) und 'grégorien', indem der Verf. dem Kloster Lérins und der Zeit Gregors I. einen bedeutenden Anteil an der Legendenbildung zuerkennt. Dass freilich diese umfangreichen Ausführungen trotz neuer und anregender Gedanken vielfach des soliden Unterbaues entbehren, von Fehlern und Willkürlichkeiten nicht frei sind und die Ergebnisse nur mit Vorsicht benutzt werden können, hat Henri Quentin unterdessen in der Revue Bénédictine XXIV, 537—546 gezeigt. Den dritten Band der SS. R. Merov. berühren die Abschnitte über Mauricius von Acaunum (II, 9 ff. 275 f.; vgl. N. A. XXXI, 495, n. 189) und Florian (II, 229 ff.; der Aufsatz von Krusch, N. A. XXVIII ist dem Verf. entgangen), ohne neue Tatsachen von Belang beizubringen. W. L.

188. L. Van der Essen, der bereits mehrere Studien über einzelne Belgische Heiligenleben der Merowingerzeit veröffentlicht hat (vgl. N. A. XXX, 502. XXXI, 741. 778. XXXII, 517 f.), die soeben durch eine Arbeit über die Viten von Audomar, Bertin, Winnoc und Silvin beschlossen worden sind (Analectes pour servir à l'histoire ecclésiastique de la Belgique XXXIII, 329—347), hat jetzt in einem Buche: Étude critique et littéraire sur les Vitae des saints mérovingiens de l'ancienne Belgique (Université de Louvain, Recueil de travaux publiés par les membres des conférences d'histoire et de philologie 17), 1907, nicht nur jene Studien wiederholt, sondern die sämtlichen Merowingischen Heiligenleben des alten Belgiens behandelt, d. h. die dem Mittelalter entstammenden Viten aller Merowingischen Heiligen der Diözesen Lüttich, Cambrai-Arras, Tournai und Thérouanne sowie die von Willibrord aus dem Sprengel von Utrecht. Innerhalb jeder Diözese ist das Alter der Viten für die Anordnung der Heiligen massgebend; bei jedem Heiligen wird zuerst eine knappe Biographie gegeben, daran schliesst sich die Besprechung der Viten selbst und nicht nur der ältesten, sondern auch aller jüngeren Bearbeitungen. So löst sich das Buch in zahlreiche Einzeldarstellungen auf, deren Ergebnisse später in einem zweiten Bande zusammengefasst werden sollen. Entstehungszeit, Quellen und Wert der Viten werden erörtert, im allgemeinen auf Grund der ge-

druckten Texte, doch sind hie und da wie bei der ungenügend bekannten 3. Vita Gertruds auch Hss. herangezogen. Van der Essen geht kritisch vor, und namentlich wo neuere Ausgaben und Untersuchungen fehlen, bedeuten seine Darlegungen vielfach eine wirkliche Förderung der Forschung, mag man auch in manchen Fällen anders urteilen und z. B. den Wert der Vitae Amandi und Aldegundis geringer einschätzen, die Vita Landelini für etwas älter halten als der Verf. Besonderes Gewicht hat er darauf gelegt, die Entwicklung ganzer Legendenkreise im Zusammenhang zu schildern wie des von Maubeuge, wo die Vita Aldegundis der Ausgangspunkt für eine ganze Reihe von Viten geworden ist. Lehrreich ist der Versuch, die Zusammenhänge der verschiedenen Legendenkreise am Schluss durch eine Stammtafel zu veranschaulichen. Mehrere der behandelten wertvolleren Viten werden bald in den SS. R. Merov. vorliegen, so dass hier ein Eingehen auf Einzelheiten unterbleiben kann. Hervorhebung verdient etwa der interessante Nachweis (S. 214), dass eine Stelle der alten Vita Gaugerici c. 10 (SS. R. Merov. III, 655 f.) in Jonas' Vita Vedastis c. 3 (8°-Ausgabe von Krusch S. 311) wiederkehrt; der Verf. sieht in der Vita Gaugerici die Quelle, in Jonas den Abschreiber. S. 21 sind die Regierungsjahre Childerichs II. zum Teil nach den alten, von Krusch widerlegten Ansätzen gegeben. Die S. 93, N. 5 genannte Urkunde Pippins ist weder an der angeführten Stelle gedruckt noch überhaupt erhalten; das Zitat S. 101, N. 1 stimmt nicht. Die beiden S. 131, N. 2 erwähnten Hss. der Vita Landelini sind nicht nur 'vielleicht', sondern wirklich identisch, wie der dort herangezogene Katalog von Van den Gheyn zeigt. Das S. 202, N. 4 als verschwunden erwähnte Stück der Löwener Hs. ist erhalten in der Brüsseler Hs., auf die Van der Essen sich ebenfalls bezieht (vgl. meine Vitae Bonifatii p. XXVII, N. 4). Zu der S. 383, N. 3 behandelten Stelle der Vita Mummoleni vgl. meinen Hinweis auf die Benutzung von Alcvins Vita Vedastis N. A. XXXI, 742. Zu den S. 335 im Anschluss an Krusch besprochenen Quellen der Vita Eligii vermag ich noch des Lactanz Divinae institutiones IV, 18, 12 hinzuzufügen, die II, 2 (SS. R. Merov. IV, 696, 10 f.) eine Phrase hergegeben haben. Endlich sei bei dieser Gelegenheit eine Wahrnehmung meines verstorbenen Kollegen P. von Winterfeld mitgeteilt, nach der in der Fortsetzung der Virtutes Geretrudis c. 3 (eb. II, 473, 2—6. 10) Bedas Hymnus auf Aedilthryd v. 27. 32.

38. 49. 53. 33. 50 (Hist. eccl. IV, 18 [20], ed. Plummer p. 248) benutzt ist. W. L.

189. In der Alemannia N. F. VIII, Heft 4, S. 269—286 erweist m. E. der Pfarrer von Kirchen (BA. Lörrach) in Baden, Julius Schmidt, mit Sicherheit, dass der Ort Kirchheim (Chirihheim), welcher an drei Stellen der Annales Fuldenses erwähnt wird, das vorgenannte badische Kirchen, nicht der gleichnamige Ort bei Marlenheim in Elsass ist, was bisher zweifelhaft war. Der Beweis wird dadurch geführt, dass das zweifellos badische Kirchen in Urkunden von St. Gallen des 9. Jh. mehrfach vorkommt, da als 'curta regia' bezeichnet wird mit der Angabe, dass das ein 'cubiculum regis', also eine Pfalz, war. O. H.-E.

190. Max Herrmann behandelt in einer ganz fleissig gearbeiteten Greifswalder Dissertation 1907 'die Latinität Widukinds von Korvei' und kommt zu dem Schluss, dass man Widukinds Sprache ebenbürtig der Einhards in der Vita Karoli an die Seite stellen kann, dass Einhard in seinen anderen Schriften 'sprachlich nicht an das Werk Widukinds heranreicht'. Beide Urteile muss ich als verfehlt bezeichnen. Freilich ist zuzugeben, dass Widukinds Sprache z. B. von Wattenbach schlechter gemacht worden ist als recht und billig. Aber Einhard hat sich in seiner Art des Lateinischen wirklich bemächtigt, Widukind merkt man deutlich an, wie er mit dem fremden Idiom ringt, um seine Gedanken in ihm auszudrücken, und dass ihm das doch oft nicht gelingt, dass die fremde Sprache vielmehr seine Gedanken zwingt. Auf etwas mehr oder weniger rein klassische Wendungen, auf die der Verf. das ganze Gewicht legt, kommt es dabei nicht an. Die Untersuchung klebt zu sehr an Einzelheiten und erhebt sich garnicht zur Würdigung der Ausdrucksfähigkeit bei beiden Schriftstellern. O. H.-E.

191. G. Tomassetti, La statua della papessa Giovanna (Bullettino della Commissione archeologica comunale di Roma XXXV, 1907, 82—95) will in einer jetzt im Museo Chiaramonti des Vatikans aufgestellten antiken Plastik: 'Juno den Herkulesknaben säugend' (auch als 'Rhea mit dem Zeuskind' erklärt) die Statue erkennen, die zu der Entstehung der berühmten Fabel mit den Anlass gegeben haben soll. R. S.

192. In einer besonderen Schrift (Die von Papst Silvester II. herausgegebene Passio S. Adalberti,

Braunsberg 1907, 92 S.) hat A. Kolberg die von Johannes Canaparius verfasste Passio nach der Hs. von Montecassino herausgegeben und dazu die Lesarten einer Admonter Hs. gefügt. Erstere Hs. kannte Pertz in seiner Ausgabe SS. IV nur nach dem Druck des Bzovius, der deren Text keineswegs wirklich wiedergab, für die zweite benutzte er nur eine ungenügende Kollation. Freilich bieten beide Hss. schon einen überarbeiteten Text. Die Angabe der Cassineser Hs. 'edita a domno Silvestro papa' hat der Herausgeber für diesen überarbeiteten Text als richtig angenommen, wie der Titel der Schrift ergibt, und knüpft daran Erörterungen, die von der falschen Voraussetzung ausgehen, dass der Verehrung eines Heiligen damals schon eine feierliche Kanonisation durch den Papst hätte vorausgehen müssen. Er spricht die Passio wieder einmal Johannes Canaparius ab, meint sie wäre um 998 zu Rom geschrieben und Brun von Querfurt sei an ihrer Abfassung 'mitbeteiligt' gewesen. So wenig wie diese Aufstellungen sind seine ausführlichen erläuternden Bemerkungen zur Passio erheblich. O. H.-E.

193. Albert Poncelet handelt in den Analecta Bollandiana XXVII, fasc. 1, 5—27 meisterlich über das Leben und die Werke des Theoderich von Amorbach, wie ihn Dümmler zuletzt bezeichnete, indem er ihn jetzt Thierry de Fleury nennt, denn hier in St.-Benoît-sur-Loire wurde er zuerst Mönch, während er in Amorbach zuletzt, soviel wir wissen, lebte. Anstatt zweier Schriften, die man bisher von Th. kannte, weist A. Poncelet ihm mindestens zehn zu, meist Bearbeitungen von älteren hagiographischen Werken, von denen er mehrere etwa in der Zeit 1003—1005 in Rom schrieb. Einige sind bisher nicht zum Vorschein gekommen. Während Th. in seinen Vorreden die von ihm benutzten Vorlagen an Heiligenlegenden auf das schlimmste heruntermacht und seine eigene bessernde Ueberarbeitung rühmend hervorhebt, zeigt A. P., dass der eitle Mann an seinen Quellen überaus wenig geändert hat. Ob er Deutscher oder Franzose von Geburt war, lässt sich nicht mit Sicherheit ermitteln. Sicher hätte keine Nation besonderen Grund auf ihn stolz zu sein. O. H.-E.

194. 'Kardinal Deusdedits Stellung zur Laieninvestitur' untersucht im Archiv für katholisches Kirchenrecht LXXXVIII, 34—49 (1908) E. Hirsch. Er glaubt, die Bedeutung D.'s für den weiteren Verlauf des In-

vestiturstreits nicht überschätzen zu dürfen, wenn er auch einige bemerkenswerte Punkte bei ihm findet, die auf einen möglichen Ausgleich der vorhandenen Gegensätze hinwiesen. E. P.

195. In der Neuausgabe von Muratoris Rerum Italicarum Scriptores t. VI, parte I. (fasc. 49) hat Giulio Bertoni 1907 die Relatio translationis corporis S. Geminiani (1099—1106) von Modena herausgegeben. Der Text füllt 6 Seiten, so viel aber nur deshalb, weil in erster Kolumne der völlig wertlose Auszug von Alessandro Tassoni aus der Relatio in vollem Wortlaut gedruckt ist! In einer Vorrede dazu von 18 Seiten wird über die Hss., von denen nur die eine des Kapitelarchivs von Modena brauchbar ist, und in unerträglicher Breite über das Verhältnis der beiden in Kolumnen abgedruckten Texte gehandelt, ohne dass die einfache Sachlage durchschaut wird!

Dankenswertes bringen die Appendices, so II. die Inschriften im herrlichen Dom von Modena, sehr erfreulich ist namentlich die schöne Reproduktion der Bilder aus der Prachths. des Kapitelarchivs, die sich auf die Erbauung des von der Grossgräfin Mathilde begonnenen Domes beziehen, mit der Beschreibung von Cavedoni. Die Indices füllen 13 Seiten. Viel mehr hätte man bei verständiger Behandlung für die ganze Ausgabe mit den brauchbaren Beigaben nicht gebraucht, die jetzt XXIV und 43 Seiten füllt. O. H.-E.

196. In einer Göttinger Dissertation (1907), die von Fleiss und Belesenheit zeugt, behandelt Carl Röhrscheidt, Studien zur Kaiserchronik, die in die Kaiserchronik eingelegten grossen Novellen von Faustinianus, Silvester und Clementia und deren Quellen. Der Verf. ist germanistischer Philolog und erweist sich als in seinem Fach tüchtig durchgebildet. O. H.-E.

197. Von den Untersuchungen von Wilhelm Fricke zur älteren holsteinischen Geschichte (Inaug.-Diss. Jena 1907) kann ich nur dem Resultat der dritten (Das Todesjahr des Grafen Adolf I. von Holstein [1131]) teilweise zustimmen, dass es nämlich nach Helmold 1130 oder 1131 — dieses letztere kann man aber m. E. nicht aus Helm. entnehmen — gewesen sei. Bahrs Ansatz auf 1129 ist auch nach meiner Ueberzeugung unhaltbar, wenn aber Fr. weiterhin 1131 als das Todesjahr zu erweisen sucht, so kann ich den Beweis nicht als zwingend ansehen. M. E. kann man gegenwärtig

nur sagen, dass man aus Helmold auf das Jahr 1130 schliessen muss, dass aber auch 1131 das Todesjahr gewesen sein kann. Die Resultate der beiden anderen Abhandlungen, die sich mit der Quellenkritik der Chronik der nordelbischen Sassen und einer (angeblich) verlorenen Lebensbeschreibung Vicelins beschäftigen, sind fast durchweg abzulehnen. Die angeblich von A. Böhmer (Vicelin) nachgewiesene Aufzeichnung des 12. Jh., mit der der Verf. bei seiner Quellenuntersuchung viel operiert, hat niemals existiert. Die Widerlegung durch K. E. H. Krause in der Rostocker Zeitung habe ich nicht zu Gesicht bekommen können, doch stimme ich seinem Urteil in den J. B. G. X, II, 127 nach eigener Untersuchung vollständig zu. Alle auf diese Quelle basierten Schlüsse des Verf. sind also hinfällig. Von der angeblich verlorenen Lebensbeschreibung Vicelins bringt Fr. nichts Greifbares zu Tage, manches, was er als neu vorträgt, hat bereits Schirren in aller Kürze gegesagt, z. B. dass die Schrift De b. Vicelino Stellen aus der Epistola Sidonis enthält. Anzunehmen ist etwa noch der Nachweis, dass ein Stück des Chronisten Russe auf die holsteinische Reimchronik und nicht, wie Hansen wollte, auf ein verlorenes Stück der Sassenchronik zurückgehe. Aber selbst wenn die weiteren quellenkritischen Schlüsse und Erörterungen des Verf. hie und da das Richtige treffen sollten, bieten sie doch sachlich nur geringen Ertrag.

B. Schm.

198. Die Études Franciscaines XVIII (2. Halbjahr 1907) bringen mehrere Beiträge zur Geschichte des heil. Franz: P. Gratien veröffentlicht p. 359—482 einen zusammenfassenden Aufsatz 'St.-François d'Assise. Essai sur sa vie et son oeuvre d'après les derniers travaux critiques'. P. René de Nantes handelt p. 483—506 über 'La mort de St.-François'. P. Ubald d'Alençon gibt p. 507—529 eine 'Vie inédite de St.-François d'Assise (Texte français du XIII. siècle)', einen Auszug aus der Vita prima des Thomas von Celano, heraus. P. Théobald de Courtomer veröffentlicht p. 530—535 einen unbekannten Sermo magistri Guiardi (von Laon, † 1247) in festo s. Francisci.

E. M.

199. Die 'Quellenstudien zur Geschichte der hl. Elisabeth Landgräfin von Thüringen von Dr. Albert Huyskens', welche im 3. und 4. Heft des zu Weihnachten vollendeten XXVIII. Bandes des Historischen Jahrbuchs der Görresgesellschaft fast zur Hälfte enthalten waren, sind in

der jetzt unter obigem Titel erschienenen Buchausgabe (268 S., Marburg, Elwert 1908) um zwei weitere umfangreiche Beilagen vermehrt worden. Auf Grund vielfacher handschriftlicher Forschungen bietet H. namentlich 1) einen bisher unbekannten kürzeren Text des Libellus de dictis quatuor ancillarum, den er für den ursprünglichen hält, 2) einen verbesserten Text der wenig beachteten Forma de statu mortis S. Elisabeth, 3) den zweiten Wunderbericht vom Februar 1233 in viel reicherer Fassung (106 Wunder statt 34 bei Leo Allatius und 67 bei Pray), 4) den dritten Wunderbericht vom 1. Jan. 1235 (24 Wunder) und zwar überhaupt zum ersten Male. Die über hundert Seiten langen vorausgeschickten Untersuchungen sind m. E. nicht so abgefasst, dass dem Leser die Nachprüfung möglichst erleichtert wird. Das liegt keineswegs blos daran, dass, ehe die Arbeit abgeschlossen war, schon grosse Teile des Buchs gedruckt wurden. Wichtiger ist, dass H. durch die hohe Einschätzung seiner Ergebnisse sich hat abhalten lassen, den Forschungen seiner Vorgänger und den Tatsachen und Erwägungen, welche gegen seine Aufstellungen sprechen, gerecht zu werden. Ich gedenke zu den wesentlichsten Ergebnissen H.'s in dieser Zeitschrift Stellung zu nehmen.

K. Wenck.

200. In einem Sonderdruck, der nur geringe Verbreitung finden wird, publizierte Pericle Perali unter dem Titel: 'La Cronaca del vescovado Orvietano (1029—1239), scritta dal vescovo Ranerio (Cronachette, note ed inventarii). Cronistoria' (Orvieto 1907) Aufzeichnungen über die Bischöfe von Orvieto, die bisher nur zum Teil von Fumi im Cod. dipl. herausgegeben waren. Sie sind in der Tat vom Bischof Ranerius (1228—ca. 1250) geschrieben und trotz ihrer Dürftigkeit von Wert, namentlich für die zweite Hälfte des 12. Jh., die Zeit vor Ranerius und seine Einsetzung mit der Schilderung der trostlosen Besitzverhältnisse, der Verschleuderung der Urkunden. Den Schluss bildet ein Inventar der vorgefundenen Bücher und Wertstücke des letzten Bischofs von 1228 und ein Verzeichnis der im Jahr 1239 versetzten Gegenstände der Kirche, das deren Notstand ins Licht setzt. O. H.-E.

201. In einem Aufsatz über die Annales S. Iustinae Patavini im Archivio Muratoriano n. 4 (Città di Castello 1907) hat L. A. Botteghi die Annahme zu begründen versucht, die auf S. Justina in Padua bezüglichen Nachrichten der Annalen seien erst nachträg-

lich von Abschreibern aus einer Legende des Abtes Arnald hinzugefügt, der Verfasser der ersten Redaktion, ein Parteigänger des Hauses Este, sei vielmehr Veronese, oder habe zur Zeit der Niederschrift, wahrscheinlich zwischen 1289 und 1293, in Verona gelebt. Diese durchaus willkürlichen Aufstellungen im einzelnen zu widerlegen, verlohnt kaum und es ist das auch bei der hier gebotenen Kürze nicht wohl möglich. Zur Verhütung weiterer Missgriffe mag indes, zumal im Hinblick auf die zu erwartende Neuausgabe, ein ganz knapper Hinweis auf den wirklichen Tatbestand am Platze sein.

Die Herkunft der Annalen aus dem Kloster S. Justina in Padua ist bisher stets aus den darin enthaltenen Nachrichten über dieses Kloster erschlossen worden. Als besonders beweiskräftig galt namentlich der Eintrag zum Jahre 1236, wo von der Erbauung 'nostri dormitorii' durch Abt Arnald die Rede ist. Diese Sachlage ist dann freilich durch einen zuerst von mir erbrachten Nachweis (vgl. N. A. [1894] XIX, 486) insofern etwas verändert worden, als ich zeigte, dass in den Annalen von S. Justina, wie übrigens auch bei Rolandin und in dem sogenannten Liber regiminum Paduae (seitdem neu, aber unzureichend herausgegeben von Bonardi; vgl. N. A. [1900] XXV, 236) ältere verlorene annalistische Aufzeichnungen aus Padua zu Grunde liegen, in denen bereits (man vergleiche ad a. 1209, 1228, 1237, 1238, 1239, 1246, 1255) eine Anzahl der auf S. Justina bezüglichen Nachrichten vorhanden war. Ob nun vielleicht, wie man danach vermuten könnte, schon diese verlorenen Aufzeichnungen zum Teil wenigstens — denn es lassen sich mehrere Gruppen unterscheiden — aus S. Justina herstammen, das dürfte besser dahingestellt bleiben. Um so bemerkenswerter aber ist, dass der einzige, ganz persönlich gefasste Eintrag zum Jahre 1236 über die Erbauung 'nostri dormitorii' sich nicht in den verlorenen Aufzeichnungen, sondern erst in den Annalen von S. Justina findet. Es ist das m. E. ein deutliches Anzeichen dafür, dass die Annalen, wenn auch unter Benutzung älterer verlorener Paduaner Aufzeichnungen, in S. Justina niedergeschrieben wurden. Auch ist wohl nur ein Angehöriger dieses Klosters in der Lage gewesen, die in den verlorenen Aufzeichnungen bloss ganz summarisch erwähnten Geschenke des Abtes an den Kaiser im Jahre 1239 so detailliert aufzuzählen. Diesen ganzen, wie ich glaube, entscheidenden Tatbestand hat der Verfasser des hier zu besprechenden Aufsatzes überhaupt nicht berücksichtigt.

Dagegen meint er seiner Anschauung damit den Weg ebnen zu können, dass er auf S. 180 behauptet, der Eintrag betreffend die Erbauung 'nostri dormitorii' zum Jahre 1236 fehle in der ältesten bisher bekannten Hs. Allein die Hs., die er als die älteste anführt, der Codex Estensis *a* H 3, 13 in der Bibliothek von Modena (vgl. Archivio Muratoriano n. I, 17), ist gar keine Hs. der Annalen von S. Justina, sondern eine solche des Chronicon Estense, das bekanntlich nur eine Ableitung aus den Annalen von S. Justina ist und die unmittelbar auf S. Justina bezüglichen Nachrichten begreiflicher Weise nur zum kleinsten Teil übernommen hat. Ferner beruft sich der Verf. auf eine Pariser Hs., worin an der in Betracht kommenden Stelle zum Jahre 1236 nicht 'dormitorii nostri', sondern 'dormitorii S. Iustine' zu lesen sei. Aber diese Pariser Hs. hat, wie ich früher bereits gezeigt habe, spätere Zusätze und Abänderungen erfahren, und den Ausschlag gibt vollends, dass sowohl ein Codex der Ambrosiana, der die ältere und kürzere Fassung der Annalen enthält, wie die Wiegendrucke nach den verschollenen Hss. der jüngeren und erweiterten Fassung die Lesart 'dormitorii nostri' darbieten, die mithin als die ursprüngliche anzusehen ist. So lange also die bisherige Bewertung der handschriftlichen Ueberlieferung nicht durch neue Funde entkräftet wird, wird man an der Herkunft der Annalen aus dem Kloster S. Justina zu Padua nach wie vor unbedenklich festhalten dürfen. Walter Lenel.

202. Im Journal des savants, Nouv. sér. IV (1906), 425 sq. beschreibt L. Delisle eine bisher unbekannte, im Text mit SS. XXVI, 592 sqq. übereinstimmende, reich illustrierte Hs. der Abbreviatio figuralis historiae des Girardus de Antwerpia (nicht: de Arvernia!).

E. M.

203. In der Zeitschrift des deutschen Vereines für die Geschichte Mährens und Schlesiens XI (1907), 344 führt M. Eisler seine 'Geschichte Brunos von Schauenburg' mit Kap. VIII 'Brunos letzte Lebensjahre' und Kap. IX 'Brunos Persönlichkeit', wie es scheint, zu Ende (s. N. A. XXXIII, 239, n. 34). Die Arbeit zeichnet sich nicht so sehr durch Hinweis auf neues Quellenmaterial, sondern durch kritische Bearbeitung und Ueberprüfung des Stoffes und selbständiges Urteil aus. B. B.

204. In den Proceedings der British Academy III. weist A. Robinson in einer 'An unrecognized West-

minster Chronicler 1381—1394' betitelten Abhandlung nach, dass die diesen Zeitraum behandelnde Fortsetzung von Higden's Polychronicon nicht, wie bisher angenommen, von John Malvern, sondern mit Rücksicht auf zahlreiche Lokalnotizen von einem zeitgenössischen Mönch von Westminster, wahrscheinlich dem 1396 verstorbenen Johannes Lakyngheth, verfasst worden ist. H. W.

205. Die unermüdlich tätigen Herren Patres des Kollegs des hl. Bonaventura zu Quaracchi bei Florenz haben in dem IV. Bande der Analecta Franciscana (Quaracchi 1906) das erste Buch des grossen Werkes des Minoritenbruders Bartholomeus von Pisa (De conformitate vitae b. Francisci ad vitam domini Iesu), kurz 'libri conformitatum' genannt, neu herausgegeben. Der Text ist im wesentlichen nach einer, alten und guten, Hs. gegeben, obwohl 12 Hss. aufgeführt werden, nur wenige Varianten sind nach einer Hs. eines etwas veränderten Textes und den früheren Editionen beigefügt. Die Arbeit an diesem Bande zeigt einen entschiedenen Fortschritt gegenüber der des allerdings sehr minderwertigen zweiten und dritten Bandes, deren Hauptbestandteil die Chronik des Nicolaus Glassberger und die Chronica XXIV generalium ministrorum sind, namentlich ist etwas mehr als dort für die Quellennachweise geschehen. Freilich das Haupterfordernis für die Ausgaben solcher Werke wie der drei genannten, in denen grosse Massen des Inhalts aus bekannten Büchern abgeschrieben sind, dass durch den Druck kenntlich gemacht wird, was auf vorhandenen Quellen beruht, ist auch hier nicht erfüllt. Jeder Benutzer hat immer von neuem die Aufgabe, sich mühselig herauszusuchen, was an sonst nicht überliefertem Stoff in diesen grossen Werken steht. Das ist ein schwerer Uebelstand. Die Orthographie ist in diesem Bande wie in den früheren auch willkürlich gegen die Hs. geändert, aber wenigstens die Eigennamen hat man geschont und sie in der überlieferten Form wiedergegeben [1], auch das ist ein nicht geringer Fortschritt.
O. H.-E.

206. Im Bulletin de la comm. roy. d'hist. (de Belgique) LXXVI, 391 ff. veröffentlicht E. Bacha zwei Schriftstücke des Mattheus Herbenus über die Zerstörung von Lüttich durch Karl den Kühnen (1468).
A. H.

1) Freilich doch nicht ganz, so schrieb sich der Verf. des Werkes 'Bartholomeus', nicht 'Bartholomaeus' wie in der Ausgabe.

207. Im Archivio storico Lombardo, serie quarta, anno XXXIV, fasc. 15, p. 5—45 gab Giuseppe Petraglione den Panegyricus de laudibus Mediolanensium urbis des P. Candidus Decembrius in der zweiten erhaltenen Bearbeitung von c. 1473 nach einer Hs. der Ambrosiana heraus, aus dem Th. Klette früher Auszüge publiziert hatte. Die Ausgabe der ersten Redaktion, die eine polemische Antwort auf die Laudatio urbis Florentinae von Leonardo Bruni von Arezzo war, setzt der Herausgeber in das Frühjahr 1436. O. H.-E.

208. In den Jahrbüchern der Kgl. Akademie gemeinnütziger Wissenschaften zu Erfurt N. F. Heft XXXIII, 274—278 gibt C. G. Brandis einige Bemerkungen zu der Jenaer Hs. des Erphurdianus antiquitatum Variloquus, von dem der kürzlich verstorbene R. Thiele eine so jämmerliche Ausgabe veranstaltet hat. O. H.-E.

---

209. Gegenüber der Erklärung von J. Schwalm im N. Archiv XXXIII, 244 habe ich folgendes festzustellen:

Die Genuesischen Aktenstücke, u. a. die von 1311 und 1312, um die es sich handelt, habe ich auf Reisen in den Jahren 1904 und 1905 in Turin gefunden und bearbeitet. Da die Stücke für die Constitutiones von Interesse sein konnten, machte ich im Herbst 1905 Herrn Dr. Schwalm von meinem Funde Mitteilung, der mir darauf am 5. Nov. 1905 schrieb: 'Sie werden also als erster Ihren Fund vorlegen und ich kann nur . . . dringend bitten, Ihre Arbeit bald zu drucken'. Da meine für die Mitteil. d. Instituts bestimmte Arbeit wegen ihres Umfangs geteilt werden musste, und so der Druck der Stücke sich hinausschob, bot ich im April 1906, lange bevor das 2. Heft der Mitt. d. Instituts XXVII mit dem ersten Teile meiner Arbeit ausgegeben war, Herrn Dr. Schwalm meine sämtlichen Abschriften zur Benutzung an. Er antwortete mir am 6. Mai: 'Da ich gerade im Begriffe bin zu verreisen . . . . erbitte ich mir die angebotenen Abschriften später nach meiner Rückkehr für kurze Zeit zur Kenntnisnahme. Hauptsache ist für mich, dass der Abdruck sich nicht gar zu lange mehr hinauszieht'. Ueber Ziel und Zweck dieser Reise hat mir Herr Dr. Schwalm weder damals noch sonst eine Andeutung gemacht — sie ging nach Turin. Weil ich aber dann im Sommer 1906 meine Abschriften selbst zum Drucke benötigte, der sich jedoch stark verzögerte, konnte ich erst im November Bürstenabzüge Schwalm zugehen lassen; zugleich sandte ich ihm meine photographischen Aufnahmen der Stücke. Hierfür dankte mir Herr Dr. Schwalm im Dezember und bat noch um weitere Auskünfte.

Inzwischen war die Lieferung von Constitutiones IV mit dem Abdruck jener Genueser Stücke erschienen. Hierzu bemerkt Schwalm im Prooemium S. 678: 'De quo fasciculo primus disseruit V. Samanek Mitt. d. Instituts XXVII, 237 sqq.; sed nos ipsi Taurini degentes inedita descripsimus, ex alio fonte iam edita denuo contulimus'. Die überaus knappe Fassung dieser Stelle lässt verschiedene Deutungen ihres Sinnes zu. Aus diesem Grunde und weil ich nach den letzten Schreiben Herrn Dr. Schwalms schliessen zu dürfen glaubte, er habe meinen Abdruck und meine Photographien noch benutzen können, wollte ich in meiner Bemerkung in Mitt. d. Instituts XXVIII, 146, Anm. 1 vor allem konstatieren, dass ich diese Dokumente gefunden und in korrekter Weise Herrn Dr. Schwalm mitgeteilt habe.

Auch die textkritischen Ausstellungen Schwalms muss ich zurückweisen; es wird sich andernorts Gelegenheit bieten, darauf einzugehen. Vincenz Samanek.

210. Im dritten Bande seines Buches 'Das römische Recht in den germanischen Volksstaaten', der die Franken behandelt, bespricht A. von Halban auf S. 1—98 die fränkischen Rechtsquellen. In dem Abschnitt über die Lex Salica geht er vor allem auf die Frage ein, ob vor Chlodovech eine Rechtsaufzeichnung erfolgt sei, erörtert dann den Charakter der Chlodovechschen Redaktion und stellt die westgotisch beeinflussten Stellen der Lex zusammen. Dankenswert sind dann besonders seine Darlegungen über römische und germanische Elemente in den Formeln. Im allgemeinen kommt er zu dem fraglos richtigen Ergebnis, dass das römische Recht gegenüber dem germanischen überall im Rückgange begriffen war.

M. Kr.

211. In seinem Aufsatze 'Chrenecruda und Spatenrecht' (Zeitschr. d. Savigny-Stiftung für Rechtsgeschichte XXVIII, Germ. Abt. S. 290—341) sucht Julius Gierke unter Heranziehung niederländischer Deichrechtsquellen eine neue Erklärung des Titels 58 (de chrenecruda) der Lex Salica zu geben. Will ein Deichhalter seiner Verpflichtung zur Instandhaltung seines Deiches ledig werden, so gibt er ihn unter Anwendung von Symbolen auf, die

denen gleichen, die bei der Chrenecruda üblich sind; seine nächsten Verwandten übernehmen dann seine Pflichten hinsichtlich des Deiches, zugleich aber auch seine Rechte, das heisst all sein liegendes und bewegliches Gut. Im Gegensatz zur herrschenden Lehre, die den Erdwurf in der Lex Salica als ein zweiseitiges Rechtsgeschäft betrachtet, sieht G. in ihm nur ein einseitiges, eine Preisgabe von Grundvermögen, nämlich der Hofstätte, seitens des Totschlägers. Zur Stütze dieser Ansicht verweist der Verf. auf die Symbolik der Lex selber und auf die Verwendung ganz derselben Formen bei der geschilderten deichrechtlichen Dereliktionshandlung. Nach G. entspricht ferner der Uebernahme der Deichpflicht durch die Verwandten in der Lex Salica das Eintreten der Familie und Sippe in die Zahlungspflichten des Totschlägers, dem Anfall des liegenden und beweglichen Gutes das Einrücken der Sippegenossen in die gemeinsame Herrschaft über die Hofstätte. In beiden Fällen, bei der Chrenecruda und beim Deichrecht, ist der Anfall des Grundvermögens ein dauernder nur bei voller Pflichterfüllung. — Darauf möchte ich hier nur dies erwidern. Wenn G. bei der Chrenecruda von einem Anfall von Grundvermögen an die Verwandten spricht, so scheint er sich m. E. nicht immer deutlich vergegenwärtigt zu haben, von welcher Beschaffenheit dieses Grundvermögen war. Nach G. fiel jenen die Hofstätte zu und zwar ohne das dazugehörige Ackerland, welches, wie G. annimmt, den vicini zukam, und ferner: erst nachdem sie jedes Wertgegenstandes entäussert, ja wohl auch gewüstet worden war. So aber war die Hofstätte ein Grundstück von geringem Umfang und geringem Wert schon für einen Einzelnen, wieviel mehr aber für eine ganze Anzahl von Sippegenossen, die zu gemeinsamer Herrschaft über sie berufen wurden. Ich trage daher Bedenken, anzunehmen, die Lex Salica habe den Verwandten — noch dazu nur unter der Bedingung, dass sie ihrer Zahlungspflicht vollauf nachkämen — das Einrücken in ein so geringwertiges Grundstück in Aussicht gestellt. Beim Deichrecht liegen die Dinge etwas anders. Danach übernehmen die Sippegenossen mit dem Deich und der Pflicht der Instandhaltung alles liegende und bewegliche Gut des bisherigen Deichhalters, bei der Chrenecruda fällt an sie aber mit der Hofstätte und der Zahlungspflicht weder das Land noch die Fahrhabe des Totschlägers. — Des weiteren denke ich hierauf in meinen Studien zur Lex Salica einzugehen.

M. Kr.

212. In den Memorie del R. Istituto Veneto di scienze, lettere ed arti, vol. XXVII, n. 4, Venezia 1905, verfolgt Nino Tammassia, 'La Falcidia nei più antichi documenti del medio evo', die unter dem Namen Falcidia bekannten erbrechtlichen Bestimmungen von der späteren römischen Zeit bis ins 9. Jh. B. Schm.

213. Eine neue Deutung der vielbehandelten winileodi des Kapitulares vom 23. März 789 (Boretius 1, 63) trägt F. Jostes in der Zeitschr. f. D. Altertum XLIX, 306—314 vor. Er leitet sie gleich den 'leudos' an zwei bekannten Stellen Fortunats nicht von dem Neutrum ahd. 'leod' carmen, sondern von dem Masculinum ahd. 'liut' homo, populus, ab und zieht für den ersten Kompositionsteil 'winegiator' iudex viarum, 'wionagium' tutela personarum heran. Die 'winileodi' sind ihm also 'Sicherheitsmannen'. Deshalb übersetzt er die Worte: 'et nullatenus ibi winileodos scribere vel mittere praesumant: et de pallore earum propter sanguinis minuationem' unter leiser Aenderung der Interpunktion etwa folgendermassen: 'unter keiner Bedingung sollen sie sich unterstehen, dort Schutzmannen anzunehmen oder auszusenden, selbst nicht ihrer Furcht wegen: zur Verminderung des Blutvergiessens (verordnen wir das)'. E. St.

214. Der neue, dritte Band der grossangelegten Sammlung von B. Albers, Consuetudines monasticae, enthält Antiquiora monumenta maxime consuetudines Casinenses inde ab anno 716.—817. illustrantia (Typis Montis Casini 1907. XXIV, 243 S. mit 3 Tafeln Schriftproben aus Cassineser Codices). Ein Teil der hier vereinigten Stücke findet sich bereits in verschiedenen Bänden der MG., deren Text A. vollständig oder im Exzerpt wiederholt; andere hat er einer sorgfältigen Revision unterworfen, so S. 121 ff. Ludwigs des Frommen Capitulare monasticum v. J. 817, sodass selbst die Anordnung der Paragraphen von der bei Boretius (MG. Capitularia I, 343 ff.) erheblich abweicht (vgl. auch A. S. XXI ff.). S. 79 ff. bringt A. die sog. Statuta Murbacensia', S. 95 ff. die MG. Epp. V, 303 f. stehenden Capitula monachorum, S. 104 ff. die Capitula monachorum ad Augiam directa (a. a. O. V, 305 ff.), im Anhang S. 186 ff. Auszüge aus fränkischen Kapitularien und Synodalakten, darunter S. 190 f. den Brief Karls des Grossen (MG. Capitularia I, 79), freilich ohne neue Kollation der Metzer Hs., deren Wortlaut an mehreren Stellen vom Texte

bei Boretius abweicht (Z. 9: 'ut per episcopia', Z. 12: 'discendi' statt 'docendi', Z. 24: 'plurimis' statt 'plerisque', Z. 35: 'litterature' statt 'litterarum', Z. 38: 'decet milites', Z. 41: 'vestro eius edificatur'). So enthält der Band ein reiches, vielseitiges Material zur Geschichte des Benediktinerordens. Die Ausgabe selbst verdient Lob, mag man gleich dem Wunsche Ausdruck geben, dass die Vorbemerkungen zu jedem Einzelstücke augenfälliger Hss., Editionen und Erläuterungsschriften von einander getrennt hätten. A. W.

215. In einem 'Die Reformsynode von 817 und das von ihr erlassene Kapitular' betitelten Aufsatz in den Studien und Mitteilungen aus dem Benediktiner- und dem Cistercienserorden XXVIII (1907), 528 untersucht P. Bruno Albers die beiden Fassungen, in denen das Kapitular überliefert ist, um die Frage nach der authentischen Form derselben der Lösung näher zu bringen. Im Gegensatz zu Boretius möchte A. die kürzere Fassung, die am besten durch eine St. Galler Hs. repräsentiert erscheint, als ältere und der Redaktion der Synode des Jahres 817 näherstehende ansehen. Für die weitere Untersuchung, in welcher der erhaltenen Hss. sich die kürzere Fassung am ursprünglichsten erhalten haben dürfte, wird durch eine übersichtliche Tabelle über Zahl und Anordnung der Kapitel in den einzelnen Hss. vorgearbeitet. B. B.

216. Die von Karl Zeumer begründeten 'Quellen und Studien zur Verfassungsgeschichte des Deutschen Reiches in Mittelalter und Neuzeit' hatten sich mit vier tüchtigen, auf sehr verschiedenartige Gebiete rechtsgeschichtlicher Forschung sich erstreckende Arbeiten vielverheissend eingeführt. Im zweiten, eben ausgegebenen Bande nimmt jetzt der Herausgeber allein das Wort mit einer Meisterleistung, die mit seinem Namen und dem seiner Sammlung immer in Ehren verknüpft sein wird. 'Die Goldene Bulle Kaiser Karls IV.' wird hier in einem ersten darstellenden Teile nach ihrer Entstehung und Bedeutung gewürdigt, während der zweite Teil den Text des berühmten Reichsgesetzes bringt und im Anschluss daran 35 Urkunden, die das Zustandekommen der Goldenen Bulle begleiteten. Einer Zusammenstellung der auffällig geringen zeitgenössischen Nachrichten, aus denen das früher mitgezählte 'Trierer Rechnungsbuch' noch ausscheidet, folgt im 1. Kapitel eine auf gründlichster Kenntnis der Rechtsinstitutionen und der historischen Vorgänge auf-

gebaute, sehr ausführliche Exegese der Goldenen Bulle und ihrer einzelnen Bestimmungen, das zweite Kapitel erzählt die Geschichte der Gesetzgebung auf den Reichstagen zu Nürnberg und Metz. In diesem Zusammenhang wird auch das Verhältnis der noch vorhandenen 7 Originalausfertigungen geprüft und der Nachweis erbracht, dass das böhmische Exemplar nicht als die eigentlich authentische Kanzleiausfertigung anzusehen ist. Das 3. Kapitel würdigt die Goldene Bulle in ihrer Bedeutung als Reichsgesetz. Zwei Exkurse handeln über das Schwertträgeramt bis zur Goldenen Bulle und über das böhmische Kurrecht nach den Anschauungen des 14. und 15. Jh. Ein besonders glücklicher Gedanke war es, den Text, der die bisherigen Ausgaben bei Otto Harnack oder Altmann und Bernheim weit in den Schatten stellt, als besonderes und daher nach den Verlagsbestimmungen dieser 'Quellen und Studien' auch gesondert käufliches Heft auszugeben, das sich durch seinen verhältnismässig geringen Preis und den hohen Wert des Haupttextes selbst und der ihn begleitenden Einzelurkunden als Handbuch für seminaristische Uebungen aufs beste empfiehlt. Möge Zeumers Werk nach dieser Richtung eingehende Beachtung finden und reiche Früchte tragen, wie es selbst als reife Frucht unermüdlicher und feinsinniger Forschung uns beschert ist! M. T.

217. In einem 1. Teil einer 'Beschreibung der Hss. im Archiv der kgl. Hauptstadt Prag' (in tschechischer Sprache) beschreibt der bekannte böhmische Rechtshistoriker J. Celakovský die daselbst befindlichen Rechtshandschriften und Stadtbücher aus der vorhabsburgischen Zeit. Sehr wichtig ist die Einleitung (S. 1—24) über die Entwicklung des städtischen Registerwesens von den ältesten Nachrichten über dasselbe (1279—1280) bis 1526. Die Hss.-Beschreibung (S. 25—123) ist eingehend mit gründlichen detaillierten Inhaltsangaben. Im ganzen zählt das Archiv 3410 Hss., von denen im vorliegenden Heft 122 (nebst einigen Unternummern) behandelt sind. B. B.

218. Verwiesen sei hier auch auf die zusammenfassenden Darlegungen G. Caros über 'Grundherrschaft und Staat' (Deutsche Geschichtsblätter IX, 95—112). M. Kr.

219. In der Historischen Vierteljahrschrift X. Jahrgang (1907), S. 305—354 veröffentlicht G. Seeliger

'Forschungen zur Geschichte der Grundherrschaft im früheren Mittelalter'. E. P.

220. In seinen 'Studien zur österreichischen Reichsgeschichte' (Wien 1906) behandelt A. Fischel an erster Stelle das Thema: Mährens staatsrechtliches Verhältnis zum Deutschen Reiche und zu Böhmen im Mittelalter. Auf Grundlage quellenkritischer Untersuchung der einschlägigen Urkunden und chronistischen Nachrichten, die in vieler Hinsicht eine andere Deutung als bisher erfahren, versucht F. die dauernde rechtliche Abhängigkeit Mährens und Böhmens als Lehenfürstentümer von Deutschland bis gegen Ende des Mittelalters nach, sowie die Unabhängigkeit Mährens von Böhmen bis zum Jahre 1334 zu erweisen. Erst in diesem Jahre gerät Mähren in das Verhältnis eines Afterlehens von Böhmen, das aber im 15. Jh. wieder erlosch, so dass besonders gegen Ende des 15. Jh. seine Stellung als deutsches Reichsfürstentum neu auflebt und das Bewusstsein von der Sonderstaatlichkeit des Landes sich noch mehr vertiefte. In dem als Landesordnung anerkannten Rechtsbuch des mährischen Landeshauptmanns Ctibor von Cimburg (verfasst um 1490) sieht F. den feierlichsten Ausdruck der 'Unabhängigkeit der Markgrafschaft von jedem anderen Lande'. B. B.

221. In seiner Abhandlung 'Markgraf, Burggraf und Hochstift Meissen' (Mitt. d. Ver. f. Gesch. d. Stadt Meissen VII, 161—255) gelangt E. Riehme nach eingehenden Erörterungen über die Bezirke des Landes, die Burgwarde und Aemter, von denen er jene zu den Supanien, diese zu den alten Slavengauen in Beziehung bringt, dahin, das Verhältnis von Markgraf und Burggraf zu einander in der Weise zu bestimmen, dass der Markgraf Burg- und Gerichtsherr war, neben ihm der Burggraf als militärischer und gerichtlicher Unterbeamter, als Leiter eines Bezirkes, stand. Ihre Aemter empfingen beide vom Könige, doch wurde der Burggraf vom Markgrafen in der Form der Belehnung ausgestattet und zwar mit einem Drittel der Gerichtseinkünfte aus dem für die unfreie slavische Bevölkerung bestimmten markgräflichen Provinzialgericht. Im Landding scheint der Burggraf, wenn auch nicht regelmässig, das Schultheissenamt bekleidet zu haben. Seit dem 14. Jh. haben die Markgrafen die burggräflichen Befugnisse mehr und mehr den völlig von ihnen abhängigen, ursprünglich rein als wirtschaftliche Beamte fungierenden Villici zugewiesen. Diese Gefährdung

ihrer Stellung bewog die Burggrafen damals — freilich ohne dauernden Erfolg — ihren Lehnszug zum Könige lebhafter als bisher zu betonen. In einem zweiten Teile wird R. das Hochstift M. behandeln. M. Kr.

222. Im Neuen Archiv für Sächsische Geschichte XXVIII, 321 ff. veröffentlicht G. Schlauch als Nachtrag zu seiner Arbeit über den Schöppenstuhl zu Dohna (ebda. XXVI, 209 ff.; vgl. N. A. XXXI, 512): 'Dreissig weitere Dohnische Schöppensprüche' aus dem 14. und 15. Jh. Sie entstammen einem neuerdings aufgefundenen Codex des Görlitzer Ratsarchivs, der auch Magdeburger, Hallische und Leipziger Sprüche enthält. M. Kr.

223. In der Zeitschrift für die gesamte Staatswissenschaft, 63. Jahrgang (1907), S. 627—681 veröffentlicht Bernhard Harms eine Arbeit: 'Die Steuern und Anleihen im öffentlichen Haushalt der Stadt Basel 1361—1500'. E. P.

224. Im Geschichtsfreund der fünf Orte LXII, 185 ff. veröffentlicht und erläutert P. X. Weber den ältesten Steuerrodel Luzerns (1352). H. H.

225. In seiner Abhandlung 'Die Schrodka. Ein Beitrag zur ältesten Geschichte der Stadt Posen' (Zeitschr. d. Histor. Gesellsch. f. d. Provinz Posen XXII) bringt W. Schulte den Namen der Altstadt Posens Schrodka in Beziehung zu Schroda, d. h. Markt, mit welchem Namen die polnische Bevölkerung den auf dem Grunde der alten Ansiedlung Poznan zu Neumarkter Recht angelegten, deutschen Markt bezeichnete. M. Kr.

226. In den Annales de la Société d'émulation de Bruges LVII, 298 sqq. untersucht L. De Wolf die 'eerstbewaarde Brugsche Keure van omstreeks 1190' in ihren Beziehungen zu den Keuren einer grossen Anzahl anderer benachbarter Städte und stellt die, wie er selbst betont, vorläufig noch vielfach unsicheren Ergebnisse in einer übersichtlichen Tafel zusammen. A. H.

227. In den Memorie della R. Accademia delle scienze di Torino, serie II, t. LVII, 42 sqq. publiziert und erläutert G. Buraggi die Statuten Amadeus' VIII. von Savoyen vom 26. Juli 1428 nach der einzigen vorhandenen vollständigen, jüngeren Abschrift in der Nationalbibliothek zu Turin. H. W.

228. Im Archivio storico Siciliano N. S. XXXI, 462—492 untersucht L. Genuardi 'la formazione delle consuetudini di Palermo'. Ein Anhang enthält Auszüge aus meist gedruckten Aktenstücken des 14. Jh., welche zu den consuetudines in Beziehung stehen. R. S.

229. Von allgemeiner Wichtigkeit ist der bedeutende Aufsatz von A. Hauck über 'Die Rezeption und Umbildung der allgemeinen Synode im Mittelalter' (Historische Vierteljahrschrift X. Jahrgang (1907), S. 465—482. E. P.

230. In sachlicher und persönlicher Hinsicht gehören drei in den Annalen des historischen Vereins für den Niederrhein 84. Bd. enthaltene kurze Beiträge zusammen: 1) 'Zur Kirchenverfassung Ripuariens in merovingischer und karolingischer Zeit. Eine Abwehr'. Von O. Oppermann (S. 209—214). 2) 'Zur Kirchenverfassung der Diözese Köln in merovingischer und karolingischer Zeit. Eine Klarstellung' von K. H. Schäfer (S. 215—220). 3) 'Erwiderung' von K. Füssenich (S. 221—222). E. P.

231. Im Archiv für katholisches Kirchenrecht LXXXVII (1907), 587—598 beschreibt Gillmann unter Beifügung einer Schriftprobe die Hs. der Würzburger Universitätsbibliothek Mp. th. f. 22, saec. IX., die den Text der sog. Collectio Dacheriana (vgl. Maassen, Quellen I, 848 f.) enthält. A. W.

232. Eine Tübinger juristische Dissertation von A. Pischek (Stuttgart 1907, 101 S.) behandelt in eingehenden Ausführungen 'die Vogteigerichtsbarkeit süddeutscher Klöster in ihrer sachlichen Abgrenzung während des früheren Mittelalters'. Im einzelnen wird die Entstehung der Vogteigerichtsbarkeit, die Kompetenzabgrenzung zwischen Graf und Vogt, die spätere Ausbildung besonderer Klostergerichte und ihr Verhältnis zum Vogt verfolgt. M. T.

233. In den Quellen und Forschungen aus italienischen Archiven und Bibliotheken X, 2, 275—300 beschäftigt sich Hermann Krabbo auf Grund der N. A. XXXI, 575 ff. neu herausgegebenen Liste der Teilnehmer an dem Laterankonzil von 1215 mit den deutschen Bischöfen, die anwesend waren und die fehlten, und sucht die Beweggründe festzustellen, welche die einzelnen nach Rom führten oder von dort fernhielten. O. H.-E.

284. Im Bull. hist. et philol. du comité des travaux hist. et scientif. 1906 p. 216—240 veröffentlicht J. Depoin einen 'Essai sur la chronologie des évêques de Paris de 768 à 1138'. E. M.

285. Im Archivio storico Lombardo, serie quarta, anno XXXIV, fasc. 15, p. 198—199 publizierte Girolamo Biscaro eine interessante Prozess-Einrede (Allegatio iuris) in einem Besitzstreit zwischen dem Chorherrnstift S. Ambrogio zu Mailand und Privaten von c. 1180. Der Vertreter der Kirche, wohl der Propst, geht den Gegnern mit ganz energischen Worten zu Leibe. O. H.-E.

286. J. P. Kirsch hat seinem Aufsatz 'Ein Prozess gegen Bischof und Domkapitel von Würzburg an der päpstlichen Kurie im 14. Jh.' — die Prokuratoren eines vom Papst zu einer Würzburger Domherrnpfründe und einem Archidiakonat providierten italienischen Geistlichen waren 1358 ertränkt worden — den Abdruck der einschlägigen Urkunden und Akten, darunter einen Auszug aus der Klageschrift jenes Klerikers aus d. J. 1360 auf Grund der Hs. des Vatikanischen Archivs (Coll. 110) beigefügt (Römische Quartalschrift XXII, 1907, S. 67 bezw. 82—96). A. W.

287. Als eine willkommene Arbeit auf allzuwenig bestelltem Gebiete mag die fleissige Dissertation von A. Ott, Die Abgaben an den Bischof bzw. Archidiakon in der Diözese Konstanz bis zum 14. Jh. (Freiburg i. Br., Charitasdruckerei 1907, 78 S.) erwähnt sein. Untersuchungen dieser Art wären auch z. B. für ein mitteldeutsches Bistum (z. B. Hildesheim) erwünscht, nachdem F. Curschmann über ein solches auf Kolonialboden (Brandenburg) unterrichtet hat. A. W.

288. Eine gründliche Arbeit von Otto Schmithals behandelt in den Annalen des historischen Vereins für den Niederrhein 84, S. 103—180 (1907) 'drei freiherrliche Stifter am Niederrhein'. Es sind die Stifter Essen, Elten und Herresheim, denen diese Untersuchung gilt. E. P.

---

289. Eine zusammenfassende Uebersicht über die archivalische Litteratur der Jahre 1898—1906 im allgemeinen und im speziellen Deutschlands, Oesterreichs und der Schweiz, nach Ländern und Provinzen ge-

ordnet gibt J. Abert in der Archivalischen Zeitschrift N. F. XIV, 85 ff. H. W.

240. Ueber die gebräuchlichsten Termini in Archivinventaren handelt J. Vannérus in der Revue des Bibliothèques et Archives de Belgique V, 318 sqq. A. H.

241. Wir begrüssen die Vollendung der 2. Auflage von Mühlbachers 'Regesten des Kaiserreichs unter den Karolingern', deren stattliches Schlussheft, nach Mühlbachers Tode von Johann Lechner bearbeitet, jetzt erschienen ist. (Innsbruck, Wagner, 1908, CXXII und 833—952 S.). Es enthält zunächst den Schluss der Regesten Konrads I. (S. 833—838), das Verzeichnis der 'Verlorenen Urkunden' (S. 839—873), die Uebersicht der Urkunden nach den Empfängern' (S. 874—894), das 'Bücher-Register' (S. 895—914), 'Konkordanztabellen' (915—936), 'Nachträge und Berichtigungen' (937—952) und die Stammtafel, endlich die umfangreiche Einleitung nach Anordnung und Inhalt der ersten Auflage. Obwohl von dem eigentlichen Regestentext nur noch wenige Seiten fehlten und Mühlbacher auch für die neu hinzutretenden Register bedeutende Vorarbeiten hinterlassen hatte, wird die vielseitige und mühsame Arbeit, die Lechner bis zur Vollendung dieses Heftes noch einzusetzen hatte, von jedem Kenner richtig eingeschätzt und dankbar gewürdigt werden. Die Freude aller Benutzer wird zunächst die 'Uebersicht der Urkunden nach den Empfängern' bilden. Die abgegriffenen Blätter dieser Partie werden bald in allen Regesten-Exemplaren den sichtbaren Beweis für die Notwendigkeit dieses schier unentbehrlichen, aber in der ersten Auflage doch fehlenden Nachschlage-Behelfes liefern. Für eindringende kritische Arbeit wird das ebenfalls neue Verzeichnis der 'Verlorenen Urkunden' nicht minder willkommen sein. Die äussere Bedeutung erhellt daraus, dass 614 Acta deperdita 2108 erhaltenen Urkunden gegenüber stehen; dabei ist die wahre Zahl der verlorenen Urkunden natürlich noch viel grösser; denn bei der Zusammenstellung dieser Liste ist, abgesehen von der notwendigen Einschränkung bei der Suche nach den Acta deperdita, eher Vorsicht und Zurückhaltung geübt. Den Grundsätzen, die Lechner S. XI hierfür aufstellte, wird man durchaus zustimmen können. Die Anordnung erfolgte, einzig richtig, nach Gruppen, für deren Ueberlieferungsgeschichte die Deperdita eine wichtige Erkenntnisquelle sind (man vgl. die 26 Deperdita für Reims, wo sich

eine gute Bistumsgeschichte und eine schlechte Urkundenüberlieferung gegenüber stehen). Wünschenswert wäre es gewesen, wenn Lechner auch hier wie bei dem Empfängerregister Verweisungen der Pertinenzen vorgenommen hätte (beispielweise n. 197, Graf Helmoin, unter Freising). Störend wirkt, dass die Deperdita für einzelne Päpste nicht unter dem Schlagwort 'Römische Kirche' mit verzeichnet sind. Eine kurze chronologische Uebersicht, die nur eine Seite beansprucht haben würde, wäre manchem willkommen gewesen. Bei den 'Nachträgen und Berichtigungen' sind Grenzen und Abschluss erfahrungsmässig niemals zu finden. Es liesse sich daher zur eben erst abgeschlossenen Reihe bereits eine neue Serie eröffnen. Ausdrücklich nachtragen will ich doch, dass ich N. A. XXVII, 27 ff. die Einreihung von M. 697 (676) zu 817 statt zu 819 verfocht und dass Bresslau und ich gemeinsam nachwiesen, dass M. 787 (760) im Oktober 827, nicht im Juli 824, gegeben wurde (Archiv f. Urkundenforschung I, 181, N. 1). Bei dem Neudruck der Einleitung in allen ihren Teilen liess Lechner mit Recht in erster Linie den Grundsatz der Pietät walten. Bei der Darstellung der Kanzleiverhältnisse verstand er es im allgemeinen gut, sie mit der Berücksichtigung der mittlerweile erschienenen neueren Litteratur in Einklang zu bringen. Bresslaus Abhandlung über den 'Ambasciatorenvermerk in den Urkunden der Karolinger' (Archiv f. Urkundenforschung I, 167—184) blieb leider auch in den Nachträgen unberücksichtigt. Aus meiner Arbeit über das Testament Fulrads von St.-Denis war der Schreiber Adarulfus, ferner der Nachweis der Identität des Kanzleivorstandes Karlmanns Maginarius mit dem spätern Kaplan Karls d. Gr. und Abt von St.-Denis nachzutragen. Unerlaubt rückständig ist S. CXX—CXXII das Verzeichnis der Quellen und ihrer Ausgaben. Es berührt recht eigentümlich, dass die seit über 10 Jahren schon vorhandenen und von Mühlbacher im Regestentext der Neubearbeitung längst verwerteten Neuausgaben der Annales regni Francorum und der Annales Fuldenses in den SS. rerum Germanicarum (hier noch immer als 'Schulausgabe' bezeichnet, welcher Ausdruck füglich hätte beseitigt werden müssen) erst in den 'Nachträgen' ihren Platz fanden, die Neuausgaben von Einhards Vita Karoli Magni und Nithards Historiae aber nicht einmal hier nachgetragen wurden, so wenig wie v. Simsons Ausgabe des Annales Mettenses priores. Dem entsprechend gelten die Metzer Annalen noch als 'Kompilation vielleicht erst aus dem Beginn des

12. Jh.' v. Simsons Neuausgabe erschien allerdings erst 1905, als die Einleitung bereits gedruckt war; aber bereits 1899 und 1900 hatte v. Simson im N. A. XXIV und XXV über das Wiederauftauchen der ursprünglichen Fassung dieser wichtigen Quelle gehandelt. Auch bei Brunners Rechtsgeschichte war die Neuauflage des I. Bandes (1906) wenigstens in den Nachträgen zu berücksichtigen. Das Verdienst, das sich Lechner um die Vollendung des ausgezeichneten Regestenwerkes Mühlbachers erwarb, will ich aber nochmals nachdrücklich hervorheben; es sollte durch die Anführung einzelner Mängel nicht gemindert werden.

M. T.

242. Im Regestum Volaterranum (s. oben S. 267) tadelt F. Schneider S. XXXII, N. 4, dass in der Ausgabe des Diploms Heinrichs II. für Volterra (DH. II. 292, S. 357 Z. 35) das überlieferte 'vicedomui' von uns mit Unrecht in 'vicedomini' geändert und die richtige Lesart nicht in den Apparat aufgenommen sei. Dazu habe ich zu bemerken, dass wir nicht 'vicedomini', wie Herr Schneider behauptet, sondern 'vicedomni' gedruckt haben, und dass von einer Aenderung des überlieferten schon deshalb keine Rede sein kann, weil wir, wie ich in meiner Vorrede ausdrücklich ausgeführt habe, an Originaldiplomen überhaupt nichts ändern, nicht einmal offenbare Schreibfehler. Wenn wirklich das Original 'vicedomui' bietet, so läge vielmehr ein Lesefehler unsererseits vor. Die Abschrift Blochs, nach der wir gedruckt haben, lässt nun sowohl die Lesung 'vicedomni' wie 'vicedomui' zu, und ich hege die Vermutung, dass es mit dem Original des Diploms ebenso steht; dann aber ist zweifellos nicht 'vicedomui', sondern 'vicedomni' zu schreiben. Denn diese Form ist die richtige (vgl. zuletzt Traube, Nomina sacra S. 174), die von Schneider bevorzugte dagegen ist weder sprachlich noch sachlich zulässig, und es wäre höchst auffällig, wenn man in Volterra dem Vicedominus oder Vicedomnus den unerklärbaren Titel 'vicedomui' gegeben hätte. Auch ist die Behauptung Schneiders, dass man damals in Volterra 'regelmässig' die letztere Bezeichnung gewählt habe, keinesfalls richtig. Vielmehr druckt er selbst die Formen 'vicidomino' (n. 29), 'vicedominus' (49. 79) und 'vicedomini' (148), und 'vicedomui' findet sich bei ihm (wenn die Angaben seines Registers vollständig sind) mit Ausnahme von n. 55, das aber nur im Drucke Muratoris zu kontrollieren ist, nur da, wo der Name im

Genitiv steht (n. 27. 28. 30. 31. 39). Ich halte deshalb eine Nachprüfung, ob hier nicht überall die Lesung 'vicedomni' möglich ist, für erforderlich, ehe ich an die Existenz jener Unform glaube. H. Br.

243. In den Mittheilungen des Geschichtsvereins für Kärnthen, Carinthia I, Jahrg. 97, S. 112 f. weist A. v. Jaksch darauf hin, dass in den unausgefüllt gebliebenen Lücken für den Gau- und den Grafennamen in DH. II. 288 für das Bistum Bamberg die Grafschaft Friaul und der Graf Weriand zu ergänzen seien. Die dort genannten Orte seien im kärnthnisch-friaulischem Grenzgebiete um Tarvis zu suchen, wenn auch heute nicht mehr zu identifizieren. Die Schenkung habe den wichtigen Alpenübergang durch das Kanaltal und über den Predilpass in sich begriffen. H. W.

244. In den Quellen und Forschungen aus italienischen Archiven und Bibliotheken XI, Heft 1, S. 1—24 publizierte F. Güterbock ein vor kurzem ungenügend bekannt gemachtes Aktenstück über ein Zengenverhör von 1221, das Aufschluss gibt über die Besitzverhältnisse in der Valle di Blegno (oder Blenio) im Kanton Tessin, das den Zugang von Italien (von Bellinzona aus) zum Lukmanierpasse bildet, und in der Valle Leventina, über die man bisher garnichts wusste. Der Text und die Untersuchung ergeben, dass Konrad III. beide Täler den Grafen von Lenzburg verlieh, dass nach deren Aussterben 1172/3 Friedrich I. die Täler unmittelbar an das Reich nahm. Nach des Kaisers Tode gerieten die Täler in den Besitz der Mailänder Kirche, die alte Ansprüche auf sie hatte, bis Friedrich II. 1220 das Blegno-Tal Heinrich von Sax verlieh. Mit dieser Verleihung muss das Zeugenverhör von 1221 zusammenhängen. Aus einer Angabe der Urkunde erweist der Verf. scharfsinnig, dass Friedrich I. im Frühjahr 1176 vor der Schlacht von Legnano vier Tage im Blegno-Tal weilte, um das aus Deutschland über den Lukmanier ziehende Heer zu empfangen. Er liess dort eine Burg erbauen, die später von den Mailändern zerstört wurde. Die Abhandlung trägt den Titel: Die Lukmanierstrasse und die Passpolitik der Staufer. Friedrichs I. Marsch nach Legnano. O. H.-E.

245. In einem sehr ungenügenden Auszuge druckt I. La Rocca ein Privileg Konrads IV. für Vizzini in Sicilien von 1252 Mai 2, das vorher schon von V. La Mantia

in Arch. stor. Ital., ser. IV, t. XX (1887), p. 313 und von dem Lokalhistoriker J. Noto 1730 herausgegeben war, in den Regesta imperii aber fehlt (Arch. stor. per la Sicilia orientale a. IV, 1907, p. 226). R. S.

246. M. Besson, Silentium ou Sallentium? Note pour la critique textuelle de quelques actes anciens (Anzeiger f. Schweizerische Gesch. 1907, n. 4) bringt den interessanten Nachweis, dass der Ausdruck 'silentium' in Urkk. von etwa 900 aus 'psallentium', der merowingischen Bezeichnung für den Psalmengesang, verdorben ist, die schon Abschreiber des 9. Jh. nicht mehr verstanden.
B. Kr.

247. In der Archivalischen Zeitschr. N. F. XIV, 281 ff. macht Mehring auf zwei Urkunden des Stuttgarter Staatsarchivs (1295) aufmerksam, in denen (nach unserer bisherigen Kenntnis) zum erstenmal ein Notar deutscher Abstammung auftritt. H. H.

248. Wahre Schätze neuer und vielseitiger Erkenntnis hob Heinrich Finke aus dem Kronarchiv zu Barcelona ('Acta Aragonensia', Quellen zur deutschen, italienischen, französischen, spanischen, zur Kirchen- und Kulturgeschichte aus der diplomatischen Korrespondenz Jaymes II. [1291—1327] 2 Bde CLXXXX und 975 S. Berlin und Leipzig, Walther Rothschild, 1908). Man gewinnt eine Ahnung von Umfang und Bedeutung des gewaltigen und noch so gut wie ungenutzten Materials, wenn man bedenkt, dass die beiden stattlichen Bände nur eine karge Auswahl darstellen, die Finke zunächst im Interesse seiner eigenen wissenschaftlichen Arbeiten und dann mit Rücksicht auf die allgemeinen Fragen der deutschen Geschichte unternahm, und dass er darüber hinaus Stoffmassen von sich abwehrt, deren Verwertung auf verschiedenen Interessengebieten er noch je nach mehreren Bänden schätzt. Unter den neu erschlossenen Quellengebieten ist in erster Linie die führende Bedeutung der Berichte der Arragonesischen Gesandten hervorzuheben, einer Quellenart, an die wir sonst erst seit dem Zeitalter der Reformation oder günstigen Falls seit der zweiten Hälfte des 15. Jh. zu denken gewohnt sind. Die Anordnung konnte in Anbetracht der Auslese nur nach sachlichen Gruppen erfolgen: Päpste, Beziehungen Arragons zu Deutschland, Romfahrt Heinrichs VII., kirchenpolitischer Kampf unter Ludwig dem Bayern, Italische Verhältnisse, Briefe von litterarischem

und kulturgeschichtlichem Interesse (hier gerade einige Kabinettstücke). Ein besonderes Verdienst erwarb sich Finke noch durch die Einleitung, deren umfassende Darlegungen über Archiv, Kanzlei, Verwaltung und Register der Arragonesischen Könige uns ganz neue Erkenntnis auf diesem bisher kaum beachteten Gebiet erschliessen, die in vergleichender Forschung für die Diplomatik noch weitere Früchte tragen wird. Die Ueberlegenheit Süd- und Westeuropas auf diesem Gebiet tritt jetzt geschlossen hervor.
M. T.

249. In einer Gelegenheitsschrift (Scritti di storia, di filologia e d'arte pubblicati per nozze Fedele - De Fabritiis) entlarvt Paul Fridolin Kehr 'Zwei falsche Privilegien Paschals II. (J.-L. 6555—6556)', zu denen er die echte Vorlage aufgefunden hat; im Anhang veröffentlicht er neben den beiden Fälschungen auch das neuentdeckte echte Privileg Paschals für das Kloster San Vincenzo a Volturno (1117 April 20 Benevent). F. Güterbock.

250. Unter dem Titel: Bolle pontificie inedite dell' archivio arcivescovile di Ravenna veröffentlichte der erzbischöfliche Archivar Dr. Girolamo Zattoni im XXV. Band der 3. Folge der Atti e Memorie della R. Deputazione di storia patria per le provincie di Romagna (Bologna 1907) p. 378 sqq. in vollständigem Abdruck 22 Bullen aus den J. 1184—1227. L. v. E.

251. 'Aus der Kanzlei der Päpste und ihrer Legaten' nennt sich eine Abhandlung Emil Göllers (Quellen u. Forsch. aus ital. Arch. u. Bibl. herausg. vom Preuss. histor. Institut in Rom X, 301—324), die in ihrem ersten Teil eine recht nötige und mehrfach ergebnisreiche Neuuntersuchung der seiner Zeit von Donabaum, Mitteil. d. Instituts f. Oesterr. Gesch. XI. behandelten, in den sogen. Kladdenbänden vereinigten Konzepte von Sekret- und Kurialbriefen der Avignonesischen Päpste bringt, während der zweite Teil von neu aufgefundenen Konzepten aus der Kanzlei des Kardinallegaten Guido von Bologna († 1373) handelt. M. T.

252. Die Verwendung päpstlicher Originalurkunden als Minuten bei der Ausfertigung neuer Urkunden der päpstlichen Kanzlei erläutert an einer Anzahl lehrreicher Beispiele aus dem 13. Jh. P. M. Baumgarten 'Kleine diplomatische Beiträge' (Römische Quartalschrift XXI, 1907, Gesch. S. 143—149). R. S.

253. Zu den in den letzten Jahren stark in Fluss gekommenen Arbeiten über die päpstliche Pönitentiarie tritt jetzt höchst verdienstlich als wichtigste in der Sammlung der Quellen und als in allen wesentlichen Fragen abschliessende in der sie begleitenden Forschung die Publikation von Emil Göller 'Die päpstliche Pönitentiarie von ihrem Ursprung bis zu ihrer Umgestaltung unter Pius V.' (Bibl. des Preuss. histor. Inst. in Rom III und IV, Rom, Löscher, 1907, 278 und 189 S.). Der erste Band bringt, selbst schon stark von archivalischer Ausbeute durchsetzt, die Darstellung über Quellen, Amtsbücher, Formulare, Organisation und Geschäftsgang der Pönitentiarie, der zweite Band die Ausgabe des reichen und vielgestaltigen urkundlichen Materials, darunter auch der bisher ganz unbekannten Formulare für Suppliken der Pönitentiarie. Gerade aus dieser Gruppe gewinnt G. auch die Möglichkeit, die höchst interessante Originalsupplik aus der Zeit Urbans VI., die Lichatschev veröffentlicht und über die Salomon N. A. XXXII, 462 berichtet hatte, als erster richtig als Supplik an die Pönitentiarie (nicht als Kanzleisupplik) zu erkennen. Lichatschev und Salomon hatten bei der Unmöglichkeit der zutreffenden Erkenntnis auch die Signatur verlesen, merkwürdiger Weise aber auch Göller selbst; denn die von ihm gegebene Lesung Lk. = Lukas ist graphisch und sprachlich unmöglich (k bei einem Italiener des ausgehenden 14. Jh.?), sondern die Sigle lautet L R und bedeutet den von Göller selbst festgestellten Grosspönitentiar L[ucas] R[adulfucii]. Göller behält daher in dieser Frage gerade nur zur Hälfte Recht wie Salomon.

M. T.

254. Die Aktenstücke, welche der Abbé G. Mollat in seinem Buche 'Études et documents sur l'histoire de Bretagne' (XIII.—XVI. siècles) (Paris, Honoré Champion 1907) mitgeteilt hat, entstammen zum weitaus grössten Teil dem Vatikanischen Archive, es sind Schreiben der Päpste von Clemens V. an bis hinunter auf Leo X. (1308—1515) und behandeln die verschiedensten Gegenstände, gehen zum geringen Teil die Bretagne nicht ganz allein an.

O. H.-E.

255. Der neuerdings mit besonderer Lebhaftigkeit geführte Streit über die Glaubwürdigkeit der Traditionen, die sich an die sog. Santa Casa von Loreto knüpfen, hat für uns wohl nur insofern Interesse, als aus ihm merkwürdige Streiflichter auf schwer begreifliche Kulturerschei-

nungen der Gegenwart fallen. Doch muss auch hier angemerkt werden, dass U. Chevalier in den Mélanges d'archéologie et d'histoire XXVII, 143 sqq. ein aus Deutschland für die Legende beigebrachtes Zeugnis, eine angebliche Urkunde Clemens' V. vom J. 1310 betreffend die Gründung des Karmeliterklosters zu Weinheim (Bullar. Carmelit. II, p. VII sqq.), in die eine Erwähnung der 'miraculosa Lauretana diva virgo Maria' eingefügt ist, als plumpe Fälschung erwiesen hat. H. Br.

256. Durch einen Prozess, den die Stadt Hamburg mit dem dortigen Domkapitel in den Jahren 1337—55 an der päpstlichen Kurie führte, war sie veranlasst, sich durch eine Gesandtschaft in Avignon vertreten zu lassen. Die Rechnungsbücher dieser Gesandten und einige andere zu ihrer Erläuterung dienenden Aktenstücke hat Th. Schrader mit einer ausführlichen Einleitung in einer eigenen Schrift (Hamburg, Voss 1907) herausgegeben; sie umfassen die Jahre 1337—48 und 1353—55; in der Zwischenzeit scheint durch den Schwarzen Tod ein Stillstand des Prozesses herbeigeführt zu sein. Die in den Rechnungsbüchern enthaltenen Angaben sind namentlich kulturhistorisch wertvoll. Ich notiere aus einer Aufzeichnung von 1339 den Ausdruck 'quando advocati in rota fuerunt' (S. 10: vgl. Mitteil. des Inst. f. Oesterr. Geschichtsforsch. Erg. VI, 329, N. 2); auch sonst ergibt sich mancherlei für den Geschäftsgang und das Beamtenwesen an der Kurie; ganz irrig ist aber die Annahme Schraders S. 45*, dass die Zahl der Bullatoren etwa eben so gross gewesen sei, wie die der Scriptoren: es gab ihrer damals nur drei oder zwei.

H. Br.

257. K. H. Schäfer hat seinen Ausführungen über päpstliche Ehrenkapläne aus deutschen Diözesen Listen solcher Kleriker für die Zeit von Clemens VI. (1342—1352) bis Clemens VII. (1378—1394) beigegeben, weiterhin den Text einer Supplikformel zur Erlangung jenes Titels und den einer Ernennungsurkunde d. d. 1366 März 20. Die Analogie der vom deutschen König ernannten Kapläne (vgl. meine Geschichte der Kirchenverfassung Deutschlands I, 176) hätte vielleicht angemerkt werden können (Römische Quartalschrift XXII, 1907, S. 97—118). A. W.

258. Die Legation des Kardinals Pileus in Deutschland 1378—1382 behandelt eine Arbeit von K. Guggenberger (Veröffentlichungen aus dem kirchenhistorischen

Seminar München 2. Reihe n. 12), in der auf S. 105 ff. das Itinerar des Legaten nach gedruckten und ungedruckten Belegen zusammengestellt ist. H. W.

259. K. H. Schäfers Buch 'Die Kanonissenstifter im deutschen Mittelalter' (Stuttgart, F. Enke 1907. XXIV, 303 S.; a. u. d. T.: Kirchenrechtliche Abhandlungen herausg. von U. Stutz. Heft 43 und 44) enthält S. 274—279 mehrere Urkunden, unter denen Auszüge aus solchen von Bonifaz IX. d. d. 1391 Aug. 7 und Eugen IV. d. d. 1436 Mai 9 hier hervorgehoben sein mögen; die im Text des Werkes mitgeteilten Urkunden u. s. w. sind S. 280 verzeichnet. Der Verf. hat schliesslich ein ausführliches Register beigefügt, das sich auch auf sein älteres Buch: Pfarrkirche und Stift (ebd. 1903; Kirchenrechtl. Abhandlungen n. 3) erstreckt. Die wichtigen Ergebnisse der Schrift werden an anderer Stelle zu würdigen sein. A. W.

260. Von dem von der Hist. Kommission der Prov. Westfalen herausgegebenen Codex traditionum Westfalicarum ist der sechste, wie seine vier letzten Vorgänger von Fr. Darpe bearbeitete, Band Münster 1907 erschienen (391 S.). An mittelalterlichem Stoff enthält er u. a. Einkünfteverzeichnisse des Klosters Marienborn in Koesfeld aus dem 14. Jh., Wortgeldregister des Kl. Varlar bei Koesfeld aus dem 13. und 14. Jh., Zehnten- und Einkünfteregister des Stifts Asbeck aus dem 13.—15. Jh. und Heberegister des Stifts Nottuln aus dem 14. und 15. Jh. Besondere Sorgfalt erforderten im Gebiete der Hofsiedlung die ortskundlichen Feststellungen. E. M.

261. Die 'Inventare der nichtstaatlichen Archive des Kreises Steinfurt' bearbeitet unter Mitwirkung von K. Döhmann von L. Schmitz-Kallenberg (Münster i. W. 1907), enthalten über tausend Urkunden des 12. (15 Nummern), 13. (164 Nummern) und 14. Jh. Das von ersterem beigesteuerte, vier Fünftel des 376 S. starken Heftes einnehmende Inventar des Fürstlich-Bentheim-Steinfurtschen Archivs bildet ein für die mittelalterliche Geschichte Nordwestdeutschlands höchst ergiebiges Urkunden- und Regestenwerk. Im Schloss Burgsteinfurt beruhen die Archivalien der Reichsgrafschaften Bentheim und Steinfurt, der Solmsischen, Gemenschen und Neuenahrschen Erbgüter, der Johanniter-Kommende Stein-

furt, des adligen Damenstiftes Wietmarschen und des Klosters Frenswegen. Auf die Reihen der Papst- und Kaiserurkunden der Kommende, S. 173—178, sei besonders hingewiesen; sonst finden sich 16 Kaiserurkunden von 1191 bis 1398 und 6 Papsturkunden von 1257 bis 1400 über das Heft verstreut. E. M.

262. Im Trierischen Archiv XI, 79—83 veröffentlicht J. Krudewig fünf Urkunden aus den Gebieten des Mittelrheins, der Mosel und Eifel aus der Zeit von 1248 bis 1311, deren älteste von Erzbischof Arnold von Trier ausgestellt ist. E. M.

263. R. Lossen hat seinem Werke 'Staat und Kirche in der Pfalz im Ausgang des Mittelalters' (a. u. d. T.: Vorreformationsgeschichtliche Forschungen III. Münster i. W., Aschendorff 1907, XI u. 268 S.) u. a. einen Anhang mit Akten und Urkunden (S. 196—230) beigegeben. Unter den hier mitgeteilten Stücken, zumeist Pfalzgrafenurkunden, finden sich S. 197 bzw. 198 auch zwei Urkk. Ruprechts von der Pfalz d. d. 1404 Aug. 1 (Chmel n. 1823) und Sigmunds d. d. 1415 Mai 23 (Altmann n. 1706), weiterhin Briefe und Weisungen der Päpste Pius II. d. d. 1462 Febr. 23 (S. 205), Sixtus IV. d. d. 1473 Juli 7 (S. 218), 1473 Oktober 12 (S. 218), 1473 Oktober 18 (S. 220) und Alexander VI. d. d. 1493 Mai 5 (S. 225). Ueber die Bedeutung der Arbeit für die territoriale und kirchliche Verfassungsgeschichte ist hier nicht zu handeln. A. W.

264. Von den 'Regesten der Erzbischöfe von Mainz von 1289—1396; auf Veranlassung und aus Mitteln der Böhmerschen Nachlassadministration herausg. von G. von der Ropp' liegt die 1. Lieferung des I. Bandes (Leipzig, Veit und Comp. 1907) vor. Sie ist von Ernst Vogt bearbeitet und umfasst die Jahre 1289—1296. Im Gegensatz zu C. Wills Regesten, deren Fortsetzung das neue Unternehmen bildet, ist hier auch das ungedruckte Material herangezogen, die Ueberlieferung aller aufgenommenen Stücke genau verzeichnet. In der Druckausstattung ist verschiedenes geändert; Ueberlieferungsnotiz und Litteraturangaben sind durch Verwendung von Petitdruck und Alinea vom Regest scharf geschieden, notwendige Erläuterungen in besonderem Absatz, ebenfalls in Petit, gegeben. Es ist so eine bedeutend bessere Uebersicht und bequemere Benutzung ermöglicht. Weniger zweckmässig

scheint der Wegfall der besonderen Kolumne für das Itinerar, der allerdings eine bessere Ausnutzung des Raumes gestattete. R. S.

265. Im Archiv für Frankfurts Geschichte und Kunst, 3. Folge IX, 95 ff. gibt F. Schrod eine eingehendere Untersuchung zur Geschichte der Deutschordenskomturei in Sachsenhausen bis zur Mitte des 14. Jh., in der der Besitzstand, die Vermögensverwaltung und die äusseren Beziehungen der Komturei seit der zweiten Hälfte des 13. Jh. behandelt werden. Beigefügt ist ein Verzeichnis der Komture und Hauskomture zu Sachsenhausen aus den Jahren 1221—1359. H. W.

266. In der Archivalischen Zeitschr. N. F. XIV, 39 ff. verzeichnet A. Gümbel in Regesten den urkundlichen Bestand des Stadtarchives zu Hersbruck 1297—1833. Die Urkunden Ludwigs des Bayern (n. 4 u. 6), Karls IV. (n. 17) und Sigmunds (n. 42) sind bei Böhmer und Altmann nicht verzeichnet, dagegen sind andere Diplome Ludwigs (n. 5 = Böhmer 3236), Karls IV. und Sigmunds (n. 14 u. 19 = Böhmer-Huber 6786. 7361, n. 46 = Altmann 8351) schon bekannt, ohne dass dies der Herausgeber vermerkt hätte. H. H.

267. Der III. Bd. der Regesten der Markgrafen von Baden und Hachberg (Innsbruck 1907, vgl. N. A. XXX, 249, n. 164) liegt nun durch das von F. Frankhauser bearbeitete Orts- und Personenregister vollendet vor. H. H.

268. Der dem IV. Heft der Zeitschr. f. d. Gesch. d. Oberrheins N. F. Bd. XXII beigegebene Badische Archivbericht (vgl. oben S. 258, n. 95) von X. Udry betrifft die Archivalien aus Orten des Amtsbezirks Ueberlingen. Urkunden des 14. u. 15. Jh. sind in grösserer Zahl ausgewiesen. H. H.

269. Das erste Heft einer Sammlung Württembergischer Archivinventare enthält das Württembergische Finanzarchiv: I. die Aktensammlung der herzogl. Rentkammer bearbeitet von E. Denk (Stuttgart 1907). Da die älteren Bestände grösstenteils durch einen Brand von 1683 zerstört sind, so sind mit wenigen Ausnahmen (vgl. S. 32. 140. 141) nur Stücke jüngeren Datums verzeichnet. H. W.

270. Im III. Bande der Walhalla (München 1907) S. 219 ff. veröffentlicht J. Widemann eine Urkunde

des Bischofs Konrad III. von Regensburg (1187), aus der sich ergibt, dass der Bischof nach dem Tode des Burggrafen Heinrich dessen bischöfliche Lehen an Friedrich I. übertrug. Ebendort S. 222 ff. publiziert U. Schmid ein Mandat Gregors IX. an Propst Konrad II. von Schussenried (1233), eine Schenkungsurkunde an das Clarissenkloster Paradies bei Schaffhausen (1254) und das Tagebuch des Pfarrers M. Gotzmann (1480—1524). M. Hartig steuert das Testament des Ritters Alram von Rottau (1287) bei. H. H.

271. Dem LXII. Bande des Geschichtsfreundes der fünf Orte ist anhangsweise der Anfang vom II. Bd. des UB. des Stiftes Beromünster (vgl. N. A. XXXII, 795, n. 354) beigegeben, der das urkundliche Material der Jahre 1318—1322 enthält. Es folgt dann noch das Urbar des Jahrzeitbuches von ca. 1323. H. H.

272. Einen Geleitbrief des Herzogs Johann von Tirol für die Bürger der Stadt St. Gallen auf dem Wege über den Arlberg, wahrscheinlich vom J. 1336, der auf lebhafte Handelsbeziehungen zu den Bozener Messen und Oberitalien schliessen lässt, hat H. W(artmann) im Anzeiger für Schweizerische Geschichte 1907 S. 226 herausgegeben. H. Br.

273. A. von Wretschko hat seinem Buche: 'Zur Frage der Besetzung des erzbischöflichen Stuhles in Salzburg im Mittelalter' (Stuttgart, F. Enke 1907, IV u. 110 S.; Sonderabdruck aus den Mitteilungen der Gesellschaft für Salzburger Landeskunde Bd. XLVII) drei Anhänge beigefügt, auf die hier zu verweisen ist. Der erste (S. 44—75) enthält Urkunden in systematischer Anordnung, und zwar Wahldekrete (1452 und 1466), päpstliche Provisions- und Konfirmationsbullen (1291—1452), päpstliche Urkk. betr. Weihe und Pallium (1427—1462), endlich Formulare für Oboedienzeide (1396—1466), als Nachtrag eine Urkunde von 1246 oder 1247. Der zweite Anhang (S. 76—104) bringt Regesten der auf die Wahlen von Erzbischöfen bezüglichen Dokumente (1247—1495). Der letzte Anhang über die Wahl des Propstes von St. Andrä im Lavanttale (S. 105—110) enthält den Text eines Notariatsinstruments von 1411 und Regesten von 1288—1349. A. W.

274. In den Mitteilungen der dritten (Archiv-) Sektion der k. k. Zentral-Kommission z. Erforschung u. Erhaltung der Kunst- u. hist. Denkmale VI, 350 ff. (vgl. N. A.

XXXII, 550, n. 104) berichtet (†) D. Müller über das Archiv des Kollegiatstiftes Mattsee und stellt S. 369 ff. Nachträge zur Ausgabe der Quellen z. Gesch. v. Mattsee in den Fontes rer. Austr. II, 49, 1 zusammen. Ebenda S. 379 ff. sind die Regesten der Urkunden des Stadtarchivs von Ybbs in zwei Abteilungen (landesfürstliche Urkunden von 1310 an, Privaturkunden von 1326 an) publiziert.
H. H.

275. Aus der Papier-Hs. Cgm. 3941 der Hof- u. Staatsbibliothek zu München gibt K. Schiffmann (Archiv f. d. Gesch. d. Diözese Linz IV, 355 ff.) Quellen zur Geschichte der Altpfarre Pischelsdorf heraus. Der Codex ist in seinem Hauptbestande um 1404 von dem Pfarrer Peterlehner angelegt und enthält Urkunden über Stiftungen und Besitzveränderungen, Notizen über Jahrtage und die Weihe kirchlicher Objekte, ein Urbar, Ablässe und Akten resp. Urkunden über den Streit des Pfarrers mit dem Stifte Mattsee, mit der Pfarrgemeinde und mit dem Patron. — Ebenda S. 491 ff. teilt F. Berger Regesten (von 1390 an) aus dem Salbuch der Gotteshäuser des Landgerichtes Mauerkirchen (1579) mit. H. H.

276. In den Studien und Mitteilungen aus dem Benediktiner- und dem Cistercienserorden, Jahrg. XXVIII (1907), S. 577 ff. beendet P. Valentin Schmidt seinen Aufsatz: 'Ein Lilienfelder Formelbuch' (s. N. A. XXXIII, 261, n. 105). Unter den Regesten n. 80—194 finden sich auch mehrere österreichische Herzogsurkunden (Rudolf IV., Friedrich I.) und eine Urkunde K. Friedrichs von 1317—1318 angeführt. B. B.

277. Der erste Band des Codex diplomaticus et epistolaris regni Bohemiae von Gustav Friedrich, über dessen Anlage bei Erscheinen des ersten Halbbandes N. A. XXX, 754, n. 480 eingehend berichtet war, liegt jetzt abgeschlossen vor (Prag 1907) und verstärkt den günstigen Eindruck, den der erste Halbband bereits gemacht hatte. Das urkundliche Material ist hier bis 1197 geführt. Der Hauptreihe echter Urkunden, unter denen sich aber bereits manche zweifelhafte findet, folgt eine stattliche Zahl von Spuria (n. 365—411), wobei nach dem Vorbild der Diplomata moderne Fälschungen ausgeschieden sind. Hier sind auch einzelne der gefälschten Papsturkunden für Passau aufgenommen (n. 366 J.-E. 2566, J.-L. 3644. 3771), bei denen die neuere Litteratur besser

hätte berücksichtigt werden müssen (W. Hauthaler, Mitteil. d. Instituts f. österr. Geschichtsforsch. VIII, über die handschriftliche Ueberlieferung, aus der zu ersehen war, dass der von Friedrich nur in der Edition von Gewold benutzte Reichersberger Codex sich jetzt im Stadtarchiv zu Köln befindet; Ratzinger, Forsch. z. bayr. Gesch.; Dümmler, SB. der Berliner Akad. 1898; Hacke, Pallienverleihungen bis 1143). Ueber die angebliche Urkunde des 'Tacgolfus comes de Boemia' von 801 (oder wie Fr. glaubt von 861) urteile ich strenger als Dümmler, Ostfränk. Reich I, 346, auf den sich Fr. stützt, und glaube, dass sich die Verunechtung der nur bei Eberhard von Fulda überlieferten Urkunde wesentlich weiter erstreckt und sicher auch den Titel 'comes de Boemia' umfasst. Den Schluss des Bandes bilden Verzeichnisse der Urkundenempfänger und Aussteller, Konkordanztabellen zu Erben, Regesta Bohemiae, endlich Namenregister und Glossar. M. T.

278. Von den Regesten der Urkunden des herzogl. Haus- und Staatsarchivs zu Zerbst aus den Jahren 1401—1500, herausgegeben von Dr. Wäschke sind im J. 1907 Heft 9—11, umfassend die Jahre 1477—1490, erschienen. H. W.

279. H. Spangenberg, Hof- und Zentralverwaltung der Mark Brandenburg (Leipzig, Duncker und Humblot 1908) handelt eingehend und lehrreich über eine Reihe für die Urkundenlehre wichtiger Fragen: so S. 1 ff. über Zeugenreihen und Konsensvermerke der Urkunden der Markgrafen, 114 ff. über die markgräfliche Kanzlei und ihr Verhältnis zum Rat (vgl. oben S. 262, n. 110; die Arbeit Biers hat erst in einem Nachtrage erwähnt werden können), S. 251 f. über die Kanzleigebühren. Im ersten Exkurs bespricht er die viel erörterten Stellen des Sachsenspiegel 3, 64, 7 und 3, 65, 1 über das Dingen der Markgrafen bei eigener Hulde und entscheidet sich für die Interpretation Ernst Mayers, die er mit neuen Gründen zu stützen sucht, im zweiten teilt er eine Kostenrechnung über den Aufenthalt des Markgrafen Waldemar, seiner Gemahlin und ihres Hofstaates zu Lübbechow und Königsberg (Neumark) vom Oktober 1316 bis Januar 1317 mit. H. Br.

280. In seinem Aufsatz 'Die altmärkischen Dorfkirchen und ihre Geistlichen im Mittelalter' (34. SB. d. Altmärkischen Vereins f. vaterländ. Gesch. zu Salzwedel.

S. 33—88) stellt W. Zahn die urkundlichen Nachrichten über die altmärkischen Landkirchen und ihre Geistlichen aus der Zeit vor der Reformation zusammen. Derselbe handelt ebenda S. 89 ff. über: 'Die Schutzheiligen der Kirchen und kirchlichen Stiftungen in der Altmark'. M. Kr.

281. Fritz Schillmann gelangt in seiner Dissertation 'Beiträge zum Urkundenwesen der älteren Bischöfe von Cammin, 1158—1343' (Marburg 1907, als Buch erschienen Leipzig 1907) unter Heranziehung fast des gesamten überlieferten Materials auf Grund eingehender Schriftvergleichung zu dem Ergebnis, dass die Camminer Bischofsurkunden bis etwa zum J. 1250 ausschliesslich Empfängerausfertigungen sind. Weiterhin wird die Geschichte der seit der 2. Hälfte des 14. Jh. nachweisbaren bischöflichen Kanzlei untersucht. Aeussere und innere Merkmale der Urkunden werden ausführlich besprochen, bei beiden Beeinflussung durch die Papsturkunde konstatiert. Den Schluss der Darstellung bildet eine kurze Vergleichung des Camminer Urkundenwesens mit dem anderer Bistümer. Interessant ist die im Anhang gegebene Beschreibung zweier selbständiger Urkunden vom gleichen Tage auf einem Originalpergament. — Regesten von 1325—1343 und 2 Schrifttafeln sind beigegeben. R. S.

282. In den Hansischen Geschichtsblättern, Jahrg. 1907, S. 457 ff. setzt Fr. Bruns seine im vorigen Heft begonnene Publikation der Lübecker Pfundzollbücher fort. H. W.

283. Ebenda S. 273 ff. gibt P. Feit eine Zusammenstellung über alte und neue Deutungen des Wortes 'hansa'. H. W.

284. In den Annales de l'Institut archéologique du Luxembourg XLI (1907), p. 82 sqq. stellt E. Tandel aus dem X. Bande der Table chronologique des diplômes imprimés concernant l'histoire de Belgique von Wauters die auf die Provinz Luxemburg bezüglichen Stücke zusammen. Johann von Böhmen und Karl IV., auch Balduin von Trier und andere Glieder dieser Familie sind mit zahlreichen Stücken vertreten. A. H.

285. 'De opdracht van het ruwaardschap van Holland en Zeeland aan Philips van Bourgondië', eins der wichtigsten Ereignisse der holländischen Geschichte, behandelt in eingehender Untersuchung Th. van Riems-

dijk in den Verhandelingen der Kon. Akad. van Wetenschappen te Amsterdam, Afd. Letterkunde N. R. D. VIII, n. 1 (1906). Von den beigefügten Urkunden sind hier der Vertrag Kaiser Sigismunds mit Johann von Bayern wegen dessen Heirat mit des erstern Nichte Elisabeth 1417 und die Belehnung des letzteren mit Hennegau, Holland und Seeland durch den Kaiser 1418 hervorzuheben. A. H.

286. Wesentlich auf den päpstlichen Registern beruht die Darstellung, die G. Brom in den Bijdragen en mededeelingen van het Histor. Genootschap (gev. te Utrecht) Bd. XXVIII, 1 ff. von den Beziehungen des Avignonesischen Papstes Clemens VII. zum Bistum Utrecht gibt. Sie reichen bis zum Jahre 1391; nach dem hielt Utrecht fest zu Rom. Beigegeben sind 25 meist den Registern entnommene Stücke. A. H.

287. Die Urkunden der Propstei Meerssen (968—1746) im allgemeinen Reichsarchiv zu Brüssel verzeichnet A. J. A. Flament in den Publications de la Société histor. et archéol. dans le Limbourg XLII (1906), p. 473 sqq. Die Königsurkunden sind alle bereits gedruckt, unter den Papsturkunden befindet sich eine Calixts II. von angeblich 1118 in einem Vidimus von 1434. A. H.

288. Die Aebte von Lobbes im 14. Jh. behandelt kurz U. Berlière in den Annales du cercle archéologique de Mons XXXV (1906), p. 48 sqq. Er teilt dabei mehrere Stücke aus den päpstlichen Registern mit. A. H.

289. Unter den weiteren von P. J. Goetschalckx in den Bijdragen tot de geschied. van het aloude Hertogdom Brabant VI (1907) zur Geschichte der Abtei St. Michiels in Antwerpen veröffentlichten Stücken befindet sich ein Mandat Papst Clemens' IV. von 1265. A. H.

290. Unter den von den Archives générales du Royaume den Archives de l'état à Anvers 1905 überwiesenen Stücken sind zwei Chartularien des Klosters Hanswijk von 1380, später bis 1490 fortgesetzt, und der Beguinen von Lierre aus dem 15. Jh. sowie eine 1743 geschriebene Geschichte der Cistercienser von St.-Bernard von 1233—1468 hervorzuheben. J. Vannérus berichtet darüber in der Revue des bibliothèques et archives de Belgique IV, 204 sqq. A. H.

291. Ein Stück von erheblichem Interesse ist der 'Index Archivarum' der Abtei Tongerloo, jetzt in

Privatbesitz befindlich, aus dem P. J. Goetschalckx in den Bijdragen tot de geschied. van het aloude Hertogdom Brabant VI, 368 ff. die dem 12. und 13. Jh. angehörenden Stücke mitzuteilen begonnen hat. Der Index verzeichnet 2300 Urkunden von 1133 bis 1651 und scheint bald nach letzterem Jahr angelegt, 2 spätere Stücke sind nachgetragen. Er enthält eine grössere Anzahl Papsturkunden, darunter aus dem 12. Jh. eine Eugens III., eine Viktors IV. und zwei Urbans III. A. H.

292. H. Dubrulle veröffentlichte im Bull. de la soc. d'études de la province de Cambrai VI (1904), 135—175 unter dem Titel 'Documents tirés des archives de l'état à Rome et concernant le diocèse de Cambrai' 304, Pfarren der gegenwärtigen und ehemaligen Diözese betr. Eintragungen der Annaten-, Quittungen-, Particolari- und Resignationenregister Pius' II. E. M.

293. Im Bulletin de la soc. archéol. et hist. de l'Orléanais XIV (n. 188, 1907), 582—585 gibt J. Soyer die 'Identification des noms de lieu Camedollus (= Champdoux, Comm. Saint-Denis-en-Val) et Orcellum (= Huisseau-sur-Mauves, Cant. de Meung-sur-Loire, Départ. Loiret) mentionnés dans la charte d'Agius évêque d'Orléans de janvier 854' (Musée des Archives départementales pl. V). E. M.

294. Der erste Band des von M. Prou und A. Vidier herausgegebenen 'Recueil des chartes de l'abbaye de Saint-Benoît-sur-Loire' (Fleury) ist mit der dritten Lieferung, die sieben Jahre nach der ersten (N. A. XXVI, 595, n. 243) erschienen ist, vollständig geworden. Die jetzt ausgegebene Einleitung des wertvollen Urkundenbuchs enthält eine sehr sorgfältig gearbeitete Geschichte des einst so reichen Archivs des alten und angesehenen Klosters. H. Br.

295. Seinem hier nachzutragenden Aufsatz über 'Le duché de Bourgogne et les compagnies dans la seconde moitié du XIV. siècle' in den Mém. de l'acad. des sciences, arts et belles-lettres de Dijon, IV. sér., VIII (Jahrg. 1901—2, ersch. 1903), 219—320 fügt Vernier zwölf Urkunden und Aktenstücke aus der Zeit von 1362 bis 1375 bei. E. M.

296. In den Mélanges d'archéologie et d'histoire XXVII, 153 sqq. berichtet M. C. Faure über die in den Jahren 1338—40 von dem Dauphin Humbert II. geführten

Verhandlungen, die den Verkauf eines Teils der Dauphiné an die päpstliche Kurie bezweckten, und teilt im Anhang die für die Statistik wertvollen Ergebnisse einer Enquête mit, die damals behufs Feststellung des Wertes des abzutretenden Gebietes von zwei päpstlichen Kommissaren vorgenommen wurde. H. Br.

297. Seinem in vielen Abschnitten im XVIII. bis XX. Bande der Atti e memorie della società Istriana di archeologia e storia patria (Parenzo 1902—1905) erschienenen Aufsatz 'Il comune Polese e la signoria dei Castropola' fügt De Franceschi zuletzt (Bd. XX, S. 111—130, Anhang S. 1—36) eine Reihe von Urkunden von 1277 Mai bis 1472 Juni an, die hauptsächlich über die Beziehungen Polas zu Venedig Auskunft geben. B. Schm.

298. Zu einem früher von ihm herausgegebenen Vertrage zwischen Verona und Venedig von 1193 gab Carlo Cipolla im Archivio storico Italiano, serie V, t. XL, 349—353 eine Ergänzung aus neu gefundener Ueberlieferung. O. H.-E.

299. In den Atti e memorie della R. deput. di storia patria per le prov. di Romagna, ser. 3, vol. XXV, fasc. 4—6, p. 273 sqq. beschliesst M. Longhi eine Abhandlung über Niccolò Piccinino in Bologna, der eine Reihe von Urkunden aus den Jahren 1438—44 beigegeben ist. H. W.

300. Ebenda S. 413 ff. druckt L. Frati das nach dem Tode des Giovanni di Bentivoglio aufgenommene Besitzinventar, datiert vom 16. Mai 1404, und einen Akt über die seiner Witwe Margherita Guidotti geraubten Kostbarkeiten. H. W.

301. Fast nur ortsgeschichtlich interessierendes Material gibt Quinto Santoli in den Regesti di antiche pergamene dei monasteri di S. Chiara e di S. Giovanni Battista di Pistoia (anni 1137—1529). Bisher sind zwei Fortsetzungen von 1137—1293 erschienen (Bullettino storico Pistoiese. Anno VIII, p. 1—8; Anno IX, p. 123—129. Pistoia 1906/07). B. Schm.

302. Roberto Cessi handelte im Archivio storico Italiano, serie V, t. XL, 233—284 über die Florentiner Kaufmannsfamilie der Alberti in Padua und gab dazu einige Aktenstücke 1410—1445. O. H.-E.

303. Aus der Zeitschrift Arte e Storia. (Anno XXVI, X. della terza serie, Firenze 1907) sind folgende Aufsätze zu erwähnen: p. 33—36: Diego Sant' Ambrogio, Antiche chiese Benedettine rivelanti influssi Cluniacensi; p. 106—118 von demselben: L'atrio di Sant' Ambrogio e la sua derivazione dall' arte Cluniacense. Sodann p. 56—59, 76—78: V. E. Aleandri, Belforte sul Chianti (bei Camerino). Memorie storiche del secolo IX. al XV.; p. 137—140 von demselben: Su alcuni possedimenti della badia die Farfa nel territorio di S. Severino-Marche. I. Corte S. Abbondio. B. Schm.

304. Pio Pagliucchi, I Castellani del Castel S. Angelo di Roma con documenti inediti . . . Vol. I, parte 1: I Castellani militari (1367—1464), Roma 1906, schickt seiner eigentlichen Abhandlung einen kurzen Ueberblick über die Geschichte der Engelsburg bis 1367 voraus, wobei er u. a. auf Grund einer von ihm erstmalig veröffentlichten Urkunde vom 4. Mai 1275 die Frage erörtert, ob die Orsini schon damals im Besitz des Kastells waren, was eine Nachricht von Giov. Villani in gewisser Weise bestätigen würde. Doch lässt er die Frage bis auf Weiteres offen. Andere bisher veröffentlichte Urkunden rühren von den Päpsten Gregor XI., Urban VI., dem Gegenpapst Clemens VII. u. a. her. Im Text stellt P. die Namen der Kastellane in chronologischer Reihenfolge zusammen und teilt mit, was über sie und die Geschichte des Kastells unter ihnen bekannt ist. B. Schm.

305. Im Archivio della R. Società Romana di storia patria XXX, p. 119—168 beschliesst G. Ferri seine Publikation der Urkunden aus S. Maria Maggiore in Rom: 'Le carte del archivio Liberiano dal secolo X. al XV.' Die Urkunden bis 1300, unter denen sich zahlreiche Papsturkunden befinden, sind in kurzen lateinischen Auszügen oder Teileditionen, der Rest in italienischen Regesten gegeben. (Vgl. N. A. XXX, 527 u. 754. XXXI, 278, n. 135). R. S.

306. In den Quellen und Forschungen, herausg. vom Preuss. hist. Institut in Rom X, 57—100 setzt H. Niese seine Publikation normannischer und staufischer Urkunden aus Apulien fort (vgl. N. A. XXXII, 554). Die Arbeit bringt eine bisher unbekannte und eine früher verloren geglaubte Urkunde Kg. Rogers II., ein Privileg und ein Mandat Kg. Tancreds, zwei Urkk. Friedrichs II. (die jüngst von Nitti di Vito gedruckte Reg. Imp. V,

n. 3383 — vgl. unten n. 307 — in gereinigtem Abdruck, sowie Reg. Imp. V, n. 557), eine Konrads IV., ebenda n. 4578, ein Mandat Manfreds sowie verschiedene Notizen über verlorene Kaiser- und Königsurkunden des 13. Jh. Eingeleitet sind die Editionen durch sorgsame kritische und verfassungsgeschichtliche Untersuchungen. R. S.

307. Vom Codice diplomatico Barese (vgl. N. A. XXVII, 317. XXVIII, 785) ist 1906 der von F. Nitti di Vito bearbeitete VI. Band erschienen. Er enthält die Urkunden des Archivs der Basilica S. Nicolai aus der staufischen Zeit (1195—1266), darunter folgende Kaiserurkunden: Heinrich VI. 1195 April, St. 4915; Friedrich II. 1215 Nov., 1221 April, 1222 Dez., 1232 Sept., 1243 Aug., Reg. Imp. V, n. 838. 1322. 1418. 1999. 3383; ferner Manfred 1264 April, ebenda n. 4752. Die 9 Papsturkunden, von Innocenz III., Honorius III., Gregor IX., Innocenz IV. und Alexander IV., sind schon vor einigen Jahren von Déprez, Quellen und Forschungen III, 292 f. verzeichnet worden; vgl. N. A. XXVI, 587. In Lichtdruckfacsimile beigegeben sind ausser einigen Privaturkunden die Urkunden St. 4915, Reg. Imp. V, n. 1418. 4752, sowie die Siegel Friedrichs von n. 1418 (= Philippi Taf. VIII. n. 3) und Manfreds von n. 4752. Aus der Reihe der übrigen Urkunden sind ein fragmentarisch erhaltenes Transsumpt einer Urkunde Boemunds von Tarent von 1108 (S. 80) und zwei Mandate Konrads von Querfurt hervorzuheben (S. 9 und 10). Die bibliographischen Angaben sind nicht durchweg zuverlässig; durch Benutzung der Kaiserregesten wären Fehler wie die Bezeichnung von Reg. Imp. V, n. 1418 als Ineditum zu vermeiden gewesen. R. S.

308. Acht griechische Urkunden des 12. Jh. für das calabrische Kloster S. Filippo di Gerace veröffentlicht F. Schneider in Quellen und Forschungen, herausg. vom Preuss. hist. Inst. in Rom X, 247—274. Die Stücke fanden sich — teils Originale, teils Uebersetzungen — in dem neuerworbenen Cod. Vatic. Lat. 10606. Von den vier Urkunden Rogers II. erweist der Herausgeber eine als gefälscht, eine zweite als möglicher Weise interpoliert. Die einzige Urkunde Wilhelms I. gibt zu keinem Verdacht Anlass. Eine Kleinigkeit sei hier berichtigt: Magida (S. 266) ist offenbar Maida in Calabrien, derselbe Ort, an dem der ältere Roger im J. 1098 die jetzt bei Caspar (S. 632) gedruckte Urkunde ausstellte. Mit dem bisher bekannten

Itinerar Rogers II. zum J. 1119 ist diese Ortsangabe sehr wohl zu vereinigen. R. S.

---

309. Den Briefwechsel des Jean Bon-Enfant mit der Gräfin von Artois (vgl. oben Nachricht 187 auf S. 272) behandelt É. Berger auch in der Bibl. de l'École des chartes 1906 p. 1 sqq. unter Beigabe von zwei Abbildungen. Berger gelangt zum Ergebnis, dass einzelne Briefe von Bon-Enfant eigenhändig geschrieben, andere aber nur diktiert worden seien. L. v. E.

310. In den Memorie della R. accademia delle scienze di Torino, serie II, t. LVII, 1 sqq. ediert und kommentiert G. Boffito den Brief Dantes an Cangrande auf Grund der Hss. und älteren Drucke. H. W.

311. Im Anhang eines Aufsatzes 'Zur Handelsgeschichte des Passes über den Semmering', Zeitschrift des historischen Vereins für Steiermark, Jahrg. V, 1 ff. publiziert O. Kande ein Schreiben der Stadt Prag an die Stadt Wiener-Neustadt vom 19. Nov. 1383 wegen Verlegung der Handelsstrasse Prag-Venedig unter Umgehung Wiens, nach Abschrift im W.-Neustädter Stadtarchiv. Beigegeben ist ferner eine Uebersichtskarte über die den Verkehr zum Semmering vermittelnden Strassen. H. W.

312. Seinem biographischen Aufsatz im Archivio storico Lombardo, serie quarta, anno XXXIV, fasc. 14, p. 320—378 und fasc. 15, p. 46—115 über Pietro del Monte († 1457), der päpstlicher Protonotar, dann Bischof von Brescia, päpstlicher Legat in England und Frankreich war, hat Agostino Zanelli zehn seiner Briefe etwa aus den Jahren 1436 bis 1440 und acht andere Aktenstücke, 1433—1455, darunter Breven Eugens IV. und Nikolaus V. beigegeben. O. H.-E.

---

313. In der auf Bischof Obert von Verona bezüglichen Inschrift aus cod. LX (58) der Kapitularbibliothek in Verona, die zuerst von Dümmler N. A. IV, 398 publiziert wurde, will Novati in der 4. Zeile statt des auch von Cipolla für unverständlich erklärten 'deventa' 'deiuncta' lesen. (Studi medievali II, 235—238). R. S.

314. Aus einem dem XIV. und XV. Jh. entstammenden, ehemals dem Lütticher Jakobskloster gehörigen Miscellancodex der gräflich Fürstenbergischen Schlossbibliothek zu Herdringen (Kreis Arnsberg) veröffentlicht

in der Zeitschr. f. D. Altertum XLIX, 161—238 A. Bömer 20 Vagantenlieder, von denen acht bisher völlig unbekannt waren, darunter (S. 211 ff.) ein Gedicht in 35 vierzeiligen Strophen auf den Sieg der Parmesen über K. Friedrichs II. Belagerungsheer im J. 1248. Sein Verfasser verwertete namentlich den zuletzt bei Huillard-Bréholles VI, 2, 591 f. abgedruckten Brief, durch welchen die Stadt Parma den Mailändern Kunde von ihrer Waffentat gab. E. St.

315. Zu N. A. XXXII, 578 f., n. 206 ist nachzutragen, dass der dort angezeigte Bibliothekskatalog von Rolduc, herausgegeben von P. J. M. van Gils, jetzt in den 'Handelingen van het 5. Nederlandsche Philologencongres gehouden te Amsterdam 3. en 4. April 1907' erschienen ist. O. H.-E.

316. A. M. Koeniger veröffentlicht in der Zeitschrift Der Katholik LXXXVII (1907), 204—215 aus Clm. 6141 zwei im wesentlichen identische Schatzverzeichnisse der Kirche zu Vormbach am Inn aus der zweiten Hälfte des 11. Jh. A. W.

317. In den Monatsblättern der Gesellschaft für Pommersche Geschichte und Altertumsk., Jahrg. XXI, 25 ff. druckt O. Heinemann ein Wirtschaftsinventar des Pudagler Klosterhofs vom 15. Dez. 1400 nach dem Original in der Kgl. Bibliothek zu Berlin. H. W.

318. In den Études des pères de la compagnie de Jésus, Jahrg. 1905, CII, 668—688, 814—839, veröffentlicht Al. Fleury einen Beitrag zur Geschichte des Gregorianischen Gesanges. Er behandelt 'Les plus anciens manuscrits et les deux écoles Grégoriennes: I. Valeur rythmique des signes musicaux dans les plus anciens manuscrits. II. La doctrine rythmique générale des maîtres du IV. au XII. siècle'. E. M.

319. Im Philosophischen Jahrbuch 1906 S. 439 ff. zeigte J. A. Endres, dass man ohne Grund die Verfasserschaft des Fredegisus von Tours an der Schrift De nihilo et tenebris wegen der angeblich darin hervortretenden pantheistischen Anschauung geleugnet hat. Ebenda S. 446 ff. besprach er den theologisch-philosophischen Inhalt der Dicta des Candidus (Brun) von Fulda. Vgl. N. A. XXXI, 712 ff. O. H.-E.

320. In den Études Franciscaines XVII (1907), 473—488. 619—640 beendet Fr. Raymond seinen N. A. XXXII, 806, n. 399 erwähnten Aufsatz über die Werke des Duns Scotus. E. M.

321. In den Études Franciscaines XVII (1907), 489—505. 594—608 gibt H. Labrosse eine 'Biographie de Nicolas de Lyre' (vgl. N. A. XXXII, 531, n. 57), der nach ihm von c. 1270—1349 lebte, aus dem gleichnamigen Orte der Normandie und von nichtjüdischen Eltern stammte. E. M.

322. In einer Abhandlung Zur Geschichte des Predigtwesens in Strassburg vor Geiler von Kaysersberg (Strassburg 1907) bemüht sich L. Pfleger auf Grund eines von ihm in einer Hs. der Berliner Bibliothek gefundenen Verzeichnisses von in Strassburg in den Jahren 1434—37 gehaltenen Predigten nachzuweisen, dass dort wenigstens bis zu den nach der Mitte des Jh. unter der Geistlichkeit eintretenden Zerwürfnissen eifrig gepredigt worden sei. H. W.

323. Aus einer Hs. der Wiener Hofbibliothek n. 4343 veröffentlicht und erläutert J. Loserth in den Mitteilungen des Vereins für die Geschichte der Deutschen in Böhmen XLVI (1907), 107—121 einen bisher unbekannten kirchenpolitischen Dialog aus der Blütezeit des Taboritentums. Das Stück ist zwar unvollständig und überdies schlecht überliefert, allein schon als erneuerter Beleg für die Abhängigkeit des böhmischen vom englischen Wiclifismus wichtig und interessant. B. B.

324. Das noch immer strittige Problem der Lage der Gruft Karls des Grossen im Aachener Münster behandelt in umfangreicher, sorgfältiger und kritischer Untersuchung unter Heranziehung insbesondere auch der Stiftsprotokolle J. Buchkremer in der Zeitschrift des Aachener Geschichtsvereins XXIX, 68 ff. Im Gegensatz zu der lange herrschenden Annahme, die Grabstätte habe sich unterirdisch in der Mitte des Oktogons befunden, weist er ihr vielmehr einen Platz an der südöstlichen Aussenmauer an, als oberirdisches Denkmal, wobei der Proserpina-Sarkophag tatsächlich Karls Leiche bis zur Erhebung und Ueberführung in den Karlsschrein bei der Heiligsprechung enthalten habe. Auch mit der Grabstätte Ottos III. beschäftigt sich der Verfasser, für die er eben-

falls einen steinernen Aufbau auf dem Kirchenboden wahrscheinlich macht, für dessen ursprüngliche Lage innerhalb der Kirche indessen verschiedene Möglichkeiten in Frage kommen. Eine einwandfreie endgültige Entscheidung aller dieser Fragen sei allerdings ohne neues Quellenmaterial nicht durchführbar. H. W.

---

325. R. Thommens Schriftproben aus Basler Hss. des XIV—XVI. Jh. (Basel 1908) (25 Tafeln und 27 S. Text) sind jetzt in zweiter Auflage erschienen, bei der T. 3 der ersten Auflage fortgelassen, dagegen 6 neue Tafeln hinzugefügt sind, so dass die Schrift der Basler Stadtschreiber in geschlossener Entwicklung verfolgt werden kann. Schon die erste Auflage war als treffliches Hilfsmittel für das Einlesen in die flüchtige Kursive des spätern Mittelalters geschätzt, und die Neubearbeitung wird diesem Zwecke um so besser dienen, als auch der Text eine sorgfältige Nachprüfung erfahren hat. M. T.

326. In dieser Zeitschrift noch nicht erwähnt ist die Arbeit von Vittorio Lazzarini, Scuola caligrafica Veronese del secolo IX. in den Memorie del R. Istituto Veneto di scienze, lettere ed arti, vol. XXVII, n. 3, Venezia 1904. Der Verf. gab seiner Studie 3 Tafeln bei. B. Schm.

327. In den Mémoires de l'académie des sciences, arts et belles-lettres de Dijon, IV. sér., VIII (Jahrg. 1901—2, ersch. 1908), 201—218 handelte, wie hier nachgetragen sei, H. Chabeuf über 'Un portrait de Charles le Téméraire' von Roger van der Weyden, jetzt im Kaiser-Friedrich-Museum zu Berlin. E. M.

328. An der Arbeit von H. Hinrichs, 'Die Datierung in der Geschichtsschreibung des 11. Jh.' (Mitteil. d. Instituts f. Österr. Gesch. Erg.-Bd. VII, 613—740) ist nur der auf die Zusammenstellung des Materials verwandte Fleiss zu loben. Der Nutzen solcher Arbeiten, die nach Jahrhunderten zurecht geschnitten und mit Uebergehung des für Datierungsfragen so wichtigen urkundlichen Materials angefertigt sind, ist an sich nur ein beschränkter. In diesem Falle vermindert sich der Wert noch weiter, da bei der Verarbeitung der Ergebnisse Kritik und chronologisches Wissen versagten. S. 625 wird ein Fehler in der Mondaltersangabe der Quedlinburger Annalen 1020 Juli 18 durch das Schaltjahr (!) erklärt, obwohl jeder wissen sollte,

dass die Schaltung im Sonnenjahr stillschweigend auch im Mondkalender mitgezählt wurde und daher in ihrem Einfluss wesentlich auf den Februar beschränkt blieb (nur bei num. aur. XI erstreckt sich die Verschiebung noch bis zum 3. März); das Schaltjahr muss auch die Schuld tragen, dass in den Quedlinburger Annalen zu 1008 Apr. 8 feria secunda statt feria quinta(!) gesetzt wurde. Wer vollends S. 633 in der Datierung der Historiae Farfenses: 'Hoc peractum est a. domini 1125, ind. 4, quinto Idus Febr., feria quoque 2. dominicae quinquagesimae' aus der zu 1126 stimmenden Indiktion schliessen kann, dass hier Annuntiationsstil vorliegt, dabei aber gänzlich übersieht, dass die beigegebene Festdatierung zwingend für 1125 spricht (der Fastnachtsmontag 1125 am 9. Febr, 1126 dagegen am 22. Febr.), dass also bei der Indiktion der Ueberlieferungsfehler IIII statt III vorliegt, der ist den Befähigungsnachweis zur Vornahme solcher Arbeiten schuldig geblieben. Noch weitere Einzelheiten herauszugreifen verlohnt sich nicht. Ich kann nur erklären, dass sich fast auf jeder der 21 Seiten der Darstellung Behauptungen, Annahmen oder Ausdrücke finden, denen ich bestimmt widersprechen muss.

M. T.

329. Ueber den Jahresanfang in Maastricht handelt P. Doppler in den Publications de la société histor. et archéol. dans le Limbourg XLII (1906), 211 sqq. Bis ins 13. Jh. war nach Lütticher Vorbild der Weihnachtsstil herrschend, der dann vorübergehend durch den Osterstil verdrängt gegen Ende des 14. Jh. sich wieder allgemein durchsetzt. Die Stadt und die beiden Kapitel von St. Servatius und Unsrer Lieben Frauen wichen in der Berechnung zuweilen von einander ab. A. H.

330. Unter dem bescheidenen Titel 'Note sur les poids du moyen âge' veröffentlicht P. Guilhiermoz im 67. Bande der Bibliothèque de l'École des chartes (1906, S. 161—233 und 402—450) umfassende Untersuchungen auf dem ungemein schwierigen Arbeitsgebiet der mittelalterlichen Metrologie. Er geht von dem Grundgedanken aus, den er auch in der Schlussfolgerung S. 450 wiederholt, dass die römische Unze die Grundlage aller mittelalterlichen Gewichte im Abendlande gebildet habe. Die grosse Mannigfaltigkeit, die dabei im Einzelnen herrscht, erklärt G. aus der Durchkreuzung verschiedener Reihen, und zwar vornehmlich

a. durch Abschwächung des Normalgewichts der römischen Unze (once romaine antique, 512 Pariser grains = rund 27.2 Gramm). Durch Abschwächung entstand die once romaine affaiblie von 500 grains = rund 26.55 g. Durch Erhöhung die once romaine moderne von $533^1/_3$ grains = rund 28.33 g.;

b. durch Verwendung von Pfundgewichten, die eine verschiedene Anzahl dieser Unzen, 12, 15, 16, 18 enthielten und daher entsprechend geringere oder grössere Schwere hatten;

c. aus der Uebertragung einer fremden Pfundeinteilung auf ein unverändert bleibendes Gewicht, was auf die Grösse der Unze zurückwirken musste und Anlass zur Entstehung von Unzen neuer Grösse gab.

Der Verf. entwickelt zunächst in 110 Abschnitten auf Grund von Quellenstellen die verschiedenen Gewichtswerte, denen er zur Vergleichung Angaben über die Schwere dieser Gewichte in der letzten Vergangenheit beigibt. Im Abschnitt 111 stellt er dann seine Ergebnisse über die Schwere der Unze, Mark und des Pfundes im Mittelalter von den leichtesten zu den schwereren aufsteigend übersichtlich zusammen. Auf diesen Abschnitt S. 446—450 seien die Benutzer vor allem verwiesen, er dürfte für die meisten Fälle ausreichen, wo kein Anlass vorliegt, die Ableitung der gebotenen Werte quellenmässig nachzuprüfen.

G.s Arbeit ist sehr gewissenhaft und verdienstlich, ich möchte jedoch gleich gegen seine Ableitung des Pariser Pfundgewichts von 489.506 g. aus dem Gewicht einzelner Karolinger Pfennige Stellung nehmen. Ich gebe ohne weiteres zu, dass es im Frankenreich neben dem römischen Pfund zu 12 Unzen oder 326.337 g. ein zweites Pfund zu 15 Unzen oder 407.9215 g. gab, das als 'livre poids de table' in Frankreich und als altdeutsches Kaufmannspfund in den Gewichten von Breslau, Polen und Russland fortlebte. Ich gebe weiter zu, dass man aus der Institutio monachorum vom Jahre 817 (c. 57: 'ut libra panis triginta solidis per duodecim denarios metiatur') das Vorhandensein eines dritten Pfundes zu 18 Unzen oder 489.506 g. ableiten kann und dass man dieses in der Pariser Münze später 'livre poids de marc' oder 'livre de Charlemagne' bezeichnete. Ich lasse auch das Argument von § 61 gelten, dass der im Frankfurter Kapitular von 794 c. 4 erwähnte neue Metzen nach den Bestimmungen des Kapitulars vom

J. 802 (c. 44) um die Hälfte grösser war, was beim engen Zusammenhang der Masse mit den Gewichten auch auf eine entsprechende Erhöhung des Pfundes schliessen lässt. Dies alles will ich zugestehen, was ich bestreite, ist lediglich der Weg, auf welchem dies Pfund von 489.506 g. überdies aus dem Gewicht karolingischer Pfennige erwiesen werden soll (§ 64). Seit Guérard haben mehrere Forscher eine unmittelbare Ableitung dieses Karolingerpfundes aus dem Gewicht guterhaltener Karolinger-Pfennige versucht, Rocca und Prou vertreten dabei die Ansicht, dass die Verwendung des Durchschnittsgewichts nur zu irrigen Folgerungen führe, weil die Pfennige durch den Umlauf notwendig Gewichtsverluste erfahren hätten. Man müsse daher die schwersten Stücke, die sich überhaupt erhalten haben, der Berechnung zu grunde legen, denn diese kämen dem beabsichtigten Münzfuss zunächst. Da man ausser einzelnen Pfennigen zu 1.7—1.8 g. auch einen solchen Karls des Kahlen von 2.03 g. Schwere kennt, so wird dieses, wohlgemerkt g a n z v e r e i n z e l t dastehende, Stück der Rechnung zu grunde gelegt und $240 \times 2.03 = 487.2$ g. als annäherndes Gewicht des Münzpfundes daraus abgeleitet. Quod erat demonstrandum.

Bei dieser Beweisführung unterlaufen jedoch schwere methodische Fehler, vor allem der, dass man dabei ausser acht lässt, dass das Gewicht ein und derselben Münzgattung in verschiedenen Münzfunden sehr erhebliche Abweichungen zeigen kann, je nachdem die einzelnen Stücke bis zum Augenblick ihrer Bergung mehr oder weniger schädigenden Einflüssen ausgesetzt waren. Da überdies der von mir in dieser Zeitschrift an anderer Stelle (S. 440 ff.) kritisch behandelte Münzfund von Ilanz dartut, dass noch um das J. 810, also n a c h den Reformen, die man Karl dem Grossen für das Münzwesen zuschreibt, im Verkehr Stücke von sehr verschiedenem Gewicht (beispielsweise von kaum 1 Gramm Schwere aufwärts bis 1.577 g.) neben einander umliefen, so dass Abweichungen um die Hälfte des Pfenniggewichts vorkamen, da ferner selbst die karolingischen Goldmünzen nicht stückweise, sondern nur al marco justiert wurden, so fallen damit die Voraussetzungen hinweg, auf welchen Prou und Guilhiermoz ihre Berechnung des karolingischen Münzpfundes mit 487.2 g. aufgebaut haben. Schliesslich sei zu Abschnitt 43 S. 201 bemerkt, dass die hier aus dem Lösungsvertrage König Waldemars angeführten Stellen: 'XLV milia marcarum puri argenti, unaquaque marca lotone minus valente cum pondere Coloniensi' und: 'in pondere Coloniensi, uno lothone minus valente in una quaque marca examinato argento' ungeeignet sind zu erweisen, dass 8 römische Unzen soviel als 15 Kölner Lot wogen. Es wurde vielmehr nur ausgemacht, dass die Zahlung nicht in chemisch reinem, also 16 lötigem oder $\frac{1000}{1000}$ feinem Metall, sondern in 15 lötigem (= 0.937 feinem) Silber nach Kölner Gewicht zu entrichten sei. L. v. E.

XIII.

Kritische Studien zur Lex Baiuvariorum.

II.

Von

E. von Schwind.

II. Die Entstehung des bairischen Volksrechtes.

Vorbemerkung.

Als ich vor zwei Jahren den ersten Teil dieser kritischen Studien zur Lex Baiuvariorum veröffentlichte und dabei auf manche Hypothese und Möglichkeit hinwies, die sich von dem bisher Angenommenen entfernte, war ich von der Hoffnung geleitet, dass sich eine wissenschaftliche Diskussion dieser Frage auch von anderer Seite her ergebe und dass sich so manches noch klären könnte, was einer solchen weiteren Klärung bedarf, manches berichtigt, wo meine Ausführungen unvollkommen, vielleicht auch manches abgelehnt würde, was mir möglich oder auch wahrscheinlich erschienen war.

Je weniger meine Untersuchung mir selbst als abschliessend erschien, desto mehr musste mir eine Weiterführung derselben von anderer Seite erwünscht erscheinen und nicht ohne Absicht habe ich meine Lösungsversuche für jene Fragen, die m. E. einer solchen weiteren Kritik bedurften, stärker pointiert, damit, wenn ein Widerspruch gegen meine Thesen begründet sein sollte, er noch zum Worte komme und in die Verhandlung einbezogen werden könne, ehe der Druck des Volksrechtes beginne. Fand meine damals geäusserte Ansicht in der Literatur eine Zustimmung[1], die zum Teil über das hinausgeht, was ich heute noch aufrecht erhalten möchte, so habe ich doch auch die eben erwähnte Absicht erreicht. Der Widerspruch ist, wenn auch nicht im literarischen Wege, so doch im persönlichen Gedankenaustausch lebhaft zu Worte gekommen und hat eine neuerliche Ueberprüfung so mancher meiner früheren Aufstellungen notwendig gemacht. Diese neuerlichen Untersuchungen sollen in dieser zweiten Studie in der Uebersicht über die Quelle der Lex Baiuvariorum, mit der ich die Darstellung beginne, bei den einzelnen

1) Brunner, DRG. I², 459.

entscheidenden Kapiteln zur Geltung kommen. Um die Hauptfrage aber gleich herauszugreifen, möchte ich schon hier darauf hinweisen, dass von meinen früheren Aufstellungen die These noch bestehen bleibt, dass die ältere Literatur den Beweis für ihre Annahme einer direkten Ableitung der Lex Baiuvariorum aus der Lex Alamannorum nicht in genügendem Masse erbracht hat, aber darin bin ich meinem hochverehrten Freunde von Amira in München zu besonderem Danke verpflichtet, dass er in der Opposition gegen meine Versuche mit der Annahme einer indirekten Filiation mich auf eine Reihe von Zusammenhängen unter den verschiedenen Volksrechten hinwies, die mir und vor mir der ganzen älteren Literatur in diesem Zusammenhange und in ihrer Bedeutung für die hier besprochene Frage entgangen waren, und denen ich als Einwendungen gegen meine Hypothese volle Bedeutung zuerkennen muss. Darauf weiterbauend dürfte es aber auch, wie ich hoffe, gelingen, auf anderem Wege um jene Schwierigkeiten herum zu kommen, zu deren Umgehung mir die Hilfskonstruktion der indirekten Filiation erforderlich erschienen war.

A. Die Quellen der Lex Baiuvariorum.

Vor allem möchte ich eine summarische Uebersicht geben über jene Quellen, auf welche die einzelnen Kapitel der Lex Baiuvariorum fussen oder zu denen doch nachweisbare Beziehungen bestehen. Ich schliesse mich dabei der Kapitelfolge des bairischen Gesetzbuches an.

Den Eingang bilden bekanntlich jene zwei Titel über das kirchliche und herzogliche Recht, die Brunner auf ein merowingisches Königsgesetz zurückführt, das etwa aus der Zeit Dagoberts stammt und das nach seiner Annahme nicht für ein einziges Stammesgebiet, sondern für mehrere Herzogtümer des fränkischen Reiches erlassen worden sei und bei der Redaktion des alamannischen wie des bairischen Volksrechtes die Grundlage gebildet hätte. Brunners Aufstellung hat bisher allgemein Zustimmung gefunden. Es sei mir gestattet, dem gegenüber jenen Widerspruch und jene abweichende Annahme kurz mitzuteilen, die Amira mir brieflich geäussert hat. Da er selbst voraussichtlich nicht dazu kommt und da mir doch die Veröffentlichung seiner Ansicht, die wohl sehr viel Zutreffendes enthält, von grösster Bedeutung erscheint, habe ich ihn zu bestimmen gesucht, mich zu dieser Mitteilung zu ermächtigen, und er hat dem seine Zustimmung gegeben.

Danach bekämpft er die Annahme Brunners, dass das Gesetz für sämtliche Dukate des Reiches habe gelten sollen. Was wir über die Stellung des Dux, d. h. des Unterkönigs, aus den einschlägigen Stellen der Lex Alamannorum und der Lex Baiuvariorum erfahren, vertrüge sich schlechterdings nicht mit derjenigen, die den westfränkischen und burgundischen Bezirksduces zukam. Es gehe nicht an, aus dem Königsgesetz, das Brunner aus der Lex Alamannorum, Baiuvariorum und aus dem Benedictus Levita rekonstruiert, auf die staatsrechtliche Stellung der Herzoge des Frankenreiches schlechthin zu schliessen. Im Gegensatze zur Brunner'schen Annahme hält es Amira für sehr unwahrscheinlich, dass sich das verschollene Gesetz überhaupt auf mehrere Länder bezog. Das Wort 'provincia', das Brunner hier die Stütze seiner Ansicht abgibt, ist nicht beweiskräftig, da es in der media et infima Latinitas regelmässig einfach gleich Land steht, wofür die beiden süddeutschen Volksrechte selbst Belege liefern. 'Illa provincia' (Brunner S. 934) heisst nicht jene Provinz jener Bezirk, sondern einfach 'das Land', denn 'illa' (= französisch und italienisch 'la') ist lediglich Artikel, nicht mehr Demonstrativpronomen. Dieser Gebrauch findet sich schon in der Lex Salica. Daraus ergibt sich, dass Brunner aus 'illa provincia' jene Folgerungen nicht ableiten durfte, die er S. 939 gezogen hat. Dass der Schlusssatz des Cap. I. 1 der Lex Baiuvariorum den Eindruck einer Satzung von allgemeiner, nicht bloss provinzieller Geltung mache, ist zuzugeben; aber Alamannien und Baiern erscheinen nicht als Provinzen in Brunners Sinn, sondern als Staaten. 'Usus provinciae' heisst nicht Provinzialbrauch, sondern Landesbrauch.

Aus der Verwendung von frankolateinischen Worten, auf welche Brunner hinweist, könne man nur auf den Ursprung, nicht auf das Geltungsgebiet des Gesetzes schliessen, und selbst auf den Ursprung nur im allgemeinen, denn das Latein aller Texte im fränkischen Reich ist frankolatein. Auch aus der Wortverbindung 'dux suus' könne man keine Schlussfolgerungen ableiten; denn an der Stelle, wo sie vorkommt, lasse sie sich genügend aus dem casus erklären, auch wenn das Gesetz nur für ein einziges Land gelten wollte.

Für wahrscheinlicher als die Hypothese Brunners erscheint Amira die folgende Annahme: Es gab allerdings ein merowingisches Königsgesetz, das von Kirchen- und Herzogssachen handelte. Dieses Gesetz war für Alamannien erlassen und zwar unter Chlothar II. Hierauf bezieht sich der Eingang: 'Incipit lex Alamannorum, quae temporibus Hlotarii' etc. Dass dieses Gesetz sich nur auf Alamannien beziehe, ergebe sich daraus, dass die 'saigae', von denen es handelt, nur in Alamannien und Baiern kursierten, dass aber in Chlothars II. Zeit — und nur dieser kann wohl der Hlotharius der Lex Alamannorum sein — in Baiern noch keine kirchliche Organisation bestand. Dieses Gesetz wurde für Baiern umgearbeitet und erweitert, möglicherweise unter Dagobert II., viel wahrscheinlicher aber gelegentlich der Redaktion der Lex Baiuvariorum als ein Stück dieser selbst. Diese Annahme werde darum besonders wahrscheinlich, weil im cap. I. 6 sich der Satz findet 'cum sua hrevavunti conponat', was zweifellos einen Hinweis auf die nach den verschiedenen Ständen in den Kapiteln IV. 1; V. 5 und VI. 5 geregelten Wundbussen enthält.

Die Eingangsworte der Lex Baiuvariorum: 'Hoc decretum est apud regem et principibus eius et apud cuncto populo christiano qui infra regnum Merowingorum consistunt' hat ja auch Brunner schon in dem Sinne gedeutet [1], dass sie ursprünglich nicht zur Lex Baiuvariorum, sondern zu dem Königsgesetze gehörten, und dabei darauf hingewiesen, dass der 'cunctus populus christianus' nicht wörtlich genommen zu werden braucht, sondern sich nur auf die bei der Reichsversammlung gegenwärtige Menge beziehe. Mit derlei Ausdrücken war die fränkische Rechtssprache nichts weniger als ängstlich. Wenn aber Brunner weiter meint, der legislative Apparat für ein bloss bairisches Gesetz erscheine etwas gross, und der Hinweis erkläre sich leichter durch die Annahme, dass nach Meinung des Verfassers der Notiz die folgende Satzung für die Christenheit des Merowingerreiches oder doch für einen grossen Teil davon Geltung gehabt haben sollte, so wird man dem gegenüber, m. E., Amiras Einwand Recht geben müssen, der hervorhebt, dass 'populus' (= le peuple) nichts anderes als die versammelte Menge, nicht etwa einen fränkischen Reichstag bedeute, der nie existierte, und dass aus der Zusammensetzung der Versammlung, in welcher ein Gesetz dekretiert wurde, ein Schluss auf das Geltungsgebiet des Gesetzes nie und nimmer

1) A. a. O. S. 941.

gezogen werden dürfe. Warum soll z. B. das Gesetz, das 'apud principibus et apud cuncto populo christiano' etc. erlassen wurde, ein grösseres, mehrere Herzogtümer (Staaten) umfassendes, Geltungsgebiet haben, als der edictus Chilperici, den der König erliess 'pertractantes cum optimatibus vel antrustionibus et omni populo nostro'?

Die Umarbeitung dieses zunächst alamannischen Gesetzes griff ziemlich tief ein.

So geht die Meinung Amiras im wesentlichen dahin, dass das Königsgesetz, welches die Grundlage der ersten Abschnitte der beiden süddeutschen Volksrechte bildete, unter Chlothar II. für Alamannien erlassen worden sei. Auf ihn beziehe sich der Ausdruck 'Hlotharius rex' in so vielen Hss. der Lex Alamannorum; auf ihn und dieses Gesetz beziehe sich auch die Nachricht von dem Hoftage, der 33 Bischöfe, 34 duces und 72 comites vereinigt hatte. In seiner Zeit hat es eine Mehrheit von Bischöfen in Alamannien gegeben, und die Konzilienschlüsse (Conc. I, 190—192 und 200 f.) zeigen, dass damals wiederholt zahlreiche Bischöfe auf seinem Hoftage versammelt waren. Dieses Königsgesetz, das Amira als 'capitula pacto Alamannorum addenda' bezeichnen möchte, ist dann bei der Redaktion der Lex Alamannorum, sowie der Lex Baiuvariorum verwendet und überarbeitet worden.

Nicht gerade abzuweisen ist daneben auch der Gedanke einer mittelbaren Benutzung, wobei man vielleicht — um den Mitteilungen des Prologs Rechnung zu tragen — an eine bairische Ueberarbeitung des alamannischen Gesetzes unter Dagobert denken könnte. Bei dieser Annahme wäre dann die weitere Vermutung naheliegend, dass das alamannische Gesetz in der bairischen Umarbeitung eine Erweiterung erfahren habe in dem Titel 'de ducum genealogia', wo sich der König als Gesetzgeber für Baiern unmittelbar verrät: 'quia sic reges antecessores concesserunt eis'. Für wahrscheinlicher hält aber Amira aus den oben S. 610 angegebenen Gründen die Annahme, die auch den Vorzug grösserer Einfachheit für sich hat, dass dieses ursprünglich alamannische Königsgesetz erst bei der Redaktion der Lex Baiuvariorum für Baiern gleich direkt in die uns jetzt vorliegende Gestalt umgearbeitet worden sei.

In diesem Punkte harmonieren wieder die Annahmen von Amira und Brunner, deren hauptsächliche Differenz in der Meinung über das ursprüngliche Geltungsgebiet des Königsgesetzes und über die Entstehungszeit (Dagobert oder Chlothar) gelegen ist.

Aus den von Brunner[1] angeführten Gründen, von denen er einen Teil ja freilich im Anschluss an Seckels Forschungen über eine Lex Baiuvariorum canonice compta wieder fallen gelassen hat, und wohl auch aus den Gründen, die ich selbst s. Z. aus dem textlichen Verhältnisse der beiden süddeutschen Leges abgeleitet habe[2], erscheint es sehr wenig wahrscheinlich, dass die Titel I und II des bairischen Volksrechtes direkt auf die Lex Alamannorum zurückgehen. Man wird vielmehr annehmen müssen, dass die beiden süddeutschen Gesetze in diesen Teilen unabhängig von einander auf ältere gemeinsame Vorlagen zurückgehen. Das mag auffallen insbesondere mit Rücksicht darauf, dass — wie im Folgenden noch gezeigt werden wird — anderwärts alle Wahrscheinlichkeit dafür spricht, dass die Redaktoren des bairischen Gesetzes die Lex Alamannorum selbst als Vorlage benutzt haben. Es findet aber seine Erklärung darin, dass die Redaktoren überhaupt geneigt waren, mannigfaltige Quellen für ihr Gesetzeswerk zu verwerten; es wäre noch mehr begründet, wenn wir im Sinne der obigen[3] Alternative eine der Lex vorangehende spezifisch bairische Ueberarbeitung annehmen würden.

Neben der Benutzung des Merowingischen Königsgesetzes finden wir noch folgende Entlehnungen in den ersten zwei Titeln.

Im Titel I ist mit dem westgothischen Gesetze nur das Kapitel 7 in Beziehung zu bringen.

Die Lex Alam. VII normiert die Strafen für die Fälle: (1) 'si quis servum ecclesiae occiserit'; (2) 'si eum rapuerit . . . et vindederit extra provinciam' und (3) 'si eum furaverit'. Der Fall (1) findet seine Parallelstelle in Lex Baiuv. I. 5; der Tatbestand (2) entspricht annähernd dem der Lex Baiuv. I. 4: 'si quis servum ecclesiae vel ancillam ad fugiendum suaserit et eos foras terminum duxerit'. Der Tatbestand (3) dürfte unter die allgemeinen Normen von I. 3 der Lex Baiuv. ('si quis res ecclesiae furaverit') einzubeziehen sein, eine Vorschrift, die freilich auch noch in der Lex Alam. VI. zu finden ist. Die Strafsanktionen, die in all diesen Fällen ausgesprochen werden, sind in den beiden leges verschieden; bei der Strafsanktion zu (2) ist nun in der Lex Baiuv. jene Bestimmung eingefügt, die an das westgothische Recht anklingt, nämlich, dass für den

---

1) A. a. O. S. 944 ff. 2) Vgl. N. A. XXXI, 422 ff. 3) Vgl. oben S. 611.

entwendeten Sklaven bis zur Zeit, da man ihn selbst wieder beistellen kann, ein anderer gleicher Güte als Ersatz dem Herrn zur Verfügung gestellt werden soll. Die Lex Visigothorum (VII. 3. 1) verfügt das allerdings allgemein für ein 'usurpare mancipium alienum', also für ein etwas anders geartetes Delikt. So finden wir hier die Kombination, dass der Tatbestand des bairischen Volksrechtes mit der Lex Alam., die Rechtsfolge mit der Lex Visig. in Beziehung stehen, was wohl am einfachsten in der Weise sich erklären liesse, dass dies 'Königsgesetz' unter Benützung des westgothischen Gesetzes überarbeitet worden sei.

Das Kapitel 12 fusst im wesentlichen auf dem Codex Theodosianus. Die dort XVI. 2. 44 enthaltene Bestimmung, welche den Priestern es untersagt, fremde Frauen bei sich im Hause zu haben, ist fast wörtlich, nur mit neuer Umrahmung, in das bairische Volksrecht eingefügt worden[1]. Auf welchem Wege diese Bestimmung in die Lex gekommen ist, lässt sich nicht klar ermitteln; jedenfalls aber durch kirchlichen Einfluss.

Ueber Kapitel 13 handelt ausführlich Brunner[2]. Dass er in diesem Kapitel eine Reihe von fränkischen, z. T. westfränkischen Ausdrücken nachweist, spricht — wenn auch nicht notwendig dafür, dass es für fränkische Gebiete berechnet war —, so doch entschieden für die fränkische Herkunft der Norm, und so wohl auch dafür, dass sie dem Königsgesetze entnommen ist; letzteres um so mehr, als eine analoge Rechtsnorm sich auch in der Lex Alam. (c. XXI) findet. Da die fränkischen Ausdrücke nur im bairischen Volksrechte und nicht im alamannischen uns begegnen, so muss dieses bairische Kapitel unmittelbar auf das Königsgesetz zurückgehen und kann nicht durch die Lex Alam. aus diesem vermittelt sein.

Im Titel II stehen die Kapitel 1, 3, dann wieder 6, 9, 10, 12, 13, 14, 16 und 17 in näheren Beziehungen zur Lex Alam. Aber schon die Kapitel 1 und 2 und ebenso die Kapitel 3 und 4 enthalten daneben Beziehungen zum Edictus Rothari. Im Texte des Kapitels 1 lässt sich deutlich verfolgen, wie er zum Teil Wendungen enthält, die mit der

---

1) Stobbe, Gesch. der deutschen Rechtsquellen I, 168 hebt zu diesem Kapitel hervor, dass es die einzige Stelle in der Lex Baiuv. sei, die auf westgothisches und alamannisches Recht nicht zurückgeführt werden kann und wörtlich mit einem römischen Gesetze übereinstimmt, und bemerkt dazu, sie gehöre dem Kirchenrechte an und sei wahrscheinlich durch Vermittelung eines Konzilienschlusses in das bairische Gesetz gekommen. 2) Berl. SB. 1901, S. 940.

Lex Alam. zusammenhängen, zum Teil solche, die dem Ausdrucke des Edictus Rothari entsprechen, wie also beide Rechtsnormen im bairischen Gesetze zu einem Kapitel vereint worden sind. Dasselbe Kapitel enthält überdies noch eine Wendung, die zweifellos auf eine Digestenstelle Modestins zurückgeht (Dig. 48. 4. l. 7 § 3), und von der sich schlechterdings nicht feststellen lässt, wie sie in das bairische Gesetz gekommen ist, und einen wohl bairischen Schluss.

Das 2. Kapitel hat wieder einige Anklänge an das langobardische Recht. In Uebereinstimmung mit dem langobardischen Edikt droht das bairische Gesetz bei diesem Verbrechen gegen den Herzog Todesstrafe und Vermögenskonfiskation an, eine Strafe, die ja vielleicht im westgothischen Rechte ihre Heimat haben mag, aber auch im langobardischen so oft sich findet, dass man daraus keine Folgerung auf die Abstammung des Kapitels ziehen darf[1]. Auch im Kapitel 3 sind neben einander Beziehungen zum alamannischen wie zum langobardischen Gesetze bemerkbar[2]; im c. 4 nur die des letzteren. Wenn am Schlusse dieses Kapitels die im westgothischen Gesetze so häufige Prügelstrafe verhängt ist ('L percussiones accipiat', vgl. etwa Lex Visig. IX. 2. 2), so kann man für die Ableitung dieses Kapitels entweder annehmen, dass überall, auch für die langobardischen Parallelstellen die Euriciana die Vermittelung herstellt, oder aber auch, dass die Entlehnung aus dem westgothischen Gesetze, die sich auch im folgenden Kapitel findet, erst am Schlusse des c. 4 wieder einsetzt. Im folgenden Kapitel (5) ist, wie oben gesagt, westgothischer Einfluss unverkennbar, wenn ja auch die uns als Antiqua erhaltene Parallelstelle VIII. 1. 9 textlich unserer bairischen Stelle nicht all zu nahe steht[3]. Und wenn man Brunners nun freilich wieder aufgegebenen Ausführungen[4] folgt und mit ihm annimmt, dass auch diese Stelle in dem verschollenen Merowingischen Königsgesetze enthalten war und Benedictus Levita sie von dort in sein grosses Fälschungswerk aufgenommen habe[5], dann können wir auch für dieses Kapitel annehmen, dass das alte fränkische Königsgesetz und westgothisches Recht für das

1) Vgl. des näheren Zeumer, N. A. XXIV, 59 f. und oben XXXI, 452. 2) Vom Edictus Rothari ist c. 6 die Parallelstelle. Insofern ist das N. A. XXXI, 452 Gesagte zu berichtigen. Vgl. auch Liutpr. c. 85. 3) Vgl. übrigens auch Lex Visig. IX, 2. 5. 4) Berl. SB. 1901, S. 947 und dagegen DRG. I², 558; Seckel, N. A. XXXI, 104 ff. 5) I, 341 und II, 382.

bairische Gesetz verschmolzen wurden, hier auch noch geschmückt durch einen Bibelspruch, der allgemein die ratio legis erklären und illustrieren soll[1]. Das 6. Kapitel klingt etwas näher an die Lex Alam. an, das 7. Kapitel vielleicht an die Konzilienschlüsse von Toledo von 638 (can. 14).

Das Kapitel 8 weist wieder verwandtschaftliche Beziehungen zu Rothari 2 auf. App. II, der wohl hier einzureihen wäre, darf als jüngerer Zusatz hier ausser Betracht bleiben. Kapitel 9 und 10 gehen wegen ihres starken Anklangs an die Lex Alam. auf diese oder das fränkische Königsgesetz zurück; c. 10 hat aber auch unverkennbare Beziehungen zu dem früher schon erwähnten c. 35 ff. des Edictus Rothari. Für c. 11 ist uns die Vorlage nicht bekannt. Die Kapitel 12—14 und 16 finden sich ähnlich in der Lex Alam. wieder; c. 14 hat auch Beziehungen zu c. II. 1. 19 der Lex Visig.; zu c. 15 hat Zeumer[2] wahrscheinlich gemacht, dass es aus der Euriciana entlehnt sei, die dann in der neuen Konstitution Chindasvinds (Lex Visig. II. 1. 24) als 'prior lex' bezeichnet wurde. In c. 16 kann man vielleicht auch Anklänge an die Lex Visig. (I. 1. 7) beobachten; im c. 17 finden wir wieder Spuren beider Legislationen vereint, wobei das westgothische Gesetz formell und materiell von namhaftem Einflusse war. C. 18 enthält nähere Beziehungen zur Lex Visig., ohne in der Lex Alam. eine Parallelstelle zu besitzen. Dem merowingischen Königsgesetz scheint es also nicht zuzugehören, vielmehr dürfte es demselben bei seiner Bearbeitung für die Lex Baiuv. hinzugefügt worden sein.

Der Titel III mit den Bestimmungen über die Busssätze für die bairischen Geschlechter hat weder im alamannischen, noch im westgothischen Rechte seine Analogien.

Noch bedeutsamer sind die Beziehungen, in welchem die Kapitel des Titels IV stehen[3]. Dabei ist es lebhaft zu beklagen, dass gerade jene Teile des Westgothengesetzes, welche über Körperverletzungen handeln, uns nicht in der Form des Euricianischen Gesetzes, sondern nur in jüngeren Fassungen erhalten sind; denn sie würden vielleicht deutlicher als irgend eine andere Stelle uns Aufschluss geben über die Verwandtschaftsverhältnisse und den Stammbaum der alten Volksrechte und damit auch über die Stellung unseres bairischen Gesetzes im Rahmen

---

1) 'Quia si vosmet ipsos comeditis, cito deficietis' (cf. ep. Pauli ad Galatas 5, 15, freilich ziemlich abweichend). 2) N. A. XXIII, 88. 90. 3) Vgl. N. A. XXXI, 426 ff.

der übrigen Leges. Da uns dieser Text der Euriciana fehlt, sind wir auf Mutmassungen gewiesen, die im Folgenden versucht werden sollen. Bekanntlich führen Brunner sowie Zeumer die Uebereinstimmungen zwischen der Lex Baiuvariorum und der Lex Salica, sowie der Lex Burgundionum und dem Edictus Rothari darauf zurück, dass sie alle aus der Lex Visig. geschöpft haben, und in Krammers Vorstudien zur Neuausgabe der Lex Salica[1] bildet für die Genealogie der Hss. dieses Gesetzes diese Annahme geradezu die grundlegende These. Ob sie für alle Fälle zutrifft und zwingend ist, darüber soll vorläufig kein abschliessendes Urtheil ausgesprochen werden; aber möglich ist doch — wenigstens daneben — auch die unmittelbare Benützung jedes einzelnen dieser Volksrechte bei der Redaktion eines jüngeren.

Vergleicht man die Gesamtheit der Bestimmungen über Körperverletzungen, wie sie die Lex Baiuv. in ihren Titeln IV, V und VI enthält, mit den übrigen Leges, so fällt äusserlich zunächst die Analogie mit dem Edictus Rotbari auf, die darin besteht, dass in beiden Gesetzen diese Gliedbussen nach den drei Ständen für die Freien, Freigelassenen und Unfreien gesondert sind. Kapitel 41—74 des Edictus Rothari handeln wie Titel IV des bairischen Volksrechts über Verletzungen an Freien; 76—102 wie Titel V und 103—126 wie Titel VI über Delikte an Freigelassenen bezw. Sklaven. Eine solche systematische Anordnung findet sich in den anderen Volksrechten nicht wieder; nur die Lex Ribuaria hat Anklänge daran, aber es ist die Scheidung nicht mit solcher Entschiedenheit durchgeführt wie in den beiden zuletzt genannten Leges. Kap. I—VII des ribuarischen Volksrechtes handeln von Verbrechen, begangen an ingenuis; VIII von der Tötung des Sklaven, IX von der des homo regius, X des homo ecclesiasticus, dann folgen Bestimmungen über die Sühnung von Verbrechen an Frauen, und von Kap. XIX an finden sich Strafsanktionen für Delikte, begangen von und an Sklaven.

Die Lex Alam. hat keinen Anklang an diese Dreiteilung, auch der Lex Salica ist sie fremd; die Lex Burgundionum führt zwar die Unterscheidung nach den drei Ständen an einzelnen Stellen durch[2], aber die Gruppierung eines umfassenderen Stoffes nach Art des bairischen und

---

1) N. A. XXX, 261 ff. 2) Lex Burg. V und XLVIII.

langobardischen Rechts hat auch sie nicht übernommen. Aus den Westgothischen Gesetzen kommt hier vor allem c. VI. 4. 3 in Betracht, das auf König Chindasvind zurückgeht. Dieses ausführliche Kapitel setzt die Strafen für eine Menge Delikte fest, die auch in den hier besprochenen Titeln des bairischen Volksrechtes ihre Regelung gefunden haben. Da Talion und Körperstrafen im westgothischen Rechte eine grosse Rolle spielen, während das bairische Recht sie im allgemeinen perhorresziert, so sind die Strafen natürlich ganz verschieden. Aber die Anordnung des Stoffes stimmt im grossen und ganzen mit der von Titel IV der Lex Baiuv. und mit Ed. Rothari 41 ff. überein. Eine förmliche Wiederholung der wichtigsten Fälle für Freigelassene und Unfreie, wie wir sie in Lex Baiuv. Tit. V und VI und in Ed. Rothari 76 ff. und 103 ff. finden, enthält die westgothische Gesetzesstelle allerdings nicht; aber es werden, nachdem die Fälle für den Stand der Freien durchgesprochen sind, verschiedene Kombinationen behandelt, die sich ergeben, je nachdem der Täter bezw. der Verletzte den Freien, Freigelassenen oder Unfreien zugehört. Dadurch, dass diese Standesverschiedenheiten auch auf Seite des Täters Berücksichtigung finden, während die bairische Lex und Rothari ihre Normen streng nach dem Stande des Verletzten sondern, steht die Lex Visig. in ihrer uns vorliegenden jüngeren Fassung der Lex Ribuariorum etwas näher.

Es ist nicht ganz einfach, will man sich auf Grund dieser allgemeinen Betrachtung ein Bild über die Textentwickelung und über den Zusammenhang machen. Wie die Lex Visig. in ihrer ursprünglichen Fassung ausgesehen hat, darüber sind zunächst verschiedene Vermutungen möglich.

Was am meisten in die Augen fällt, ist die Analogie in den Gruppen der Lex Baiuv. und des Edictus Rothari. Ueber deren Entstehen kann man an verschiedene Möglichkeiten denken: Die eine, vielleicht am nächsten liegende, ist die, dass die Lex Baiuv. den langobardischen Edikt benutzt hätte. Sie wird dadurch noch näher gerückt, dass, wie Hilliger nachgewiesen hat, die Lex Baiuv. und der langobardische Edikt dasselbe Zahlensystem in den Bussziffern der drei Stände enthalten[1].

Legten die textlichen Beziehungen des Kap. II. 1, 2 schon eine ähnliche Vermutung nahe, so wird die spätere

1) Vgl. Hist. Vierteljahrschrift 1903, S. 489.

Untersuchung zeigen, dass wohl auch andere Gründe eine solche Annahme rechtfertigen. Im Sinne der Zeumer-Brunner-Krammerschen Annahme müsste man aber zunächst der Möglichkeit gedenken, dass das alte Westgothengesetz als gemeinsame Grundlage diese Gleichheit vermittelt hätte. Für die Rekonstruktion der Euriciana ergäbe sich dann vor allem die Annahme, dass auch in ihr das hervorstechende Merkmal der beiden Tochterrechte, die Gliederung der Wundbussen nach dem Stande der Verletzten, in prägnanter Weise eigen gewesen sein müsse. Das ist nach der Form, die uns erhalten ist, nicht gerade ausgeschlossen, aber auch gewiss nicht sehr wahrscheinlich. Eigentümlich bleibt bei dieser Annahme nämlich immer die oben erwähnte engere Verwandtschaft der Lex Ribuaria mit der Chindasvindschen Norm [1], die überdies in dem Bindeglied, das man zwischen der Euriciana und der Ribuaria doch wohl einschieben muss, in der Lex Salica fehlt.

Wenden wir uns nach dieser allgemeinen Betrachtung der Untersuchung der einzelnen Kapitel zu. Hat dabei die Reihenfolge, in welcher diese Kapitel besprochen werden, an sich keinerlei Bedeutung, so wird es wohl auch hier am zweckmässigsten sein, der Legalordnung dieses Gesetzes zu folgen.

In allen drei Titeln des bairischen Volksrechtes finden wir an die Spitze gestellt die Verwundung durch einen Schlag ('si . . . percusserit'). Das bairische Gesetz (Tit. IV und VI) bestimmt das Delikt in Uebereinstimmung mit der Lex Alam. LVII. 1 dahin, dass die Tat in Zorn ('per iram') geschehen sei. Die Lex Ribuaria hebt statt dessen den Schlag besonders hervor, c. I: 'si ingenuus ingenuum i c t u percusserit', c. XXIII: '. . si servus servo hictu . . . percusserit'. Dazu gehört Lex Sal. XVII. 6: 'Si quis ingenuus ingenuum de fuste percusserit, ut sanguis non exeat', wo der Gegensatz zur blutenden Wunde, der sachlich ja auch die anderen Leges beherrscht, schon in diesem Kapitel besonders hervorgehoben ist. Der langobardische Ed. Rothari 43 steht wieder den süddeutschen Gesetzen vielleicht etwas näher, indem dort von einem 'subito surgente rixa percutere' die Rede ist.

Auch das westgothische Gesetz spricht in der uns vorliegenden Fassung Chindasvinds von einer 'percussio . . . sine sanguine', deren strafrechtliche Folgen ebenso

1) Oben S. 617.

wie in allen anderen Leges mit Ausnahme der Lex Salica vor die übrigen Körperverletzungen gestellt sind, aber es lässt sich kein genaues Bild entwerfen, wie der ursprüngliche Text gelautet haben mag. Und so lässt sich aus dieser Zusammenstellung nichts bestimmtes über die textliche Verwandtschaft der Leges untereinander ableiten. Nur zwei Dinge sind doch besonders zu beachten.

Bezüglich der Stellung der Kapitel fällt auf, dass in allen Volksrechten mit Ausnahme der Lex Salica das hier besprochene Delikt der unblutigen Schläge die Serie der anderen Körperverletzungen einleitet, so also insbesondere auch im Westgothischen und Ribuarischen Rechte, während in der Lex Salica die übrigen Körperverletzungen dem c. XVII. 6 zum Teil vorangehen, zum Teil ganz fehlen, zum Teil aber nach Einschiebung von 11 Titeln in tit. XXIX 'de dibilitatibus' eingereiht sind. Das ist mit der Annahme einer Filiation: Lex Visig. — Lex Salica — Lex Ribuariorum nicht gut zu vereinbaren; man müsste denn eine nachträgliche Umstellung in der Kapitelfolge der Lex Salica annehmen.

Und wenn man, wie es oben als vielleicht zulässig bezeichnet wurde, in den Worten 'subito surgente rixa' des Edictus Rothari eine Beziehung zu dem Zusatze 'ira' des bairischen und alamannischen Gesetzes erblicken darf, dann spricht das nicht dafür, dass die Verwandtschaft der beiden Leges lediglich durch die Abstammung von der gemeinsamen Mutter Euriciana vermittelt sei, man müsste vielmehr auch hier eine direkte Benutzung des langobardischen Edikts bei der Redaktion der süddeutschen Gesetze annehmen[1].

Im salischen, ribuarischen, alamannischen und bairischen Gesetze finden wir in unmittelbarem Zusammenhang mit der eben besprochenen Verletzung durch einen Schlag, der ohne Blutverlust abläuft, die Verletzung besprochen, die Blutverlust verursacht.

In der Lex Salica XVII. 5 geht diese Bestimmung der früher besprochenen voran, in den übrigen folgt sie ihr unmittelbar nach. Die Formulierung ist folgende:

Lex Sal. XVII. 5: 'Si quis hominem plagaverit, ita ut sanguis in terra cadat'.

Lex Rib. II: 'Si quis ingenuus ingenuum percusserit, ut sanguis exiat, terra tangat'.

---

1) Vgl. oben S. 614 und 616.

Lex Alam. LVII. 2: 'Si autem sanguinem fuderit sic, ut terra tangat',
Lex Baiuv. IV. 2: 'Si in eum sanguinem effuderit [quod plotruns vocant]'.
V. 2: 'Si in eum sanguinem perfuderit'.
VI. 2: 'Si sanguinem effuderit'.

Der Edictus Rothari 43, 77, 103 bringt diese Unterscheidung überhaupt nicht, und in der uns erhaltenen Form des westgothischen Gesetzes VI. 4. 3 ist nur die Verletzung 'percussio sine sanguine' besonders erwähnt, die Folgen der blutigen Verletzung aber nicht angegeben. So mag es sehr zweifelhaft erscheinen, ob Sal. XVII. 5 auf eine westgothische Vorlage zurückgeht; dass aber die Texte der Lex Ribuaria auf der Lex Salica, der Lex Alam. auf der Ribuaria und der Lex Baiuvariorum auf der Alam. beruhen, dürfte kaum für fraglich gelten. Der enge Zusammenhang zwischen der Lex Alam. und Ribuar. einerseits und der Alam. und Baiuv. andererseits lässt sich nur erklären, wenn man der ersteren die Mittelstellung zwischen den beiden anderen zuweist.

Mit dem c. 3 in Titel IV. V. VI: 'Si ... contra legem manus iniecerit' fällt das bairische Volkrecht aus der Reihenfolge der übrigen Leges heraus. Die analoge Stelle der Lex Alam. LVIII: 'Si quis liber liberum in via manus iniecerit contra lege et eum via contradixerit aut aliquid ei tollere voluerit' lässt vermuten, dass beide auf Lex Sal. XVII, 9: 'Si quis alterum in via expoliare temptaverit et ei per fuga evaserit' zurückgehen.

Das c. 4 kann vielleicht als eine Zusammenfassung der Bestimmungen gelten, welche die Lex Alam. in ihren Kapiteln LVII. 34, 3, und 35 enthält.

Ueber die Verletzungen mit Knochenbruch am Haupte, worüber Lex Baiuv. IV, 5 und 6 und V und VI cc. 4, 5 handeln, und die beiden Fälle, ob das Gehirn zu Tage tritt oder nicht, auseinanderhalten, handelt das westgothische Gesetz VI. 4, 1 (Chindasv.) ganz abweichend von den übrigen Volksrechten; es bestimmt verschiedene Bussätze für die blutunterlaufene Wunde, die Verletzung der Haut, eine Wunde, die bis auf den Knochen reicht, und den Knochenbruch. Man wird hier eine bedeutende Abweichung gegenüber der älteren westgothischen Redaktion annehmen müssen, wenn man diese als Grundlage der übrigen Leges supponiert.

Die verschiedenen Hss. der Lex Salica bringen hier ziemlich abweichende Varianten. Die von Krammer in den

Vordergrund gerückten Codd. 5 und 6 bezw. 10 haben die Texte XVII. 4: 'Si quis hominem ita plagaverit in capud, ut exinde tres ossa exierint ...' und 5: 'Si quis hominem ita plagaverit in caput, ut cerebrum . . . appareat et trea ossa desuper cerebrum exierint' (Cod. 5); XX. 4: 'Si quis hominem in capite plagaverit et exinde ossa exierint. 5: 'Si quis hominem ita plagaverit, ut cerebrum appareat et tria ossa desuper cerebro exierint' (Cod. 10); die andern Hss. bieten u. a. folgende Lesarten: (1) 'Si quis alterum in caput plagaverit, ut cerebrum appareat et exinde tria ossa, quae super ipsa cerebro iacent, exierint'. — (3, 4): 'Si quis hominem in caput plagaverit sic, ut sanguis ad terram cadat ....; et si exinde trea ossa, qui super ipso cerebro iacent, exierint'.

Eine ähnliche und doch wieder abweichende Unterscheidung kehrt auch in Roth. 47 wieder. Dort finden wir die Busssätze von 12, 24 bezw. 36 sol., je nachdem ein, zwei oder drei Knochensplitter aus der Hirnschale herausgeschlagen worden sind. Eine grössere Zahl wird nicht gezählt; und als Knochensplitter in diesem Sinne gilt nur der, der über einen Weg von 12 Fuss Breite geworfen auf einen Schild hörbar auffällt[1]. Ganz analoges enthält auch die Lex Ribuar. LXVIII. 1: 'Si quis in caput vel in quacumque membro plagatus fuerit, et ossus exinde exierit, qui super viam XII pedorum in scuto sonaverit, XXXVI solidos factus ei culpabilis iudicetur'. 2: 'Si autem plura ossa exierint, pro unumquemque sonante solidus addatur'. Dass diese Bestimmung des ribuarischen Volksrechtes mit der eben besprochenen Rotharis aufs engste zusammenhängt, ist unbestreitbar. Wollte man nicht eine direkte Benutzung des Edictus Rothari durch die Lex Rib. annehmen, sondern an der herkömmlich angenommenen Genealogie festhalten, dann müsste man annehmen, dass sowohl die Euriciana wie auch die Lex Salica in der von der Ribuaria benutzten Redaktion die gemeinsamen Normen enthalten hätten: Also, sowohl die Abstufung der Bussen nach der Zahl der Knochensplitter, als auch die der alten Rechtsdrastik entspringende Norm, wie die erforderliche Grösse der Knochensplitter konstatiert wird. Diese letztere Norm kehrt dann wieder im Pactus (I. 3: 'et super via in scuto sonet') wie in der Lex Alam.

1) 'sic ita ut unus ossus tales inveniatur, qui ad pedes XII supra viam sonum in scutum facere possit, et ipsa mensura de certo pede hominis mediocris mensuretur nam non ad manum'.

LVII. 4: 'ita ut super publica via lata XXIV pedis in scuto sonaverit, ille osus cum VI sol. conponat'. Da diese Breite der Strasse nur in der Lex, nicht im Pactus Alam. bestimmt ist, möchte man dafür das Vorbild in der Lex Rib. erblicken, deren Ziffer XII hier dann in XXIIII verdoppelt wäre. Die Lex Alam. hat dann in Einklang mit dem Pactus (I. 1: 'Si quis alteri caput frigerit, sic ut cervella pareat') in LVII. 6 die Bestimmung: 'Si autem testa trescapulata fuerit, ita ut cervella appareant, ut medicus cum pinna aut cum fanone cervella tetigit, cum XII sol. conponat' und im folgenden Kapitel LVII. 7 noch Normen für den Fall, dass das Gehirn selbst austritt und die Verletzung durch ärztliche Kur doch noch heilt. Demgegenüber bringt die Lex Baiuv. viel weniger Details; vom Arzte, von dem Schild, auf den der Knochensplitter zu werfen war, auch von dem Austritt des Gehirns ist in ihr keine Rede; sie bestimmt einfach die zwei Fälle IV (8): 'Si ossa tulerit de plaga de capite . . . (6) si cervella in capite appareat'. Sie steht damit unzweifelhaft der Lex Salica in der Form der Cod. 6 und noch mehr in der Fassung der Cod. 5 und der Lex Sal. emendata [1] am nächsten, während andererseits der Ausdruck 'cervella' statt 'cerebrum' und die Busssätze mit der Lex Alam. übereinstimmen. Da auch hier die Textentwickelung ziemlich organisch sich bis zur Lex Alam. verfolgen lässt, so wird man wieder zur Annahme gedrängt, dass diese auch die Grundlage für die Lex Baiuv. gebildet haben dürfte. Andererseits lässt der Parallelismus mit der Lex Sal. fast vermuten, dass die Redaktoren des bairischen Gesetzes neben dem Text, wie ihn die Lex Alam. bringt, auch aus der Lex Salica geschöpft haben, und eine derartige Vermutung wird dadurch gesteigert, dass Lex Baiuv. IV. 6 ebenso wie Lex Sal. XVII. 4 (Em. 5) unmittelbar danach sich der Besprechung von Verletzungen zuwendet, die ins Innere des Körpers eindringen, während die Lex Alam. von diesem Tatbestand nicht in diesem Zusammenhange handelt (LVII. 55). Eine ähnliche Kapitelfolge findet sich auch in der Lex Rib., wo nach dem Knochenbruche (c. III) die Wundsühne für das 'placare infra costas' geregelt wird. Diese Reihenfolge muss sonach als die ursprüngliche gelten, und die Lex Baiuv. bringt im Vergleich mit der Lex Alam. hier die ursprüngliche Textform.

---

1) Vgl. oben S. 621.

Die Lex Baiuv. hat dabei die Eigentümlichkeit, dass sie in den beiden hier besprochenen Kapiteln neben den Bussen für Verletzung des Kopfes noch die für andere Delikte regelt. IV. 6 ist eben besprochen worden; IV. 5 spricht von der Verletzung des Oberarms, aus dem ein Knochensplitter herausgeschlagen wird. Der Zusatz 'vel de brachio supra cubito' dürfte wohl wegen der Gleichheit der Busssätze aus Lex Alam. LVII. 31 entlehnt sein[1], und dabei ist vielleicht unbeabsichtigt der Tatbestand aus 'transpungere' in ein 'ossa ferre de plaga' verwandelt worden. Der Tatbestand, der so geschaffen worden sein dürfte, hat vielleicht Beziehungen zur Lex Ribuaria LXVIII, wo die Verwundung, durch die ein Knochensplitter herausgeschlagen wird, allgemein, 'in capite vel in quacumque membro', für busspflichtig erklärt ist[2].

Als c. 7 und 8 fügt die Lex Baiuvariorum Bestimmungen ein über das 'funibus ligare contra legem' und das 'per vim implexare et non ligare'; die ersteren finden Analogien in fast allen Volksrechten[3]), die andere gehört dem bairischen Volksrechte wohl allein; beide Kapitel finden sich übrigens nur in dem Titel über die Freien, nicht in den Titeln über Freigelassene und Unfreie, was übrigens mit der Art des Deliktes in Zusammenhang steht.

Mit dem Kapitel 9 wendet sich die Lex Baiuvariorum jenen Delikten zu, die in der Lex Salica unter dem Titel 'de debilitatibus' (XXVIIII), in der Lex Ribuar. im Titel V und in der Lex Alam. im Anschluss an die Wunden mit Knochenbrüchen am Haupte im Titel LVII. 8 ff. behandelt sind. In der Lex Visig. sind diese Fälle in dem oben schon besprochenen c. VI. 4. 3 vereint.

Die uns erhaltene Formulierung des Westgothischen Gesetzes 'pro evulso oculo det sol. C' gibt für die Textvergleichung wenig Anhaltspunkte. Dagegen fällt in der Formulierung der Lex Salica gegenüber den Texten der anderen Volksrechte die Uebereinstimmung mit der Lex Baiuv. auf, dass hier wie dort die Verletzungen an Händen, Füssen und an den Augen in einem Kapitel zusammengefasst sind — die Lex Salica fügt auch noch die Nase hinzu[4] — während die andern Volksrechte, insbesondere

1) 'Si quis alium brachium super cubitum transpunxerit, c. VI sol. c.' 2) Vgl. auch L. Rib. III: 'si . . . in quolibet membro ossa fregerit'. 3) Vgl. N. A. XXXI, 450. 4) L. Sal. XXIX. 1: 'Si quis alteram manum vel pedem debilitaverit aut oculum vel nasum

die Lex Ribuariorum und Alamannorum, all diese Delikte gesondert behandeln.

Im einzelnen wäre noch folgendes hervorzuheben.

Die Verletzung am Auge formulieren:

Roth. 48: 'De oculo evulso. Si quis alii oculum excusserit' (ähnlich c. 81 und 105).

L. Sal. XXIX. 1: 'si . . . . oculum vel nasum amputaverit'.

Cod. 2: 'si .. oculum eiecerit aut excusserit'.

L. Rib. V. 3: 'si ingenuus ingenuum oculum excusserit'.
'Si visum in oculum restiterit, et videre non poterat'.

XXVI: 'Quod si [servus] oculum, auriculam, nasum, manum, pedem excusserit'.

L. Alam. LVII. 13: 'Si enim visus tactus fuerit de oculo, ita ut quasi vitro remaneat'.

14: 'Si autem ipse visus foris exit'.

L. Baiuv. IV. 9: 'Si quis libero oculum eruerit vel manum vel pedem tulerit'.

V. 6: 'Si ei oculum vel manum vel pedem excusserit'.

VI. 6: 'Si ei oculum vel manum vel pedem absciderit'.

Diese Zusammenstellung ergibt für die Verwandtschaft der Gesetze zunächst, dass der alamannische Text (neben dem Pactus) auf dem ribuarischen Gesetz fusst, während der bairische Text hier nicht die alamannische Formulierung als Vorbild gehabt haben dürfte. Vielmehr weist der bairische Text wohl auf die Gruppe hin, welche durch Rothari und die beiden fränkischen Gesetze repräsentiert wird; die Vorlage dürfte von einem 'oculum excutere' gesprochen haben. Da weder die Lex Visig. noch der Edictus Rothari die Verbindung mit den Verletzungen an Händen und Füssen bringt, so weist die Lex Baiuv. vor allem auf die Lex Salica in der Fassung des Cod. 2 (Hessels) hin.

Von den Händen und Füssen spricht die Lex Baiuv. im Titel IV von einem 'ferre', Titel V 'excutere', Titel VI 'abscidere'. Die Lex Salica hat XXIX. 1 'debilitare', bezw. 'eicere aut excutere', Rothari (62) 88, 113: 'manum abscidere'; 68, 96: 'pedem excutere', (119): 'pedem abscidere'; die Lex

---

amputaverit' (Cod. 2: 'si q. a. manum pedem vel oculum eiecerit aut excusserit, nasum ampotaverit').

Visig. spricht nur von 'manum excutere', die Lex Ribuar. V. 4 nur von 'manum abscidere', die Lex Alam. LVII. 39 von 'brachium abscidere', 66 von 'pedem abscidere'; da ist nicht viel Klarheit über die Verwandtschaft zu holen. Man darf vielleicht auch hier wieder annehmen, dass im bairischen Volksrechte Rothari direkt benutzt sei. Andererseits wird man wohl 'abscidere' und 'excutere' in der gemeinsamen Quelle vermuten dürfen und aus dem oben angegebenen Grunde dürfte man wohl vor allem auf die Lex Salica als die nächste Verwandte unseres bairischen Volksrechtes hinweisen. Ob und in wieweit der Text, wie ihn die Lex Alam. darstellt, auch hier die Grundlage des bairischen Textes gewesen ist, lässt sich nicht bestimmt entscheiden.

Die Lex Baiuv. wendet sich im folgenden Kapitel (IV. 10) den Fällen zu, wo Gliedmassen zwar nicht abgeschlagen, aber verstümmelt, bezw. gelähmt werden ('mancare'): 'Et si talis plaga vel fractura fuerit, ut exinde mancus sit, cum XX sol. conponat'. Dafür dass solche Körperbeschädigungen an dieser Stelle behandelt wurden, dürfte die Lex Salica, bezw. die Gruppen von Gesetzen massgebend gewesen sein, die mit dieser zusammenhängen; wenigstens reiht sich in der Lex Salica eine derartige Norm als c. XXIX. 2 ('Si cui vero manus ipsa mancata ibi pendiderit'), in Rothari 68 'si sideratus fuerit et non perexcusserit' unmittelbar an die analoge Norm über völlige Verstümmelung ('excutere') dieser Gliedmassen an. Nicht viel anders liegt es in der Lex Ribuar., wo in den Kapiteln V. 4 und 5 dem 'excutere' der Hand und des Daumens unmittelbar das 'mancum pendere' angeschlossen und überdies in c. 6. l. eod. sich die allgemeine Rechtsregel findet, dass für eine solche Verstümmelung oder Lähmung die Hälfte der Busse für das 'abscidere' zu zahlen ist[1].

Findet sich eine solche allgemeine Regel nur im ribuarischen und bairischen Recht, so weist die Formulierung des bairischen Textes weniger Aehnlichkeit mit dem ribuarischen als mit dem alamannischen Gesetze auf[2], denn die dort für einen Fall aufgestellte Bussziffer von 20 sol.

---

1) L. Rib. V. 6: 'Sic in omni mancatione, si membrus mancus pependerit, medietate conponat, quam conponere debuerit, si ipse membrus abscisus fuisset'. 2) L. Alam. LVII. 38: 'Si enim totus brachius mancus fuerit et nihil ex eo facere possit, conponat cum XX solidis'.

kehrt hier als allgemeine Regel wieder, ebenso wie die Wendung 'mancum esse' (nicht 'mancum pendere') sich in beiden süddeutschen Leges findet. Ob man dabei die Verallgemeinerung der Rechtsregel im bairischen Volksrecht als eine Nachbildung der analogen ribuarischen Vorschrift oder als eine selbständige Neuerung der bairischen Redaktion halten will, darüber können die Meinungen geteilt sein. Nur spricht doch für die letztere Annahme der Umstand, dass eine solche Neigung zur Aufstellung genereller Rechtsregeln auch sonst im bairischen Volksrechte sich findet.

Dem im c. 11 dieses Titels der Lex Baiuv. enthaltenen Tarif für das Abschlagen und Verkrüppeln der verschiedenen Finger begegnet man ähnlich in fast allen verwandten Volksrechten. Weitaus am ausführlichsten sind diese Fälle in der Lex Alam. behandelt; sie füllen dort die c. LVII. 41—53; fast für jeden Finger sind drei Fälle besonders normiert, je nachdem ein, zwei oder alle Fingerglieder abgeschlagen sind, und ein Schlusskapitel regelt noch besonders die Lähmung oder Verkrüppelung des Mittelfingers, durch welche der Waffengebrauch gehindert wird; sie wird doppelt so hoch als das Abschlagen des Fingers gebüsst. Diese Unterscheidung der einzelnen Fingerglieder scheint mit Eigentümlichkeit des alamannischen Rechtes zu sein. Denn auch schon der Pactus enthält Ansätze in dieser Richtung, freilich nicht all die Details.

Vergleicht man diese Bestimmungen der Lex Alam. mit unserem bairischen Volksrecht, so liegt das gemeinsame in dem Ausdruck 'abscidere'[1], 'proximus a police' für den Zeigefinger und in der Bussziffer von 12 sol. für das Abschneiden des Daumens. Ausserdem weist die Vorschrift über geringere Verletzungen der Finger, durch welche sie steif werden, in den Worten 'mancus, ut non possit plicare' und dem Hinweis auf die dadurch verursachte Behinderung im Gebrauch der 'arma' Beziehungen zu LVII. 53 der Lex Alam. auf. Alles andere entfernt sich von ihr. Es fehlen nicht nur all die Detailbestimmungen über die Verletzungen an den verschiedenen Gliedern der Finger, sondern auch die Bussziffern sind sonst selbständig geregelt. Dazu finden wir auch hier eine grössere Konzentration und die Herausarbeitung einer allgemeinen Norm für die Behandlung solcher Verletzungen, welche die Finger steif machen und den Waffengebrauch beeinträchtigen.

---

1) Die anderen Volksrechte sprechen dafür von einem 'excutere'.

Das westgothische Gesetz (auch in seiner heutigen Fassung) und der Edictus Rothari enthalten einfach die fünf Finger der Reihe nach aufgezählt und die zugehörige Bussziffer, die im westgothischen Gesetze vom Daumen gegen den kleinen Finger stetig abnimmt, während der Edictus Rothari für den Daumen ein Sechstel des Wergeldes, für den zweiten und fünften Finger 16 sol., für den Mittelfinger 5 und für den vierten Finger 8 sol. Busse festsetzt. Diese Normen haben mit dem bairischen Gesetze gemeinsam die gleichartige Behandlung des zweiten und fünften Fingers. Man darf vielleicht annehmen, dass eine ähnliche Norm als Vorlage der Lex Baiuv. gedient und die Zusammenfassung dieser beiden Busssätze in einen Satz veranlasst habe. Wäre hier der alamannischen Lex[1] Folge geleistet worden, so hätte der Daumen und der kleine Finger als gleich behandelt zusammengefasst werden müssen.

Neben der Lex Alam. erscheint die Lex Salica in der Form der Hss. 5 und 6 dem Baierngesetze nahe zu stehen, wenigstens kehrt dort die Bezeichnung 'digitus medianus' (XXVIIII c. 8) ähnlich wie in der Lex Baiuv. wieder und man könnte in der schlichten Form, in welcher das 'excutere' der einzelnen Finger der Reihe nach besprochen wird, vielleicht noch einen Hinweis auf unser Volksrecht erblicken.

Das nächstfolgende Kapitel 12 über die Verletzung des Armes stimmt wortwörtlich mit der Lex Alam. LVII. 31. 32 überein und, wie schon Roth hervorgehoben hat[2], finden sich hier alle Veränderungen, welche diese gegenüber dem Pactus II. 5. 6 aufweist, auch in der Lex Baiuv.[3].

Das Kapitel IV. 13 'de nare' (ähnlich VI. 8) steht der Lex Alam. näher als den fränkischen Gesetzen. Hier scheint die Ableitung: Lex Sal. XXIX (1 'Si alteri .... vel nasum amputaverit', bezw. 14 (Codd. 5, 6) 'Si nasum excusserit'), zur Lex Rib. V. 2 ('Si nasum excusserit, ut muccum retinere non possit' (Hs. 6, 7) .... 'Si muccare praevalit') und davon zur Lex Alam. LVII. 15, 16, 17 ('Si enim nasum transpunctus fuerit, ... Si enim summitatem nasi, ut muccus continere non possit abscisus fuerit ....

1) Abweichend davon enthält der Pactus für den 2. und 5. Finger die gleiche Busse. 2) Zur Gesch. d. bair. Volksrechtes S. 7. 3) Dass im Kapitel LVII. 32 nicht, wie Lehmann es für beide Texte getan, 'si autem cubitum transpunxerit', sondern 'si ante cubitum transpunxerit' zu setzen ist, ergibt meines Erachtens unzweifelhaft die sachliche Uebereinstimmung mit dem Pactus und der Lex Baiuv.

Si autem totus a presso abscisus fuerit') wohl ziemlich klar. Die Lex Baiuv. lehnt sich fast wörtlich dem c. LVII. 75 der Lex Alam. an; in beiden wird das Delikt als 'nasum transpungere' beschrieben, die Bussziffer ist freilich verschieden. Die weiteren Bestimmungen der Lex Alam. (c. 16 und 17) kehren aber nicht wieder. Fusst die Lex Alam. hier unzweifelhaft auf ribuarischem Rechte und weisen die beiden süddeutschen Rechte enge textliche Beziehungen auf, so wird man auch hier wieder Amira zugeben müssen, dass für eine Quelle x als gemeinsamer Grundlage der beiden letzteren nicht viel Raum überbleibt; sie müsste denn hier einen der Lex Alam. völlig oder nahezu gleichlautenden Text gehabt haben.

Eine ähnliche Entwickelung lässt sich wohl auch für c. IV. 14 'de aure' annehmen. Die Lex Ribuar. V. 1 bestimmt: 'Si quis . . . auriculam excusserit, ut audire non possit . . . C sol. c. i. Si autem audire non perdiderit, L sol. c. i.'. Darauf fussen wohl die Bestimmungen der Lex Alam. LVII. 8—10:

8. 'Si quis aurem alterius absciderit, et non exsurdaverit, XII s. c.'
9. 'Si autem sic absciderit profundo, ut eum exsurdaverit, XL s. c.'
10. 'Si enim medietatem auri absciderit, quod scardi Alam. dicunt, cum VI s. c.'

Es kann kaum zweifelhaft sein, dass die Lex Baiuv., welche die gleichen Tatbestände enthält und mit den gleichen Bussen bedroht, auf diesen Bestimmungen der Lex Alam. fusst und sie in ihrem ersten Satze 'Si . . aurem transpunxerit, c. III s. c.' nur noch um einen Fall erweitert hat.

Das Kapitel IV. 15 enthält die Verletzungen der Lippen und der Augenlider, in einer Hs. auch noch die der Zunge. Vergleicht man diese Bestimmungen mit den analogen Normen der Lex Alam. LVII. 11. 12, bezw. 18, 19 und 26, so wird man dieser wohl die grössere Einfachheit und Klarheit zusprechen dürfen. Die Lex Alam. bestimmt gesondert die Bussen für die Verletzung des oberen und des unteren Augenlides und dann der oberen und der unteren Lippe, demgegenüber fasst das bairische Volksrecht die schwereren Fälle der Unterlippe und des unteren Lides, mit den auch in der Lex Alam. angegebenen Qualifikationen ('ut salivam' bezw. 'lacrimam continere non possit'), in den einen, die leichteren Fälle in den zweiten Bussatz zusammen und bringt dabei aber nicht die näheren Beschreibungen 'ut cludere non possit', bezw. 'ut dentes appareant'. Die Bussziffern selbst sind im bairischen Gesetze halb so hoch bestimmt als im alamannischen Schwesterrechte. Der allgemeine Einleitungssatz ('similiter'), der dann in der folgenden speziellen Ausführung doch nicht abgeändert wird, lässt wohl vermuten, dass bei der Redaktion der Text der Lex Alam. die Grundlage gewesen sei.

Noch mehr trifft dies zu für die Bestimmungen über die Verletzung der Zunge, von denen es freilich höchst zweifelhaft ist, ob sie überhaupt dem Texte der Lex Baiuv. zugehören. Es scheint vielmehr, dass die einzige (Altaicher) Hs., welche sie enthält, direkt aus der Lex Alam. die Stelle entlehnt hat; wenigstens ist das Dunkle in derselben nur aus der Formulierung der Lex Alam. zu verstehen[1]. Eine analoge Bestimmung findet sich freilich auch in der Lex Salica (XXIX. 16 Cod. 5, 6 und den übrigen Hss. ausser 1—4), aber nicht in der Lex Ribuaria.

Wie im Texte der Lex Salica der Hss. 5. 6 und des westgothischen Gesetzes VI. 4. 3 schliessen sich auch im bairischen Gesetzbuche die Bussen über das Ausschlagen von Zähnen an die eben besprochenen Delikte an. Der bairische und alamannische Text (LVII. 22, 23) stehen sich unter einander näher als beide dem salischen, und wieder hat die oben erwähnte Altaicher Hs. in der gleichen Folge wie die salischen Hss. 5 und 6 hier die Busse für Kastrierung eingefügt[2]. Für die Lex Baiuv. ist diese Stelle von geringerer Bedeutung, weil es ja ebenso wie bei der oben genannten zweifelhaft ist, ob sie ihr überhaupt zugehört. Sonst aber dürfte zu beachten sein, dass der alamannische Text dem der Lex Sal. (Cod. 5, 6) wohl näher steht als der Lex Ribuar. (VI).

Fragt man sich, was den Schreiber der Altaicher Hs. wohl veranlasst haben kann, die Kapitel über Verletzung der Zunge und Kastrierung gerade an den Stellen einzufügen, wo wir sie tatsächlich finden, so kann hierfür bei

1) L. Alam. LVII. 26: 'Si . . . lingua tota abscisa fuerit . . . Si autem media, ut aliquid intellegat(ur) quod loquitur'. L. Baiuv. Cod. Alt. (C 1): 'Si quis alicui linguam absciderit . . . . . Si autem alius intelligit'. 2) L. Sal. XXIX. 18 (Cod. 5. 6): 'Si quis hominem castraverit ingenuum, ut viricularem suam transcapulaverit, unde mancus sit'. 19: 'Si vero ad integrum tulerit'. L. Rib. VI: 'Si quis ingenuus ingenuum castraverit'. L. Alam. LVII. 58: 'Si aliquis alium genetalia totum absciderit'. 59: 'Si autem castraverit, ita ut virilia non tollat, cum XX sol. conp.'. L. Baiuv. (Cod. Alt.): 'Si quis aliquem castraverit, cum XX sol. conp.'.

aller Verwandtschaft mit dem Texte des Alamannenrechts nicht dieser Text, sondern nur die Lex Salica Hss. 5 und 6 die Veranlassung gewesen sein.

An die Gliedbussen, wie sie in den bisher besprochenen Kapiteln behandelt wurden, reihen sich in dem bairischen Volksrechte vier Kapitel mit dem gemeinsamen Tatbestande, dass jemand hinabgestürzt wurde und zwar von einem Ufer oder einer Brücke (17), von einem Pferde (18), von einer Stiege (19) und ins Feuer (20). Von allen diesen Bestimmungen hat nur c. 18 Anklänge in den anderen Leges. Der Tatbestand des bairischen Gesetzes 'Si quis aliquem de equo suo deposuerit, quod marchfalli vocant, cum VI sol. conp.' findet sich ähnlich einerseits im Pactus Alam. III. 22: 'Si quis alium de cavallo iactat, solvat sol. VI' und andererseits im Ed. Rothari 30: 'de marahworfin: Si quis hominem liberum de cavallo in terra iactaverit'. Er entfernt sich dagegen mehr von der Formulierung in der Lex Salica XXXI. 1: 'Si quis baronem ingenuum de via sua astaverit aut inpinxerit' und auch von der Lex Alam. Aus der einen Bestimmung des Pactus III. 22, die eben angeführt wurde, hat die Lex Alam. zwei Strafbestimmungen gemacht: LVIII: 'Si quis liber liberum in via manus iniecerit contra lege et eum via contradixerit aut aliquid ei tollere voluerit, cum VI sol. conp.' und LIX: 'Si quis liber liberum in via de caballo iectaverit et eum tullerit et statim reddit in loco, addat ei consimilem et XII sol.'.

Weist die Busse von 6 sol., welche die Lex Baiuv. androht, auf das alamannische Recht (Pactus III. 22; Lex LVIII), so könnte dieses doch wohl nur in einer dem Pactus ähnlichen Form die Grundlage für den bairischen Text gewesen sein. Andererseits deutet der Ausdruck 'marachfalli' auf eine direkte oder indirekte Benutzung des Ed. Rothari mit seiner Rubrik 'marahworfin' hin, dessen Ausdruck 'de cavallo iactare' aber wieder der Lex Alam. näher steht als dem bairischen 'de equo deponere'.

Das Kapitel 21 handelt von Verletzungen durch die 'toxicata sagitta', welcher Ausdruck zweifellos aus der Lex Sal. XVII. 2 übernommen ist.

Das Kapitel 22 fusst wahrscheinlich auf der Euriciana, von deren Wortfassung einzelnes noch in die Bestimmungen der Rezension Chindasvinds VI. 2. 3 übergegangen ist[1].

1) Vgl. Zeumer in den LL. Sect. I, I, p. 250, N. 1; Krammer, N. A. XXX, 272.

Dagegen kann man für das Kapitel 23 nur von ganz entfernten Anklängen an die Lex Visig. VIII. 1. 4, vielleicht auch[1] an die Lex Ribuar. LXIV sprechen.

Von den weiteren Kapiteln haben die c. 27—29 Verwandtschaft mit dem alamannischem Gesetze. Das letztere behandelt im c. LVII. 62 die Verletzung am Knie, die den Verletzten hinkend macht, fast wörtlich ebenso wie die Lex Baiuv. IV. 27 und V. 8.

Das Kap. 28, zu dem für die Mittelfreien V. 9 und für die Unfreien VI. 12 zu vergleichen ist, bestimmt das Wergeld mit 160 sol., ähnlich wie die Lex Alam. LX. 1. Ein wenig gehen die beiden Normen freilich auseinander. Die Lex Alam. bestimmt zunächst, dass, wenn ein Freier einen Freien tötet, er seinen Söhnen 160 sol. zahlen soll. Hat er keine Söhne und keinen Erben, so soll er 200 sol. zahlen; an wen, ist nicht ausdrücklich gesagt. Man wird hier ebenso wie in der analogen Bestimmung des Kapitels LV das Wörtchen 'fisco' zu ergänzen haben und die Erhöhung des Wergeldes von 160 auf 200 sol. wird an beiden Stellen in dem Sinne zu deuten sein, dass zu den 160 sol. Wergeld das Friedensgeld von 40 sol., das seiner Natur nach dem Fiskus zu zahlen ist, wegen der gleichen Adresse beider Zahlungen, schon hinzugezählt ist[2]. Das bairische Gesetz ist demgegenüber klarer. Es setzt ein einheitliches Wergeld für alle Fälle gleichmässig im Betrage von 160 sol. fest und bestimmt, dass dieses an die Verwandten und, wenn es an solchen fehlt, dem Herzog oder dem, dem der Erschlagene bei Lebzeiten kommendiert war, zu bezahlen sei. Soweit die beiden Gesetze inhaltlich übereinstimmen, kann auch ihre textliche Verwandtschaft nicht bestritten werden. Wenn man annimmt, dass die Redaktoren des bairischen Gesetzes, ausgehend von einem Texte, wie ihn die Lex Alam. enthält, sich veranlasst sahen, die Personen zu nennen, welche statt des Erben zum Empfang des Wergeldes berechtigt waren, und wenn sie dabei neben dem Herzog auch der Gefolgsherren gedachten, so liegt darin auch die Erklärung, weshalb für diese Fälle Wergeld und fredus nicht zu einer Ziffer zusammengefasst werden konnten.

Die Bestimmung des folgenden Kapitels 29, wonach Frauen doppelt so hoch gebüsst werden als die Männer, geht wieder mit der Lex Alam. parallel. Was diese an drei Stellen XLVIII, LIX. 2 und LX. 2 in etwas wech-

1) 'arg. heriraita — hariraida'. 2) Cf. L. Alam. IV, Brunner, DRG. I², 334, N. 7.

selnder Fassung für verschiedene Einzelfälle gesondert festsetzt, fasst das bairische Gesetz in eine einzige, allgemeine Norm zusammen. Dem Rechtssatze ist eine allgemeine Erklärung doktrinärer Art beigefügt, wie man derlei auch anderwärts in unserem Gesetze begegnet. Die weitere sich anschliessende Einschränkung, dass die Frau die 'per audaciam cordis sui' kämpfen will, dieses erhöhte Wergeld nicht geniesst, gehört nur einem Teile der Hss. an und dürfte ein jüngerer Zusatz sein.

Vom Titel VII sind die Kapitel 1—3 über incestuose Ehen, die fast wörtlich gleich auch im Alamannenrecht sich finden, dem westgothischen Rechte entnommen[1], und man darf wohl annehmen, dass diese Kapitel ebenso wie der sich daran anschliessende Appendix I, welcher in der Lex Alam. als c. XXXVIII wiederkehrt, in die beiden süddeutschen Gesetze nachträglich eingefügt worden sind[2]. So erübrigt von diesem ganzen Titel nur das Kapitel 4 (nach anderer Zählung 5): 'ut liberum sine mortale crimine non liceat inservire nec de hereditate sua expellere'. Es hat in anderen Volksrechten keine Parallele, wohl aber im bairischen Gesetze selbst, wo der Schlusssatz von II. 1 bestimmt: 'ut nullus liber Baiuarius alodem aut vitam sine capitale crimine perdat'. Ist hier das Leben und das Vermögen, so ist dort die Freiheit und das Vermögen für alle Fälle gewährleistet, ausser wenn diese Güter durch ein 'crimen mortale' bezw. ein 'crimen capitale' verwirkt wurden. Dass dieser Grundsatz speziell bairisches Recht ist, wird von keiner Seite bestritten. Es fehlt eine derartige Norm in den anderen Volksrechten und die zuletzt genannte Formulierung (II. 1) stellt die Sicherheit von Leben und Vermögen geradezu als Recht des freien Baiuvaren hin. Und man kann Brunner Recht geben, wenn er aus der Bezugnahme Aschheimer und Dingolfinger Synoden, sowie der Urkunde 772, Bitterauf n. 74, auf II. 1, 2 unseres Volksrechtes das darin ausgesprochene Prinzip 'zum alten Bestande der Lex zählt'[3].

Diese Rechtssätze selbst werden aber für die bairische Lex immer einige Schwierigkeiten bereiten, zumal wenn man die Einheitlichkeit des Gesetzes betonen will. Gehen wir auf ihren Inhalt näher ein, so bestimmt c. II. 1, dass Todesstrafe und Vermögenskonfiskation über einen freien Baiuvaren nur verhängt werden darf für drei taxativ auf-

1) Zeumer, N. A. XXIII, 104 ff. 110 f. 2) Vgl. meine näheren Ausführungen N. A. XXXI, 432—438. 3) DRG. I², 463, N. 86.

gezählte 'crimina capitalia[1]'. Alle übrigen Delikte sollen durch Zahlung der Busse, wie sie im Gesetze festgestellt ist, gesühnt werden, und selbst bei Zahlungsunfähigkeit soll nicht dauernde Verknechtung, sondern nur Schuldknechtschaft verhängt werden, die so lange dauern soll, bis der Schuldige durch seinen Verdienst ('quantum lucrare quiverit') seine Schuld getilgt hat. Der zweite Rechtssatz, den wir hier an die Spitze unserer Betrachtung gestellt haben, bestimmt, 'ut nullum liberum sine mortali crimine liceat inservire nec de hereditate sua expellere', und führt das dann des näheren nach beiden Richtungen hin aus. Darf man das 'mortale crimen' hier mit dem 'capitale crimen' dort identifizieren, so schliesst die Lex einerseits Todesstrafe, Verknechtung und Vermögenskonfiskation für alle Fälle mit Ausnahme der obengenannten Kapitaldelikte aus und verhängt andererseits doch in einer ganzen Anzahl von Fällen Verknechtung oder Vermögenskonfiskation oder beides. So finden wir als Strafen der incestuosen Ehen VII. 2: 'omnes facultates amittant, quas fiscus adquirat', bezw. VII. 3: 'minores personae .... careant libertate, servis fiscalibus adgregentur', als Strafe für Sonntagsentheiligung App. I (= VII. 4) schliessen 'perdat libertatem', als Strafe für die Abtreibung der Leibesfrucht VIII. 18: 'careat libertatem servitio deputanda cui dux iusserit'. Endlich die Strafe dessen, der eine Freie in die Unfreiheit verkauft, IX. 4: 'perdat libertatem', sowie die Todesstrafe für grossen Diebstahl in IX. 8. Hierher ist auch zu zählen die Strafe des c. I. 10, wo zur Abzahlung der immensen Busssumme für den erschlagenen Bischof der Täter und auch Frau und Kinder verknechtet werden.

Dass all die genannten Delikte entgegen der obigen Annahme als 'crimina mortalia' im Sinne von c. VII. 4 (bezw. 5) zu deuten wären, dazu, glaube ich, wird sich kaum jemand verstehen. Lehnt man aber diese Interpretation ab, so muss man eben zugeben, dass einzelne Detailnormen Vorschriften aussprechen, die mit dem allgemeinen Prinzip des c. VII. 4 (bezw. 5) in Widerspruch stehen.

Für einen Teil der oben aufgezählten Delikte kommt man über die Schwierigkeit dadurch hinweg, dass man sie als jüngeren Zusatz betrachten darf. So nach den früheren Ausführungen c. VII. 2, 3 und 4 (= App. I), vielleicht

---

1) 'capitale crimen ... id est si in necem ducis consiliatus fuerit aut inimicos in provinciam invitaverit aut civitatem capere ab extraneis machinaverit'.

auch c. I. 10, obwohl darüber die Meinungen geteilt sind. Erscheint dieses Kapitel mit seinem Strafsatze überhaupt als ein Kuriosum, so wird man die Diskrepanz mit VII. 5 vielleicht als nicht so bedeutend empfinden.

Soll man auch für c. VIII. 18, IX. 4 und IX. 8 eine spätere Entstehungszeit annehmen und so immer mehr nachlassen von dem Gedanken der Einheitlichkeit, oder führt vielleicht die andere Ueberlegung zu einer befriedigenden Erklärung, dass in all diesen Fällen ein fremder (nicht bairischer) Einfluss auf die Gesetzesnorm unverkennbar ist? Es ist kirchlicher Einfluss, der die Kapitel I. 10 und VII. 4 (= App. I) redigiert hat, und westgothische Vorlagen haben allen übrigen zum Vorbild gedient. So darf man vielleicht in all diesen Normen den Niederschlag einer fremdländischen Legislation erblicken, der sich über dies bairische Recht ausgebreitet hätte.

Vom Titel VIII stehen die ersten Kapitel in Beziehung zum Alamannenrecht; so insb. c. 3, 4, 5 (?), 6, 8, 15, 16. Das Kapitel 15 über die einseitige Auflösung eines eingegangenen Verlöbnisses durch den Mann und im Kapitel 16 über die Entführung der Braut eines anderen, sowie die alamannischen Parallelstellen (c. LII u. LI) regeln ähnliche Tatbestände wie Rothari (179 u. 180 bezw. 191), ohne dass man hier gerade Anlass hat, textliche Verwandtschaft anzunehmen.

Im Kapitel 18 und 19 finden wir wieder westgothischen Einfluss. Das alamannische analoge Kapitel LXXXVIII steht textlich der Lex Baiuv. nicht sehr nahe, wohl aber bringt es für den Abortus die Unterscheidung, ob das Geschlecht des Embryo schon zu unterscheiden ist, ähnlich wie die Lex Visig. VI. 3, 2. Man möchte also fast annehmen, dass die letztere Gesetzesstelle für beide süddeutsche Gesetze und zwar unabhängig von einander die Grundlage gewesen sei[1].

Das Kapitel 20 hat im ersten Satz Anklänge ans alamannische Gesetz, daran schliesst sich eine eigenartige Strafsanktion für denjenigen, der die Frühgeburt einer Frau veranlasst und dabei eine bereits lebende Frucht getötet hat. Durch sieben Generationen soll jährlich ein Solidus als Busse gezahlt werden, und das findet im Kapitel 21 seine Begründung in rein kirchlichen Ueberlegungen. Es war also zweifellos kirchlicher Einfluss für die Formulierung dieser Kapitel massgebend. Die Schlusskapitel 22 und 23 stehen wieder in Zusammenhang mit westgothischen Vor-

1) Vgl. unten S. 651.

schriften; über alle diese vier Kapitel ist übrigens unten noch unter einem anderen Gesichtspunkte näher zu handeln[1].

Im Titel IX 'De furtis' herrscht der westgothische Einfluss vor[2] — für eine Reihe von Kapiteln ist er allerdings nicht nachweisbar —, für das Kapitel 4 westgothischer und alamannischer[3] und in den Schlusskapiteln hat ein älteres fränkisches Gesetz und eine Bibelstelle Aufnahme gefunden[4].

Speziell im Kapitel 8, das durch die Verwandtschaft mit Burg. IV. 1 vermuten lässt, dass es 'auf eine in der Lex Visig. Reccessvindiana ausgestossene Vorschrift der Leges Eurici zurückgeht'[5], fallen die zahlreichen Widersprüche auf, in welchen es zu anderen Bestimmungen des bairischen Gesetzbuches steht[6] (c. II. 1, VII. 4 und IX. 1).

Titel X lässt nur in einzelnen Kapiteln alamannische, in anderen (19 und 20) westgothische Grundlagen erkennen, wie dies durch die Aehnlichkeit mit dem Texte des Burgunderrechtes und entfernte Anklänge an die Antiqua uns als erwiesen gelten darf.

Vom Titel XI 'De volentia' haben nur die Kapitel 1 und 2 Anklänge an die Lex Alam.; einige Hss. fügen am Ende drei Kapitel aus Thassilos Dekreten bei.

Vom Titel XII 'De terminis ruptis' sind die Kapitel 1—7 dem westgothischen Rechte sehr nahe verwandt, der übrige Teil hat in den uns bekannten Volksrechten keine Analogien, nur im Kap. 8 wird das Verfahren bei Grenzstreitigkeiten ganz ähnlich geregelt wie es die Lex Alam. LXXXI für ähnliche Fälle bestimmt.

Der Titel XIII 'De pignoribus' hat in c. 1 und 2 entfernte Anklänge an das westgothische Recht, in c. 6 und 7 an den Ed. Rothari, mit dem es auch die Tatsache gemein hat, dass den Kapiteln über Beschädigung der Ernte ein Kapitel 'De porcis' vorausgeht; dazu in c. 6—8 Anklänge an den Pactus Alam. und in c. 6 an die Lex Salica, sonst aber ist er im ganzen selbständig gegenüber allen anderen Volksrechten; das gleiche gilt auch von Titel XIV 'De vitiatis animalibus'. Man wird kaum von Beziehungen des c. 1 und Rothari 303 und 304 sprechen dürfen, wenn sie auch in gewissen Punkten sich berühren. Für die c. 3—6 lassen sich einige Analogien mit der Lex Visig. VIII. 4. 13 und

1) Vgl. unten S. 659. 2) Vgl. Roth, Entstehung S. 39; Stobbe, RQ. I, 160. 3) Ich bin jetzt eher geneigt als s. Z. (N. A. XXXI, 410) doch auch für dieses Kapitel westgothischen Einfluss anzunehmen. 4) Vgl. N. A. XXXI, 412. 5) Vgl. Brunner, DRG. I², 463, N. 36. 6) Vgl. dazu die näheren Ausführungen oben S. 633.

dem langobardischen Edikt Rotharis 337, 339 insofern nachweisen, als nach allen drei Rechten bei Beschädigung eines fremden Haustieres ein anderes gleichen Wertes zum Ersatze gegeben werden soll, während der Beschädigende das verletzte Tier für sich verlangen und behalten kann. Rotharis Edikt stimmt überdies noch mit der Lex Baiuv. darin überein, dass beide ausdrücklich hervorheben, dass das Ersatztier bis zur vollen Genesung bei dem Beschädigten, das andere ebenso lange bei dem Beschädiger bleiben solle. Im Kapitel 17 dieses Titels über die Tierpfändung findet man wieder die Benutzung alamannischer und westgothischer Vorlagen deutlich neben einander, was Merkel s. Z. veranlasste, die Vermutung auszusprechen[1], dass dieses Kapitel als ein Zusatz späterer Zeit gelten solle, eine Annahme, die indes keineswegs zwingend ist[2]. Eine entfernte Beziehung besteht auch zur Lex Salica IX, 1 ff. Im alamannischen Texte, der diesem Kapitel entspricht (c. LXVII. 2), fällt das Wörtchen 'firmare' auf, welches auf bairischen Ursprung hinweist.

Der Titel XV enthält das Recht der Euriciana 'De commendatis et commodatis' zum grössten Teile unverändert, zum Teil für die bairischen Verhältnisse umgearbeitet[3]. Nur im Kapitel 9 finden wir eine Analogie mit dem alamannischen Gesetze (c. LXXXV).

Auch der Titel XVI ist in weitem Umfange der Euriciana entnommen. Der zweite Teil dieses Titels enthält bairisches Gewohnheitsrecht, das vielleicht auf Grund eines Weistums zusammengestellt ist.

Das gleiche gilt wohl auch von den Titeln XVII und XVIII, die prozessuale Vorschriften enthalten[3].

Etwas verwickelter liegt die Frage der Entstehung bezw. Entlehnung für die letzten Titel der Lex Baiuv. XVIIII 'De mortuis', XX 'De canibus', XXI 'De accipitribus' und XXII 'De pomariis'.

Die ausführliche Behandlung, welche Leichenberaubung und Leichenverletzung im 19. Titel des bairischen Volksrechtes gefunden hat, ist wohl eine Eigentümlichkeit dieses Gesetzes; aber das erste Kapitel über die Beraubung der bereits bestatteten Leichen findet seine Analogien nicht nur im alamannischen, sondern auch im west-

1) Archiv XI, 669. 2) Vgl. N. A. XXXI, 405 ff. 3) Vgl. Merkel, Archiv XI, 672.

gothischen, salischen und ribuarischen Gesetzbuch, im Edictus Rothari und im friesischen Rechte.

Gehen wir vom westgothischen Gesetze aus, das nach der herrschenden Meinung die Grundlage der einen Gruppe dieser Texte gewesen sein soll, so enthält dasselbe XI. 2. 1 als Antiqua gesonderte Strafbestimmungen für den Fall, dass ein Freier und dass ein Unfreier zum 'violator sepulcri' würde oder eine Leiche beraubt. Die Titelüberschrift 'de violatoribus sepulcrorum' lässt wohl vermuten, dass dabei vornehmlich (ausschliesslich?) daran gedacht sei, dass eine schon bestattete Leiche beraubt würde; nach dem Texte aber ist daneben noch die Deutung möglich, dass auch die Beraubung einer noch nicht bestatteten Leiche der gleichen Busse untersteht. Neben der Verpflichtung, das Geraubte zurückzugeben, trifft den freien Täter eine Busse von einem Pfund Goldes, den Unfreien eine strenge Leibesstrafe. Hat der, dessen Leichnam verletzt oder beraubt wurde, Erben hinterlassen, so fällt diesen die Geldbusse zu, während sie sonst an den Fiscus fällt. In diesem Falle trifft den Uebeltäter ausserdem noch eine Leibesstrafe.

Damit stimmt im wesentlichen Rothari 15 de crapworfin überein. Auch hier eine einheitliche Busse (von 900 sol.) dafür, dass jemand 'sepulturam hominis mortui ruperit et corpus exspoliaverit aut foris iactaverit'; auch hier die Bestimmung, dass der Fiscus diese Busse eintreibt, wenn nähere Verwandte fehlen. Von der Behandlung der Unfreien, die ein ähnliches Delikt begingen, ist hier keine Rede.

Die Lex Salica XIV. 8, 9 bezw. LV. und ebenso ihr folgend die Lex Ribuaria LXXXV. 1. 2 bezw. LIV. 1. 2 legen das Schwergewicht auf die Beraubung und unterscheiden die Fälle, ob die Beraubung an der noch nicht beerdigten oder der schon bestatteten Leiche vorgenommen würde, indem sie für die letzteren Fälle höhere Bussen, die Lex Ribuaria überdies eine höhere Eideshilfe bei dem Reinigungseide vorschreiben. Die Normen, welche die Lex Ribuaria an einer späteren Stelle (LXXXV) bringt, stimmen inhaltlich ja sogar fast wörtlich mit dem salischen Texte der Hss. 2, 3, 5, 6 sowie der Emendata überein. Andererseits gehen die Bestimmungen der Lex Sal. LV. mit denen der Lex Rib. LIV parallel; sie sind ausführlicher als die früher genannten und bestimmen insbesondere, dass der Uebeltäter bis zur Zahlung der

Busse friedlos sei, und die Lex Salica fügt hinzu, dass jeder, der ihm in dieser Zeit Nahrung gibt, bussfällig wird.

Dass die Lex Ribuaria in beiden Fassungen auf den entsprechenden Texten der Lex Salica fusst, kann nicht bezweifelt werden.

Die Lex Frisionum Add. Sap. III. 75 mit ihrer Bestimmung: 'Si quis hominem mortuum effodierit et ibi aliquid tulerit, ut caetera furta conponat' steht abseits von den übrigen Volksrechten, denn danach erscheint ein solcher Diebstahl überhaupt nicht als ein qualifiziertes Delikt. Sie nähert sich aber insofern den süddeutschen Rechten, als sie die Diebstahlsbusse verhängt, die dort — wenn auch neben einer anderen Busse — statuiert ist, während die bisher besprochenen Rechte das Schwergewicht auf eine andere sehr hoch bemessene Busse legen und nur die Lex Visig. daneben noch von einer einfachen Restitutionspflicht spricht.

Die süddeutschen Leges mit ihrem Texte: 'Si quis liberum de terra exfodierit, quidquid ibi tulit, novigeldos restituat et cum XL sol. conp.' (Alam. XLIX. 1) und 'Si quis mortuum liberum de monumento exfodierit, cum XL sol. conp. et ipsum quod tulit furtivum conp.' (Baiuv. XVIIII. 1) gehören sprachlich und sachlich unzweifelhaft zusammen, wie sie sprachlich und sachlich von den früher besprochenen abstechen. Sprachlich kommt zunächst der Ausdruck 'de terra (de monumento) exfodierit' in Betracht, wo die anderen das 'expoliare' betonen. Dieses 'exfodire' kann von der Lex Salica XIV. 9, wo es noch neben dem 'expoliare' steht, vielleicht durch Vermittelung der Lex Ribuaria LIV. 2, wo es allein steht, in die süddeutschen Volksrechte gekommen sein. Nur wird dabei zu beachten sein, dass gerade jene Stelle des ribuarischen Volksrechtes, welche das 'effodire praesumpserit' bringt (LIV. 2), vielleicht missverständlich, aber in allen Hss. von der Beraubung überhaupt nicht spricht, die doch sonst und insbesondere in den süddeutschen Rechtsquellen die Basis für die Bestrafung bildet. Man wird sonach diese Filiation nicht für allzu sicher hinnehmen dürfen, um so weniger, als auch sachlich die Grundauffassung des Deliktes in den westgothischen, langobardischen und fränkischen Gesetzen einerseits und in den süddeutschen andererseits auseinander geht. Dort eine grosse Busse, ein Pfund Gold (westgoth.), 900 Sol. (langob.) oder das Wergeld (fränkisch), also eine Busse, neben der der Sachwert verschwindet, und die mehr wegen des Sakrilegiums als wegen des Diebstahls zu zahlen ist; hier die Diebstahlsbusse, also der 9fache Sachwert, und daneben eine geringe Zusatzbusse von 40 sol. für den Leichenfrevel, die nach der Lex Alam. sich auf 80 sol. erhöht, wenn Freie, und auf 12 sol. herabsinkt, wenn Unfreie in ihrer Grabesruhe gestört wurden.

Bei dieser Sachlage könnte man sich für das Kapitel XVIIII. 1 der bairischen Lex lediglich auf die Verwandtschaft mit der Lex Alam. beschränken und vielleicht für beide den Zusammenhang mit der anderen Gruppe ausser Betracht lassen. Dem steht aber gegenüber, dass die weiteren Kapitel dieses Titels in dem bairischen Volksrecht um so nachdrücklicher auf diese Gruppe hinweisen.

Zu Rothari verweist uns die Beziehung seines c. 2 zu dem bairischen Kapitel XVIIII. 2, und zur Lex Salica führt uns XVIIII. 9, dessen Einreihung in diesem Zusammenhang wohl kaum anders als durch Lex Sal. LV. 4 zu erklären ist.

Während nämlich für all die übrigen Detailbestimmungen des bairischen Gesetzbuches über Verletzungen und andere Delikte an Leichen in den übrigen Volksrechten sich keine Analogien nachweisen lassen, so zeigt das Kapitel 2 unseres Titels wenigstens eine äusserliche Beziehung zu dem genannten Kapitel 2 aus dem Edictus Rothari, die darum um so bedeutsamer ist, als auch die Kapitelfolge in beiden Gesetzen die gleiche ist. Man wird annehmen dürfen, dass die Lex Baiuv. eine Vorlage benützt habe, welche im Anschluss an das früher besprochene 'exfodire ex monumento' die Delikte behandelt hat, die an Leichen begangen wurden, die in Gewässern sich befanden oder in sie geworfen wurden, und für diese Annahme führt uns die textliche Verwandtschaft zunächst zum Edictus Rothari hin.

Andererseits werden wir durch Lex Baiuv. XVIIII. 9 wieder zur Lex Salica geführt. Es überrascht zunächst, wieso die Lex Baiuv. dazu kommen konnte, in dem Titel 'de mortuis' auf einmal 'de navibus' zu handeln. Wie Grimm[1] schon hervorgehoben hat, gibt die Erklärung davon wohl die Kapitelfolge in der Lex Salica LV. 4, wo an den Leichenraub sich die Bestimmung anreiht: 'Si quis

1) Ueber das Verbrennen der Leichen, Kleinere Schriften II, 257.

mortuum hominem super alterum in naupho aut in petra miserit'. Dieses 'naupho', das andere Hss. durch 'naufo', 'nauco', 'nachao' ausdrücken, bedeutet den schiffsähnlichen Sarg sowie das Schiff. Diese doppelte Bedeutung in der Vorlage der Lex Baiuv. dürfte den Uebergang zu den Normen 'de navibus' veranlasst haben. Diese Vermutung, welche hier auf eine Benutzung der Lex Salica u. zw. in der Form, wie sie der Text der Emendata enthält, bei Ausarbeitung der Lex Baiuv. schliessen lässt, findet noch darin eine Stütze, dass auch der Inhalt der bairischen Kapitel 'de navibus' mit den salfränkischen Bestimmungen Beziehungen erkennen lässt. Das Kapitel XXI. 1 mit seiner Bestimmung: 'Si quis extra consilium domini sui navem alienam movere praesumpserit et cum ea flumen transgressus fuerit' handelt ebenso wie wohl auch das bairische XVIIII. 9: 'Si quis navem alterius tulerit de loco suo' von der unerlaubten Benutzung des Schiffes, also dem 'furtum usus', und die sich anschliessenden Kapitel besprechen in beiden Gesetzen den wirklichen Diebstahl eines Schiffes[1]. Auch dass das bairische Gesetz zur Voraussetzung für das Fälligwerden der Diebstahlsbusse gegen seinen sonstigen Sprachgebrauch die Bedingung 'si negaverit interrogatus' einfügt, lässt sich als Analogon zu dem 'et perventus fuerit' (Cod. 1) 'et ei fuerit adprobatum' (Cod. 2) deuten.

Fasst man das Gesamturteil für den Titel 'de mortuis' zusammen, so darf man wohl sagen, dass das bairische Gesetz sich in seinem ersten Kapitel auf dem Alamannen-Rechte aufbaut, dass aber daran sich eine Reihe von Kapiteln anschliessen, für welche uns keinerlei Vorlage bekannt ist, während für andere der Edictus Rothari bezw. die Lex Salica direkt oder indirekt die Grundlage geboten haben.

Ein Zusammenhang mit dieser Quellengruppe besteht auch für die folgenden Titel.

Hier weist zunächst die bairische Titelfolge:

XX. De canibus,
XXI. De accipitribus,
XXII. De pomariis,
XXIIb. De apibus

auf die gleiche Titelfolge in der Lex Salica hin, wo alle Hss.

---

1) Eine Strafsanktion für Schiffsdiebstahl ('Si quis navem aut caupulum involare praesumpserit') findet sich auch Lex Burg. 94. 1.

VI. de furtis canum,
VII. de furtis avium,
VIII. de furtis apium

und die Hss. 5—10 sowie die Emendata vor dem letzten Titel noch 'de furtis arborum' handeln.

Diese Uebereinstimmung kann nicht zufällig sein, sie scheint vielmehr auf einer Entlehnung zu beruhen.

Ueber die Hunde handelt in der Lex Visig. VIII. 4, 18—20, über die Beschädigung der Bäume VIII. 3 'De damnis arborum ortorum et frugum quarumcumque' und über die Bienen VIII. 6 'de apibus et earum damnis'. Ob in der älteren Redaktion diese Titel der Reihenfolge der Lex Salica gefolgt sind, dafür fehlt uns umsomehr jeder Anhaltspunkt, als auch der langobardische Edictus Rothari eine andere Kapitelfolge enthält. Dort handeln die Kapitel 329—331 von den Hunden, 317, 320, 321 von den Vögeln, 300—302 von den Bäumen und 318, 319 von den Bienen. Die Lex Alam. behandelt die Hunde LXXVIII, die Vögel XCVI. Unter den uns erhaltenen Gesetzestexten lehnt sich also die Lex Baiuv. in ihrer Kapitel f o l g e nur der Lex Salica an.

Welches Verwandtschaftsbild zeigt nun die Textvergleichung? Was die Lex Visig. an der angegebenen Stelle über die Hunde bestimmt, steht so gut wie ausser jedem Zusammenhang mit unserem bairischen Titel, und ebenso wenig lässt sich aus dem Edictus Rothari für die Textvergleichung gewinnen. Das Verhältnis der Texte des salischen, alamannischen und bairischen Rechtes liegt folgendermassen.

Alle drei Gesetze handeln vom 'canis seusius' oder 'sigusius', den eine Glosse der Lex Alam. als Hetzhund besonders paraphrasiert, dem 'canis pastoralis', dem Hofhunde, und dem 'canis veltris'. Zieht man die Varianten der Lex Salica, insbesondere der Emendata in Betracht, welche den letzteren in der Gattung als 'veltrem porcarium sive veltrem leporarium, qui et argutarius dicitur' hervorhebt[1], so zeigt der Vergleich mit der Lex Alam., dass diese all die Hundearten bespricht, deren die Lex Salica Erwähnung tut, und ausser ihnen nur noch den 'canis porcaritius, ursaritius vel qui vaccam aut taurum prendit' besonders nennt. Dieselben Hundearten, nur nicht 'qui vaccam aut taurum

1) Die andern Hss. haben, Cod. 5. 6: 'canem acutarium' (bezw. 'agutaricium'), 7—9: 'veltrem agutarium', 10 bloss 'agutaritum', während den Codd. 1—4 dieses Kapitel fehlt.

prendit', sind auch in der Lex Baiuv. besprochen, die überdies den Spürhund, den 'bibarhunt qui sub terra venatur' und den 'canis qui dicitur hapuchhunt', also drei besondere Typen von Jagdhunden nennt.

Für die einzelnen Hundearten stellt sich der Vergleich folgendermassen:

Von den Hetzhunden nennt die Lex Salica VI. 1 einen 'sigusium canem magistrum' (Cod. 1) mit den Varianten 'subusum, secusium, siutium, seusium, seusum, siusum, secusum'; die Lex Alam. handelt unter der Ueberschrift 'de canihus siusibus (seuussibus, de usibus, seusis, seusibus, seusi, seucibus)' zunächst von einem 'primus' und 'secundus cursalis' und dann von einem 'canis ductor, qui hominem ducit, quod laitihunt dicunt', der wohl dem 'canis magister' der Lex Salica entspricht. In der Lex Baiuv. finden wir dafür den 'canem seusium (seusinum, seucium, seucem), quem leitihunt dicunt' (c. 1), daneben (c. 2) den 'seucem ductum, quod triphunt vocant'; und auch der (c. 3) 'qui in ligamine vestigium tenet, quod spurihunt vocant' ist in einer Reihe von Hss. ausdrücklich als 'seucis' bezeichnet; er dürfte aber kaum den oben besprochenen hinzuzuzählen sein. Für die anderen beiden Arten (c. 1 und 2) fällt im Vergleiche mit der Lex Alam. die Verschiebung auf, die vielleicht als Missverständnis der letzteren gedeutet werden darf. Nennt die Lex Alam. nur den 'canis qui hominem ducit' einen 'canis ductor, quem leitihunt dicunt', so hat das bairische Volksrecht das Beiwort 'ductor' in allen bis auf eine Hs. in 'doctus' verwandelt und denjenigen Hunden beigelegt, die Triebhunde genannt werden. Von gewöhnlichen 'canihus seusibus' ist in ihr überhaupt nicht die Rede, sondern nur von zwei (bezw. drei) Gattungen derselben, den Leithunden, Triebhunden und Spürhunden[1]. Dabei ist aus dem 'ductor = magister', dem Leithunde, wie es scheint, ein missverstandener 'doctus' der kluge, 'gelehrte' Treibhund geworden, und der Leithund der Lex Alam. hat dabei sein erklärendes Epitheton verloren. Man kann für diese Kapitel einen Text, wie ihn die Lex Alam. bringt, unter Annahme dieser Missdeutungen als Grundlage für die bairische Lex annehmen, dabei wären dann die weiteren Arten von Jagdhunden, der Biberhund für die Jagd unter der Erde und der Habichthund für die Jagd mit Falken ebenso wie der Spürhund als weiterer Zusatz des bairischen Volksrechtes hinzugekommen.

1) Vgl. oben S. 641 f.

Und nun die anderen Gruppen: das Kapitel 4 der Lex Alam. steht wohl in Zusammenhang mit VI. 2 der Lex Salica Emendata. Die Hss. 1—4 enthalten dieses Kapitel überhaupt nicht, die übrigen sprechen nur von dem 'canis veltris' und 'acutarius' oder 'argutarius'; daraus macht die Emendata den 'veltrem porcarium sive veltrem leporarium, qui et argutarius dicitur'. Viel reichhaltiger ist, wie oben schon erwähnt, das Verzeichnis des analogen alamannischen Kapitels: 'canis porcaritius, ursaritius vel qui vaccam aut taurum prendit' sowie den 'veltrem leporarium'. Der bairische Text hält da zwei Kapitel auseinander: das eine (5) handelt vom 'canis veltris, qui leporem non persecutum, sed sua velocitate conprehendit', das andere (7) spricht von denen, 'qui ursis vel babulis, id est maioribus feris, quod swarzwild dicimus, persecuntur'. Hier scheint wohl der alamannische Text dem salischen näher zu stehen als der bairische. Der Annahme einer Filiation Salica-Rib.-Baiuv. steht freilich die Schwierigkeit entgegen, dass von allen uns erhaltenen Texten der Lex Salica nur die Emendata dem süddeutschen Gesetze nahesteht, deren Entstehungszeit der der ersteren vorangeht. Man müsste also für diese Annahme hier wie auch anderwärts mit der Hypothese rechnen, dass der Emendata schon ein älterer Text zu Grunde lag, welcher die gleiche Fassung gehabt hätte.

Der Hirtenhund der Lex Sal. VI. 2 findet sich im alamannischen Gesetze LXXVIII. 5 näher beschrieben durch eine Reihe von Attributen[1], von denen das erste: 'qui lupum mordet' auch in der Lex Baiuv. sich findet[2].

Interessanter sind die textlichen Beziehungen in den Bestimmungen über den Hofhund. In den Kapiteln 9 und 10 unseres Titels findet das alamannische Kapitel LXXVIII. 6 sich zum grossen Teil in wörtlicher Anlehnung wieder. Nur eine, nicht unbedeutende Abweichung findet sich, indem die Lex Baiuv. im Gegensatze zur Lex Alam. für die Tötung des Hofhundes eine Unterscheidung macht, ob sie vor oder nach Sonnenuntergang erfolgte, eine Unterscheidung, die ihrem Wortlaute nach unzweifelhaft auf die Lex Salica hinweist. Dort enthalten die Hss. 2—6, 10 und Emend. in den Bestimmungen über die Tötung des Hof-

1) 'qui lupum mordit et pecus ex ore eius discutit et ad clamorem ad aliam vel tertiam villam currit'. 2) Als 'canis qui lupum occidere solet' bezw. 'qui lacerare lupum et non occidere solet' begegnen wir ihm auch in Lex Fris. IV. 5 und 6.

(Ketten)hundes den Tatbestand 'si . . . occiderit post solis occasum' mit der Lex Baiuv. wörtlich gleichlautend formuliert. Die Emendata steht dabei — doch braucht man darauf kein besonderes Gewicht zu legen — dem bairischen Texte insofern besonders nahe, als sie allein den Kettenhund, den die anderen Texte schlechthin als 'canis qui ligamen noverit' aufführen, als 'canem custodem domus sive curtis, qui die ligari solet, ne damnum faciat' bezeichnet und damit sich dem bairischen Ausdruck 'canem qui curtem domini sui defendit' vielleicht ein wenig mehr annähert. Wie immer man darüber auch denken mag, so wird man sich hier der Annahme nicht verschliessen können, dass die Lex Baiuv. neben einem Texte, wie ihn die Lex Alam. bringt, auch noch die salische Textform verwertet habe, dass sie also auf beiden fusst. Kommt man zu diesem Ergebnisse, dann darf man vielleicht auch an die Möglichkeit denken, dass das 'ligamen' des bairischen Kapitels XX. 3 aus der eben genannten salischen Gesetzesstelle (VI. 2) entnommen sei.

Will man aber diese Benutzung der Lex Salica durch die bairischen Gesetzesredaktoren auf dem Wege der Zeumer-Brunner'schen Annahme, dass dies alles auf die Euriciana zurückgeht, eliminieren, so kann man das ja; aber man schweift mit dieser Hypothese doch weit in die Ferne, in ein Gebiet, auf dem die Erbringung eines quellenmässigen Beweises auf Schwierigkeiten stossen dürfte, denn weder der heutige Text der Lex Visig. noch irgend eines der von ihr abgeleiteten Gesetze würden hierfür ein Argument abgeben können. Vielmehr kommt, wie mir scheinen möchte, gegen eine derartige Hypothese doch auch noch der Umstand in Betracht, dass n u r die Lex Salica mit dem bairischen Volksrechte die Titelfolge gemeinsam hat, auf die oben (S. 640 f.) verwiesen wurde; da scheint es denn doch bis auf weiteres wahrscheinlich anzunehmen, dass den Redaktoren des bairischen Gesetzes neben den anderen auch das salische Gesetzbuch als Quelle vorgelegen habe.

Für den Vergleich der Texte der Titel über die Hunde sei endlich noch auf folgendes hingewiesen. Die Lex Salica handelt schon nach der Titelüberschrift zunächst über den Diebstahl dieser Hunde in c. I und zwar in allen Hss.; nur die Hs. 1 hat daneben den Zusatz 'aut occiderit', und dasselbe gilt von c. 2 der Codd. 5 und 6 und den analogen Kapiteln in den Codd. 7—10. Hier fügt nur die Emendata den gleichen Zusatz hinzu. Dagegen besprechen alle Hss. vom Hofhund und Hirtenhunde[1] die Tötung; vom Hofhunde erwähnt nur der Cod. 3 daneben eines Diebstahls, während vom Hirtenhunde eine grössere Anzahl Hss. (1, 2, 7, 8, 9, 10, Emend.) für Diebstahl und Tötung die (gleiche) Busse festsetzen. Die Lex Alam. handelt bei den kleinen Hunden (c. 1—3) nur vom Diebstahl, bei den grossen nur von der Tötung; und die Lex Baiuv. folgt im allgemeinen der gleichen Gliederung; auch in ihr handeln c. 1—3 vom Diebstahl, die übrigen von der Tötung. Wenn im c. 1 einige Hss. zu dem 'furaverit' ein 'vel occiderit' hinzufügen, so braucht man dabei gewiss nicht an eine Entlehnung aus der Lex Salica VI. 1 (Cod. 1) zu denken. Aber jedenfalls ist die, freilich auch sachlich, verursachte Uebereinstimmung in der Formulierung der Tatbestände der einzelnen Delikte eine weitere Stütze für die Annahme einer textlichen Verwandtschaft, wie sie oben entwickelt wurde.

Wie in der Lex Salica folgt im bairischen Gesetze diesem Titel über die Hunde ein Titel über Vögel, insbesondere Habichte oder, wie ihn die bairische Lex nennt, 'de accipitribus'. (Titel XXI).

Das erste Kapitel handelt von dem 'accipiter quem chranohari dicunt', den Habicht, der auf Kraniche geht. Es ist wohl derselbe, den die Lex Alam. XCVI. 1 in Uebereinstimmung mit Pactus III. 14 als den 'acceptor (qui) gruem mordet' beschreibt[2]. Beide süddeutsche Volksrechte lassen die Tötung dieses Habichts mit 6 sol. büssen[3]. Das Kap. 2 des bairischen Gesetzes über den Ganshabicht stimmt inhaltlich mit dem ersten Satze der Lex Alam. l. c. überein. Die Lex Baiuv. enthält dabei für beide Fälle noch besondere Beweisvorschriften, welche dem alamannischen Rechte fremd sind. Auch die Lex Salica eröffnet den Titel mit einigen Kapiteln über Habichte, aber wir finden — eine Ausnahme abgerechnet — weder die Unterscheidung der verschiedenen Habichtsarten, wie sie die Lex Baiuv. noch ausführlicher als die Lex Alam. bringt, noch spricht das salische Gesetz von der Tötung, sondern nur von der Entwendung solcher Tiere.

Für den Entenhabicht der Lex.Baiuv. XXI. 3 vermochte ich in den übrigen Volksrechten kein Vorbild zu

1) Nur in den Cod. 8 und H fehlt hier das Wort 'occiderit'.
2) Brinkmeier, Gloss. dipl. s. v. cranohari. 3) Den Diebstahl an solchen Tieren unterstellt Kap. 5 dieses Titels der Lex Baiuv. den allgemeinen Normen über Diebstahlsbusse.

finden. Dagegen tritt uns in dem Kapitel 4 über den Sperber unzweifelhaft ein Anklang an die Lex Sal. VII. 4 entgegen, die ebenso wie unser bairisches Gesetz im Anschluss an das Recht der Habichte in den Hss. 5—10 und Emend. von dem Rechte der Sperber handelt — freilich nicht von der Tötung, sondern von der Entwendung solcher Tiere. Und es hat wohl den Anschein, dass dieser Unterschied für den Redaktor des bairischen Gesetzbuches massgebend gewesen sein dürfte, das Kapitel 5 einzufügen, welches, wie oben schon erwähnt, die Busse für den Diebstahl solcher Vögel den allgemeinen Diebstahlsnormen unterstellt. Und dasselbe gilt von dem Kapitel 6, welches von den gezähmten Vögeln spricht. Sie sind ausführlicher behandelt in den Kapiteln VII. 5—10 der oben genannten Hss.-Gruppe des salischen Gesetzbuches und sind auch dort wiederholt als 'domestici' bezeichnet, wie die Lex Baiuv. l. c. sie zusammenfasst als 'aves quae de silveticis per documenta humana domesticentur industria'.

Für diese Titel besteht sonach die grösste Wahrscheinlichkeit, dass sie auf eine zweifache Quelle zurückgehen, auf einen Text, wie ihn die Lex Alam. bringt, und auf die Lex Salica selbst.

Diese Wahrscheinlichkeit wird noch gesteigert dadurch, dass die Lex Baiuv. ebenso wie die mehrfach bezeichnete Hss.-Gruppe der Lex Salica in unmittelbarem Anschluss an diesen Titel auf die Verletzungen und Beschädigungen in Apfelbaumanlagen eingeht. Ist hier die Kapitel*folge* zweifellos einem Texte entnommen, wie ihn die Lex Salica (Hss. 5 ff. und Emend.) bietet, so weist der *Inhalt* dieser Norm doch auch Beziehungen zur Lex Visig. VIII. 3. 1 und wohl auch zu Rothari 300 ff. auf. Inhaltlich und textlich stehen alle diese Gesetze, die als Vorläufer der Lex Baiuv. in Betracht kommen können, der letzteren nicht allzu nahe.

Die Lex Visig. ist uns in der Form der Antiqua emendata erhalten; wie ihr ursprünglicher Text gelautet hat, wissen wir nicht; an der heutigen Form mag man als engeren Anklang an den bairischen Text hervorheben, dass von verschiedenen Baumarten dort gehandelt wird, neben den Apfelbäumen von Oliven, Eichen und anderen grösseren Baumsorten. Der Ed. Rothari nennt eine noch grössere Zahl, so z. B. auch noch Kastanien- und Nussbäume. Die Oliven fehlen natürlich im bairischen Rechte, dafür finden wir dort Eichenhaine 'nemus si portat escam et rubus est', den 'favus', Apfel- und Birnbäume und wieder eine Sammelgruppe für nicht besonders genannte. Die Lex Salica nennt nur das 'pomarium', Hs. 10 und Emend. das 'pomarium aut quemlibet arborem domesticum'. Die Detailbestimmungen des bairischen Gesetzes entfernen sich aber von beiden andern. Der Ausdruck 'pomarium' ist dabei mit der Lex Baiuv. gemein, während er in der heutigen Gestalt der Lex Visig. nicht vorkommt; dafür steht dort 'inciderit', in Lex Sal. Emend. 'exciderit', wo die Lex Baiuv. in den verschiedenen Hss. beide Formen bringt.

Wie in der Lex Salica folgt auf die Bestimmungen über die Bäume ein Abschnitt, nach mehreren Hss. ein eigener Titel: 'De apibus'. Die Lex Salica VIII. normiert einfach die Busssätze für den Diebstahl von einem oder mehreren Bienenstöcken, ebenso Rothari 318; Rothari fügt dem in c. 319 Bestimmungen hinzu für den Fall, dass jemand einen fremden Bienenschwarm von einem Baume entwendet, an dem der Eigentümer ein Zeichen angebracht hat, um sein Recht dadurch zum Ausdruck zu bringen. Fehlt ein solches Zeichen, so soll nach natürlichem Rechte jeder Finder das Aneignungsrecht haben. Auch die Lex Visig. VIII. 6. 1 spricht von der Anbringung dieses Zeichens, während c. 2 von dem Schaden handelt, der durch Bienen, die an volksreichen Orten gehalten werden, verursacht ist, und c. 3 für den versuchten und den vollbrachten Diebstahl aus Bienenhäusern die Strafen bestimmt. Es sind ganz andere Normen, die die Kapitel XXII. 8—10 der Lex Baiuv. enthalten, Vorschriften über die Vorkehrungen, welche die Besitzer von Bienenstöcken treffen dürfen, um die auf fremden Grund geflogenen Bienenschwärme wieder zu erlangen.

Das Schlusskapitel 11 handelt vom Vogelfang auf fremdem Grunde; er ist im allgemeinen untersagt im Gegensatz zu Rothari 320, wo er, mit gewissen Ausnahmen zu Gunsten der königlichen Güter, freigegeben ist. Beachtenswert ist, dass nur im bairischen und langobardischen Gesetze eine solche Bestimmung über den Vogelfang unmittelbar an die Normen über das Recht an Bienenschwärmen sich anschliesst.

In diesem Zusammenhange wäre noch ergänzend hinzuweisen auf die oben Bd. XXXI. S. 416 ff. besprochenen Kapitel der Lex Baiuv. IX. 17 und XVI. 1, in welchen der bairische Text an das westgothische und an das alamannische Recht anklingt. Schon nach Brunners Ausführungen darf man als feststehend annehmen, dass der Entwickelungsgang nicht, wie Zeumer meinte, von der Euriciana über die Baiuvaria zur Lex Alam. gegangen sei, sondern dass eine Verarbeitung westgothischen und alamannischen Rechtsstoffes in diesem bairischen Rechtssatze wahrscheinlich sei. Dabei habe ich damals die beiden Möglichkeiten direkter und indirekter Verwandtschaft zum alamannischen Gesetzbuch hervorgehoben, wobei mir das letztere fast wahrscheinlicher erschien. Wie immer man nun über die letztere Frage zu denken hat, so gehören diese beiden dort besprochenen Kapitel jedenfalls in den Kreis derjenigen Bestimmungen der bairischen Lex, welche auf eine Verarbeitung westgothischen und alamannischen Rechtsstoffes zurückgehen, nur dass hier der westgothische Teil stärker hervortritt, in weiterem Umfang erhalten blieb, als anderwärts, wo das gleiche vom alamannischen Teile gilt.

Diese Zusammenstellungen und die Ueberlegungen, die sich daran knüpfen, lassen, wie mir scheinen möchte, doch einen etwas genaueren Einblick in die Frage zu, wie man sich in all diesen Titeln die Redaktion der Lex Baiuv. vorzustellen hat.

Was zunächst das Verhältnis zur Lex Alam. anlangt, so steht die Tatsache ausser Zweifel, dass in sehr vielen Beziehungen und in zahlreichen Kapiteln und Titelfolgen eine enge Verwandtschaft zwischen den beiden süddeutschen Volksrechten besteht, und dass doch wieder nicht unbeträchtliche Abweichungen die beiden Gesetze von einander trennen. Habe ich in meinem ersten Beitrage mit Rücksicht auf die Art und den Umfang dieser Diskrepanzen Bedenken getragen gegen die Annahme einer unmittelbaren Ableitung der Lex Baiuv. aus dem alamannischen Gesetze, und deshalb dem Auskunftsmittel das Wort gesprochen, ob man diese Abweichungen nicht durch die Annahme einer indirekten Filiation am leichtesten erklären könnte, so haben mich die dagegen erhobenen Einwendungen und die nun durchgeführten neuen Untersuchungen dieser Hilfshypothese doch wieder abspenstig gemacht. In dieser Beziehung fällt zunächst — worauf Amira besonderes Gewicht legt — der Umstand schwer in die Wagschale, dass wir in mehreren Fällen die Textentwickelung bis zur Lex Alam. genau verfolgen und dabei feststellen können, dass dieselbe wiederholt ihren Text aus anderen Gesetzen, z. B. der Lex Ribuaria, ableitet, und zwar direkt, jedenfalls ohne Vermittelung des bairischen Gesetzes, und dass dann der bairische Text wieder enge Verwandtschaft mit dem alamannischen zeigt, ohne seinerseits etwa auf die Vorlage des letzteren direkt zurückzugehen. Charakteristisch in dieser Beziehung ist z. B. die oben S. 619 f. besprochene Gesetzesstelle über blutige Wunden, wo die Lex Alam. die Bestimmung '(ut sanguis) terra tangat' aus dem ribuarischen Gesetze übernommen, das 'percusserit, ut sanguis exiat' aber in 'si sanguinem fuderit' umgewandelt und gerade nur diese letztere Bestimmung in die Lex Baiuv. übergegangen ist; oder die Bestimmungen über die Verletzung der Nase, wo das ribuarische 'ut muccum retinere non possit' fast unverändert in die Lex Alam. übernommen wurde, statt 'excusserit' aber 'transpunctus fuerit' gesetzt wurde, und dieses letztere in der Lex Baiuv. wiederkehrt[1].

Rein theoretisch ist ja auch bei diesem Verhältnisse der Texte möglich, dass zwischen dem alamannischen und dem bairischen Texte noch irgend ein dritter und unbekannter Text dazwischen stand. Aber andererseits ist klar, dass wir auf diesen Ausweg, einen Text zu supponieren, von dem wir sonst gar nichts wissen[2], doch nur dann greifen dürfen, wenn uns sehr schwerwiegende Gründe zu einer solchen Annahme hindrängen. Mir sind die starken Abweichungen unter den süddeutschen Gesetzen, wie ich in meinem ersten Beitrage dargelegt habe, als Gründe dieser Art vor Augen gestanden, als Gründe dafür, dass mit der Möglichkeit indirekter Filiation, ja vielleicht mit einer gewissen Wahrscheinlichkeit zu rechnen sei.

Nach den nun vorgenommenen neuerlichen Ausführungen dürften aber diese Verschiedenheiten ihre Erklärung darin finden, dass es sich nicht um eine freie Umarbeitung der Lex Alam. handelt, sondern dass diese vielfach durch Hineinarbeitung anderer Rechtsquellen in den neuen Gesetzestext zu Stande gekommen seien. Die Anlehnung an anderweitige Rechtsquellen, die neben der Lex Alam. in Betracht kommen, ist verschieden. Neben völliger Entlehnung und Uebernahme ganzer Kapitel und Kapitelfolgen oder einer Aufnahme einzelner Normen in überarbeiteter Gestalt — wie dies in meinem ersten Beitrag für das westgothische Gesetz besprochen wurde — auch eine entferntere Benutzung. Bald so, dass die alamannische Formu-

1) Vgl. oben S. 624. 2) Aus der Lex selbst könnte als Hinweis auf einen solchen Text gedeutet werden VIII. 21 und XVII. 5; vgl. Brunner, DRG. I², 459, N. 25.

lierung direkt abgeändert worden ist durch Heranziehung des fremden Textes oder aber, dass dieser fremde Text den Anlass gibt für Zusammenfassungen oder Exkurse und für die Gruppierung der verschiedenen Normen. Dafür geben die in meinem ersten und in diesem kritischen Beitrage besprochenen Textesstellen Beispiele aller Art. Gerade dieses Hineinarbeiten fremder Gesetzesstellen gibt, wie ich jetzt annehmen möchte, in vielen Fällen die Erklärung für jene stärkeren Abweichungen vom alamannischen Gesetze, die mir und vor mir z. B. Merkel eine direkte Entlehnung so schwer begreiflich erscheinen liessen[1]. Und man kann kein ungünstiges Urteil fällen über die Redaktoren des bairischen Gesetzes, wenn man sich den näheren Einblick gönnt in ihre Tätigkeit und sie bei ihrer Arbeit verfolgt, soweit das eben heute noch möglich ist.

So wird man nach alledem jene Hilfshypothese bei Seite schieben, für die ich in meinem ersten Beitrage eingetreten bin, und die positiven Aufstellungen doch auf der alten Annahme aufbauen, dass der Text, wie ihn uns die Lex Alam. vermittelt, als Grundlage der analogen Bestimmungen des Baiernrechtes gelten darf. Die anderen Möglichkeiten, die daneben vielleicht noch bestehen, wird man aber wohl in soweit zu berücksichtigen haben, als einzelne Schlüsse sich positiv auf die Annahme direkter Filiation stützen.

Dass als Vorlage für diese Redaktion in vielen Kapiteln ein altes westgothisches Gesetz, wahrscheinlich die Euriciana, neben der Lex Alam. gedient habe, steht ausser Zweifel, die vorstehenden Ausführungen machen es mir aber wahrscheinlich, dass nicht sie allein zu diesem Zwecke herangezogen wurde. Es ist mir wahrscheinlich, dass daneben auch die Lex Salica und der langobardische Edictus Rothari den Redaktoren vorgelegen habe[2].

Bei den obigen Detailausführungen war vielfach Gelegenheit auf die Gründe für eine derartige Vermutung hinzuweisen; sie liegen in der textlichen Verwandtschaft der verschiedenen Leges, die m. E. am einfachsten durch die direkte Benutzung der beiden zuletzt genannten Gesetze in der Lex Baiuv. sich erklären lässt, und deren Erklärung mir in manchen Fällen geradezu gekünstelt erscheint, will man alles auf die Pandora-Büchse der Euri-

1) Archiv XI, 652. 2) Vgl. in ähnlichem Sinne wohl auch schon Gareis, nach dem kurzen Auszuge aus seinem Vortrage in Altbair. Monatschrift IV, 124.

ciana zurückführen. Dass man dies — wenn man durchaus will — auch tun kann, will ich nicht bestreiten, fehlt uns doch jeder genaue Anhaltspunkt, wie deren Text in den nicht erhaltenen Partien einst ausgesehen habe, so dass wir ihn uns rekonstruieren können, wie wir es eben brauchen. Dabei ist aber doch nicht zu übersehen, dass wir mit einer solchen Rekonstruktion uns von der Annahme entfernen, zu denen uns die Textvergleichung zwingt. Ausser den bisher genannten kämen als Quellen der Entlehnung noch für einzelne Stellen andere fränkische Königsgesetze und Bibelstellen in Betracht.

Wie immer wir aber davon denken, scheinen mir die Ergebnisse, vor denen wir jetzt stehen, in einem Punkte die früheren Aufstellungen zu befestigen. Alles das, was ich im ersten Beitrage gegen die Zeumersche Vermutung einer Filiation Lex Euriciana - Baiuvariorum - Alamannorum ausgeführt habe[1], wird bedeutsam gestützt durch die nunmehr vorgebrachten Belege, welche die unmittelbare Entstehung von Bestimmungen der Lex Alam. aus anderen Quellen, z. B. der Lex Rihuar., dargetan und die Entlehnung alamannischen Rechtes als Grundlage des bairischen Rechtes nahegelegt oder bewiesen haben. Hier wäre auch noch hervorzuheben, dass in dem Kapitel über den Abortus die Lex Alam. LXXXVIII. und die Lex Baiuv. VIII. 19, wie oben S. 634 erwähnt, unabhängig von einander auf die westgothische Vorlage zurückzugehen scheinen; dabei ist es bezeichnend, dass von den beiden süddeutschen Gesetzen jedes sich an andere Bestimmungen der Lex Visig. anschliesst: die Lex Baiuv., die der Verursachung des Abortus durch einen Schlag aus der Antiqua übernommen hat, während die Lex Alam. mit dieser gemeinsam den Unterschied des 'formatus' und 'informis infans' berücksichtigt. Wird man hier wohl die unmittelbare Benutzung der Antiqua in beiden süddeutschen Gesetzen annehmen müssen, so spricht die Tatsache, dass von den Normen der Antiqua in der Lex Alam. gerade das fehlt, was die Lex Baiuv. enthält, und dass sie andererseits gerade das enthält, was in dieser fehlt, auf das Deutlichste gegen die Annahme, dass aus dem westgothischen Gesetze durch Vermittelung des bairischen diese Rechtssätze in das Alamannen - Recht gekommen wären.

---

1) Vgl. N. A. XXXI, 416—422.

B. Einheitlichkeit des bairischen Volksrecht oder mehrfache Redaktionen.

Gegenüber dem Berichte des Prologs und den Autoren, die mit oder ohne Beziehungen zu demselben eine mehrfache Redaktion des bairischen Gesetzes annehmen, hat man schon frühzeitig den einheitlichen Charakter des Gesetzeswerkes betont. Liegt der Grund für die Annahme einer mehrfachen Redaktion, abgesehen von den aus dem Prolog abgeleiteten Argumenten, darin, dass es nicht ganz leicht ist alle, zum Teil unter sich abweichenden Bestimmungen der gleichen Zeit und einem einheitlichen Gesetzesakte zuzuweisen, so muss man die hauptsächlichste Stütze der entgegenstehenden Ansicht in der Gleichartigkeit der verschiedenen handschriftlichen Ueberlieferung erblicken, die dann der Anlass würde, eine concordantia discordantium canonum zu versuchen und mit mehr oder weniger Glück durchzuführen.

Vor allen gegenüber den eindringlichen Ausführungen Roths hat zunächst Waitz[1] die Einheitlichkeit der Lex mit grossem Nachdrucke verfochten. Er vertritt die Meinung, dass die Lex 'in der Gestalt, in der sie uns jetzt in den meisten Hss. vorliegt, abgesehen von einzelnen kleineren Zusätzen späterer Zeit, lange vor Karl Martell abgeschlossen war', dass kein Grund vorliegt Titel I und II von der übrigen Lex zu trennen. In die erste Hälfte des 7. Jh., in die Zeit des König Dagoberts verlegt Waitz 'mit einer gewissen Wahrscheinlichkeit' die ganze Lex, ohne deshalb zu bestreiten, dass in ihr Bestandteile verschiedener Zeiten vereinigt sind.

Die Gründe, die Waitz für seine Anschauung aufführt, dienen zunächst der Bekämpfung jener Lehre, die in den ersten zwei Titeln einen späteren Zusatz erblickt. Schon nach der Ueberschrift des I. Titels: 'Hoc decretum apud regem et principes eius et apud cuncto populo christiano qui infra regnum Merovingorum consistunt', die zweifellos schon ursprünglich zu dem Titel gehörte, erscheint es wohl sehr bedenklich, den Titel 'in eine Zeit zu setzen, wo das merowingische Königtum wenig oder nichts mehr bedeutete und wo in der Tat nicht daran zu denken ist, dass die Austrasischen Herzoge das fränkische Reich nach diesem benannt haben sollten, wenn sie auch noch ein Mitglied des Hauses auf den Thron setzten und in

1) Nachr. d. Göttinger Ges. d. W. 1869 n. 8, S. 119 ff.

seinem Namen die Unterwerfung der deutschen Stämme und ihrer Herzoge forderten'[1]. Dass diese Annahme für die Enstehungszeit von Titel I und II zutrifft, wird man nun, nach den neuesten Ausführungen, die Brunner dieser Frage gewidmet hat[2], mit um so grösserer Wahrscheinlichkeit annehmen müssen. Die weitere Argumentation, die Waitz vorbringt, sucht zu zeigen, dass das ganze Gesetz der gleichen Zeit (der Regierungszeit Dagoberts) zugehört. Es trage überall den Charakter einer fränkischen Gesetzgebung und 'man kann auch nicht behaupten, dass in dem bairischen Gesetze hier irgend etwas den Charakter einer späteren Zeit an sich trüge. Eher liesse sich sagen, dass einiges das Gepräge höheren Altertums habe'[3].

Es wird später sich noch Gelegenheit[4] finden, auf die näheren Details dieser Beweisführung von Waitz einzugehen; nach ihr würde die ganze Lex Baiuv. den Tagen Dagoberts (618—638) zuzuweisen sein, während andere, wie Gfrörer, v. Daniels und Brunner — letzterer trotzdem er die Titel I und II König Dagobert zuschreibt — die Gesamt-Redaktion der Lex etwa 100 Jahre später setzen, der ersten Hälfte des 8. Jh. zuweisen.

Gfrörer[5] nimmt die Einheitlichkeit des Gesetzes ohne weitere Begründung wohl als selbstverständlich hin. Aus der Uebereinstimmung mit der Lex Alam. in Stil und Anordnung ergibt sich ihm, dass man bei beiden 'unmöglich an verschiedene Verfasser denken kann', und wie diese in seinen Augen ein durch Karl Martell dem Alamannenherzoge oktroirtes Gesetz ist, so muss auch das Baierngesetz vom selben fränkischen Hausmeier zur gleichen Zeit, wahrscheinlich nur um wenige Jahre später, den niedergeworfenen Baiern aufgedrängt worden sein (etwa 728 oder 729); bei beiden Völkern bedeute die Einführung des Volksrechtes eine Demütigung des Stammesherzogtumes.

In anderer Weise denkt sich v. Daniels die Einheitlichkeit des bairischen Volksrechtes[6]. Er sucht zunächst in einer synoptischen Tabelle einen Parallelismus in der Anordnung zwischen demselben und der sog. Lex Dei oder 'Collatio legum Romanarum et Mosaicarum' und dem Dekalog aufzuzeigen, der freilich nur so entfernt ist, dass man viel guten Willen braucht, um sich zu weiteren

---

1) A. a. O. S. 121. 2) Berliner SB. 1901 S. 932 ff. 3) A. a. O. S. 123. 4) S. unten S. 668. 5) Zur Geschichte der deutschen Volksrechte im M. A. I (1865), 322 ff. 6) Handbuch der deutschen Reichs- und Staatengeschichte I, § 77.

Folgerungen daraus verleiten zu lassen. Zusammenhängende Legislationen, wie sie als Grundlage des Gesetzes Merkel annimmt, 'lassen sich weder für die Lex Baiuv. im ganzen noch für grössere Bruchstücke zugeben', und so kommt er denn schliesslich zu dem Ergebnisse (S. 228), man müsse 'das Rechtsbuch als eine Privatarbeit, wahrscheinlich eines Geistlichen, halten, welche ihr Ansehen allein ihrem im wesentlichen mit dem ungeschriebenen Rechte übereinstimmenden Inhalte, vielleicht auch dem Glauben an die ungeschichtlichen Versicherungen des Prologs verdankte'. Mit Rücksicht auf Tit. III muss man für die Redaktion eine Zeit annehmen, 'in der das vasallitische Abhängigkeitsverhältnis des Baiernherzogs von den fränkischen Königen eine vollendete Tatsache war', also nach Daniels Ansicht die Zeit Tassilos, nachdem er 757 zu Compiègne Pippin als Reichsvasall gehuldigt hat. Einzelne Stellen, so namentlich diejenigen, 'in denen der rex dem dux vorangestellt, die Herzogsmacht dagegen als auf königlicher Gunst und Anordnung beruhend bezeichnet ward, wie II. 1. 1, 4 § 1, 3; 8 § 1; c. 9, c. 20 § 3', sind wahrscheinlich Interpolationen aus der Zeit nach Absetzung Tassilos.

Die spätere Lehre hat die Ausführungen Daniels begreiflicher Weise nicht übernommen.

Eingehender hat Brunner sich mit dieser Frage beschäftigt[1]. Die Gründe für seine Meinung sind einerseits (negativ), dass die handschriftliche Ueberlieferung und die Bestimmungen des Gesetzbuches, selbst wo sie anscheinend mit einander sich nicht vertragen, keine Stütze für die Annahme verschiedener Radaktionen bieten, und andererseits (positiv), dass alamannisches und westgothisches Recht so ziemlich in dem ganzen Gesetze überall benutzt worden sei.

Was die Ueberlieferung anlangt, so ist es gewiss nicht bedeutungslos, dass in nahezu allen Hss. der Text im wesentlichen derselbe ist. Wie Dahn[2] schon mitgeteilt hat, vermag auch ich mich dem Argumente für die Einheitlichkeit der Redaktion nicht zu verschliessen, das darin liegt, 'dass die Formen der Ueberlieferung eine unglaublich weitreichende Gleichmässigkeit aufweisen'. Darin hat denn auch Brunner gewiss vollständig Recht, dass die handschriftliche Ueberlieferung für die entgegengesetzte

1) DRG. I[1], 313. 2) Könige der Germanen IX, 2, S. 185.

Ansicht auch nicht den mindesten Anhaltspunkt gibt. Nur die zwei Hss. von Tegernsee und Altaich, die Merkel der Gruppe C zuwies, haben eine stärkere Abweichung in der Kapitelfolge; aber auch in diesen lässt sich m. E. erkennen, dass da vielleicht der Versuch einer Ueberarbeitung durch die Schreiber, nicht aber eine besondere Textesredaktion zu Grunde liegt. Man kann vielmehr mit aller Bestimmtheit behaupten, dass — etwa abgesehen von Verbesserungen in der Sprache und unbedeutenden Varianten — handschriftlich nur eine Redaktion des Gesetzestextes uns erhalten ist. Bei einzelnen Kapiteln, die wir als Nachträge späterer Zeit betrachten müssen, äussert sich dies auch in den Hss., so schon nach Brunners Ansicht bei app. II der Ausgabe Merkels, wohl auch bei app. I[1], welche in den verschiedenen Hss. an wechselnden Plätzen eingereiht sind oder auch in manchen Hss. fehlen[2]. Wir dürfen aber nicht verkennen, dass das nicht bei allen Kapiteln und Kapitelteilen zutrifft, die einen jüngeren Ursprung als die übrigen erkennen lassen[3]. Der Bestand der Hss. besagt uns also, dass in ihnen nur eine Redaktionsform vorliegt; ob es daneben und zumal davor noch andere gegeben hat, bleibt auf Grund der Hss.-Vergleichung eine offene Frage.

Auch das Argument, welches gegen die Einheitlichkeit der Redaktion daraus abgeleitet wird, dass verschiedene Bestimmungen des Gesetzes mit einander nicht in Einklang zu bringen seien, hat Brunner wesentlich abgeschwächt, wenn nicht beseitigt.

Von solchen Widersprüchen wurden hervorgehoben:

Die Bestimmung von c. II 1 und 2, welche für die Tötung des Herzogs die Todesstrafe, und von c. III. 2, welche die Zahlung des Wergeldes für den gleichen Fall anordnet. Hier hebt Brunner wohl mit Recht hervor, dass neben der Todesstrafe das Wergeld in den Fällen praktische Bedeutung behielt, dass die Tötung eine casuelle war, oder der Totschläger das kirchliche Asyl erreichte oder die Todesstrafe nicht zur Vollstreckung kam. Wenn man so die Bestimmungen von Titel III auf diese besonders gearteten Fälle bezieht und einschränkt, so kann man damit das Auslangen finden; man kann behaupten, dass sich diese Verpflichtung zur Zahlung des Wergeldes mit

1) Vgl. Brunner, RG. I. 318, N. 4; Berliner SB. 1901 S. 954, N. 1, sowie meine Ausführungen N. A. XXXI, 434. 2) So app. II in einer Reihe von Hss. 3) So Titel VII. c. 1—3.

der Todesstrafe und Vermögenskonfiskation des früheren Titels einigermassen verträgt. Nur kann man nicht sagen, dass diese Erklärung so ganz natürlich und ungezwungen sei. Denn davon, dass die Wergeldzahlung nur in solchen Ausnahmsfällen verlangt wird, sagt c. III. 2 ebensowenig, wie c. II. 2 und 3 die Verhängung der Todesstrafe und Vermögenskonfiskation ausdrücklich auf beabsichtigte Tötung einschränken. Ungezwungener möchte mir schon eine Auffassung erscheinen, welche diese beiden neben einander stehenden Bestimmungen eben dadurch erklärt, dass man sie verschiedenen Legislationen oder verschiedenen Vorlagen, die bei der Legislation benutzt wurden, zuschreibt, und mir möchte scheinen, dass Brunner, der nun den Titel II auf das merowingische Königsgesetz des 7. Jh. zurückführt, jetzt selbst einer derartigen Auffassung nicht mehr ganz ablehnend gegenüber stehen kann.

Roth[1] und Riezler[2] sehen einen Widerspruch zwischen I. 3 und IX. 2 hinsichtlich der Eideshelferzahlen. Der Unterschied in diesen Zahlen besteht darin, dass die obere Wertgrenze, für welche e i n Eideshelfer genügt, an der ersten Stelle $^1/_3$ sol., an der zweiten 1 sol. beträgt. Bis zu $1^1/_3$ sol. verlangt I. 3 drei Eideshelfer und darüber sechs, während IX. 2 für 1—5 sol. sechs und für mehr als 12 sol. zwölf Eideshelfer vorschreibt. Gewiss hat Brunner Recht, wenn er hervorhebt, dass die Tatbestände in beiden Fällen verschieden sind: hier ein Diebstahl beliebiger Sache 'in ecclesia vel infra curte ducis vel in fabrica vel in molino' (den vier Arten von Baulichkeiten, die als 'casae publicae et semper patentes' bezeichnet sind), dort ein Diebstahl von Sachen, die der Kirche gehören, mag der Diebstahl selbst wo immer stattgefunden haben. Waren es Gegenstände, die zum kirchlichen Dienste bestimmt waren, so erhöhte sich die Eideshelferzahl auch in I. 3 auf zwölf. Das sind gewiss verschiedene Tatbestände, warum sollen nicht auch dafür verschiedene Beweisregeln gelten? Aber so recht aus einem Gusse sind die Dinge doch nicht. Die Tatbestände sind nicht so abgegrenzt, dass die Diebstähle entweder unter die eine oder die andere Norm fallen. Praktisch fällt vielleicht die Mehrzahl unter beide Normen, und wie ist es dann zu halten, wenn eine 'res ecclesiae' (I. 3) 'in ecclesia' (IX. 2) ent-

1) Zur Geschichte des bair. Volksrechtes S. 4. 2) Forschungen z. D. G. XVI, 486.

wendet worden ist? Ebenso gehen die Abstufungen für die Eideshelferzahlen so willkürlich und systemlos nebeneinander her[1], dass man fast lieber annehmen möchte, dass sie aus verschiedenen Quellen und nicht von demselben Redaktor stammen. Vielleicht dürfen wir das annehmen, indem wir I. 3 zusammen mit Lex Alam. VI. 1. 3 dem merowingischen Königsgesetze, und IX. 2, das weder seinem Tatbestande noch den Eideshelferzahlen nach mit Lex Alam. LXXXVI Beziehungen hat, einer anderen Quelle zuweisen.

Völlig unbeachtet kann man den kleinen Unterschied lassen zwischen den Bussansätzen für die Beihülfe zur Flucht einer ancilla, die in I. 4 mit 12 sol. in Gold und in XIII. 9 mit 24 gewöhnlichen solidis bestimmt sind[2]. Der Tatbestand ist in beiden Fällen auch insofern verschieden, als es sich im c. I. 4 um eine ancilla der Kirche, im c. XIII. 9 allgemein um eine 'ancilla aliena' handelt, und die Verschiedenheit liegt eigentlich im wesentlichen darin, dass im ersteren Falle die ancilla ebenso wie der servus gebüsst wird, während im zweiten für sie die doppelte Bussziffer als für den männlichen Sklaven eingesetzt ist[3].

Die Vergewaltigung an einem Freien, der verkauft wird, regeln sowohl c. IX. 4 als auch c. XVI. 5, und zwar das erstere Kapitel textlich ziemlich nahe verwandt mit Alam. XLV und Lex Visig. VII. 3. 3, das andere mit Eur. CCLXL. Beide Kapitel unterscheiden, ob es möglich ist, dem Verkauften die Freiheit wieder zu verschaffen oder nicht. Im ersteren Falle hat der Uebeltäter nach beiden Kapiteln eine Busse von 40 sol., im anderen Falle das Wergeld des um seine Freiheit gebrachten zu bezahlen; dabei lässt sich deutlich erkennen, dass diese beiden Busssätze in XVI. 5 als Ergänzung zu dem ursprünglichen Texte der Euriciana hinzugefügt worden sind, vielleicht um diese Norm mit den Bestimmungen aus dem Titel 'de furtis' in Einklang zu bringen. Dass der Ver-

1) Vgl. folgende Uebersicht:

	c. I. 3. solus iuret	c. IX. 2. solus
1 saica		
2 saica — 1 trem.	1 Eidesh.	1 Eidesh.
1 trem. — 1 sol.	3 „	
1 sol. — 1½ sol.		6 „
1½ sol. — 12 (?) sol.	6 „	
12 sol. und darüber		12 „

2) Brunner, DRG. I, 316, N. 16. 3) Nur einige jüngere Hss. haben auch im c. XIII. 9 dieselbe Busse für Sklaven beiderlei Geschlechtes.

käufer dem Käufer den Kaufpreis doppelt ersetzen muss, wie es auch die Euriciana verfügt, ist die besondere Vorschrift, die nur diesem Kapitel eigen ist. Auf der anderen Seite finden wir im c. IX. 4 zum Unterschied von XVI. 5 ein Friedensgeld von 40 sol. erwähnt, welches zur Busssumme in der gleichen Höhe hinzukommt, und die Pflicht zur Zahlung des Wergeldes in die Form gekleidet, dass der Verkäufer, der dem Opfer seiner Gewalttat die Freiheit nicht wieder verschaffen kann, selbst die Freiheit verliert, weil er seinen Genossen der Knechtschaft preisgegeben, 'wenn er nicht das Wergeld seinen Verwandten bezahlen kann'. Diesen ergänzenden Zusatz bringen die Hss. in verschiedenen Formen, die zum Teil vermuten lassen, dass er nicht verstanden wurde. Die Lex Alam. hat in ihrer Parallelstelle nur die Wergeldbusse[1]. Aus dem westgothischen Gesetze und zwar wahrscheinlich einem Vorläufer der Antiqua, die uns in VII. 33 erhalten ist, ist die Androhung des Freiheitsverlustes als primäre Straffolge übernommen. Auch die Gestaltung, welche das c. CCLXL der Euriciana im bairischen c. XVI. 5 gefunden hat, zeugt ebenso von einer Verschmelzung verschiedenartiger Normen. Offenbar mit Rücksicht auf c. IX. 4 wollte man den Rechtssatz der Euriciana, der lediglich die privatrechtlichen Folgen eines solchen Verkaufes eines Freien für den Verkäufer hat, nicht ohne weiteres aufnehmen. Und darum ergänzte man die Bestimmung durch den Hinweis auf die öffentliche Buss- und Wergeldspflicht des oben besprochenen Kapitels. Nur des fredus geschah nicht besonders Erwähnung. Man würde sonach, wie Brunner[2] schon hervorgehoben hat, Unrecht tun, wollte man in diesen beiden Kapiteln einen Widerspruch erblicken; wohl aber ergeben sich Schwierigkeiten in der Konkordanz, wie unten noch näher zu besprechen ist, zwischen der Androhung der Verknechtung, die IX. 4 enthält, und der allgemeinen Norm von VII. 4 (bezw. 5), welche solche Verknechtung ausschliesst.

Dass die c. IX. 7 und 14 unter sich ebensowenig Widersprechendes enthalten wie c. XVI. 1 und 4, wird

---

1) Lex Baiuv. IX. 4: 'Et si eum revocare non potuerit, *tunc ipse fur perdat libertatem suam, pro eo quod conlibertum suum servitio tradidit, si solvere non valet* weragelt parentibus et *amplius non requiratur*'.	Lex Alam. XLV: 'Si autem eum revocare non potest, cum wirigildum eum parentibus solvat'.

2) A. a. O. I, 315, N. 11.

man Brunner vorbehaltlos zugeben; nur seine Interpretation, welche c. VIII. 19 und 20 unter einen Hut bringen will, scheint mir doch nicht sicher zu sein. In Anlehnung an die Antiqua (VI. 3. 2) bestimmt c. VIII. 19 die Bestrafung der Abtreibung der Leibesfrucht. Wie das westgothische Gesetz unterscheidet auch das bairische drei Fälle, ob das Verbrechen den Tod der Frau (1) oder bloss den Tod des partus zur Folge hat, und im letzteren Falle wieder, ob dieser schon lebend (2) oder noch nicht lebend war (3). Nur im letzten Falle beschränkt sich die Busse auf 40 sol., in den beiden anderen beträgt sie das Wergeld[1]. Aehnlich unterscheiden die c. VIII. 22 und 23 für dasselbe Delikt begangen an Unfreien die Fälle 'Si adhuc vivus non fuit' und 'si autem iam vivus' mit den Busssätzen von 4 und 10 sol. Auch hier ist der Anklang an die Antiqua unverkennbar.

Zwischen diesen Bestimmungen eingefügt findet sich eine Norm von zweifellos kirchlichem Ursprung, die eine eigentümliche Busszahlung für den Fall verfügt, 'si avorsum fecerit' schlechthin, (nach anderen Hss.: 'si quis avorsum fecerit' oder 'si autem avorsum fecerit'). Dann sind zunächst 12 sol. zu bezahlen und dann durch sieben Generationen hindurch in der männlichen Descendenz alljährlich 1 solidus. Bleibt die Zahlung ein Jahr aus, dann sind wieder 12 sol. zu zahlen 'et deinceps ordine praefato, donec series rationabilis impleatur'. Man hat seit jeher in diesem Kapitel eine Art Fremdkörper erblickt, der zu dem vorhergehenden und dann nachfolgenden nicht recht passt; bald hielt man dieses Kapitel für einen Zusatz, den die Christianisierung veranlasst hat[2]; die meisten erblicken darin das ältere bairische Gewohnheitsrecht, das gegenüber dem westgothischen Rechte sich behauptete[3], eine Art Weistum des älteren Rechtes ('iudicaverunt antecessores nostri et iudices'). Woher die Bestimmung stammt, auf welche Quellen sie zurückzuführen sei, darüber ist nichts bekannt. Die XII sol., die in Baiern fürs erste zu zahlen sind, finden sich auch im alamannischen Rechte (c. LXXXVIII), aber von der weiteren 'diuturna conpositio' ist dort keine Rede, und wenn das Poenitentiale Theodori XIV. 24[4] gewisse Bussen für drei bezw. zehn Jahre an-

1) Für (1): 'tamquam homicida teneatur', für (2): 'weregeld persolvat'. 2) So Roth, Entstehung d. L. Baiuv. S. 11, N. 4; Waitz, Ges. Abh. I, 367, N. 3. 3) So Roth a. a. O. S. 49; Merkel, Archiv XI, 659; Stobbe, RQ. S. 161. 4) Wasserschleben, Bussordnungen S. 199.

ordnet, so ist das von dem hier vorgeschriebenen doch zu weit entfernt, als dass man da auch nur den leisesten Zusammenhang annehmen könnte.

Die bestehenden Schwierigkeiten beseitigt oder überbrückt Brunner ähnlich wie früher Merkel und Roth durch seine Erklärung: die Busse, die hier in so eigentümlicher Weise zu bezahlen ist, sei das Wergeld, dessen Zahlung das vorhergehende Kapitel für den Fall der Abtreibung der schon lebenden Frucht vorschreibt. Statt auf einmal das ganze Wergeld sind zunächst nur 12 sol. und dann durch sieben Generationen alljährlich 1 sol. zu zahlen, 'donec series rationabilis impleatur'[1]. Einen äusseren Stützpunkt hat diese Annahme in der Rubrik des c. 20 in den beiden Hss. A 1 und 2 (der Merkel'schen Bezeichnung) sowie in den Indices, welche dieses Kapitel 'de weregeldo' benennen; vielleicht auch darin, dass die beiden Hss. von Aldersbach und Ilz, die Merkel der Gruppe G zuweist, und die überhaupt die Tendenz erkennen lassen, bestehende Unebenheiten auszugleichen, die ersten Worte dieses Kapitels durch 'hoc est' ersetzen und es damit mit dem vorhergehenden verbinden. Die Autoren dieser Hss. sind sonach zweifellos derselben Ansicht gewesen, die neuestens noch Brunner vertritt. Schwierigkeiten ergeben sich m. E. nur darin[2], dass alle anderen Hss. diese Verbindung mit dem vorhergehenden Kapitel eben nicht herstellen, sondern in den Wendungen: 'si avorsum fecerit, si quis avorsum fecerit, si autem avorsum fecerit', neuerlich einen Tatbestand umschreiben, der mit dem Tatbestande des vorhergehenden Kapitels verwandt ist, ohne sich mit demselben vollständig zu decken, und der in seiner allgemeinen Fassung auch auf Fälle sich bezieht, in denen nicht das Wergeld zu zahlen ist, für die also Brunners Erklärung nicht passt. Sollte diese Einleitung das zum Ausdruck bringen, was Brunner vorschwebt, so scheint mir die Fassung sehr unglücklich gewählt, und man kann sich des Eindruckes doch nicht erwehren, dass da zwei verschiedene Legislationen zusammenstossen, ohne zu vollem Ausgleich gebracht zu sein. Und wenn Brunner in dem Schlusssatze 'donec series rationabilis impleatur' eine Beziehung auf die Wergeldsumme erblickt, so ist demgegenüber hervor-

1) Rechnet man die Generation zu 21 Jahren, so kommt man ungefähr auf die Gesamtwergeldziffer von 160 sol. (12 + 7 × 21 = 159).
2) Auch Waitz a. a. O. S. 367, N. 3 spricht sich gegen die Deutung, die in ähnlicher Weise Merkel und Roth vorgeschlagen hatten, aus.

zuheben, dass sich dieser Zusatz nach der vorliegenden Fassung doch nur auf den Fall bezieht, dass die Zahlung einmal ausgeblieben ist und dann neuerlich 12 sol. und die Ratenzahlung 'deinceps ordine praefato' zu leisten ist, 'donec series rationabilis impleatur'. Auch scheint mir, dass der Ausdruck 'series' doch auf die Reihe der zahlungspflichtigen Personen und nicht auf die Zahl der zu leistenden solidi zu beziehen sei. Bringt so Brunners Vorschlag einen gewiss beachtenswerten Versuch, die Kapitel in Einklang zu bringen, so wird man andererseits zugeben müssen, dass die bestehenden Dissonanzen doch nicht ganz ausgeglichen worden sind. — Das folgende Kapitel 21 bezeichnet Riezler (Forsch. z. D. G. XVI, 438) als eine jüngere Glosse. Man wird ihm recht geben können, dass solche ausführlichen Motivierungen — mag auch die besondere Strafsanktion des vorhergehenden Kapitels, wie sie eben besprochen wurde, äusserlich veranlasst sein — sonst in dem Gesetze sich nicht finden. 'Sowohl Inhalt und Fassung des Kapitels als die Art, wie es die Strafbestimmungen unterbricht, verrate seinen Charakter als Glosse'. Auch mir möchte dieses Kapitel als eine Glosse erscheinen, die zur Begründung der auffallenden Norm des Kapitel 20 zu diesem hinzugefügt worden ist. Sie entstand wohl aus dem Empfinden, dass die 'diuturna compositio' des c. 20, rein kirchlichen Gedankenkreisen entsprungen, auffallen muss gegenüber den sonstigen Bussvorschriften der bairischen Lex im allgemeinen und des Titels VIII im besonderen. Nur wird man die Frage kaum jemals entscheiden können, ob diese Motivierung schon von dem ersten Redaktor gegeben wurde, der die beiden fremdartigen Legislationen neben einander setzte, oder von einem späteren, der sie beide in dem Gesetze neben einander vorfand.

Ueber die Schwierigkeiten, die sich in den Bestimmungen über die Kapitalsdelikte ergeben, ist oben S. 632 ff. schon gehandelt worden. Auch diese Schwierigkeiten dürften sich, wie dort gezeigt wurde, am besten durch die Annahme erklären, dass sie auf Vorbilder aus verschiedenen Legislationen zurückgehen.

Es erübrigt noch in diesem Zusammenhange auf jene Kapitel einzugehen, die als jüngerer Zusatz zu dem Gesetzestexte gelten dürfen.

In dieser Beziehung sind die Meinungen wohl am wenigsten geteilt über den vielbesprochenen app. II von Merkels Textus I oder c. II. 9 des Textus III, welches bestimmt, dass der Herzog, der sich gegen den königlichen Befehl auflehnt, sein Herzogtum verliert. Pétigny ist zwar noch für die Ursprünglichkeit dieses Titels eingetreten und hat die Meinung ausgesprochen, dass die bairischen Hss. absichtlich diese Bestimmung unterdrückt hätten. Aber schon Pertz[1] hebt den fränkischen Charakter dieses Gesetzes hervor und Merkel[2] sowie Riezler[3] sehen darin einen Zusatz zur Lex aus Karolingischer Zeit. Der scharfe Ton, in dem das Kapitel gehalten ist, lässt Riezler vermuten, dass es 787 nach der Niederwerfung des bairischen Herzogs Tassilo auf dem Lechfelde erlassen worden sei. Ebenso sieht auch Brunner, wie oben schon erwähnt, darin einen jüngeren Zusatz[4]. Dass sehr viele Hss., namentlich alle jene, die die älteren Textformen bringen, (mit Ausnahme der Pariser Hs. A 1 nach Merkels Bezeichnung), dieses Kapitel nicht enthalten, lässt die Annahme, es sei ein Zusatz, auch handschriftlich gerechtfertigt erscheinen.

Als späteren Zusatz darf man wohl auch die c. VII. 1—3 und den zugehörigen app. I des Merkelschen Textus I halten[5], die Bestimmungen über incestuose Ehen und über die Sonntagsheiligung. Es ist durchaus wahrscheinlich, dass diese Kapitelserie nach der Aschheimer Synode von 755 und wohl vor den Dingolfinger Beschlüssen von 769, also in der Zeit Tassilos III., entstanden bezw. in das Gesetz eingefügt worden seien. Mit dieser Annahme kommt man heute im wesentlichen wieder auf den Standpunkt zurück, den Merkel[6] in seiner Ausgabe und Riezler[7] s. Z. schon vertreten hatten. Dass diese Kapitel jünger sind, dafür kann man für app. I in den Hss. insofern eine Stütze finden, als dieses Kapitel an verschiedenen Stellen des Textes eingereiht ist. Dagegen fehlt ein solcher Anhaltspunkt für c. VII. 1—3; die Hss. lassen in nichts erkennen, dass diese Kapitel dem ursprünglichen Texte nicht angehört haben.

Für die übrigen Appendices, die Merkel aus seinem Texte I ausgeschieden hat, sind die Fragen nicht so geklärt. So wie Merkel sieht auch z. B. Riezler[8] in ihnen spätere Nachträge, wahrscheinlich aus Tassilos Zeit; Brunner lässt sie gleichzeitig mit der übrigen Lex entstehen.

---

1) Archiv V, 222. 2) Archiv XI, 644. 3) Forschungen z. D. G. XVI, 445. 4) DRG. I, 318. 319. 5) Vgl. Brunner, Berliner SB. 1901 S. 955. 959, N. 1 und meine Ausführungen N. A. XXXI, 432 ff. 6) LL. III, 229. 7) A. a. O. XVI, 444. 8) A. a. O. 446.

Appendix III ist in weitaus der Mehrzahl der Hss. am Schlusse des Titel IV eingereiht, er fehlt in drei Hss. und steht in den übrigen drei[1] im Titel IX (nach Kapitel 4). Seinem Inhalte nach gehört dieses Kapitel: 'Si servus liberum furaverit' wohl eher in den Titel 'de furto' (IX) als an das Ende des Titels IV, wo es sich in den meisten Hss. findet. Die Hss., welche es an dem besseren Platze bringen, die Ingolstädter Hs. der Münchener Universitätsbibliothek, die eine Tegernseer Hs. und die Chiemseer Hs. sowie der Druck von Bosius gehören durchweg der Gruppe an, welche im allgemeinen die ältere Textform enthält[2], doch ist beachtenswert, dass ein anderer Teil derselben Gruppe die andere Einreihung bringt[3]. So lässt sich handschriftlich nur konstatieren, dass auch die besten Hss. in der Einreihung schwanken, und dass weitaus die meisten Hss. das Kapitel an einer Stelle und in einem Zusammenhange bringen, in den es nicht wohl passt.

Das gleiche gilt auch für die textliche Gestaltung der vorhergehenden Kapitel 30 und 31 über die besonderen Strafen zum Schutze der peregrini. Das veranlasste schon Merkel[4], die beiden Kapitel über die peregrini sowie den eben besprochenen Appendix III einer späteren Legislation zuzuschreiben. Unter seinen Argumenten finden wir auch die Erwägung, dass die vorhergehenden Kapitel dieses Titels 'ein Ganzes bilden in derselben Ordnung wie die einschlägigen Stellen des Alamannenrechts, dass nur sie der Titelüberschrift entsprechen'; dazu kommen für die Kapitel über die Fremden die eigene Kapitelüberschrift, ihre Formulierung, das allgemeine Raisonnement, das Bibelzitat, der Ausdruck 'fiscus' und 'solidi adpreciati', welche zu der Ausdrucksweise der (nach Merkels Ansicht offenbar späterer Zeit angehörigen) zwei ersten Titel stimmen, während den Appendix III der an dieser Stelle ganz unverständliche Schlusssatz 'superiori sententiae subiaceat' (der zu IX. 4 gehört) als Zusatz erkennen lässt. Im wesentlichen die gleichen Gründe bestimmen auch Riezler zu der gleichen Annahme[5]; er sieht in diesen drei Kapiteln Zusätze aus der Zeit Tassilos III. Brunner hingegen schränkt diese Annahme auf c. 31 (das zweite dem Peregrinen-Recht gewidmete Kapitel) ein[6]. Man wird Brunner

1) Bezw. mit Einrechnung des Druckes von Bosius in fünf.
2) Nach Merkels Bezeichnung B 1—5. 3) Nach Merkels Bezeichnung A 1—3. 4) Archiv XI, 658. 5) Forschungen z. d. G. XVI, 444 f.
6) DRG. I[1], 318, N. 22.

vollständig Recht geben, dass dieses Kapitel 31 mit dem vorhergehenden und mit den allgemeinen Grundsätzen der Lex von II. 1 und VII. 5 nicht im Einklang zu bringen ist, weil es für die Tötung eines Fremden die Vermögenskonfiskation verfügt, welche dort überall ausgeschlossen ist, und wird auf Grund seiner Argumentation unbedenklich dieses Kapitel als jüngeren Einschub betrachten. Wenn man andererseits Merkels Behauptung, dass die vorhergehenden Kapitel ein Ganzes bilden in derselben Ordnung wie die einschlägigen Stellen des Alamannenrechtes nur mit weitgehenden Einschränkungen gelten lassen kann[1], so wird man doch nicht bestreiten können, dass in dem ganzen Komplex des Titels IV und auch des folgenden Titels V auch die beiden anderen Kapitel (30 und App. III) wie ein Fremdkörper erscheinen ihrem Inhalte wie ihrer Form nach. Gegenüber dem klaren, kurzen und prägnanten Busstarif, den wir dort finden, und den man gerne einer alten Zeit zusprechen möchte, das breite Raisonnement und der zweifellos fremdartige Inhalt. Im Kapitel 30 ists eine kirchliche Legislation, welche dem Rechtssatz seinen Gehalt und seine Form gegeben hat; der Appendix III lässt Anklänge aus westgothischem Recht nicht verkennen. Die damit am nächsten verwandte Stelle der Lex Visig. VII. 3. 5 und 6 behandelt ja nicht den gleichen Fall. Wo die Lex Baiuv. von 'furare' spricht, handelt die westgothische Parallelstelle von einem 'plagiare'. Sonst aber stimmen die Stellen doch insoweit überein, dass es sich in beiden um ein solches Delikt handelt, das ein Unfreier einem Freien gegenüber begeht, und dass die zwei Fälle auseinander gehalten werden, ob das mit oder ohne Auftrag des Herrn jenes Sklaven geschieht, sowie dass im letzteren Falle diesen allein die ganze Verantwortung trifft. Vielleicht darf man auch in der starken Betonung des Grundsatzes, dass der Sklave, der ohne Befehl seines Herrn ein solches Delikt begeht, unter allen Umständen eine Verstümmelungsstrafe zu erleiden hat[2], einen westgothischen Einfluss erblicken, jedenfalls erscheinen auch die beiden Kapitel 30 und App. III als Niederschlag fremder Legislationen in dem sonst einheitlichen Texte des Titels IV.

Den Appendix IV als Nachtrag hinzustellen, scheint mir wenig oder gar nicht begründet. Dass dieses Kapitel an verschiedenen Stellen in den Hss. sich findet, wäre der

1) Vgl. N. A. XXXI, 426. 2) 'sine signo numquam evadat'.

einzige, aber wohl unzulängliche Grund für diese Annahme. Wenn man absieht von den beiden Hss., die Merkel dem Textus II zu Grunde legt, und die überhaupt durch eine willkürliche Kapitelfolge sich auszeichnen, so bringen alle Hss. diese Normen am Ende des 18. Titels über den Prozess um das Eigentum an liegendem Gute und nur drei bezw. vier Hss. der Gruppe B am Ende des 16. Titels, wo die Normen immerhin besser am Platze sind. Es sind das im wesentlichen dieselben Hss., die auch den Appendix III an einem Platze einreihen, wo er besser hinpasst als dort, wo er sich in den übrigen findet. Für diese ganze Gruppe von Kapiteln — man könnte sie auf die Kapitel von XVI. 9—XVIII. 3 erweitern — hebt schon Merkel[1] meines Erachtens mit Recht hervor, man werde gewahr, 'dass hier eine Reihe von Prozessgesetzen vorliegt, davon die meisten nicht im gemeinen Styl, sondern wie Formeln und oft in sehr unbeholfener Weise kopiert sind; man empfängt den Eindruck, dass alle gleichzeitig (vielleicht wegen XVII. 5) als Weistümer niedergeschrieben worden sind'. Auch seine Annahme, dass die heutige Kapitelfolge nicht die ursprüngliche gewesen sein kann, und seine Vorschläge, wie man die ursprüngliche Reihenfolge sich zu denken habe, verdienen heute noch eine grössere Beachtung. Der V. Appendix 'de porcis', der in manchen Hss. am Ende der Lex, in anderen im Titel IV, in einigen sogar an beiden Stellen sich findet, gibt wohl zu wenig Anhaltspunkte, um bedeutsamere Schlüsse abzuleiten. Merkel meint allerdings, dass er sich gerade wegen dieser Unterbringung an verschiedenen Stellen als Zusatz deutlich erkennen lasse.

Die Annahme Stobbes[2], dass auch das Kapitel XIV. 17 (nach seinem Zitat XIII. 12) ein jüngerer Einschub sei, wird sich kaum halten lassen. Man kann nur sagen, es sei wieder einer jener Fälle, wo die Redaktoren, nachdem sie in einer Reihe von Kapiteln ein geschlossenes Rechtsgebiet zur Darstellung gebracht haben — deren Quelle uns hier nicht bekannt —, im Schlusskapitel noch eine etwas ferner stehende Materie besprechen, in der sie alamannische und westgothische Normen vereint haben.

Fassen wir das Ergebnis all dieser Untersuchungen über die inhaltliche Einheitlichkeit des Gesetzestextes zusammen, so lässt es sich wohl dahin bestimmen, dass, abgesehen von kleinen Zusätzen, die bestimmt jüngeren Datums sind, man die Annahme einer inneren Einheitlichkeit soweit halten kann,

1) A. a. O. p. 672 ff. 2) G. d. DRQ. I. 161.

als nötig ist, um die weitere Annahme der Einheitlichkeit der Entstehung des Gesetzes aufrecht zu erhalten. Nicht dass wirklich alle Gegensätze und Dissonanzen, auf die schon Roth u. a. seit ihm wiederholt hingewiesen haben, restlos sich beseitigen liessen. Die vorhergehenden Ausführungen dürften wohl gezeigt haben, dass einem solchen Versuche vielleicht etwas grössere Schwierigkeiten entgegenstehen, als Brunner annimmt. Aber es sind eben auch dann noch Unebenheiten, welche ihre Erklärung darin finden können, dass bei dem Zusammenschweissen der verschiedenen Stücke, aus denen das Gesetz gebildet wurde, nicht alle Antinomien völlig beseitigt und ausgeglichen worden sind. Die Gegensätze und Ungleichheiten, die sich noch finden, zwingen uns nicht zu der Annahme verschiedener Redaktionen; man kann sie vielmehr erklären als Residua jener grösseren Differenzen, welche in den Kodifikationen bestanden haben, die die Redaktoren zu dem neuen bairischen Gesetzeswerk zusammengefügt und nach den bairischen Rechtsbräuchen umgearbeitet haben.

Hält man hierzu — wie Brunner es getan und wie es die Ausführungen S. 608—648 bis in alle Einzelheiten zeigen — noch die Ueberlegung, dass diese verschiedenen Gesetzesbestandteile bairisches, alamannisches, westgothisches und salfränkisches Recht fast in allen Titeln des Gesetzbuches aufweisen, so muss man darin wohl ein schwerwiegendes Argument anerkennen, welches für die Annahme einer einheitlichen Redaktion des bairischen Gesetzbuches spricht. Man darf hier getrost Brunners Ausführungen folgen, auch wenn man in der Frage der inneren Widersprüche zu einem etwas ungünstigeren Urteile gelangt.

Eine Frage freilich bleibt dabei immer noch offen, nämlich die, worauf sich bei den Redaktoren die Kenntnis des bairischen Rechtes stützt. In dieser Beziehung sind wir völlig auf Vermutungen angewiesen. Dass rechtskundige Leute, solche, welchen die heimischen Rechtsgebräuche geläufig und bekannt gewesen sind, an der Redaktion beteiligt waren, das steht ausser Zweifel; denn in zahlreichen Fällen haben sie die fremden Rechtssätze sehr glücklich umgeändert, um sie dadurch dem uns auch anderwärts bekannten bairischen Gewohnheitsrechte anzupassen. So wird man vieles ihrer eigenen Rechtskenntnis und ihrer Gestaltungskraft zuschreiben dürfen. Für andere spezifisch bairische Normen liegt die Vermutung nahe, dass sie vielleicht ältere Aufzeichnungen oder Gerichtsformeln — mögen sie in mündlicher oder schriftlicher Form ausgeprägt worden sein — als Vorlagen benutzt haben. So hat schon Merkel, wie früher schon erwähnt[1], die prozessualen Bestimmungen des Titel XVIII auf ein älteres Weistum zurückgeführt; vielleicht steht auch zwischen den ersten Titeln der Lex Baiuv. und dem merowingischen Königsgesetz noch eine spezifisch bairische Ueberarbeitung des letzteren, das dann diesem Teil der Lex zur Grundlage gedient hätte[2]. Vielleicht gehen auch noch andere Teile derselben auf solche älteren Rechtsaufzeichnungen zurück. Wir können eine solche Möglichkeit nicht bestreiten, aber es fehlt uns auch an positiven Anhaltspunkten für eine solche Annahme, die wir eben deswegen nicht weiter ausgestalten können, ohne ins Gebiet der Phantasie uns zu verirren.

Aber es ist nicht ganz bedeutungslos, auf diese Möglichkeit hinzuweisen — nicht um positiv auf solcher Hypothese weiter zu bauen, sondern um bei Schlussfolgerungen die gebotene Vorsicht walten zu lassen, die auf dem Fehlen solcher Zwischenglieder oder der Unmöglichkeit derselben weiter bauen wollten.

C. Entstehungszeit.

Stellen wir zunächst die verschiedenen Meinungen zusammen, die in der Literatur über die Entstehungszeit unseres Gesetzbuches bestanden haben und bestehen, so lassen sich, wie aus den früheren Ausführungen schon hervorgeht, zunächst zwei Gruppen von Ansichten auseinanderhalten: solche, die eine einheitliche Entstehung annehmen, und solche, die sich für eine mehrfache Redaktion ausgesprochen haben. Die letzteren[3] haben dann mit verschiedenen Varianten eine älteste Redaktion etwa in den Tagen Dagoberts und dann zwei oder mehrere jüngere Redaktionen, die bis in das Ende der Merowinger- oder den Anfang der Karolingerzeit hineinragen, angenommen. Die Meinung ist von der heutigen Forschung im allgemeinen abgelehnt[4]. Ihr gegenüber hat die Ansicht von der Einheitlichkeit der Redaktion im grossen und ganzen den Sieg errungen und auch die obigen Ausführungen sind ja mit wenigen Vorbehalten zu dem

1) S. oben S. 636, N. 4 und 665. 2) Vgl. oben S. 611. 3) Wie Roth, Merkel, Pétigny und Riezler. 4) Nur Riezler hat in jüngster Zeit sich noch dafür eingesetzt, Beil. zur Münchener A. Z. 1905 n. 252. Vgl. auch Gareis, Altbair. Monatschrift IV, 124.

gleichen Ergebnisse gekommen. Dabei ist freilich zu beachten, dass, wenn man den Gedanken der Einheitlichkeit der Redaktion mit dem Vorbehalte aufnimmt, dass vielleicht doch schon ältere Bestände bairischer Rechtsaufzeichnungen dabei neben den fremdländischen Bestandteilen verarbeitet wurden, eine gewisse Annäherung an die fallengelassene ältere Ansicht mehrfacher Redaktionen tatsächlich vollzogen ist.

Der Zeitpunkt, wann diese einheitliche Redaktion des uns vorliegenden Gesetzeswerkes erfolgte, ist von den verschiedenen Autoren verschieden bestimmt worden.

Waitz legt die Entstehungszeit der ganzen Lex in die Tage König Dagoberts (vor 638); und seine Auffassung hat jüngst Sepp wieder aufgenommen. Dagegen hat Brunner die Entstehungszeit um mehr als 100 Jahre später datiert und hat durch seine Beweisführung diese Annahme in raschem Siegeszug zur herrschenden gemacht. Es wird sich empfehlen, kurz auf diese verschiedenen Meinungen und ihre Begründung hinzuweisen.

Was Waitz in seiner Abhandlung[1] beabsichtigte, war der Versuch gegenüber der damals vertretenen Meinung[2] (dass der grössere Teil des bairischen Volksrechtes etwa der Zeit Dagoberts zuzuweisen sei mit Ausnahme der ersten zwei Titel, die jünger seien) auch die Entstehung der Titel I und II in die Zeit Dagoberts hinaufzurücken und so die einheitliche Entstehung des ganzen Volksrechtes für den Anfang des 7. Jh. nachzuweisen. Nach Brunners Ausführungen muss man die Entstehung der Rechtssatzung, die den ersten zwei Titeln zu Grunde liegt, aus anderen Gründen, als damals Waitz dafür anführte, für diesen früheren Zeitpunkt annehmen; und damit verliert der grösste Teil der Darlegungen Waitz' für unsere Zeit seine Bedeutung. Was aber die Datierung der übrigen Teile anlangt, so bringt Waitz dafür nicht allzu viel Argumente vor. Sein Ausgangspunkt dabei ist die freilich heute in der Literatur nicht mehr gebilligte Annahme, dass die Lex Alam. auf König Chlothachar II. zurückgehe und die Gleichartigkeit der beiden Gesetze rechtfertige nicht die Annahme zu sehr verschiedener Entstehungszeit. In dieser Beziehung steht Waitz im wesentlichen auf dem Standpunkte, den vor ihm Roth und Stobbe eingenommen haben. Ein weiterer Grund ist für Waitz die Tatsache, dass

1) Nachr. d. Gött. Ges. 1869. 2) Vgl. z. B. Stobbe, Gesch. d. deutschen Rechtsquellen I, 164.

das westgothische Gesetz nicht in der jüngeren Fassung Reccesvinds, sondern in der älteren Fassung benutzt worden ist, die er damals noch Reccared zuwies, die heutige Literatur aber Eurich zuschreibt. Es ist ihm unwahrscheinlich, dass zu einer Zeit, da das neue westgothische Gesetz schon geraume Zeit in Geltung war, man auf die alte Gesetzgebung zurückgegriffen hätte. Auch das Argument, das Merkel schon ins Treffen geführt hatte, dass c. I. 10 wohl auf die Ermordung des Bischofs Emmeram unter Herzog Theudo anzuspielen scheine und darum auf den Anfang des 8. Jh. weise, sucht Waitz zu entkräften durch den Hinweis darauf, dass Emmeram nicht eigentlich Bischof in Baiern gewesen sei.

Die Gründe, welche der herrschenden Lehre[1] ihren Halt geben, sind: Die späteste Grenze für die Entstehung des Gesetzes lässt sich durch die Aschheimer Synode von 756 bestimmen. Da diese (c. 4) die Lex Baiuv. dem Herzog Tassilo gegenüber als 'precessorum vestrorum depicta pactus' bezeichnet, muss diese spätestens aus der Zeit vor Tassilo, also vor 749, entstanden sein. Andererseits bestimmt sich die obere Grenze durch die Entstehungszeit der Lex Alam. (Anfang des 8. Jh.), die Kirchenreform Bonifatius', die ihr voraus gegangen zu sein scheint, und die politischen Verhältnisse. Denn nach dem Inhalte des Gesetzbuches muss es entstanden sein in einer Zeit strammer Unterordnung Baierns unter das Frankenreich und in einer Zeit, da dort ein König herrschte; damit rückt der Terminus a quo auf etwa 744 herauf und als Entstehungszeit ergibt sich die Frist zwischen 744 und 748[2].

Diese Annahme hat, seit sie ausgesprochen war, die Stelle einer herrschenden Meinung der Gegenwart errungen. Nur Sepp[3] hat dagegen Widerspruch erhoben und begründet denselben mit dem Berichte des Prologs, den zu ignorieren wir kein Recht hätten, mit der Unwahrscheinlichkeit, die darin liege, dass Pippin und Karlmann, welche den Schattenkönig Childerich einsetzten, ihre Mitwirkung

---

1) Vgl. Brunner, DRG. I², 460 ff.; Schroeder, DRG.⁴ S. 258 ff.; Dahn, Könige d. Germ. IX, 2, 182 ff. 2) Ueber bezw. gegen den Wert des von Dahn neu hervorgehobenen Argumentes, dass Lex Baiuv. I. 12 ein unbedingtes Eheverbot der Priester ausspricht, während ein päpstlicher Brief von 716 (MG. LL. III, 452 c. 5) nur in bestimmten Fällen die Priesterehe verbietet, vgl. jetzt Brunner, DRG. I², 462, N. 34. 3) Altbair. Monatsschrift 1901—2 S. 43, N. 3; vgl. auch Riezler, Beil. z. Münchener Allg. Zeitung 1905 n. 252.

bei der Gesetzgebung verschwiegen hätten. Auch hätte die Aschheimer Synode nicht von 'precessorum vestrorum', sondern nur von 'precessoris vestri' sprechen können. Auch die Annahme Brunners, dass die Lex Alam. erst durch Herzog Lantfried erlassen worden sei, und dass die Lex Baiuv. die kirchliche Organisation des hl. Bonifatius zur Voraussetzung habe, sei unbegründet. Und unter dem Eindrucke von Brunners Abhandlung über das verschollene Merowingische Königsgesetz hat Sepp die Entstehung der Lex Baiuv. für die Zeit Dagoberts mit erneutem Nachdrucke behauptet. 'Von einer Benutzung der Lantfridiana in der Lex Baiuv. kann in Zukunft keine Rede mehr sein, da die auffallende Uebereinstimmung in Titel I und II der Lex Baiuv. mit den Kap. 1—36 der Lex Alam. in der Verwendung derselben Vorlage . . . ihren Grund hat' . . . Damit werde aber das einzige Argument Brunners hinfällig, und die Einheitlichkeit des Textes unseres Volksrechtes sowie der Umstand, dass die Titel 4—6 und 8—22 von Roth, Merkel und Riezler für die ältere Zeit anerkannt würden, sprechen für die von ihm vertretene Datierung.

Will man zur Klarheit sich durchringen gegenüber diesem Heere von Gründen und Gegengründen, die bei Eingehen in die Details noch manche Erweiterung erfahren, so wird man methodisch vielleicht auszugehen haben von der einzigen Quelle, welche über die Entstehungszeit unmittelbar etwas aussagt, nämlich von dem Prolog, der freilich nicht als unbedingt zuverlässig gelten kann.

Wenn wir daraus nicht zu sicheren Ergebnissen gelangen können, dann wird man suchen müssen, aus inneren Gründen eine Datierung zu gewinnen und zwar sowohl aus dem Inhalte der Lex als auch aus ihren Beziehungen zu anderen Volksrechten.

Dabei wird es kaum möglich sein, zu dem, was die reiche Literatur über diese Frage bereits zu Tage gefördert hat, viel neues hinzuzufügen; es wird sich vielmehr gerade gegenüber den bereits vertretenen Ansichten vor allem darum handeln, möglichst genau abzugrenzen, was sich mit Sicherheit und was sich nur mit Vorbehalt behaupten lässt.

a. Der Prolog.

Ueber den Wert des Prologes waren die Meinungen zu den verschiedenen Zeiten sehr geteilt. Er hat lange

Zeit vielfach schlechthin als bare Münze gegolten; noch Pétigny[1] hat gegenüber Anfechtungen, die er damals schon erfahren hatte, ihn im vollen Umfange aufrecht erhalten und seinen Inhalt mit dem, was uns sonst bekannt ist, vorbehaltlos in Einklang bringen wollen; die spätere Zeit hat ihn skeptisch völlig abgelehnt[2], nur in allerjüngster Zeit finden sich wieder einzelne Stimmen, die ihm doch wieder eine teilweise Rehabilitierung geben wollen[3].

Der Prolog besteht, wie ja vielfach schon besprochen wurde, zum Teile aus einer Entlehnung aus den Origines seu Etymologiae des Bischofs Isidor von Sevilla; diese sind aber nicht unmittelbar, sondern in etwas veränderter Gestalt übernommen worden[4]. Diesem allgemeinen Traktat über das Recht u. s. w. kommt natürlich für die Entstehungsgeschichte unserer Lex überhaupt keine Bedeutung zu.

Daran reiht sich die Erzählung, dass der Frankenkönig Theodorich bei seinem Aufenthalt zu Catalaunis (= Châlons) vier Rechtskundige berief und mit ihrer Mitwirkung die Lex der Franken, der Alamannen und der Baiern gemäss ihren Gewohnheiten aufzeichnen liess, wobei er das Notwendige ergänzte, das Unbrauchbare strich und die heidnischen Gebräuche durch christliche Normen ersetzte. Eine zweite Redaktion, die das in Ordnung brachte, was Theodorich 'propter vetustissimam paganorum consuetudinem' nicht ausmerzen konnte, wurde dann unter König Childebert in Angriff genommen und von Chlothar vollendet. All das hat dann König Dagobert ('rex gloriosissimus') unter Mitwirkung von vier angesehenen Leuten erneut, alles veraltete verbessert und jedem Volk schriftlich übergeben 'quae usque hodie perseverant'.

Die Entstehungszeit dieses Prologs fällt zwischen die zweite Hälfte des 7. und den Ausgang des 8. Jh. Der Prolog ist nach dem letzten Zusatz als ein Werk gekennzeichnet, welches jedenfalls einige Zeit nach Dagobert (gestorben 638) verfasst wurde, es müsste denn der Zusatz erst später hinzugekommen sein, wozu aber in der handschriftlichen Ueberlieferung es an jedwedem Anhaltspunkte

1) Revue historique de droit français et étranger II (1856), 305 sqq. und 461 sqq. 2) Vgl. insbesondere die bestimmte Begründung bei Brunner, DRG. I[1], 288 f.; Dahn a. a. O. 3) Brunner, Berliner SB. 1901 S. 948 f.; Riezler a. a. O.; Sepp a. a. O. 4) Daniels, RG. I, 208; Merkel, Archiv XI, 615 ff.

gebricht[1]. Einen gleichen Termin als allerfrüheste Zeitgrenze ergibt auch die Tatsache, dass er ein Stück von Isidors Werk enthält. Isidor selbst ist 636 gestorben und bei seinem Tode war sein Werk noch unvollendet. Erst sein Schüler Bischof Braulio von Saragossa hat es abgeschlossen[2], und so dürften wohl nach Isidors Tod noch einige Dezennien vergangen sein, ehe es 'so verbreitet war, dass man es in authentischer Weise benutzte'[3]. Die oben berufenen Worte 'quae usque hodie perseverant' werden in jedem Unbefangenen die Tendenz wachrufen, das 'hodie' des Prologs zeitlich ziemlich weit von den Tagen Dagoberts zu trennen: je später desto bedeutungsvoller jene Klausel. Wie weit man vorrücken darf und soll, bleibt vielleicht eine offene Frage. Der späteste Zeitpunkt ist jedenfalls die Entstehungszeit der ältesten Hs., die den Prolog enthält, der Ingolstadter (jetzt Univ.-Bibl. München), die vielleicht noch aus dem 8. Jh. stammt, aber nicht vor 771 zu stellen ist. Man wird auch hier geneigt sein anzunehmen, dass der Prolog nicht erst unmittelbar davor entstanden ist; wie weit man zurückgehen darf, ist wieder eine offene Frage.

Dem von Brunner s. Z.[4] angegebenen Momente, dass auf der Aschheimer Synode von 756 der Prolog nicht vorgelegen haben kann, weil die Bischöfe dort, indem sie Herzog Tassilo anreden, die Lex als 'praecessorum vestrorum depicta pactus' bezeichnen, scheint Brunner selbst nur noch geringere Bedeutung beizumessen als vielleicht ehedem[5]. Die Stelle besagt auch nicht viel. Denn wenn der Prolog auch der Aschheimer Synode nicht vorgelegen, kann er gleichwohl schon bestanden haben; und es schiene mir nicht einmal ausgeschlossen, dass die Worte eine schwungvolle Umschreibung von 'Lex Baiuv.' sein wollten, die trotz des Prologs, der vielleicht sogar der Synode vorgelegen haben kann, doch als schönere Redewendung gegenüber dem Herzog gewählt sein könnte.

---

1) Der Zusatz fehlt nur in dem Drucke von Herold und Lindenbrog. 2) Vgl. Merkel, Archiv XI, 681. 3) Merkel ebda. 4) RG. I[1], 289, N. 16. 5) Wie er auch in der Altersbestimmung des Prologs selbst jetzt seine Ansicht etwas geändert zu haben scheint, RG. I[1], 289. Alt ist die Erzählung jedenfalls nicht; sie stammt wohl aus dem Ende des 8. Jh., während auf Grund seiner neuen Forschungen Brunner, Berliner SB. 1901 S. 944 die Meinung ausspricht, der Prolog müsse gegen Ausgang des 8. Jh. bereits lange vorhanden gewesen sein. Ebenso RG. I[2], 421.

So bleibt für die Datierung des Prologs ein ziemlich weiter Spielraum, innerhalb dessen die Entscheidung für eine engere Periode mehr dem subjektiven Ermessen anheimgegeben ist, als dass man es nach dem heutigen Stande unserer Erkenntnis objektiv begründen könnte.

Nur eine Ueberlegung, die ja in der Literatur schon wiederholt hevorgehoben und die jüngst von Riezler wieder neu betont wurde[1], scheint mir doch noch Beachtung zu verdienen, vielleicht etwas mehr, als ihr in der letzten Zeit im allgemeinen zu Teil ward. Was der Prolog über Theodorichs, Childeberts und Chlothars Beteiligung am bairischen Gesetzgebungswerke ausführt, das kann man vielleicht mit aller Gemütsruhe ignorieren[2], aber nicht so leicht kommen wir um Dagobert herum. Das ganze Gesetzgebungswerk wird nach dem Prolog merowingischen Königen, die letzte Radaktion dem König Dagobert zugeschrieben, der in diesem Zusammenhange als 'rex gloriosissimus' gepriesen wird.

Das spricht, wie mir scheint, zunächst doch mehr für die Entstehung des Prologs in merowingischer als in karolingischer Zeit; denn, wie so manche schon hervorgehoben, ist es doch nicht sehr wahrscheinlich, dass man von einer eben überwundenen, von dem neuen Königshause niedergerungenen Dynastie unter der Herrschaft der neuen in so rühmender Weise berichtet. Ja selbst die Zeit des übermächtigen arnulfingischen Hausmeiertums, zumal kurz vor der Entthronung der Merowinger ist mir für die Entstehung des Prologes nicht recht wahrscheinlich.

Unter allen Umständen aber spricht die Tatsache, dass der Prolog, der als bairische Gesetzgeber die Merowinger rühmt, auch in der bald darauf folgenden Karolingerzeit sich dauernd bewahrt hat, auch in den Hss. der karolingischen Zeit so oft vor die Lex Baiuv. gestellt wurde, wie ich glauben möchte, doch mit einer gewissen Wahrscheinlichkeit dafür, dass sein Inhalt wahr sei oder zum mindesten einen wahren Kern enthalte.

Wäre nämlich der ganze Bericht über Dagoberts gesetzgeberisches Wirken aus der Luft gegriffen, hätten die Merowinger keinen Anteil an der bairischen Kodifikation, fiel vielmehr die Gesetzesredaktion in die Zeit des

---

1) Beil. zur Münchener Allg. Zeitung 1905 S. 203. 2) Vgl. dazu insbesondere die sehr bestechenden Ausführungen von Brunner, DRG. I², 420 f.

mächtigen karolingischen Dommaiorates oder gar des karolingischen Königtumes, dann glaube wer da wolle, dass der Bericht danach, zumal, wie es da notwendig wäre, wenige Jahrzehnte danach in seiner uns heute vorliegenden Form entstanden sei und die Karolingerzeit überdauert hätte. Wie soll man annehmen, dass man kurz nach der Neuredaktion eines Volksrechtes dessen Autorschaft von dem regierenden Königshause, das es geschaffen, auf ein vergangenes und vernichtetes überträgt, dem in Wirklichkeit dieser Ruhm nicht zufiele? Das Bestreben, alles Recht als möglichst alt hinzustellen, dürfte hierfür doch kaum eine befriedigende Erklärung geben, man müsste da schon einen besonderen Antagonismus gegenüber dem herrschenden Königshause, der ziemlich allgemein empfunden worden wäre, als Voraussetzung annehmen, sollte eine solche Fälschung zu jener Zeit entstanden sein.

Nun gibt es ja daneben freilich auch andere Auffassungen, wie etwa, dass nur das Spiel des Zufalles den Bericht ganz unverdient zu den Ehren eines Prologes des bairischen Volksrechtes emporgehoben habe, etwa in der Art, dass er ursprünglich garnicht 'für eine einzelne Lex, sondern für einen Sammelcodex bestimmt war, der ausser den fränkischen Leges auch die Lex Baiuv. und die Lex Alam. enthielt'[1], und dass er erst durch die späteren Schreiber vornehmlich mit der Lex Baiuv. verbunden worden sei.

Solange man aber sich nicht zu dieser Annahme versteigen will — und ein zwingender Beweis für eine Notwendigkeit, die das rechtfertigen würde, ist noch nicht erbracht —, solange spricht eben doch einige Wahrscheinlichkeit nicht nur für die Entstehung des Prologs in der merowingischen Aera, sondern auch für eine — und wäre es auch nur beschränkte — Richtigkeit seines Inhaltes. Darin liegt wohl auch der Grund, warum der Glaube an eine solche merowingische Gesetzgebung für das Baiernland immer wieder neu ersteht. In wie weit man dem Prologe trauen darf, darüber gehen freilich die Meinungen noch immer auseinander.

Im weitesten Umfang hat vielleicht Pétigny die Glaubwürdigkeit des Prologs und die Verlässlichkeit seiner Angaben verteidigt, dessen ganze ausführliche Studie darauf angelegt ist, zu zeigen, dass die Kodifikations-

1) Brunner, DRG. I², 420, N. 13.

geschichte, wie sie der Prolog darstellt, mit dem Gesetzesinhalt in Einklang gebracht werden kann, und der dabei freilich von der schon durch Merkel (a. a. O. S. 681) als unmöglich zurückgewiesenen Ansicht ausging, dass der Prolog selbst schon zu Dagoberts Zeit gleichzeitig mit der Lex entstanden sei.

Schon Roth steht der Glaubwürdigkeit der Angabe des Prologs weit weniger vertrauensselig gegenüber und die folgende Zeit hat, wie oben schon angedeutet, sich immer mehr von seinem Inhalt emanzipiert, bis erst in allerjüngster Zeit sich ein Umschwung vollzog. Schon Roth hebt insbesondere hervor, dass aus dem Prolog ja garnicht zu folgern ist, dass das ganze Gesetzbuch, wie es jetzt vorliegt, unter Dagobert entstanden sei. Die Anteilnahme des Königs Dagobert an der bairischen Legislation, die ihm wahrscheinlich vorkommt, könne sich ja auf den kleineren Teil des Gesetzes beziehen. Dies muss man darum annehmen, 'weil eine ganze Reihe von Bestimmungen mit dem sonst bekannten Zustande des Landes zur Zeit Dagoberts in Widerspruch steht'. Dabei denkt Roth vor allem an die Titel I und II, also — wie des Zufalls Spiel will — gerade an jenen Teil, den die heutige Forschung mit der grössten Wahrscheinlichkeit König Dagobert zuschreibt.

Merkel[1] steht den Ansichten Roths unendlich nahe und gibt diesem insbesondere darin Recht, wenn er in dem Prolog nicht mehr liest, als dass einzelne Teile des Volksrechts unter den Königen Theodorich bis Dagobert verfasst worden seien, wenn er namentlich leugnet, dass man daraus die Vollendung des jetzigen Ganzen unter Dagobert ableiten könne — ein Argument, das wohl auch gegenüber den neuesten Ausführungen von Sepp[2] noch volle Bedeutung bewahrt.

In den späteren Arbeiten, welche die Einheitlichkeit der bairischen Gesetzgebung betonen, tritt naturgemäss der Glaube an den Prolog sowie seine Berücksichtigung zurück; insbesondere lehnt ihn Brunner[3] als unglaubwürdig ab. Gewiss mit vollem Rechte weist er darauf hin, dass eine gleichzeitige Satzung der Lex Salica, Ribuar., Alam. und Baiuv. schlechterdings undenkbar sei, und dass man in so manchen Ausführungen des Prologs deutlich erkennen

1) Archiv XI, 680 ff. 2) Vgl. darüber S. 669, 681 und 686. 3) DRG. I^1, 288 f.

kann, wie darin andere Vorlagen, insbesondere der Bericht über die Entstehung der Lex Salica kopiert seien. All dies berechtige über den 'jedenfalls nicht alten' Bericht des Ologes zur Tagesordnung überzugehen.

Noch schärfer als Brunner in seiner Rechtsgeschichte lehnt ziemlich gleichzeitig Schroeder den Prolog ab: 'die völlige Unglaubwürdigkeit dieses zum Teil aus Schriften des hl. Isidors geschöpften Machwerks ist zweifellos'[1], und in jüngster Zeit hat auch noch Felix Dahn den Prolog als unverlässlich ausser Betracht gestellt. Aber auch Brunner selbst hat[2] einen Teil des Prologs rehabilitiert, indem er sein merowingisches Königsgesetz auf Dagobert zurückführt, und auf Dagobert dürfte man auch eine spezifisch bairische Ueberarbeitung dieses Königsgesetzes zurückführen, die man, wie oben S. 611 erwähnt wurde, vielleicht supponieren darf. Riezler scheint a. a. O. geneigt zu sein, auch noch eine weiter umfassende Gesetzgebung aus Dagoberts Zeit anzunehmen, deren Bestandteile noch in der heutigen Lex sich finden — etwa so, wie er es in seiner älteren grossen Abhandlung über die Entstehungszeit der Lex ausgeführt hat oder mit anderen Grenzen, darüber spricht er sich nicht aus.

Als ich in meiner ersten Studie über die Entstehung der Lex Baiuv. mit der Möglichkeit rechnete, dass zwischen ihr und dem Alamannengesetz eine uns unbekannte Rechtsaufzeichnung als Bindeglied inzwischen stehe, lag auch für mich der Gedanke nahe, ob man nicht auf sie des Prologs Bericht über die Legislation Dagoberts beziehen dürfe. Aber auch jetzt, wo mir aus den oben dargelegten Gründen es an der Veranlassung fehlt, diese Hypothese aufrecht zu halten, scheint es mir nicht unmöglich, dass ausser den ersten Titeln vielleicht auch noch andere Normen der Lex auf eine solche merowingische Legislation zurückgehen[3]. Wer wollte schliesslich eine solche Möglichkeit bestreiten, wer aber andererseits auch ihr tatsächliches Zutreffen behaupten? Unmöglich ist es nicht, vielleicht geht so manches aus den spezifisch bairischen Bestimmungen der Lex auf eine solche merowingische Gesetzgebung zurück; vielleicht gerade das, dem archaistischer Charakter eigen zu sein scheint — das können wir uns ausmalen

1) RG. 1. Aufl. S. 234, N. 57. 2) Berl. SB. 1901 S. 944; DRG. I², 421 f. 3) In diesem Sinne äussert sich in jüngster Zeit S. v. Riezler in seiner Besprechung von F. Dahns Baiernband, Beilage z. Münchener Allg. Zeitung 1905 S. 208 f.

wie wir wollen, da hat die Phantasie den freiesten Spielraum, sie ist durch nichts behindert, weil wir eben nichts darüber wissen. Je weiter man auf diesem Wege geht, desto mehr nähert man sich der Auffassung, welche eine ältere Lex Baiuv. vor der uns erhaltenen angenommen hat, oder der Meinung, die die ganze Lex in diese ältere Zeit zurückverlegt.

Die erste Auffassung ist zulässig aber mit der grössten Vorsicht zu geniessen, weil da gar so viel hypothetisch und unbewiesen ist. Dürfen wir uns aber vielleicht der zweiten Meinung anschliessen, können wir vielleicht zu der einfacheren älteren Erklärung zurückkommen und die ganze Gesetzgebung Dagobert und der merowingischen Zeit zuweisen? Ich glaube kaum.

b. Innere Gründe.

Von den Rechtsnormen, welche die Lex Baiuv. enthält, geben zunächst die staatsrechtlichen Bestimmungen einen gewissen Anhaltspunkt für die Datierung.

Der Inhalt des Gesetzes lässt nämlich darüber keinen Zweifel aufkommen, dass es eine Satzung der fränkischen Könige ist, die in einer Zeit erlassen wurde, in welcher das Herzogtum in strammer Abhängigkeit unter dem Königtum steht[1]. Und überblickt man die bairische Geschichte, so können hierfür aus dem siebenten Jh. nur die Zeiten König Dagoberts (gestorben 638) in Betracht kommen, auf dessen Befehl ja durch die Baiern der grosse Bulgarenmord erfolgt sein soll. Nach seinem Tode bürgt der Verfall, der im fränkischen Reiche im allgemeinen eintrat, dafür, dass damals das fränkische Königtum auch im Baiernlande nicht mächtig sein konnte. Und aus dem achten Jh. ist es erst wieder die Zeit des Hausmeiers Karl Martell, unter dem 725 und 728 das bairische Herzogtum wieder unter die fränkische Macht gebeugt wurde; doch scheint zunächst die Abhängigkeit nicht allzu lange gedauert zu haben. Nach schwerem Kampfe ist 744 Herzog Odilo niedergeworfen und damit beginnt fränkische Herrschaft für längere Zeit.

So erscheint die Zeit Dagoberts oder die Zeit nach 744 als jene Zeitabschnitte, in denen vermutlich die Lex Baiuv. entstanden sein dürfte; die kurze Frankenherrschaft

1) Vgl. statt aller Brunner, DRG. I², 461.

unter Karl Martell 725—728 könnte allenfalls daneben noch in Erwägung gezogen werden.

Für die nähere Datierung kommen naturgemäss vor allem jene Bestimmungen in Betracht, für die wir keine fremde Gesetzesvorlage kennen, die wir also als den spezifisch bairischen Teil des Gesetzes annehmen dürfen.

Es braucht kaum einer besonderen Erwähnung, dass weitaus die meisten Bestimmungen dieses 'bairischen Teiles' ihrer Natur nach nicht geeignet sind Rückschlüsse über ihr Alter zu geben; die meisten Normen können ebenso gut älteren wie späteren Zeiten zugehören. Für einzelne hat aber schon die ältere Literatur[1] hervorgehoben, dass sie das Gepräge einer älteren Zeit an sich tragen. Es sind insbesondere jene Vorschriften, welche einen Zusammenhang mit heidnischen Gebräuchen enthalten und so wenigstens zum Teile vermuten lassen, dass sie vor der Einführung des Christentumes überhaupt oder wenigstens vor dem tieferen Eindringen desselben entstanden seien.

Das Kapitel XIII. 8 bedroht es mit Strafe, wenn jemand durch Zauberei der Ernte eines Dritten Schaden zugefügt habe. Niemand wird den Zusammenhang dieser Bestimmung mit heidnischen Gebräuchen in Abrede stellen; aber Roth hat gewiss Recht, wenn er meint, das liesse sich aus Ueberresten des Heidentums erklären, wie sie auch noch später in ganz Deutschland sich finden. Für die Datierung gibt dieses Verbot gewiss keinerlei Anhaltspunkte. Wichtiger erscheint Roth — vielleicht mit einer gewissen Berechtigung —, dass im Kapitel XVIIII. 1 bei der Plünderung von Gräbern das kirchliche Begräbnis nicht erwähnt ist, und dass XVIIII. 6 das Holzauflegen und Erdaufwerfen wohl auf heidnische Gebräuche deutet. Darf man deshalb eine Vorlage aus heidnischer Zeit annehmen?

Kirchlichen Einschlag finden wir in diesem Titel im Kapitel 7, welches die Bestattung von Leichen zum Schutze vor wilden Tieren als ein Werk der humanitas bezeichnet[2] und neben weltlicher Bezahlung[3] himmlischen Lohn dafür in Aussicht stellt, 'quia scriptum est mortuos sepelire'. Ebenso finden wir im c. 8 bei Bestimmungen über die Bestattung der Toten den älteren heidnischen

1) Vgl. insbesondere Roth, Ueber Entstehung der Lex Baiuv. S. 10 ff. 2) 'et eum humanitatis causa humaverit'. 3) 'et ille qui eum humaverit, si requirere voluerit, parentes vero illius solvant ei solidum unum aut dominus servi, si servus fuerit'.

Brauch verpönt und abgelehnt, wonach der 'dominus cadaveris' geholt und mit der Beerdigung gewartet werden sollte, damit er zuerst Erde auf denselben werfe; denn all das sei nur von falschen Richtern so gesagt, 'non in vetere legis veritate repertum'. Diese beiden Kapitel nehmen also ausdrücklich Bezug auf die heilige Schrift. Ob man auch die Worte, mit denen die Busszahlung desjenigen begründet wird, der eine Leiche in einen Fluss geworfen hat: 'eo quod funus ad dignas obsequias reddere non valet' gerade auf ein kirchliches Begräbnis zu beziehen hat, und ob wir bei dem 'monumento' des Kapitel I, aus welchem die Leiche ausgegraben wird, gerade einer kirchlichen Bestattungsweise zu gedenken haben, wie Sepp will [1], wird wohl zweifelhaft bleiben müssen. Beide Ausdrücke passen m. E. ebenso gut für heidnische wie für kirchliche Begräbnisse.

Auffallend bleibt, wie Roth s. Z. schon hervorgehoben hat, dass von einer kirchlichen Form der Beerdigung mit keinem Worte in dem ganzen Titel Erwähnung geschieht [2], ja man vermisst einen solchen Hinweis wohl besonders in dem oben besprochenen Kapitel, wo die Beerdigung völlig als Privatsache des Einzelnen erscheint, die dieser ganz ohne Mitwirkung der kirchlichen Organe besorgt. Und doch enthält gerade dieses Kapitel im Schluss den Hinweis auf die heilige Schrift.

So lässt sich aus diesen Kapiteln über das Recht der Leichen höchstens schliessen, dass vielleicht noch Reminiscenzen an heidnische Bräuche, auch erhalten gebliebene heidnische Sitten in die uns vorliegende Legislation hineinragen, vielleicht kann man — wenn man noch weiter gehen will — annehmen, dass eine Aufzeichnung über dieses ältere Recht bei der Redaktion verwendet und mit den unzweifelhaft kirchlichen Bestimmungen, die sich daneben finden, verquickt wurde, aber dafür, dass die Gesetzesstelle selbst der heidnischen Zeit zugehört, dafür gibt uns die Form, in der sie auf uns gekommen ist, doch nicht den geringsten Anlass. —

Die zweite Gruppe von Bestimmungen, die auf ein höheres Alter hinweisen, sind die über den Eid. Während in dem ersten Titel der Eid regelmässig als eine kirchliche Handlung hingestellt wird — er ist vor dem Altar der

1) Altbairische Monatsschrift, herausg. v. hist. Verein von Oberbayern III, 41. 2) Man müsste denn die oben genannte 'dignae obsequiae' des Kap. 2 gerade in diesem Sinne deuten.

Kirche oder aufs Evangelium zu leisten —, finden wir im Titel XVII und XVIII, wo uns Eidesformeln mitgeteilt werden, nicht den leisesten Hinweis auf ein kirchliches Zeremoniell. Roth, der diese Tatsache schon vor bald sechzig Jahren hervorgehoben hat[1], betont dem gegenüber, dass nach den leges populares und auch nach anderen Volksrechten eine kirchliche Eidesleistung vorgeschrieben ist, und gewiss wird man den Unterschied nicht verkennen dürfen z. B. zwischen I. 3, 5 und 6, wo fast jedesmal, so oft von 'iurare' die Rede ist, die Vorschrift wiederkehrt, dass der Eid an dem Altare der Kirche zu leisten ist[2], und den Eidesformeln von c. XVII. 1, 2 und XVIII. 2, welche den Eid auch nicht mit einer Silbe in Beziehungen zur Kirche bringen. Und wenn XVII. 6 der Zeuge seine Waffe 'ad sacrandum' zu geben und auf diese zu schwören hat, dann wird man wohl auch darin noch Anklänge an heidnische Gebräuche erblicken.

Diese beiden Titel XVII und XVIII aber nehmen überhaupt insofern eine Sonderstellung ein, als sie prozessualische Vorschriften und damit gewiss sehr altes Recht zur Darstellung bringen. Vielleicht darf man — wie schon mehrmals hervorgehoben wurde — ihren Inhalt zurückführen auf gerichtliche Formularien oder ein Weistum über den Gerichtsgebrauch oder auf mündliche Tradition, welche z. B. unter den iudices diese Rechtsform und Gebräuche lebendig bewahrte. So liesse sich die Tatsache erklären, dass diesen Kapiteln unzweifelhaft ein archaistischer Zug eigen ist, ohne darum die Annahme, dass die ganze Lex in so alte Zeit zurückrage, zu rechtfertigen[3]. Ist solcher Rechtsgebrauch gewiss älter als die Lex selbst, so wird man darum noch nicht die beiden Titel selbst oder Bestandteile derselben einer älteren Zeit zuschreiben müssen.

Eine Deutung im gleichen Sinne wie den eben besprochenen Fällen gibt Roth[4] auch einzelnen Bestimmungen über kirchliche Fragen: Tritt in klarer Weise für den Titel I der Gedanke einer besonderen höheren Achtung vor der Kirche und ihren Einrichtungen deutlich hervor[5], so fehlt dieser Gedanke vollständig in c. IX. 2, wo als Grund für die höhere Bestrafung von Diebstählen, die in der Kirche, im Hause des Herzogs, in einer Mühle und

1) A. a. O. S. 10 f. 2) Im Kap. I. 3 kehrt dieser Zusatz nicht weniger als dreimal wieder. 3) S. oben S. 665. 4) Entstehung der Lex Baiuv. S. 10. 5) Vgl. I. 6, 7, 9, 10.

in einer 'fabrica' begangen würden, gleichmässig angegeben ist: 'quia istae quatuor domus casae publicae sunt et semper patentes'. Wenn es auch wahr ist, dass es 'nicht die der Kirche zukommende höhere Achtung, sondern die Gemeingefährlichkeit war, die diese Bestimmung veranlasste', was sich auch mit einem von einem christlichen noch weit entfernten Zustand verträgt, so glaube ich kaum, dass man diesem Grunde grössere Bedeutung beimessen kann.

Ein weiterer Grund für eine frühzeitige Entstehung ist vielen die Tatsache gewesen, dass dort, wo westgothischer Einfluss zur Geltung kommt, die ältere Form der Lex Visig., wie Stobbe sagt: 'nur Reccared's und nicht Reccesvinds westgothische Gesetzessammlung gebraucht ist'. Stobbe, Merkel, Waitz und in jüngster Zeit auch Sepp[1] folgern daraus, dass die bairische Gesetzgebung vor der Rezension Reccesvinds vorgenommen worden sei, sonst hätte man ja diese, nicht die ältere (Euriciana) benutzt. Ich glaube kaum, dass man diesem Argument, auch abgesehen von den Gründen, die Brunner dagegen anführt[2], irgend welche Bedeutung schenken darf; denn es ist wirklich nicht einzusehen, warum, zumal in jenen Zeiten, die Redaktoren eines neuen Gesetzeswerkes nur Rechtsaufzeichnungen über damals gerade geltendes Recht, nicht auch ältere Rechtsbücher, wenn sie deren habhaft geworden waren, hätten verwerten sollen. Im Gegenteil musste im Sinne der damaligen Zeit eine Rechtsaufzeichnung für jedermann, also auch für die Redaktoren einen um so höheren Wert haben, je mehr sie durch hohes Alter sich auszeichnete.

So darf man nach alldem wohl sagen, dass die L. B. keine Bestimmungen enthält, welche zwingend für die Annahme einer sehr frühen Entstehungszeit wären, wie ja auch Waitz schon hervorgehoben hat, dass nichts in dem Gesetzbuch auf die Entstehung in heidnischer Zeit hindeute.

Auch eine andere Gruppe von Normen des bairischen Gesetzes hat seit jeher in den Versuchen der Datierung eine grosse Rolle gespielt. Das sind die Normen kirchlicher Art, die sich im ersten Titel finden. Man wollte aus dem, was über die kirchlichen Zustände Baierns in den verschiedenen Jahrhunderten bekannt war, Rückschlüsse tun

---

1) Altbair. Monatschrift III (1901/2), 38. 2) Vgl. DRG. I², 456, N. 12.

auf die Zeit der Entstehung dieses Titels, eventuell, wenn man die Einheitlichkeit annahm, der ganzen Lex. Vieles von dem, was da ausgeführt wurde, hat nun seine Bedeutung eingebüsst, seit Brunner dargetan hat, dass dieser Titel ursprünglich garnicht für Baiern, sondern, wie er meint, für mehrere Herzogtümer erlassen worden sei, und dass aus diesem Merowingischen Königsgesetz aus der Zeit Dagoberts der Text der einleitenden Kapitel beider süddeutschen Leges formuliert worden sei.

Will man heute noch aus diesen Kapiteln für die Entstehungszeit der Lex einen Rückschluss tun, so hängt alles davon ab, was man über die Anpassung des Gesetzes an die Rechtszustände zur Zeit der Redaktion der Lex Baiuv. denkt: ob man annimmt, dass bei der Aufnahme dieser Kapitel in die Lex nur das unverändert übernommen wurde, was damals und für die neuen Verhältnisse noch passte, oder ob manches unverändert blieb, obwohl es nicht mehr oder nicht gerade in Baiern galt. Wir haben also mit einer Fehlerquelle mehr zu rechnen. Wendet man aber das, was man sonst über die Redaktionstätigkeit der bairischen Gesetzgeber beobachten konnte, auf diese Frage an, so wird man wohl geneigt sein zu glauben, dass die Anpassung an die rechtliche Lage in der Zeit der Redaktion keine oberflächliche, sondern eine ziemlich sorgfältige gewesen sein dürfte. So meint Brunner bezüglich der einen oft besprochenen Frage: 'die Umarbeitung der aus dem Merowingischen Königsgesetze stammenden Stelle würde auch schwerlich vor dem Anachronismus Halt gemacht haben, der in den auf eine Mehrheit von Bistümern bezüglichen Wendungen vorlag, solange eine solche in Baiern nicht vorhanden war'[1]. Auf diese Weise kann man in dem Hinweis auf die Mehrheit von Bischöfen, welche die Lex Baiuv. erwähnt, noch einen Anhaltspunkt für die Datierung des Gesetzbuches finden, denn eine solche Mehrheit von Bischöfen gibt es erst nach der Kirchenreform des h. Bonifatius und gab es vor 739 noch nicht[2]. Mir schiene es aber doch geraten, für die Datierung des Gesetzbuches dieses Argument fallen zu lassen; wir befinden uns auf zu schwankendem Boden, seit man diese Bestimmungen auf ein fränkisches Königsgesetz zurückführt. Der Ausweg,

---

1) DRG. I², 461. 2) Vgl. den Brief Gregors III. an Bonifatius von 739 (MG. Ep. III, 293), der ausdrücklich hervorhebt, dass Baiern damals nicht mehrere, sondern nur einen Bischof hatte; Brunner a. a. O.

den Brunner vorschlägt, um diesen Stützpunkt zu bewahren, scheint mir unter diesen Umständen zu unsicher[1] und das um so mehr, als Brunner selbst[2] nachweist, dass der Zusatz 'episcopum, quem constituit rex vel populus elegit sibi pontificem', mit den bairischen Verhältnissen in der Zeit, die er für die Entstehung des Gesetzes wahrscheinlich gemacht hat, nicht in Einklang zu bringen sei. Wir müssen also, wenn wir den von Brunner vorgeschlagenen Ausweg betreten wollten, annehmen, dass die Redaktoren vor dem Anachronismus nicht Halt gemacht hätten, von mehreren Bischöfen zu sprechen zu einer Zeit, da in Baiern nur einer wirkte, dass sie aber (vielleicht mit der Tendenz der Festigung der königlichen Gewalt) in einem Zuge den Zusatz von der Einsetzung der Bischöfe durch den König übernommen hätten, obwohl auch dieser mit den tatsächlichen Rechtsverhältnissen jener Zeit nicht in Einklang war. Ich will nicht bestreiten, dass dies möglich ist, aber als Grundlage für weitere Schlüsse scheint mir das doch zu wenig fest und gesichert.

Mit mehr Grund, glaube ich, kann man für die Datierung die Ueberlegungen heranziehen, die s. Z. schon Riezler[3] über die Kapitel I. 8 und I. 11 ausgesprochen hat: Sie können nicht schon im 7. Jh. für Baiern in Kraft getreten sein; 'denn wo sollen die Mönche zu suchen sein, von denen in I. 8 die Rede ist, wo die Nonnenklöster, von denen I. 11 spricht, welches sind die Bischöfe, deren in I. 7, 9, 10, 11, 12 gedacht wird?' Man wird ihm gegen Waitz[4] recht geben müssen, dass derartige Bestimmungen doch eher als Beweis für das Vorhandensein solcher kirchlicher Einrichtungen denn als ein Mittel für ihre Durchsetzung zu deuten sind. Dazu wäre noch zu beachten, dass wohl die Bestimmungen über die Mönche, aber nicht die über die Nonnen in der Lex Alam. ihr Seitenstück haben; dass wir also nur für die ersteren annehmen müssen, dass sie in der gemeinsamen Vorlage schon enthalten waren, während die letzteren auch eine Zutat zu dem Merowingischen Königsgesetze in der uns vorliegenden bairischen Gesetzesredaktion sein können. Und diese Zutat, die ja freilich Roth als jüngeren Zusatz erklärte, ohne dass man heute geneigt ist dem Vorschlage zu folgen,

1) F. Dahn, Könige der Germanen IX, 183 hält an den Argumenten für die Datierung aus der Bonifazischen Kirchenreform trotz Brunners 'Königsgesetz' ohne weiteres fest. 2) Berliner SB. 1901 S. 940. 3) Forsch. z. D. Gesch. XVI, 425. 4) Abh. I, 358.

weist auch nach den oben angeführten Untersuchungen nicht in die Zeit vor der Kirchenorganisation des h. Bonifatius; ebenso wie die Bestimmungen I. 10 eine Beziehung zu der Ermordung des fränkischen Bischofs Emmeram (715) haben dürften[1]. So mag man in den wenigen Normen der Lex, die vielleicht Anhaltspunkte für eine Datierung derselben geben können, auch einen Hinweis auf jenen Zeitabschnitt finden, für welchen Brunner die Entstehung der Lex wahrscheinlich gemacht hat, die erste Hälfte des 8. Jh.

c. Die Entlehnungen aus den anderen Volksrechten.

Wenn die oben durchgeführten Untersuchungen in ihren Ergebnissen zutreffen, dann sprechen diese mit einer ziemlich grossen Wahrscheinlichkeit dafür, dass an vielen Orten zerstreut durch die ganze Lex Baiuv. hindurch die Lex Alam. die Grundlage für den bairischen Text gebildet habe; damit gewinnt gegenüber meiner früheren Vermutung die Datierung des alamannischen Volksrechtes auch wieder jene entscheidende Bedeutung für die Datierung des bairischen, welche ihr die herrschende Lehre zuspricht.

Ganz unumstösslich ist diese Annahme allerdings nicht. Es ist oben S. 649 schon darauf hingewiesen worden, dass trotz der Argumente, welche für eine direkte Filiation des bairischen Volksrechtes aus der Lex Alam. angeführt wurden, ganz entfernt doch auch noch die Möglichkeit besteht, dass zwischen beiden ein dritter uns unbekannter Text als Bindeglied bestanden habe. Und diese, wäre es auch noch so fern abliegende, Möglichkeit ist gerade für die Datierungsfrage von Bedeutung. Die Möglichkeit besteht, und damit sind wir nicht schlechthin zu dem Schlusse berechtigt, die Entstehungszeit der Lex Baiuv. müsse nach der des alamannischen Volksrechtes liegen. Bestände für die erwähnte Möglichkeit einige Wahrscheinlichkeit, etwa in dem Umfang, wie sie mir bei Verfassung der ersten kritischen Studie zur Lex Baiuv. vorgeschwebt hat, dann müsste man für die Frage der Datierung dieses Volksrechtes alle jene Argumente ausschalten, welche auf die Entstehungszeit der Lex Alam. sich aufbauen. Nach

---

1) Vgl. Riezler a. a. O. S. 427, anderer Ansicht Waitz, Nachr. d. Gött. Ges. 1869 S. 132 f.

der Art, wie ich heute über das Mass dieser Wahrscheinlichkeit denke[1], scheint mir, dass man nicht so weit zu gehen braucht. Die Wahrscheinlichkeit gilt mir sehr gering und so wird man die hier zu gewinnenden Argumente verwerten dürfen, mit jener Beschränkung, die sich eben aus jener entfernten Möglichkeit ergibt.

Welche Wege hätte die Textentwickelung nun wandeln müssen, wenn diese so viel hervorgehobene Möglichkeit hätte eintreffen sollen?

Wie oben gezeigt wurde, lässt sich an manchen Orten die Textentwickelung aus den älteren Volksrechten bis zur Lex Alam. in der Weise verfolgen, dass der Zusammenhang mit ihren Vorläufern, zunächst der Lex Ribuar. und weiter zurück der Lex Salica, uns deutlich entgegentritt, während die Lex Baiuv. nur zu der Lex Alam. Beziehungen solcher Art bekundet, die es ausschliessen, dass sie etwa als Bindeglied in die Reihe vor die letztere einzufügen wäre, vielmehr eine Benutzung des alamannischen Textes deutlich erkennen lassen. Sollten — wie man für jene Möglichkeit annehmen müsste — die beiden süddeutschen Gesetze nicht unmittelbar zusammenhängen, so müsste der supponierte Vorläufer beider süddeutschen Leges (x) in der Reihe vor der Lex Alam. sich finden, also

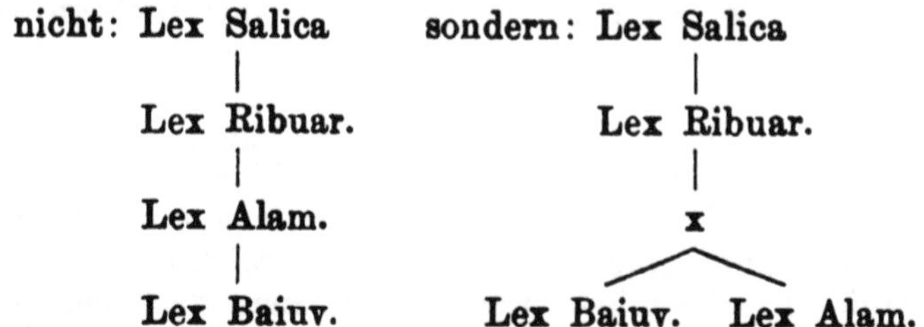

Dieser Text x müsste dabei — mochte er selbst alamannischen oder bairischen oder was immer für einen Charakter tragen — gegenüber dem Ribuarischen Gesetze im allgemeinen alle jene Veränderungen bereits erfahren haben, die uns jetzt im alamannischen Gesetze entgegentreten. Aus diesem Texte x müsste dann die Lex Baiuv. sich mit jenen Umwandlungen ausgebildet haben, welche heute im Vergleich derselben mit der Lex Alam. erscheinen, während andererseits die letztere selbst an all diesen Stellen ziemlich unverändert oder wenigstens ohne ent-

1) Vgl. oben S. 611.

scheidende Veränderungen den Text x in sich aufgenommen hätte.

Berücksichtigt man hierzu, dass uns sonst kein quellenmässiger Hinweis auf diesen Text x zu Gebote steht, und dass die Schwierigkeiten, die mich selbst früher zur Annahme desselben veranlasst haben, durch die oben (S. 649 ff.) angestellten Ueberlegungen sich, wie mir scheinen möchte, wohl überbrücken lassen, so wird jeder, der mit textkritischen Fragen sich befasst hat, wohl geneigt sein, das Mass der Wahrscheinlichkeit jenes x nicht zu hoch einzuschätzen.

Mit dieser Einschränkung, der nach alle dem keine allzugrosse Bedeutung zukommen kann, gehen wir nun auf jene Folgerungen ein, die sich aus der Datierung der Lex Alam. ergeben.

Nach Brunner, dem auch Lehmann in seiner Ausgabe gefolgt ist, wird heute im allgemeinen die Entstehung der Lex Alam. in die Zeit des Herzogs Lantfried (709—730), vielleicht noch enger begrenzt in die Zeit des fränkischen Königs Chlothar IV., also in die Jahre 717—719, gesetzt.

Die Gründe für diese Annahme sind im wesentlichen folgende: Im Vordergrund steht zunächst die Beweisführung Brunners [1] und Karl Lehmanns [2], dass der uns vorliegende Text der Lex Alam. mit seinen Varianten die Annahme einer mehrfachen Redaktion mit nichten rechtfertigen, sondern dass uns nur eine einheitliche Redaktion vorliegt [3]. Die hier gegen Merkel durchgeführte Beweisführung, insbesondere die ausführlichen Darlegungen Brunners scheinen mir mit vollster Evidenz zu zeigen, dass die von Merkel verfochtene Lehre, welche eine Redaktion Chlothars und eine Lantfrieds unterscheiden will, auf unglaublich schwachen Argumenten, man darf fast sagen, willkürlich aufgebaut ist und in der handschriftlichen Ueberlieferung jedweder Stütze entbehrt [4]. Aus den Hss., die uns heute vorliegen, kann man wohl nur eine einzige Redaktion des alamannischen Volksrechtes erschliessen [5].

---

1) Berliner SB. 1885 S. 149 ff. 2) N. A. X, 488 ff. 3) Vgl. von älteren auch: Boretius in Sybels hist. Zeitschr. XXII, 152 und Waitz V. G. II, 1³, 116. 4) Vgl. auch besonders den Hinweis Lehmanns a. a. O. S. 489 f., welcher an der Hand der synoptischen Tabellen Merkels klarstellt, dass nach dessen Annahme weitaus die Mehrzahl der Hss. das Recht der älteren Redaktion und das der jüngeren willkürlich gemischt überliefert hätten. 5) Anderer Ansicht B. Sepp a. a. O. S. 88, N. 1, der jedoch dem Worte 'renovata' im Prolog der Hss. A 1 und A 2 (nicht, wie Sepp sagt, der Hss. A) wohl schon darum zu

Für die Datierung dieser einheitlichen Redaktion kommen zunächst die handschriftlichen Angaben selbst in Betracht. Diese sprechen von dem Herzog Lanfrid (Kap. 1 Hs. A 1. 2) bezw. 'temporibus Lanfrido filio Godofrido' (Prolog ebdas.) und andererseits von den 'temporibus Hlodarii regis' als den Zeiten, in welchen die Lex entstanden sei.

Welcher König Chlothar gemeint sei, sagt keine Hs. Brunner sucht die beiden Berichte im gleichen Sinne zu deuten und weist darauf hin, dass es vielleicht eine Zeit gegeben hat, in der Lantfried Herzog und ein Chlothar (der vierte) fränkischer König war. Dass er der etwas müheseligen Begründung nicht gerade durchschlagende Bedeutung beimisst, geht daraus hervor, dass die entscheidenden Worte durch den Satz eingeleitet werden: 'Sonach steht der Annahme nichts im Wege' etc. (a. a. O. S. 163).

Dieser Annahme stehen allerdings schwerwiegende Bedenken entgegen, die Brunner schon bei seiner Beweisführung gefühlt hat. Dabei kommen m. E. nicht so sehr die Punkte in Betracht, die Sepp[1] besonders betont. Aber es fällt schwer, Chlothar IV., einen Schattenkönig Karl Martells, der überhaupt nur c. 717—719 den Thron innehatte — in einer Zeit der furchtbarsten Thronkämpfe am Niederrhein und der weitreichendsten Unabhängigkeit Alamanniens gegenüber dem Frankenreiche — sich als Gesetzgeber Alamanniens vorzustellen oder sich auch nur zu denken, dass er doch so weit in Beziehungen zur alamannischen Gesetzgebung getreten sei, dass es sich verlohnte, seinen Namen damit in Verbindung zu bringen. Dass man ihn ohne jede solche Beziehung nur als den damals regierenden König in dem späteren Prologe genannt hätte, erscheint bei einem Scheinkönig, wie Chlothar IV. in Karl Martells Hand tatsächlich war, trotz Brunners Argumentation wenig plausibel.

Ueber diese Schwierigkeiten kommt man dann hinaus, wenn man in den beiden Fassungen der Einleitungsworte der Lex Alam. nicht gleichartige Bestimmungen erblickt, sondern nur den Prolog: 'Incipit . . . lex Alamannorum qui temporibus Lanfrido filio (Godofrido) renovata' auf

grosse Bedeutung beimisst, weil der Prolog schon nach seinem eigenen Wortlaut jünger sein muss als die Lex. Vgl. dazu die sehr überzeugenden Ausführungen von H. Brunner a. a. O. S. 158 f. und 160. 1) Altbair. Monatsschrift 1901—2 S. 88, N. 1.

die Lex Alam., den weiteren Prolog: 'Inc. . . . l. A. qui temporibus Chlothario rege una cum proceribus, id sunt XXXIII episcopi et XXIV duces et LXV comites vel cetero populo adunato' mit Brunner[1] und im Sinne der oben (S. 609 f.) angeführten Anregung Amiras auf das Merowingische Königsgesetz oder, wie es der letztere nennt, auf die 'capitula pacto Alamannorum addenda' bezieht. Dann darf man getrost an Chlothar II. denken, der zwar nicht an der ganzen Lex, wohl aber an deren erstem Teile beteiligt gewesen wäre, und man ist für die Datierung nicht auf die kurze Regierungszeit Chlothars IV. eingeschränkt, sondern hat, wenn man durch andere Gründe dazu bestimmt wird, in der ganzen Regierungszeit Lantfrieds, von dem der jüngere Prolog spricht, Spielraum für die Entstehungszeit der Lex Alam. Damit fallen auch jene Schwierigkeiten hinweg, die aus der Person und den politischen Verhältnissen zur Zeit Chlothars IV. erwachsen und die s. Z. Lehmann in seiner Abhandlung über die Entstehungszeit der Lex Alam. hervorgehoben hatte[2].

Möglich wäre ja immerhin auch, wenn man den Bericht über Lantfried fallen liesse, was ja allerdings seine grossen Bedenken hat, den Bericht des Prologs doch auf die Lex Alam. und auf Chlothar IV. zu beziehen, wie dies Lehmann ursprünglich verfochten hat, ehe Brunners Abhandlung über die Entstehung der Lex Alam. ihn davon wieder abgebracht hat. Dann könnte man mit Brunner das Merowingische Königsgesetz gemäss dem Berichte des bairischen Prologs mit Dagobert in Verbindung bringen. Nur scheint mir doch die andere Möglichkeit weitaus den Vorzug zu verdienen, wonach wegen der Eingangsworte der beiden Hss. A 1 und A 2 das Gesetzeswerk auf Herzog Lantfried zurückgeführt wird.

Aber auch wenn man — was mir nicht schlechthin zulässig erscheint — sich über die Namensangaben der Prologe und des Einleitungssatzes des Gesetzbuches hinwegsetzt, führt die von Lehmann durchgeführte, von Brunner gebilligte Datierung aus inneren Gründen zu einem Ergebnisse, das die Datierung der Lex Baiuv. in der gleichen Richtung indiziert. In dieser Beziehung sei vor allem verwiesen auf die ausführlichen Detailuntersuchungen von Lehmann a. a. O. S. 492—504. Sie lassen doch mit aller möglichen Klarkeit erkennen, dass das Gesetz nicht in die

1) Berliner SB. 1901 S. 943. 2) A. a. O. X, 493 f. Diese Bedenken hebt nun auch Sepp a. a. O. neuerlich hervor.

Tage Chlothars II., sondern frühestens in das letzte Drittel des 7. Jh. gehören kann. Lehmann hat damals mit allen Vorbehalten die Vermutung geäussert, es könnte die Lex vielleicht unter König Chlotar III. (657—673) entstanden sein. Brunners Untersuchung hat die Entstehungszeit noch um etwa ein halbes Jh. heraufgerückt.

Dem Argumente aus dem Inhalte der Lex, dem Brunner und vielleicht noch mehr Lehmann[1], der jenem folgte, in dieser Beziehung geradezu ausschlaggebende Bedeutung zuspricht, darf man freilich, wie mir scheinen möchte, nicht allzu sicher vertrauen. Die Bestimmungen über die Sonntagsheiligung der Lex Alam. XXXVIII gehen nämlich auf das Poenitentiale Theodors von Canterbury zurück, woraus sie wahrscheinlich durch Vermittelung der Bussordnung des Cumeanus in das Gesetzbuch gekommen sein dürften. Da dieses Werk nicht vor dem Ende des 7. Jh. entstanden ist, muss das gleiche auch von der Entlehnung im alamannischen Volksrechte gelten. Aber selbst wenn man eine unmittelbare Benutzung von Theodors Poenitentiale annehmen wollte, so liegt dessen Entstehungszeit zu spät, als dass man die Entlehnung für die Tage der Herrschaft Chlothars III. annehmen dürfte[2]. So führt der Name Chlothar im Prolog der Lex Alam. erst recht wieder auf Chlothar IV., die Entlehnung aus Theodor und Cumeanus auf den Anfang des 8. Jh.

Schon in meinen früheren Untersuchungen (N. A. XXXI, 436 f.) habe ich auf die Bedenken hingewiesen, welche gegen diese sonst so einleuchtende Argumentation sich daraus ergeben, dass das c. XXXVIII ein Einschub ist. Aus den s. Z. angegebenen Gründen halte ich es auch heute noch für sicher, dass die Kapitelserie 37—40 in den ursprünglichen Zusammenhang des Merowingischen Königsgesetzes eingeschoben worden ist. Und da die meisten dieser Kapitel in der Lex Baiuv. (an einer anderen Stelle) nachweisbar erst später eingefügt worden sind, so scheint es mir fast undenkbar, dass sie in der Lex Alam. schon bei ihrer ursprünglichen Redaktion Aufnahme gefunden hätten.

Brunner hat sich allerdings diesen meinen Gründen gegenüber ablehnend verhalten[3]: 'Wie Titel 37 nimmt auch noch Titel 41 Bezug auf eine alamannische Stammesversammlung. Schon wegen der verwandten Fassung der

---

1) MG. LL. Sect. I, t. V, pars I, p. 8. 2) Brunner a. a. O. S. 164—166. 3) DRG. I², 458, N. 20.

Bezugnahme ist es nicht wahrscheinlich, dass die Redaktion der im Gesetze liegenden Bestandteile zu verschiedener Zeit erfolgte. Dazu kommt, dass Titel 42 westgotischen Einfluss verrät, während Titel 39 mittelbar oder unmittelbar aus westgotischer Vorlage stammt. Ich glaube daher nicht, dass der Einschub, der übrigens anders abzugrenzen wäre, erst nach der Stammesredaktion erfolgt sei." So Brunner. Ich kann nicht sagen, dass mich diese Ueberlegungen von meiner Vermutung abgebracht hätten[1]. Dass Titel 42 westgotischen Einfluss bekundet und Titel 39 ausgesprochen westgotischen Ursprungs ist, scheint doch wohl nicht gegen die Annahme zu sprechen, dass gerade Titel 39 später in das Gesetz gekommen ist. So ganz geklärt ist die Frage überhaupt nicht, worauf dieser westgotische Einfluss zurückzuführen ist; aber die Tatsache, dass er sich und zwar ein schwacher in der Lex Alam. findet, hindert doch nicht, dass irgendwo unter kirchlichem Einfluss eine Bestimmung gleichfalls westgotischen Ursprungs nachträglich eingeschoben worden sei. Was aber Brunners Hauptargument betrifft, so ist zuzugeben, dass Titel XXXVII und XLI von einer Stammesversammlung sprechen: Titel XXXVII: "Si autem fecerit (Verkauf von Unfreien ins Ausland) et exinde probatum fuerit post conventum nostrum quod conplacuit omnibus Alamannis" und Titel XLI 1: "Ut causas nullus audire praesumat nisi qui a duce per conventionem populi iudex constitutus sit" und ebenda 2: "non contemnat audire iustum iudicium, quia sic convenit duci et omni populo in publico concilio." In diesem letzten Kapitel erfolgt der Hinweis auf die Stammesversammlung in dem Zusammenhang, dass demjenigen, welcher die Richtigkeit eines Urteils anficht und damit nicht durchdringt, eine Busszahlung auferlegt und zur Pflicht gemacht wird das richtige Urteil anzunehmen, weil es von dem Herzog und dem ganzen Volke in der allgemeinen Volksversammlung übereinstimmend so angeordnet wurde.

An der anderen Stelle tit. XXXVII wird bestimmt, dass, wenn jemand ein betreffs der Sklaven aufgestelltes Verbot übertritt, "post conventum nostrum quod conplacuit cunctis Alamanis", er dafür eine Busse zahlen muss. Es ist Brunner zuzugeben, dass beide Stellen von der Volks-

---

1) Nur nebenbei sei bemerkt, dass ich auch nach persönlicher Aussprache mich nicht zu einer anderen Abgrenzung des Einschubes bekehren konnte; dem kommt aber wohl keine grössere Bedeutung zu.

versammlung der Alamannen handeln; aber kann man die letztere Stelle nicht mit demselben Recht, wie Brunner es für seine Ansicht tut auch für die entgegengesetzte deuten? Ist es sehr wahrscheinlich, dass ein Gesetz, das für die Zukunft eine Neuerung anordnet, diesen terminus a quo in die obige Form kleidet? Passt die Wendung: 'post conventum quod conplacuit Alamannis' nicht besser in einen Zusatz, der in den Gesetzestext eingefügt wurde zu einer Zeit, da jene Volksversammlung nicht mehr der Gegenwart, sondern der Vergangenheit angehörte?

Man kann darüber wohl verschieden denken. Aber gerade darum scheint mir die Einwendung Brunners nicht auszureichen, um jene Argumente zu beseitigen und zu überwinden, die ich seiner Zeit gegen die Annahme angeführt habe, dass die Einfügung jener Kapitelreihe in den Text des Merowingischen Königsgesetzes schon bei der Redaktion des Alamannengesetzes erfolgt sei. Gerade, wenn mir jetzt mehr als früher die direkte Benutzung desselben bei der Redaktion der Lex Baiuv. wahrscheinlich ist, kann ich nun noch weniger als vordem glauben, dass diese Kapitel zuerst im Königsgesetze fehlten, dann bei der Redaktion des alamannischen Gesetzes in diese Lex aufgenommen worden seien, dann wenige Jahre später bei der Redaktion des bairischen Gesetzes wieder weggelassen und schliesslich durch ein Tassilonisches Dekret in die bairische Lex nachträglich eingefügt worden seien und zwar nahezu in der gleichen Form, in der sie die Lex Alam. schon ursprünglich enthalten haben soll.

Wie ich s. Z.[1] schon hervorgehoben habe, ist mir diese textliche Entwickelung um so weniger wahrscheinlich, als es sich um Bestimmungen handelt über Sonntagsheiligung und inzestuose Ehen, also um Normen, deren Einschärfung für die Kirche vom höchsten Interesse war. Mir möchte scheinen, dass da die Vermutung doch näher liegt, dass diese Normen in beiden süddeutschen Gesetzen unter kirchlichem Einflusse ziemlich gleichzeitig später eingefügt worden seien.

So glaube ich, dass wir dem Argumente aus Titel XXXVIII mit einiger Vorsicht gegenübertreten müssen. Der Schluss, dass das Gesetz nicht vor dem Bussbuche Theodors von Canterbury entstanden sein kann, weil ein Stück desselben darauf fusst, ist nicht ganz sicher, weil wir m. E. zum mindesten nicht mit Sicherheit behaupten

1) N. A. XXXI, 437.

können, dass dieses Stück schon der ursprünglichen Redaktion angehörte. So bleibt für die Entstehung der Lex Alam. in der Zeit Herzog Lantfrieds entscheidend der Bericht der beiden oben genannten Hss. des alamannischen Gesetzes. Dahinter stehen dann die Argumente, welche Lehmann dafür angeführt hat, dass das Gesetz nicht vor dem letzten Drittel des siebenten Jh. entstanden sei.

Und an dieser Grenze werden wohl auch alle diejenigen Halt machen müssen, die Brunners Datierung nicht akzeptieren, weil sie mit allem Nachdrucke in Rechnung ziehen, wie unsicher der Boden ist, auf welchem wir mit unserer alamannischen Ueberlieferung gerade für Lantfrieds Zeit stehen.

Für unsern hier verfolgten Zweck fehlt wohl jeder Anlass auf die weiteren möglichen Kontroversen über die Entstehung der Lex Alam. einzugehen. Denn, mag man schliesslich innerhalb der hier als möglich abgesteckten Grenzen wann immer die Entstehung des Alamannengesetzes annehmen, die Schlussfolgerungen, die sich daraus für das alte Baiernrecht ergeben, sind immer die gleichen. Mag die Lex Alam. im letzten Drittel des siebenten oder im ersten Drittel des 8. Jh. entstanden sein, in keinem Falle kann sie schon in Dagoberts Zeit der Redaktion eines anderen Gesetzes zu Grunde gelegen sein.

Die Entstehung in der Zeit Dagoberts, also vor 638 erscheint aber auch dann ausgeschlossen, wenn wir aus den oben[1] angegebenen Gründen annehmen, dass das Gesetz den Edictus Rothari benutzt hat, dessen Entstehung ins Jahr 643 fällt.

Huldigen wir aber der Ansicht, dass das Baierngesetz eine solche Entlehnung aus dem benachbarten Alamannengesetze bekunde, dann dürfen wir aus den oben S. 677 angegebenen Gründen die Entstehung der Lex Baiuv. mit geringer Wahrscheinlichkeit in die Zeit der früheren Herrschaft Karl Martells 725 und 728, mit grösserer Wahrscheinlichkeit aber in die Tage Herzogs Odilo, also in die Zeit nach 744 verlegen; und da die Entstehung des Gesetzbuches vor 749 liegen muss[2], so kommen wir für die Frage der Datierung post tot discrimina rerum im wesentlichen auf die Datierung zurück, die der Altmeister und beste Kenner der fränkischen Rechtsgeschichte in seinem klassischen Lehrbuche der deutschen Rechtsgeschichte schon vor zwei Dezennien entwickelt und damals neu begründet

1) Abschnitt A passim. 2) Vgl. oben S. 669.

hat; wir kommen zu der Meinung Brunners zurück, dass 'die Satzung des Baiernrechtes unter Mitwirkung der fränkischen Staatsgewalt vermutlich innerhalb der Jahre 744—748 erfolgt' sei[1]. Von all den verschiedenen Möglichkeiten spricht wohl die grösste Wahrscheinlichkeit für diese Vermutung. Auch Brunner bezeichnet diese Annahme als eine Vermutung; wenn die vorliegenden Untersuchungen in dem gleichen Endergebnisse gipfeln, so vermögen sie — das ist mir vollständig klar — die Vermutung nicht in volle Sicherheit umzuwandeln. Was hier zu den Ausführungen Brunners hinzugefügt werden konnte, bewegt sich mehr in der Richtung der Abschwächung als der Verstärkung jener Argumente, welche der Annahme ihre Wahrscheinlichkeit verleihen. Aber auch so, wenn einige Stützen hinwegfallen oder selbst ins Wanken geraten, die dem Bau Halt geben sollen, wüsste ich keiner der anderen Möglichkeiten ein auch nur annähernd gleiches, geschweige denn ein grösseres Mass von Wahrscheinlichkeit zuzusprechen.

Die wichtigsten Abweichungen von der herrschenden Lehre haben sich oben ergeben[2]. Sie bestehen im wesentlichen darin, dass das Gesetz mehr, als es bisher angenommen wurde, sich als ein Konglomerat aus verschiedenen alten Gesetzen darstellt und so insbesondere neben dem 'Königsgesetze' und dem alamannischen und westgothischen Gesetze auch aus der Lex Salica und langobardischen Edikten geschöpft hat und mancherlei kirchlichen Einfluss verrät.

Dass dabei viele Aufstellungen nur Vermutungen, Annahmen und Wahrscheinlichkeiten sind, die als das Endergebnis all dieser mühevollen Detailuntersuchungen uns entgegen treten, nicht völlige Sicherheit und bestimmtes Wissen bieten, das mag man beklagen; aber ändern kann man es vorläufig nicht und befremden wird es niemand, der sich vor Augen hält, wie es hier mit unseren geschichtlichen Quellen steht.

Wir wissen von der Lex Baiuv., dass sie existiert, dass sie zur Zeit der Dingolfinger und Aschheimer Synode schon existiert hat; aber ausser dem Prolog sehr problematischen Wertes erzählt uns keine Quelle auch nur ein Wort über die Entstehung des Gesetzes; wir erfahren direkt weder, unter welchem Könige oder Herzog es entstanden ist, — das Gesetz selbst nimmt in keiner Hs. auf eine bestimmte Persönlichkeit Bezug —; wir wissen direkt

1) Brunner, DRG. I², 462. 2) Vgl. oben S. 648.

nicht, ob es auf eine einzige Redaktion zurückzuführen oder durch allmähliche Erweiterung oder durch Zusammenschliessen verschiedener Bruchstücke hergestellt wurde, wie überhaupt die Kodifikation vor sich ging, was älterer Bestandteil und was jüngerer Zusatz ist, und was sonst noch an ähnlichen Fragen sich uns aufdrängt. Sollte es uns da wirklich befremden, wenn die Beantwortung all dieser Fragen aus dem Inhalte des Gesetzes heraus, das hierfür wenige markante Anhaltspunkte gibt, und aus den allgemeinen Anhaltspunkten, die wir aus jenen Zeitläufen gewinnen können, nicht zu völlig eindeutigen, fest und sicher stehenden Ergebnissen führen? Müssen wir uns nicht vollauf zufrieden geben, wenn wir diese doch mit einem so grossen Masse von Wahrscheinlichkeit umgeben finden als wir unter voller Berücksichtigung aller Bedenken und Einwendungen den gewonnenen Ergebnissen zusprechen dürfen[1]?

---

1. Eine dritte Studie über die Hss. und die Neuausgabe soll hoffentlich in kurzer Zeit nachfolgen.

XIV.

Die Entstehung und Ueberlieferung der Annales Fuldenses.

I.

Von

Siegmund Hellmann.

Der vollständige Text der Annales Fuldenses in ihren beiden Fassungen ist erst langsam und allmählich in den Besitz der Wissenschaft übergegangen. Zuerst wurden die Annalen durch P. Pithou bekannt gemacht[1], aber nach einer am Ende verstümmelten und auch sonst unvollständigen Hs.[2]; sie gehörte der jüngeren Version des Werkes mit der im Südosten des Reiches entstandenen, uns heute bis 901 vorliegenden Fortsetzung an, die auf lange Zeit hinaus allein die Forschung beschäftigen sollte. Pithous Ausgabe wurde ergänzt und erweitert durch M. Freher[3] auf Grund der Altaicher Hs.[4], von der er allerdings nicht das Original, sondern nur eine Abschrift benutzen konnte, die ihm Markus Welser verschafft hatte. Die Lücken, die nun noch blieben und durch den Ausfall einzelner Blätter und ganzer Lagen in der Altaicher Hs. verursacht waren, wurden aus verschiedenen ihr verwandten Hss. durch Leibniz[5] und nach einer Abschrift Gentilottis[6]

Vorbemerkung. Die nachstehende Untersuchung beruht durchaus auf erneuter Einsichtnahme in die Hss.; ihre Benutzung wurde mir von den Bibliotheksverwaltungen, in deren Eigentum sie stehen, durch Uebersendung nach München in zuvorkommendster Weise ermöglicht. Nur der Vaticanus Reginensis 633[1] war mir im Originale nicht zugänglich; ich benütze eine Photographie, die mir die Güte des P. Franz Ehrle verschafft hat.

1) Annalium et historiae Francorum ab a. Chr. 708 ad annum 990 scriptores coaetanei XII, Paris 1588. 2) Es ist die heute mit 3d bezeichnete, Vaticanus Reginensis 633[1]; vgl. G. Waitz in dieser Zeitschrift II (1877), 330; Holder-Egger X (1885), 224. 3) Germanicarum rerum scriptores aliquot insignes, Frankfurt 1600, S. 1 ff. 4) Heute Leipzig, Stadtbibliothek, Rep. II 129a. 5) SS. Rerum Brunsvicensium (1707) 192; vgl. Introductio n. XII. Leibniz benutzte die Brüsseler Hs. 8178 (7503—7518), die heute mit 3e bezeichnet wird; vgl. G. Waitz in Pertz' Archiv VII, 381. 427. Er entnahm ihr auch die Passio ss. martirum Ebbekestorp quiescentium (Catalogus codd. hagiograph. bibl. reg. Brux. II, 87). 6) Aus 3c, Wien 456, Rerum Italicarum SS. II, 2, 119 sqq. — Ueber den angeblichen Codex S. Trudonis Eckharts vgl. Kurze in seiner Ausgabe S. XI. Die Interpolation in 3c, um die es sich handelt, ist teils Hinkmars V. Remigii (SS. Rer. Mer. III, 252), teils dem 17. Kapitel der Vita S. Rigoberti entnommen (Acta SS., Ian. I, 177), nicht dem Schreiben der Synode von Chiersy, wie Pertz MG. SS. I, 345 glaubte.

[illegible] Pertz in den MG. die erste auf modernen [illegible] aufgebaute Ausgabe schuf. Zwar war inzwischen die [illegible] wieder verschwunden [illegible] abhanden gekommen waren. Für sie alle war Pertz auf die älteren Drucke angewiesen. Aber dafür konnte er die beiden Wiener Hss. benutzen [illegible] Auf Grund dieses Materials war zum ersten Male eine selbständige Ausgabe [illegible] die beiden Redaktionen in ihrer Gestaltung von 812 an wiederzugeben.

Der Reichtum, der ihr gespendet wurde, sollte der Wissenschaft nicht lange zum Segen gereichen. Denn das Bestreben, die Annalen bestimmten Verfassern zuzuweisen, verführte sie zu Spekulationen und verhinderte Erkenntnisse von dem Wesen und der Entstehung des Werkes, die unmittelbar zu greifen gewesen wären, wenn man auf den im Großen und Ganzen zutreffenden Anschauungen von Pertz weitergebaut hätte.

Vor dem Erscheinen der Pertzschen Ausgabe war die Frage nach der Verfasserschaft im allgemeinen kaum gestreift worden. Berührte man sie doch, so schrieb man das Werk in der Regel einem Verfasser zu, dem man noch einen zweiten für die 812 beginnende jüngere Fassung zur Seite treten ließ. Soviel ich sehe, macht nur Christ

1) Noctes academicae S. 136 ff., 306 ff., 336 f. Die Erläuterungen, die er gibt, haben teilweise noch heute noch Geltung. 2) Vgl. R. [illegible] in der gleich zu nennenden Abhandlung S. 146 Anm. **. 3) Commentarii de aug. bibliotheca Caesarea II. 351 sqq. 4) Sie trägt die Signatur n. 11. Vgl. Catalogue général des manuscrits 4°, III. 500 und ausführlich H. Bresslau bei F. Kurze in dieser Zeitschrift XVII (1892), 85 f.

eine Ausnahme, der, allerdings nicht auf exakten stilistischen Beobachtungen fussend, sondern einem unbestimmten Eindruck nachgebend, auch 863 einen Einschnitt konstatieren wollte[1]. Erst die Entdeckung der Schlettstadter Hs. führte einen Wandel herbei, denn sie und zwar sie allein enthielt am Rande zu den Jahresberichten 838 und 863 die Vermerke 'Hucusque Enhardus, Hucusque Ruodolfus', die auf bestimmte Verfasser hinzudeuten schienen. Man war sich schnell darüber einig, dass mit Ruodolfus nur der Schüler Hrabans und bekannte Hagiograph, der Verfasser der Translatio Alexandri, gemeint sein könne, dessen Todestag man zudem in den Annalen selbst angemerkt fand. Weniger sicher fühlte man sich gegenüber dem Enhard der zweiten Notiz. Zwar war man nicht im Stande, eine Persönlichkeit gerade dieses Namens nachzuweisen, aber noch Pertz wies den Gedanken einer Gleichsetzung mit Einhard entschieden zurück[2]. Die Kontroversen der nächsten Jahrzehnte, die sich um Einhards Anteil an der Annalistik seiner Zeit drehten, liessen jedoch eine solche Identifizierung bald weniger unmöglich erscheinen. Zuerst hat dann wohl Dünzelmann, eine Vermutung von Waitz[3] aufnehmend und umbiegend, mit Entschiedenheit die Ansicht ausgesprochen, Enhard sei nur eine verderbte Form für Einhard und als Verfasser des ältesten Teiles der Fulder Annalen wenigstens bis 793 habe der Geschichtschreiber Karls des Grossen zu gelten[4]. Dünzelmanns Behauptung fand wohl gelegentlichen Widerspruch[5], aber trotzdem gewann sie an Boden, und wenig

---

1) 'Qui inchoavit annales, maiore aliquanto linguae Romanae nitore scripsit et meliore iudicio fuit usus quam qui perrexere . . . . . Si nobis liceat censere, visa est quaedam stili diversitas emergere circa annum 863, deinde alia post 882. Nihil tamen habemus, quod afferamus, certo compertum'. A. a. O. S. 190. Dagegen wollten die Verfasser der Histoire litéraire de la France (V, 597), die wieder nur e i n e n Verfasser annahmen, 839 einen stilistischen Einschnitt machen: 'il est fort sec et très succinct jusqu'à l'année 839. Mais plus il approche du temps où il écrivoit, plus il est étendu et intéressant'. Sie haben damit das Richtige getroffen, denn bis 838 sind die Annalen lediglich Kompilation. — Wahrscheinlich war es Christs Urteil, das Wattenbach veranlasste, seit der zweiten Auflage seiner Geschichtsquellen (1866) zu erklären, der Abschnitt von 863 bis 882 komme dem vorhergehenden, 838 beginnenden, 'an Reinheit der Sprache nicht gleich'. 2) MG. SS. I, 337. 3) Forschungen zur Deutschen Geschichte XVIII, 360; vgl. diese Zeitschrift XII (1887), 48. 4) In dieser Zeitschrift II (1877), 505 ff. 5) Namentlich durch Wattenbach, der von der fünften Auflage seiner Geschichtsquellen an an diesem Widerspruche festhielt. — Das beste, was gegen Einhards Autorschaft

später glaubte sich die Wissenschaft in den Stand gesetzt, auch für den letzten, bis 887 reichenden, bis dahin anonymen Teil der Annalen auf eine bestimmte Persönlichkeit als Verfasser hinweisen zu können, auf Meginhard von Fulda, den wir als Hagiographen und Homileten kennen [1]. Er empfahl sich der Forschung als Fertigsteller von Rudolfs unvollendet hinterlassener Translatio Alexandri, und dieses Moment schien noch dadurch verstärkt zu werden, dass in der einzigen uns erhaltenen Hs. des Werkes da, wo sich die Anteile beider Verfasser scheiden, ganz wie in den Annales Fuldenses die Bemerkung 'Hucusque Ruodolfus' auftaucht. Zwar hatte sich noch Pertz mit allem Nachdruck gegen den Gedanken gewendet, Meginhard einen Anteil an der Abfassung der Annalen einzuräumen [2], allein Rethfelds Dissertation 'Ueber den Ursprung des zweiten, dritten und vierten Teiles der sogenannten Fuldischen Annalen vom Jahre 838 bis 887' (1886) schien seine Bedenken siegreich zu widerlegen.

Inzwischen hatte das Wiederauftauchen der Altaicher Hs. (1840) [3] und anderen, verschollen geglaubten Materials, sowie die Entdeckung einiger allerdings nicht sehr wesentlicher Fragmente von Hss., die man bis dahin überhaupt nicht gekannt hatte, längst den Wunsch nach einer Neubearbeitung rege gemacht. Die Aufgabe, sie herzustellen, fiel Friedrich Kurze zu, dessen Ausgabe 1891 in den Scriptores rerum Germanicarum erschien; gleichzeitig handelte er in dieser Zeitschrift [4] ausführlich über ihre Grundlinien, wie sie ihm durch die Entstehungsgeschichte des Werkes bedingt zu sein schienen.

---

vorgebracht werden kann, hat W. Pückert in den Verhandlungen der sächsischen Gesellschaft der Wissenschaften XXXVI (1884), 158 f., Anm. 3 gesagt. 1) Vgl. über ihn und Rudolf A. Hauck, Kirchengeschichte Deutschlands II, 658. 659; Briefe von Rudolf in der Sammlung der Magdeburger Centuriatoren MG. Epp. V, 583. — Man würde mit Rudolf gerne den Ruodolf p(resbyter) identifizieren, der im 9. Jh. eine Hs. der Gedichte Walahfrieds an das Kloster Fulda schenkte, vgl. Dümmler, Poëtae II, 268. Dümmler setzt die Hs. allerdings in das Ende des 9. Jh., und ein kleines Gedicht, das zu der Donatorennotiz zu gehören scheint (von ihm veröffentlicht ZDA. XIX [1876], 146), ins zehnte. Wer der hier genannte 'praeses venerandus Isangrim' ist, lässt sich leider nicht feststellen. Zu Rudolf würde jedenfalls passen, dass die Fulder Totenannalen für die zweite Hälfte des 9. Jh. ausser ihm selbst keinen Presbyter seines Namens kennen. 2) A. a. O. S. 339. 3) Vgl. R. Naumann, Ueber die auf der Leipziger Stadtbibliothek befindliche Handschrift der Annales Fuldenses, Serapeum I (1840), 145 ff. 4) XVII (1892), 85—158; um Verwechselungen mit der Ausgabe und anderen Arbeiten Kurzes zu verhüten, ist diese Untersuchung im Folgenden stets mit 'Abhandlung' zitiert.

Mit Kurzes Arbeiten erhielt die Theorie von der Verfasserschaft Einhards, Rudolfs und Meginhards gewissermassen die offizielle Weihe. Er übernahm sie nicht nur unbesehen von der bisherigen Forschung, sondern baute sie auch in den Einzelheiten aus, indem er sie dabei in stetem Einklang mit den Hss. zu halten suchte. Dadurch hat er ihr wohl zum Siege und zu fast allgemeiner Anerkennung verholfen, gleichzeitig ihr aber auch einen Tribut entrichtet, der die Grundlagen, auf denen sich seine Arbeit aufbauen musste, völlig verschob. Denn nun wird die Frage, die erst am Ende einer eingehenden Vergleichung der Hss. und einer genauen Untersuchung des Textes nach Inhalt wie nach Sprache hätte zur Behandlung kommen dürfen, die Frage nach den mutmasslichen Verfassern der einzelnen Teile, an den Anfang gerückt; sie gilt von vornherein durch jene Randnotizen als gelöst, und diese Lösung bestimmt Gang und Resultate der weiteren Untersuchung; ihr zu Liebe wird die handschriftliche Rezension in den Hintergrund geschoben und muss zusehen, wie ihre Resultate willkürlich zurechtgebogen werden, um die Verfassertrias Einhard-Rudolf-Meginhard nacheinander zu Worte kommen zu lassen. Gewiss hat sich Kurze ein Verdienst erworben, indem er die Hss. schärfer zu scheiden versuchte, als dies Pertz tat, der sich damit begnügte, sie in zwei grossen Gruppen unterzubringen; aber wenn er dabei einzelne Beobachtungen gemacht hat, auf denen auch unsere Untersuchung nur mit Dank weiterbauen kann, so hat er sich doch wieder verleiten lassen, den Teil der Arbeit, der ihm den reichsten Ertrag versprochen hätte, die sorgfältige Beobachtung und Vergleichung der Hss. im Einzelnen, zurückzustellen[1], um

---

1) Die Zuverlässigkeit seiner Ausgabe hat darunter gelitten. Ich gebe im Folgenden eine Reihe von Korrekturen; auf Vollständigkeit macht sie keinen Anspruch, denn ich habe die Hss. nicht vollständig kollationiert, sondern nur soweit eingesehen, als es für die Zwecke meiner Untersuchung notwendig war.

Kurze Ausgabe 1, 19 'Colonensium' 1—3, 'Coloniensium' 3c—e. — 2, 10 'uero et' nicht in 2 und 3, sondern in 3 und 3c—e. — 2, 25 auch die Hs. 2 hat 'capit'. — 4, 6 'ducatus', das als Variante von 2 angegeben wird, ist dort nicht zu finden; 2 hat vielmehr gleichfalls 'regno'. — 5, 7 'episcopum', das als in 2 fehlend bezeichnet wird, ist dort wie in den anderen Hss. enthalten. — 6, 27 'cathedram' 1. 2. 3, 'in cathedra' 3c—e. — 6, 27 'ann̄' 3, 'annos' 3c—e. — 7, 20 auch 2 liest 'movet'. — 8, 8 auch in 2 heisst es nur 'Nazarii', nicht 'sancti Nazarii'. — 8, 16 'cepit' nicht in 2, sondern in 3c—e. — 8, 23 'suscepit' auch 2. — 10, 18 'fidem fecit' nicht in 2, sondern in 3c—e. — 12, 19 'facta' 3, 3c—e. — 13, 16 statt

einzelne, besonders in die Augen springende Unterschiede zu betonen, die seine These zu fördern schienen: die Tatsache, dass die von ihm mit 1 bezeichnete Hs. (die Schlett-

---

'aditus', das Kurze druckt, lesen sämtliche Hss. 'addictus', mit Ausnahme von 3d, das 'abdictus' hat. — 15, 7 'superiori' nicht in 2. 3, die gleichfalls 'superiore' lesen, sondern in 3c—e. — 15, 8 'capite damnati' ('dampnati' 2) 1. 2, 'capiti damnati' 3, 'capitis sententia dampnati' 3c—e. — 15, 35 'vocatur' 1. 2. 3, 'dicitur' 3c—e. — 16, 29 'imprudenter' fehlt in keiner der Hss., auch nicht in 2. — 16, 33 'sirica' 1 und 3, 'serica' 2, aber von anderer Hand aus 'sirica' hergestellt, 'serica' 3c—e. — 18, 14 'diversarum'] diversa 3*. — 18, 26 'imperii' 1. 2. 3*. 3d, 'imperatori' 3c. e. — 18, 27 'Octimbrio' 1, 'Octobrio' von anderer Hand aus 'Octimbrio' hergestellt 2, 'Octobrio' 3*, 3c—e. — 19, 7 'victoria' 1. 3*, 'victoria' aus 'victoriam' 2, 'victoriam' 3c—e. — 19, 16 'dixerunt ei laudes' 3*. — 19, 27 'celebrare' 1. 2. 3*, 'celebrari' 3c—e. — 20, 5 'vastatis' fehlt in allen Hss., nicht nur in 2. — 21, 14 'dux] rex' 3. — 21, 36 'modo' nur 3d, 'morbo' die übrigen = Ann. regni Fr. — 22, 24 'terra' fehlt in allen Hss. — 23, 34 die Korrektur in 2 ist von jüngerer Hand. — 24, 14 'qd' 1, 'quid' 2. 3, 'qď' 3c, 'quod' 3d. e. — 24, 16 'morarum' 1. 2. 3. 3d, 'mora' 3c. 3e. — 24, 30 'eius' steht in 1. 2, fehlt 3. 3c—e. — 24, 32 'Suesonam' aus 'Suesonum' 3e, die anderen Hss. deutlich 'Suessonam'. — 26, 16 'Augustam Vindelicum' 1. 2. 3. 3d, 'A. Vindeliciam' 3c. 3e. — 26, 20 auch 3 hat, wie die übrigen Hss., 'XIII. Kal. Iun.'. — 27, 4 'ad' in allen Hss., auch in 2; es liegt scheinbar eine Verwechselung mit Zeile 2 vor, wo 'ad' überall fehlt. — 32, 21 'ante' 1. 2, 'antea' von jüngerer Hand über der Zeile nachgetragen 3, 'antea' 3c—e (in 3e von 1. Hand aus 'ante' hergestellt). — 33, 27 'villa' 1. 2. 3, 'villam' 3c—e. — 34, 10 als Variante von 2 ist bei Kurze angegeben 'reges inter se mense', die Stellung der Worte ist jedoch hier dieselbe wie in den anderen Hss. — 36, 6 'quo' 3d, die anderen 'quod'. — 37, 3 'non minime] nomine' 3. — 38, 26 'gerendarum' 1. 2. 3. 3e, 'generandarum' 3c, 'gerendararum' 3d. — 39, 2 'effecti ('affecti' 3d) superiores' 3. 3c—e. — 42, 7 die Variante 'et' (für 'atque') steht in 1, nicht in 2. — 45, 19 sämtliche Hss. haben 'ferunt', nicht 'fertur'. — 47, 9 'facit' 1, 2, 3f, 'fecit' 3c—e. — 48, 20 sämtliche Hss. haben 'in Kalendis'. — 49, 11 'sui' fehlt in 3f, nicht in 2. — 49, 20 die von Kurze für 2 verzeichnete Variante 'itemque' (statt 'ireque') steht dort nicht. — 50, 2 die Variante 'videndo' nur in 3e. — 50, 17 'adquiescens' ist in allen Hss. enthalten, auch in 2. — 51, 19 'iudicantes' 1. 3c. 3e, 'indicantes' 2. 3d. 3f. — 53, 7 'verni', nicht 'verno' auch in 2. — 53, 18 'temporis' nur in 3d, nicht auch in 2. — 54, 10 'lucrifaceret' 3d. 3f, 'lucrificaret' 1. 3c. 3e; 2 und 3 enthalten die Stelle nicht. — 57, 25 als Variante zu 'urbis' ist für 3 'sedis' angegeben; tatsächlich fehlt das eine wie das andere. — 59, 32 'a' fehlt 3. 3d, fehlt nicht 3c. 3e. — 60, 2 'sit' 3c—e. — 61, 30 'vota' 3c—e. — 61, 33 'si elatio' 3c—e. — 68, 3 'relinquens' 1. 2. 3, 'derelinquens' 3c—e. — 70, 2 'appellare' alle Hss., auch 2. — 73, 17 'eiusdem' 1. 2' 'eius' 3c—e. 3f (in 3 ist alles von 68, 7 — 97, 7 durch Quaternionenausfall in Abgang gekommen). — 74, 12 'in castris' in allen Hss., auch in 2. — 75, 22 'xenia' 3c—e, 'exenia' 1. 2; jedoch ist in 2 das erste e durch Unterpungieren mit dunklerer Tinte getilgt; in 3f fehlt das eine wie das andere. — 75, 30 'filii' 1. 2. 3f, 'filius' 3c—e. — 77, 29 'minabatur' auch in 2, jedoch befinden sich unter den beiden a Flecken, Abdrücke der auf der Gegenseite stehenden minierten Jahreszahl, die Pertz, dessen Kollation Kurze benutzt hat, für

stadter) früher abbricht als 2 (Wien 615) und 3 (die Altaicher) und die dieser nahestehenden Hss. 3a—e, dann besonders gewisse Zusätze und Korrekturen, die 1 gegenüber 2 und 3, 3 gegenüber 1 und 2 aufweist. Indem er dann auch noch die Theorieen herübernahm, die Rethfeld ausgesponnen hatte, um den Anteil der Fulder Rudolf und Meginhard an der Abfassung der Annalen und gleichzeitig ihre Beeinflussung durch die Mainzer Erzbischöfe im Dienste einer offiziösen Geschichtschreibung möglich zu machen, ergibt sich ihm folgendes Bild. Eine von Einhard herrührende, bis 838 reichende Kompilation, vornehmlich

---

Tilgungspunkte ansah. — 81, 12 'Novembrio' 1, 'Novembre' 2, 'Novemb' 3c. 3e, 'Novembr' 3d, 'Novembri' (?) 3f. — 83, 15 'natale' 1. 2. 3d. 3f, 'natalem' 3c. 3e. — 85, 4 'profecit' 1. 2. 3f, 'proficit' 3c—e. — 85, 13 auch 2 liest 'eius', wie alle anderen Hss. — 86, 16 die Hs. 2 hat ursprünglich 'de inde', eine jüngere Hand hat 'ł denique' übergeschrieben. — 86, 23 'pacem petiit' auch 3e. — 88, 33 'servare' 1. 2. 3f, 'servari' 3b—e. — 89, 31 'conventu apud Franconofurt habito' 1. 2, 'habito conventu apud Franconofurt' 3b, 'conventu habito apud Fr.' 3c—e. — 94, 1 'alios' in allen Hss., auch in 2. — 95, 6 'cum Thuringiis' steht in 2. — 97, 28 'civitatis' 1. 2. 3, 'urbis' 3c—e. — 102, 1 'fatigaverant' 2. — 102, 4 'servaverunt' 2. — 102, 10 'resistente' von späterer Hand aus 'resistendo' 2. — 102, 23 'mediante mense Maio' 2. — 102, 36 'a tergo] at ğ = at ergo' 2. — 104, 30 'die' 2. — 105, 12 'concito' aus 'conscito', vielleicht von anderer Hand 2. — 105, 13 'Alsatiam' aus 'Alisatiam' 2, vielleicht von anderer Hand. — 107, 19 auch 3c—e haben 'et'. — 108, 2 'nobilissimi' 3. — 108, 16 'tonitrua' 3. — 108, 27 'nisi] ni' 3. — 109, 5 'redeunti' in 3c, nicht in 3. — 112, 13 'renuntiat' aus 'renuntiavit' 3. — 112, 14 'Sclavanorum' 3. — 112, 24 'in' fehlt 3. — 112, 39 'indicant' 3. — 114, 15 'occupatas' aus 'occupatis' 3. — 115, 9 'sancto die' aus 'die sancto' 3. — 115, 31 'etiam' aus 'iam' 3. — 116, 31 'Rodolfum' 3. — 118, 27 'natalem' 3. — 120, 8 'quia] quid' 3. — 120, 25 'a' fehlt 3. — 122, 1 'fluente Osave' aus 'fluente Save' 3. — 126, 33 'subdidere' 3. — 127, 10 'intempestatem' 3. — 128, 6 'depellunt' aus 'depellant' 3. — 128, 8 'ferratos' aus 'ferratas' 3. — 128, 9 'muros' aus 'mures' 3. — 128, 14 'namque' mit blasserer Tinte nachgetragen 3. — 128, 16 'suscipientes' mit blasserer Tinte aus 'cipientes' 3. — 128, 18 'regem' mit blasserer Tinte nachgetragen 3. — 128, 26 'inserere' mit blasserer Tinte aus 'insere' 3. — 129, 12 'ilico' mit blasserer Tinte nachgetragen 3. — 130, 3 'inveniri' 3. — 130, 21 'secum' über der Zeile nachgetragen 3. — 130, 29 'habitu' 3. — 131, 21 'ut' fehlt 3. — 132, 14 'ad tempus caruit' 3; Kurze hat die Umstellungszeichen übersehen. — 132, 25 die Jahreszahl fehlt 3. — 134, 29 'prosternaverint' 3, von moderner Hand in 'prosternaverunt' oder 'prosternaverant' geändert. — 134, 29 'competentes' 3. — 135, 6 'inveniuntur' 3. — 135, 20 'Marabaha' 3c.

Vor allem ist es ein Fehler Kurzes, dass er 3f nicht genügend benutzt hat, eine Abschrift aus 3, die für Aventin angefertigt wurde, Clm. 966. Trotz mancher Unzuverlässigkeit im Einzelnen musste sie prinzipiell zu Rate gezogen werden, wo 3 Lagenausfall erlitten hat; es ist dafür kein Ersatz, wenn Kurze an solchen Stellen die Ausgabe Frehers vergleicht.

auf dem Chronicon Laurissense, den Reichsannalen und den Annalen von Sithiu beruhend, wird zunächst von Rudolf, der seinen Stoff am Königshof und in Mainz sammelt, aber zum grössten Teile in Fulda verarbeitet, bis 863 weitergeführt. Nach seinem Tode geht das Werk in Meginhards Hände über, der es noch einmal abschreibt und, ganz im Sinne der Mainzer Erzbischöfe, zunächst bis 882 fortführt. Hier zuerst setzt unsere handschriftliche Ueberlieferung ein: Meginhards Werk ist uns in einer Kopie, der Schlettstadter Hs. (1), erhalten. Nun werden die Annalen erneut abgeschrieben und, noch immer von Meginhard, bis 887 fortgeführt; auch diese Rezension ist uns in gesonderter Gestalt erhalten geblieben, und zwar in der Wiener Hs. 615 (2 bei Kurze). Inzwischen ist aber das Exemplar Rudolfs, das wir heute nicht mehr besitzen, nach Bayern gelangt; hier wird eine Abschrift daraus von einem Unbekannten mit der zweiten Abschrift Meginhards verbunden, die dieser 882, bald nachdem er die letzte Fortsetzung zu schreiben begonnen, auf kurze Zeit an jenen Unbekannten ausleiht, weil es ihm selbst augenblicklich an Stoff mangelt, die Erzählung weiter zu führen, und er also sein Exemplar auf einige Monate entbehren kann. Jener bayrische Verfasser führt die Annalen bis 897 fort; hier lösen ihn zwei weitere Bearbeiter ab, bis die Erzählung im Jahre 901 abbricht. Das Werk dieser letzten drei Verfasser liegt uns in der Hs. 3 vor, der Altaicher, und in den Fragmenten und Hss. 3a—e, die Kurze aus ihr hervorgehen lässt.

Es hat an Bedenken gegenüber Kurzes Aufstellungen nicht völlig gefehlt[1], allein da auch Wattenbach, der nur Einhards Teilnahme gegenüber seine schon früher beobachtete Zurückhaltung nicht aufgab, Kurzes Resultate akzeptierte und mit seiner Autorität deckte[2], wurden sie in der überwiegenden Mehrzahl von Fällen als feststehend hingenommen. Nachdrücklicheren Widerspruch haben sie erst durch Hans Wibel gefunden[3], dem es tatsächlich gelang, Kurze auf einigen untergeordneten Punkten zum

1) G. Buchholz in der Besprechung von Kurzes Ausgabe, Historische Zeitschrift LXIX (1892), 513; vgl. auch D. Schäfer, das. LXXVIII (1897), 33, Anm. 2. 2) Vgl. Deutschlands Geschichtsquellen im MA., 6. Auflage I, 223 ff. 3) In dem Exkurse 'Beiträge zur Kritik der Annales Fuldenses' auf S. 249 ff. seines Buches 'Beiträge zur Kritik der Annales regni Francorum und der Annales quae dicuntur Einhardi' (Strassburg 1902).

Rückzug zu bewegen[1]. Allein in der Hauptsache hielt Kurze sein System aufrecht, und konnte es auch mit gewisser Berechtigung. Denn Wibel wandte sich zwar gegen den Unterbau seiner Ausführungen und bestritt ihm das Recht, die Namen Einhards und Rudolfs als Verfassernamen zu deuten; allein eine völlig genügende Erklärung für sie, oder wenigstens für das Auftreten von Rudolfs Namen, vermochte er nicht zu geben, so dass der geringeren oder geringen Wahrscheinlichkeit von Kurzes Hypothese lediglich eine grössere Wahrscheinlichkeit, aber nicht eine Evidenz gegenüberstand, die jeden Widerspruch ausgeschlossen hätte, und wenn Wibel versuchte, den Hss. eine andere Bewertung zu geben als Kurze, so brachte er zwar mit Glück Gründe gegen dessen Gruppierung vor, aber er selbst griff abermals fehl, indem er die Gabelung der Hss. in zwei Stämme, wie er sie mit Recht annahm, auf eine Sonderstellung von 2 gegenüber 1 und 3 aufbauen wollte.

Gegenüber dieser jüngsten Entwicklung der Forschung wird sich unsere Untersuchung in drei Richtungen zu bewegen haben. Sie muss zunächst als Unterlage eine neue Gruppierung der Hss. aufsuchen, sicherer als jene, die Kurze und Wibel für giltig ansahen; sie wird sodann zu zeigen haben, dass die Annalen in ihrer ursprünglichen Fassung, also das Werk des sogenannten Einhard, Rudolf und Meginhard, wenigstens in der Gestalt, in welcher es uns heute vorliegt, von einem einzigen Verfasser herrührt, so dass auch die letzte Berechtigung schwindet, die Zusätze mit Einhards und Rudolfs Namen in der Weise zu deuten, wie es Kurze wollte; und sie muss sich endlich die Frage vorlegen, in welchem Verhältnis die nach Bayern oder doch dem Südosten des Reiches weisende, von 882 bis 901 reichende Fortsetzung zu dem ursprünglichen Werke steht: ob sie sich nur äusserlich anschliesst, oder ob ein näheres Verhältnis obwaltet, bei dem der Inhalt mitspricht.

I.

Schon Pertz hatte völlig richtig gesehen, dass die uns noch gebliebenen Hss. der Annales Fuldenses in zwei Gruppen zerfallen. Er stellte auf die eine Seite die Hss. 1 und 2[2], auf die andere den Rest seines Materiales, mit

---

1) Vgl. Kurzes Replik auf Wibels Angriffe in dieser Zeitschrift XXVIII (1903), 663 ff. und Wibels Erwiderung S. 684 ff. 2) Die Wiener Hs. 2 trägt die Signatur 615, olim Hist. prof. 998, und enthält

dem sich im Wesentlichen unsere Hss. 3 und 3a—e[1] decken. Es war Kurzes Verhängnis, dass er von diesem Wege abwich und sich von vornherein von der Annahme beherrschen liess, dass drei Hss.-Gruppen anzunehmen seien[2]. Zwar hatte auch Pertz der Hs. 1 wegen ihrer Randnotizen besondere Wichtigkeit beigemessen; allein er gestattete ihr doch nicht, aus dem Rahmen herauszutreten, den eine Vergleichung ihres Textes mit dem ihrer Schwestern ihr anweisen muss. Dagegen trennt Kurze sie von der Hs. 2 und erblickt in ihr die Vertreterin einer besonderen, der ältesten Rezension des Werkes. Durch diesen Irrtum ist seine ganze Untersuchung auf eine falsche Bahn gewiesen worden.

Kurze beweist die Sonderstellung von 1 mit zwei Argumenten: an einer Reihe von Stellen zeige die Hs. gegenüber 2 und 3 die ursprünglichere Lesart, und dass sie bereits 882 abbreche, während 2 bis 887 und einige zu 3 gehörige Hss. bis 901 reichten, nötige zu der Annahme, dass der Verfasser der Annalen — Meginhard — hier einen Abschnitt in seiner Arbeit gemacht habe. Dass das zweite dieser Beweisstücke nicht stichhält, ist mit aller Selbstverständlichkeit schon von Wibel hervorgehoben worden[3]: denn dass eine Hs. früher abbricht als eine andere, nötigt höchstens zur Annahme einer verstümmelten Vorlage, nicht aber zu der einer besonderen Rezension. Ersteren Charakter trägt Kurzes Behauptung von besseren Lesarten in 1, und hier wird unsere Untersuchung einzusetzen haben.

Es sind im ganzen fünf Stellen, die in Betracht kommen. Wir stellen zunächst die Texte gegeneinander, wobei die linke Kolumne den der Hs. 1, also nach Kurze den älteren, wiedergibt, die rechte den Text von 2 und 3 und der 3 verwandten Hss.; wo 3 selbst Quaternionenausfall erlitten hat, ist 3f, die oben S. 703, Anm. be-

---

auf 10 Quaternionen = 80 Blättern im Formate von 17 × 12,3 cm ausschliesslich die Annales Fuldenses. Der Text ist von Einer Hand, die Pertz ins 12. Jh. setzte, geschrieben, Korrekturen und Nachträge von einer zweiten, gleichzeitigen, die schwärzere Tinte benutzte. Ausserdem zeigt die Hs. gelegentliche Einträge späterer, nicht mehr dem Mittelalter angehöriger Benutzer, darunter wohl des Lazius, dem sie nach Th. Gottlieb, Beihefte zum Centralblatt für Bibliothekswesen IX, 26 (1902), 41, gehörte.

1) Ueber diese vgl. im Abschnitt III. 2) 'Die Hss. der sogenannten Annales Fuldenses zerfallen in drei Gruppen', Eingangsworte seiner Abhandlung im 17. Bande dieser Zeitschrift. 3) Die Annales regni Francorum etc. S. 254; wenn im Folgenden nicht ausdrücklich auf die oben S. 705 genannten Ausführungen im 28. Bande dieser Zeitschrift hingewiesen wird, ist mit dem Zitate 'Wibel' stets dieses Buch gemeint.

zeichnete Abschrift Aventins, herangezogen; unwesentliche Varianten sind stillschweigend verbessert.

848. Gotescalcus, qui dicebatur hereticus, Mogontiaci a Rhabano archiepiscopo multisque aliis episcopis rationabiliter, ut plurimis visum fuit, convictus est, licet ille postmodum in sua perdurarit sententia.

Gotescalchus quoque quidam presbyter, de praedestinatione dei prave sentiens et tam bonos ad vitam quam malos ad mortem perpetuam inevitabiliter a deo praedestinatos esse adfirmans, in conventu episcoporum rationabiliter, ut plurimis visum est, convictus et ad proprium episcopum Ingumarum Remis transmissus est, prius tamen iuramento confirmans, ne in regnum Hludawici ultra rediret.

856. Mense Februario, IIII. die mensis eiusdem, defunctus est Hrabanus archiepiscopus Mogontiacensis ecclesiae.

Mense Februario, IIII. die mensis eiusdem, Rabanus archiepiscopus Mogontiacensis ecclesiae defunctus est, habens in episcopatu annos VIII, mens . 2. (der Raum für Monate und Tage ist freigelassen und später zu 'mensem unum' ausgefüllt worden).

Mense Februario, IIII. die mensis, defunctus est Hrabanus archiepiscopus Mogontiacensis ecclesiae, habens in episcopatu annos novem, mensem unum et dies quattuor. 3f, 3c—e.

863. (Tod des Erzbischofs Karl von Mainz); cui Liutbertus in episcopatus honore successit II. Kal. Decembris.

et Liutbertus eiusdem sedis honore sublimatus II. Kal. Decembris.

870. Nubes varii coloris per tres continuas noctes ab aquilone ascendebant, aliae ab oriente et meridie econtra veniebant.

Nubes quaedam ab aquilone quadam nocte ascendit, altera ab oriente et meridie econtra venit.

872. Qui duces quinque his nominibus: Zwentiala, Witislan, Heriman, Spoitamar, Moyslan, Goriwei cum magna multitudine sibi rebellare nitentes in fugam verterunt.	Qui dei adiutorio freti duces quinque, quorum ista sunt nomina: Zwentislan, Witislan, Heriman, Spoitimar, Moyslan, cum maxima multitudine sibi rebellare nitentes in fugam verterunt.

Von diesen Stellen[1] scheiden zunächst zwei, jene zu 856 und zu 863 völlig aus, weil sie zur Entscheidung der Frage nichts beitragen können. Die Differenzen in der Fassung der ersteren hat Wibel[2] völlig zutreffend erklärt: in der Originalhs. war der Raum für die Jahre und Monate von Hrabans Pontifikat ausgespart; der Schreiber von 1 liess die betreffende Stelle überhaupt aus, 2 und 3 stellten unabhängig von einander Versuche an, die Lücke auszufüllen. Dabei macht es der handschriftliche Befund mindestens wahrscheinlich, dass in 2 diese Ausfüllung von einer jüngeren Hand besorgt wurde[3]. Die andere Stelle, jene über Liutbert, muss schon um deswillen bei Seite gelassen werden, weil in der Hs. 3, wie sich später zeigen soll, neben der oben angegebenen auch noch die ursprüngliche, ganz anderen Inhalt und Wortlaut aufweisende, Lesart des Originals erhalten geblieben ist, die erkennen lässt, dass die beiden Varianten, die Kurze einander gegenüberstellt und von welchen die eine später auch nach 3 selbst vorgedrungen ist, jünger sind, auch jene in der angeblich die älteste Rezension vertretenden Hs. 1; aus welchem Grunde überdies die Fassung hier älter sein sollte als in 2, ist nicht einzusehen[4]. Es bleiben also nur die Stellen zu 848, 870 und 872, und hier bedarf es keines besonderen Scharfblickes, um zu sehen, dass die Differenzen zwischen den einzelnen Hss. nicht für, sondern gegen Kurze Zeugnis ablegen. Die Notiz in 2 und 3 passt

---

1) Die folgende Argumentation ist entstanden, ehe ich Wibels Arbeit kannte und unabhängig von ihm; ich bemerke das nur, um das Gewicht seiner Gründe, soweit sie mir verwendbar erscheinen, zu verstärken. 2) S. 258. 3) Die Tinte, mit der der Nachtrag geschrieben wurde, ist dunkler, und die Buchstaben sind etwas kleiner gehalten. 4) Aber umgekehrt ist Kurze (in dieser Zeitschrift XXVIII [1903], 665 f.) gegen Wibel S. 260 darin Recht zu geben, dass man nun nicht unbedingt die Fassung in 1 für die jüngere ansehen muss. Die Stelle ist, wie Kurze a. a. O. selbst einsieht, 'ganz neutral für unsere Frage'.

durchaus zu dem streng annalistischen Charakter, den das Werk fast durchgehends festhält. Der Leser wird kurz über die Absichten Gottschalks orientiert und erfährt weiter nichts, als dass er abgeurteilt, Hinkmar übergeben und zu dem Eide genötigt wurde, niemals ins ostfränkische Reich zurückzukehren: ein historisches Ereignis wird in den chronologischen Zusammenhang eingeordnet, in den es gehört, ohne Rückblick auf Vorausgegangenes, ohne Vorwegnahme später folgender Ereignisse. Dagegen durchbricht 1 das annalistische Prinzip: es spricht wohl von Gottschalks Verurteilung, aber viel kürzer, und setzt daneben die Nachricht, dass er auch später noch an seiner Lehre festhielt. Ebenso unverkennbar enthält zu 870 die Hs. 1 die jüngere, nicht die ältere Version: die Dreizahl weist darauf hin. Jedem, der sich mit der lateinischen Literatur des Mittelalters beschäftigt, ist ihre Rolle bekannt: ursprünglich ein Mittel, durch das die Legende zu wirken sucht, dringt sie mit anderen Effekten gleicher Art frühzeitig auch in die weltliche Geschichtschreibung ein; in unserem Falle muss sie dazu dienen, einem Vorgang, der ursprünglich nur als auffallende Himmelserscheinung gebucht worden war, den Charakter des Wunderbaren aufzuprägen[1]. Was dann endlich die letzte der von Kurze

1) Aehnlich schon S. Wibel 261 f. — Eine sehr gute Parallele bieten die Ann. r. Franc. und Einhardi zum Jahre 772. Die ersteren berichten: 'et fuit siccitas magna, ita ut aqua deficeret in supradicto loco, ubi Ermensul stabat; et dum voluit ibi duos aut tres praedictus gloriosus rex stare dies fanum ipsum ad perdestruendum et aquam non habebant, tunc subito divina largiente gratia media die cuncto exercitu quiescente in quodam torrente omnibus hominibus ignoto aquae effusae sunt largissimae, ita ut cunctus exercitus sufficienter haberet'. Daraus ist in der Ueberarbeitung geworden: 'in cuius destructione cum in eodem loco per triduum moraretur' u. s. w. Hierher wird es auch gehören, wenn abweichend von allen anderen Quellen die Ann. Mett. 756 von Aistulf berichten: 'dum venationem in quadam silva exerceret, divina ultione percussus, de equo, in quo sedebat, in terra proiectus, tertia die vitam amisit', vgl. Wibel S. 139, Anm. 1. Ein interessantes Beispiel führt auch G. Ellinger, Das Verhältnis d. öffentl. Meinung zu Wahrheit und Lüge im 10. 11. und 12. Jh. S. 67, Anm. 1 an. — Eine zweite Quelle für die Häufigkeit der Dreizahl (an Einfluss heidnisch-germanischer Vorstellungen wird man nicht denken dürfen) ist der lateinische Sprachgebrauch der Antike. 'Tres = pauci, aliquot' findet sich schon bei Plautus; vgl. Stolz und Schmalz, Lateinische Grammatik S. 450. In dieser Bedeutung geht es z. B. aus den SS. Hist. Aug. zu Jordanes über, vgl. Auct. ant. V, 79, und des letzteren bekannte Angabe (Mommsen: 'si credis'), er habe Cassiodors Chronik nur drei Tage lang benutzen können,

angeführten Stellen betrifft, so ist kein Wort darüber zu verlieren, dass der Name des sechsten Fürsten, Goriwei, der nur in 1 steht, ein jüngerer Zusatz dieser Hs. ist, da ihr Text, ebenso wie die aller anderen, nur von fünf slavischen Fürsten ('duces quinque') spricht[1].

---

wird in gleichem Sinne zu verstehen sein. Vgl. Servius c. 116 zu Verg. Aen. 108 (ed. Thilo und Hagen I, 54): 'Ter saepius, finitus numerus pro infinito'. Sehr häufig ist die Dreizahl dann bei Gregor von Tours und seinen Nachfolgern (vgl. z. B. Fredegar IV, 51 und dazu die Doublette c. 71; dort sitzt die Königin drei, hier fünf Jahre gefangen); zahlreiche Beispiele über die ganze Literatur hin verstreut, z. B. V. Stephani III. (c. 22, Duchesne, Le liber pontificalis I, 480), Thegan c. 23 (an diesen beiden Stellen wird von verschiedenen Personen berichtet, dass sie am dritten Tage nach der Blendung gestorben seien), Nithard I, 5, Liutpr. Antapod. I, 32, Widukind III, 10. Es handelt sich gewöhnlich um Zeitangaben, bei denen häufig die Kardinalzahl an Stelle der Ordinalzahl tritt. Charakteristisch Ps.-Angilbertus, Karolus M. et Leo papa 332 f. (MG. Poetae I, 374); die Verse sind nach Verg. Aen. VII, 153 f. gebildet:

Centum oratores . . . . ad moenia regis
Ire iubet.

Daraus macht der karolingische Dichter:

. . . rapidos Romana ad moenia missos
Tres iubet ire . . . .

Bis in die Dichtung des späteren Mittelalters hinein erstreckt sich diese Tendenz. Der Primas sagt in seinem Gedichte auf Orpheus und Eurydice von der Hochzeit:

in luctum festa vertit lux tercia mesta

(Nachrichten der Kgl. Gesellschaft der Wissenschaften zu Göttingen 1907, S. 120 v. 3), d. h. er lässt Eurydike am dritten Tage nach der Hochzeit an einem Schlangenbisse sterben, trotzdem nach W. Meyer (das. S. 123) eine derartige Zeitangabe in keiner der Quellen sich findet. Welche der beiden Tendenzen, die antik-stilistische oder die legendarisch-auferbauliche, jeweils zur Anwendung oder Einfügung bestimmt haben, lässt sich nicht immer ohne Weiteres sagen. Charakter und Absicht der Erzählung, in welche die Stelle eingefügt ist, werden darüber entscheiden. — In ähnlich unbestimmtem Sinne, wie 'tres' in Anlehnung an den antiken Sprachgebrauch, wird, mit Bonnell, Die Anfänge des karolingischen Hauses S. 162 und trotz des Widerspruches Simsons, auch die 'quadraginta dies' andauernde Verwüstung zu nehmen sein, die in den Ann. Mett. 748 und 805 über feindliches Gebiet verhängt wird. In derselben Bedeutung scheint 'Quadraginta' schon von Sallust verwendet zu werden, vgl. Iug. 76, 5; 103, 7. In der Legende begegnet Vierzig natürlich häufig, vgl. Eugippius, V. Severini c. 22, 36, 38, V. Radegundis II, 17, V. Corbiniani c. 22; zunächst hat die Zahl hier wohl mystische Bedeutung, aber Isidors Definition (Liber numerorum qui in sanctis scripturis occurrunt XXIII, 97): 'quadragenarius numerus plenitudinem indicat temporum, tamquam eo saecula consummantur', liess sich schliesslich auch einmal wörtlich anwenden, um 'Quadraginta dies' den Begriff eines langen Zeitraumes unterzuschieben. — Die Ann. Bert. gebrauchen zur Bezeichnung eines längeren Zeitraumes Ausdrücke wie 'per viginti dies circiter', 862, 865, 866.

1) Das gibt Kurze in dieser Zeitschrift XXVIII (1903), 666 zu; aber trotzdem soll 1 die ältere Tradition bewahren, weil hier 'die ungeschicktere

Soweit die Abweichungen, die 1 an diesen Stellen aufweist, überhaupt etwas besagen, zeugen sie also nicht nur nicht für, sondern sogar gegen Kurze, und ebensowenig kommen andere Stellen in Betracht, an denen die gleiche Konstellation Platz greift. Nirgends findet sich in 2 und 3 übereinstimmend dieselbe schlechtere Lesart, die uns berechtigte, 1 als den Repräsentanten einer ursprünglicheren Version anzusehen. Vielmehr: wo 2 und 3 denselben Text zeigen und von 1 abweichen, da ist entweder die schlechtere Lesart auf der Seite dieser Hs. zu finden, und namentlich im ersten, kompilatorischen Teile der Annalen, wo uns ihre Quelle jeder Zeit ein sicheres Mittel zur Kontrolle an die Hand gibt, sind solche Stellen häufig, oder aber die Abweichungen sind von jener Art, die eine Entscheidung überhaupt nicht gestatten. Zudem wird auch hier das Urteil, wenn man sich ein solches überhaupt abzwingt, regelmässig zu Ungunsten Kurzes ausfallen, denn der Schreiber von 1 hat nicht selten durch Aenderung der Wortstellung und andere stilistische Kunstgriffe die Sprache seiner Vorlage zu glätten geglaubt[1].

---

und darum ursprünglichere, in 2 und 3 eine geglättete und darum jüngere Fassung vorliegt'. So allgemein gehaltene Behauptungen sind ebenso schwer zu beweisen wie zu widerlegen. Das 'Placet lectio difficilior' darf nicht immer und überall unterschiedslos angewendet werden, am wenigsten gegenüber einem Werke, das, mit dem Massstabe seiner Zeit gemessen, auf solcher Höhe steht wie die Ann. Fuldenses. Zudem können sich Kurzes Bedenken nicht gegen die oben mitgeteilte Stelle richten, sondern nur gegen den Wortlaut, der dort anschliesst. Hier wird das Unglück entstanden sein, als 1 'alios vero vulneraverunt' einschob; dabei wurde entweder 'quosdam' zu 'quidam', oder das zu 'submerserunt' gedachte 'se' fiel aus. Auch an anderen Stellen zeigte 2 und 3 die 'glättere' Fassung, z. B. 1, 19; 9, 32 ff.; 10, 7 in Kurzes Ausgabe. Aber der Vergleich mit den dort benutzten Quellen zeigt, dass 1 trotzdem nicht die ursprünglichere, sondern nur eine schlechtere Lesart überliefert. 1) Die wenigen scheinbaren Ausnahmen sind leicht zu erklären. Der Jahresbericht 737 lautet bei Kurze (Seite 3, Zeile 25 seiner Ausgabe): 'Carlus Saxones tributarios fecit'. Dazu gibt Kurze als Variante von 2 und 3 'facit' an. Man muss also annehmen, dass die Ann. Fuld. von der Quelle, dem Chronicon Laurissense, das gleichfalls 'fecit' hat, abwichen und 'facit' schrieben; 1 hat dann die Stelle korrigiert und ist zufällig mit der Quelle wieder zusammengetroffen. Dass es sich wirklich so verhält, zeigt eine genauere Beobachtung von 1; denn das e von 'fecit' steht (wie übrigens auch das t) auf Rasur, und das a ist in seiner rechten unteren Hälfte noch deutlich zu erkennen. Wie wenig übrigens gerade derartige unbedeutende Abweichung ins Gewicht fallen, lehrt das Beispiel von 3c—e, die wieder 'fecit' haben. — 810 (Kurze 18, 14—15): 'diversorum ('diversa' 3) rerum nuntia ad eum defertur' 2 und 3, 'deferuntur' 1, in Uebereinstimmung mit den Ann. regni Francorum. Aber das Blatt (fol. 11) in 3, auf dem der Satz steht, gehört nicht zum ursprünglichen Bestande

Darf also die Theorie von einer Sonderstellung von 1 als beseitigt gelten, so fragt es sich, wie wir uns das Verhältnis der Hss. in Wirklichkeit zu denken haben. Da sich ein Anhaltspunkt dafür, dass die Ueberlieferung des Werkes sich in drei selbständige Stämme spalte, nicht in Frage kommen kann[1], und da ebenso wenig daran zu denken ist, dass eine der Hss. oder Hss.-Gruppen aus einer der anderen hervorgegangen sein könnte, so bleiben nur zwei Möglichkeiten: 2 steht 1 und 3, oder 3 steht 1 und 2 gegenüber.

Für die erstere Alternative hat sich, wenn auch mi grosser Zurückhaltung, Wibel ausgesprochen. Er stützt sich dabei vornehmlich auf eine Stelle in der Erzählung des Jahres 872[2]. Dort ist von einer Niederlage der Böhmen an der Moldau die Rede; während der Fluss in den anderen Hss. 'Fuldaha' oder 'Fludaha' genannt wird, hat allein 2 die richtige, noch bis ins späte Mittelalter giltige[3] Bezeichnung Vvaldaha bewahrt. Kurze wollte darin eine Korrektur des Schreibers von 2 sehen. Viel richtiger war der Gedankengang Wibels: da alle Hss. ausser 2[4] dieselbe fehlerhafte Lesart aufweisen, müssen sie auch alle auf dieselbe Vorlage zurückgehen. Die Folgerung, an sich schon völlig einwandfrei und ohnehin einem Grundsatze der Forschung entsprechend, hätte in diesem Falle noch etwas besonders bestechendes: die Schärfe und Genauigkeit

---

der Hs., sondern ist später eingefügt worden, und zwar, wie Kurze S. 101 seiner Abhandlung richtig nachgewiesen hat, aus einem mit 2 verwandten Exemplar (vgl. unten Abschnitt III); 3c—e haben tatsächlich 'deferuntur'. — 841 (Kurze 32, 32) 1: 'ad exteras nationes fugaturus', 2 und 3: 'ad dexteras n. f.'. Mit 1 stimmt 3d überein, mit den anderen Hss. 3c und 3e. Auch hier hat 1 die bessere Lesart nicht bewahrt, sondern wiedergefunden. Es wird noch zu zeigen sein, dass eine Anzahl gemeinsamer Fehler in allen Hss. auf eine erste Abschrift zurückgehen, die von dem Archetyp genommen wurde; sie hat auch 'ad dexteras' verschuldet, das 1 und 3d unabhängig von einander korrigierten, während es in den anderen Hss. stehen blieb. — 871 (Kurze 73, 10): 'condicto placito et ad mensem Maium usque dilato'; die gesperrten Worte stehen nur in 1. Sie sind geschöpft aus der weiter unten folgenden Angabe: 'Rex Hludowicus mense Maio iuxta condictum placitum' u. s. w. — Vgl. auch Wibel S. 266.

1) Wibel S. 266 führt allerdings zwei Stellen an, an welchen alle drei Hss. (für 3, das hier durch Quaternionenausfall verstümmelt ist, müssen 3f und seine Schwesterhss. eintreten) von einander abweichen; indessen handelt es sich lediglich um Verschiedenheiten der Wortstellung; man weiss, wie häufig sie in den Hss. wiederkehren, und Wibel legt denn auch selbst geringes Gewicht auf diese Abweichungen.

2) Seite 76, Zeile 14 in Kurzes Ausgabe.

3) So Pertz MG. SS. I, 385.

4) Die Hs. 3 fehlt; nach dem Zeugnis von Aventins Abschrift las sie 'Fuldaha'. 3c. e haben 'Fuldaha', 3d 'Fludaha'.

philologischer Methode liesse sich vielleicht nicht glänzender dartun, als wenn es gelänge, die Filiation umfangreicher Hss. um eine einzige Lesart wie um einen Angelpunkt sich drehen zu lassen. Indessen glaube ich, dass uns eine palaeographische Betrachtung eine einfachere Lösung darbietet. Die Originalhs. der Annalen enthielt völlig richtig 'Valdaha', jedoch mit offenem a hinter V. In dieser Gestalt gelangte der Name an die Schreiber von 1, 2 (oder seiner Vorlage, vgl. unten) und des Stammexemplares von 3 und der ihm verwandten Hss. Nur in 2 blieb dann die richtige Lesart erhalten; der erste und der dritte Schreiber dagegen lasen das offene a als u und veränderten unabhängig von einander das ihnen fremde 'Vuldaha' in das vertrautere 'Fuldaha' (oder 'Fludaha', das wenigstens in 3 auch sonst vorkommt). Dass es sich so verhalten haben wird, dafür haben wir ein indirektes Zeugnis darin, dass unsere Hss. noch mehrfach u und a verwechseln. Wir finden z. B. Kurze 13, 33 in 1 und 2 statt 'Froiam' (Name eines spanischen Gesandten) 'Florum'[1] und die verkehrten Schreibungen 'Augustadunense' (23, 34, in 1, 3 und ursprünglich auch in 2), 'delatas' in 3 (31, 11) und 'Danabium' in 1 (46, 5)[2].

So bleibt denn nur noch die eine Möglichkeit: dass wir einerseits 1 und 2, anderseits 3 und seine Verwandten zu einer Gruppe zusammentreten lassen, und tatsächlich

---

1) Es ist nicht etwa Purismus im Spiele, der gleichzeitig in 1 und 2 den Namen des Gesandten mit einer maskulinen Wendung versehen hätte; beide Hss. schreiben sonst richtig 'Froiam'. 2) Dagegen darf nicht hierher gezogen werden 'Wisaraha' in 2 (Kurze 42, 32); diese Form ist häufig, vgl. Ann. regni Francorum und Ann. Einhardi 753, 773, 775, 797, 798 u. ö. Ebensowenig darf man sich verleiten lassen, 832 (Kurze 26, 16) mit Kurze 'Augustam Vindelicam' zu lesen; 3c und 3e haben 'Vindeliciam', die anderen, auch 3, auf das sich Kurze stützt, 'Vindelicum'; in dieser Form erscheint der Name auch bei Festus, auf der Tab. Peut., im Itin. Anton. und auf den Inschriften, CIL. III. 2, 711; vgl. M. Manitius in dieser Zeitschrift XI (1886), 68. Wer die Fortdauer der antiken Tradition leugnet, sei an 'Reginum' für Regensburg in den Ann. Einhardi erinnert; vgl. Manitius a. a. O. VII (1882), 530; ähnlich heisst Regensburg auch in der sog. bayrischen Fortsetzung der Ann. Fuldenses 'Regino', vgl. Kurze, Ausgabe 118, 27; 119, 16; 122, 33; 130, 29. Auch die zahlreichen grösseren Auslassungen, die sich in 2 gegenüber 1 und 3 finden (zu 847, 850 u. ö.) und die sich auffälliger Weise mit einer einzigen Ausnahme auf das anekdotische Material der Erzählung beziehen, sind nicht etwa so zu deuten, dass sie erst in einer 1 und 3 gemeinsamen Vorlage eingefügt worden wären, während sie in dem durch 2 repräsentierten Originale gefehlt hätten; sie zeigen vielmehr sprachlich durchaus Uebereinstimmung mit den anderen Teilen des Textes.

findet dieser Ansatz seine volle Begründung bei einer eingehenden Prüfung ihrer Varianten.

Schon Kurze verzeichnete eine Anzahl besserer Lesarten in 3, nur dass er glaubte, sie aus dem Autograph 'Rudolfs' herleiten zu dürfen, das dem Schreiber von 3 vorgelegen habe[1]. Die Reihe, die er angibt, lässt sich unschwer verlängern. Mit besonderer Leichtigkeit ist der Nachweis dort zu führen, wo die Annalen nur eine Kompilation aus älteren Aufzeichnungen darstellen, die uns zur Prüfung auch jetzt noch zu Gebote stehen.

1. 2.	3 (und die ihm verwandten Hss., sofern nicht ausdrücklich das Gegenteil angegeben).
754 (Kurzes Ausgabe 6, 27) Lullus . . . sedit annis XXXII.	. . . annos . . . (= Chron. Laur. II, 17).
775 (9, 20) Karolus Saxonum perfidiam ultus omnes eorum regiones ferro et igne depopulabatur.	. . . . . depopulatur (= Ann. Sith., MG. SS. XIII, 35).
778 (9, 37) Karolus cum exercitu in Hispania usque ad Caesaraugustam venit.	. . . . usque Caesaraugustam venit (= Ann. Sith., a. a. O. 36).
798 (13, 32) Hadofuns rex Galleciae et Asturiae (Galliciae et Astruriae 1) per Florum legatum suum	. . . . . . per Floram (in 3d aus 'florem' hergestellt) legatum suum. Vgl. Ann. regni Francorum: 'venit etiam et legatus Hadefonsi regis Galleciae et Asturiae, nomine Froia'.
799 (14, 26) Et Azan praefectus urbis quae dicitur Osca claves civitatis per legatum suum cum aliis muneribus misit.	Et Azan praefectus civitatis quae dicitur Osca, claves urbis per legatum suum cum aliis muneribus misit (= Ann. regni Franc.).
801 (15, 8) ut maiestatis rei capite damnati sunt.	ut maiestatis rei capiti damnati sunt 3, . . . capitis

1) Abhandlung S. 102.

	sententia damnati sunt 3c—e. Vgl. Ann. regni Franc.: 'ut maiestatis rei capitis' (nur zwei Hss. korrigieren 'capite') damnati sunt'[1].
819 (21, 15) cum obiecta sibi effellere (so) non posset.	cum obiecta sibi rationabiliter effellere non posset. Vgl. Ann. regni Francorum: 'cum .... rationabili defensione obiecta sibi refellere non valeret'.
820 (21, 33) totam pene regionem ferro et igne vastantes.	.... devastantes = Ann. r. Franc.[2].

Bisher war die Beweisführung leicht, da uns die Quelle der Annalen stets zur Seite stand. Schwieriger wird sie, wo der kompilatorische Teil des Werkes sein Ende erreicht und dieses Hilfsmittel versagt. Zwar fehlt es auch jetzt nicht an Stellen, an welchen 3 und seine Gruppe den Hss. 1 und 2 gegenübertreten, im Gegenteil, sie sind sogar sehr zahlreich, aber in den allermeisten Fällen bleibt uns eine Entscheidung über die Frage, auf welcher Seite die ursprüngliche Lesart stehe, versagt. In-

---

1) Trotz dieses handschriftlichen Befundes und trotzdem er 3c—e aus 3 hervorgegangen sein lässt (vgl. unten Abschnitt III) druckt Kurze 'capitis sententia'. So verfährt er noch öfter. 23, 10 merkt er selbst an, dass die Hss. 'Gradabona' haben, druckt aber 'Grabadona' (= Gravedone), wahrscheinlich nur, weil die Hss. der Vorlage die korrekte Form aufweisen, und ebenda verändert er Zeile 11 ('imago S. Mariae puerum Iesum gremio') 'continens' in 'continentis', wieder entgegen dem von ihm selbst verzeichneten handschriftlichen Befunde und obgleich hier auch die Hss. der Ann. regni Fr. dieselbe fehlerhafte Lesart aufweisen (die Kurze später auch in seiner Ausgabe dieses Annalenwerkes korrigiert). Ebenso überflüssig ist es, 882 (S. 99, 24) zu drucken: 'Nordmanni vero de thesauris et numero captivorum CC naves onustas miserunt in patriam; ipsi in loco tuto se continent, iterum tempus oportunum praedandi apperientes', da das 'continentes' der Hs. vollständig in das Satzgefüge passt. 2) Fraglich ist, ob die Stelle 819 (21, 14) herangezogen werden darf, wo Sclaomir in 1, 2 und 3c—e 'dux', in 3 in Uebereinstimmung mit den Ann. regni Francorum 'rex' genannt wird; es kann sich hier sehr wohl um eine Korrektur von 3 handeln, in welcher die Hs. zufällig mit der Quelle zusammentraf; die Annalen weichen in dem Wechsel beider Titel mehrfach von ihrer Vorlage ab. Vgl. Waitz in dieser Zeitschrift XII, (1888) 48. Möglich ist allerdings auch, dass 3 die ursprüngliche Lesart bewahrt hat und die Uebereinstimmung von 3c—e mit 1 und 2 in der komplizierten Stellung ihren Grund hat, die 3c—e gegenüber 3 überhaupt einnehmen; vgl. unten.

dessen genügen die wenigen Stellen, an welchen sie möglich ist, völlig, um darzulegen, dass das Verhältnis zwischen den Hss. das gleiche auch über die Grenzlinie hinaus bleibt, die dem kompilatorischen Teil gezogen ist. 856 berichten 3c—e und das durch 3f vertretene 3 die Erhebung des westfränkischen Prinzen Karl auf den Stuhl von Mainz mit folgenden Worten: 'cui successit Karlus, magis ex voluntate regis et consiliariorum eius, quam ex consensu cleri et populi'. Das ist in 1 und 2 folgendermassen geändert: 'Cui Karolus Pippini regis filius, qui de custodia Corbeiensis monasterii lapsus ad Hludowicum regem patruum suum defecerat, in episcopatu successit IV. ('VIII.' 2) Idus Martii, non solum ex voluntate regis, verum etiam ex consensu et electione cleri et populi'. Man sieht deutlich, dass die Fassung in 3c—e die ursprüngliche ist, die in 1. 2. eine Abänderung erfuhr, weil eine unbequeme Tatsache verschleiert werden sollte. 863 erzählen die Annalen von dem Verrat eines Grafen, der im Auftrage Karlmanns gegen Ludwig den Deutschen einen Flussübergang verteidigen sollte; in 1 und 2 ist der Fluss genannt: 'vada fluminis Swarzahae hostibus prohibiturus', in 3 und seinen Schwesterhandschriften steht statt des Namens ein N.: der Verfasser der Annalen hatte, wie es so häufig vorkam, den Namen nicht sofort in Erfahrung bringen können und in seiner Niederschrift den Platz dafür unter Vorausschickung der Abkürzung für 'nomine' freigelassen. In 1. 2 ist die Lücke von anderer Hand ausgefüllt worden, in 3 und seiner Gruppe ist sie, dem Original entsprechend, erhalten geblieben. Im selben Jahresbericht hat uns dann die Hs. 3 abermals den ursprünglichen Wortlaut erhalten, und zwar sie allein, denn 3c—e sind — über dieses Verhalten wird später noch geredet werden — zu 1. 2 abgeschwenkt: 3 berichtet zu dem Tode des Erzbischofs Karl von Mainz: 'et per totum deinceps annum vacavit episcopatus'. Dagegen haben wir den Wortlaut von 1 und 2 schon kennen gelernt: er ist dort 'cui Liutbertus in episcopatus honore successit II. Kal. Decembris', hier 'et Liutbertus eiusdem sedis honore sublimatus II. Kal. Dec.', und die letztere Fassung ist in Form eines späteren Randnachtrages zuletzt auch in die Hs. 3 selbst gelangt. Die Erklärung für die Diskrepanz, die Kurze zum Gliede eines so wichtigen Beweises machen wollte, ist einfach genug: die Hs., auf welche 1 und 2 gemeinsam zurückgehen, stimmte im Texte mit der ursprünglichen Lesart von 3 überein, suchte sie aber durch eine Randnotiz zu korrigieren, die nichts als den Namen von Karls Nachfolger und den Tag seiner Erhebung enthielt, und diese beiden Daten sind später in verschiedener Stilisierung in die Texte von 1 und 2 übergegangen. Endlich berichten die Annalen 870: 'sed et mulier quaedam in festivitate sancti Laurentii ceteris ad ecclesiam properantibus panes coxit venales'; nun fahren 3c—e richtig fort, und las, wie Aventins Abschrift zeigt, auch 3, das heute die Stelle nicht mehr aufweist: 'quae a vicinis suis admonita, ut tantae diei honorem tribueret'; dagegen hat 2 statt 'diei' — 'dei', und in 1 ist dem 'di', das hier anfänglich hingeschrieben wurde, vielleicht noch von derselben Hand ein e beigefügt worden, so dass auch hier die Lesart 'dei' entstand[1].

Damit ist zunächst ein Ziel erreicht. Die Hss. der Annales Fuldenses scheiden sich für uns in zwei Gruppen: die eine davon, A, wird von 1 und 2 vertreten, aus dem Stammexemplar der anderen, B, gehen 3 und 3a—e hervor, das heisst, die beiden Rezensionen, die wir nach dem Inhalt scheiden müssen und deren Texte sich 882 gabeln, kommen, wie ohnehin zu erwarten war, auch in der handschriftlichen Ueberlieferung zum Ausdruck[2].

---

1) Nicht ganz so bestimmt ist, ob 'occisorumque spolia in conspectu eorum securi detrahentes' in 3 (wo 'securi' erst nachträglich eingefügt wurde) und 3c—e gegenüber 'secure' in 1 und 2 (39, 4 bei Kurze) wirklich vorzuziehen ist. Eher darf man wieder annehmen, dass 3c—e, deren Lesart durch Aventins Abschrift auch für 3 sichergestellt wird, zu 858 (Kurze 49, 19 ff.) gegenüber 1 und 2 den ursprünglichen Wortlaut bewahrt haben: 'mense autem Iulio collectis et ordinatis exercitibus ireque profectis repente die media subiit regem curarum maxima moles'. Die gesperrten Worte fehlen in 1 und 2; aber 'die media', das man nicht mit Kurze = Mitte des Monats setzen darf, kommt in ähnlicher Weise auch in den Ann. regni Franc. 772 vor. Die folgenden Worte lassen sich leicht zu einem Hexameter ergänzen:

'⟨et⟩ subiit regem curarum maxima moles'.

Vielleicht entnahm der Annalist 'die media' dem Dichter, den er hier expilierte. — Ein allerdings metrisch fehlerhaftes Hexameterfragment steht auch 87, 26: 'ideo te bella movere delectat'. 2) Schwierig ist die Entscheidung, wo sich die bessere Lesart befindet, wenn 2 eine grössere Auslassung aufweist (vgl. oben S. 713, Anm. 2), A also nur durch 1 repräsentiert ist. Beobachtung des Sprachgebrauches hilft gelegentlich. So druckt Kurze 54, 7 (es ist von dem Tode des Presbyters Probus die Rede) nach 3: 'sed quoniam per omnia longum est texere, qualiter in supradicta ecclesia desudaverit' u. s. w.; es wird aber mit 1 'explicare' zu lesen sein, denn bei einer ähnlichen Gelegenheit schreibt der Fortsetzer, der häufig das ursprüngliche Werk imitiert: 'cuius vivendi ordo quali probitate maneret, per omnia longum est explicare' (Kurze 117, 16).

Wir sind nicht genötigt, in der Entwickelung des Stammes hier stehen zu bleiben. Denn zunächst sind A und B nicht direkt aus der Originalhs. der Annalen geflossen, sondern durch Vermittelung einer Abschrift, die noch an gemeinsamen Fehlern in allen Hss. zu erkennen ist. Einige Stellen dieser Art hat bereits Kurze angemerkt[1]. Man wird ihm zustimmen können, wenn er nicht alle derartigen Fehler erst der späteren Ueberlieferung zur Last legt, sondern wenigstens in dem ersten, bis 838 reichenden Teile der Annalen, den er dabei allein im Auge hat, für manche Verstösse die Flüchtigkeit des Kompilators verantwortlich machen will[2]. Indessen darf dieses Auskunftsmittel nicht überall unterschiedslos angewendet werden. Vielmehr lässt sich an einer Reihe von Stellen deutlich jenes X konstatieren, aus dem A und B hervorgegangen sind. Indem wir sie aufzählen, soweit das nicht bereits durch Kurze geschehen ist, erhalten wir zugleich Gelegenheit, den von den Hss. dargebotenen Text da und dort dem ursprünglichen Wortlaut näher zu bringen[3].

Kurze 21, 15; diese Stelle ist bereits oben wiedergegeben worden[4]. Das fehlerhafte 'effellere' ist dadurch zu erklären, dass in X das vorhergehende 'rationabiliter' den Ausfall des anlautenden r verursacht hat.

821 (22, 17) 'p e r c e p t o baptismi sacramento moritur' 1. 2; 'p e r c e p t i o n e baptismi sacramento defunctus est' 3; 'e t p e r c e p t o baptismi sacramento defunctus est' 3c—e. Reichsannalen: 'p e r c e p t o que baptismi sacramento defunctus est'. Aus 'perceptoque' im Archetypon war in X 'perceptione' geworden; dieses blieb in 3 erhalten, in A und in 3c—e wurde es in verschiedener Weise korrigiert.

826 (24, 16) 'sine morarum ('mora' 3c—e) indispositione'. Es ist mit den Ann. regni Francorum zu verbessern 'sine morarum i n t e r positione'.

826 (24, 35) 'e a rundem miraculorum'.

---

1) Abhandlung S. 102. Auf andere macht er in seiner Ausgabe aufmerksam: 24, 27 auf den Ausfall einzelner Worte, 68, 29 auf die Fehlerhaftigkeit von 'volen t e m'. 2) A. a. O. S. 103. 3) Wo 3 durch Lagenausfall verstümmelt ist, wurde selbstverständlich auch hier Aventins Abschrift zur Kontrolle herangezogen; sie bestätigt, dass die Hs. 3 ausnahmslos überall dieselben Verderbnisse aufwies, wie die anderen. 4) S. 715.

842 (33, 20—21) 'foedus inire maluerunt quam contentionibus diutius deservire'. Es wird 'desaevire' zu lesen sein, wie auch eine viel jüngere Hand in 1 korrigiert hat. Die Verderbnis ist wohl überhaupt nicht selten; beispielsweise hat auch die Hs. B 2 des Regino 885 'deservire' statt 'desaevire' (Kurzes Ausgabe S. 123n).

845 (35, 19) 'Nordmanni .... castellum etiam in Saxonia, quod vocatur Hammaburg, populati nec multi reversi sunt'. Schon von Kurze zu 'inulti' verbessert.

873 (80, 26—27; Anrede des getauften Normannen an die Friesen) 'O boni commilitones, sufficiat (so zu lesen statt 'sufficit') nobis ('vobis' 3c—e) huc usque pugnasse'.

876 (86, 32) 'partem regni Hlotharii, quam Hludowicus tenuit et filiis suis utendam dereliquit'. Vgl. 843 (Kurze 34, 15): 'singuli ad disponendas tuendasque regni sui partes revertuntur'; 872 (75, 27): 'filios suos ..... pacificavit, et quam quisque partem post obitum suum tueri deberet, liquido designavit'. Danach ist oben 'tuendam' zu verbessern[1].

Verderbt ist auch 869 (69, 1): 'Qui dum cum exercitu sibi commisso in illam ineffabilem Rastizi munitionem et omnibus antiquissimis dissimilem venisset'. Es muss statt 'antiquissimis' im Original etwas wie 'antiquitus visis' gestanden haben.

Wie nach oben, so können wir die Verzweigung der Ueberlieferung aber auch nach unten verfolgen. Denn wenn, wie vorhin gesagt wurde, 1 auf eine verstümmelte Vorlage zurückgeht[2], so kann diese nicht mit jener von 2 identisch sein, da dieses bis 887 reicht; vielmehr kann 2 aus A nur durch Vermittelung einer Abschrift geflossen sein, die genommen wurde, als A noch unverstümmelt war.

Fassen wir die bisherigen Darlegungen zusammen, so gewinnen wir vorläufig das nachstehende Bild[3]:

---

1) Vgl. auch Ann. regni Franc. 806: 'illisque absolutis conventum habuit imperator cum primoribus et optimatibus Francorum de pace constituenda et conservanda inter filios suos et divisione regni facienda in tres partes, ut sciret unusquisque illorum, quam partem tueri et regere debuisset, si superstes illi eveniret', und dazu die Stelle der Divisio imperii (MG. Cap. reg. Fr. I, 127), die Manitius in dieser Zeitschrift VII (1882), 564 anführt. 2) S. 706. 3) Unentschieden muss bleiben, zu welcher Gruppe das von Pertz benutzte Leipziger Fragment s. XII (Rep. I. 47) gehört. Sein geringer Umfang erlaubt nicht, es der einen oder anderen Hss.-Klasse zuzuweisen.

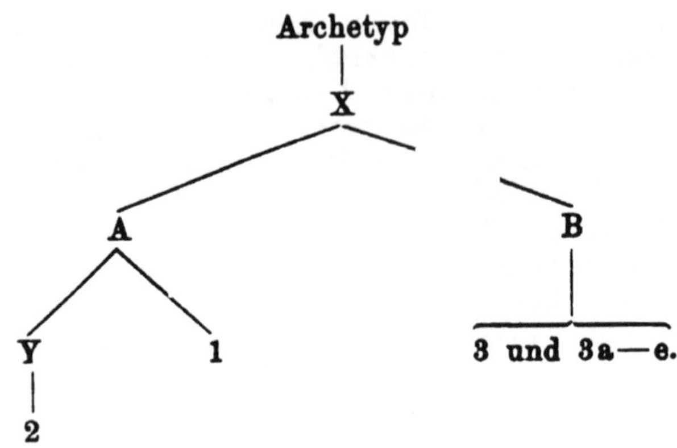

II.

Unsere Ausführungen haben die Untersuchung im Wesentlichen wieder auf die Grundlinien zurückgeführt, die schon Pertz für die Ansetzung des Verhältnisses der Hss. gezogen hatte, wenn es uns auch gelungen ist, ihre Gruppierung schärfer abzugrenzen und reicher auszubauen, als es ihm bei seinen beschränkteren Hilfsmitteln möglich war.

Mit dem Stemma, das Kurze entwarf, lässt sich das unsere freilich nicht in Einklang bringen. Aber Kurze kann auf eine solche Uebereinstimmung auch keinen Anspruch machen, denn er geht von anderen Voraussetzungen aus; für ihn steht durchaus die Ansicht im Vordergrunde, dass in der bis 887 reichenden Version drei Verfasser einander ablösen, von denen zwei durch die vielbesprochenen Randnotizen in 1, der dritte durch eine Hypothese sichergestellt sei, die sich nicht nur der Wahrscheinlichkeit, sondern fast schon der Gewissheit rühmen dürfe[1]. Wollen wir also Kurze auch die letzte Waffe aus der Hand schlagen, so werden wir ihn auf diesem seinem eigensten Gebiete aufsuchen müssen.

Einwendungen gegen die Verwertung jener Randnotizen, die Kurze für erlaubt hielt, sind schon mehrfach erhoben worden, ohne dass sie den wünschenswerten Erfolg gehabt hätten, das Ansehen seiner Behauptungen zu erschüttern[2], oder gar, ihren Urheber zur Preisgabe seiner

---

1) Vgl. Abhandlung S. 146. 2) Wattenbach (vgl. oben S. 704) hat sich nur gegen die Identifizierung von 'Enhard' mit Einhard gewehrt, aber die sonstigen Aufstellungen Kurzes akzeptiert; ihm folgen darin die Abrisse der Quellenkunde von Vildhaut, Jansen, Jacob.

Thesen und einer Revision des Prozesses zu bewegen. Wir werden sie hier nicht wiederholen, sondern andere Helfer gegen Kurze aufrufen: der Nachweis, dass die ältere Fassung der Annalen in der Gestalt, in welcher sie uns heute vorliegt, sprachlich ein Ganzes bildet, das auch eine Einzelpersönlichkeit als Verfasser postuliert, soll seine Theorieen auch in ihrem letzten Zufluchtsort erschüttern.

Das Missliche solcher Untersuchungen ist bekannt, und bekannt auch, wie oft sie, sei es auf dem Gebiete der Karolingischen Annalen, sei es auf dem der Geschichtschreibung der Salierzeit, die Wissenschaft irregeführt und auf Abwege geleitet haben. So lange abschliessende Darstellungen der Latinität einer Periode fehlen, wird auch die vorsichtigste Untersuchung zu ihrem Verdrusse immer wieder inne werden, dass sie als individuelles Eigentum eines Schriftstellers buchte, was doch tatsächlich dem allgemeinen Sprachgebrauche seiner Zeit angehört. So wird man auch in unserem Falle Abweichungen von der klassischen Vorschrift der Consecutio temporum, wie 'aurum et argentum gemmasque pretiosas infinitae multitudinis Karlmanno obtulit, ut eum sibi placare et a paterna fidelitate segregare potuisset' (875, Kurze S. 85, 7 ff.) oder wie 'iusto iudicio dei captus est laqueo, quem tetendit' (870, Kurze 70, 31), die sich seit Gregor von Tours in der mittelalterlichen Latinität immer wieder nachweisen lassen[1], so wenig in Anschlag bringen dürfen

1) Vgl. z. B. Alchvin, V. S. Willibrordi c. 7 (Jaffé, Bibliotheca VI, 45): 'Sed die quarta, priusquam illo (sc. Romam) veniret, beatissimus apostolicus angelica in somnis responsione ammonitus est, ut illum cum summo honore suscepisset, et quod multarum esset animarum inluminator futurus a deoque electus, et ad hoc venisset, ut summi ab eo sacerdotii honorem suscepisset, nihilque ei negandum esse quicquid petisset'. — Ann. Mettenses priores 753 (ed. B. de Simson p. 44): 'Saxones . . . sacramenta et obsides Pippino regi dederunt eo modo, ut quicumque de sacerdotibus in Saxoniam ire voluisset ad predicandum nomen domini et ad baptizandum eos licentiam habuisset'. — Translatio S. Viti (Jaffé, Bibliotheca I, 5): 'Hic cum magno desiderio aestuaret, qualiter beatissimis martyribus honorem debitum impendere potuisset, non est contentus eorum corpora sola amplecti . . . ., sed praefatum principem adiit petivitque, ut eum Romam ire permitteret, quatenus inde sanctorum corpora ad praefatum monasterium aliqua, sicut cupidus erat, transferre potuisset. (Das. 6) Unde factum est, ut gentem Saxonicam, quae olim contra Francos rebellabat, non solum suo dominio subegisset, sed et mellifluo Christi nomini dicare meruisset' (die junge Weimarer Hs., auf der die neue Ausgabe von F. Stentrup bei F. Philippi, Abhandlungen über Corveyer Geschichtsschreibung S. 75 ff., beruht, glättet diese Unebenheiten teilweise weg). — Ausführlich handelt über diese Erscheinung M. Bonnet, Le latin de

als etwa 'cum manu valida'[1] oder als die Verwendung von 'incaute' besonders bei der Charakterisierung verfehlter militärischer oder politischer Unternehmungen[2]. Wo die nachfolgende Zusammenstellung nicht umhin kann, Wendungen der eben bezeichneten Art doch zu berühren, wird sie es sich zur Pflicht machen müssen, sie nur dann zu benutzen, wenn sie durch irgend einen auch noch so unscheinbaren Zug sich als Sondergut der Annalen zu erkennen geben[3].

840 inde post dies paucos in insulam quandam Rheni fluminis delatus m o r b o i n v a l e s c e n t e XII. Kal. Iul. d i e m u l t i m u m c l a u s i t c o r p u s que eius Mettis civitatem per l a t u m in basilica s. Arnulfi confessoris h o n o r i f i c e s e p u l t u m e s t.

876 Hludowicus aegrotare coepit et . . . . . V. Kal. Sept. in palatio Franconofurt diem ultimum clausit; cuius c o r p u s trans t u l i t aequivocus illius et in monasterio

Grégoire de Tours p. 639 sqq. Wie tief derartige syntaktische Gewohnheiten sassen, zeigt das Beispiel der Hs. 1. 878 (Kurze 91, 25) schreiben die Annalen: 'assumpto Buosone comite, qui propria uxore veneno extincta filiam Hludowici imperatoris de Italia per vim rapuerat'; hier hat 1 für 'rapuerat — rapuit' eingesetzt. Vgl. Ann. Bertin. 868: 'Eleutherius . . . . Stephaniam . . . . et eius filiam, quam sibi rapuit, interfecit'. Die lebhafte Vorstellung des engen Zusammenhanges der beiden Ereignisse lässt offenbar den Gebrauch verschiedener Tempora nicht zu.

1) Vgl. z. B. Ann. Fuld. 877. 880, Ann. regni Francorum 808, Ann. Einh. 755, Regino 879.

2) Vgl. z. B. Ann. Fuld. 858. 869. 871 ('sicut solet incautos et de se praesumentes sequi ignominia, sic illi contigit exercitui'), Ann. Bertin. 871, Ann. Einh. 775, 776. Die Ann. regni Franc. verwenden in gleicher Bedeutung auch 'imprudenter', vgl. 806: 'unus tamen nostrorum, Hadumarus comes civitatis Genuae, inprudenter contra eos dimicans occisus est' (vgl. dazu Ann. Fuld. 882: 'quibus Walah Mettensis episcopus incaute cum paucis occurrens occisus est'). Bei Regino wird 'incaute' = tapfer. 867 'Ruotbertus absque galea et lorica occurrens, cum incautius dimicaret et inimicos ultro insequeretur, interfectus est in introitu ipsius ecclesiae'; 879 (Schlacht bei Thiméon): 'ubi Hugo, filius regis ex pellice natus, cum incautius dimicaret, graviter vulneratus ab hostibus rapitur et inter adversariorum manus animam reddit'.

3) Damit wird zugleich eine alte Schuld der Forschung eingelöst, die allerdings durch den Gang unserer Untersuchung ohnedies hinfällig geworden wäre. Da die Jahre 882—887 nur in der Hs. 2 überliefert sind, während 1 früher abbricht, schwankte man lange, ob man sie dem gleichen Verfasser zuschreiben dürfe, den man von 863 an an den Annalen beteiligt sein liess ('Meginhard') oder nicht. Zwar versuchte Rethfeld, einen Gedanken Dümmlers ausführend, eine bejahende Antwort auf diese Frage zu geben (a. a. O. S. 88 ff.), indessen stützt sich sein Beweis im Wesentlichen auf eine einzige sprachliche Uebereinstimmung zwischen den beiden Annalenteilen. Die folgende Zusammenstellung gibt zugleich eine ausführlichere Begründung für seine und Dümmlers These.

S. Nazarii, quod dicitur Lauresham, honorifice sepelivit.

882 Nam Hludowicus invalescente morbo XIII. Kal. Febr. diem ultimum clausit; cuius corpus translatum et in monasterio S. Nazarii, quod dicitur Lauresham, iuxta patris sui tumulum sepultum est.

840 Hisdem temporibus per aliquot noctes rubor aeris nimius apparuit, ita ut unus trames ardens ab euro, alter a circio exorientes in conum coirent et quasi coagulati sanguinis speciem in summitate caeli monstrarent.

870 Nam nubes quaedam ab aquilone quadam nocte ascendit, altera ab oriente et meridie econtra venit, spicula ignea invicem sine intermissione mittentes, tandemque in summitate caeli coeuntes et se quasi exercitus in proelio confundentes non modicum timorem simul et admirationem cernentibus ingerebant.

840 Hlutharium . . . . . Franci loco patris eius super se regnaturum accipiunt.

879 ea videlicet ratione, ut post obitum Carlmanni nullum alium super se regem susciperent vel regnare consentirent.

841 comites quos Hlutharius tutores partium suarum dimiserat.

869 contra quos Hludowicus rex tutores partium illarum interim misit.

871 rex . . . contra Behemos . . . tutores partium suarum misit.

884 imperator . . . . tutores partium suarum contra Nordmannos destinavit.

841 denuo ad resistendum Karolo, qui iam tunc ultra Masam castra ponere moliebatur, studia convertit et vires.

871 ad ulciscendam contumeliam a Karlmanno sibi illatam vires studiumque convertit.

841 toto hiberni tempore inani labore consumpto.

886 diebus quadragesimae et usque ad tempus rogationis inani labore consumptis.

842 unde pari intentione pergentes . . . .

880 pari intentione cum filiis Hludowici contra Buosonem in Galliam pugnaturi perrexerunt.

882 parique intentione profecti sunt contra Nordmannos pugnare cupientes.

863 quod illi graviter ferentes pari intentione contra eum rebellare disponunt.

842 civitates in occidentali Rheni litore positas . . . in deditionem accepit.
876 existimans se . . . posse . . . . cunctas civitates in occidentali litore Rheni fluminis positas suo regno addere.

845 Hlutharius, prout voluit, Provinciam ordinavit.
876 dispositis, prout voluit, his quae ad se pertinere videbantur.
877. 879 disposita prout voluit, regione.
887 tamen disposito, prout voluit, regno in Baioariam se recepit.

847 uterque eorum ad domum alterius invitatus conviviis et muneribus regiis honoratus est.
871 (Zuentibald) a Karlmanno dimissus et muneribus regiis honoratus in regnum suum rediit.

848 Gotescalcus quoque quidam presbyter . . . . in conventu episcoporum rationabiliter, ut plurimis visum est, convictus et ad proprium episcopum Ingmarum Remis transmissus est, prius tamen iuramento confirmans, ne in regnum Hludowici ultra rediret.
873 consultius ergo mihi videtur, ut . . . quosdam ex illis inlaesos abire patiamur ad naves et obsides interim retineamus, donec mittant universam pecuniam quam in navibus retinent, prius tamen praestito sacramento, ne ultra in regnum Hludowici regis redeant. — Illi autem miserunt pecuniam valde et obsides, quos dederant, receperunt, prius tamen, ut dixi, praestito sacramento, ne ultra in regnum Hludowici regis redirent.

850 eodem anno gravissima fames Germaniae populos oppressit, maxime circa Rhenum habitantes.
877 in hoc anno febris Italica dolorque oculorum Germanicum populum graviter vexavit, maxime circa Rhenum habitantes.
878 boum pestilentia in Germania immanissime grassata est, maxime circa Rhenum[1].

852 rex . . . . sine mora rediens per alveum Rheni fluminis navigio venit Coloniam.

1) Vgl. Ann. regni Franc. 810, 820. 823.

859 singuli . . . in quadam insula Rheni fluminis navigio vecti convenerunt.

873 rex . . . . per alveum Rheni fluminis navigio vectus Aquense palatium petiit[1].

854 Grosses Gemetzel unter den Normannen, 'domino sanctorum suorum iniurias ulciscente et adversariis digna factis retribuente'.

869 Untergang des Gundakar, 'domino illi infidelitatis suae condignam mercedem retribuente'.

885 Untergang des Normannen Gottfried, 'domino illi condignam infidelitatis suae mercedem retribuente'.

854 Nordmanni, qui continuis XX annis regni Francorum fines per loca navibus accessibilia caedibus et incendiis atque rapinis crudeliter vastabant . . . .

855 magnam tamen provinciae partem praedis et incendiis vastavit.

872 sed dum Karlmannus caedes et incendia in Marahensibus exercuisset . . . .

873 qui regnum Karoli praedis et incendiis saepenumero vastaverat.

884 qui regnum illius praedis et incendiis longo tempore fatigaverant.

855 Einsturz einer Kirche; 'quam ruinam mors episcopi Gozbaldi subsecuta est'.

868 Ueberschwemmung; 'hanc plagam fames etiam magna cum ingenti pernicie humani generis per totam Germaniam et Galliam secuta est'.

878 Rinderpest; 'quam cladem non mediocris hominum mortalitas secuta est'.

856 inde per Boemanos transiens nonnullos ex eorum ducibus in deditionem accepit.

879 inde transiens pascha celebravit in Franconofurt.

881 inde transiens omne tempus aestivum in Baioaria moratus est.

882 imperator inde transiens Mogontiacum venit.

857 populo cuncto prae nimio horrore in basilicam S. Petri confugiente et signis ecclesiae concrepantibus unanimiter dei misericordiam implorante.

---

1) Beliebt ist damals die Wendung 'per alveum ascendere'; vgl. die Revelationen des Audradus Modicus c. 12 (L. Traube, O Roma nobilis p. 91): 'Nordmanni per Ligerim alveum ascendentes', Ann. Xant. 864 (MG. SS. II, 231): 'sed quaedam pars illorum per alveum ascendentes', Ann. Bertin. 866: 'Nortmanni per alveum Sequanae ascendentes', Ann. Fuld. 885: 'per alveum Rheni fluminis ascendere'.

869 omnes in commune deum laudare signis etiam cunctarum in Reganesburg ecclesiarum concrepantibus pro interitu hostis extincti praecepit[1].

857 feruntur et alia prodigia his temporibus Treveri contigisse, quae ideo scribere distuli, quia de eis certum nuntium non habui.

875 qualiter autem regnum illud postea cum suis disposuerit . . . . quia certum non habui latorem, scribere nolui.

858 quod longe aliter esse quam se vulgi fert opinio, cuncti consiliorum regis conscii veraci sermone testantur.

879 quod aliter intellegunt, qui eiusdem iuramenti sunt conscii.

858 ecclesia sancti Albani martyris ita concussa est, ut murus de fastigio cadens oratorium sancti Michaelis ad occidentem basilicae bicameratum cum tecto et laquearibus ruina sua confringens terrae coaequaret.

875 ecclesia quoque eiusdem villae cum suo altari ita deleta est, ut modo cernentibus nullum suae constructionis praebeat indicium.

858 de omnibus quae ei obiciebantur criminibus se ostendit immunem.

871 cum nullus crimina quae ei obiecta fuerant probare potuisset.

858 patet ergo, quia iuxta veritatis sententiam nihil opertum est, quod non reveletur.

873 Worte Ludwigs des Deutschen an seinen besessenen Sohn Karl: 'modo intellegere poteris, si antea noluisti, quod iuxta veritatis sententiam nihil opertum est, quod non reveletur'[2].

860 hibernum tempus asperum nimis et solito prolixius erat frugibusque et arborum proventibus pernoxium.

874 hiems aspera nimis et solito prolixior.

880. 887 hiems aspera et solito prolixior.

881 hibernum tempus valde prolixum et animalibus diversi generis pernoxium[3].

---

1) Vgl. dagegen Ann. Xant. 870: 'signa ecclesiae pulsare praecepit'. 2) Vgl. Luc. 12, 2: 'Nihil autem opertum est, quod non reveletur'. 3) Vgl. Ann. regni Francorum 821. 824.

860 mare etiam Ionium *glaciali rigore* ita *constrictum* est, ut mercatores, qui numquam antea nisi vecti navigio, tunc in equis quoque et carpentis mercimonia ferentes Venetiam frequentarent.

874 sed et Rhenus et Moenus *glaciali rigore constricti* longo tempore se sub vestigiis incedentium calcabiles praebuerunt.

880 Rhenus et Moenus fluvii *glaciali rigore constricti* longo tempore se calcabiles praebuerunt.

881 tellus verno tempore *glaciali rigore constricta*.

861 Ernustum, summatem inter omnes optimates suos, quasi infidelitatis reum *publicis privavit honoribus*.

865 Werinharius comes, unus ex primoribus Francorum, apud Hludowicum regem accusatus, quasi Rastizen suis hortationibus adversus eum incitasset, *publicis privatus est honoribus*.

879 quos Arnolt . . . . *publicis privavit honoribus* et de regno expulit.

863 (Hss. der Klasse A) scripturam autem utriusque partis quisquis curiosus scire desiderat (voluerit 1), *in nonnullis* Germaniae *locis* poterit invenire.

876 cuius sacramenti textus theutonica lingua conscriptus *in nonnullis locis* habetur[1].

Soweit an diesen Stellen nicht wörtliche Uebereinstimmung hervortritt, ist doch auch, wo sich nur Verwandtschaft des Inhaltes zeigt, Gedankengang und Aufbau der Rede derselbe[2]. Die Zusammenstellung erstreckt sich auf die Jahre 838 bis 887, also auf jenen Teil der Annalen, den man gewöhnlich als den selbständigen betrachtet, da wir schriftliche Quellen für ihn nicht nachzuweisen vermögen. Indessen zeigt auch der kompilatorische Teil Verwandtschaft mit dem übrigen Werke, nur dass der Nachweis sich schwierig gestaltet. Denn der unbekannte Verfasser hat, trotz vieler Aenderungen im Einzelnen, den Wortlaut im Ganzen doch intakt gelassen, und so bleiben nur wenige Stellen, die unsere Beweisführung stützen können.

---

1) Auf die Verwandtschaft beider Sätze hat schon H. Bresslau in Kurzes Ausgabe S. VII Anm. hingewiesen. 2) Vgl. 840—870 854—869—885, 855—868—878, 858—879, 858—875, 863—876.

Chron. Laur. II, 24.	Ann. Fuld.	
Weiferus sacramenta mentitus vastando et depopulando usque Cavillionem pervenit.	761 Waipharius iuramenta mentitus Pippino molestus efficitur, ferro et igni cuncta vastando Cavillionem usque pervenit.	843 Karlus . . . Pippino nepoti suo molestus efficitur. 866 Hludowicus . . . . patri molestus efficitur. 881 ille . . . . regi molestus efficitur.
Ann. regni Franc. 794. ibique congregata est synodus magna episcoporum Galliarum, Germanorum, Italorum in praesentia iamfati principis et missorum domni apostolici Adriani.	synodus habita in Franconofurt, in qua haeresis Feliciana coram episcopis Galliarum et Germaniarum Italorumque praesente magno principe Carlo et missis Adriani apostolici . . . . tertio damnata est.	868 Synodus apud Wormatiam mense Maio habita est praesente Hludowico rege . . .
	824 hiems aspera et valde prolixa facta est, quae non solum animalia, verum etiam homines quosdam immanitate frigoris extinxit.	874 Hiems aspera nimis et solito prolixior; nix quoque inmensa a Kalendis Novembris usque in aequinoctium vernale sine intermissione cadens magnum hominibus fecit impedimentum silvas petere lignaque colligere. Unde accidit, ut non solum animalia, verum etiam homines plurimi frigore perirent.
	837 Ticinum in Italia III. Kal. Ian.	855 apud Mogontiacum terra vicies

	noctu octies tremuisse perhibetur.	tremuisse perhibetur.

Die durch die vorstehenden Ausführungen gewonnene Erkenntnis, dass die eine Version der Fulder Annalen in ihrer heutigen Gestalt einem einzigen Verfasser zugeschrieben werden muss, ist von weittragenden Folgen für die Beurteilung des ganzen Werkes begleitet.

Zunächst wird man nicht mehr behaupten dürfen, dass die Annalen gleichzeitig oder doch ziemlich gleichzeitig mit den Tatsachen aufgezeichnet worden seien, die sie berichten; denn dass ein und dieselbe Persönlichkeit von 838 bis 887, fast fünfzig Jahre lang, Schritt für Schritt die Ereignisse mit seiner Niederschrift begleitet haben sollte, ist zum Mindesten nicht wahrscheinlich. Vielmehr werden wir uns vorzustellen haben, dass der unbekannte Verfasser — er sei im Folgenden Ω genannt — erst am Ende des Zeitraumes schrieb, den er behandelte. Das spiegelt sich auch äusserlich in der verschiedenen Länge der Jahresberichte wieder; sie wachsen an Umfang, je mehr sie sich der eigenen Zeit des Verfassers nähern: die einunddreissig Jahre von 838 bis 868 umfassen in dem Druck bei Kurze $38^1/_2$ Seiten, etwa ebensoviel als die neunzehn Jahre, die bis 887 den Rest des Werkes ausfüllen, und dabei muss man von jenen noch fast vier Seiten mit den Aktenstücken zum Jahre 863 in Abzug bringen, die, wie noch gezeigt werden soll, nicht von dem ursprünglichen Verfasser herrühren. Nur wird man zugeben müssen, dass von den siebenziger Jahren an die Aufzeichnung mit den Ereignissen gleichen Schritt hielt, denn hier häufen sich die Wendungen, die auf die Gleichzeitigkeit der Niederschrift hindeuten [1].

Die nächste Frage, die sich uns aufdrängt, ist die folgende: wenn die Annalen in ihrer heutigen Gestalt auf eine Persönlichkeit zurückgeführt werden müssen, so fällt damit die Verfassertrias Einhard oder Pseudo-Einhard-

1) 875 Bemerkung bei dem Erscheinen eines Kometen, vgl. Kurze, Ausgabe S. 83, Anm. 4; im gleichen Jahre wird von Karl dem Kahlen gesagt: 'est enim lepore timidior'; 876 (von der Schlacht bei Andernach) 'Haec in VIII. Id. Octobr. contra novellum Sennacerib gesta sunt, ut, qui prius propter mentis elationem deum agnoscere noluit, modo victus et confusus intellegat, quia non in multitudine exercitus victoria belli, sed de caelo fortitudo est, et aliquando avaritiae et superbiae suae modum imponat'; 879 von Ludwig dem Jüngeren: 'et idcirco crimine periurii non tenetur obnoxius'.

Rudolf-Meginhard. Wie lässt es sich damit vereinen, dass in der Hs. 1 die Randnotizen 'Hucusque Enhardus', 'Hucusque Ruodolfus' erscheinen, die doch offenbar bestimmten Persönlichkeiten einen Anteil an der Abfassung der Annalen vindizieren sollen?

Wir haben schon gesagt, dass die Beziehung der Namen Enhardus und Ruodolfus auf die vermeintlichen Verfasser, wie sie durch die Schlettstadter Hs. verschuldet wurde, nicht immer ohne Widerspruch geblieben ist. Man erinnerte daran, dass die Notizen, die jene Namen enthalten, nur in einer einzigen jüngeren Hs. sich finden, so dass keine Gewähr dafür bestehe, dass sie bereits dem Originale angehört hätten, und namentlich haben Holder-Egger und Buchholz daran die Vermutung geknüpft[1], es handle sich bei dem einen dieser Vermerke, bei jenem, der Einhard nenne, um nichts als um eine mittelalterliche Konjektur. Man habe gesehen, dass die Kompilation, welche den Anfang der Annales Fuldenses bildet, zu einem sehr erheblichen Teile fast wörtlich mit den Annales regni Francorum übereinstimmt; wir wüssten, dass diese gelegentlich auch Einhard zugeschrieben worden seien; so habe man sich denn für berechtigt gehalten, seinen Namen auch in die Annales Fuldenses einzuführen. Diese Argumentation wurde noch verstärkt durch Wibel[2], der an zahlreiche Einträge gleicher Art erinnerte[3], mit denen in

1) Holder-Egger in dieser Zeitschrift XIV (1889), 206; vgl. Deutsche Literaturzeitung VII (1886), 1530, Buchholz in seiner schon genannten Besprechung, Hist. Zeitschr. LXIX (1892), 513; H. Bresslau, Holder-Egger zustimmend, in dieser Zeitschrift XXVII (1902), 141 Anm. 2) A. a. O. 267 ff. 3) Zusammengestellt von Bresslau in dieser Zeitschrift XXVII (1902), 140. Ein weiteres Beispiel gibt das Prümer Schatzverzeichnis vom J. 1003. Damals wurde auf Befehl Heinrichs II. der liturgische Besitz des Klosters inventarisiert. Dem Bericht, der darüber aufgenommen wurde, ist ein Stück einer Urkunde Lothars I. inseriert, mit welcher der Kaiser dem Kloster Handschriften, Reliquien und sakrale Gebrauchsgegenstände überweist. Dieses Fragment ist von dem weiteren Bericht (in dem offenbar die Transl. SS. Chrysanti et Dariae benutzt ist, MG. SS. XV, 1, 375) abgegrenzt durch die Bemerkung: 'Hucusque Lotharius'. — Die Urkunde selbst fehlt bei Böhmer-Mühlbacher. Die Promulgatio stimmt mit anderen Urkunden Lothars überein. Eine am Schlusse des Schatzverzeichnisses stehende kurze Notiz über den Besuch des Kaisers im Kloster hat die Daten: 'anno dominicae incarnationis 852, indictione XV, anno imperii sui in Italia XXXIII et in Francia XIII', die gleichfalls richtig sind; auch der Bischof Rotland von Arles, der weiterhin zusammen mit Thietgaud von Trier genannt wird, ist für diese Zeit bereits durch Jaffé n. 2621 gesichert; vgl. L. Duchesne, Fastes épiscopaux de l'ancienne Gaule I[2], 261. Zum mindesten wird man also eine echte Vorlage annehmen müssen. — Die

mittelalterlichen Geschichtswerken nicht ein späterer Fortsetzer seinen Anteil gegen den seiner Vorgänger abgrenzen wolle, sondern die bestimmt seien, die Quellen zu bezeichnen, die einem Autor vorgelegen hätten.

Trotz des Widerspruches, den Kurze erhob, wird man keinem dieser Einwürfe an sich die Berechtigung absprechen. Denn wenn im zehnten Jh. der Verfasser der Translatio S. Sebastiani wohl nur deshalb, weil seine Hs. der Vita Karoli auch die Reichsannalen enthielt, diese Einhard zuschrieb, wenn im elften Adam von Bremen, vielleicht durch sprachliche oder sachliche Anklänge verführt, die Translatio S. Alexandri gleichfalls für ein Werk Einhards ansah [1], so weiss man nicht recht, warum Aehn-

---

eine der von Lothar geschenkten Hss., ein Evangeliar, hat man an der Hand des Inventars oder der Urkunde selbst später zu identifizieren gesucht, vgl. L. Traube in dieser Zeitschrift XXVII (1902), 738. — Das Schatzverzeichnis ist wiederholt gedruckt worden, vgl. Th. Gottlieb, Ueber mittelalterliche Bibliotheken S. 65 und 455. Die Hs. befindet sich jetzt in Coblenz, vgl. Mély & Bishop, Bibliographie générale des inventaires imprimés II, 3, n. 4243. — Die Erwähnung von Gottliebs Buche gibt mir Gelegenheit, auch einen Irrtum B. Kruschs zu berichtigen. Er führt gegen Balthers Behauptung, die Vita Fridolini in dem Kloster Eller gefunden zu haben, auch an, dass in Eller niemals ein Kloster gewesen sei (M. G., SS. R. Merov. III, 351). Nun weist aber Gottlieb S. 28 ein Schatzverzeichnis s. IX/X in dem Harleianus 2826 des Britischen Museums nach (vgl. Catalogue of ancient manuscripts II, 33), das folgendermassen beginnt: 'Hatto indignus prespiter cum omni diligentia rimamando (so) inveni in thesauris aeclesiae cenobii Elerae'.

1) Soviel wird von den Zusammenstellungen bei A. Wetzel, Die Translatio Alexandri übrig bleiben. — Einer ähnlichen Beobachtung verdankt es vielleicht das Chronicon Gallicum ad annum 511, dass es mit dem Namen des Sulpicius Severus belegt wurde, vgl. Mommsen, Auct. ant. IX, 627. Ein zweites Beispiel scheint die pseudocyprianische Schrift De duodecim abusivis saeculi (ed. Hartel, CSEL. III, 3, 152 ff.) zu bieten. Sie ist, wie ich demnächst an anderem Orte nachweisen werde, zwischen 630 und 700 bei den Iren entstanden. Auffällig ist nur der Name Cyprians, der dem Werkchen vorgesetzt ist, denn die pseudo-cyprianische Literatur reicht sonst nicht über das 5. Jh. herab und Cyprian hat seine Stellung als Hauptlehrer der abendländischen Kirche früh an Augustin abgeben müssen (vgl. K. Goetz, Geschichte der cyprianischen Litteratur 95, 105); tatsächlich geht auch De XII abusivis saeculi zuerst unter dem Namen des Patricius, der auf die Heimat der Schrift hinweist, dann unter dem Augustins. Als Eigentum Cyprians taucht sie erst im 9. Jh. auf, zuerst wohl bei Jonas von Orléans, und im Laufe der Zeit hat die neue Bezeichnung die alte völlig verdrängt. Aber woher stammt sie wohl? Im fünften Kapitel wird als eines der Merkmale der Pudicitia aufgeführt: 'pompatico et inlecebroso gressu non incedere' (Hartel a. a. O. 159 Z. 16). Aehnlich heisst es De laude martyrii c. 22 (a. a. O. 45 Z. 6): 'quem non pompatico gressu vana subiecit ambitio'. Auch diese Schrift trug Cyprians Namen, und von hier aus wird er an die Spitze von De XII abusivis saeculi gelangt sein: wir haben ein Stück mittelalterlicher Stilvergleichung und daran anschliessender Konjektur vor uns.

liches nicht auch im neunten Jh. in Mainz oder in Fulda möglich gewesen sein sollte, oder wo wir uns sonst die Annalen entstanden denken wollen. Und wenn sich Kurze, um Wibels Deutung von 'Hucusque Enhardus', 'Hucusque Ruodolfus' abzuwehren, auf einen ähnlich lautenden Eintrag bei dem Fortsetzer Reginos berief[1], so vergass er, dass der Continuator nicht nur mit 'hucusque' seinen Vorgänger nennt, sondern auch weiter seinen eigenen Anteil ausdrücklich hervorzuheben nicht unterlässt; zweifellos hätten dann aber auch die Verfasser eines literarisch zu solcher Höhe strebenden Werkes wie die Annales Fuldenses sich nicht mit so dürftigen Randnotizen wie in der Hs. 1 begnügt, um den Anteil ihrer Vorgänger von ihrem eigenen abzugrenzen, besonders nicht, da wir in dem letzten Teile der Annalen den Verfasser auch persönlich hervortreten sehen[2].

Es sind ganz andere Gründe, die Kurze zu seiner Verteidigung hätte anführen können. Einmal, dass man den Knoten nur zur Hälfte löst, wenn man von den Reichsannalen spricht. Denn es fehlt dann noch immer eine Erklärung für das Auftauchen von Rudolfs Namen, und schliesslich muss doch auch er irgend einen Bezug gehabt haben, denn eher ist noch daran zu denken, dass ein späterer Abschreiber aufs Geratewohl Einhards Namen eingeführt hätte, als den seinen, dessen Glanz doch längstens nach ein paar Jahrzehnten erloschen sein musste. Sodann aber ist die Beglaubigung der beiden Notizen keineswegs so schlecht, wie man es gewöhnlich hinstellt. Sie erscheinen nicht nur in der Hs. 1, sondern sie kehren, wie Kurze selbst gefunden hat[3], in zusammengezogener Gestalt auch in den Iburger Annalen[4] wieder, welche im 12. Jh. die unseren ausschreiben und 839 notieren[5]: 'Hucusque Einhart. Hinc Hruodolf'. Wibel hat gezeigt[6], dass die Vorlage, welche die Iburger benutzten, unserer Hs. 3 verwandt gewesen ist. Dann müssen aber nach unserem Stemma die Angaben mit den Namen Einhards und

---

1) 'Hucusque Regino. Haec, quae sequuntur, nos addidimus'. 2) 878 (Kurze S. 81, 7): 'illi autem miserunt pecuniam multam valde et obsides, quos dederant, receperunt, prius tamen, ut dixi, praestito sacramento, ne ultra in regnum Hludowici regis redirent'. 3) In dieser Zeitschrift XXI (1896), 69, Anm. 4; vgl. Wibel S. 271. 4) Vgl. über sie Wattenbach, Geschichtsquellen II, 81 f. 5) MG. SS. XVI, 436 Osnabrücker Geschichtsquellen I, 180. 6) A. a. O. S. 272.

Rudolfs mindestens schon in X vorhanden gewesen sein[1], und es wächst jetzt die Möglichkeit, ja die Wahrscheinlichkeit, dass sie nicht spätere Zutat sind, sondern bereits Ω, dem Originale, angehören, und doppelt gross wird unser Verlangen, zu erfahren, was für eine Bewandtnis es mit ihnen habe[2].

Vielleicht kommen wir der Lösung näher, wenn wir auf Wibels Vorschlag zurückgreifen, die beiden mit 'Hucusque' beginnenden Randnotizen auf die Quellen der Annalen in ihren älteren Teilen zu beziehen. Nur müssen wir zugleich versuchen, eine Frage zu beantworten, die er offen gelassen hat, indem wir uns anzugeben bemühen, was unter diesen Quellen zu verstehen sei. Wir gewinnen damit auch die Möglichkeit, das Auftreten von Rudolfs Namen zu deuten, während bis jetzt eine befriedigende Erklärung dafür fehlte.

In der Tat liegt der Gedanke ziemlich nahe, nach den Quellen unserer Annalen zu fragen. Für die Kompilation, die sie eröffnet, liegen die Verhältnisse ja klar zu Tage. Aber auch für die nächsten Jahrzehnte über diesen Teil hinaus muss Ω schriftliches Material vor sich gehabt haben, wenn er seine Annalen erst am Ende der Periode anlegte, die er behandeln wollte: eine Darstellung, die sich ausschliesslich oder doch vornehmlich auf die mündliche Tradition gestützt hätte, wäre niemals zu solcher Ausführlichkeit und Zuverlässigkeit gediehen wie die Annales Fuldenses; das beweist das Beispiel Reginos[3].

1) Für Wibels Annahme (S. 272 f.), dass der Iburger Annalist ausser der mit 3 verwandten auch noch eine aus 1 abgeleitete Hs. besessen habe, aus der er dann die Marginalnoten entnommen hätte, fehlt jeder, auch der geringste Anhalt. 2) Wie ich nachträglich bemerke, hat der Cosmidromius des Gobelinus Person am Ende des 41. Kapitels der sechsten Aetas, das Ludwig den Frommen behandelt, die Bemerkung: 'hucusque Eginhardus scripsit chronica'; vgl. Jansen, Cosmidromius Gobelini Person p. XLVI. und die Ausgabe Meiboms S. 194. Dass diese Notiz aus den Annales Fuldenses stammt, ist auch Jansens Ansicht, und zwar muss Gobelinus gleichfalls eine mit 3 verwandte Hs. besessen haben, denn er zitiert die jüngere, uns bis 901 erhaltene, Fassung der Annalen; vgl. die Nachweise in der Ausgabe von Jansen 21 f. und dazu K. A. Kehr in dieser Zeitschrift XXVIII (1903), 380 ff. Doch möchte ich die Notiz über den Normannensieg der Sachsen im Jahre 880 nicht mit Kehr S. 330, Anm. 3 auf die Ann. Fuldenses zurückführen, denn sie ist in ihrer ersten Version enthalten, und dass Gobelinus daneben auch die zweite benutzt haben sollte, ist wenig wahrscheinlich. 3) 'Et de Ludowici quidem imperatoris temporibus perpauca litteris comprehendi, quia nec scripta repperi nec a senioribus, quae digna essent memoriae commendanda, audivi'. Regino in der Einleitung zu dem selbständigen Teile seiner Chronik.

Material dokumentarischen Charakters tritt in unseren Annalen mehrfach hervor: 860 werden die Coblenzer Eide, 884 wird ein Brief Rimberts von Bremen an Liutbert von Mainz über einen Normannensieg der Friesen inseriert[1], 857 eine Mitteilung Günthers von Köln an Altfried von Hildesheim über einen Blitzschlag referierend wiedergegeben. Das Edikt Ludwigs des Frommen, mit dem er 838 Ludwig dem Deutschen seinen Reichsteil entzog[2], und einzelne Briefe Nikolaus' I.[3], die in der Erzählung ihren Platz finden, haben bei der Niederschrift der betreffenden Stelle dem Verfasser sicher vorgelegen, ebenso wie etwa der Bericht, den Karlmann seinem Vater über seine Erfolge im mährischen Feldzuge des Jahres 869 zugehen liess[4], oder wie der Text der in deutscher Sprache abgelegten Eide zur Bestätigung der Reichsteilung von 876, auf die der Verfasser am Ende dieses Jahres verweist. Endlich deutet es wiederum auf Benutzung einer schriftlichen Quelle, wenn die Annalen in der Reihenfolge und der näheren Bezeichnung der Führer, die 844 in einem Gefechte zwischen den Heeren Karls des Kahlen und Pippins von Aquitanien den Tod fanden, plötzlich mit verschiedenen westfränkischen Quellen übereinstimmen[5]. Indessen wird sich der volle Reichtum der Annalen in ihren älteren Teilen lediglich mit der Voraussetzung solchen Materiales allein nicht erklären lassen, und wenn wir nun an ältere Bearbeitungen denken, die Ω benutzt haben müsste, so wäre es nicht unmöglich, dass er deren zwei vorgefunden hätte, die er, falls sie nicht ohnehin schon handschriftlich verbunden waren, vereinigte, über-

---

1) Die Hss. haben ihn uns allerdings nicht aufbewahrt. 2) Vgl.: 'pacti conscriptione Hludowico filio suo regnum orientalium Francorum, quod prius cum favore eius tenuit, interdixit'. 3) Vgl. den Jahresbericht 867, wo sie erwähnt werden. 4) Vgl.: 'Carlmannus exercitibus Rastizi bis numero congressus victor extitit, praedam inde capiens non modicam, sicut ipse litteris ad patrem suum destinatis retulit'. 5) Ann. Fuld.: 'Pippini duces Karoli exercitum superant VII. Idus Iunii; in quo proelio ceciderunt Hugo abbas, patruus Karoli, et Rihboto abbas, Hraban quoque signifer cum aliis multis ex nobilibus'. — Ann. Bertin.: 'qua inopinata congressione Hugo presbyter et abbas, filius Karoli Magni quondam imperatoris et frater Hlodoici itidem imperatoris patruusque Hlotharii, Hlodoici et Karoli regum, necnon Richboto abbas, et ipse consobrinus regum, nepos videlicet Karoli imperatoris ex filia, Etkardus quoque et Ravanus comites cum aliis pluribus interfecti sunt'. Vgl. ferner die Ann. Laubacenses, die Kurze in seiner Ausgabe zitiert (S. 34, Anm. 8), und die Ann. S. Germani min. bei Dümmler, Geschichte des ostfränkischen Reiches I, 247, Anm. 8.

arbeitete (damit wären die stilistischen Uebereinstimmungen erklärt) und selbständig bis 887 fortführte: eine ältere kompilatorische, bis ungefähr 838 reichende[1] und eine zweite, hier einsetzende, teilweise auf dokumentarisches Material sich stützende, die 863 schloss. Auf sie hätten wir die Namen Einhard und Rudolf zu beziehen, und wir gelangen nun zu der Frage, ob wir ihre Träger als die Verfasser jener Quellen ansehen müssen, die *Ω* verwendet hat?

Ich glaube, dass eine Beobachtung des literarischen Lebens des Mittelalters uns hier den rechten Weg weist.

Jedermann kennt seine Vorliebe für Pseudepigrammata; sie dienen dazu, Schriften, die der kirchlichen Autorität verdächtig sind, einzuschmuggeln, Arbeiten weniger bekannter Autoren zu empfehlen. Am häufigsten begegnen uns in diesem Literaturkreise die vier grossen Kirchenväter, namentlich Augustin und Hieronymus; ihnen schliessen sich jedoch sehr bald auch Persönlichkeiten an, die der eigenen Zeit näher stehen: Isidor, Beda und, in bescheidenerem Umfange, auch Alchvin. Indessen vermochte dieser Kreis nicht lange zu genügen, und so lieh man auch Namen, die nicht so weit über die Jahrhunderte erstrahlten. Es ist eine Gewohnheit, die uns auf allen Gebieten der mittelalterlichen Literatur entgegentritt. Wenn der austrasische Bearbeiter der Gesta regum Francorum das Werk 'Liber sancti Gregorii Toronis episcopi' überschrieb, so tat er es wohl nicht, weil er Gregor wirklich für den Verfasser angesehen hätte[2], denn er hielt dessen Werk ja in Händen und entnahm ihm Ergänzungen, sondern weil er ihm einen bekannten Namen mitgeben wollte, und ein zweites, ganz vorzügliches Beispiel können wir in der allernächsten Nähe unserer Annalen aufweisen: der Kommentar Super Porphyrium, der handschriftlich mit dem Namen des Hrabanus Maurus bezeichnet ist[3] und eine Zeitlang auch der modernen Forschung als sein Werk galt, gehört, wie wir heute wissen, nicht ihm, sondern

---

1) Soweit erstreckt sich die Uebereinstimmung mit den Ann. Bertin. (vgl. Kurze, Abhandlung S. 131 ff.), die doch wohl auf Benutzung einer gemeinsamen Quelle zurückgehen wird; aber wo diese endete, vermag niemand anzugeben. — Das Vorhandensein einer derartigen älteren Kompilation, die in den Ann. Fuld. benutzt wäre, würde dann auch ihre Uebereinstimmung mit der Transl. S. Alexandri (vgl. B. Simson in dieser Zeitschr. XXV [1900], 184 ff.) erklären. 2) So B. Krusch, SS. Rer. Mer. II, 218. 3) Vgl. V. Cousin, Ouvrages inédits d'Abélard p. 613 sqq.

wird in seinem Schülerkreise entstanden sein[1]. Wir dürfen also, ohne Widerspruch zu befürchten, behaupten, dass es auch mit Rudolf und Einhard dieselbe Bewandtnis hat dass man ihre Namen anonymen Arbeiten zur Empfehlung vorsetzte, und dass sie von hier aus in die Annales Fuldenses gelangt sind. Wer ihnen diesen Weg eröffnet hat, ob *Ω*, ob auf der ersten Etappe der Ueberlieferung erst X, bleibt unentschieden. Bevorzugen wir X, der dann wohl auch derselben Bildungsstätte angehört haben müsste, wie *Ω* selbst, so sind wir, wenn auch auf anderem Wege, doch wieder bei der Theorie mittelalterlicher Konjektur angelangt. Nur darf man eine Möglichkeit nicht vergessen: dass, wer Einhards und Rudolfs Namen in die Annales Fuldenses brachte, mag es nun *Ω* oder X gewesen sein, sie ganz gut gleichzeitig auch jenen älteren Arbeiten überhaupt erst vorgeschrieben haben kann. Jedenfalls, wie wir uns auch entscheiden wollen, mit den historischen Trägern ihrer Namen haben Einhard und Rudolf für uns nichts mehr zu schaffen. Besonders Einhard wird ja ohnehin nur deshalb mit den Annales Fuldenses in Zusammenhang gebracht, weil man ihm seit Ranke stets fast mit Gewalt immer wieder einen Teil der offiziellen oder offiziösen Geschichtschreibung des fränkischen Reiches aufbürden wollte und man sich bei diesem Prozess daran gewöhnt hat, ihn sich nicht ohne einen bedeutenden Anteil an der Annalistik seiner Zeit überhaupt zu denken. Vor allem aber, wenn man wie Kurze der Ansicht ist, dass Einhard von 795 bis 820 an den Reichsannalen geschrieben habe, so sollte man ihn nicht auch zum Verfasser der Kompilation machen wollen, welche die Annales Fuldenses eröffnet, denn Einhard wäre dann nicht einmal mehr im Stande gewesen, seine eigene Sprache unter fremder Verballhornung wieder zu erkennen. Die Reichsannalen berichten — ich zitiere nach Kurzes Ausgabe — zum Jahre 796: 'sed et Heiricus dux Foroiulensis . . . . hringum gentis Avarorum longis retro temporibus quietum, civili bello fatigatis inter se principibus, spoliavit — chagan sive iuguro intestina clade a d d i c t i s et a suis occisis —

1) Vgl. Prantl, Geschichte der Logik II², 37 ff.; W. Kaulich, Geschichte der scholastischen Philosophie S. 231. — Die Hs., welche uns das Werk überliefert, gehört zwar erst dem 13. Jh. an, aber der Inhalt weist auf die Schule Hrabans (vgl. Prantl a. a. O.) und im 13. Jh. hätte man sicher nicht auf diesen zurückgegriffen, sondern einen gleichzeitigen oder wenig älteren Meister gewählt.

thesaurum priscorum regum multa seculorum prolixitate collectum domno regi Carolo ad Aquis palatium misit'. Daraus machen die Annales Fuldenses: 'Cagan et Iugurio principibus Hunorum civili bello et intestina clade a suis occisis campus eorum, quem vocant hringum, primo per Ehericum ducem Foroiuliensem, deinde per Pippinum filium regis addictus[1] et captus est'. Ihr Verfasser glaubte also die Stelle zu verbessern, indem er das ihm unverständliche 'addictis' in Zusammenhang mit 'hringus' brachte; wäre es Einhard gewesen, so würde er, falls ihm überhaupt nur eine fehlerhafte Hs. seines eigenen Werkes zur Verfügung gestanden hätte, ohne weiteres statt 'addictis' das richtige 'adflictis' eingesetzt haben, wie der Sinn es erfordert und wie der ursprüngliche Wortlaut gewesen sein muss.

Fallen aber Einhard und Rudolf, so ist damit auch der letzte, rein äusserliche Vorwand hinweggeräumt, ihnen Meginhard anzuschliessen und nun etwa ihn als den Ueberarbeiter und Fortsetzer älterer Aufzeichnungen anzusehen, den die Resultate unserer Untersuchung fordern; wir erinnern uns ja, dass lediglich die Tatsache, dass er Rudolfs Translatio S. Alexandri fertiggestellt hat, seine Mitwirkung bei der Abfassung der Annalen begründen sollte. Ohnehin macht auch eine stilistische Vergleichung, wie schon Pertz betonte[2], die Annahme der Verfasserschaft Meginhards unmöglich; es genügt, wenige Kapitel seines Anteiles an der Translatio S. Alexandri zu lesen, besonders seine Vorliebe für den indikativischen Gebrauch des Participiums zu beobachten, und man weiss, dass das gewählte Latein der Annales Fuldenses nicht aus seiner Hand hervorgegangen sein kann.

Die eben vorgetragene Anschauung über Abfassungszeit und Abfassungsart des Werkes weicht allerdings weit ab von der Vorstellung, die man mit dem Begriffe der Annalen gewöhnlich verbindet. Indessen zeigt uns das Beispiel Reginos, dass die annalistische Form allein noch keine bindenden Schlüsse auf die Entstehung eines Werkes gestattet[3], und ein zweites Beispiel, das sich sogar den

---

1) So ist mit den Handschriften zu lesen, nicht 'aditus', wie Kurze druckt; vgl. oben S. 701. 2) MG. SS. I, 339. 3) Vgl. Wattenbach, GQ. I[7], 313: 'in dieser Beziehung hat bei ihm wie bei manchem anderen das Vorbild der Annalen nachteilig gewirkt; denn für die Aufzeichnung unbestimmt gewordener Ueberlieferungen ist die annalistische Form nicht nur hinderlich, sondern die scheinbare Bestimmtheit verleitet auch dazu, den Angaben mehr Gewicht beizulegen als ihnen zukommt'.

Annales Fuldenses noch mehr nähert, besitzen wir in den Annales Xantenses. Wir wissen heute, dass sie eine Kompilation aus teilweise sehr disparaten Elementen bilden, die von einem Unbekannten, vielleicht dem Verfasser des letzten Abschnittes, zusammengeschweisst und überarbeitet wurden [1]. Und die Annahme einer derartigen Ueberarbeitung, deren vereinzelte Spuren wir ja bereits an dem ältesten, kompilatorischen Teil der Annales Fuldenses nachwiesen, muss uns auch noch ein letztes Bedenken hinwegräumen helfen, das gegen den Gedanken späterer Abfassung geltend gemacht werden könnte.

Die Forschung hat schon früher auf Stellen in verschiedenen Teilen des Werkes hingewiesen, die eine Abfassung Jahr für Jahr zu postulieren schienen [2]. Sie musste andererseits allerdings auch zugeben, dass die Gleichzeitigkeit der Abfassung doch nicht so ganz wörtlich zu verstehen sei, dass vielmehr 'Rudolf' seine Eintragungen nicht ganz regelmässig vorgenommen habe und 'Meginhard' nicht vor 869 oder 870 zu schreiben begonnen haben könne [3]. Gleichwohl bleiben in den älteren Teilen noch Aeusserungen, die eine Abfassung erst am Ende des Zeitraumes auszuschliessen scheinen und eine Erklärung erheischen [4]:

841 'factumque est inter eos VII. Kal. Iulii proelium ingens (bei Fontanet) et tanta caedes ex utraque parte, ut numquam aetas praesens tantam stragem in gente Francorum factam antea meminerit'.

---

1) Vgl. Steffen in dieser Zeitschrift XIV, (1889) 97 f. Die Zahl der stilistischen Uebereinstimmungen liesse sich noch beträchtlich vermehren (vgl. 'sed non profuit' 846, 863; die Schilderung der wunderbaren Himmelserscheinungen 841 und 868; 'quod sine grandi merore nulli dicendum vel audiendum est' 846, 'quod omnibus audientibus et videntibus nimium dolendum est' 864); dagegen wird die Abgrenzung der einzelnen Teile wahrscheinlich anders zu bestimmen sein, als Steffen annimmt. Die Wendung 'fastidiosum est enarrare' (849), auf die er so grosses Gewicht legt, kehrt 862 wieder. Der Teil von 840 bis 844 hebt sich durch häufigen Gebrauch des Participiums statt des Indikativs ab, der später wieder verschwindet; 865—871 weist eine pathetische Verwendung von Bibelsätzen auf. — Im ersten Teile werden die Notizen über Willibrord 690 und 694 wohl nicht Alchvins V. Willibrordi, sondern der V. S. Adalberti Egmondani entnommen sein (MG. SS. XV, 2, 700 sq.); 718 und 720 erscheint die V. Wulframni benutzt (Mabillon, Acta SS. O. S. B. III, 364); die Erzählung über den Tod des Bonifaz ist dem um 900 entstandenen Martyrologium Fuldense entnommen (vgl. Levison, Vitae S. Bonifatii p. XLVII und 59 sq.). 2) Kurze, Abhandlung S. 142. 3) Rethfeld S. 84; Kurze, Abhandlung S. 141 f., 148 f. 4) Jene von 875 ff. sind schon oben S. 729 behandelt worden.

853 'in Kalendis autem Septembribus basilicam s. Bonifacii martyris noctu fures ingressi partem de thesauro ecclesiae abstulerunt, et ita hactenus res latet, ut neque auctores facti investigari neque pecuniae aliquod possit indicium reperiri'.

858 (Gefahr des Verdachtes, dass Ludwig der Deutsche nur aus eigennützigen Motiven handle, wenn er dem westfränkischen Adel gegen Karl den Kahlen zu Hilfe komme); 'quod longe aliter esse, quam se vulgi fert opinio, cuncti consiliorum regis conscii veraci sermone testantur'.

Handelt es sich hier um Stellen, die Pseudo-Rudolf gehören, und die Ω bei der Revision der Arbeiten seiner Vorgänger unberührt stehen liess? Das kann und wird vielleicht für die erste und zweite zutreffen, nicht aber für die Bemerkung zu 858; denn gerade sie musste uns ja vorhin helfen, die sprachliche Einheit des gesammten Werkes nachzuweisen[1], und stammt zweifellos aus der Feder von Ω. Hat dieser also, um den Annalencharakter stärker hervortreten zu lassen, da und dort solche Wendungen eingestreut, hat er also eine stilistische Fälschung begangen? Bei dem Ernste, den sein ganzes Werk zeigt, wird daran nicht zu denken sein. Wir können eben nur annehmen, dass solche Sätze schon in der Vorlage Ω's präsentische Fassung aufwiesen und dass dieser lediglich den Wortlaut seinen eigenen grammatikalischen und stilistischen Gewohnheiten angepasst hat[2].

Der Nachweis der sprachlichen Einheit des gesamten Werkes hat uns bisher wichtige Erkenntnisse vermittelt in Bezug auf seine Abfassungszeit und, wenn auch mehr in negativer Richtung, für die Verfasserfrage. Zugleich lernen wir aber auch, die Tendenz der Annalen in anderer

---

1) Vgl. oben S. 726. 2) Einer Flüchtigkeit der Revision wird es entstammen, wenn 841 (Kurze S. 32, 23) ein indikativisch gebrauchtes Participium stehen geblieben ist; sonst entspricht das nicht dem Sprachgebrauche der Annalen: 'Hlutharius vero iterum suis undique collectis Mogontiacum veniens Saxones cum Hluthario filio suo parvulo obviam sibi Nemeti venire praecepit; ipse autem Rhenum transiens quasi Hludowicum fratrem suum usque ad exteras nationes fugaturus infectoque negotio redit Wormatiam'. Aehnlich haben die Hss. der zweiten Rezension 849 (Kurze S. 39, 2): 'hostes enim superiores effecti caedendo persecuti sunt eos usque in castra occisorumque spolia in conspectu eorum securi ('secure' l. 2, vgl. oben S. 717, Anm. 1) detrahentes tantisque ('tantis' l. 2) eos terroribus affecerunt, ut evadendi spe penitus privarentur'. Vielleicht handelt es sich aber hier nur um den Reflex des Sprachgebrauches von II, der das indikativische Partizip liebt; vgl. unten.

Weise zu beurteilen, als es bisher geschah. Man hat in den Annales Fuldenses gerne die offiziös inspirierte Geschichtschreibung des ostfränkischen Reiches gesehen[1], gewissermassen die Fortsetzung der Annales regni Francorum und das Gegenstück zu den Annales Bertiniani; gleichzeitig hat man sich in den gewagtesten Kombinationen abgemüht, um die alte Tradition von dem Fulder Ursprung des Werkes zu wahren und doch zur selben Zeit für Rudolf und Meginhard, die vermeintlichen Inhaber jenes historiographischen Auftrags, enge Beziehungen zu Mainz zu ermöglichen, von dessen Erzbischöfen sie ihre Informationen erhalten haben sollten[2]. Nach unseren bisherigen Ausführungen werden auch diese Aufstellungen nicht mehr haltbar sein, denn, wenn die Annalen nicht gleichzeitig oder wenigstens ziemlich gleichzeitig mit den Ereignissen niedergeschrieben wurden, sondern auf älteren Arbeiten fussen, die erst am Ende der Periode überarbeitet und fortgesetzt wurden, so verträgt sich das nicht mit dem Begriffe einer offiziösen Annalistik. Auch sonst hinkt der Vergleich mit den Fortsetzern des Fredegar und den Reichsannalen, den man gewöhnlich zieht[3]; denn wenn jene in ihrem Berichte die Unruhen unterdrücken, die Gripho anzettelte, und diese die Verschwörungen Hartrads und Pippins mit Stillschweigen übergehen, so nehmen gerade die Differenzen Ludwigs des Deutschen mit seinen Söhnen einen breiten Raum in den Erzählungen der Annales Fuldenses ein. Und auch sonst zeigen diese durchaus nicht immer die höfische Rücksicht, die man bei ihnen hat finden wollen; wer aufmerksam die Bemerkungen des Annalisten über den Mährerfeldzug des Jahres 855 liest oder die Ausdrücke prüft, in denen er von dem Rückzuge des deutschen Heeres aus dem westfränkischen Reiche bei dem Einfall des Jahres 858[4] spricht, überzeugt sich leicht, dass von einer Abhängigkeit dieser Geschichtschreibung vom Hofe doch nicht recht die Rede sein kann. Vielleicht ist man aber überhaupt seit Ranke mit

1) Ob schon Muratori an Aehnliches gedacht hat? Vgl. Rerum Ital. SS. II, 2, 85: 'statutum est ad me mittere annales eosdem, qui Caesarei quam Lambeciani (nach P. Lambeck, vgl. oben S. 698) aequius essent appellandi'. 2) Rethfeld a. a. O. S. 14 ff., 30 ff.; Kurze, Abhandlung S. 139 ff., 146 f. 3) Wattenbach, Geschichtsquellen I⁷, 245. 4) Ich habe in dieser Zeitschrift XXX (1905), 22 f. das Fragment eines Briefes veröffentlicht, den A. Werminghoff bei dieser Gelegenheit von Hinkmar von Reims an Ludwig gerichtet sein lassen möchte (a. a. O.). Diese Vermutung findet eine Bestätigung durch Flodoard, Hist. Remensis

der Annahme offiziöser Beeinflussung der Historiographie zu freigebig gewesen, und wenn neuerdings sogar die Möglichkeit zugegeben wird, dass selbst die vermeintlich offiziösen Annalen *κατ'ἐξοχήν*, die Reichsannalen, nur eine Privatarbeit sein könnten [1], so ist nicht recht einzusehen, warum dasselbe nicht auch für die Annales Fuldenses Geltung haben sollte: Parteieifer und Parteileidenschaft sind für ihre Tendenz eine eben so gute Erklärung wie der offiziöse oder offizielle Auftrag, den man gewöhnlich bei ihnen voraussetzt.

Nur kurz und mit wenigen Worten sei zuletzt die Frage gestreift, wo wir uns die Annalen entstanden zu denken haben. Erst seit Freher suchte man, trotz des Widerspruches Christs [2], ihren Ursprung in Fulda. Dagegen hatte ihn schon der erste Herausgeber, Pithou, nach Mainz verlegt [3], und seit Rethfelds Untersuchungen [4] hat man sich allgemein gewöhnt, sie wieder zum grössten Teile dort entstanden sein zu lassen, wenn auch die Annahme der Verfasserschaft Rudolfs und Meginhards manche Schwierigkeiten schuf und dazu nötigte, diese Persönlichkeiten ihren Aufenthalt bald in Fulda, bald in Mainz nehmen zu lassen. Mit ihrer Beseitigung fallen auch diese Folgerungen, und nichts hindert jetzt mehr, Mainz als den Entstehungsort des ganzen Werkes anzusehen. Dagegen spricht auch nicht die berühmte Zitierung des Tacitus, dessen gleichzeitige Kenntnis in Fulda durch Rudolfs Translatio S. Alexandri sichergestellt wird. Denn wenn Tacitus dem Mittelalter auch fast unbekannt geblieben ist und seine Ueberlieferung lediglich durch eine fast genau von Süden nach Norden laufende Linie bestimmt wird, deren Hauptpunkte durch die Namen Fulda-Hersfeld [5]-

---

ecclesiae III, 20 (MG. SS. XIII, 511), der unter Hinkmars Schreiben an Ludwig auch eines aufführt mit dem Inhalte: 'item de pervasione regni fraterni, dignis et utillimis ei hoc dissuadens admonitionibus, ne id ad suam aggrediatur dampnationem'. 1) So Kurze in dieser Zeitschrift XX (1895), 46. 2) A. a. O. S. 191. 3) 3v. der Praefatio (Frankfurter Ausgabe, 1594). 4) Vgl. oben S. 700. Für Entstehung in Mainz auch sehr nachdrücklich K. A. Kehr in dieser Zeitschrift XXVIII (1903), 334. 5) Von dort stammt die neuaufgefundene Hs. in Jesi; vgl C. Annibaldi, L'Agricola e la Germania di Cornelio Tacito nel manuscritto latino n. 8 della biblioteca del Conte G. Balleani in Jesi (Città di Castello 1907); vgl. R. Wünsch, Berliner philol. Wochenschrift XXVII (1907), 1025 ff. — Die angebliche Tacitushs. bei Michaelis, nach der noch F. Falk, Beiheft 26 zum Zentralblatt f. Bibliothekswesen S. 47 fragt, hat sich längst als ein Fragment aus Orosius herausgestellt; vgl. Schoell in seiner Ausgabe des Agricola und der Germania Seite V.

Corvey bezeichnet werden, so hindert doch nichts, anzunehmen, dass man ihn sich auch in Mainz zu verschaffen wusste. Mainz gehört, ebenso wie Hersfeld, einer insularen Schreibprovinz an, als deren Zentrum wir uns Fulda denken müssen[1]. Wie etwa die Maasgegend ein besonders bevorzugter Bereich der Cicero-Ueberlieferung gewesen ist[2], so muss man für Fulda Reichtum an Hss. römischer Historiker annehmen: es sei nur an Sueton und Ammianus Marcellinus erinnert, die dort ihre Stätte fanden[3]. Bei den lebhaften Beziehungen, die wir trotz aller Eifersüchteleien und Kämpfe der Stifter zwischen den Gelehrten an diesen Orten vorauszusetzen haben, dürfen wir ruhig an einen Austausch denken; so gut der Mainzer Livius insulare Züge aufwies[4], so gut kann auch eine Tacitushs. von Fulda nach Mainz gelangt sein, sei es zur Abschrift, sei es zum Zwecke vorübergehender Lektüre, als deren letzten Niederschlag wir jene vereinzelte Notiz zu betrachten haben werden.

---

1) L. Traube in dieser Zeitschrift XXVI (1901), 239; Mélanges Boissier p. 446. 2) S. Hellmann, Sedulius Scottus S. 106. 3) Vgl. L. Traube in dieser Zeitschrift XXVII (1902), 265 f.; über die Fulder Bibliothek handelt neuerdings auch P. Lehmann, Franciscus Modius als Handschriftenforscher (= Quellen und Untersuchungen zur lateinischen Philologie des MA. III, 1) S. 64 ff. 4) L. Traube, Abhandlungen der Bayr. Akad. der Wissensch. III. Klasse, XXIV, 1, 24 ff.

XV.

Miscellen.

Die Merowingerdiplome für Montiérender.

Von Wilhelm Levison.

Die älteren Urkunden des von Bercharius auf königlichem Grund und Boden unter Childerich II. (662—675) gegründeten Klosters Dervum (Montiérender, dép. Haute-Marne, arr. Vassy-sur-Blaise) sind nur in einem gegen 1200 geschriebenen Chartular überliefert[1], das bisher weder vollständig herausgegeben worden ist[2] noch als Ganzes den Gegenstand einer Untersuchung gebildet hat, und so dürfen auch die folgenden Zeilen, die sich mit den zwei ältesten Königsurkunden des Klosters beschäftigen sollen, nicht hoffen, überall zu abschliessenden Ergebnissen zu gelangen, da sie sich bei der Untersuchung auf die gedruckten Texte beschränken müssen. Es handelt sich um zwei der ältesten Fränkischen Immunitätsurkunden, eine Immunitätsverleihung von Childerich II. (664/5)[3] und deren Bestätigung durch Theuderich III. (682)[4]. Beide erschienen Th. Sickel 'nach Inhalt und Formular unverdächtig und nur sprachlich überarbeitet'[5], und wenn auch schon vor langer Zeit in der Urkunde Childerichs die Zahl der Regierungsjahre und die Unterschrift des Bischofs Reolus von Reims An-

1) Heute in den Archives départementales de la Haute-Marne zu Chaumont-en-Bassigny. Vgl. Th. Sickel, Acta regum et imperatorum Karolinorum II, 305; A. Roserot, Catalogue des actes royaux conservés dans les archives de la Haute-Marne (Le Bibliographe moderne VI, 1902, p. 41 sqq.); H. Stein, Bibliographie générale des cartulaires français (Manuels de bibliographie historique IV), 1907, p. 350, n. 2548. 2) Eine grössere Zahl der Urkunden ist veröffentlicht von Lalore, Collection des principaux cartulaires du diocèse de Troyes IV, 1878, p. 89—287. Ein anderes Buch desselben Herausgebers, auf das er sich in der Einleitung beruft: Polyptique de l'abbaye de Montiérender (Paris 1878), war mir unzugänglich. 3) Pertz, MG. Dipl. Merov. p. 30, n. 31; Lalore a. a. O. S. XXI ff.; W. Altmann und E. Bernheim, Ausgewählte Urkunden zur Erläuterung der Verfassungsgeschichte Deutschlands im Mittelalter[3], 1904, S. 287, n. 133 (112). 4) Pertz a. a. O. S. 49, n. 55. 5) Beiträge zur Diplomatik III (Wiener SB. XLVII, 1864, S. 195. 217).

stoss erregt hatten, so war man doch leicht über diese Bedenken hinweggekommen[1]; die Echtheit beider Diplome war so gut wie unangefochten, das Childerichs als Vorurkunde desjenigen von Theuderich anerkannt. Einzig A. Malnory hat diese Auffassung bestritten, indem er die angeblich ältere Urkunde für eine Fälschung erklärte, bei der das scheinbar jüngere Diplom als Quelle benutzt worden sei[2]. Aber sein Urteil ist unbeachtet geblieben, wie es denn in einer wenige Zeilen umfassenden Anmerkung versteckt ist und der Begründung entbehrt: Hauck verwendet die angefochtene Urkunde unbedenklich für die Geschichte des Bercharius[3], Erben nennt sie unter den seltenen Beispielen von Merowingerdiplomen mit Zeugenunterschriften[4], wie auch Tangl lediglich an deren Ankündigung in der Corroboratio Anstoss nahm und nur die betreffenden sieben Worte für einen späteren Einschub erklärte[5]; endlich haben Altmann und Bernheim die Urkunde — offenbar als Muster einer Merowingischen Immunitätsverleihung — in ihre nützliche Sammlung aufgenommen[6]. Dennoch ist das Urteil von Malnory durchaus richtig, und ich habe mich ihm angeschlossen, als ich das Diplom Childerichs im Vorwort zur Ausgabe der Vita des Bischofs Nivardus von Reims erwähnen musste[7]; diese Auffassung zu begründen, ist der Zweck der folgenden Untersuchung.

Beide Urkunden sind in jedem Falle nicht vollständig erhalten; das Eingangsprotokoll fehlt ganz, im Schlussprotokoll vermisst man die Unterschriften von König und Referendar sowie die Apprecatio[8], Mängel, die der Ueber-

---

1) Vgl. die Zusammenstellung der älteren Ansichten bei J. Vanhecke, Acta SS. Oct. VII, 2, 997 sqq. und die Anmerkungen bei Pardessus, Diplomata II, 157 sq., n. 367. 2) 'Quid Lexovienses monachi — — ad regulam monasteriorum atque ad communem ecclesiae profectum contulerint', 1894, p. 85, N. 3. 3) Kirchengeschichte Deutschlands I[3], 1904, S. 294, N. 3. 4) Urkundenlehre I (v. Below und Meinecke, Handbuch der Mittelalterlichen und Neueren Geschichte), 1907, S. 349, N. 1. 5) Die Fuldaer Privilegienfrage, Mitt. d. Inst. f. Oesterr. Gesch. XX, 206, N. 4. 6) Vgl. S. 745, Anm. 3. 7) MG. SS. R. Merov. V, 158, N. 7. 8) Die Erwähnung dieser Formel veranlasst mich zu einer Bemerkung über das Diplom Chlodwigs II. für Ferrières, von dem M. Prou (Moyen Age XII, 1899, p. 469—475) Bruchstücke veröffentlicht hat. Er vermisste darin die Worte der Apprecatio 'in Dei nomine', die meist vor 'feliciter' am Ende der Datumzeile stehen (S. 472); sie sind aber vorhanden, nur durch einen Lesefehler des Abschreibers entstellt, in den Resten der Zeile 14: '[anno] . . . . . . regni domni Chlodovei, indictione . . . . io feliciter'. Prou hat seltsamer Weise an der Indiktion

lieferung zur Last fallen können und auch bei sonst unbedenklichen Urkunden begegnen. Aber auch der vorhandene Teil des Schlussprotokolls ist zum mindesten überarbeitet. Ich beginne mit dem bisher nicht angefochtenen Diplom Theuderichs III. vom 23. Mai 682. 'Data X. Kal. Iunii anno decimo regni eius. Actum Compendio palatio', lautet die Datumzeile, die in doppelter Hinsicht Anstoss erregt. In den Merowingerurkunden werden Zeit und Ort durch ein einfaches 'Datum' eingeleitet, erst unter dem ersten Karolinger Pippin findet die Scheidung von 'Data' ('Datum') und 'Actum' in die königliche Kanzlei Eingang. Und ferner fehlt es der Jahresbezeichnung 'anno decimo regni eius' an einer Beziehung[1]; die Urkunden der Merowinger pflegen auch hier subjektiv gefasst zu sein[2], so dass man 'anno decimo regni nostri' erwarten muss[3].

Immerhin sind Anfang und Ende der Diplome vielleicht am ehesten der Zerstörung und Entstellung ausgesetzt gewesen; wichtiger ist für die Beurteilung einer so späten Abschrift der Kontext. Auch er ist mindestens nicht frei von Schreibfehlern; schon längst hat man den Namen von Theuderichs Bruder 'Chilpericus' in 'Childericus' verbessert[4], und wenn dem Kloster die Immunität 'absque interdictu iudicum' gewährt wird[5], so haben bereits Bouquet[6] und Sickel[7] dafür mit Recht die Aenderung

keinen Anstoss genommen, die sich sonst vor 801 nie in einer Fränkischen Königsurkunde findet; darin stecken unzweifelhaft die vermissten Worte. Denn folgt die Apprecatio 'in Dei nomine feliciter' meist auch ungetrennt dem Ortsnamen, dessen Endung hier in 'io' erhalten ist, so wird der Name bisweilen doch in die Mitte der Formel gestellt; vgl. die Originale Dipl. Merov. n. 14. 69. 81: 'in Dei nomine Clipiaco (Noviginto, Conpendio) feliciter'. — Die objektive Fassung der Datierung an Stelle der weitaus vorherrschenden subjektiven ('anno . . . regni nostri') findet ihr Gegenstück in dem verstümmelten Originaldiplom desselben Königs n. 20 (S. 21): '[anno] . . . . . o rigni domno Chlod[ovio]'. 1) Doch findet sich in dem Chartular vermutlich eine Ueberschrift dieser wie der anderen Urkunde mit dem Namen des Königs, obgleich die Herausgeber davon schweigen. 2) Ueber eine Ausnahme vgl. oben Anm. 8. 3) Dagegen ist die Ortsangabe 'Compendio palatio' unbedenklich. Denn wenn auch die Merowingerdiplome in der Datumzeile in der Regel nur den einfachen Ortsnamen geben und öfter erst seit dem 2. Jahrzehnt des 8. Jh. eine nähere Bestimmung wie 'civitate' oder 'palatio' hinzufügen, was dann unter den Karolingern Brauch geworden ist, so gibt es doch schon vorher Ausnahmen von dieser Regel, die meist gerade Compiègne betreffen und grossenteils eben in die Zeit Theuderichs III. fallen; vgl. Dipl. Merov. n. 54. 56. 67 und die verfälschten Stücke spur. n. 74 und 75 (= J. Havet, Oeuvres I, 438. 440). 4) Pertz S. 49, 39. 5) Eb. S. 50, 9. 6) Recueil des historiens IV, 646. 663. 7) Mon. Germ. hist., Diplomatum imperii tomus I besprochen, 1878, S. 68.

'introitu' (besser noch 'introitus') vorgeschlagen, die sich aus den entsprechenden Stellen zahlreicher Diplome ergibt[1]. Auch eine weitere Verderbnis lässt sich ohne grosse Schwierigkeit beseitigen. Wenn König Theuderich erklärt: 'pro quiete ipsius r e g n i n o s t r i integram emunitatem pro reverentia ipsius sancti loci concedimus', so findet sich freilich nicht selten in Urkunden und so auch in der Arenga unseres Diploms der Wunsch, die beschenkten Mönche möchten 'pro quiete regni nostri' zu Gottes Barmherzigkeit beten; aber die Immunität selbst wird doch verliehen, um dem Kloster, nicht dem Reiche grössere Ruhe zu verschaffen. Man vergleiche:

Dipl. Merov. n. 81 (p. 72, 30): 'pro reverencia ipsius sancte loce vel pro quietem ibydem Deo famolancium';
eb. n. 97 (p. 87, 42): 'pro quiete ipsorum servorum Dei';
eb. spur. n. 77 (p. 193, 22)[2]: 'pro quiete ipsorum monasteriorum'.

Danach sind die Worte 'regni nostri' sicherlich verderbt, vielleicht aus 'monasterii', das etwa unleserlich geworden war, so dass man die Lücke nach dem falschen Vorbild der Arenga in unrichtiger Weise ergänzte. Wenn es endlich am Ende der Dispositio heisst: 'ut et nos pro praestito beneficio m e r c e d e m o p t i n e a m u s', so sind die beiden letzten Worte leicht überarbeitet, um korrekteres Latein zu ergeben; dass die Urkunde Childerichs an der entsprechenden Stelle den der Merowingischen Urkundensprache angemesseneren Ausdruck bewahrt hat: 'ut et nos de praestito beneficio a d mercedem p e r t i n e a t', lehrt der Vergleich mit zwei anderen Diplomen Theuderichs III. n. 53 (S. 48, 30) und n. 57 (S. 51, 50): 'ut et nobis ad mercidem perteniat', — alles kleine Verderbnisse, die kaum geeignet sind, gegen die Echtheit der Urkunde Verdacht zu erwecken.

Denn in der Tat entsprechen die Wendungen des Kontexts sonst im ganzen dem, was man bei einem Merowingischen Diplom und im besonderen einem solchen König Theuderichs III. erwarten muss. Bemerkenswert als Rest sprachlicher Barbarei ist etwa das Deponens 'praesumatur' (Pertz S. 50, 7) statt des Aktivums, wie es sich auch in den Originalen n. 51. 67. 81 (S. 46, 31. 60, 15. 72, 40) findet. Für die Bezeichnung der Beamten als 'iudiciaria accinctus

---

1) Vgl. z. B. Dipl. Merov. n. 53 (p. 48, 9 und 30) und 57 (p. 51, 44) sowie das Formular Marculfs I, 4 (ed. Zeumer S. 44, 27). 2) Die Urkunde ist echt; vgl. unten S. 749.

potestate' (S. 50, 3) liegen die ersten Belege in Urkunden Theuderichs vor[1], und die Schlussformel der Dispositio:

'Quo fiat, ut et nos pro praestito beneficio [ad] mercedem [per]tinea[t] et ipsos servos Dei in ipso monasterio consistentes melius delectet pro stabilitate regni nostri adtentius Domini misericordiam deprecari',

kehrt mit unwesentlichen Abweichungen ausschliesslich in zwei Diplomen gerade desselben Königs wieder[2], dazu mit entstelltem Wortlaut noch in einer dritten Urkunde, die ebenfalls Theuderich für die Klöster Stablo und Malmedy ausgestellt hat[3] und die hier noch besonderer Hervorhebung bedarf, weil ihr Kontext überhaupt die grösste Uebereinstimmung mit dem Diplom für Montiérender aufweist. Die Urkunde ist nur in später Abschrift überliefert, das Protokoll ganz verderbt, wie auch sonst zahlreiche Stellen der Verbesserung bedürfen; der erste und bisher einzige Herausgeber Karl Pertz hat sie denn auch für eine Fälschung erklärt, hat aber mit diesem Urteil nur Widerspruch erfahren[4] und mit Recht; denn die Urkunde ist trotz aller Entstellungen unzweifelhaft echt. Von der Arenga bis zur Dispositio stimmen nun die zwei Diplome im Wortlaut sehr überein, nur dass es sich bei den Ardennenklöstern um die Verleihung der Immunität für alle Besitzungen, bei Dervum um deren Bestätigung handelt, woraus sich natürlich mancherlei Abweichungen in Narratio und Dispositio ergeben. Bei dem Diplom für Montiérender scheint die bestätigte Vorurkunde ungefähr denselben Wortlaut gehabt zu haben wie die Urkunde für Stablo und Malmedy; sie ist dann in sehr ungeschickter Weise bei der Bestätigung zu Grunde gelegt worden. Denn die unpassende Satzverbindung: 'Et ideo iubemus,

---

1) Vgl. Dipl. Merov. n. 51 (p. 46, 33), 54 (p. 49, 15), spur. n. 77 (p. 193, 28); ferner n. 69 (p. 62, 2), wo ein Diplom Theuderichs III. als Vorurkunde gedient hat, und n. 81 (p. 72, 34), wo wenigstens ein solches an erster Stelle unter den Vorurkunden genannt wird. Aus späterer Zeit vgl. Dipl. Karol. I, n. 26. 54. 67. 94 u. a. (p. 36, 42. 76, 8. 98, 25. 136, 6); Formulae Senonicae n. 35 (ed. Zeumer p. 201, 3). 2) Dipl. Merov. n. 53. 57 (p. 48, 30. 51, 50). Den Eingang 'Quo fiat, ut' finde ich auch in zwei Diplomen Dagoberts I. n. 14 (p. 16, 26) und spur. n. 22 (p. 140, 20), besser bei Havet, Oeuvres I, 265. 267; doch weicht der Wortlaut im übrigen ab. 3) Dipl. Merov. n. 77 (p. 193). 4) Für die Echtheit haben sich ausgesprochen K. F. Stumpf, Ueber die Merowinger-Diplome (Historische Zeitschrift XXIX, 402) und mit Begründung Sickel, MG. Dipl. imp. I besprochen, S. 67 ff., ebenso jüngst Krusch, SS. R. Merov. V, 93, der auch die Uebereinstimmung mit der Urkunde Theuderichs für Montiérender hervorgehoben hat.

ut de omni facultate ipsius monasterii — — integram emunitatem pro reverentia ipsius sancti loci concedimus, ut nullus iudex publicus — — exactare praesumatur', erklärt sich wohl am einfachsten aus einer — allerdings ungewöhnlichen — ungeschickten Benutzung der Vorurkunde, wenn man nicht eine weitere Verderbnis vermuten, etwa 'concedimus' für entstellt halten und den Ausfall eines überleitenden Satzteils annehmen will.

Dieser Auffassung liegt die Erwägung zu Grunde, dass es sich hier um Urkunden desselben Ausstellers für verschiedene Empfänger handelt, die Erklärung für die grosse Uebereinstimmung also in der mittelbaren oder unmittelbaren Verwendung des gleichen Formulars in der königlichen Kanzlei zu suchen ist, während es an sich nicht eben wahrscheinlich erscheint, dass die Urkunde für Stablo und Malmedy — denn nur diese könnte die Quelle sein — ausserhalb der Kanzlei als Grundlage des Diploms für Dervum gedient hat, mit anderen Worten: dass dieses auf Grund der anderen Urkunde gefälscht ist, die ungeschickte Fassung also nicht einem Kanzleibeamten, sondern einem Fälscher zur Last fällt. Immerhin ist diese Möglichkeit hier zu berühren, da in der Tat eine Zeit lang die engsten Beziehungen zwischen Montiérender und Stablo-Malmedy bestanden haben, indem in der Zeit Ludwigs des Frommen Abt Audo gleichzeitig die drei Klöster leitete[1]. Er hat in Montiérender die Benediktinerregel an Stelle des Kanonischen Lebens wieder zur Durchführung gebracht und sich 827 dem Kaiser gegenüber auf 'praecepta regalia' berufen, 'ubi liquido apparuit, quod antiquitus regulare monasterium fuisset'[2]; sollte etwa auch unsere Urkunde dabei eine Rolle gespielt haben, die freilich bei der Art des Inhalts nur höchst bescheiden ge-

1) Vgl. für Stablo und Malmedy die Urkunde Ludwigs von 827 (L. Polain, Recueil des ordonnances de la principauté de Stavelot, 1864, p. 8; Mühlbacher, Reg. I², n. 841), zwei Privaturkunden von 824/5 (W. Ritz, Urkunden und Abhandlungen z. Gesch. des Niederrheins I, 1, 1824, S. 6 ff., n. 5. 6) und den Abtkatalog (SS. XIII, 293), für Dervum Ludwigs Diplome von 815, 827 und 832 (Bouquet VI, 476. 552. 574, das letzte Diplom auch Lalore IV, 122; Mühlbacher n. 575. 839. 898) und die Urkunde des Presbyters Harduin von 828 (Lalore S. 120); dazu die Miracula Bercharii c. 3 (Mabillon, Acta II, 845; SS. XV, 435) und Remacli I, 6 (Mabillon a. a. O. S. 495; SS. XV, 435). Der Name ist in den Quellen teilweise ein wenig verändert (Audo, Ando, Haudo, Hauto, Odo). 2) Diplom von 827 (a. a. O.). Vgl. auch die Miracula Bercharii (a. a. O.): 'perquirens prisca privilegia imperiali, ut decuit, munificentia roborata'.

wesen sein könnte? Denn zur Sicherung der Immunität bedurfte man unseres Diplomes nicht, da Ludwig bereits 815 eine Bestätigung seines Grossvaters Pippin erneuert hatte[1]. Den Möglichkeiten, die sich so ergeben, muss man unter diesen Umständen wohl Rechnung tragen, aber doch nur, wie ich glaube, um sogleich wieder von ihnen abzusehen. Denn auch der Teil der Narratio, der in der Urkunde für Stablo-Malmedy kein Gegenstück findet ('eo quod ipse princeps — Et ideo iubemus', p. 49, 41—45), weist eine Fassung auf, die keinerlei Anstoss bietet[2]; man müsste also noch ein zweites echtes Diplom als Vorlage des Fälschers annehmen. Da erscheint es doch wahrscheinlicher, dass die Uebereinstimmung der beiden Urkunden sich aus ihrer Entstehung in der Kanzlei erklärt, sie gegenseitig ihre Echtheit verbürgen.

Freilich mindestens einen späteren Zusatz glaube ich aus dem Diplom für Montiérender ausscheiden zu müssen. Wiederholt wird erklärt, dass die Immunität für den gesamten Besitz des Klosters in Gegenwart und Zukunft gelten soll, diesseits wie jenseits der Loire[3]: 'de omni facultate ipsius monasterii'; 'in quibuslibet locis ac territoriis'; 'ubicumque ad praesens eorum maneat possessio vel dominatio, aut quod inantea fuer[i]t additum vel condonatum'. Erst fast am Ende finden sich einige Worte, die zu diesen Bestimmungen in schroffem Widerspruche stehen: 'sed in omni facultate ipsius monasterii, ut praefatum est, in omnibus locis et territoriis, ubi aliquid possidere videntur et dominari, absque int[roi]tu iudicum, remotis et resecatis omnibus petitionibus de partibus fisci, usque super ripam fluvioli Magnentis progrediente in directum termino ad locum qui Vallis Profunda nuncupatur, sub emunitatis nomine inconcusse tam nostris quam futuris temporibus valeant dominari vel possidere'. Die Grenzbeschreibung bedeutet doch eine Einschränkung

1) Nach dem Diplom von 815 (a. a. O.) war nur die Urkunde Pippins vorgelegt worden, 'in qua erat insertum, qualiter ipse et antecessores eius, reges videlicet Francorum, ipsum monasterium semper sub plenissima defensione et immunitatis tuitione habuissent'; leider werden die Vorgänger nicht genannt. 2) Doch ist der Anfang der Dispositio 'Et ideo iubemus' vielleicht überarbeitet; man erwartet eher 'Praecipientes enim (iubemus)' oder eine längere Formel. 3) Diese Scheidung begegnet auch in der genannten Urkunde für Stablo und Malmedy, ebenso in einer 2. Urkunde Theuderichs für dieselben Klöster (Dipl. Merov. n. 53, p. 48, 7) und öfter in Diplomen der ersten Karolinger.

der Immunitätsverleihung, indem vom Kloster aus für das unmittelbar angrenzende Gebiet nach einer Richtung hin[1] eine Grenze gezogen wird. Derartige Grenzlinien sind sinngemäss, wenn etwa einem neugegründeten Kloster wie Stablo und Malmedy[2] ein abgeschlossenes Gebiet zugewiesen und zunächst nur dafür Immunität erteilt wird; sobald diese aber auf die gesamten, weithin zerstreuten Besitzungen ausgedehnt wurde, hatten die Grenzangaben keine Bedeutung mehr, oder wenn damit eine Einschränkung der Bewilligung bezeichnet werden sollte, so erwartet man, dass dem von vornherein Ausdruck gegeben[3], nicht aber erst mehrmals von sämtlichen Besitzungen gesprochen und nur zuletzt fast beiläufig jene Grenze gezogen wird. Sickel hat eben im Hinblick auf die Urkunden für Dervum bemerkt[4]: 'Wohl mag zufällig einmal nach einer Seite hin das Klosterland bestimmte, mit einem Fluss, einem Höhenzug oder einer Strasse zusammenfallende Grenzen haben, und mögen diese alsdann gelegentlich erwähnt werden'; aber unsere Urkunde will auch für alle in Zukunft erworbenen Besitzungen die Immunität bestätigen: sollte auch da die Begrenzung Geltung behalten? Ich gestehe, über den bezeichneten Widerspruch nicht hinauszukommen, und möchte vermuten, dass die Worte 'usque — nuncupatur' wegen irgend eines uns unbekannten Grenzstreites später eingeschoben worden sind[5], indem man sich des Widerspruches mit dem übrigen Inhalt der Urkunde nicht bewusst wurde.

Ungewöhnlich sind auch einige Worte bei der Aufzählung der einzelnen Abgaben und Leistungen, deren Erhebung im befreiten Gebiete den öffentlichen Beamten untersagt wird. In der Regel werden dabei Herberge ('mansiones') und Verpflegung ('paratae') unmittelbar neben einander genannt, z. B. Dipl. Merov. n. 81 (S. 72, 38): 'nec ad mansionis faciendum nec paratas nec nullas redebuciones requerendum', während hier in ganz vereinzelter Weise

1) Zu den Worten 'in directum' (gerade aus) vgl. Brandi, Göttingische gelehrte Anzeigen 1908 S. 10. 2) Vgl. Krusch a. a. O. S. 93. 3) Vgl. die Urkunde Theuderichs für Sithiu Dipl. Merov. n. 54 (p. 49). 4) Beiträge zur Diplomatik V (a. a. O. XLIX, 1865, S. 335). 5) Man beachte auch, wie die Dipl. Merov. n. 53 (p. 48, 29) und 57 (p. 51, 44) eng verbundenen Begriffe 'sub emunetatis nomine absque introitus iudicum' durch die Ortsangaben auseinander gerissen werden. — Eine Identifizierung der Namen des Flusses und der Vallis Profunda ist mir nicht gelungen.

zwischen sie das Radgeld ('rotaticus'), eine Verkehrsabgabe[1], eingeschoben wird: 'nec ad causas audiendum — — nec mansiones faciendum n e c r o t a t i c u m i n f r a u r b e s v e l i n m e r c a t i s e x t o r q u e n d u m nec ullas paratas aut quaslibet redibutiones exacta[ndum ingredire penitus non][2] praesumatur'. Ob man freilich ein Recht hat, in den gesperrten Worten ein späteres Einschiebsel zu sehen, ist mir zweifelhaft; es handelt sich ja wohl nicht um einen allgemeinen Verzicht auf jene Abgabe zu Gunsten des Klosters[3], sondern nur insoweit jene 'urbes' und Märkte innerhalb des immunen Gebietes lagen[4], so dass die Gebühr bereits in die 'quaelibet redibitiones' einbegriffen war, indem die besondere Erwähnung einzelner Abgaben an den Rechten der Immunität ebensowenig etwas änderte wie ihre Nichterwähnung[5].

Ich fasse zusammen. Das Protokoll von Theuderichs Diplom ist unvollständig und in der Datumzeile nicht ohne Veränderungen überliefert, auch der Kontext nicht frei von Verderbnissen und wahrscheinlich an einer Stelle interpoliert; aber im ganzen erscheint die Urkunde dennoch unbedenklich.

Anders das Diplom Childerichs II., in dem die herrschende Auffassung die Vorurkunde des anderen Diploms, Malnory eine Fälschung auf Grund desselben erblickt. Der Kontext stimmt zu etwa zwei Dritteln so gut wie wörtlich mit der Urkunde Theuderichs überein, indem nur der Anfang des Diploms abweichend gestaltet ist; das würde an sich auch die erste Beurteilung möglich erscheinen lassen, da auch im frühen Mittelalter bei einer Neuausfertigung die vorgelegten älteren Urkunden oft

---

1) Vgl. Waitz, VG. II, 2[3], S. 304; Brunner, Deutsche Rechtsgeschichte II, 239; Dahn, Könige der Germanen VII, 3, S. 127. 2) So oder ähnlich ist das 'exactare' des Chartulars wohl zu ergänzen. 3) So scheint die Stelle Imbart de la Tour verstanden zu haben, Des immunités commerciales accordées aux églises du VIIe au IXe siècle (Études d'histoire du moyen âge dédiées à Gabriel Monod, 1896, p. 82). 4) Ein Markt und eine andere Verkehrsabgabe ('pontaticus') begegnen im 10. Jh. im Besitz von Montiérender; vgl. die Urkunde des Grafen Heribert von Troyes von 968 (H. d'Arbois de Jubainville, Histoire des ducs et des comtes de Champagne I, 454; Lalore a. a. O. IV, 135). 5) Vgl. Sickel, Beiträge V (a. a. O. S. 348 ff.); Brunner a. a. O. S. 294, Anm. 39. Für eine allgemeine Deutung könnte man wohl auf das Diplom Kaiser Ludwigs für St.-Wandrille von 815 verweisen (Bouquet VI, 482; Mühlbacher, Reg. I[2], n. 594): 'aut telonea accipienda aut rotaticos in q u i b u s l i b e t locis, civitatibus ac foris n o s t r i s'.

wörtlich ausgeschrieben worden sind[1]. Aber es ist dennoch nicht der mindeste Zweifel möglich, dass die angebliche Urkunde Childerichs auf der Theuderichs beruht. Nicht nur kehren deren Fehler und die beanstandeten Stellen in dem scheinbar älteren Diplom wieder[2], sondern dieses weist zudem eine Reihe von schweren Gebrechen auf, von denen die Urkunde des jüngeren Bruders frei ist, und die über die Art des Abhängigkeitsverhältnisses keinen Zweifel bestehen lassen. Hier finden wir wieder die Worte 'pro quiete ipsius regni nostri' und 'absque interdictu iudicum', in der Datumzeile die Scheidung von 'Data' und 'Actum' sowie das beziehungslose 'anno tercio regni eius', bei dem erst eine jüngere Hand 'Childerici regis' ergänzt hat[3]. Dazu kommen aber weitere Verstösse an Stellen, wo die scheinbar abgeleitete Urkunde einen unbedenklichen Text bietet. Heisst der Empfänger der Urkunde dort nach der Weise der Merowingerdiplome richtig 'venerabilis vir Bercharius abba', so ist daraus in dem Diplom Childerichs ein ungehöriges 'venerandus ac religiosus abbas Bercharius' geworden, aus dem regelmässigen 'clementiae regni nostri suggessit, eo quod' ein 'adiit serenitatem nostram — — supplicans, ut'. Unerhört ist in Merowingerurkunden die Promulgatio: 'Quapropter ad notitiam cunctorum pervenire iubemus' und die Wendung der Narratio: 'Placuit igitur eminentiae nostrae summi viri supplicatio'. Erwähnt Theuderich in üblicher Weise die Schenkungen seines Bruders: 'quod ipse princeps ibidem noscitur delegasse', so macht der auf den Namen Childerichs fälschende Unbekannte daraus: 'quod ego ipse ibidem delegavi', indem er vergisst, dass die Merowinger wie ihre Nachfolger im Pluralis maiestatis redeten. Bei Theuderich bittet Bercharius 'pro rei totius firmitate' um Erneuerung der Immunität: 'Sed pro rei totius firmitate petiit celsitudinem nostram, ut hoc circa ipsum monasterium confirmare deberemus', wie denn jene Worte immer die Beurkundung begründen sollen, nicht die beurkundete

---

1) Vgl. etwa die Bemerkungen von E. Stengel, Die Immunitäts-Urkunden der Deutschen Könige vom 10. bis 12. Jh., 2. Kapitel (Berliner Dissertation), 1902, S. 1 ff. 2) Nur findet sich das richtige 'ad mercedem pertineat' an Stelle von 'mercedem optineamus'; es hat natürlich nicht die in dem Chartular nachfolgende erhaltene Abschrift von Theuderichs Diplom als Quelle der Fälschung gedient, sondern ihre Vorlage, die von diesem Fehler noch frei gewesen sein muss. 3) So berichtet Pertz, Dipl. Merov. p. 31; Lalore verzeichnet die ursprüngliche Lesart nicht.

Handlung; anders der Fälscher, der die Worte unrichtig auf die grössere Sicherung des Klosters deutet und damit die Bitte um die Immunität selbst begründet: 'petiit altitudinem (statt des richtigen 'celsitudinem') nostram, ut pro rei totius firmitate integram emunitatem circa ipsum monasterium contraderemus'. Danach steht das Verhältnis der beiden Urkunden fest; die Theuderichs ist als Quelle, die Childerichs als davon abhängige Fälschung zu betrachten.

Aber es lassen sich noch weitere Quellen des Machwerks nachweisen. Schon früh hat das Unterschriften und Datum umfassende Schlussprotokoll Bedenken erregt:

'Signum Reoli episcopi. Signum Leodegarii episcopi. Signum Atelani episcopi. Signum Vulfaudi maioris domus. Signum Almarici'[1].

'Data IIII. Nonas Iulii anno tercio regni eius. Actum Compendio palatio'.

König Childerich soll danach am 4. Juli 664 oder 665[2], also zu einer Zeit, da er allein über Austrasien gebot, ausserhalb Austrasiens zu Compiègne zu Gunsten des Klosters verfügt haben[3], und es unterzeichnet nicht nur der Burgundische Bischof Leudegar von Autun[4], sondern auch Bischof Reolus von Reims, dessen Vorgänger Nivardus lange nach 665 am 1. September 673 gestorben ist[5]. Früher half man sich einfach mit der Annahme, dass die Königsjahre hier nicht vom Beginne der Herrschaft in Austrasien an gezählt seien, sondern dass die Uebernahme der Herrschaft im ganzen Reiche nach dem Tode Chlothars III. (10. März 673)[6] und der Verdrängung Theude-

1) So liest das Chartular, wenn man einem Teil der älteren Ausgaben und Lalore folgen darf; andere wie Pertz geben 'Amalrici'. Vgl. unten S. 760, N. 1. 2) Childerich II. ist 662 König von Austrasien geworden (vgl. Krusch, SS. R. Merov. V, 90 sq.) und nicht vor Ende März, da er noch einige Zeit nach dem Tode Theuderichs III. (10. März 673) in seinem 11. Jahre stand (vgl. unten S. 758, Anm. 5). 3) Der Name des Ausstellungsortes ist natürlich ebenfalls aus dem Diplom Theuderichs übernommen. 4) Dass auch das Kloster selbst zum Burgundischen Teilreiche gehörte, wie behauptet worden ist, ist zum mindesten höchst zweifelhaft; A. Longnon (Atlas historique de la France, Texte explicatif I, 47) hat den Gau Pertois, in dem es gelegen war, wohl mit Unrecht für Burgund in Anspruch genommen. Vgl. Annales Bertiniani (a. 837) ed. Waitz S. 14, N. 4; Nithard (I, 6) ed. E. Müller S. 9, N. 5. 5) Vgl. SS. R. Merov. V, 158. 6) Ich selbst habe N. A. XXVII, 864 f., gestützt auf die Arbeiten von Krusch und Havet, die Zeit von Chlothars Tod durch die Grenzen des 11. März und der Mitte April 673 bestimmt. Das erste Datum beruht dabei auf einer Privaturkunde, die am 10. März im 16. Jahr Chlothars (seit Oktober 657) ausgestellt ist (Pardessus,

richs III. den Ausgangspunkt der Rechnung bilde, so dass die Urkunde in das Jahr 675 fallen würde; aber es darf heute als anerkannt gelten, dass die Merowingischen Königsurkunden ohne Ausnahme nach einer einzigen Epoche datiert sind, dem ersten Antritt der Regierung, mag es sich um das ganze Reich oder nur einen seiner Teile handeln, und ebenso wenig kann der Vorschlag von Stumpf[1] angenommen werden, 'anno [decimo] tercio' zu schreiben, nachdem die Urkunde einmal als Fälschung erkannt ist.

Die Unterschriften sind aber nicht nur wegen der Namen von Reolus und Leudegar bedenklich. An sich schon gehören Zeugenunterschriften unter den Urkunden der Merowinger zu den seltensten Ausnahmen, indem nur ein einziges Diplom, ein im Original erhaltenes Privileg Chlodwigs II. für St.-Denis vom Jahr 654, solche aufweist[2]; es könnte sich aber ja gerade um eine zweite Ausnahme handeln, so unwahrscheinlich die Annahme auch ist. Anstössig ist ferner aber auch die Fassung eines Teiles der Unterschriften. Wenigstens die schreibkundigen Bischöfe dieser Zeit beschränken sich nicht auf ein 'Signum', sondern unterschreiben in subjektiver Fassung, wie einmal der eine unserer Zeugen, Bischof Attila von Laon, im Jahre 666/7: 'In Christi nomine Attola acsi peccator episcopus subscripsi'[3]. Aber man braucht bei

---

Diplomata II, 148, n. 361; Tardif, Monuments historiques p. 15, n. 19); da nun immerhin einige Zeit vergehen musste, bis die Nachricht vom Tode des Königs an deren Ausstellungsort gelangte, so steht nichts im Wege, als Todestag des Königs den 10. März selbst anzunehmen, den J. Depoin als solchen aus einer nekrologischen Kompilation mitgeteilt hat (Essai de fixation d'une chronologie des rois mérovingiens de Paris aux VIe et VIIe siècles, Bulletin historique et philologique du Comité des travaux historiques et scientifiques 1905 p. 210). 1) A. a. O. S. 386, Anm. 2; vgl. S. 387. Anstössig ist auch das Tagesdatum 'IIII. Nonas Iulii', da in allen im Original und fast allen in Abschrift erhaltenen Merowingerdiplomen die Römische Tagesbezeichnung nur da angewandt ist, wo nach Kalenden gezählt werden konnte, also am ersten Tage und in der zweiten Hälfte des Monats (vgl. Erben a. a. O. S. 324). 2) Dipl. Merov. p. 19, n. 19; Havet, Oeuvres I, 236 sqq. — Dipl. Merov. n. 29 (p. 29) ist mit einer Hs. die Unterschrift des Herzogs Gundoin zu tilgen; ebenso sind die Unterschriften in dem ohnedies von Krusch als gefälscht erwiesenen Dipl. n. 40 (jetzt L. Levillain, Examen critique des chartes de l'abbaye de Corbie, 1902, p. 218 sqq.; vgl. Krusch, N. A. XXIX, 250 f. XXXI, 338 ff.) erst in einer späten Abschrift zugesetzt worden und dem ursprünglichen Texte fremd (danach ist Erben a. a. O. S. 349, N. 1 zu berichtigen). Die Unterschrift der Königin-Mutter bei Unmündigkeit des Königs gehört natürlich nicht hierher. 3) Pardessus II, 133, n. 350. Daneben kommt das 'Signum Atelani episcopi Laudunensis' unter der

diesen Erwägungen nicht stehen zu bleiben: wir besitzen noch die Quelle der Zeugennamen in der Vita, in welcher der bekannte Abt Adso von Montiérender († 992) das Leben des Klostergründers geschildert hat[1]. Die Biographie ist nicht eben bedeutend, bei dem grossen Zeitabstand müssen vielfach Gemeinplätze die Lücken des Wissens ausfüllen. Für die Anfänge des Klosters Hautvillers gewährte Almanns Vita Nivardi[2] einige Ausbeute (c. 3. 4. 9—13); Adso kannte ferner Hincmars Vita Remigii (c. 9) und die Vita Remacli (c. 5), endlich die Vita Columbani des Jonas (c. 6), aus der (I, 16) er recht unbedenklich ein Wunder auf seinen Helden übertragen hat (c. 8). Dazu kamen weiter wohl mündliche Ueberlieferungen und wenige Urkunden (c. 3. 14—16). Bei Adso glaubte man bisher auch ein Zeugnis für unser Diplom zu finden[3], dessen Fälschung also spätestens in das 10. Jh. zu setzen wäre. Er erzählt c. 16 die Anfänge von Montiérender: Mit Hilfe von Sauhirten hat Bercharius einen für die Klostergründung geeigneten Platz gefunden[4].

'Ibi ergo beatus Bercharius, multo labore silvis radicitus erutis, coenobii aedificandi statum praeelegit. Exinde ad palatium progreditur, regis (Childerich II.[5]) super hoc negotio clementiae supplicaturus. Auxiliantibus vero sibi per divinam gratiam, ex cuius desiderio ista agebat, sancto Leodegario episcopo et Almarico[6] maiore

---

Urkunde des Bercharius von 665/6 (eb. S. 159, n. 369) nicht in Betracht, da deren Unterschriften in mehr als einer Hinsicht Anstoss erregen und in ihrer Zusammensetzung so bedenklich an die Urkunde des Bischofs Reolus von 685 (Pardessus II, 200, n. 406: Harmarus, Hildvinus, Leocadius) und Adsos Vita Bercharii c. 15. 16 (Leudegar, Mummolen, Nivardus, Attila) erinnern, dass die Annahme einer Fälschung sich aufdrängt. Bercharius schenkt darin dem Kloster die Villa Dissay (dép. Vienne), die auch in dem Diplom Theuderichs mit anderen südlich der Loire gelegenen Besitzungen als aus Berchars 'hereditate vel studio' herrührend genannt wird, aber zur Zeit Adsos verloren war (Vita Bercharii c. 3, Mabillon a. a. O. S. 833) und erst um die Mitte des 11. Jh. unter Abt Bruno wiedergewonnen wurde (Miracula Bercharii c. 12, eb. S. 850). Könnte man sich auf diese Urkunde und ihr Datum verlassen, so wäre damit ein weiterer Grund gegen die Echtheit von Childerichs Diplom gegeben, da die Villa Dissay darin bereits im vorhergehenden Jahre unter den Besitzungen von Montiérender erscheint. 1) Ich zitiere nach Mabillons Acta sanctorum ordinis S. Benedicti II, 832—843. Vgl. Hauck I[2], 294, Anm. 3. 2) SS. R. Merov. V, 157—171. 3) Vgl. z. B. Mabillon a. a. O. S. 841, N.; Pardessus II, 158, N. 2; Vanbecke a. a. O. S. 997. 4) Mabillon S. 841. 5) Ein anderer König wird in der Vita nicht genannt; vgl. c. 3. 4. 11. 15. 6) Vorher c. 15 steht die richtige Form des Namens 'Amalrico'.

domus. Fulcoaldo quoque et Vulfaudo, Nivardo etiam et Atelano episcopis, impetravit sibi dari a rege silvam ex suo fisco qui vocatur Vassiacus in circuitu praefati loci, sicut ex auctoritate regia tenetur exterminatum, unde sumptus habere valeret ac praedia ad coenobium constituendum'.

Handelt es sich hier wirklich um unsere Urkunde, wie man bisher angenommen hat? Man sah wohl, dass hier Nivardus, nicht sein Nachfolger Reolus, genannt wird; aber man entnahm daraus lediglich die Berechtigung, dessen bedenklichen Namen in dem Diplom durch den des Vorgängers zu ersetzen, indem man annahm, nach der Zeit Adsos habe ein Schreiber sich dort die Aenderung erlaubt. Aber die beiden Quellen berichten von ganz verschiedenen Dingen. Der Biograph erzählt — sicherlich auf Grund einer Urkunde — von der Schenkung des Grund und Bodens zur Gründung des Klosters, deutet auch an, dass die Grenzen des geschenkten Waldes 'in circuitu' in dem Diplom angegeben gewesen seien, wie es z. B. auch bei Stablo und Malmedy geschehen ist[1]. Es spricht manches für die Echtheit der benutzten Urkunde. Die genannten 'Helfer' des Abtes werden wie oft in der Narratio als Fürbitter genannt gewesen sein; wir finden als solche am Austrasischen Königshofe gelegentlich Attila von Laon[2], Fulcoald[3], Amalrich[4] und bei einer Gelegenheit gleichzeitig Leudegar, Nivard, Fulcoald, Amalrich und Vulfoald — nur Attila fehlt — in der Zeit von März bis August 673, als der König, bereits Herr des ganzen Frankenreichs, in der Nähe von Rouen weilte und dem Kloster St.-Wandrille eine Schenkung machte[5]. In dieser

1) Dipl. Merov. n. 29 (p. 28) und 'girum girando' n. 22 (p. 23); vgl. Krusch, SS. R. Merov. V, 89. 91. Zum Ausdruck vgl. etwa das Diplom Karls d. Gr. für Hersfeld von 779 (Dipl. Karol. I, n. 126): 'mansum scilicet dominicatum in loco qui dicitur Ovlaho — — infra silvam Buchoniam et in circuitu ipsius mansi in unamquamque partem de silva leugas duas'. 2) Dipl. Merov. n. 22 (p. 23, 2). 3) Eb. n. 22. 29 (p. 23, 3. 28, 33). 'Vir illustris Fulcoaldus dux' macht Amandus vor 666/7 eine Schenkung (Pardessus II, 133). 4) Dipl. Merov. n. 28 (p. 27, 33). 5) Auszug der Urkunde in der Vita Lantberti Lugdun. c. 3 (Mabillon a. a. O. III, 2, 464; demnächst auch SS. R. Merov. VI); von den Daten ist nur das 11. Jahr Childerichs (672/3) als ursprünglich zu betrachten, die übrigen Angaben sind erst vom Biographen berechnet, wie Krusch, SS. R. Merov. V, 10, mit Recht bemerkt hat. Eine genauere Umgrenzung der Zeit ergibt sich aus dem Aufenthalt des Königs in Neustrien — also nach dem Tode Chlothars III. (vgl. oben S. 755, N. 6) — und der Anwesenheit des Bischofs Nivardus (Nivo) von Reims († 1. September 673).

Zeit ist natürlich auch der Aufenthalt des Burgundischen Bischofs Leudegar am Hofe Childerichs begreiflich, anders als zur Zeit, da sich dessen Herrschaftsbereich nur über Austrasien erstreckte[1], und die Uebereinstimmung der beiden Petenten-Reihen scheint mir nicht nur für die Tatsächlichkeit der einen wie der anderen Schenkung zu sprechen, sondern auch dafür, dass sie beide ungefähr in dieselbe Zeit des Jahres 673 gehören. Nur darin hat Adso geirrt, dass er Amalrich zum Maiordomus machte an Stelle von Vulfoald, wenn der Fehler nicht etwa erst einem Abschreiber der Vita zur Last fällt, was sich ohne Einsicht in die Hss. nicht beurteilen lässt.

Also die von Adso benutzte Urkunde betraf die Schenkung des das Kloster umgebenden Gebietes, während unsere Urkunde die Verleihung der Immunität für alle Besitzungen zum Gegenstande hat und jene Schenkung bereits voraussetzt. Der König erzählt davon in der Narratio, deren Fassung ohne weiteres über die Merowingerzeit hinausweist; sie beginnt in einer Weise, dass man eine Schenkung erwartet, nicht eine Immunitätsbewilligung, und die Ursache ist recht einfach: Der Fälscher hat namentlich für die umfangreiche Dispositio das Diplom Theuderichs ausgeschrieben, daneben aber für einen Teil der Narratio den Bericht Adsos benutzt. Man vergleiche[2]:

Adso:	Urkunde Childerichs:
unde sumptus habere valeret ac praedia ad coenobium constituendum.	ut daremus sumptus ac praedia, per quae ea quae competerent monasterio vel locis cellarum compleret.

Die Darstellung des Biographen hat ihn offenbar auch bewogen, die Namen der Fürbitter unter die Urkunde zu setzen; nur machte er richtig 'Vulfaudus' (so auch Adso statt 'Vulfoaldus') zum Maiordomus, wozu ihn so verbreitete Quellen wie der Liber historiae Francorum (c. 45) und die Lebensbeschreibungen von Leudegar veranlassen konnten, und vor allem ersetzte er den Bischof Nivardus

1) Vom Aufenthalt Leudegars am Hofe Childerichs in den Jahren 673—675 wissen ja auch die Biographen von Leudegar selbst und Bischof Praeiectus von Clermont (ed. Krusch, SS. R. Merov. V) zu berichten.
2) Auf der Einwirkung Adsos beruht wohl auch die oben S. 754 beanstandete Wendung 'adiit serenitatem nostram — — supplicans' (Adso: 'regis — clementiae supplicaturus').

durch seinen Nachfolger Reolus. Aber ist nicht dieser letzte Umstand geeignet, Zweifel über die Art des Abhängigkeitsverhältnisses wachzurufen? So könnte es zunächst scheinen; aber tatsächlich erklärt sich eben aus der Benutzung der Vita die Aenderung sehr wohl. Adso hatte recht viel von Nivardus erzählt und bereits c. 13 auch ausführlich von seinem Tode berichtet; erst nachher lässt er die Gründung der Klöster im Walde von Dervum erfolgen, indem er offenbar nicht bemerkte, dass Bischof Nivard später noch in dem Urkundenauszug begegnete — entsprechend dem Brauch der Merowingischen Urkunden ohne Hinweis auf seinen Bischofsitz. Dagegen erkannte der Fälscher in ihm den vorher bereits als verstorben bezeichneten Bischof von Reims und fügte daher an Stelle von dessen Namen die Unterschrift des Nachfolgers Reolus bei, von dem man in Montiérender eine für Bercharius ausgestellte Schenkungsurkunde des Jahres 685 besass[1].

Wegen der Abhängigkeit von Adso kann die Fälschung also erst im 10. Jh. erfolgt sein, und wie sich aus der Benutzung einer weiteren Quelle ergibt, frühestens in den beiden letzten Jahrzehnten des Jh. In der Urkunde Childerichs haben schon vordem nicht nur die Unterschriften Anstoss erregt, sondern auch deren Ankündigung in der Corroboratio, die in Diplomen der Merowinger und ersten Karolinger sich niemals findet:

Theuderich III.:	Childerich II.:
Et ut haec emunitas firmior habeatur et per tempora conservetur, manus nostrae subscriptionibus [subter] eam decrevimus <cor>roborari.	Et ut haec emunitas firmior habeatur et per tempora conservetur, manus nostrae a c f i d e l i u m n o s t r o r u m, t a m e p i s c o p o r u m q u a m o p t i m a t u m[2], subscriptionibus subter eam decrevimus corroborari.

Tangl hat daher die betreffenden Worte für ein späteres Einschiebsel erklärt, indem ihm im übrigen die Echtheit

1) Pardessus II, 200, n. 406. — Ist der Name des Amalrich in dem Chartular in Almarich entstellt, wie man annehmen möchte (vgl. oben S. 755), so darf man darin einen weiteren Beweis für die Abhängigkeit der Urkunde von Adso c. 16 sehen, wo wenigstens die Drucke dieselbe Verderbnis aufweisen. 2) Die Wahl des Ausdrucks 'optimatum' ist vielleicht durch Adso c. 15: 'Amalrico quoque et Vulfaudo optimatibus' beeinflusst.

des Diploms noch feststand[1]. Dem Fälscher diente eine Urkunde König Lothars für Montiérender von 980 als Vorbild, in der dieser eine Schenkung des Grafen Heribert von Troyes bestätigt[2]. Er entnahm daraus einmal den Eingang der Dispositio:

Lothar:	Childerich:
Nos itaque caelesti beneficio promoti, horum principum nostrorum precibus aurem benigne accomodantes.	Nos igitur caelesti beneficio promoti, consensu episcoporum et optimatum nostrorum precibus tanti viri aurem accomodantes;

dann aber erweiterte er die Corroboratio nach dem Beispiel der Urkunde Lothars: 'manu nostra ac fidelium nostrorum, tam episcoporum quam procerum Francorum, corroborari ac anuli nostri impressione subter iussimus insigniri'[3]. Die Fälschung ist also nach dem Jahre 980 erfolgt; die späteste Grenze bezeichnet die Aufnahme in das Chartular im Laufe des 12. Jh. Engere Grenzen vermag ich nicht zu ziehen, obgleich man dafür in der Arenga und Promulgatio eine Handhabe suchen möchte. Einen praktischen Zweck hat der Fälscher schwerlich verfolgt; sein Machwerk gewährte keine Rechte, die nicht bereits in dem Diplom Theuderichs III. verbrieft waren. Nur der Wunsch, zu dieser zweitältesten bekannten Königsurkunde des Klosters die darin erwähnte, verlorene Urkunde Childerichs zu beschaffen, die man fälschlich mit

1) Vgl. oben S. 746, Anm. 5. 2) L. Halphen, Recueil des actes de Lothaire et de Louis V., 1908, p. 101, n. 44. Vgl. F. Lot, Les derniers Carolingiens (Bibliothèque de l'École des Hautes Études 87), 1891, p. 114. 3) Die Urkunde Lothars weist nur das 'Signum' des Königs auf, kein anderes, so dass die Ankündigung der Corroboratio gar nicht zutrifft und man vermuten könnte, das Verhältnis sei umzukehren: nicht das Diplom Lothars habe auf das von Childerich eingewirkt, sondern umgekehrt; die Fälschung sei also 980 vorhanden gewesen. Dass das Verhältnis aber oben richtig angegeben ist, zeigt der Vergleich mit der von Lothar bestätigten Urkunde des Grafen Heribert (d'Arbois de Jubainville a. a. O. I, 459 ff.; Lalore IV, 139 ff.), die offenbar als 'Vorurkunde' die unzutreffende Fassung der Corroboratio veranlasst hat. Es heisst darin: 'Quod et fecimus, cum consilio videlicet Francorum procerum atque omnium fidelium nostrorum, tam clericorum quam laicorum', und nachher: 'manu propria omniumque fidelium et amicorum nostrorum, tam clericorum quam laicorum, subter firmari et corroborari fecimus', und hier entspricht die Ankündigung dem Tatbestand. Deshalb vermag ich auch die Worte der Urkunde

dem von Adso benutzten Diplom gleichsetzte, nur die Absicht, den Urkundenbestand bis zu den Anfängen von Montiérender rückwärts zu ergänzen, kann den Betrug veranlasst haben, der so einen verhältnismässig harmlosen Charakter trägt, und man möchte die Frage aufwerfen, ob nicht erst der Schreiber des Chartulars ihn begangen hat, um nicht sogleich an der Spitze der Sammlung eine Lücke zu Tage treten zu lassen. Eine Antwort auf diese Frage kann höchstens eine Untersuchung des Chartulars selbst ergeben; auch ohnedies steht fest, dass das Diplom unter Childerichs Namen eine Fälschung und eine späte Fälschung ist.

Lothars 'ac fidelium — Francorum' nicht mit Halphen a. a. O. S. 103 für ein späteres Einschiebsel zu halten; die nicht kanzleigemässen und auch sachlich nicht angebrachten Worte erklären sich wohl am besten bei der Annahme, dass der Wortlaut nicht in der Kanzlei, sondern durch den Empfänger, also im Kloster, aufgesetzt worden ist.

Eine Lindauer Urkunde vom Jahre 1264.

Von Franz Joetze.

Johannes Lechner hat in den Mitteilungen des Instituts für österreichische Geschichtsforschung XXI wahrscheinlich gemacht, dass das Kloster Lindau schon vor dem Jahre 839 bestanden hat. Da nun die Lindauer Chroniken die Gründung des Klosters in das Jahr 814 setzen, endlich auch Schenkungen an Lindau aus dem Jahre 882 bekannt sind, so war die alte Streitfrage, ob Stadt oder Stift älter sei, insofern entschieden worden, als unmöglich die Existenz der Stadt in dieser frühen Zeit angenommen werden kann. Einen weiteren Beweis dafür aber liefert eine Urkunde, die ich jüngst im Münchener Reichsarchiv auffand. Hier wird klipp und klar die Abhängigkeit der Stadt vom Kloster ausgesprochen, und damit dürfte das bellum diplomaticum Lindaviense endgültig seinen Abschluss gefunden haben. In diesem merkwürdigen Schriftstück verleiht nämlich die Aebtissin einem Leibeigenen das Bürgerrecht 'ihrer' Stadt Lindau. Sie will hiermit aber nicht etwa, wie es später geschah, einen theoretischen Anspruch auf Anerkennung der Abhängigkeit der Stadt vom Stifte erheben, sondern es wird von ihr zu einer Zeit, wo derartige Tendenzen noch gar nicht vorhanden waren, die sich ja erst später nach der Erwerbung der Vogtei durch die Stadt entwickelten, einem dritten gegenüber über das wichtigste Recht einer Stadt in einer Weise verfügt, dass daraus deren tatsächliche Abhängigkeit vom Kloster erkenntlich wird. Denn handelte es sich nur um blosse Ansprüche, die das Stift für sich hätte durchsetzen wollen, so würde die Aebtissin ganz gewiss nicht so naiv und so plump zugleich erklären, dass sie durch diese Verleihung auch einen Vorteil für sich erwarte, ja es wäre sogar geradezu lächerlich gewesen, wenn sie dies getan hätte, wo sie doch wusste, dass ihr hartnäckiger Widerstand geleistet werde. Ausserdem hätte sie in diesem

Falle doch in irgendwelcher Weise darauf hingedeutet, dass ihr Recht bestritten werde. In Wahrheit aber musste für sie ein derartiger Nutzen aus irgend einer Abgabe wahrscheinlich sowohl bei Aufnahme des neuen Bürgers als auch später nach seiner Ansiedlung in Gestalt eines Grundzinses erwachsen. Ein solcher wurde nun noch im 15. Jh. von nicht weniger als 80 Bürgerhäusern entrichtet. Demnach ist man wohl berechtigt, hier von einer tatsächlichen Verleihung des Bürgerrechtes und nicht nur von einem Anspruche darauf zu reden, mit anderen Worten: es stand im Jahre 1264 die Stadt Lindau wirklich in einem Abhängigkeitsverhältnis zum Stifte. Da sich nun aber auch nicht der geringste Grund dafür bietet, dass die Stadt vor dieser Zeit einem anderen Grundherrn zugehörte — was bei ihrer eigenartigen Lage höchst seltsam gewesen wäre —, da man ferner ihre Existenz, wie gesagt, auch durchaus nicht vor das Jahr 839 ansetzen kann — befand sich doch der Lindauer Markt ursprünglich auf festländischem Klosterbesitz zu Äschach —, so muss man eben auch zu dem Schlusse gelangen, dass die Stadt, die anfangs natürlich nur Markt war, eine Gründung des Klosters war, eine Annahme, die um so plausibler klingt, als uns ja auch sonst genug Marktgründungen bekannt geworden sind, die von Klöstern ausgingen.

Von einer Fälschung endlich kann hier keine Rede sein; denn abgesehen davon, dass hierfür nicht der geringste Anhaltspunkt vorliegt, muss schon die einfache Tatsache für ihre Echtheit zeugen, dass im Verlaufe der erbitterten literarischen Fehde zwischen Stift und Stadt diese Urkunde von den Vorkämpfern des Klosters niemals ins Gefecht geführt worden ist. Sie lautet:

S. (= Sigena) dei gratia Lindaugensis abbatissa tam presentibus quam futuris presentem paginam inspecturis salutem et rei geste noticiam. Ad amputandam calumpniandi materiam imposterum necessitas exposcit, ut gesta hominum scriptis redigantur. Noverit igitur universitas vestra, quod Cůno de Rinegge et filius suus Bur. nobis et monasterio nostro Cůnradum de Tal dictum Rinrugge dederunt sine impugnacione cuiuslibet pleno iure. Renunciantes namque omni iure, quod in impredicto C. habuerunt vel habere videbantur, et hoc corporali prestito iuramento. Adiecta quoque condicione, ut idem (= eidem) daremus eandem libertatem et iusticiam, quam haberent nostri cives Lindaugenses. Nos vero utilitatem monasterii nostri cupientes promovere sepefato C. dedimus eandem libertatem et iusticiam et ius civile civitatis nostre Lindaugensis ac civium, quod ex antiquis constitutionibus a nostro monasterio habere dinoscuntur. Datum et actum anno domini MCCLXIIII, indictione VIII, coram hiis testibus: H. Rufo caupone, Ůl. monetario, C. ex nemore, Her. de Anchenruiti, Ůl. Loggeli, Ůl. de Underah, S. de Kaiseringen, C. dicto Sagor. In huius facti testimonium presentes literas sigillo nostro dedimus communitas.

Das Siegel ist abgefallen. Die meisten der genannten Zeugen kommen auch sonst in Lindauer Urkunden dieser Zeit vor, abgesehen von Her. de Anchenruiti, der gewiss der gleichnamigen Ravensburger Familie angehört, und S. de Kaiseringen, wohl nach dem Orte K. bei Siegmaringen benannt. Dass diese wichtige Urkunde von den Verteidigern des Stiftes übersehen werden konnte, liegt wohl daran, dass man in ihr bei flüchtiger Durchsicht des Urkundenmaterials wegen der Alltäglichkeit des darin behandelten Rechtsvorganges keine wichtige Erklärung vermutete.

Neue Dokumente zur Geschäftsgebarung am Hofe Kaiser Heinrichs VII.

Von V. Samanek.

Der Aktennachlass K. Heinrichs VII., dessen Quellenwert ich an anderer Stelle[1] darzulegen versucht habe, ermöglicht als Produkt wiedererstandener italischer Reichsherrschaft zum erstenmal ein tieferes Eindringen in Fragen, für die uns sonst entsprechende Anhaltspunkte fehlen. Da ich darauf noch seiner Zeit zurückzukommen gedenke, mag es hier genügen, nur wenige Bemerkungen über vorbereitende und informative Geschäftsstücke dieses Herrschers an der Hand einiger neuer Akten den beiden im Folgenden abgedruckten Dokumenten vorauszuschicken.

Neben der Erkenntnis eines regen brieflichen Verkehres, den man am Hofe in allen Angelegenheiten des reichsitalischen Machtbereiches unterhielt[2], bietet das erhaltene Material im besondern Schriftstücke, welche im engeren Sinne als Behelfe der Geschäftsgebarung zu bezeichnen sind. Diese können entweder von vornherein Selbstzweck sein und sich dann als Evidenzlisten über bestimmte Verhältnisse, bedingt durch die Ausübung einer Herrschaft, darstellen, oder sie haben zunächst als Hilfsmittel zu Urkundenausfertigungen rein vorbereitenden Sinn. Unter den ersteren Gesichtspunkt fällt eine grosse Reihe von Aufzeichnungen des Nachlasses[3], von denen nur auf seitens des Hofes veranlasste Einkünfteverzeichnisse und ähnliche Listen verwiesen sein mag; unter dem andern sind vor allem die Petitionen um Privilegienausfertigungen zu betrachten. Ausserdem zeigt unsere Ueberlieferung

---

1) Mitt. d. Inst. f. Oest. Geschichtsf. XXVII, 287 ff. 2) Vgl. besonders Bonaini, Acta Henr. VII. I, 279 sqq. passim. 3) Wie denn im letzten Grunde Bernards Material als grosse Evidenzmasse zu fassen ist. Vgl. meinen angef. Aufsatz.

noch Akten, welche in verschiedener Weise diese beiden Gesichtspunkte mit einander in Verbindung bringen.

Einerseits sehen wir nämlich Rechtsansprüche von Parteien in der Form von Informationsakten niedergelegt. Ein kürzlich ediertes Dokument[1], worin die Turiner Kirche Heinrich VII. gegenüber ihre Rechte archivalisch begründet[2], ist allerdings eher als Vorakt einer Supplik[3], denn als ein die letztere ersetzendes Schriftstück aufzufassen; es hat sich nämlich im erzbischöflichen Archive vorgefunden. Aber auch am Hofe selbst war eine solche Form in Gebrauch. Nicht nur Privilegienkopien, welche zum Belege von Ansprüchen oder förmlichen Suppliken dienten, sind uns da erhalten[4]: in einem beachtenswerten Konzepte werden Punkt für Punkt die Rechtstitel angeführt, welche durch Privileg Kg. Wilhelms dem Grafen von Lavagna verliehen worden waren[5]; man hat in der Kanzlei[6] dies Aktenstück zur Orientierung in der betreffenden Angelegenheit aufgenommen, das nun bei der weiteren Geschäftsbehandlung die Stelle einer regelrechten Petition einnahm; in der Tat unterscheidet es sich nicht wesentlich von jenen Supplikkopien, wie sie in den Protokollheften des Hofrats begegnen[7].

Anderseits haben Informationsakten, welche ihrer Natur nach Massnahmen der Herrschaft bedeuten mussten, Rechtsansprüche berücksichtigt. Dies will bei zwei genuesischen Dokumenten besonders betont sein: sie stehen in Beziehung zu dem Dominium, das Heinrich 1311 in Genua übernahm und haben genaue archivalische Recherchen zur Voraussetzung. Das eine dieser Evidenzstücke[8], welches

1) Gabotto, Asti e la politica Sabauda in Italia al tempo di Guillelmo Ventura p. 60, N. 2. 2) Die Aufzeichnung beginnt mit den sie charakterisierenden Worten: 'Infrascripta sunt illa privilegia, iura et instrumenta, qu(ibus) fit fides plena . . . domino nostro Henrico . . regi, quod curtis de Chario cum . . . omni iure, quod habebat ibidem imperium, pertinent ad ecclesiam Taurinensem . . . pleno iure'. 3) Solche Vorakten zu Suppliken an den Kaiser sind sonst erst aus der Zeit Karls IV. erhalten. Vgl. Chevalier, Choix de documents historiques inédits sur le Dauphiné p. 130. 140. 161. 4) Vgl. z. B. Mitt. d. Inst. XXVII, 628, Beilage VI, 1. 5) Dönniges, Acta II, 109, n. 6. 6) Vgl. Dönniges II, praef. p. VIII, n. 28. 7) Ein Privileg Kg. Wilhelms für den Grafen Nicolaus ist uns nicht erhalten, wir sehen nur, dass die Artikel unseres Konzepts in zwei von diesem König den Grafen von Lavagna verliehenen Privilegien (B.-F. 4985, 4986) sich verteilt finden. Summarische Bestätigung Heinrichs VII. 1313: Winkelmann, Acta ined. II, 265, n. 414. 8) Beide Dokumente werde ich in der demnächst erscheinenden italienischen Uebersetzung meiner Arbeit über die 'verfassungsrechtliche Stellung Genuas 1311—13' in den Atti della Societá Ligure di storia patria edieren.

ein Normalbudget der früheren Stadtregierung darstellt [1], hat zweifellos eine Auskunft über bezügliche im Interesse der Stadt geltend gemachte Wünsche zu bedeuten; man kann in ihm sogar Wendungen bemerken, die Ausdrücken einer Petition entsprechen. Und wiewohl das andere Ineditum [2] förmlich der schriftliche Ausdruck einer dem König vertragsmässig anheimgestellten Befugnis, nämlich des Kastellschutzes ist, scheint doch jener Gesichtspunkt auch bei ihm so wesentlich, dass dies Fragment in der äusseren Anordnung ganz mit dem genannten Turiner Rechtstitelverzeichnis [3] übereinkommt [4]. Endlich stellt sich das Konzept einer Verfassungsurkunde Heinrichs VII. für dieselbe Stadt [5] zugleich als eine dem Hofe dienliche Information dar, die, indem sie Ansprüche der Stadt nur soweit berücksichtigt, als sie den Zwecken der eigenen Herrschaft zuträglich sein konnten [6], mittelbar auf das Hervortreten solcher Ansprüche selbst einen Rückschluss gestattet.

Ein besonderes Interesse beanspruchen nun jene Konzepte, welche direkt Privilegienbeurkundungen vorzubereiten bestimmt waren. Denn sie sind in unserer Ueberlieferung durch zwei recht singuläre Stücke vertreten. Das eine ist jene eben besprochene Aufzeichnung über ein Privileg für den Grafen von Lavagna. Hier sind die einzelnen als Petitionspunkte fungierenden Rechtsansprüche [7] mit den Vermerken der darüber gefällten Entscheidung versehen worden. Die letztere wird in zweifacher Weise zur Anschauung gebracht: einmal in ausführlicherem Wortlaut, das anderemal nur durch ein Stichwort ('sic' = ja; 'non' = nein), das wohl im allgemeinen die dem Reichsinteresse wichtigen Entschliessungen schon äusserlich kenntlich machte, eine feinere Unter-

1) Vgl. Mitt. d. Inst. XXVII, 617, Beilage II. 2) Vgl. ebda. XXVII, 617, Beilage III. 3) Auch dieses bietet Urkundenauszüge in ähnlichem Wortlaut, mit Angabe der Archivsignatur (z. B.: 'Item instrumentum, in quo continetur . . .; et est signatum per F.'). 4) Angesichts dessen will ich es denn gerne einer zu scharfen Charakterisierung der zugrunde liegenden Tatsachen zuschreiben, wenn ich die beiden Dokumente a. a. O. als von der Stadt selbst gegeben besprach. 5) Mitt. d. Inst. XXVII, 618, Beilage IV. 6) Auf die unhaltbaren Bemerkungen Schwalms über dieses Stück werde ich ebenso wie auf andere Einzelheiten, mit denen er sich gegen mich wendet, in der italienischen Uebersetzung meiner Arbeit in den Atti della Società Ligure zu sprechen kommen. 7) Vgl. S. 767, N. 7.

scheidung aber freilich nicht erzielte[1]. Eine solche ist hingegen in der Behandlung der genuesischen Petitionenserie[2], dem zweiten hier zu nennenden Aktenstücke, ersichtlich, wo die andeutenden Randzeichen des Erledigungsblattes Artikel, welche im Wesen oder nur gewisser Teile und Wendungen wegen zu verwerfen waren, auseinanderhalten. Und wie gerade diese Niederschrift eines Gesandtengutachtens überdies Einblick in den Gang der Erledigung des ganzen Memorandums gewährt[3], so scheint auch in jenem Konzepte über die Rechtsansprüche des Kardinals Lucas Fiesco ein Korrekturvermerk des Kammernotars Bernard auf derartige, sonst sich unserer Beobachtung entziehende Vorgänge, vielleicht auf verschiedene Stadien der Entscheidung, zu weisen[4].

Wir geben nunmehr den verbesserten Abdruck des einen von Dönniges völlig missverstandenen Dokumentes[5] und stellen es zur Veranschaulichung des Gesagten einer Probe aus dem Erledigungsblatte des andern[6] gegenüber.

I.

Erledigungskonzept über Ansprüche des Kardinaldiakons Lucas Fiesco[7].

[De privilegiis cardinalis de Flisco].

Extat privillegium[a] regis Guilelmi concessum domino Nicolao <de F.> comiti Lavanie.

---

a) So im Or.

1) 'Non' steht bei Punkten, welche ganz abgelehnt wurden, also bei 2, 3, 7 (bei 2 und 3 ist eine neue, nicht beanspruchte, Bestimmung, die Geltung nur für freiwillige Gerichtsbarkeit, zugestanden). 'Sic' bezeichnet die gewährten Artikel 1, 4, 8 (letzteren jedoch mit angegebener Einschränkung). Zu Artikel 5, 6 ist 'sic' mit einem ausdrücklichen 'extinctum est' wieder getilgt worden. Es lässt sich dies in der Tat so deuten, dass man hier, wo einzelne Wendungen im kaiserlichen Interesse verworfen wurden, mit dem allgemeinen Vermerk nichts anzufangen wusste. 2) Mitt. d. Inst. XXVII, 621, Beilage V. 3) Vgl. ebda. XXVIII, 147, n. 2. 4) 'Discorda(n)t iudic(es)' ist wohl nachträglicher Vermerk und bezieht sich auf die Erledigung, nicht auf eine Korrektur im Texte. Vgl. übrigens den Wortlaut dieses Artikels in den uns bekannten Privilegien für die Grafen von Lavagna: Federico Federici, Della famiglia Fiesca. 5) Staatsarchiv Turin, Diplomi imperiali, Mazzo 8 n. 28 (Due registri degli ordini e providenze date da Enrico VII. all' occasione che si portà in diverse città della Lombardia) letztes Blatt. 6) St.-Archiv Turin, Repubblica di Genova Mazzo 1 n. 4. 7) Im folgenden Abdruck ist typographisch ein Bild des Originals zu geben versucht worden: Die verschiedenen Hände sind durch verschiedene Druckarten auseinander gehalten (der gesperrte Druck bedeutet die Hand des Kammernotars Bernard v. Mercato). Petitdruck will überdies die Er-

fiat C. Primo fecit eum comitem palatinum cum omni iure et dominio et omni iurisdictione et omnibus pertinentiis ad honorem predictum. Et quicunque maior natu post eum de heredibus suis fuerit succesive[a], eadem prefulgeat dignitate et sibi succedat cum omnibus pertinentiis ad eandem. sic

fiat in voluntaria iurisdictione II. Item concessit sibi, quod si et quandocunque ad regem seu cesarem aut eius vicarium in criminali vel civilli[a] negotio in Ytalia ac ubicunque audientia appellabitur, quod ipse et sui heredes[b] posit[a] de causis ap(pellationis) cognoscere et terminare easdem ac executioni mandare per se vel per allium[a]. non

idem, in voluntaria iurisdictione tantum fiat

III. Item quod ipse et sui heredes posint[a] constituere et creare iudices per Ytaliam, qui posint[a] de causis cognoscere terminare et executioni mandare. non

fiat libere IIII. Item quod ipse et sui heredes posint[a] dare tutores et curatores minoribus, interponere decreta allienationibus[a], facere eciam iudices ordinarios et creandi tabelliones in ipso Romano imperio. sic

fiat pro se, sed non pro vicario

V. Item quod quandocunque per se vel vicarium in curia morari voluerit[c], quod a dicto rege vel successoribus habeat expensas pro XL equis etc.

extinctum[d] est ⟨sic⟩

fiat dummodo imperator vel rex sit in Ytalia, et aliter non prosit

VI. Item quod ipse vel aliquis heredum suorum non posit[a] conveniri[e] nisi sub rege vel imperatore Romanorum.

— discorda(n)t iudic(es) ⟨sic⟩

---

a) So im Or. b) 's' auf Rasur? c) 't' korr. aus 's', durch Tintenflecke undeutlich. d) 'extict' Or. e) Letztes 'j' korr. aus 'e'.

ledigungsvermerke bezeichnen. Was in eckiger Klammer [ ] steht, ist Dorsualnotiz. Durchstrichene (d. i. getilgte) Stellen sind in spitzer Klammer ⟨ ⟩ gegeben.

non fiat VII. Item quod vassalli sui in civilibus vel criminalibus non posint[a] nisi sub eo conveniri. — non

VIII. Item quod ipse et heredes sui sint liberi et inmunes ab omnibus serviciis et colectis[a] regis vel cesaris et eciam civitatum et omnibus honeribus realibus et personalibus quoad omnes <cum vasalis[a] suis>[b] sint liberi et inmunes. sic
istud ultimum restringatur: tantum[c] a servicio[d] et collecta[e], que imponerentur occasione regis vel cesaris, reservata expeditione, quod adesse teneatur in exercitibus, qui per ipsum fierent in Ytalia; sublato extoto quod se non extendat ad collectas vel honera civitatum etc.

II.

Erledigungsblatt eines genuesischen Memorandums. (2. Teil)[1].

§ Secunda pars capitulorum[f].

F Primum capitulum[g] concedatur hoc modo, videlicet quod ea[h] que petita sunt concedantur in feudum pro magna quantitate pec(cunie), ita quod restituta pec(cunia) res sit in eodem statu, in quo nunc est, et aliter non.

† § Secundum capitulum non concedatur, nisi videantur privilegia[i] et[k] conventiones.

† [l]§ Tertium capitulum in prima parte servetur in statutis licitis, iuri et bonis[m] moribus non contrariis; in secunda parte non videtur concedendum, quia domino derogatur.

F § Quartum non est admictendum, quia contra honorem imperii et publicam utilitatem.

F § Quintum capitulum non concedatur, quia magnum preiudicium inferret iuri imperii et honori.

† § Sextum capitulum non est concedendum, nisi in quantum[n] includeretur ex concessione primi.

---

a) So im Or. b) Nicht nur durch-, sondern auch unterstrichen. c) 'tantum' durch Λ nachgetragen; dies Zeichen findet sich aber sowohl vor als hinter dem 'a'. d) 'o' nachträglich aus 'is' korr.; 's' von 'is' durchstrichen. e) 'a' nachträglich aus 'is' korr.; 's' scheint zu tilgen vergessen worden zu sein. f) Am Rande eine Hand. g) 'non' getilgt. h) 'ea' getilgt? i) Korr. aus 'privileget'. k) Korr. aus 'u' mit Aufstrich zu 'l'. l) Davor getilgt: § 'Tertium non concedatur quia iniquum per omnia'. m) 'bonis' nachgetragen. n) 'con' getilgt.

1) Dem ersten Stück entsprechend sind auch diese Erledigungsvermerke in Petitdruck wiedergegeben. — Vollständig gedruckt Mitt. d. Inst. XXVII, 627.

F § VII. non concedatur, quia contra omnia iura de mundo.

F § VIII. capitulum fieri potest ex congruis conventionibus. Non fiat.

F § VIIII. capitulum non concedatur, quia nimius[a] derogatur iurisdicioni et potestati et dominio domini ad vicenium.

F §[b] X. capitulum non concedatur ut supra.

F § XI. capitulum derogat balie et potestati domini, sed bonum est quod servetur per vicarium, quando viderit expedire.

† § XII. capitulum provisum est per dominum circa illud, quia suspense sunt omnes immunitates concesse in Ianua et districtu.

F § XIII. capitulum videtur iustum; remaneat domino.

F § XIIII. capitulum[c] dicitur, quod privillegia concessa non revocentur sine causa.

F § XV. capitulum non concedatur, quia nimis detraheretur honori et iurisditioni imperii.

F § XVI. capitulum[d] posset fieri et concedi, sed detrahitur comodo marischalchi.

Omnes signati per F sunt inpossibiles, per † ut iacent.

---

a) Zu lesen 'nimis'. Red. b) 'per' getilgt. c) Darauf folgen die getilgten Worte: 'non concedatur in eo quod'. d) Es folgen die getilgten Worte: 'ex priman concedatur'.

Theodor von Sickel.

Ein Nachruf von M. Tangl.

Am 21. April d. J. ist Theodor von Sickel, der durch viele Jahre unserer Zentraldirektion als Mitglied angehört hatte (1875—1894, bis 1887 zugleich als Vertreter der Wiener Akademie, von da an als Abteilungsleiter), im 82. Lebensjahre zu Meran verschieden. Seinen Lebensgang, seine Stellung in der Wissenschaft, seine Verdienste um die Monumenta Germaniae historica will ich hier in kurzen, zusammenfassenden Zügen darzulegen versuchen. Mehr als sonst wohl bei Gelehrten ist hier vieles als bekannt vorauszusetzen; denn man kann bereits auf eine ganze Sickel-Litteratur verweisen, die anlässlich von Gedenktagen, die der greise Gelehrte selbst oder sein Wiener Institut beging, entstanden ist. Hierher gehört zunächst Sickels eigener Artikel 'Das k. k. Institut für österreichische Geschichtsforschung', mit dem er den ersten Band der 'Mitteilungen' dieses Instituts eröffnete; es folgt die Jubiläumschrift 'Das k. k. Institut f. österr. Geschichtsforschung 1854—1904' von Emil von Ottenthal. Die Feier des 80. Geburtstages Sickels brachte einen als Manuskript gedruckten ausführlichen Festbericht mit Beilagen; Sickels Schicksale und Entwickelung 1850—56 zeichnete damals B. Bretholz in der Oesterreichischen Rundschau vom 15. Dezember 1906, Uhlirz schrieb zum gleichen Tage einen eingehenden Festartikel in der Münchener Allgemeine Zeitung (Wissenschaftl. Beilage n. 293. 294), Steinacker feierte Sickel im Jahresbericht des akad. Vereins deutscher Historiker der Universität Wien 1907. Weiteres steht hier noch bevor; vor allem, abgesehen von der Litteratur der Nachrufe, die Ausgabe der Memoiren, an denen Sickel schon vor anderthalb Jahrzehnten in Rom arbeitete, die er auch in den letzten Meraner Jahren noch fortgeführt und deren Drucklegung er gesichert haben dürfte.

Theodor Sickel war am 26. Dezember 1826 zu Aken in der preuss. Provinz Sachsen (Kr. Kalbe, RB. Magdeburg) geboren, wo sein Vater Franz Sickel damals als Pfarrer wirkte, und von wo er 1830 als Seminardirektor nach Erfurt übersiedelte. Nachdem der junge Theodor erst hier und dann in Magdeburg unterrichtet worden war, bezog er Ostern 1815 die Universität Halle, um hier Theologie zu studieren; auch in Berlin, wohin Sickel nach 3 Semestern ging, blieb er diesem Vorsatz zunächst noch treu, wandte sich aber nach Jahresfrist philologisch-historischen Studien zu und promovierte in Halle am 16. August 1850. Seine Dissertation 'Ducatus Burgundiae quo modo et quo iure delatus est ad gentem Valesiam?' erschien im Druck erst zur 50jährigen Wiederkehr des Promotionstages als Widmung Ernst Dümmlers mit einem aufklärenden Vorwort über den 'stillen oder kleinen Hallenser Doktor', eine Ehrung, bei der die gute Meinung des alten Freundes das beste war.

Die Tradition des Elternhauses und eigene starke Veranlagung wiesen Sickel auf den Lehrberuf, und so würde seine Laufbahn schablonenmässig wie tausend andere eingesetzt und sich vielleicht erst in viel späterer Zeit eigenartig weiter entwickelt haben, wenn der junge Doktor nicht schon eine kleine politische Vergangenheit hinter sich gehabt hätte. Sein nicht nur lebhaftes, sondern heftiges und stürmisches Temperament hatte ihn zu rühriger Teilnahme an der 48er Bewegung in Berlin verlockt, die ausreichte, ihn auf die Liste anrüchiger Zeitgenossen zu setzen. Sickel musste bald erkennen, dass ihm die Hoffnung auf Anstellung und Fortkommen im Vaterland verschlossen war. Dies traf ihn umso härter, als er bereits 1842 seinen Vater verloren hatte und darauf bedacht sein musste, selbst für seinen Unterhalt zu sorgen. Er wandte seine Schritte nach Paris, wo er im Herbst 1850 eintraf. Damit begannen für ihn 5 Lehr- und Wanderjahre, die ausgefüllt sind durch die Sorge um das liebe Brot, das er zunächst durch Korrespondenzen für deutsche und andere Blätter und durch Uebersetzerdienste fand, und durch das ernste Streben nach weiterer wissenschaftlicher Ausbildung auf eigener Bahn. Von vornherein suchte er sein Ziel in der Sonderrichtung jener Forschung, deren Meister er bald werden sollte. Doch hatte er zunächst bedeutende Hemmungen zu überwinden. Auf Empfehlung Lacabanes, des damaligen Lehrers der Palaeographie, wurde er zwar an der École des Chartes zugelassen, aber als Zuseher und

Zuhörer aus der Ferne, von der Musikloge aus. Der Besuch dieses Anschauungsunterrichtes ohne Anschauung wurde von ihm denn auch bald als zwecklos eingestellt. Bald brach er diesen ersten, wie es scheint, an Enttäuschungen nicht armen Pariser Aufenthalt ab, um es nochmals in der Heimat zu versuchen, aber die Erfahrung zu machen, dass hier alles beim alten war. Von November 1852 bis Juni 1853 lebte er abermals in Paris; im Herbst 1853 führten ihn wissenschaftliche Arbeiten für längere Zeit nach Mailand. Hier, auf damals österreichischem Boden, hörte er auch Vorlesungen an der Scuola di Paleografia. Nach der Rückkehr nach Paris gelang es Sickel, Beziehungen zum Unterrichtsminister Fortoul zu gewinnen, der Sickel im Juli 1854 den Auftrag erteilte, gegen festes Gehalt in oberitalischen Archiven Forschungen über die Geschichte Frankreichs im 15. Jh. anzustellen. Nach nahezu einjähriger Arbeit in Mailand und Venedig begab sich Sickel im Mai 1855 wieder nach Paris, um sich zur Fortsetzung und Ergänzung seiner Arbeiten einen neuen Auftrag für Wien zu verschaffen. Erst während dieses letzten Aufenthaltes in Paris knüpfte Sickel engere Beziehungen zu den Männern der École des Chartes an, wurde Teilnehmer ihrer Kurse und Benutzer ihrer Bibliothek und Sammlungen. Mittlerweile war der Auftrag durch den französischen Unterrichtsminister erneuert worden, und am 7. Sept. 1855 traf Sickel in Wien ein. Aus dem höchstens auf Monate berechneten Studienaufenthalt wurde ein Lebensschicksal.

Trotz mehrfacher Richtigstellung ist die Annahme noch immer stark verbreitet, dass Sickel das Institut für österreichische Geschichtsforschung gegründet habe. Das war bereits ein Jahr vor Sickels Ankunft in Wien geschehen; aber der junge Gelehrte trat sogleich zu dem Leiter (Albert Jäger), zu den Gönnern (Leo Thun und Helfert) und zu den ersten Schülern (Ottokar Lorenz) der neu geschaffenen Anstalt in Beziehung. Den notwendigen Anknüpfungspunkt bildete, dass er von der École des Chartes kam, deren Einrichtungen bei der Gründung des Wiener Instituts vielfach als Vorbild vorgeschwebt hatten, und dass er von dort und aus Mailand eine sichere Schulung und durch seine wissenschaftlichen Reisen auch bereits eine praktische Erprobung in Disziplinen mitbrachte, deren grundlegende Bedeutung für die Geschichtsforschung man in scharfem Erkennen richtig erfasste, mit denen man sich aber in ziemlich hilflosen Selbstversuchen abquälte. Ottokar Lorenz hat später in den Jahren seines Zerwürfnisses mit Sickel in seinem galligen Humor diesen ersten bedeutenden Eindruck Sickels auf die Wiener Kreise dahin zusammengefasst, dass man in ihm den Mann anstaunte, der 'das dicke Buch' (Mabillon de re diplomatica) zu lesen verstand. Der Zufall half das Band bald enger knüpfen. Im Juli 1856 starb plötzlich Sickels Gönner, der französische Minister Fortoul, sein Nachfolger erneuerte den Auftrag nicht mehr. Sickel war frei und nahm das Angebot an, das ihn zunächst als Dozenten dem Wiener Institut und im folgenden Jahre 1857 als Extraordinarius dauernd der Wiener Universität gewann. Durch mehr als dreissig Jahre entfaltete er fortan eine Lehrtätigkeit, die, so hoch man ihn als Forscher stellen mag, doch sein grösstes Verdienst bleiben wird. Wissen und natürliche Veranlagung hatten sich bei ihm zu so vollkommener und einheitlicher Wirkung gepaart wie selten bei einem akademischen Lehrer. Von einer umfassenden Kenntnis der allgemeinen Geschichte ausgehend und durch alle vielverschlungenen Wege schwierigster Einzeluntersuchung wieder auf das allgemeine zurückleitend, wusste er auch den trockensten Stoff zu beleben; durch das Feuer, das in ihm fast ungezügelt bis ins Greisenalter loderte, durch die Wucht seiner ehernen Persönlichkeit zwang er den Hörer in seinen Bann. Und über Wissen und Erkennen hinaus verstand er es, Anregung mannigfachster Art zu geben. Gar mancher von seinen Schülern verdankt solchen Stunden, in denen er blitzartig in noch kaum erhellte Gebiete der Forschung leuchtete, die für seine eigene wissenschaftliche Entwickelung entscheidende Anregung.

Seine nächste Sorge galt der Beschaffung eines Lehrapparats, der aber nicht nur seinem Institut, sondern der Forschung überhaupt zugute kommen sollte. Einen palaeographischen Apparat grossen Stils zusammenzubringen, machte sich Sickel in österreichischen Fundstätten auf die Suche, als deren Frucht von 1858 an in 10 Lieferungen die 'Monumenta graphica medii aevi ex archivis et bibliothecis imperii Austriaci collecta' erschienen. Dem Unternehmen stellten sich zum Teil gewaltige Schwierigkeiten entgegen. Es war ein jahrelanger Kampf um die Freiheit der Archiv- und Bibliothekbenutzung, den Sickel siegreich für sich und uns alle durchfocht. Am meisten entgegenkommend zeigte sich zunächst die Militärdiktatur Lombardo-Venetiens, dann kamen die österreichischen Klöster, und als letzte gaben endlich Hofbibliothek und Staatsarchiv in Wien, wo die Forschung unter normalen Verhältnissen zunächst hätte einsetzen müssen, ihren Widerstand gegen die Reproduktion ihrer Schätze auf. Dass die Auswahl unter so erschwerenden Umständen ungleichartig gedieh, darf nicht Wunder nehmen. Epoche machte diese Publikation auch dadurch, dass in ihr zum erstenmal die Photographie in grossem Stile für die Reproduktion von Handschriften und Urkunden verwendet wurde. Als anderer Behelf boten sich die Kupferplatten, die von den Urkundenfaksimiles U. F. Kopps als Schenkung von dessen Erben an das Wiener Institut gelangt waren. Sickel gab sie, indem er die Auswahl beschränkte, andererseits aber auch durch neue Tafeln ergänzte und so ein erstes systematisches Hilfsmittel für die Kenntnis der Urkundenschrift unter den ersten Karolingern schuf, als 'Schrifttafeln aus dem Nachlass von U. F. Kopp' 1870 heraus. Diese Arbeit stand in engstem Zusammenhange mit den 'Beiträgen zur Diplomatik' (1861 ff.) und den 'Acta Karolinorum' (2 Bände 1867), und die ganze Gruppe, zu der später als letztes Glied die monumentale Ausgabe der 'Kaiserurkunden in Abbildungen' trat, umschloss in grundlegender und mustergiltiger Einzeluntersuchung, Zusammenfassung und Erläuterung das Forschungsgebiet, auf dem es Sickel beschieden war, schöpferisch neue Bahnen einzuschlagen und, über Mabillon hinausführend, der Begründer der neueren Diplomatik zu werden. Sein Verdienst fasste am besten und bündigsten Bresslau (Urkundenlehre S. 38) in dem Urteil zusammen, dass Sickel 'durch einen ebenso einfachen wie zwingend überzeugenden Gedanken unsere Wissenschaft aus dem verhängnisvollen Zirkel, in welchem sie sich bewegte, herausgeführt hat. Wenn man seit lange erkannt hatte, dass die Regeln für die Beurteilung zweifelhafter Urkunden aus der Untersuchung zweifellos echter, d. h. originaler, Stücke abzuleiten seien, so kam alles darauf an, ein sicheres Kriterium für die Entscheidung der Frage, ob eine Urkunde Original sei, zu gewinnen. Dies hat Sickel zunächst für die Urkunden der karolingischen, dann auch für die der sächsischen Kaiser getan' (vgl. auch R. Rosenmund, Die Fortschritte der Diplomatik seit Mabillon, 1897). Diese Grundlage aber schuf er in palaeographischen Untersuchungen auf dem Gebiete der Schriftvergleichung und Schriftbestimmung, durch die er die Diplomatik innerhalb gewisser Grenzen zum Range einer exakten Wissenschaft erhob. Dies Verdienst irgendwie zu schmälern, fällt auch denen nicht ein, die genötigt sind, Einzelergebnisse seiner Forschung anzufechten. Das habe ich bereits vor Jahren in meiner gegen den IV. Beitrag zur Diplomatik gerichteten Arbeit über 'die Fuldaer Privilegienfrage' betont (Mitteil. d. Instituts f. österr. Geschichtsforschung XX, 194): 'Sein bleibt das grössere und unvergängliche Verdienst, uns den Weg diplomatischer Untersuchung gewiesen zu haben', worauf mir Sickel schrieb 'je ne demande pas de mieux'. Und das möchte ich auch gegenüber der Gereiztheit von Herren aus der engsten Gefolgschaft, die in jüngster Zeit in recht unerquicklicher Weise sich kundgibt, mit allem Nachdruck wiederholen.

Wenige Jahre nach den Acta Karolinorum und als seltsames Gegenstück zu dem Stande der hier niedergelegten Erkenntnis erschien 1872 in den Monumenta Germaniae die Ausgabe der Merowinger-Diplome durch Karl Pertz, unzulänglich in der archivalischen Forschung, rückständig in der Kritik, mangelhaft in der Editionstechnik. Sie fand an Sickel einen unerbittlichen Kritiker. Es war die Zeit, da man, in den ersten Jahren des neuen Reichs, auch von anderer Seite bestrebt war, die Fortführung des grossen nationalen Unternehmens auf ganz neue Grundlage zu stellen, Bestrebungen, zu deren Förderung Sickel, wie wir noch sehen werden, auch sonst eifrig und erfolgreich mitgewirkt hat. Sickels Verdammungsurteil beschleunigte und vervollständigte unter solchen Umständen nur den Zusammenbruch des alten Kurses. Als 1875 die neue Zentraldirektion der Monumenta Germaniae geschaffen wurde, trat Sickel als Bevollmächtigter der Wiener Akademie in sie ein und übernahm die Leitung der Abteilung Diplomata. Auch hier wurde die Arbeit, die er fortan durch zwei Jahrzehnte leistete, grundlegend und — innerhalb wie ausserhalb der Monumenta Germaniae — vorbildlich. Die Forderungen, deren Ausserachtlassung er an Karl Pertz getadelt hatte, hat er an sich selbst in strengstem Masse gestellt und erfüllt. In der Ausgabe der Kaiserurkunden des 10. Jh. setzte er seine theoretischen Forschungen auf dem Gebiet der Karolinger-Diplome in die Tat um. Zum Zwecke der archivalischen Vorarbeiten zur Ausgabe der Urkunden Ottos I. fand sich Sickel im April 1881 als einer der ersten Benutzer des der Forschung eben erst geöffneten Vatikanischen Archivs in Rom ein, und sein Buch über 'das Privilegium Otto I. für die römische Kirche v. J. 962' (Innsbruck 1883) war eine der schönsten Früchte, welche die hochherzige Massregel Leos XIII. trug. Sickel hat die Echtheit der heiss umstrittenen Urkunde unumstösslich erwiesen. Der Beweisgang würde sich heute, ein Vierteljahrhundert später, vielleicht anders gestalten, er liesse sich kürzer fassen und wohl auch noch anders begründen und durchführen; das Endergebnis aber würde Sickels Urteil nur verstärken und die letzten Zweifel, die auch gegen seine Untersuchung noch laut geworden sind, unterdrücken.

Die Oeffnung des Vatikanischen Archivs reifte in Sickel aber auch den Plan, seiner Schule an dieser Stätte ein neues Arbeitsgebiet zu erschliessen und zu sichern. Auf sein unablässiges Bemühen hin wurde 1883 das Istituto Austriaco di studi storici in Rom gegründet, zunächst ohne feste Organisation. Sickel entschied über die Vornahme der wissenschaftlichen Arbeiten und die Auswahl der 2—3 Stipendiaten; er führte diese Oberleitung von Wien aus, nur ab und zu verbrachte er ein paar Monate oder auch einen Winter in Rom, sonst ersetzte ihn hier ein stellvertretender Arbeitsleiter. Es war die Zeit, die durch seine eigene letzte grosse Arbeit, die Ausgabe des Liber diurnus und der sie begleitenden Prolegomena, und durch die papstdiplomatischen Arbeiten seiner Schule gekennzeichnet ist.

Mittlerweile waren die Jahre des Alters herangerückt; auf das Haupt des Mannes, der in der Vollkraft geistigen Schaffens trotz grösster litterarischer und Lehrerfolge — ein Opfer der damaligen politischen Verhältnisse Oesterreichs — ein volles Jahrzehnt auf die ordentliche Professur an der Wiener Universität hatte warten müssen, hatten sich später in rascher Folge Würden und Ehren gehäuft. Seine Stellung in Wien war zu Anfang der 70er Jahre eine so feste und befriedigende, dass er im Dezember 1872 den Ruf an die Berliner Universität ablehnte. Er wurde 1869 nach dem Rücktritt Jägers zum Direktor des Wiener Instituts ernannt, später durch den Hofratstitel und wiederholt durch hohe Orden ausgezeichnet, 1884 in den Adelsstand erhoben, 1889 als lebenslängliches Mitglied in das österreichische Herrenhaus berufen. Doch kam er nicht dazu, in dieser Körperschaft eine Tätigkeit zu entfalten, wie sie seiner Persönlichkeit und rednerischen Begabung wohl nahe gelegen hätte; denn ihn lockte es nach dem Süden. 1890 trat er als ständiger Direktor an die Spitze des römischen Instituts, das jetzt eine festere Organisation und ausreichende Amtsräume erhielt. Ein volles Jahrzehnt wirkte Sickel noch als Leiter dieser Anstalt; als Greis wandte er sich nochmals mit vollem Eifer dem Arbeitsgebiet zu, das er in viel früherer Zeit mit seiner Aktenpublikation über das Konzil von Trient gelegentlich betreten hatte. In den 'römischen Berichten' zeigte er sich auch jetzt als Altmeister archivalischer Forschung. Von seiner Regierung wurde er durch die Verleihung des Titels und Charakters eines Sektionschefs ausgezeichnet; eine wissenschaftliche Ehrung, die er mit lebhafter Freude empfing, wurde ihm durch die Wahl zum Vorsitzenden der Münchener historischen Kommission zu Teil. Daneben brachte ihm aber gerade dieses letzte Jahrzehnt seines öffentlichen Wirkens auch manche Enttäuschung und Verbitterung. Reibungen und Verstimmungen in Rom, mehr aber noch mit den Wiener Kreisen zehrten an seiner Kraft; und wer ihn 1901 unmittelbar vor seinem Abschied von Rom sah, der gewahrte mit tiefer Bewegung einen vergrämten, innerlich unbefriedigten Mann. Aus dem Bann dieser Stimmung vermochte er sich auch in den folgenden stillen Jahren in Meran nicht völlig frei zu machen. Seine eigene wissenschaftliche Tätigkeit hatte er eingestellt, da die einst so scharfen Augen versagten. Arbeiten und wissenschaftliche Entwickelung seiner Schüler verfolgte er aber mit ungeschmälertem Eifer. Die Einförmigkeit des Stilllebens unterbrachen häufig angeregte Unterhaltungen mit österreichischen und auswärtigen Gelehrten, deren Besuche er freudig empfing und die er durch die Frische seines Geistes und die rege Vielseitigkeit seiner Interessen überraschte; das Jubiläum des 50jährigen Bestandes des Wiener Instituts und die Feier seines 80. Geburtstages brachten ihm aus Nah und Fern eine Fülle von Ehrungen.

Die noch im Alter schöne, hochragende Gestalt zeugte von zäher Kraft und kerniger Gesundheit; nur die leichte Reizbarkeit der Atmungsorgane machte ihm seit langem zu schaffen. Beim Nahen des letzten Winters befielen ihn Todesahnungen; er überstand ihn trotzdem glücklich, aber es war nur ein kurzer Aufschub, den ihm das Schicksal gönnte. Als die herrliche Alpenstadt im vollen Frühlingsgrün prangte, entschlief er sanft nach ganz kurzem Krankenlager. An seiner Bahre trauerte seine Witwe Anna, Gottfried Sempers Tochter, die er, auf der Höhe des Erfolges stehend, heimgeführt hatte und die ihm fortan in allen Wandlungen des Schicksals eine treue Geführtin und Beraterin geblieben war. Kinder waren dem Paare nie beschieden gewesen.

Wenige Tage vor Sickels Hinscheiden wurden die zur Jahressitzung versammelten Mitglieder der Zentraldirektion der Monumenta Germaniae historica durch eine Mitteilung ihres Vorsitzenden überrascht. Ihr altes Mitglied hatte dem Archiv der Monumenta wichtige Aktenstücke aus den Jahren 1872—1874 zum Geschenk gemacht, aus deren hochinteressanten Aufschlüssen hervorging, eine wie bedeutende Rolle Sickel bei den Verhandlungen über die Neugestaltung der Monumenta Germaniae gespielt hatte. Dass Oesterreich bei der Neuordnung mit herangezogen und dass ihm hierbei die starke Stellung innerhalb der Zentraldirektion gesichert wurde, die es zum beiderseitigen Vorteile bis heute einnimmt, war wesentlich Sickels Verdienst. Das Schreiben unseres Vorsitzenden, das ihm den Dank der Zentraldirektion für die uns so willkommene Spende aussprach, erreichte ihn auf dem Sterbelager als der letzte Gruss aus jener Welt, der sein Lebenswerk gehört hatte, und vielleicht auch als eine letzte kleine Freude.

Register.

Bearbeitet von B. Schmeidler.

C. S. auch K.

D.

G.

I. J.

K.

L.

M.

N.

O.

P.

Q.

R.

S.

T.

Y.

Z.

Verzeichnis der Verfasser

der in den Nachrichten erwähnten Bücher und Aufsätze.

[Die Ziffern gehen auf die Nummern der Nachrichten].

Die Chiffren
unter den Nachrichten dieses Bandes haben folgende Bedeutung:

A. H. Adolf Hofmeister.
A. W. Albert Werminghoff.
B. B. Berthold Bretholz.
B. Kr. Bruno Krusch.
B. Schm. Bernhard Schmeidler.
E. M. Ernst Müller.
E. P. Ernst Perels.
E. St. Elias Steinmeyer.
H. Br. Harry Bresslau.
H. H. Hans Hirsch.
H. W. Hans Wibel.
J. W. Jakob Werner.
L. v. E. Arnold Luschin Ritter von Ebengreuth.
M. Kr. Mario Krammer.
M. T. Michael Tangl.
O. H.-E. Oswald Holder-Egger.
R. S. Richard Salomon.
W. L. Wilhelm Levison.

Lightning Source UK Ltd.
Milton Keynes UK
UKHW020206091118
331957UK00012B/1672/P